le Guide du **routard**

Directeur de ~~...~~
Phili~~...~~

Philippe GLOA~~...~~

Réd~~...~~
Pierre JOSSE

Rédacteurs en chef adjoints
Amanda KERAVEL et Benoît LUCCHINI

Directrice de la coordination
Florence CHARMETANT

Directrice administrative
Bénédicte GLOAGUEN

Rédaction
Olivier PAGE, Véronique de CHARDON,
Isabelle AL SUBAIHI, Anne-Caroline DUMAS,
Carole BORDES, André PONCELET,
Marie BURIN des ROZIERS, Thierry BROUARD,
Géraldine LEMAUF-BEAUVOIS,
Anne POINSOT, Mathilde de BOISGROLLIER,
Alain PALLIER, Gavin's CLEMENTE-RUÏZ
et Fiona DEBRABANDER

MAROC

2009

Hachette

Avis aux hôteliers et aux restaurateurs

Les enquêteurs du *Guide du routard* travaillent dans le plus strict anonymat. Aucune réduction, aucun avantage quelconque, aucune rétribution n'est jamais demandé en contrepartie. Face aux aigrefins, la loi autorise les hôteliers et restaurateurs à porter plainte.

Hors-d'œuvre

Le *Guide du routard,* ce n'est pas comme le bon vin, il vieillit mal. On ne veut pas pousser à la consommation, mais évitez de partir avec une édition ancienne. Les modifications sont souvent importantes.

routard.com dépasse 1,3 million de visiteurs uniques par mois !

● **routard.com** ● Sur notre site, tout pour préparer votre périple. Des fiches pratiques sur plus de 180 destinations, de nombreuses informations et des services : photos, cartes, météo, dossiers, agenda, itinéraires, billets d'avion, réservation d'hôtels, location de voitures, visas... Et aussi un vaste forum pour échanger ses bons plans, partager ses photos ou trouver son compagnon de voyage. Sans oublier *routard mag,* ses reportages, ses carnets de route et ses infos pour bien voyager. La boîte à outils indispensable du routard.

Petits restos des grands chefs

Ce qui est bon n'est pas forcément cher ! Partout en France, nous avons dégoté de bonnes petites tables de grands chefs aux prix aussi raisonnables que la cuisine est fameuse. Évidemment, tous les grands chefs n'ont pas été retenus : certains font payer cher leur nom pour une petite table qu'ils ne fréquentent guère. Au total, plus de 700 adresses réactualisées, retenues pour le plaisir des papilles sans pour autant ruiner votre portefeuille. À proximité des restaurants sélectionnés, 280 hôtels de charme pour prolonger la fête.

Nos meilleurs campings en France

Se réveiller au milieu des prés, dormir au bord de l'eau ou dans une hutte, voici nos 1 700 meilleures adresses en pleine nature. Du camping à la ferme aux équipements les plus sophistiqués, nous avons sélectionné les plus beaux emplacements : mer, montagne, campagne ou lac. Sans oublier les balades à proximité, les jeux pour enfants... Des centaines de réductions pour nos lecteurs.

Avis aux lecteurs

Les réductions accordées à nos lecteurs ne sont jamais demandées par nos rédacteurs afin de préserver leur indépendance. Les hôteliers et restaurateurs sont sollicités par une société de mailing, totalement indépendante de la rédaction, qui reste donc libre de ses choix. De même pour les autocollants et plaques émaillées.

Le contenu des annonces publicitaires insérées dans ce guide n'engage en rien la responsabilité de l'éditeur.

Mille excuses, on ne peut plus répondre individuellement aux centaines de CV reçus chaque année.

TABLE DES MATIÈRES

LES QUESTIONS QU'ON SE POSE LE PLUS SOUVENT 16

LES COUPS DE CŒUR DU ROUTARD 17

COMMENT Y ALLER ?

- EN AVION 18
- LES ORGANISMES DE VOYAGES 20
- PAR LA ROUTE 34
- EN BATEAU 34
- EN BUS 40

QUITTER LE MAROC

- VERS L'EUROPE 42
- VERS LA MAURITANIE 44

MAROC UTILE

- ABC DU MAROC 48
- AVANT LE DÉPART 48
- ARGENT, BANQUES, CHANGE 54
- BUDGET 56
- CLIMAT 57
- DANGERS ET
  ENQUIQUINEMENTS 58
- DÉCALAGE HORAIRE 62
- DROGUE 62
- ÉLECTRICITÉ 64
- FÊTES ET JOURS FÉRIÉS 65
- GUIDES ET FAUX GUIDES 67
- HÉBERGEMENT 69
- ITINÉRAIRES CONSEILLÉS 72
- LANGUES 73
- LIVRES DE ROUTE 75
- MUSÉES 77
- PHOTO 77
- POSTE 77
- SANTÉ 78
- SITES INTERNET 79
- TÉLÉPHONE ET TÉLÉCOMS 80
- TRANSPORTS 82
- TRAVAIL BÉNÉVOLE 92
- URGENCES 92

HOMMES, CULTURE ET ENVIRONNEMENT

- ACHATS 93
- BAKCHICH 100
- BOISSONS 100
- CINÉMA 102
- CUISINE 103
- DROITS DE L'HOMME 106
- ÉCONOMIE 107
- ENFANTS ET ÉDUCATION 110
- ENVIRONNEMENT 110
- FAUNE ET FLORE 112
- FEMMES 113
- GAZELLES 11

- GÉOGRAPHIE 115
- HABITAT 116
- HAMMAM 117
- HISTOIRE 119
- INSTITUTIONS 127
- MÉDIAS 127
  - Programmes en français sur TV5MONDE • Radio, télévision, journaux et hebdomadaires
  - Liberté de la presse
- MUSIQUE ET DANSE 129

- PERSONNAGES 131
- POPULATION 133
- RELIGIONS ET CROYANCES 136
- SAHARA OCCIDENTAL 141
- SAVOIR-VIVRE ET COUTUMES .. 142
- SEXE 144
- SITES INSCRITS AU PATRIMOINE MONDIAL DE L'UNESCO 145
- SPORTS ET LOISIRS 145
- UNITAID 147

LE NORD DU MAROC

- TANGER 149
  - Le cap Spartel et les grottes d'Hercule • Le cap Malabata et Ksar-es-Séghir • La route côtière jusqu'à Ceuta (Sebta)
- CEUTA (SEBTA) 179

LE RIF

- ABD EL-KRIM... ET CHÂTIMENTS 184
- UN CADRE ET UN MODE DE VIE PRÉSERVÉS 184
- À LA DÉCOUVERTE DU RIF 184
- LE GRENIER À KIF DE L'EUROPE 185
- À BON ENTENDEUR... 185
- TÉTOUAN 186
  - Oued-Laou • Martil • Cabo Negro, le port de pêche de Mdiq et le souk Khémis-des-Anjra
- CHEFCHAOUEN (CHAOUEN) 197
  - Les greniers d'El-Kalaa et le pont de Dieu • Le parc naturel de Talassemtane
- AL-HOCEIMA 205
  - Cala Iris et Torrès-al-Kala • La route d'Al-Hoceima à Kassita • La route d'Al-Hoceima à Nador par la côte

VERS LA FRONTIÈRE ALGÉRIENNE

- NADOR 210
- MELILIA (MELILLA) 211
  - Le cap des Trois-Fourches
- OUJDA 216
  - Les sources de Sidi-Yahia-ben-Younes • Saïdia • Les monts des Beni-Snassen • Le djebel Mahceur • Ras-el-Ma (Cap-de-l'Eau)

RABAT, CASA ET LA PLAINE CÔTIÈRE

- ASILAH 225
  - Le cromlech de M'Soura
- LARACHE 232
  - Lixus • Arbaoua • De Larache à Tanger
- MOULAY-BOUSSELHAM 237
- MEHDIA 239
  - La forêt de la Maâmora
- SIDI-BOUKNADEL 240
  - Le musée Dar-Belghazi • Les jardins exotiques • La plage des Nations
- SALÉ 242
  - Le lac
- RABAT 245
- LES PAYS ZEMMOUR, ZAËR

● ET ZAÏANE 268
● LES PLAGES AU SUD
DE RABAT 270
● CASABLANCA 271
 ● Dar Bouazza ● Jack Beach
 ● Tamaris I et II ● La Mrisa
● AZEMMOUR 292
● EL-JADIDA 293
 ● Plage Haouzia ● Sidi-Bouzid ● La

kasbah de Boulâouane
D'El-Jadida à Safi, par la côte
● OUALIDIA 299
● VERS SAFI 301
 ● Le cap Beddouza ● La plage de
 Lalla-Fatna
● SAFI 302

LA RÉGION DES VILLES IMPÉRIALES DE FÈS ET MEKNÈS

● FÈS 307
 ● Sidi-Harazem ● Moulay-Yacoub
● TAZA 335
 ● Le circuit du parc national de Taz-
 zeka et le gouffre de Friouato

● SEFROU 337
● MEKNÈS 340
● MOULAY-IDRISS 360
● VOLUBILIS 362

LE MOYEN ATLAS ET LE HAUT ATLAS CENTRAL

● ADRESSES ET INFOS UTILES ... 367
● IMOUZZER-DU-KANDAR 370
● IFRANE 371
 ● Vers le nord : le circuit des dayets
 ● Vers le sud : le lac d'Afenourir, la
 station de Mischliffen et le djebel
 Hebri, le cèdre Gouraud, cir-
 cuit VTT dans les cédraies, l'aguel-

mame de Sidi Ali
● AZROU 376
 ● D'Azrou à Khénifra par la monta-
 gne ● Zaouïa-d'Ifrane ● L'aguel-
 mame Azigza ● Le belvédère d'Ito
 ● Les sources de l'oued Oum-er-
 Rbia ● Aïn-Leuh

AU SUD D'AZROU
● MIDELT 381
 ● Le cirque de Jaffar ● Les mines
 d'Aouli
● RICH 384

 ● Le souk d'Outerbate ● Les gorges
 du Ziz
● IMILCHIL 386

AU SUD-OUEST D'AZROU
● KHÉNIFRA 389
● BENI-MELLAL 391
 ● Les gorges de Taghzirte ● Le
 souk Sebt des Ouled Nemâa
 ● Kasba-Tadla ● El-Ksiba : le souk
 d'Aghbala, Tiwina-n-Aoujgal et les
 gorges de l'oued El-Attaach, les
 cascades de Tit in Ziza, Ifri n'Majghoul, randonnée vers Imilchil
 ● Zaouïa-ech-Cheikh

● AZILAL 396
 ● Le barrage et le lac de Bin-el-Oui-
 dane
● LA VALLÉE DES
AÏT-BOUGMEZ 398
 ● Tabant ● Le reste de la vallée : les
 gorges d'Ikkis, les greniers fortifiés
 d'Agar n'Ouzrou, les empreintes
 de dinosaures, la vallée des
 Aït-Bouelli, rando pour Imilchil, la

cathédrale
- **LES CASCADES D'OUZOUD** 400
  - Le village de Tanagmelt • Les grottes de Jamaa Qaraouiyyîne • Les gorges de l'oued El-Abid

- Les sources de l'oued Ouzoud
- **DEMNATE** 403
  - Le pont naturel d'Imi n'Ifri • Les empreintes de dinosaures • Le village des potiers de Boughrart

MARRAKECH ET LES MONTAGNES DU HAUT ATLAS OCCIDENTAL

- **MARRAKECH** 405
  - La Ménara • Le tour de la palmeraie • Le complexe de poterie

Moujmar-el-Frara • Les vallées de l'Atlas

LES MONTAGNES DU HAUT ATLAS OCCIDENTAL

- **RANDONNÉES** 475
- **LA VALLÉE DE L'OURIKA** 479
- **L'OUKAÏMEDEN** 483
- **SUR LA ROUTE D'IMLIL** 485
  - Asni : Moulay-Brahim • Imlil : Aremd et Sidi-Chamarouch, l'ascension du djebel Toubkal, la haute vallée de Tachdirt
- **LA ROUTE D'AMIZMIZ** 490
  - Tamesloht • Le lac et le barrage

de Lalla-Takerkoust • Amizmiz
- **LA ROUTE DU TIZI-N-TEST** 493
  - Ouirgane • Ijoukak • Tin-Mel
- **LA VALLÉE DU ZAT** 496
- **LA ROUTE DU TIZI-N-TICHKA** 498
  - Telouet • Igherm-n'Ougdal et le grenier collectif • El-Mdint et Tadoula • La *kasbah* de Tifoultoute
- **AÏT-BENHADDOU** 503
  - Tamdaght

VERS LE GRAND SUD

D'ESSAOUIRA À TAN-TAN

- **ESSAOUIRA** 508
  - La plage de Sidi-Kaouki ; Smimou • Le grand marché de Had-Draâ
- **LA ROUTE CÔTIÈRE D'ESSAOUIRA À AGADIR** 543
  - Smimou, Tafelney et le cap Tafelney • Imsouane • Taghazout
- **LA ROUTE DU MIEL ET LA VALLÉE DU PARADIS** 544
- **AGADIR** 546
- **SUR LA ROUTE DE TIZNIT** 563
  - Tifnit • La réserve de l'oued Massa
- **TIZNIT** 564
  - Aïn Ouled Jerrar • Aglou-Plage :

le village de pêcheurs et les grottes • Autour du barrage Youssef-ben-Tachfine
- **MIRLEFT** 572
- **SIDI-IFNI** 574
  - Sidi-Ouarsik • La boucle Sidi-Ifni – Sidi-Ouarsik – Foum-Assaka – Guelmim – Sidi-Ifni • La boucle d'Aït-Baamrane
- **GUELMIM (GOULIMINE)** 578
  - Abahinou • La plage Blanche
- **L'OASIS DE TIGHMERT** 582
- **TAN-TAN** 583
- **El-OUATIA (TAN-TAN PLAGE)** ... 585
  - L'embouchure de l'oued Drâa

LES PROVINCES SAHARIENNES

- L'oued Chebika
- **SIDI-AKHFENIR** **588**
- La lagune de Naila (Khnifis) • Le

trou du Diable • Tarfaya
- **LAÂYOUNE** **589**
- **DAKHLA** **591**

L'ANTI-ATLAS

DE TAROUDANNT À OUARZAZATE PAR TALIOUINE OU PAR LES ROUTES DU SUD

- **TAROUDANNT** **593**
- La palmeraie de Tioute : la

coopérative Taïtmatine de l'huile d'argan, la palmeraie, randonnées

DE TAROUDANNT À OUARZAZATE PAR LE DJEBEL SIROUA

- **TALIOUINE** **604**
- **DE TALIOUINE À
  OUARZAZATE** **608**
  - Tinfat • Tazenakht
- **TAFRAOUTE** **610**
  - La gazelle de Tazekka • Aday
  - Aguerd-Oudad • Les rochers

peints du désert • Randonnée pédestre au départ des gorges d'Aït-Mansour • La vallée des Ammeln • Anil, Anameur et Tagdicht
- Oumesnat
- **DE TAFRAOUTE À AGADIR** **620**
  - Par Tiznit • Par Aït-Baha

DE TAROUDANNT À AGADIR PAR LES ROUTES DU SUD

- Igherm • Tamdagt et Imitek
- **TATA** **623**
  - Agadir-Lehna • Les grottes de Messalit • Les villages de Tazzert, Jebair et Laâyoun
- **DE TATA À ZAGORA** **626**
  - Akka-Iguiren, Akka-Ighèn et Agadir-Isarhinnen • Tissint • Foum-

Zguid
- **DE TATA À BOUIZAKARNE** **627**
  - Akka • Touzounine, Aït-Ouabelli et Foum-el-Hassan • Assa • Zag
  - Icht • Tamarart
- **AMTOUDI (OASIS D'ID-AÏSSA)** .. **629**
  - L'oasis de Taghjicht • Timoulay
  - Ifrane-de-l'Anti-Atlas

OUARZAZATE ET LES OASIS DU SUD

- **OUARZAZATE** **633**
  - Le *ksar* d'Aït-Benhaddou • La *kasbah* de Tifoultoute • La *kasbah*

de Tamesla • Atlas Corporation Studios • L'oasis de Fint

AU SUD DE OUARZAZATE

La vallée du Drâa

- **AGDZ** **647**
- **D'AGDZ À TANSIKHT** **650**
  - Le barrage du Drâa • Le *ksar* de Tamnougalt • La *kasbah* de Timiderte et les *ksour* de Hammou-Saïd, d'El-Had-Ouled-Othmane et d'Igdâoun • Tansikht et Tinzouline

- **ZAGORA** **652**
  - La *kasbah* des Ouled Othmane
  - Le djebel Zagora • Amezrou • Le *ksar* de Tissergate

Les routes au départ de Zago

- **VERS LE SUD : DE ZAGORA
  À MHAMID** ....
  - Tamegrout • Tagounite • Oule

Driss • Mhamid : l'erg Lehoudi et
les dunes de Chigaga
- **VERS LE TAFILALET :**
  DE ZAGORA À RISSANI 663
  • Le tronçon Tansikht-Tazzarine

par Nekob • Le tronçon Tazzarine-
Alnif • Le tronçon Alnif-Rissani
- **VERS L'OUEST : DE ZAGORA**
  À TATA PAR FOUM-ZGUID 666

À L'EST DE OUARZAZATE

- **SKOURA** 666
- **EL-KELAA DES M'GOUNA** 670
  • Les *mellahs* de Tylit, d'Aït-
  Ouzine, de Tourbist et d'Aït-
  Yassine • *La kasbah* Kassi à Souk-
  el-Khemis • La vallée des Roses :
  Tamalout Bou-Tahrar, Aït-Saïd et
  les gorges du M'Goun
- **BOUMALNE-DU-DADÈS** 675
  • Le djebel Saghro : la vallée des
  Oiseaux, Tagdilt et le Tizi-n-Taza-
  zert
- **LA VALLÉE DES GORGES DU**
  DADÈS 677
  • Dans la vallée des gorges du Da-
  dès : la gorge de Sidi-Boubkar, la
  falaise de Tamlalt, le circuit des ca-
  nyons • Dans les gorges du Da-
  dès : la boucle par les gorges du
  Todgha, Aït-Oudinar, la piste vers
  Imilchil, Msemrir • La vallée des
  Roses depuis le Dadès
- **TINEGHIR** 682
- **LES GORGES DU TODGHA** 686

• Tamtattouchte
- **TINEJDAD** 691
  • Goulmima • Tadighoust
- **ER-RACHIDIA** 694
  • Les oasis oubliées • La source
  Bleue de Meski • Le Tafilalet • Les
  gorges du Ziz
- **ERFOUD** 697
  • Les sources artésiennes El Aati
  • Le *ksar* de Maadid • Le *ksar* des
  Ouled Zohra
- **D'ERFOUD À MERZOUGA** 701
- **D'ERFOUD À RISSANI** 701
- **RISSANI** 701
  • La palmeraie de Tafilalet, le *ksar*
  Oulad-Abdelhalim et les ruines de
  Sijilmassa • Le *ksar* des Ouled
  Saadan • Le mausolée de moulay
  Ali Chérif
- **MERZOUGA ET LES DUNES**
  DE L'ERG CHEBBI 704
  • Le lac Dayèt Srji • Les fossiles
  • Les gravures rupestres de Taouz

- **INDEX GÉNÉRAL** 713
- **OÙ TROUVER LES CARTES ET LES PLANS ?** 718

Attention, à partir de mars 2009, *Maroc Telecom* **doit mettre en place une nouvelle numérotation téléphonique.** Les numéros passeront ainsi à 10 chif-fres (au lieu de 9 actuellement).

Voici les principaux changements prévus :

➤ **Pour tous les numéros fixes,** il faudra insérer « 5 » après le « 0 ». Exemple : 024-11-11-11 deviendra 05-24-11-11-11.

➤ **Pour les portables,** un « 6 » devra être placé après le « 0 ». Exemple : 068-11-11-11 deviendra 06-68-11-11-11.

➤ **Pour les numéros spéciaux,** se reporter en début de guide à la rubrique Téléphone et télécoms » dans « Maroc utile ».

NOS NOUVEAUTÉS

LIMOUSIN (paru)

Du vert, du vert, toujours du vert... bienvenue dans le Limousin ! Ici, l'herbe pousse à foison et fait le régal des vaches réputées pour leur viande savoureuse. Mais la richesse du Limousin ne s'arrête pas là. En plus de ses merveilles de bouche, vous serez étonné, au fil de votre balade, de découvrir des richesses insoupçonnées. L'artisanat y connaît un vrai succès. La porcelaine continue de faire la fierté des Limougeauds et, si on pousse un peu plus loin, on découvre tanneries, ganteries, moulins à papier... Eh oui, la forêt, qui couvre une bonne partie de la région, ne ravit pas que les promeneurs mais aussi les imprimeurs. Et puis, voici le Limousin citadin : Limoges, Brive-la-Gaillarde ou encore Guéret, qui sont des villes chargées d'histoire.

AUVERGNE (paru)

Ah, les monts d'Auvergne ! Les amoureux de la rando trouveront plus que leur compte en visitant le cœur de la France. Attention, ouvrez grand les yeux : ici, un volcan, un massif, une réserve, un lac ; là-bas, une vallée, des thermes... Voici l'Auvergne ! Une nature verdoyante que les bougnats ont su préserver. En suivant les courbes voluptueuses de ses volcans, vous atteindrez la capitale, Clermont-Ferrand. Il y fait bon vivre, à en croire tous les étudiants qui animent la ville. Sur les terres de Vercingétorix, vous découvrirez une région qui porte encore les traces de son histoire, les vendeurs de charbon, l'exode, Vichy... Enfin, pour finir, sachez qu'il existe une vraie tradition culinaire dont seuls les Auvergnats ont le secret.

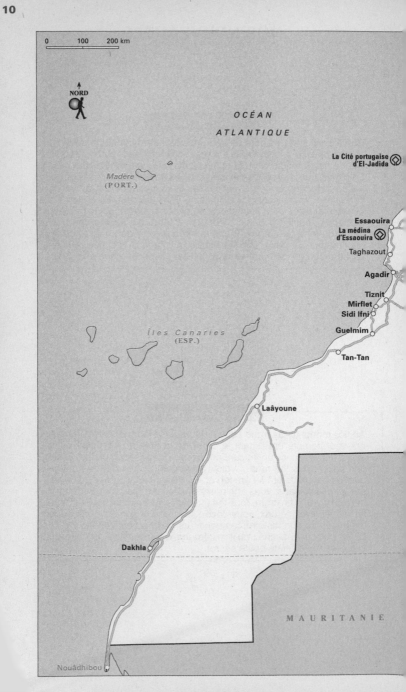

0   100   200 km

NORD

OCÉAN

ATLANTIQUE

La Cité portugaise
d'El-Jadida

Madère
(PORT.)

Essaouira
La médina
d'Essaouira

Taghazout

Agadir

Tiznit
Mirflet
Sidi Ifni

Guelmim

Îles Canaries
(ESP.)

Tan-Tan

Laâyoune

Dakhla

MAURITANIE

Nouâdhibou

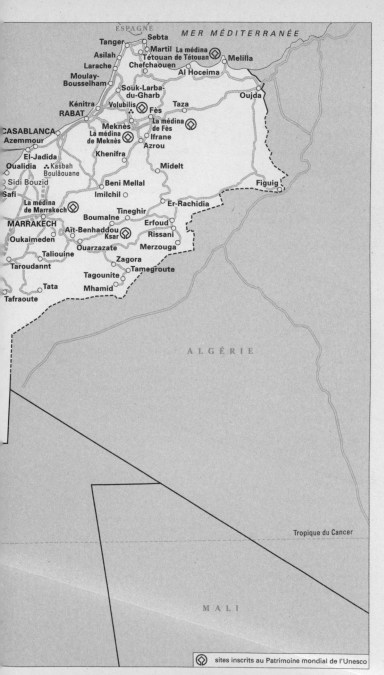

LE MAROC

LES GUIDES DU ROUTARD
2009-2010

(dates de parution sur **routard.com**)

France

Nationaux

- Nos meilleures chambres d'hôtes en France
- Nos meilleurs campings en France
- Nos meilleurs hôtels et restos en France
- Petits restos des grands chefs
- Tables à la ferme et boutiques du terroir

Régions françaises

- Alpes
- Alsace (Vosges)
- Aquitaine
- Ardèche, Drôme
- **Auvergne (nouveauté)**
- Bourgogne
- Bretagne Nord
- Bretagne Sud
- Châteaux de la Loire
- Corse
- Côte d'Azur
- Franche-Comté
- Languedoc-Roussillon
- **Limousin (nouveauté)**
- Lorraine
- Lot, Aveyron, Tarn
- Nord-Pas-de-Calais
- Normandie
- Pays basque (France, Espagne), Béarn
- Pays de la Loire

- **Picardie (avril 2009)**
- Poitou-Charentes
- Provence
- Pyrénées, Gascogne et Pays toulousain

Villes françaises

- Bordeaux
- Lille
- Lyon
- Marseille
- Montpellier
- Nice
- Strasbourg
- Toulouse

Paris

- Environs de Paris
- Junior à Paris et ses environs
- Paris
- Paris balades
- Paris la nuit
- Paris, ouvert le dimanche
- Paris à vélo
- Paris zen
- Restos et bistrots de Paris
- Le Routard des amoureux à Paris
- Week-ends autour de Paris

Europe

Pays européens

- Allemagne
- Andalousie
- Angleterre, Pays de Galles
- Autriche
- Baléares
- Belgique
- Catalogne (+ Valence et Andorre)
- Crète
- Croatie
- Danemark, Suède
- Écosse
- Espagne du Nord-Ouest (Galice, Asturies, Cantabrie)
- Finlande
- Grèce continentale
- Hongrie, République tchèque, Slovaquie

- Îles grecques et Athènes
- Irlande
- Islande
- Italie du Nord
- Italie du Sud
- Lacs italiens
- Madrid, Castille (Aragon et Estrémadure)
- Malte
- Norvège
- Pologne et capitales baltes
- Portugal
- Roumanie, Bulgarie
- Sicile
- Suisse
- Toscane, Ombrie

LES GUIDES DU ROUTARD
2009-2010 (suite)

(dates de parution sur **routard.com**)

Villes européennes

- Amsterdam et ses environs
- Barcelone
- Berlin
- Florence
- Lisbonne
- Londres
- Moscou, Saint-Pétersbourg
- Prague
- Rome
- Venise

Amériques

- Argentine
- Brésil
- Californie
- Canada Ouest et Ontario
- Chili et île de Pâques
- Cuba
- Équateur et Galápagos
- États-Unis côte Est
- Floride
- Guadeloupe, Saint-Martin, Saint-Barth
- Guatemala, Yucatán et Chiapas
- Louisiane et les villes du Sud
- Martinique
- Mexique
- New York
- Parcs nationaux de l'Ouest américain et Las Vegas
- Pérou, Bolivie
- Québec et Provinces maritimes
- République dominicaine (Saint-Domingue)

Asie

- Bali, Lombok
- Birmanie (Myanmar)
- Cambodge, Laos
- Chine (Sud, Pékin, Yunnan)
- Inde du Nord
- Inde du Sud
- Istanbul
- Jordanie, Syrie
- Malaisie, Singapour
- Népal, Tibet
- Sri Lanka (Ceylan)
- Thaïlande
- Tokyo-Kyoto
- Turquie
- Vietnam

Afrique

- Afrique de l'Ouest
- Afrique du Sud
- Égypte
- Île Maurice, Rodrigues
- Kenya, Tanzanie et Zanzibar
- Madagascar
- Maroc
- Marrakech
- Réunion
- Sénégal, Gambie
- Tunisie

Guides de conversation

- Allemand
- Anglais
- Arabe du Maghreb
- Arabe du Proche-Orient
- Chinois
- Croate
- Espagnol
- Grec
- Italien
- Japonais
- Portugais
- Russe

Et aussi...

- Le Guide de l'humanitaire
- **Tourisme durable (mai 2009)**
- G'palémo

Nous tenons à remercier tout particulièrement Loup-Maëlle Besançon, Thierry Bessou, Gérard Bouchu, Grégory Dalex, Fabrice Doumergue, Cédric Fischer, Carole Fouque, Michelle Georget, David Giason, Lucien Jedwab, Emmanuel Juste, Fabrice de Lestang, Pierre Mitrano, Jean-Sébastien Petitdemange, Thomas Rivallain, Claudio Tombari et Solange Vivier pour leur collaboration régulière.

Et pour cette nouvelle collection, nous remercions aussi :

David Alon et Andréa Valouchova
Ariadna Barroso Calderon
Jean-Jacques Bordier-Chêne
Déborah Bueche
Stéphanie Campeaux
Nathalie Capiez
Louise Carcopino
Raymond Chabaud
Alain Chaplais
Bénédicte Charmetant
François Chauvin
Cécile Chavent
Stéphanie Condis
Agnès de Couesnongle
Agnès Debiage
Isabelle Delpière Revéret
Jérôme Denoix
Solenne Deschamps
Tovi et Ahmet Diler
Céline Druon
Nicolas Dubost
Clélie Dudon
Aurélie Dugelay
Sophie Duval
Alain Fisch
Aurélie Gaillot
Adrien et Clément Gloaguen
Angela Gosmann
Romuald Goujon
Stéphane Gourmelen
Claudine de Gubernatis
Xavier Haudiquet

Claude Hervé-Bazin
Bernard Hilaire
Sébastien Jauffret
François et Sylvie Jouffa
Hélène Labriet
Francis Lecompte
Jacques Lemoine
Sacha Lenormand
Amélie Lepley
Valérie Loth
Béatrice Marchand
Amanda de Martino
Kristell Menez
Delphine Meudic
Éric Milet
Jacques Muller
Anaïs Nectoux
Hélène Odoux
Caroline Ollion
Nicolas Pallier
Martine Partrat
Odile Paugam et Didier Jehanno
Mathilde Pilon
Xavier Ramon
Dominique Roland et Stéphanie Déro
Corinne Russo
Caroline Sabljak
Prakit Saiporn
Jean-Luc et Antigone Schilling
Julien Vitry
Céline Vo
Fabian Zegowitz

Direction : Nathalie Pujo
Contrôle de gestion : Joséphine Veyres, Vincent Leav et Héloïse Morel d'Arleux
Responsable éditoriale : Catherine Julhe
Édition : Matthieu Devaux, Marine Barbier-Blin, Géraldine Péron, Jean Tiffon, Olga Krokhina, Vanessa Di Domenico, Julie Dupré, Gaëlle Leguéné, Gia-Quy Tran et Laura Gélie
Secrétariat : Catherine Maîtrepierre
Préparation-lecture : Agnès Petit
Cartographie : Frédéric Clémençon et Aurélie Huot
Fabrication : Nathalie Lautout et Audrey Detournay
Couverture : Seenk
Direction marketing : Dominique Nouvel, Lydie Firmin et Juliette Caillaud
Responsable des partenariats : André Magniez
Édition des partenariats : Juliette de Lavaur, Raphaële Wauquiez et Mélanie Radepont
Informatique éditoriale : Lionel Barth
Relations presse France : COM'PROD, Fred Papet. ☎ 01-56-43-36-38.
● info@comprod.fr ●
Relations presse : Martine Levens (Belgique) et Maureen Browne (Suisse)
Régie publicitaire : Florence Brunel

Remerciements

Du Grand Sud à l'Oriental, nous avons pu compter, cette année encore, sur la disponibilité et l'aide efficace de nombreuses personnes : Hassan, Pauline et Jürgen, Khadija de l'Institut français d'Agadir, Pierre, Thierry, Philippe-Henri, Yves, Morgan, Farida et Hassan.

Nous les en remercions particulièrement.

LES QUESTIONS QU'ON SE POSE LE PLUS SOUVENT

➤ **Quels sont les papiers indispensables pour se rendre au Maroc ?**
On demande aux voyageurs individuels de présenter un passeport en cours de validité. Une carte d'identité peut suffire pour les voyages en groupe, sous certaines conditions. Toujours se renseigner auprès de son voyagiste et du consulat du Maroc de son pays d'origine.

➤ **Quelle est la meilleure saison pour aller dans le pays ?**
Aucune saison n'est à bannir, puisque le climat marocain est très différent selon les régions : le printemps et l'automne sont des saisons idéales pour visiter les villes impériales (Fès, Meknès et Marrakech). Pour les régions sahariennes, mieux vaut partir entre octobre et février. En été, il peut y faire excessivement chaud.

➤ **Quels sont les vaccins indispensables ?**
Aucun vaccin obligatoire. Mais, au fait, êtes-vous à jour pour le DTP (diphtérie-tétanos-polio) ? Vaccination conseillée contre l'hépatite B.

➤ **Quel est le décalage horaire ?**
Il est 2h de moins au Maroc par rapport à la France en été et 1h de moins en hiver.

➤ **Le pays va-t-il adopter le changement d'heure en 2009, comme il l'a fait à l'été 2008 ?**
Rien n'est moins sûr.

➤ **La vie est-elle chère ?**
Rassurez-vous, la vie est moins chère qu'en France. Mais attention : l'inflation est galopante dans certaines villes touristiques, notamment Marrakech, Essaouira et Fès. Avec un budget moyen, on prévoira 500 Dh (45,50 €) pour deux par jour.

➤ **Et dormir dans un *riad* ?**
Un fantasme : ces maisons traditionnelles se louent une petite fortune pour une nuit en chambre double ou en entier. Heureusement, nous en avons sélectionné à des prix encore raisonnables. Idéal quand on est en famille ou entre copains, et une excellente façon de s'immerger dans la ville.

➤ **Quel est le meilleur moyen pour se déplacer ?**
La voiture, qui garantit bien sûr plus de liberté. Mais le bus couvre assez bien le pays, même dans les coins reculés. Excepté dans le Nord (le triangle Casablanca, Oujda, Tanger), vous pouvez oublier le train (réseau peu dense).

➤ **Est-ce un pays sûr ?**
Le Maroc est un pays très sûr. En revanche, dans certaines régions, les touristes naïfs ont plus de risques de se faire arnaquer au détour d'une ruelle ou d'une piste, sous des formes parfois très imaginatives. Restez vigilant sans virer à la parano, tout un art !

➤ **Que peut-on rapporter ?**
Les tapis sont ce que vous pourrez rapporter de plus beau. Les Marocains en sont aussi persuadés, d'où parfois un harcèlement un peu insistant. Sinon, les poteries, les objets en bois, en cuir ou en cuivre et, bien sûr, les épices, pourront trouver une place dans vos bagages.

➤ **Et lors du ramadan, alors ?**
Pour les Marocains, jeûne et abstinence de l'aurore au coucher du soleil ! Pendant la journée, la vie tourne au ralenti. Moins pratique pour déjeuner ou visiter, cette période est néanmoins intéressante culturellement.

LES COUPS DE CŒUR DU ROUTARD

● Prendre le thé à la menthe sur une terrasse dominant la place Jemaa-el-Fna à Marrakech à la tombée du soir, en observant l'animation et en écoutant monter la rumeur.

● Vivre le temps d'une nuit comme un pacha en dormant dans un petit *riad* restauré et décoré dans les règles de l'art. Puis s'en souvenir pendant 1 001 nuits...

● Découvrir les vallées de l'Atlas au printemps (comme celle du Zat) lorsque les contrastes de couleurs sont saisissants : blancheur des cimes enneigées, rose des fleurs des arbres fruitiers, vert de l'herbe tendre, rouge orangé de la terre...

● Traverser l'oued au petit matin et flâner dans le ksar d'Aït Benhaddou à la rencontre de ses habitants. Puis prendre de la hauteur en grimpant jusqu'au grenier collectif.

● Humer l'atmosphère d'Essaouira, une ville corsetée dans ses remparts, arrosée par les embruns et qui rappelle à certains une Bretagne lointaine.

● Parcourir Fès, ville impériale à plus d'un titre, embellie par les dynasties successives et toujours l'un des plus fascinants souks du pays.

● Arpenter les ruines de Volubilis par un matin de printemps, les ruines romaines les plus importantes du Maroc, et inscrites au Patrimoine mondial de l'Unesco.

● Déambuler dans la *kasbah* des Oudaïa, au cœur de Rabat, un dédale de ruelles blanc et bleu qui dominent les flots de l'Atlantique. S'attarder dans son jardin andalou, véritable havre de paix.

● Effectuer une promenade nocturne sur le petit souk de Larache pour partager le paseo avec les habitants tout en flânant entre les échoppes colorées du bazar.

● Apprécier les gestes millénaires des artisans tanneurs à Tétouan, devant le camaïeu des bassins de teintures creusés dans le sol.

● Poser son panier pique-nique dans le parc national de Tazzeka, à l'est de Fès, entre une visite dans les entrailles de la terre (gouffre du Friouato) et l'observation attentive de la faune.

● Se faufiler dans la vallée des Aït Bougmez, appelée aussi « la vallée heureuse », refuge aux affres de la vie moderne, paradis pour randonneurs.

● Admirer les cascades d'Ouzoud au printemps (et en semaine), une belle chute d'eau au cœur d'une végétation luxuriante.

● Méditer devant les vagues de la côte atlantique qui viennent se fracasser contre les falaises, près de Tan-Tan.

● Partir en trekking dans la vallée des Ammeln, au cœur de l'Anti-Atlas, pour gravir la Tête de Lion et rugir de plaisir.

● Entendre le bruissement de l'eau qui sourd dans l'atrium de la grande source de Lalla Mimouna à Tinejdad, surtout le matin.

● Sillonner la route entre Rich (ou El-Ksiba) et Imilchil, alternance de paysages arides et verdoyants, festival de panoramas grandioses et sauvages. L'Atlas dans toute sa splendeur.

● Grimper jusqu'au col qui domine le village de Bou Tharar dans la vallée des Roses pour la vue sur les cimes enneigées du M'Goun.

● Partir à la découverte de la palmeraie de Tineghir, ses vergers et ses cours d'eau qui alimentent tout un réseau de petits villages. Au coucher de soleil, la vue sur ce labyrinthe végétal est somptueuse.

● Faire un petit tour chez le barbier pour se faire raser et masser le visage. Pendant que les dames iront transpirer au hammam et découvrir un univers féminin insoupçonné.

● Pousser la curiosité jusqu'au musée des Oasis à Tinejdad, situé en plein cœur d'un *ksar* bordé de champs de blé. Visite incontournable pour ceux et celles qui veulent en savoir plus sur les conditions de vie des Berbères du Maroc à travers les siècles.

COMMENT Y ALLER ?

EN AVION

Les compagnies régulières

▲ AIGLE AZUR

Rens et résas : ☎ *0810-79-79-97 (prix d'un appel local).* ● *aigle-azur.fr* ●
– Paris : 7, bd Saint-Martin, 75003. Ⓜ *République.*
– Marseille : 31, bd des Dames, 13002.
La compagnie assure au départ de Paris-Orly Sud 1 vol/j. sur Casablanca, 3 vols/
sem sur Rabat, 2 vols/sem sur Marrakech, Oujda et Agadir.

▲ AIR FRANCE

Rens et résas au ☎ *36-54 (0,34 €/mn – 24h/24), sur* ● *airfrance.fr* ●*, dans les agen-*
ces Air France (fermées dim) et dans ttes les agences de voyages.
➤ Au départ de Paris-CDG, Air France propose 4 vols directs/j. pour Casablanca
et 2 vols directs/j. pour Rabat. Au départ de la province et en partage de codes
avec la *Royal Air Maroc,* Air France dessert Casablanca depuis Lyon et Toulouse
avec 1 vol/j. et Marseille avec 2 vols/j. sf sam.
Air France propose à tous des tarifs attractifs toute l'année. Vous avez la possibilité
de consulter les meilleurs tarifs du moment, rubrique « Offres spéciales », « Promotions » sur le site ● airfrance.fr ●
Le programme de fidélisation Air France KLM vous permet d'accumuler des *miles*
à votre rythme et de profiter d'un large choix de primes. Avec votre carte *Flying*
Blue, vous êtes immédiatement identifié comme client privilégié lorsque vous voyagez avec tous les partenaires.
Air France propose également la carte *Fréquence Jeune,* réservée aux jeunes âgés
de 2 à 24 ans résidant en France métropolitaine, dans les départements d'outre-
mer, au Maroc ou en Tunisie. Avec plus de 18 000 vols par jour, 900 destinations, et
plus de 100 partenaires, *Fréquence Jeune* vous offre autant d'occasions d'accumuler des *miles* partout dans le monde.

▲ CORSAIRFLY

Rens : ☎ *0820-042-042 (0,12 €/mn).* ● *corsairfly.com* ● *Paiement en ligne sécurisé*
ou dans ttes les agences de voyages.
➤ Compagnie régulière française, Corsairfly propose au départ de Paris-Orly Sud
1 vol/j. à destination de Marrakech, assuré par la compagnie *low-cost Jet4you*
(membre du groupe *TUI*), Fès (2 liaisons/sem, lun et ven) et Agadir (mar et sam).

▲ ROYAL AIR MAROC

– Paris : 38, av. de l'Opéra, 75002. Rens et résas : ☎ *32-60, dites « Royal Air*
Maroc ». ● *royalairmaroc.com* ● Ⓜ *Opéra. Lun-ven 9h-18h.*
➤ Avec plus de 220 vols directs hebdomadaires au départ de la France, Royal Air
Maroc dessert tous les aéroports marocains au départ des principales villes fran-
çaises. Depuis Paris, en vols directs et réguliers, la compagnie assure 4 vols/j. sur
Casablanca, 4 vols/j. également à destination de Marrakech, 1 vol/j. vers Agadir,
1 vol/j. à destination de Fès sont desservies par plusieurs liaisons hebdomadaires.
Essaouira, Ouarzazate, Tanger et Oujda.
➤ Au départ de la province : de nombreux vols directs sur Marrakech au départ de
Marseille, Nice, Lyon, Toulouse, Bordeaux, Nantes, Lille et Strasbourg. Depuis 2007,
une ligne directe sur Fès au départ de Marseille et de Lyon avec 3 rotations/sem a
été mise en place.

En CLASSE TEMPO, 25 dessins animés,
85 films sur écran individuel, glace pour les enfants
pour FAIRE DU CIEL LE PLUS BEL ENDROIT DE LA TERRE.

AIR FRANCE

Le Maroc est également accessible via Casablanca avec des connexions adaptées sur Fès, Agadir, Tanger, Essaouira, Ouarzazate et Oujda.

Les compagnies *low-cost*

Ce sont des compagnies dites « à bas prix ». De nombreuses villes de province sont desservies, ainsi que les aéroports limitrophes des grandes villes. Ne pas trop espérer trouver facilement des billets à prix plancher lors des périodes les plus fréquentées (vacances scolaires, week-end...). À bord, c'est service minimum. Afin de réduire les files d'attente dans les aéroports, certaines font même payer l'enregistrement aux comptoirs d'aéroport. Pour éviter cette nouvelle taxe qui ne dit pas son nom, les voyageurs ont intérêt à s'enregistrer directement sur Internet où le service est gratuit. La résa se fait parfois par téléphone (pas d'agence, juste un n° de réservation et un billet à imprimer soi-même) et aucune garantie de remboursement en cas de difficultés financières de la compagnie. En outre, les pénalités en cas de changement d'horaires sont assez importantes et les taxes d'aéroport rarement incluses. Il faut aussi rappeler que plusieurs compagnies facturent désormais les bagages en soute. Ne pas oublier non plus d'ajouter le prix du bus pour se rendre à ces aéroports, souvent assez éloignés du centre-ville. Au final, même si les prix de base restent très attractifs, il convient de prendre en compte tous ces frais annexes pour calculer le plus justement son budget.

▲ ATLAS-BLUE
Rens et résas : ☎ *0820-887-887 (0,12 €/mn).* ● atlas-blue.com ●
➤ Cette filiale *low-cost* de *Royal Air Maroc* dessert Marrakech en vols réguliers, au départ de Paris et Marseille. Plusieurs liaisons hebdomadaires depuis Lyon, Nantes, Toulouse, Bordeaux, Lille, ainsi que depuis Nice. Oujda est également reliée à Marseille 2 fois/sem. Fès est desservie plusieurs fois/sem depuis Lyon et Marseille.

▲ EASYJET
Résas : ☎ *0899-65-00-11 (1,34 € l'appel, puis 0,34 €/mn).* ● easyjet.com ●
➤ Au départ de Paris-Charles-de-Gaulle, la compagnie assure des liaisons tlj à destination de Casablanca et 4 fois/sem vers Tanger.

▲ JET4YOU
Rens et résas : ☎ *0811-61-44-44 (prix d'un appel local).* ● jet4you.com ●
➤ La compagnie marocaine assure au départ de Paris-Orly Sud 11 vols/sem pour Casablanca (plus en hiver), 1 vol/j. à destination de Marrakech, 3 liaisons/sem vers Agadir, ainsi que 2 départs/sem pour Fès (fréquence accrue dès le mois de fév).

▲ RYANAIR
Rens : ☎ *0892-23-23-75 (0,34 €/mn).* ● ryanair.com ●
➤ Ryanair assure au départ de Marseille au moins 3 liaisons/sem avec Marrakech, Fès, Agadir, Nador et Tanger. Au départ de Charleroi (Belgique), la compagnie dessert 2 fois/sem Tanger, Fès et Marrakech.

▲ TRANSAVIA.COM
Rens et résas : ☎ *0892-05-88-88 (0,34 €/mn).* ● transavia.com/fr ● *Lun-ven 8h-22h ; w-e 9h30-18h.*
➤ Au départ de Paris-Orly Sud, transavia.com, compagnie du groupe *Air France-KLM*, dessert Agadir et Oujda à raison de plusieurs vols réguliers par sem. Marrakech est desservi 2 fois/j.

LES ORGANISMES DE VOYAGES

– Ne pas croire que les vols à tarif réduit sont tous au même prix pour une même destination à une même époque : loin de là. On a déjà vu, dans un même avion partagé par deux organismes, des passagers qui avaient payé 40 % plus cher que les autres. De plus, une agence bon marché ne l'est pas forcément toute l'année

Maroc • Maroc • Maroc • Maroc • Maroc • Maroc

Aventuria est le spécialiste français des raids en quad et en buggy au Maroc.

AVENTURIA
Un monde qui vous va bien

(elle peut n'être compétitive qu'à certaines dates bien précises). Donc, contactez tous les organismes et jugez vous-même.
– Les organismes cités sont classés par ordre alphabétique, pour éviter les jalousies et les grincements de dents.

En France

▲ AVENTURIA
– *Lyon : 42, rue de l'Université, 69002. ☎ 04-78-69-35-06 (agence et siège).*
– *Paris Raspail : 213, bd Raspail, 75014. ☎ 01-44-10-50-50.*
– *Paris Opéra : 20, rue des Pyramides, 75001. ☎ 01-44-50-58-40.*
– *Bordeaux : 9, rue Ravez, 33000. ☎ 05-56-90-90-22.*
– *Lille : 21, rue des Ponts-de-Comines, 59800. ☎ 03-20-06-33-77.*
– *Marseille : 2, rue Edmond-Rostand, 13006. ☎ 04-96-10-24-70.*
– *Nantes : 2, allée de l'Erdre, cours des Cinquante-Otages, 44000. ☎ 02-40-35-10-12.*
– *Strasbourg : 13A, bd Président-Wilson, 67000. ☎ 03-88-22-08-09.*
Spécialiste des raids en quad et en buggy au Maroc, ce tour-opérateur propose ses programmes originaux qu'il distribue exclusivement dans ses propres agences. Avec l'aide de conseillers en voyage expérimentés, vous pourrez choisir un raid fun entre amis sur les plages d'Agadir ou un raid plus sportif à travers l'Atlas et les grands déserts du Sud.
Brochure sur demande par téléphone ou sur ● aventuria.com ●

▲ BOURSE DES VOLS / BOURSE DES VOYAGES
Rens : ● bdv.fr ● *ou par téléphone, au ☎ 01-42-61-66-61. Lun-sam 8h-22h.*
Agence de voyages en ligne, bdv.fr propose une vaste sélection de vols secs, séjours et circuits à réserver en ligne ou par téléphone. Pour bénéficier des meilleurs tarifs aériens, même à la dernière minute, le service de Bourse des Vols référence en temps réel un large panel de vols réguliers, charters et dégriffés au départ de Paris et de nombreuses villes de province à destination du monde entier.

▲ CLUBAVENTURE
– *Paris : 18, rue Séguier, 75006. ☎ 0826-88-20-80 (0,15 €/mn).* ● clubaventure.fr ●
Ⓜ *Saint-Michel ou Odéon. Lun-sam 10h30-19h.*
– *Lyon : 2, rue Vaubecour, 69002. Lun-sam 10h30-13h, 14h-18h30.*
Spécialiste du voyage d'aventure depuis près de 30 ans, clubaventure privilégie la randonnée en petits groupes, en famille ou entre amis pour parcourir le monde hors des sentiers battus. Le catalogue offre 600 voyages dans 90 pays différents à pied, en 4x4, ou à dos de chameau. Ces voyages sont encadrés par des guides accompagnateurs locaux et professionnels.

▲ COMPTOIR DU MAROC
– *Paris : 8, rue Saint-Victor, 75005. ☎ 01-53-10-70-92.* ● comptoir.fr ● Ⓜ *Cardinal-Lemoine. Lun-ven 9h30-18h30, sam 10h-18h30.*
– *Toulouse : 43, rue Peyrolières, 31000. ☎ 0892-232-236 (0,34 €/mn).* Ⓜ *Esquirol. Lun-sam 10h-18h30.*
– *Lyon : 10, quai de Tilsitt, 69002. Ouverture nov 2008.*
L'authenticité, les parfums, les traditions et les couleurs du Maroc ne sont jamais bien loin lorsque leurs conseillers vous aident à bâtir un voyage. Comptoir du Maroc propose un grand choix d'hébergements de charme et des idées de voyages originales, adaptés à son budget, ses envies et son humeur.
Chaque Comptoir est spécialiste d'une ou plusieurs destinations : Afrique, Brésil, États-Unis, Canada, Déserts, Italie, Islande, Groenland et terres polaires, Maroc, pays celtes, Égypte, Scandinavie, pays du Mékong, pays andins et Grèce.

▲ COMPTOIRS DU MONDE (LES)
– *Paris : 22, rue Saint-Paul, 75004. ☎ 01-44-54-84-54.* ● comptoirsdumonde.fr ●
Ⓜ *Saint-Paul ou Pont-Marie. Lun-ven 10h-19h, sam 11h-18h.*

C'est en plein cœur du Marais, dans une atmosphère chaleureuse, que l'équipe des Comptoirs du Monde traitera personnellement tous vos désirs d'évasion : vols à prix réduits mais aussi circuits et prestations à la carte pour tous les budgets sur toute l'Asie, le Proche-Orient, les Amériques, les Antilles, Madagascar et maintenant l'Italie. Vous pouvez aussi réserver par téléphone et régler par carte de paiement, sans vous déplacer.

▲ DÉSERTS
– *Paris : 75, rue de Richelieu, 75002.* ☎ *0892-236-636 (0,34 €/mn).* ● *deserts.fr* ●
Ⓜ *Bourse ou Quatre-Septembre. Lun-sam 10h-18h30.*
Les voyages « cousus main ». Pour ces inconditionnels du sable, de la glace et des derniers espaces vierges de la planète, le voyage dans le désert est bien plus qu'une simple aventure, c'est un véritable retour à l'essentiel. Cette équipe de professionnels aide à accomplir ses rêves de déserts à travers la plupart des déserts du monde. Méharées, randonnées chamelières ou voyage en 4x4... Leur offre est très diversifiée. De plus, ils peuvent monter un voyage sur mesure.

▲ FRAM
– *Paris : 4, rue Perrault, 75001.* ☎ *0826-46-61-38 (0,15 €/mn).* Ⓜ *Châtelet ou Louvre-Rivoli. Lun-ven 9h-19h ; sam 9h30-13h, 14h-18h30.*
– *Toulouse : 1, rue Lapeyrouse, 31008.* ☎ *0826-46-37-27 (0,15 €/mn). Mar-ven 9h-19h ; lun et sam 9h-18h30.*
FRAM programme 60 destinations, 14 formules de vacances et 29 villes de départ. Au choix : des *autotours* au Maroc, des vols secs, des circuits, des week-ends et courts séjours et des séjours en club *Framissima* à Agadir, Marrakech, Fès et Ouarzazate. ● *fram.fr* ●

▲ LASTMINUTE.COM
Leurs offres sont accessibles au ☎ *0899-785-000 (1,34 € l'appel TTC, puis 0,34 €/mn), sur* ● *lastminute.com* ●*, et dans 9 agences de voyages situées à Paris, Aix-en-Provence, Bordeaux, Lyon, Montpellier, Nice et Toulouse.*
lastminute.com propose une vaste palette de voyages et de loisirs : billets d'avion, séjours sur mesure ou clé en main, week-ends, hôtels, locations en France, location de voitures, spectacles, restaurants... pour penser ses vacances selon ses envies et ses disponibilités.

▲ LOOK VOYAGES
Les brochures sont disponibles dans ttes les agences de voyages. Rens et résas : ● *look-voyages.fr* ●
Ce tour-opérateur propose une grande variété de produits et de destinations pour tous les budgets : séjours tout inclus en club *Lookéa*, séjours classiques, circuits, vols charters exclusifs et vols réguliers à tarifs négociés.

▲ MARMARA
Résas : 0892-161-161 (0,34 €/mn). ● *marmara.com* ●
– *Paris : 81, rue Saint-Lazare, 75009.* ☎ *01-44-63-64-00.* Ⓜ *Trinité ou Saint-Lazare. Lun-ven 9h-18h30, sam 9h30-16h30.*
– *Marseille : 45, rue Montgrand, 13006.* ☎ *04-91-55-08-69. Lun-jeu 9h-12h30, 14h-18h ; ven 9h-17h30.*
Marmara, ce sont des prix ultracompétitifs sur le Bassin méditerranéen (notamment sur le Maroc). Tout au long de l'année, Marmara propose :
– une gamme complète de prestations dont ses clubs Marmara 100 % francophones ;
– des vols régionaux au départ de toute la France.
Avec près d'un million de voyageurs transportés par an, Marmara pense que le voyage est un droit.

▲ NOUVELLES FRONTIÈRES
– *Rens et résas dans tte la France :* ☎ *0825-000-825 (0,15 €/mn).* ● *nouvelles-frontieres.fr* ●

Désert et Montagne Maroc

Zineb et Jean Pierre Datcharry et toute l'équipe

20 ans de passion

à deux, petits groupes de 1 à 60 jours

En famille, entre amis

Trek
Randonnée
VTT

Atlas, Gorges et vallées, Siroua Saghro
Rencontre avec les femmes des hautes vallées
Côte Atlantique - Transhumance
Traversées chamelières - Vallée des roses
Riads, Kasbahs, Chez l'habitant, Bivouacs.

En dehors des sentiers battus

Kasbah
Dar Daïf
OUARZAZATE

Cette Kasbah de charme, recrée l'ambiance feutrée des caravansérails du désert.
Lieu douillet autour d'un jardin arboré avec piscine.
Charmé par sa délicieuse **cuisine traditionnelle**, son **hammam** et soins,

l'une des plus incontournable étape du Sud.
Chambres et suites familiales et handicapés

B.P. 93 Ouarzazate Maroc Tél +212 (0) 524 85 42 32 / 524 85 49 49
contact@dardaif.ma   desert@menara.ma
www.dardaif.ma   www.desert-montagne.ma

Les brochures Nouvelles Frontières sont disponibles gratuitement dans les 240 agences du réseau, par téléphone et sur Internet. Plus de 40 ans d'existence, 1 000 000 clients par an, 250 destinations, deux chaînes d'hôtels-clubs *Paladien et Koudou* et une compagnie aérienne, *Corsairfly*. Pas étonnant que Nouvelles Frontières soit devenu une référence incontournable, notamment en matière de tarifs. Le fait de réduire au maximum les intermédiaires permet d'offrir des prix « super-serrés ». Un choix illimité de formules vous est proposé : des vols sur la compagnie aérienne de Nouvelles Frontières au départ de Paris et de province, en classe Horizon ou Grand Large, et sur toutes les compagnies aériennes régulières, avec une gamme de tarifs selon votre budget. Sont également proposés toutes sortes de circuits, aventure ou organisés ; des séjours en hôtels, en hôtels-clubs et en résidences ; des week-ends, des formules à la carte (vol, nuits d'hôtel, excursions, location de voitures...), des séjours neige, des croisières, des séjours thématiques, plongée, thalasso.
Avant le départ, des réunions d'information sont organisées. Intéressant : des brochures thématiques (plongée, aventure, rando, trek et sport).

▲ OBJECTIF AFRIQUE
– *9, rue Gentil, 69002 Lyon.* ☎ *04-72-98-85-91.* ● *info@objectif-afrique. com* ● *www.objectif-afrique.com* ●
Ce tour-opérateur propose des séjours sur mesure à la découverte du Maroc. Hébergement en *riads* de charme, circuits autotours... Vous pourrez construire votre itinéraire idéal et personnaliser votre voyage à l'aide de conseillers en voyage passionnés de la destination.

▲ PARTIRSEUL.COM
– *Le Perreux-sur-Marne : 71, quai de l'Artois, 94170.* ☎ *09-51-77-39-94.* ● *partir seul.com* ●
Partirseul.com est un concept de voyage original qui s'adresse à toute personne seule désirant voyager collectivement dans un cadre amical. Ces voyages ne sont pas réservés qu'aux célibataires mais à tous ceux qui se retrouvent dans l'impossibilité d'être accompagné. Des voyages en petits groupes, avec un guide depuis la France, à la découverte d'un pays de façon ludique, sportive ou plus traditionnelle. À noter, pas de supplément chambre individuelle. Organisent également des week-ends et des sorties le dimanche (acrobranches, buggy, randonnée à cheval...). Catalogue sur Internet exclusivement.

▲ PLEIN VENT VOYAGES
Résas et brochures dans les agences du Sud-Est et de Rhône-Alpes, ainsi que sur ● *pleinvent-voyages.com* ●
Premier tour-opérateur du Sud-Est, Plein Vent assure toutes ses prestations (circuits et séjours) au départ de Lyon, Marseille et Nice. Plein Vent garantit ses départs et propose un système de « garantie annulation » performant.

▲ ROOTS TRAVEL
– *Paris : 17, rue de l'Arsenal, 75004.* ☎ *01-42-74-07-07.* ● *rootstravel.com* ● Ⓜ *Bastille. Lun 10h-13h, 14h-18h ; mar-ven 10h-13h, 14h-19h ; sam 11h-13h, 14h-19h.*
Roots Travel est un spécialiste des séjours individuels à la carte en hébergements de charme : maisons d'hôtes en *riad*, fermes berbères, Casbahs, gîtes de montagne pour découvrir de manière insolite le Maroc. Des circuits sont aussi organisés à travers l'Atlas et le désert du Sahara avec des guides locaux. Également des itinéraires sur mesure sur les chemins de transhumances de l'Atlas, dans les vallées du safran et des roses, et les pistes des caravansérails pour découvrir le Maroc traditionnel. Vous trouverez sur leur site Internet des promos et des forfaits modulables à Marrakech, Essaouira et Ouarzazate.

▲ SINDBAD
– *Paris : 50, rue Servan, 75011.* ☎ *01-43-38-19-94.* ● *sindbad-voyages.com* ● Ⓜ *Saint-Maur ou Père-Lachaise. Lun-ven 9h30-13h, 14h-18h.*
Persuadée que le contact entre les gens est aussi important que le pays visité, l'équipe de Sindbad propose des voyages très branchés sur l'ethnologie et la nature

MAROC
LE MEILLEUR DE FRAM
Des vacances plaisir pour toute la famille
à partir de 650€* TTC
FRAMISSIMA
Dunes d'Or****
à partir de 590€* TTC
FRAMISSIMA
Les Jardins de L'Agdal*****
Découvrez vite nos Framissima au Maroc
ainsi que l'ensemble de l'offre FRAM
Dans votre Agence de Voyages
ou sur www.fram.fr
FRAM

plus que sur les vieilles pierres. Le tout par petits groupes de 8 à 12 personnes, avec un accompagnateur compétent. Le tour-opérateur développe également les voyages à la carte à partir de deux personnes.

▲ TERRES D'AVENTURE

N° Indigo : ☎ 0825-700-825 (0,15 € TTC/mn). ● terdav.com ● et un site dédié à la haute montagne : ● terdav-haute-montagne.com ●
– Paris : 30, rue Saint-Augustin, 75002. Ⓜ Opéra. Lun-sam 10h-19h.
– Agences également à Bordeaux, Caen, Chamonix, Grenoble, Lille, Lyon, Marseille, Montpellier, Nantes, Nice, Rennes, Rouen, Strasbourg et Toulouse.
Depuis 1976, Terres d'Aventure, spécialiste du voyage à pied, propose aux voyageurs passionnés de marche et de rencontres des randonnées hors des sentiers battus à la découverte des grands espaces de notre planète. Voyages à pied, à cheval, en 4x4, en bateau, à raquettes... Sur tous les continents, des aventures en petits groupes ou un individuel encadrés par des professionnels expérimentés. Les hébergements dépendent des sites explorés : camps d'altitude, bivouac, refuge ou petits hôtels. Les voyages sont conçus par niveaux de difficulté : de la simple balade en plaine à l'expédition sportive en passant par la course en haute montagne.
En province, leurs agences sont de véritables *Cités des Voyageurs*. Tout y rappelle le voyage : librairies spécialisées, boutiques d'accessoires de voyage, expositions-vente d'artisanat et cocktails-conférences. Consultez le programme des manifestations sur leur site Internet.

▲ UCPA (Union nationale des centres sportifs de plein air)

Infos et résas : ☎ 0825-820-830 (0,15 €/mn). ● ucpa.com ●
– Bureaux de vente à Paris, Lyon, Nantes et Strasbourg.
L'UCPA propose des vacances libres, mais avec l'assurance de pratiquer l'activité de son choix dans de bonnes conditions. Débutant ou sportif confirmé, tous les jeunes de 6 à 17 ans et de 18 à 39 ans sont les bienvenus. L'UCPA s'occupe de tout : transport (en option), hébergement, restauration, encadrement sportif par des professionnels, matériel sportif... pour des vacances l'esprit libre. Sur place, pas de contrainte, chacun choisit son rythme. 140 sites UCPA en France ou à l'étranger, tous parfaitement adaptés à la pratique sportive. Une quarantaine de croisières en voilier sont également proposées et plus de 300 voyages itinérants à pied, à cheval, en kayak, en canoë ou à VTT sont organisés dans 60 destinations.

▲ VOYAGES-SNCF.COM

Voyages-sncf.com, première agence de voyages sur Internet, propose des billets de train, d'avion, des chambres d'hôtel, des locations de voitures et des séjours clés en main ou Alacarte® sur plus de 600 destinations et à des tarifs avantageux. Leur site ● voyages-sncf.com ● permet d'accéder tous les jours 24h/24 à plusieurs services : envoi gratuit des billets à domicile, Alerte Résa pour être informé de l'ouverture des réservations et profiter du plus grand choix, calendrier des meilleurs prix (TTC), mais aussi des offres de dernière minute et des promotions...
Et grâce à l'Écocomparateur, en exclusivité sur ● voyages-sncf.com ●, possibilité de comparer le prix, le temps de trajet et l'indice de pollution pour un même trajet en train, en avion ou en voiture.

▲ VOYAGEURS AU MAROC

Le grand spécialiste du voyage en individuel sur mesure. ● vdm.com ●
– Paris : La Cité des Voyageurs, 55, rue Sainte-Anne, 75002. ☎ 0892-23-73-73 (0,34 €/mn). Ⓜ Opéra ou Pyramides. Lun-sam 9h30-19h.
– Également des agences à Bordeaux, Caen, Grenoble, Lille, Lyon, Marseille, Montpellier, Nantes, Nice, Rennes, Rouen, Strasbourg et Toulouse.
Sur les conseils d'un spécialiste de chaque pays, chacun peut construire un voyage à sa mesure...
Pour partir à la découverte de plus de 150 pays, des conseillers-voyageurs, de près de 30 nationalités et grands spécialistes des destinations, donnent des conseils,

étape par étape et à travers une collection de 30 brochures, pour élaborer son propre voyage en individuel.

Voyageurs du Monde propose également une large gamme de circuits accompagnés (Famille, Aventure, Routard...). Voyageurs du Monde a développé une politique de « vente directe » à ses clients, sans intermédiaire.

Dans chacune des *Cités des Voyageurs,* tout rappelle le voyage : librairies spécialisées, boutiques d'accessoires de voyage, expositions-ventes d'artisanat ou encore cocktails-conférences. Toute l'actualité de VDM à consulter sur leur site internet.

Au cœur de la médina à Marrakech, Voyageurs du Monde propose, en exclusivité, un *riad* traditionnel, « la Villa Nomade » et un autre plus abordable « l'Aladdin », un autre superbe palais dissimulé derrière les hauts murs de la médina de Marrakech. Voyageurs du Monde ajoute à sa gamme d'hébergements exclusifs les camps de l'Oasis, du Désert, des Dunes qui, en plein désert, offrent une alternative originale et pleine de charme.

En Belgique

▲ CONNECTIONS

Rens et résas : ☎ 070-233-313. ● *connections.be* ● *Lun-ven 9h30-21h, sam 10h-17h.* Spécialiste du voyage pour les étudiants, les jeunes et les *independent travellers*. Le voyageur peut y trouver informations et conseils, aide et assistance (revalidation, routing...) dans 27 points de vente en Belgique et auprès de bon nombre de correspondants de par le monde.

Connections propose une gamme complète de produits : des tarifs aériens spécialement négociés pour sa clientèle (licence IATA), une très large offre de « last minutes », toutes les possibilités de prestations terrestres (hébergement, location de voitures, *self-drive tours,* vacances sportives, expéditions) ; de nombreux services aux voyageurs comme l'assurance voyage « Protections » ou les cartes internationales de réductions (carte internationale d'étudiant ISIC).

▲ NOUVELLES FRONTIÈRES

– *Bruxelles (siège) : bd Lemonnier, 2, 1000.* ☎ *02-547-44-22.* ● *nouvelles-frontie res.be* ●
– *Également d'autres agences à Bruxelles, Charleroi, Liège, Mons, Namur, Waterloo, Wavre et au Luxembourg.*
Voir texte dans la partie « En France ».

▲ PAMPA EXPLOR

– *Bruxelles : av. Brugmann, 250, 1180.* ☎ *02-340-09-09.* ● *pampa.be* ● *Lun-ven 9h-19h, sam 10h-17h. Également sur rdv, dans leurs locaux ou à votre domicile.* Spécialiste des vrais voyages « à la carte », Pampa Explor propose plus de 70 % de la « planète bleue », selon les goûts, attentes, centres d'intérêt et budget de chacun. Du Costa Rica à l'Indonésie, de l'Afrique australe à l'Afrique du Nord, de l'Amérique du Sud aux plus belles croisières, Pampa Explor privilégie des découvertes authentiques et originales, pleines d'air pur et de chaleur humaine. Pour ceux qui apprécient la jungle et les pat002augas ou ceux qui préfèrent les cocktails en bord de piscine et les fastes des voyages de luxe. En individuel ou en petits groupes, mais toujours « sur mesure ».

▲ SERVICE VOYAGES ULB

– *Bruxelles : campus ULB, av. Paul-Héger, 22, CP 166, 1000.* ☎ *02-648-96-58.*
– *Bruxelles : rue Abbé-de-l'Épée, 1, Woluwe, 1200.* ☎ *02-742-28-80.*
– *Bruxelles : hôpital universitaire Érasme, route de Lennik, 808, 1070.* ☎ *02-555-38-49.*
– *Bruxelles : chaussée d'Alsemberg, 815, 1180.* ☎ *02-332-29-60.*
– *Ciney : rue du Centre, 46, 5590.* ☎ *083-216-711.*
– *Marche (Luxembourg) : av. de la Toison-d'Or, 4, 6900.* ☎ *084-31-40-33.*
– *Wepion : chaussée de Dinant, 1137, 5100.* ☎ *081-46-14-37.*
● *servicevoyages.be* ●

Service Voyages ULB, c'est le voyage à l'université. Billets d'avion sur vols charters et sur compagnies régulières à des prix hyper-compétitifs.

▲ TAXISTOP

Pour ttes les adresses Airstop, un seul n° de téléphone : ☎ 070-233-188. Taxistop : ☎ 070-222-292. ● airstop.be ● Lun-ven 9h-18h30, sam 10h-17h.
– Taxistop/Airstop Bruxelles : rue Fossé-aux-Loups, 28, 1000.
– Airstop Anvers : Sint Jacobsmarkt, 84, 2000.
– Airstop Bruges : Dweersstraat, 2, 8000.
– Taxistop/Airstop Gand : Maria Hendrikaplein, 65B, 9000.
– Airstop Louvain : Maria Theresiastraat, 125, 3000.
– Taxistop Ottignies : bd Martin, 27, 1340.
Taxistop propose un système de covoiturage alors qu'Airstop offre une large gamme de prestations, du vol sec au séjour tout compris à travers le monde.

▲ TERRES D'AVENTURE

– Bruxelles : Vitamin Travel, rue Van-Artevelde, 48, 1000. ☎ 02-512-74-64. ● vita mintravel.be ●
Voir texte dans la partie « En France ».

▲ VOYAGEURS DU MONDE

– Bruxelles : 23, chaussée de Charleroi, 1060. ☎ 0-900-44-500 (0,45 €/mn).
● vdm.com ●
Le grand spécialiste du voyage en individuel sur mesure.
Voir texte « Voyageurs au Maroc » dans la partie « en France ».

En Suisse

▲ BARAKA VOYAGES

– Genève : 3, rue Sismondi, 1201. ☎ 022-731-57-77. ● barakavoyages.com ● Spécialiste du Monde arabe, Baraka Voyages propose des voyages « à la carte », des voyages en groupe et des trekkings en petits groupes, notamment à destination du Maroc. Vous pouvez en outre leur rendre visite pour boire un thé et consulter un grand nombre de guides et d'ouvrages spécialisés sur le monde arabe.

▲ STA TRAVEL

– Fribourg : rue de Lausanne, 24, 1701. ☎ 058-450-49-80.
– Genève : rue de Rive, 10, 1204. ☎ 058-450-48-00.
– Genève : rue Vignier, 3, 1205. ☎ 058-450-48-30.
– Lausanne : bd de Grancy, 20, 1006. ☎ 058-450-48-50.
– Lausanne : à l'université, Anthropole, 1015. ☎ 058-450-49-20.
● statravel.ch ●
Agences spécialisées notamment dans les voyages pour jeunes et étudiants. Gros avantage en cas de problème : 150 bureaux STA et plus de 700 agents du même groupe répartis dans le monde entier sont là pour donner un coup de main *(Travel Help)*.
STA propose des voyages très avantageux : vols secs *(Blue Ticket)*, hôtels, écoles de langues, *work & travel,* circuits d'aventure, voitures de location, etc. Délivre la carte internationale d'étudiant et la carte Jeune.
STA est membre du fonds de garantie de la branche suisse du voyage ; les montants versés par les clients pour les voyages forfaitaires sont assurés.

▲ TERRES D'AVENTURE

– Genève : Néos Voyages, rue des Bains, 50, 1205. ☎ 022-320-66-35. ● geneve@ neos.ch ●
– Lausanne : Néos Voyages, rue Simplon, 11, 1006. ☎ 021-612-66-00. ● lausan ne@neos.ch ●
Voir texte dans la partie « En France ».

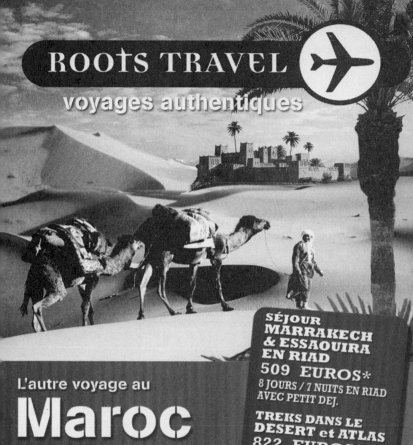

▲ TUI – NOUVELLES FRONTIÈRES

– *Genève : rue Chantepoulet, 25, 1201.* ☎ *022-716-15-70.*
– *Lausanne : bd de Grancy, 19, 1006.* ☎ *021-321-41-11.*
Voir texte dans la partie « En France ».

Au Québec

▲ CLUB AVENTURE VOYAGES

– *Montréal (Québec) : 757, av. Mont-Royal, H2J-1W8.* ● *clubaventure.qc.ca* ●
Depuis 1975, le Club Aventure a développé une façon de voyager qui lui est propre : petits groupes, contact avec les populations visitées, utilisation des ressources humaines locales, visite des grands monuments mais aussi et surtout ouverture de routes parallèles. Ces circuits ont reçu la griffe du temps et de l'expérience ; ils sont devenus les « circuits griffés » du Club Aventure.

▲ EXOTIK TOURS

Rens sur ● *exotiktours.com* ● *ou auprès de votre agence de voyages.*
La Méditerranée, l'Europe, l'Asie et les grands voyages : Exotik Tours offre une importante programmation en été comme en hiver. Le Maroc est proposé toute l'année, en circuits ou en séjours. On peut également opter pour des combinés plage + circuit. Exotik Tours est membre du groupe Intair comme Intair Vacances.

▲ RÊVATOURS

● *revatours.com* ●
Ce voyagiste, membre du groupe Transat A.T. Inc., propose quelque 25 destinations (et notamment le Maroc) à la carte ou en circuits organisés. Le client peut soumettre son itinéraire à Rêvatours qui se charge de lui concocter son voyage.

▲ TOURS CHANTECLERC

● *tourschanteclerc.com* ●
Tours Chanteclerc est un tour-opérateur qui publie différentes brochures de voyages, dont une consacrée au Bassin méditerranéen en circuit ou en séjour.

PAR LA ROUTE

Il est important de savoir que toutes les Peugeot bâchées et les camionnettes utilitaires qui ne sont pas aménagées en camping-cars sont refoulées à la douane marocaine.
De Paris, voici les deux itinéraires les plus rapides :
➤ *Paris-Algésiras via Barcelone :* env 2 300 km. Cet itinéraire emprunte les autoroutes A 6 (autoroute du Soleil) et A 9 (la Languedocienne). De Paris, compter 940 km pour atteindre Le Perthus, la frontière espagnole.
➤ *Paris-Algésiras via Bayonne et Madrid :* 1 987 km. De Paris, emprunter d'abord l'autoroute A 10 (l'Aquitaine). La frontière est à 770 km de Paris. C'est évidemment la route la plus courte et la moins encombrée en été.
Il faut ensuite passer par Cordoue, Séville et Cadix au lieu de Jaén, Grenade et Málaga. On évite ainsi toutes les villes, la route côtière, les cols, et il y a peu de touristes. Les autoroutes espagnoles étant assez chères, on peut leur préférer les *autovías*, routes à 2 voies séparées, qui sont bonnes et gratuites.

EN BATEAU

Pour le Maroc, on a le choix entre : Sète – Tanger, Sète – Nador, Port-Vendres – Tanger depuis la France, Almería – Nador, Almería – Melilla, Málaga – Melilla, Algésiras – Ceuta, Algésiras – Tanger, Barcelone – Tanger et Tarifa – Tanger depuis l'Espagne. Également Gênes – Tanger depuis l'Italie. Il y a de plus en plus de périodes de pointe et pas assez de bateaux (vivement un pont ou un tunnel !). Bien sûr, vous pouvez faire la traversée avec votre véhicule.

Création_Thalamus communication_01 47 00 58 83

Vivez une **aventure** originale et authentique

◊ **Des programmes** itinérants
aux quatre coins du monde

◊ **Une quinzaine**
d'activités sportives proposées

◊ **La découverte d'un pays**
hors des sentiers battus

◊ Des **prix calculés** au plus juste
pour des vacances tout compris

SPORT
NATURE
EMOTION DECOUVERTE

UCPa.com   0 825 01 03 05
aventure.ucpa.com   (0,15 €/min)

LES DIFFÉRENTES LIAISONS

Au départ de Sète

Sète – Tanger

■ *Euro-Mer :* 5, quai de Sauvages, 34078 Montpellier Cedex. ☎ 04-67-65-95-11. ● euromer.net ● Trois départs/sem tte l'année. Pension complète. Réductions spéciales pour les groupes et les membres d'associations de camping-cars et de 4x4.

■ *Comanav :* la compagnie marocaine est représentée en France par Euro-Mer (voir coordonnées ci-dessus) et la SNCM. Liaisons Sète – Tanger tte l'année, 2-3 fois/sem. Traversée : 36h.

■ *SNCM :*
Infos et résas :

– France : ☎ 32-60, dites SNCM (0,15 €/mn). Dans toutes les agences SNCM, Aliso Voyages agréées.
– Belgique : rue la Montagne, 52, 1000 Bruxelles. ☎ 02-549-08-88. Fax : 02-513-41-37.

■ *Comarit :* central de résas. ☎ 0800-73-31-31. ● comarit.com ● Vente par téléphone ou dans l'une des 13 agences Bilade Voyages présentes en France. Appeler le central de réservations pour connaître l'agence la plus proche de chez vous. 1-2 liaisons/sem, tte l'année.

Sète – Nador

■ *Euro-Mer :* voir coordonnées plus haut. Un départ ts les 4 j. tte l'année. Prévoir 34h de traversée (pension complète en classe Touriste ou Confort).

■ *Comanav :* voir coordonnées plus haut. Liaisons 1-2 fois/sem. Traversée : 34h.

Au départ de Port-Vendres

Port-Vendres – Tanger

■ *Euro-Mer :* voir coordonnées plus haut. 2 départs/sem. Navire tout confort.

Nombreuses réductions et tarifs promotionnels pour les camping-cars.

Au départ de Barcelone

Barcelone – Tanger

■ *Euro-Mer :* voir coordonnées plus haut. Plusieurs départs/sem tte l'année. Traversée en 24h. Pension complète.

Réductions spéciales pour les groupes et les membres d'associations de camping-cars et de 4x4.

Au départ d'Almería

En direction de Nador ou de Melilla, avec une grande préférence pour Nador où le débarquement est plus simple et la douane facilitée. À Melilla, ville espagnole, il faut passer la douane au débarquement et encore une autre en passant au Maroc : long et fatigant !

Almería – Nador

■ *Euro-Mer :* voir coordonnées plus haut. Plusieurs départs/j., de jour comme de nuit. Résa à l'avance. Env 6h de traversée. Prix très intéressants. Prestations fauteuils, cabines intérieures ou extérieures. Nombreuses réduc-

tions. Euro-Mer représente toutes les compagnies maritimes partant d'Almería.

■ *Ferrimaroc :* représenté en France par Euro-Mer, voir coordonnées plus haut. Départs tlj (en hte saison,

N 96

YSTE-EN-BOULE

HEUREUSEMENT
ON NE VOUS PROPOSE
PAS QUE LE TRAIN.

ISTAMBUL,
TOUT LE BASSIN
MÉDITERRANÉEN
ET LE RESTE DU MONDE

Voyages-sncf.com, première agence de voyage sur Internet avec plus de 600 destinations dans le monde, vous propose ses meilleurs prix sur les billets d'avion et de train, les chambres d'hôtel, les séjours et la location de voiture. Accessible 24h/24, 7j/7.

Voyages-sncf.com

2 départs/j.).

■ *Trasmediterranea-Iberrail : 57, rue de la Chaussée-d'Antin, 75009 Paris.* ☎ *01-40-82-63-63.* ● *trasmediterranea. es* ● Ⓜ *Chaussée-d'Antin. Au 1ᵉʳ étage.* La compagnie propose 4 départs/j. en

Almería – Melilla

■ *Trasmediterranea : voir coordonnées plus haut.* 1 départ/j. en hte saison ; tlj sf sam hors saison. Résa conseillée.

hte saison, 2 départs/j. hors saison. Durée : 6h. Résa conseillée.
■ *Comanav : voir coordonnées plus haut.* Liaisons tlj. Trajet : 6h.
■ *Comarit : voir coordonnées plus haut.* La compagnie assure 1-2 liaisons/j.

■ *Euro-Mer : voir coordonnées plus haut.* Départs tlj. Traversée : 6h30. Résa à l'avance.

Au départ de Málaga

Málaga – Melilla

■ *Trasmediterranea : voir coordonnées ci-dessus.* Deux départs/j. en hte saison, soit avec le *fast-ferry* (traversée : 5h), soit avec le ferry (traversée : 8h). Une liaison/j. hors saison. Résa conseillée. Pour revenir de Melilla vers

Almería ou Málaga, il faut réserver 2 à 4 sem à l'avance et plusieurs mois à l'avance en hte saison.
■ *Euro-Mer : voir coordonnées plus haut.* Départs tlj. Traversée : 7h.

Au départ d'Algésiras

Attention, les retards des bateaux sont considérables toute l'année, plus encore lors des grands départs entre juillet et août.

Algésiras – Ceuta

Nombre de départs en fonction de la demande.

■ *Trasmediterranea : voir coordonnées plus haut.* En hte saison, liaisons pratiquement ttes les heures : 6h-22h. Traversée : 35 mn.
■ *Euro-Mer : voir coordonnées plus haut.* Traversée ttes les heures. Durée :

35 mn.
■ *Euroferrys : représenté en France par* Euro-Mer *(voir coordonnées plus haut).* Propose des traversées sur des navires très confortables à prix intéressants.

Algésiras – Tanger

Gare aux agences de voyages d'Algésiras. Certaines, peu scrupuleuses, ajoutent une taxe au prix de la traversée sans en avertir le passager.

■ *Euro-Mer : voir coordonnées plus haut.* Traversées env ttes les 30 mn du mat au soir tard. Avec un billet *Euro-Mer,* embarquement sur ttes les compagnies quasiment sans attente. Nombreuses réducs.
■ *Euroferrys : représenté en France par* Euro-Mer *(voir coordonnées plus haut).* Propose des traversées sur des navires très confortables à prix intéressants.
■ *Trasmediterranea : voir coordon-*

nées plus haut. Traversée : 2h30 en ferry et 1h en bateau rapide. Départs ttes les heures : 6h-22h en été. Le trajet est un peu plus cher que la liaison Algésiras-Ceuta.
■ *Comarit : voir coordonnées plus haut.* Traversée : 1h15. Départs tte l'année, nombreuses traversées tlj.
■ *Comanav : voir coordonnées plus haut.* La compagnie assure des départs tlj tte l'année. Trajet : 2h.

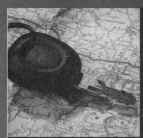

Location de voitures au Maroc

50% de remise sur l'option franchise remboursable*

EN INDIQUANT LE NUMÉRO DE PAGE DE CETTE ANNONCE

Réservez au meilleur prix votre location de voiture auprès d'un spécialiste. Toutes nos offres sont simples, claires et flexibles, sans supplément caché :

- ☺ Kilométrage illimité
- ☺ Assurances et taxes obligatoires incluses
- ☺ Modification annulation sans frais
- ☺ Le meilleur service client avant, pendant et après la location
- ☺ Des conseillers téléphoniques disponibles sur simple appel

Engagement N°1

Vous offrir le meilleur de la location de voitures loisirs en tant que spécialistes des locations de **voitures loisirs au Maroc et dans 125 pays.**

Engagement N°2

Vous garantir **le meilleur rapport qualité/prix** du marché sur les plus grandes enseignes.

Engagement N°3

Nos prix affichés sont ceux que vous payerez, sans supplément caché, **pas 1 euro de plus !**

Engagement N°4

Tout le monde peut changer d'envie : modification ou annulation sans frais. **Même à la dernière minute et sans justificatif.**

Engagement N°5

En option : **le 0 franchise assurance "tous risques"** quelle que soit la catégorie du véhicule et quel que soit le pays de destination.

Engagement N°6

Avoir la garantie d'**un prix tout compris ferme et définitif** avec toutes les inclusions nécessaires et suffisantes avec une assistance téléphonique gratuite pour vous conseiller à tout moment.

autoescape.com

0 820 150 300

0,12€/min

partout dans le monde

www.antidote-design.com - Crédit photos : Fotolia

* Offre non cumulable hors camping car et promotions.

Au départ de Tarifa

Tarifa – Tanger
Traversée : 35 mn.

■ *Marruecotur :* 6, av. de la Constitución, à Tarifa. ☎ (00-34) 956-68-12-42. ● *mcotur1@mcotur.e.telefonica.net* ● Il y a toujours quelqu'un qui parle le français. Cette agence espagnole vend les billets pour les 6 départs/j., tte l'année.

■ *Euro-Mer :* voir coordonnées plus haut. Traversées tlj, ttes les 2h.
– Au départ de Gênes (Italie), liaisons avec Tanger. Se renseigner auprès d'*Euro-Mer* (voir coordonnées ci-dessus).

RENSEIGNEMENTS DIVERS

La traversée la moins chère

Sujet épineux. Le prix de la traversée elle-même varie en fonction de :
– l'achat du billet sur place avant le départ ;
– l'achat du billet avec résa auprès du siège de la compagnie ;
– l'achat par l'intermédiaire d'une agence.

Les réservations

Les réservations (on utilise parfois le terme anglais *booking*) sont surtout conseillées en période de forte affluence (notamment début juillet) ; et toute l'année pour les lignes au départ de Sète.

L'embarquement

Le gros ennui avec la réservation, c'est qu'il faut arriver, le jour dit, BIEN AVANT l'heure d'embarquement. Mieux vaut prévoir dans votre voyage une journée libre à passer au port d'embarquement afin d'être sûr de ne pas rater le bateau. Sachez qu'en période de pointe (début juillet et début août) il n'est pratiquement pas tenu compte de la date de réservation ; il faut se placer le plus tôt possible. En dehors de ces périodes, la date de réservation fait référence.

EN BUS

Eh oui ! c'est possible ! Il faut s'armer d'un peu de patience, de pas mal de lecture, de musique, d'eau, de quelques gâteaux pour grignoter et d'un pull (la nuit, il peut faire un peu froid...).

▲ **EUROLINES**
Rens : ☎ 0892-89-90-91 (0,34 €/mn). ● eurolines.fr ● *Vous trouverez également les services d'Eurolines sur* ● routard.com ●
Présents à Paris, Versailles, Avignon, Bordeaux, Calais, Clermont-Ferrand, Dijon, Grenoble, Lille, Lyon, Marseille, Metz, Montpellier, Mulhouse, Nantes, Nice, Nîmes, Perpignan, Rennes, Strasbourg, Toulouse et Tours.
➤ Leader européen des voyages sur lignes régulières internationales par autocar, Eurolines dessert plus de 30 villes au Maroc (et notamment Marrakech) au départ de nombreuses villes françaises.

QUITTER LE MAROC

VERS L'EUROPE

EN AVION

Pas de taxe d'aéroport.
N'oubliez pas de confirmer votre vol retour 2-3 jours avant le départ. Pour les coordonnées des compagnies aériennes, reportez-vous à la rubrique « Arriver – Quitter » de chaque grande ville.

EN BATEAU

De Tanger

■ **Comanav :** 43, rue Abou-Ala-al-Maari. ☎ 039-93-26-52 ou 49. ● comanav.ma ● Liaisons avec Sète.
■ **Comarit :** av. Mohammed-VI. ☎ 039-32-00-32. ● comarit.com ●
■ **Limadet Ferry** (plan Tanger I, B1, **9**) : 13, rue du Prince-Moulay-Abdellah.

☎ 039-93-36-21 ou 33. Fax : 039-93-29-13. **Trasmediterranea** est représenté par Limadet : ☎ 039-93-17-27. Liaisons fréquentes avec Algésiras.
■ **FRS :** gare maritime. ☎ 039-94-26-12. Liaisons rapides entre Tanger et Algésiras.

➢ Liaisons en ferry entre Tanger et **Algésiras** (Espagne) ttes les heures (7h-22h) de mi-juin à mi-sept. Traversée : 2h-2h30. Rotation des compagnies maritimes en fonction des horaires (Limadet Ferry, Trasmediterranea, Comarit), mais billetterie commune.
Également des hydrofoils au moins 2 fois/j. pour **Algésiras** (en 70 mn) et **Tarifa** (35 mn) notamment avec la FRS.
➢ La Comanav et la Comarit assurent la liaison avec **Sète** 1-2 fois/sem.
Attention, sur le quai de Tanger, avant de quitter le Maroc, on essaiera parfois de vous vendre des formulaires, disponibles gratuitement sur le bateau !

De Ceuta

Le trafic est assuré par 4 compagnies, aux prix et aux prestations similaires : Trasmediterranea, Euroferrys, Balearia et Buquebus España. Liaisons avec :
➢ **Algésiras** (Espagne) : env 20 traversées/j., presque ttes les heures. Compter 35 mn.

De Melilla

➢ Traversées vers **Málaga** ou **Almería** avec Trasmediterranea. Prévoir 6h30 de trajet d'Almería et 5h (en bateau rapide) ou 8h (en ferry) de Málaga. Au moins 6 bateaux/sem. Juin-sept : fast-ferry vers Málaga.

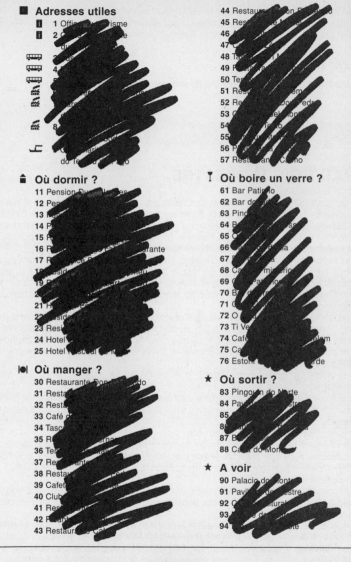

Adresses utiles

- **i** 1 Offic... ...urisme
- **i** 2 C... ...e
- 3 ...
- 4 ...
- ...
- 8 ...

Où dormir ?

- 11 Pension Du...
- 12 Pen...
- 13 ...
- 14 P...
- 15 P...
- 16 R...
- 17 R...
- 19 ...
- 21 H...
- 23 Resi...
- 24 Hotel...
- 25 Hotel...

⦿ Où manger ?

- 30 Restaurante Don...
- 31 Resta...
- 32 Resta...
- 33 Café...
- 34 Tasca...
- 35 R...
- 36 Ter...
- 37 Re...
- 38 Resta...
- 39 Cafe...
- 40 Club...
- 41 Res...
- 42 R...
- 43 Restaura...

- 44 Restaur...
- 45 Res...
- 46 ...
- 47 C...
- 48 Ta...
- 49 R...
- 50 Te...
- 51 Res...
- 52 Re...
- 53 C...
- 54 ...
- 55 ...
- 56 P...
- 57 Restaurant...

🍸 Où boire un verre ?

- 61 Bar Pati...
- 62 Bar d...
- 63 Ping...
- 64 B...
- 65 C...
- 66 ...
- 67 ...
- 68 Ca...
- 69 C...
- 70 B...
- 71 C...
- 72 O...
- 73 Ti Ve...
- 74 Cafe...
- 75 Ca...
- 76 Estol...

★ Où sortir ?

- 83 Pingouin do Norte
- 84 Pav...
- 85 ...
- 87 B...
- 88 Casa do Mon...

★ A voir

- 90 Palacio do...
- 91 Pavil...
- 92 C...
- 93 ...
- 94 ...

Espace offert par le guide du Routard

SAATCHI & SAATCHI

reporters
sans frontières

www.rsf.org

N'attendez pas qu'on vous prive de l'information pour la défendre.

De Nador

Départs tte l'année pour **Sète** (avec la *Comarit*) ou mars-déc (avec la *Comanav*), 1 à 2 fois/sem. Prévoir 34h de traversée. Pour **Almería,** plusieurs départs/j. avec la *Comarit,* la *Comanav, Ferrimaroc* et *Trasmediterranea*.

D'Al Hoceima

La compagnie *Comarit* assure une liaison avec Almería (Espagne).

VERS LA MAURITANIE

PAR VOIE TERRESTRE

Pour ceux qui vont en Mauritanie, de Dakhla compter au moins 2 jours de vivres et suffisamment d'eau (1 à 2 nuits à passer sur la route). Faire le plein à Dakhla (l'essence est moins chère au Maroc qu'en Mauritanie), puis on trouve une station-service à environ 80 km avant la frontière, une autre quelques kilomètres après, sur la route de Nouakchott, près de l'hôtel Barbas, à Bir-Gandouze.

Sur le parcours, plusieurs contrôles de police, douane et gendarmerie. Alors, pour vous faire gagner du temps, pensez à prendre une dizaine de photocopies de passeport sur lesquelles vous inscrivez vos profession, provenance, destination, but du voyage, date d'entrée au Maroc, le modèle et l'immatriculation du véhicule.

Les formalités de sortie du territoire s'effectuent à la frontière. Le poste frontière est ouvert tous les jours de 9h à 12h, et de 14h à 18h. Attention lors du ramadan, côté mauritanien, les horaires sont très, très fluctuants ! Bureaux de change. Le passage se déroule sans problème dans les deux sens. Généralement, 3 étapes :

– le poste de police pour remplir la fiche de sortie et faire tamponner son passeport ;

– le bureau des douanes pour y faire viser les papiers concernant le véhicule (fiche d'importation du véhicule impérative ; il s'agit du triptyque que l'on vous a remis à l'entrée du territoire) ;

– enfin, l'état-major de la gendarmerie.

Le visa peut se prendre directement au poste-frontière (10 €, payable également en dollars). Attention, c'est un visa de transit qui n'est valable que 3 jours, le temps de rejoindre Nouakchott et de se le faire prolonger pour un mois. Prévoir alors 25 € supplémentaires.

On vous demande parfois de remplir une déclaration des devises si vous sortez des liasses de billets sous les yeux des douaniers, sinon, on vous laisse généralement tranquille.

Vous aurez également à contracter une assurance (obligatoire) pour circuler sur le territoire mauritanien : s'adresser au bâtiment situé juste en face du bureau des douanes. En théorie, il faut compter 15-20 € par mois et par véhicule. En principe, payable en euros, mais parfois on vous demandera de régler en dirhams ou en ouguiya : pourquoi ? Comme ça ! Les négociations peuvent être âpres et à géométrie variable (essayez d'être ferme, tout en restant courtois, bien entendu !).

Le douanier prend tout son temps pour vous faire cracher un bakchich (c'est certes agaçant – et on reste poli ! – mais sachez-le, cela a pour effet de faire miraculeusement accélérer la procédure, surtout lorsqu'il y a une longue file de voitures). C'est la fin des tracasseries administratives.

Deux précisions importantes :

– il est formellement interdit de traverser la frontière mauritanienne avec de l'alcool ; buvez-le avant car il sera systématiquement confisqué, quelle que soit la qualité ;

– on se répète, peu importe ! Ne vous amusez pas à traverser la frontière avec des substances illicites ! Les douaniers sont équipés de chiens renifleurs, des deux côtés. Le moindre doute, et ils n'hésiteront pas à démonter votre véhicule ! Sans parler évidemment des risques que vous encourez ! On ne badine pas, vous voilà prévenu !

Une belle route permet aujourd'hui de relier la frontière à Nouakchott dans la journée (400 km). Plus la peine de passer une nuit dans le désert. Bon voyage en Mauritanie !

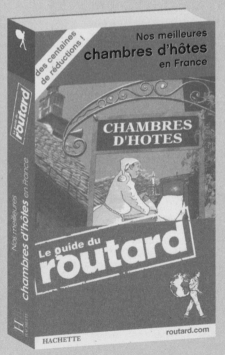

MAROC UTILE

ABC DU MAROC

- **Population :** 33 700 000 hab. (2007).
- **Superficie :** 710 850 km² (avec le Sahara occidental).
- **Capitale :** Rabat (700 000 hab.).
- **Villes principales :** Casablanca (4 000 000 hab.), Marrakech (950 000 hab.), Fès (1 000 000 d'hab.), Agadir (560 000 hab.) et Meknès (570 000 hab.).
- **Densité de population :** 70 hab./km².
- **Langues :** arabe classique (langue officielle). Parmi les langues véhiculaires : arabe dialectal, idiomes berbères (rifain, braber, chleuh et zénète), français (courant dans l'administration), espagnol (utilisé localement dans le Nord).
- **Monnaie :** le dirham (Dh).
- **Salaire minimum garanti :** 2 100 Dh (190,90 €).
- **Régime :** monarchie constitutionnelle.
- **Chef de l'État :** le roi Mohammed VI.

AVANT LE DÉPART

Adresses utiles

En France

🛈 **Office de tourisme marocain :** 161, rue Saint-Honoré, 75001 Paris. ☎ 01-42-60-47-24 ou 63-50. ● accueil.onmt@voila.fr ● ou tourisme.maroc@wanadoo.fr ● tourisme-marocain.com/onmt_fr ● Ⓜ Palais-Royal ou Pyramides. Lun-ven 9h-18h.

■ **Consulat du Maroc :** 12, rue de la Saïda, 75015 Paris. ☎ 01-56-56-72-00. Fax : 01-45-33-21-09 ou 01-56-56-72-14. ● consulat-general-du-maroc2@wanadoo.fr ● Ⓜ Convention. Lun-ven 9h-14h.

– **Autres consulats :** à Bordeaux, Dijon, Lille, Lyon, Marseille, Montpellier, Colombes, Orléans, Pontoise, Rennes, Strasbourg, Toulouse, Villemomble (93) et Bastia.

■ **Institut du monde arabe :** 1, rue des Fossés-Saint-Bernard, 75005 Paris. ☎ 01-40-51-38-38. ● imarabe.org ● Ⓜ Jussieu. Tlj sf lun 10h-18h (19h pour la librairie et la médina). Bibliothèque tlj sf dim et lun 13h-20h. Entrée libre. Accès payant pour le musée et certaines expos. Un lieu idéal pour découvrir et apprécier la culture arabe. Nombreuses activités et spectacles. Parfait pour préparer son voyage.

En Belgique

🛈 **Office de tourisme du Maroc :** av. Louise, 402, Bruxelles 1050. ☎ 02-646-63-20. ● tourisme.maroc@skynet.be ● tourisme-marocain.com/onmt_fr ●

Lun-ven 9h-12h30, 13h30-18h (17h30 ven).

■ **Consulat du Maroc :** av. Van-Volxem, 20, Bruxelles 1190. ☎ 02-346-19-66. Fax : 02-344-46-92. ● consuma bruxe@skynet.be ● En principe, lun-ven

9h-13h, mais peut fermer beaucoup plus tôt en période d'affluence.

– **Autre consulat :** quai Saint-Léonard, 54, 4000 Liège. ☎ 04-227-41-59. Fax : 04-227-55-64. ● consumaliege@skynet. be ● Lun-ven 9h-14h.

En Suisse

🛈 **Office de tourisme du Maroc :** 5, Schifflande, 8001 Zurich. ☎ 044-252-77-52. ● info@marokko.ch ● visitmoro co.org ● tourisme-marocain.com/onmt_ fr ● Lun-ven 9h-17h30.

■ **Ambassade du Maroc :** 42, Helvetiastrasse, 3005 Berne. ☎ 031-351-03-62 ou 63. Fax : 031-351-03-64. ● con sulat-ma@amb-maroc.ch ● amb-maroc. ch ● Service consulaire lun-ven 9h-15h.

Au Canada

🛈 **Office national marocain du tourisme :** pl. Montréal-Trust, 1800, rue Mc-Gill-College, suite 2450, Montréal (Québec) H3A-3J6. ☎ (514) 842-81-11 ou 12. Fax : (514) 842-53-16. ● onmt@ qc.aira.com ● visitmorocco.org ● Lun-ven 9h-16h.

■ **Consulat général du royaume du Maroc :** 2192, bd René-Lévesque Ouest, Montréal (Québec) H3H-1R6. ☎ (514) 288-87-50. Fax : (514) 288-48-59. ● info@consulatdumaroc.ca ● con sumam@videotron.ca ● consulatduma roc.ca ● Lun-ven 9h-15h.

Formalités

– Le **passeport** en cours de validité est exigé et doit être valable au moins 3 mois à partir de la date d'entrée au Maroc. Néanmoins, pour les ressortissants de l'Union européenne et les Suisses, la carte d'identité peut suffire sous trois conditions : que l'entrée se fasse à l'un des aéroports suivants : Marrakech-Ménara, Agadir ou Ouarzazate, que le voyageur ait acheté un billet aller-retour et qu'il ait réservé au moins trois nuits d'hôtels (en apporter la preuve). Il s'agit d'une tolérance de la part des autorités marocaines, qui peut changer à tout moment et varier selon les pays d'origine. Le consulat du Maroc en France précise que dans tous les autres cas, le passeport est obligatoire. **Avant le départ, toujours se renseigner auprès de son voyagiste ou du consulat du Maroc de son pays d'origine.** Car nombreux sont ceux qui chaque année se font encore refouler au moment de l'enregistrement en Europe, ou pire, dès leur arrivée sur le sol marocain. De plus, un passeport est parfois nécessaire dans les banques pour faire du change (de travellers notamment) ou en cas de rapatriement individuel en urgence. Nous vous conseillons donc de toute façon d'en avoir un. Pour les Canadiens, passeport obligatoire dans tous les cas.

– Pas de **visa** pour les ressortissants de l'Union européenne (ainsi que pour les Suisses et les Canadiens), mais le séjour ne peut excéder 3 mois. Pour ceux qui souhaitent rester plus longtemps (avec un maximum de 3 autres mois), la demande de prolongation doit être effectuée sur la base de justificatifs de résidence et de ressources, si possible dès l'arrivée, auprès du bureau de police le plus proche, au minimum 2 semaines avant l'expiration du délai initial de validité (passeport obligatoire).

Un conseil : photocopiez tous vos documents officiels y compris votre billet d'avion et séparez-les de vos originaux. Mieux : scannez-les et envoyez-les à votre adresse e-mail. En cas de perte ou de vol, vous pouvez récupérer vos « photocopies » de n'importe quel cybercafé.

– Pour *louer une voiture* au Maroc, le permis de conduire national suffit. Mais il faut avoir un an de permis et une carte de paiement (qui servira lors de la prise en charge du véhicule pour une empreinte de caution).

– Si vous vous rendez au Maroc en voiture, sachez qu'en plus de l'équipement habituel et obligatoire dans un véhicule de l'Union européenne (relire le code de la route !), vous devez désormais avoir impérativement à bord un gilet fluo (deux pour les camping-cars), ainsi que deux triangles de signalisation. C'est nouveau en France, plus ancien chez nos amis ibériques.

– *Pour tous les types de véhicules automobiles (voitures, 4x4, camping-cars) et motos immatriculées normalement,* se munir de la carte grise au nom et prénom du propriétaire (sinon prévoir une procuration et une photocopie de la carte d'identité du propriétaire) et de la *carte verte.* Si votre assurance ne couvre pas ce pays, il est obligatoire de prendre une assurance complémentaire au poste-frontière. Mais c'est souvent dans ce cas hors de prix. Attention ! Pour les voitures louées en Europe, il faut obtenir du loueur l'autorisation écrite de sortir de l'Union européenne.

Le délai de séjour d'un véhicule avec plaques d'immatriculation françaises sur le sol marocain ne peut dépasser 3 mois sur une période de 12 mois.

Votre véhicule personnel entrant au Maroc sera inscrit de façon temporaire sur votre passeport. Si vous devez quitter le pays en urgence par avion, il est possible de laisser votre voiture sous douane (dans un garage agréé) et de faire retirer l'enregistrement du véhicule sur le passeport. En cas d'accident, si le véhicule ne peut être rapatrié, un expert mandaté par votre assureur constatera l'état de votre véhicule, et s'il est jugé « épave », il sera retiré de votre passeport et vous pourrez rentrer en avion. En cas de vol (rare), se présenter aux services de douane, muni d'une déclaration de vol (il faut acquitter des droits et taxes).

En principe, les correspondants locaux de votre assurance se chargent de ces formalités.

Pour plus de détails, n'hésitez pas à consulter le site de la douane marocaine : • douane.gov.ma •

Assurances voyage

■ *Routard Assurance* (c/o *AVI International*) : 28, rue de Mogador, 75009 Paris. ☎ 01-44-63-51-00. • *avi-international.com* • Depuis 1995, *Routard Assurance,* en collaboration avec *AVI International,* spécialiste de l'assurance voyage, propose aux routards un tarif à la semaine qui inclut une assurance bagages de 1 000 € et appareils photo de 300 €. Pour les séjours longs (2 mois à 1 an), il existe le *Plan Marco Polo. Routard Assurance* est aussi disponible en version « light » (durée adaptée aux week-ends et courts séjours en Europe). Dans les dernières pages de chaque guide, vous trouverez un bulletin d'inscription.

■ *AVA :* 25, rue de Maubeuge, 75009 Paris. ☎ 01-53-20-44-20. • *ava.fr* • Un autre courtier fiable. Capital pour ceux qui souhaitent s'assurer en cas de décès-invalidité-accident lors d'un voyage à l'étranger. Attention, franchises pour leurs contrats d'assurance voyage.

■ *Pixel Assur :* 18, rue des Plantes, 78600 Maisons-Laffitte. ☎ 01-39-62-28-63. • *pixel-assur.com* • Assurance de matériel photo et vidéo tous risques dans le monde entier. Devis basé sur le prix d'achat de votre matériel. Garantie à l'année.

Vaccinations

Aucune vaccination n'est exigée par les autorités pour les voyageurs en provenance d'Europe. Certains vaccins sont néanmoins utiles pour la protection individuelle du voyageur.

– Être à jour pour ses vaccinations « universelles », recommandées en Europe pour tout le monde : tétanos, polio, diphtérie, hépatite B.
– Les maladies transmises par l'eau et l'alimentation étant fréquentes au Maroc, il est recommandé – en plus des mesures d'hygiène alimentaire universelles – de se faire vacciner contre la fièvre typhoïde et l'hépatite A (dans les deux cas, une injection de 15 à 21 jours avant le départ). En cas de séjours ruraux prolongés, il est très fortement recommandé de se faire vacciner préventivement contre la rage et les méningites A et C.
Renseignements : ● astrium.com ● Voir aussi plus loin la rubrique « Santé ».

Douane

La tendance est à la simplification et à la libéralisation :
– *Si vous arrivez d'Espagne,* les formalités de police (tamponnage du passeport) s'effectuent sur le bateau, ce qui fait gagner du temps, ou à l'arrivée (tout dépend des liaisons).
Quant aux formalités douanières proprement dites (feuille verte D16 bis d'importation temporaire du véhicule), elles deviennent de moins en moins tatillonnes, sauf excès de zèle des fonctionnaires de service. Encore faut-il que vous soyez en règle. Si les formalités vous semblent longues et pointilleuses, surtout restez patient. Votre irritation n'arrangerait rien, bien au contraire !

Bon à savoir

– Les amateurs d'*alcool* peuvent apporter une bouteille de leur vin préféré et une bouteille de 75 cl d'alcool (vin ou autres).
– Les accros au *tabac* ont droit à une cartouche.
– L'utilisation de la *CB* est soumise à l'autorisation de l'Agence nationale de réglementation des télécommunications (ANRT) à Rabat, BP 2939 Hay Riad. ☎ *(00-212) 37-71-84-00. Fax : (00-212) 37-71-85-47.* ● *anrt.ma* ● *Rens également auprès du service Presse de l'ambassade du Maroc à Paris :* ☎ *01-45-20-69-35 (standard). Formulaire de demande d'autorisation téléchargeable sur le site de l'ambassade* ● *amb-maroc.fr* ●*,* rubrique « Vos questions ».
– Sont *proscrites* les *publications « légères »* et toute *littérature politique* susceptible de contenir un article portant atteinte à l'ordre public (et surtout au souverain du Maroc).
– Les douaniers vous confisqueront les *bombes de défense,* considérées comme des armes (dont l'entrée est strictement prohibée), ainsi que les *fusées de détresse* (que vous aviez prises pour parcourir le désert). Elles vous seront restituées au retour.

Carte internationale d'étudiant (carte ISIC)

Elle prouve le statut d'étudiant dans le monde entier et permet de bénéficier de tous les avantages, services, réductions étudiants du monde, soit plus de 37 000 avantages (dont plus de 8 000 en France) concernant les transports, les hébergements, la culture, les loisirs... C'est une clé de la mobilité étudiante !
La carte ISIC donne aussi accès à des avantages exclusifs sur le voyage (billets d'avion spéciaux, assurances voyage, carte de téléphone internationale, carte SIM, location de voitures, navette aéroport...).
Pour plus d'infos sur la carte ISIC et pour la commander en ligne, rendez-vous sur les sites internet de chaque pays.

Pour l'obtenir en France

Pour localiser un point de vente proche de chez vous : ☎ *01-40-49-01-01 ou* ● *isic.fr* ●

Se présenter au point de vente avec :
– une preuve du statut d'étudiant (carte d'étudiant, certificat de scolarité...) ;
– une photo d'identité ;
– 12 €, ou 13 € par correspondance, incluant les frais d'envoi des documents d'information sur la carte.
Émission immédiate.

En Belgique

Elle coûte 9 € et s'obtient sur présentation de la carte d'identité, de la carte d'étudiant et d'une photo auprès de :

■ *Connections :* rens au ☎ 070-23-33-13. ● *isic.be* ●

En Suisse

Dans toutes les agences *STA Travel* (☎ 058-450-40-00), sur présentation de la carte d'étudiant, d'une photo et de 20 Fs. Commande de la carte en ligne : ● isic.ch ● ou ● statravel.ch ●

Au Canada

La carte coûte 16 $Ca ; elle est disponible dans les agences Travel Cuts/Voyages Campus, les gares VIA Rail et les bureaux d'associations étudiants. Pour plus d'infos : ● viacampus.ca ●

Carte d'adhésion internationale
aux auberges de jeunesse (carte FUAJ)

Cette carte, valable dans 80 pays, vous ouvre les portes des 4 200 auberges de jeunesse du réseau *Hostelling International* réparties dans le monde entier. Les périodes d'ouverture varient selon les pays et les AJ. À noter, la carte est souvent obligatoire pour séjourner en auberge de jeunesse, donc nous vous conseillons de vous la procurer avant votre départ. En effet, adhérer en France vous reviendra moins cher qu'à l'étranger.

Pour tous renseignements et réservations en France

Sur place

■ *Fédération unie des auberges de jeunesse (FUAJ) :* 27, rue Pajol, 75018 Paris. ☎ 01-44-89-87-27. ● *fuaj.org* ● ⓂMarx-Dormoy ou La Chapelle. Lun 10h-17h, mar-ven 10h-18h. Montant de l'adhésion : 11 € pour les moins de 26 ans et 16 € pour les plus de 26 ans (tarifs 2008). Munissez-vous de votre pièce d'identité lors de l'inscription.

Pour les mineurs, une autorisation des parents leur permettant de séjourner seul(e) en AJ est nécessaire (une photocopie de la carte d'identité du parent qui autorise le mineur est obligatoire).
– Adhésion possible également dans toutes les AJ, points d'information et de réservation FUAJ en France.

Par correspondance

Envoyez une photocopie recto verso d'une pièce d'identité et un chèque à l'ordre de « FUAJ » correspondant au montant de l'adhésion. Ajoutez 2 € pour les frais d'envoi. Vous recevrez votre carte sous 15 jours.

– La FUAJ propose également une *carte d'adhésion « Famille »,* valable pour les familles de 2 adultes ayant un ou plusieurs enfants âgés de moins de 14 ans. Fournir une copie du livret de famille. Elle coûte 23 € (tarif 2008). Une seule carte est délivrée pour toute la famille, mais les parents peuvent s'en servir lorsqu'ils voyagent seuls. Les plus de 14 ans doivent acquérir une carte individuelle.

– La carte donne également droit à des réductions sur les transports, les musées et les attractions touristiques de plus de 80 pays. Ces avantages varient d'un pays à l'autre, ce qui n'empêche pas de la présenter à chaque occasion. Liste de ces réductions disponibles sur ● hihostels.com ● et les réductions en France sur ● fuaj.org ●

En Belgique

Son prix varie selon l'âge : entre 3 et 15 ans, 3 € ; entre 16 et 25 ans, 9 € ; après 25 ans, 15 €.

Renseignements et inscriptions

■ *À Bruxelles :* LAJ, *rue de la Sablonnière, 28, 1000.* ☎ *02-219-56-76.* ● *laj.be* ●
■ *À Anvers :* Vlaamse Jeugdherberg-centrale (VJH), *Van Stralenstraat 40, B 2060 Antwerpen.* ☎ *03-232-72-18.* ● *vjh.be* ●

– La carte de membre permet d'obtenir de 5 à 9 € de réduction sur la première nuit dans les réseaux LAJ, VJH et CAJL (Luxembourg), ainsi que des réductions auprès de nombreux partenaires en Belgique.

En Suisse

Le prix de la carte dépend de l'âge : 22 Fs pour les moins de 18 ans, 33 Fs pour les adultes et 44 Fs pour une famille avec des enfants de moins de 18 ans.

Renseignements et inscriptions

■ *Schweizer Jugendherbergen (SJH) :* service des membres, Schaffhauserstrasse 14, Postfach 161, 8042 Zurich. ☎ *044-360-14-14.* ● *youthhostel.ch* ●

Au Canada

La carte coûte 35 $Ca pour une durée de 16 à 26 mois (tarifs 2008) et 175 $Ca à vie. Gratuit pour les enfants de moins de 18 ans qui accompagnent leurs parents. Pour les juniors voyageant seuls, la carte est gratuite mais la nuitée payante (moindre coût). Ajouter systématiquement les taxes.

Renseignements et inscriptions

■ *Auberges de jeunesse du Saint-Laurent / Saint Laurent Youth Hostels :*
– *À Montréal :* 3514, av. Lacombe, Montréal (Québec) H3T-1M1. ☎ *(514) 731-10-15.* N° gratuit (au Canada) : ☎ *1-866-754-10-15.*
– *À Québec :* 94, bd René-Lévesque-Ouest, Québec (Québec) G1R-2A4.
☎ *(418) 522-2552.*
■ *Canadian Hostelling Association :* 205 Catherine Street, bureau 400, Ottawa (Ontario) K2P-1C3. ☎ *(613) 237-78-84.* ● *hihostels.ca* ●
■ *Voyages Campus,* qui a 7 agences à travers le Québec, distribue aussi la carte de membre : ● voyagescampus.ca ●

ARGENT, BANQUES, CHANGE

Monnaie

La monnaie marocaine est le *dirham,* qui signifiait « pièce d'argent » en persan. Mi-2008, 1 € valait environ 11 dirhams (Dh), ce taux étant resté assez stable ces dernières années. Cette monnaie n'est pas convertible et vous êtes censé quitter le Maroc sans dirham en poche. Attention, au souk, parfois, les petites sommes sont données en riels (1 dirham = 20 riels, autrement dit 1 riel = 5 centimes marocains). Donc, si l'on vous annonce 600 pour le prix d'un vêtement, pas de panique, ça ne fait que 30 Dh, soit 2,70 € ! Mais heureusement pour vos méninges en vacances, lorsqu'ils s'adressent aux étrangers, les vendeurs ont tendance à convertir d'eux-mêmes de riels en dirhams. À l'autre extrémité de la gamme des prix, les grosses sommes (maison, voiture) sont exprimées... en centimes marocains ! On vous parlera donc d'une voiture à dix millions lorsqu'elle a coûté 100 000 Dh...

Attention, les pièces de 1 Dh et de 2 Dh se ressemblent beaucoup : on a vite fait de se tromper. Par ailleurs, dans certains hôtels, et lors de vos achats dans les grandes médinas comme Marrakech, il est souvent possible de régler en euros. Dans ce cas, prenez bien sûr garde au taux de change.

Banques

La plupart des banques, notamment dans les grandes villes, ont des horaires continus : du lundi au vendredi de 8h15 à 15h30 ou 15h45 (avec parfois une pause plus ou moins longue au moment de la prière du vendredi). Sinon, elles sont généralement ouvertes du lundi au jeudi de 8h30 à 11h30 et de 14h30 à 16h, parfois de 8h à 18h30 ; le vendredi, jour de la grande prière, fermeture le midi plus longue (11h-15h). Certaines ont un bureau de change ouvert le samedi. En période de ramadan, elles ouvrent en continu : de 8h30 (9h30) à 14h (15h) ; ces horaires particuliers font chaque année l'objet d'un décret.

Change

Toutes les grandes banques ont un bureau de change, ainsi que les grands hôtels. Depuis la nouvelle loi sur la libéralisation du taux de change (début 2007), chaque banque peut appliquer son propre taux. Mais dans la réalité, pour l'instant, il varie assez peu d'un guichet à l'autre. Il n'y a jamais de difficultés pour effectuer du change, sauf dans des endroits reculés. On vous demandera quelquefois de présenter votre passeport. Toujours exiger un reçu et bien vérifier la somme, certains agents s'octroyant d'office une commission.

– Les *billets de banque en euros* sont acceptés dans toutes les banques ainsi que dans les hôtels. Ils doivent impérativement être en parfait état, sinon ils sont refusés.

– En revanche, les *chèques de voyage* ne sont pas systématiquement acceptés par toutes les banques. Se munir de l'original de la preuve d'achat et de son passeport.

– En cas de besoin urgent d'argent liquide (perte ou vol de billets, chèques de voyage, carte de paiement), vous pouvez être dépanné en quelques minutes grâce au système *Western Union Money Transfer.* Pour cela, demandez à quelqu'un de vous déposer de l'argent en euros dans l'un des bureaux *Western Union* ; les correspondants en France de *Western Union* sont *La Banque Postale* (fermée samedi après-midi, n'oubliez pas ! ☎ 0825-00-98-98) et *Travelex* en collaboration avec la *Société financière de paiement (SFDP),* ☎ 0825-825-842. L'argent est transféré en moins de 15 mn. La commission, assez élevée, est payée par l'expéditeur. Possibilité d'effectuer un transfert en ligne 24h/24 par carte de paiement (*Visa* ou *MasterCard* émise en France). ● westernunion.com ● Au Maroc, vous pouvez vous adresser, muni d'une pièce d'identité, à la *Wafabank,* à la *Banque marocaine pour le commerce et l'industrie (BMCI),* à la *Société générale marocaine de banques (SGMB)* ou à *La Poste.*

Cartes de paiement

Elles sont acceptées, dans les plus grandes villes, dans certains établissements importants (hôtels, restaurants, magasins, mais rarement dans les stations-service). Aujourd'hui, les terminaux électroniques de paiement se sont généralisés et l'arnaque au « fer à repasser » est de plus en plus rare (votre carte sert à imprimer deux facturettes et votre compte est débité deux fois ; face à ce genre d'appareil, accompagnez toujours le commerçant avec la carte).

La carte la plus largement acceptée est la carte *Visa* (nombreux distributeurs).

Par ailleurs, avec la carte *MasterCard,* vous pouvez retirer de l'argent aux distributeurs et aux guichets de la *Banque marocaine du commerce extérieur* ainsi qu'aux guichets des banques suivantes : *Wafabank* ; *Banque centrale populaire* ; *Banque commerciale du Maroc,* où l'attente peut être très longue.

Vérifiez, avant votre départ et auprès de votre banque, le plafond autorisé pour vos retraits. En vacances, en cas de retraits fréquents et importants, celui-ci risque d'être vite atteint.

– **Carte MasterCard :** *assistance médicale incluse ; n° d'urgence :* ☎ *00-33-1-45-16-65-65.* ● *mastercardfrance.com* ● *En cas de perte ou de vol, composez le numéro communiqué par votre banque ou, à défaut, le numéro général :* ☎ *(00-33) 892-69-92-92 pour faire opposition (numéro également valable pour les autres cartes de paiement émises par le Crédit Agricole et le Crédit Mutuel).*

– *Pour la carte* **American Express,** *téléphoner en cas de pépin au* ☎ *00-33-1-47-77-72-00. N° accessible tlj 24h/24, PCV accepté en cas de perte ou de vol.* ● *americanexpress.fr* ●

– **Carte Bleue Visa Internationale :** *assistance médicale incluse ; n° d'urgence (Europe Assistance) :* ☎ *00-33-1-41-85-88-81. Pour faire opposition, contactez le numéro communiqué par votre banque.* ● *carte-bleue.fr* ●

– *Pour ttes les cartes émises par* **La Banque Postale,** *composer le* ☎ *00-33-5-55-42-51-96 depuis l'étranger.*

Quelle que soit la carte que vous possédez, chaque banque gère elle-même le processus d'opposition et le numéro de téléphone correspondant ! Avant de partir, notez donc bien le numéro d'opposition propre à votre banque en France (il figure souvent au dos des tickets de retrait, sur votre contrat ou à côté des distributeurs de billets), ainsi que le numéro à seize chiffres de votre carte. Bien entendu, conservez ces informations en lieu sûr, et séparément de votre carte. Par ailleurs, l'assistance médicale se limite aux 90 premiers jours du voyage.

Distributeurs automatiques

Quelques conseils pour éviter des mésaventures avec les distributeurs automatiques (valables dans tous les pays du monde) : mieux vaut retirer de l'argent pendant les heures d'ouverture des banques, ce qui permet de demander l'intervention d'un préposé en cas de non-fonctionnement de l'appareil. Surtout que, en cas de problème, les distributeurs automatiques marocains gardent la carte au lieu de la restituer... y compris en cas de problème technique. Imaginez-vous donc qu'un vendredi soir, alors que vous êtes fauché, une machine facétieuse avale votre carte : vous voilà bloqué dans la ville, affamé, jusqu'au lundi matin... et en espérant que vous n'ayez pas pris votre vol retour entre-temps...

Sachez aussi que, pour chaque retrait, une commission variable de l'ordre de 2 %, complétée d'une partie fixe de 3,50 à 5 €, sera débitée de votre compte bancaire. Du fait de cette partie fixe, mieux vaut éviter de retirer des petites sommes.

Attention : on conseille vivement à ceux qui descendent au sud de Tafraoute et Ouarzazate de faire le plein en liquide ou d'avoir des euros à changer, car les distributeurs se font rares tout au sud du pays.

BUDGET

La vie au Maroc est moins onéreuse qu'en France, quoiqu'elle ait sérieusement augmenté dans les endroits touristiques. On peut, si l'on voyage sans faire d'excès à Marrakech et Essaouira, prévoir un budget de 500-600 Dh (45,40-54,50 €) environ, par jour et pour 2 personnes, se décomposant ainsi : 150-200 Dh (13,60-18,20 €) pour la chambre et le petit déj, 4 repas à 60 Dh (5,50 €), soit 240 Dh (21,80 €), le reste étant consacré aux boissons, aux transports et à la visite des monuments. Mais cela implique des hébergements parfois douteux, des repas dans des gargotes, et l'utilisation des transports en commun.

En prévoyant le double, on pourra descendre dans des hôtels plus confortables, s'asseoir à de bonnes tables et passer des vacances dans d'excellentes conditions. Une précision : les fourchettes de prix indiquées ci-dessous ont parfois été nuancées en fonction des villes.

Vous constaterez aussi que pour certains établissements, tenus par des Européens (surtout à Marrakech et Essaouira), les prix sont affichés uniquement en euros, leur monnaie de référence. Ils sont donc indiqués dans le guide ainsi. Bien sûr, libre à vous de demander à payer en dirhams selon le cours en vigueur.

Hôtels

Pour les villes les plus touristiques, comme Marrakech, Essaouira et Rabat, ces fourchettes peuvent être revues 20 % à la hausse, selon la saison et le type d'hébergement.
– *Très bon marché :* moins de 100 Dh (9,10 €).
– *Bon marché :* 100-180 Dh (9,10-16,40 €).
– *Prix moyens :* 180-350 Dh (16,40-31,80 €).
– *Chic :* 350-650 Dh (31,80-59,10 €).
– *Très chic :* plus de 650 Dh (59,10 €).

Restaurants

Nous avons classé les restaurants en 5 catégories (repas complet pour une personne sans la boisson).
– *Très bon marché :* moins de 50 Dh (4,50 €).
– *Bon marché :* moins de 80 Dh (7,30 €).
– *Prix moyens :* moins de 150 Dh (13,60 €).
– *Chic :* 150-250 Dh (13,60-22,70 €).
– *Très chic :* plus de 250 Dh (22,70 €).

Le juste prix

Vous trouverez ci-dessous quelques prix de référence qui vous éviteront de vous faire arnaquer. L'inflation au Maroc est d'environ 2 % par an, du moins officiellement, car la réalité du terrain est tout autre : explosion des denrées de base... Mais on en reparle plus loin.
– Grande bouteille d'eau minérale : 5 Dh (0,50 €).
– Verre de thé dans un café : à partir de 7 Dh (0,60 €).
– *Coca* dans un café : à partir de 7 Dh (0,60 €).
– Bière locale (33 cl) : à partir de 12 Dh (1,10 €).
– Pain (baguette ou galette) : 1,10 Dh (0,10 €).
– Petite course en petit taxi : 5-10 Dh (0,50-0,90 €), plus cher la nuit.
– Kilomètre en grand taxi (6 passagers) : de l'ordre de 0,50 Dh (0,05 €) pour tous les passagers.
– Essence super ou sans plomb (varie selon le prix du brut) : autour de 10,50 Dh (1 €) le litre.
– Gazole (varie selon le prix du brut) : autour de 7,50 Dh (0,70 €) le litre.
– Ticket de bus en ville, par trajet : 2-4 Dh (0,20-0,40 €).

CLIMAT

« Au Maroc, il y a tellement de soleil, que nous sommes obligés de prier pour qu'il pleuve. »

Un météorologiste marocain.

MAROC UTILE

Le climat du Maroc est très différent selon les régions :
– Le littoral atlantique (où se trouvent Essaouira et Agadir) jouit d'une situation agréable et tempérée, les hivers y sont cléments, les étés chauds et beaux. Seule ombre au tableau : pas mal de vent toute l'année et une eau relativement froide, ça reste l'océan, ne l'oublions pas. Attention aux courants marins aussi.

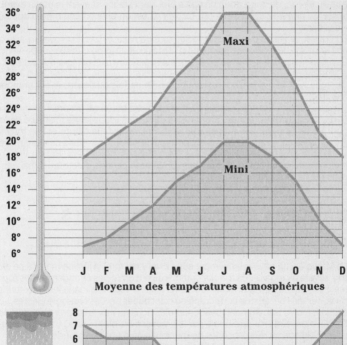

Maxi

Mini

Moyenne des températures atmosphériques

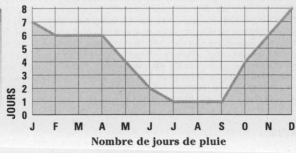

Nombre de jours de pluie

MAROC (Marrakech)

MAROC UTILE

– La partie nord du pays offre un climat méditerranéen. S'il peut faire très chaud dans les villes côtières dès le début du printemps, le climat dans le Rif est bien plus frais. Hiver rigoureux à Chefchaouen, cols fermés à la circulation, et parfois d'épaisses nappes de brouillard sur les routes de montagne même assez tard dans le printemps.

– Vers le centre, le climat est montagnard, les hivers sont particulièrement rudes (en fonction de l'altitude) et les étés arides. Le sommet le plus haut culmine à 4 167 m, et il n'est pas rare que des chutes de neige dépassent un mètre dans certains villages de l'Atlas. De plus, dans cette région, les nuits sont fraîches, et Pâques dans quelques hôtels non chauffés peut vous laisser un souvenir... cuisant !

– Plus au sud, le climat est désertique.

D'une manière générale, partout, les écarts de température peuvent être importants dans une même journée. Le soir en été, par exemple, on supporte un anorak à Essaouira, tandis qu'à Marrakech, à la même heure, la chaleur est à ce point accablante qu'elle vous empêche de dormir. À noter que sur toute la côte atlantique du Maroc, de mai à août, un épais brouillard stagne souvent le matin avant de laisser la place au soleil vers 13h ou 14h. C'est un phénomène météo appelé le « ciel blanc ».

En conséquence, la panoplie du parfait routard n'existe pas. Prévoyez, quelle que soit la saison, le maillot de bain, une p'tite laine et un imperméable coupe-vent.

La moyenne annuelle d'ensoleillement est supérieure à 8h par jour à Agadir, à Fès, à Marrakech et à Ouarzazate et la température moyenne dépasse les 17 °C. Le Chergui, vent sec et brûlant du levant, souffle parfois du désert, et fait grimper le mercure.

Chaque saison offre ses avantages et une lumière qui lui est propre. Le voyage est donc possible toute l'année. Toutefois, le printemps est de loin la meilleure période pour visiter le pays. Les arbres sont en fleurs, et toute la nature est en majesté. À l'automne en revanche, tout a été grillé par le soleil d'été ; dans ce cas-là, mieux vaut opter pour les villes impériales (Fès, Meknès, Marrakech, Rabat). Pour les régions situées au sud du Haut Atlas, préférez la période d'octobre à mai car, en plein été, la température avoisine les 45 °C.

DANGERS ET ENQUIQUINEMENTS

Des mille et une manières de soutirer des sous...

Le Maroc est un pays relativement sûr. Le vol y est rare, la justice marocaine étant très sévère au regard des forfaits commis à l'encontre des étrangers et des touristes. Les risques de vol à la tire sont donc limités. Toutefois, dans les lieux touristiques, certains bazaristes peu scrupuleux, secondés par des chasse-touristes, vous sachant (ou vous imaginant) beaucoup plus riche qu'eux, essaieront de vous soutirer le maximum d'argent, mais par les moyens les plus légaux, via une pression psychologique ou des procédés de manipulation d'une très grande habileté.

Mais reconnaissons que les torts sont partagés : les pires ennemis de votre tranquillité sont ceux qui achètent n'importe quoi à n'importe quel prix sous prétexte qu'ils sont en vacances ! En pays musulman, l'acte d'achat n'est pas anodin, il relève d'un engagement réciproque, alors, avant de dépenser, prenez le temps de vous renseigner, de comparer, de discuter avec ceux qui connaissent le pays. Vous aiderez à canaliser ces dérives désagréables pour tous.

Vols

Ne vous détournez pas chaque fois que vous êtes abordé, soyez décontracté mais vigilant et aiguisez votre légendaire sixième sens. Voici quelques conseils et mises en garde pour que les vacances ne se transforment pas en galère. Inutile de rappeler que ces conseils sont valables partout dans le monde, et pas uniquement au Maroc !

– Porter les sacs de matériel photo en bandoulière. Ne pas mettre de portefeuille dans les poches arrière d'un pantalon. Pour son argent et ses papiers, préférer les vêtements avec poches intérieures. Pour les adeptes de la banane, la porter devant soi quand on est dans les souks. Ne jamais garder la totalité de son argent au même endroit.

– Partout dans le monde, les pickpockets utilisent la même technique, qui généralement s'applique avec l'aide d'un complice. Le premier détourne votre attention, de quelque manière que ce soit, tandis que l'autre subtilise votre portefeuille.

– *La tache :* une technique, parmi d'autres, qui semble assez répandue. Un homme vous propose de vous aider à nettoyer une salissure que quelqu'un vous a jetée dans le dos ; il sort un mouchoir, vous met en confiance avec de belles paroles et en profite pour vous voler pendant qu'il vous frotte avec le mouchoir.

– Ne jamais rien laisser d'apparent dans un véhicule. Mettre tout dans le coffre et confier le véhicule à un gardien qui, moyennant quelques dirhams à peine (2-5 Dh, soit 0,20-0,50 € le jour, 10 Dh, soit 0,90 € la nuit), le surveillera. Sachez toutefois que dans certaines villes, les gardiens demandent des tarifs excessifs (comme à Essaouira par exemple) et qu'il ne faut pas alors hésiter à négocier !

– En cas de vol ou de perte de papiers d'identité ou autres, prévoyez toujours, avant votre départ, des photocopies en plusieurs exemplaires, rangées en différents endroits ou remises aux personnes qui vous accompagnent, ainsi que quelques photos d'identité. Le scannage des papiers d'identité puis l'envoi sur votre adresse mail est aussi très efficace ! L'idéal est de partir avec son passeport et sa carte d'identité (rangés dans deux endroits différents) ; en cas de perte de l'un, l'autre facilite l'identification et accélère les démarches. Pensez aussi à relever le numéro tamponné sur le passeport à l'arrivée (la police en a besoin pour vous laisser repartir). Il faut savoir que la police ne prend pas de déposition pendant le congé de fin de semaine. L'attestation de déclaration est payante (peu chère). Exigez toujours qu'on vous remette une copie de votre déclaration en français. On vous répondra qu'il faut faire une demande écrite à la Sûreté nationale. Demandez alors une attestation provisoire portant signature du policier et cachet de la permanence. Ne quittez jamais les lieux sans ce papier en français, indispensable pour les compagnies d'assurances. N'accordez aucune crédibilité si on vous dit qu'on vous l'enverra directement chez vous par la poste ! Après la police, il faut se rendre au consulat, qui pourra vous assister dans vos démarches et vous fournir un laissez-passer si besoin. Si la carte de paiement et même votre portable faisaient partie du lot, n'oubliez pas de faire opposition. Au préalable, pensez à consigner ailleurs que dans votre portefeuille le numéro d'appel de votre banque et notez également quelque part le numéro de votre carte de paiement et sa date d'expiration.

Du vécu !

On vous livre quelques aventures assez classiques arrivées à nos lecteurs.

– *Le rendu de monnaie en euros :* pour acheter une babiole, vous payez avec un billet de 200 Dh. Pas de chance, le boutiquier n'a pas assez de monnaie et vous propose 2 € pour remplacer 20 Dh. Plus tard, vous retrouvez une pièce de 5 Dh dans vos euros : elle a presque la même taille et la même composition (centre jaune et extérieur argent) qu'une pièce de 2 €... Cela a essentiellement cours dans les villes très touristiques.

– *L'aide empressée :* le petit jeune ou le fringant étudiant qui vous propose de vous aider à régler des formalités, à remplir le taxi, à chercher une chambre pas chère, etc. Dans bien des cas, ce sont des chasse-touristes (dommage pour ceux qui sont sincères !). Faites preuve de discernement et de fermeté le cas échéant.

– *La panne :* vous êtes en voiture et, tout à coup, vous voyez sur le bas-côté une mobylette ou un véhicule avec des gens affairés autour. Dès qu'ils vous aperçoivent, ils vous font signe de vous arrêter et vous demandent de les emmener en ville. Vous acceptez, ils montent, bavardent. Arrivés à destination, pour vous remercier, ils vous invitent à boire un thé à la menthe. Vous acceptez. Et là, comme par hasard, vous débarquez chez un marchand de tapis...

– **Le stop :** même si vous avez juré de ne plus jamais prendre quelqu'un sur le bord de la route, comment dire non à un hôtelier qui vous demande si vous auriez l'amabilité de conduire quelqu'un à la ville suivante ? Là aussi, l'homme veut vous inviter chez lui à prendre un thé et un petit cadeau pour la gazelle. Vous devinez la suite : sa maison communique avec un magasin de... tapis.

– **La lettre :** les non-motorisés ne sont pas à l'abri, eux non plus. Le truc de la lettre consiste à vous dire : « J'ai un ami qui travaille en France. J'aimerais lui envoyer une lettre. Tu ne pourrais pas me la poster là-bas ? » Ficelle un peu grosse pour vous entraîner à la maison où la personne tient un commerce quelconque.

– **L'explication de notices de médicaments :** à faire à domicile et demandée, la larme à l'œil, pour un parent soi-disant très malade. Et, comme par hasard, l'armoire à pharmacie est près des tapis à vendre... Le malade se porte bien. Merci pour lui !

– **Les randos à prix choc :** pour vous remercier d'un service que vous avez pu rendre, on vous propose un bivouac, une rando organisée par un ami qui tient une agence, à prix d'ami. Bingo ! Vous vous apercevez par la suite que vous avez payé 3 fois le prix normal !

– **À votre bon cœur :** vous souhaitez faire un petit tour de chameau ou grimper sur un âne, etc. Vous demandez combien cela coûte. On vous répond avec le sourire que vous pourriez laisser la somme que vous voulez. Mauvais plan ! À la fin de la balade, vous donnez une petite rémunération. Il y a alors de forte chance pour que le sourire se crispe et que l'on vous demande un prix fixe supérieur à ce que vous avez donné, bien évidemment ! Moralité : fixez toujours le prix, avant !

– **L'échange :** vous faites emballer un objet soigneusement choisi, le marchand détourne votre attention ne serait-ce qu'une minute et au retour vous vous apercevez que le paquet ne contient pas du tout le choix initial ou bien qu'il s'agit d'une version endommagée. Conclusion : soyez présent lors de l'emballage de vos achats, ou le cas échéant déchirez un coin du paquet juste avant de quitter la boutique pour jeter un dernier coup d'œil sur votre merveilleux souvenir...

On ne peut pas dire que les chasse-touristes manquent d'imagination. De temps en temps, la police locale intervient pour mettre fin à certains abus.

Par ailleurs, il semblerait que, concernant les très grosses arnaques, les courriers de plaintes adressés directement au gouverneur soient plus efficaces... Vous pouvez aussi vous rendre au bureau du caïdat (bureau qui détient les pouvoirs administratifs et judiciaires).

À cause de ce chapitre, vous entendrez les guides proférer des flots d'injures à l'encontre du *Guide du routard*. Le tourisme apporte au Maroc, tout comme les Marocains, par leur gentillesse et leur hospitalité, apportent beaucoup aux touristes. Nous aimons ce pays, mais est-ce une raison suffisante pour passer sous couvert de telles dérives ?

Spécial filles seules

Si le Maroc est un pays globalement sûr, il peut néanmoins se révéler un peu éprouvant pour les routardes seules. Il semblerait en effet que les Marocains aient de la prétendue liberté de mœurs occidentale une idée le plus souvent erronée : toute Européenne se promenant seule devient donc une proie éventuelle, d'où les interpellations très régulières sur son passage. Ces tentatives d'approche, avant tout verbales et rarement agressives, épuisent par leur caractère répétitif (surtout quand elles s'ajoutent à « l'insistance » des bazaristes ou rabatteurs en tout genre). La plupart du temps, les « beaux parleurs » savent garder leurs distances, et ça ne va pas plus loin (on note cependant que la jeune génération peut se montrer verbalement particulièrement grossière).

www.royalairmaroc.com

Faites briller vos voyages.

Il existe toujours une étoile qui indique la bonne direction...

Avec plus de 200 vols directs hebdomadaires au départ de la France vers le Maroc, Royal Air Maroc est la Compagnie aérienne leader sur le Maroc.
De l'entretien technique au service à bord, chaque détail est pensé minutieusement. Pour Royal Air Maroc vous faire passer le plus agréable des voyages est une priorité.

الخطوط الملكية المغربية
royal air maroc

groupe royal air maroc

Informations et réservations :  ▶ N° Indigo 32 60 *dites* "Royal Air Maroc"
0,15 € TTC / MN

MARRAKECH – PLAN D'ENSEMBLE

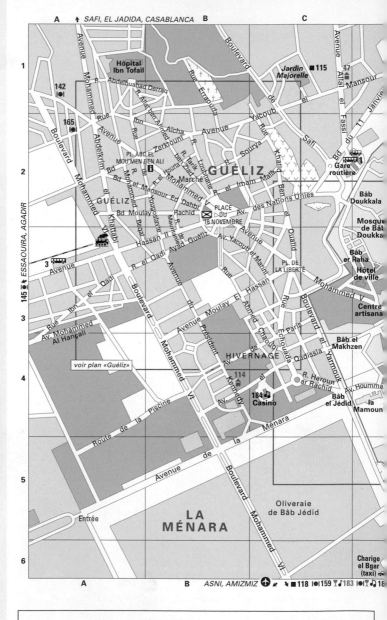

A ↑ SAFI, EL JADIDA, CASABLANCA B   C

145 ⇄ 3 ESSAOUIRA, AGADIR

B ASNI, AMIZMIZ ✈ ✈ ■ 118 |●| 159 ⌁ 183 |●| ⌁ 18

■ **Adresses utiles**

- 🚌 1 Gare routière principale
- 🚌 3 Gare routière Supratours
- 🚋 Gare ferroviaire
- ✈ Aéroport
- ■ 115 Atlas Sahara Trek
- ■ 118 Oasiria (parc nautique)

⚖ 🏠 **Où dormir ?**

- 47 Hôtel Majorelle
- 59 Jnane Baroud et Les Jardins d'Issil
- 61 Sangho Privilège Marrakech
- 67 Les Jardins de la Médina
- 70 Riad Al Jazira

- 80 Dar El Calame
- 81 Angel's Riad
- 82 Riad Aguerzame
- 86 Riyad Nora
- 90 Riad Chamali
- 91 Dar Lalla Anne
- 102 Riad Tinmel
- 103 La Villa Nomade

MARRAKECH – PLAN D'ENSEMBLE

104 Riad Noga	**Où manger ?**	165 Le Sud
110 Riad Mabrouka	103 Resto de La Villa Nomade	185 Le Crystal
112 Riad Alma	132 Le Dar Zellij	
114 Hôtel Kenzi Farah	142 Le Niagara et La Crêperie	
150 Riad Baya	de Marrakech	**Où sortir ?**
151 Dar Rassam	145 Resto de la station-service	
154 Les Clefs du Sud	Afriquia	183 Bô-Zin
	159 Al Fassia Agdal	184 Le Théâtro
		185 Le Pacha

■ **Adresses utiles**

4	Brigade touristique
25	Les Bains de Marrakech
26	Magdaz Can
27	Dar Chérifa et Marrakech Riads
28	Hammam Dar El Bacha
32	Riads au Maroc
33	Marrakech Médina
35	Polyclinique de la Koutoubia
38	Les Bains de Kabira
117	Le NaoKazo

🏠 **Où dormir ?**

68	Dar Sara et Dar Sara Srira
69	Dar Baraka et Dar Karam
71	Riad Lena
72	Riad Essaoussan
73	Dar El Qadi
74	Riad Berbère
75	Riad Julia
76	Dar Choumissa
78	Riad Al Nour
79	Dar Touyir
83	Riad Nomades
84	Dar Soukaina
87	Riad Dalia
88	Riad Bayti
89	Riad Chraïbi
92	Riad Chorfa
93	Riad Badra
94	Riad Villa Harmonie
95	Dar Mouassine
96	Dar Zelda
97	Riad Zina
98	Riad L'Orangeraie
99	Riad Tchaikana
100	Riad Aladdin
101	Maison Tamkast
105	Dar El-Assafir
107	Riad Les Yeux Bleus
108	Riad Opera
109	Maison Belbaraka
113	La Maison Arabe
152	Dar Al-Kounouz
153	Riad Camilia
170	Riad Sérail

🍽 **Où manger ?**

27	Dar Chérifa
106	Café Les Bougainvilliers
124	Le Foundouk
126	Le Café des Épices
127	Café Palais El-Badi
128	Les Jardins de Bala
129	Le Tanjia
133	Narwama
134	Ksar Essaoussan
135	Le Tobsil
155	La Terrasse des Épices
156	Le Pavillon

☕ **Où prendre le petit déjeuner ?**

175	La Table du Marché

🍦 **Où déguster une glace ?**

163	Venezia Ice

🍷🍽 **Où boire un verre en journée ?**

27	Dar Chérifa – Café Littéraire
126	Le Café des Épices
171	KosyBar

🍸 **Où sortir ?**

181	Palais Jad Mahal

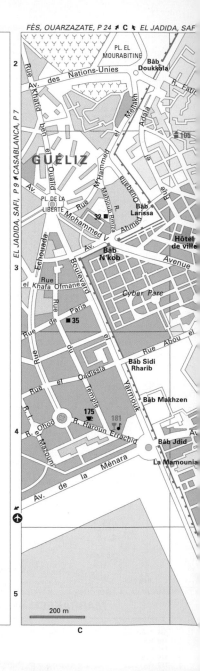

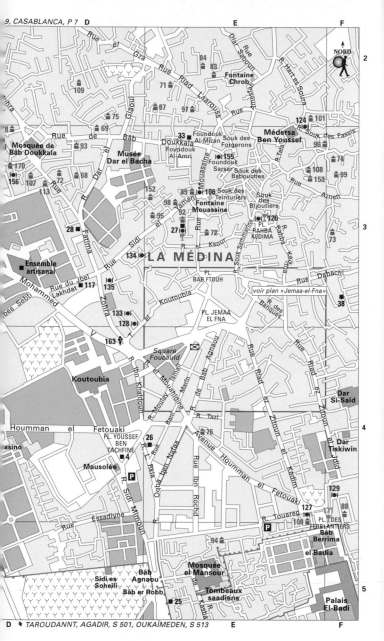

MARRAKECH – LA MÉDINA

NORD

Fontaine
Chrob

Médersa
Ben Youssef

Souk des Fassis

Foundouk
Al-Mizan   Souk des
            Forgerons

Mosquée de
Bâb Doukkala

Foundouk
Al-Amri

Musée
Dar el Bacha

Foundouk
Sarsar   Souk des
          Babouches

Souk des
Teinturiers

Souk
des
Bijoutiers

Fontaine
Mouassine

PL.
RAHBA
KEDIMA

LA MÉDINA

PL.
BÂB FTOUH

Rue Dabachi

voir plan « Jemaa-el-Fna »

Koutoubia

PL. JEMAA
EL FNA

Square
Foucauld

Dar
Si-Said

Koutoubia

Houmman el Fetouaki

PL. YOUSSEF
BEN
TACHFINE

Dar
Tiskiwin

asino

Mausolée

Essadiyne

PL. DES
FERBLANTIERS

Bâb
Berrima

el Badia

Sidi es
Soheïli

Bâb
Agnaou

Bâb er Robb.

Mosquée
el Mansour

Tombeaux
saadiens

Palais
El-Badi

MARRAKECH – LA MÉDINA

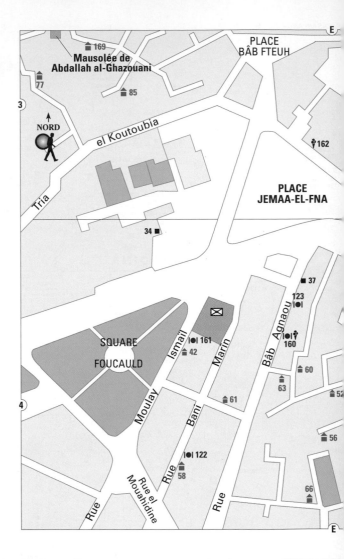

■ **Adresses utiles**

✉ Poste
34 Pharmacie de nuit
37 Librairie Ghazali

🛏 **Où dormir ?**

42 Hôtel Ali
49 Hôtel Nissam
52 Hôtel Imouzzer
53 Hôtel Essaouira
54 Hôtel Médina
55 Hôtel Aday
56 Hôtel El Amal
57 Hôtel Mimosa
58 Hôtel La Gazelle
60 Hôtel Afriquia
61 Hôtel Ichbilia
62 Hôtel CTM
63 Hôtel Central Palace
64 Hôtel Sherazade
65 Hôtel Jnane Mogador

MARRAKECH – JEMAA-EL-FNA

MARRAKECH – JEMAA-EL-FNA

66 Hôtel Gallia
77 Riad Chouia Chouia
85 Riad de l'Orientale
111 Riad Les Bougainvilliers
169 Dar Jeeling

|●| **Où manger ?**

120 Snack Toubkal et Café N'Zaha
121 Café-restaurant Tiznit
122 Chez Haj Brik, Restaurant
   du Progrès et El Bahja,
   chez Ahmed

123 Snack La Lune d'Or
125 Chez Chegrouni
131 Les Prémices

|●| ♀ **Où manger une pâtisserie ?**
   Où déguster une glace ?

160 Pâtisserie des Princes
161 Pâtisserie Mik-Mak
162 Café-restaurant
   Argana

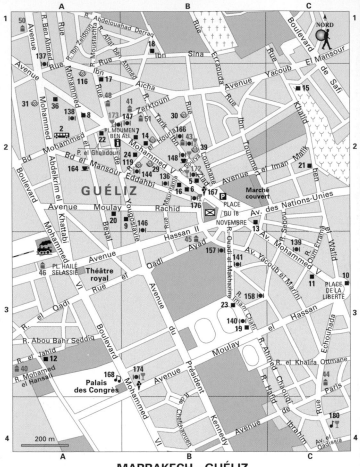

MARRAKECH – GUÉLIZ

■ **Adresses utiles**

- 🛈 Office national de tourisme marocain
- ✉ Poste centrale
- 🚂 Gare ferroviaire
- 2 Bureaux de la CTM
- 5 Loc2roues
- 6 Pampa Voyage Maroc
- 7 Concorde Car
- 8 Najm Car
- 9 Lune Car
- 10 Consulat honoraire de Belgique
- 11 Banque Populaire
- 12 Consulat de France
- 13 Erg Tours
- 14 Pharmacie Centrale et Atika
- 15 Pharmacies de garde (pompiers)
- 16 Dentiste et Royal Air Maroc
- 17 Polyclinique du Sud
- 18 Clinique Ibn-Tofail
- 19 Corsairfly
- 20 Garage de Rachid Filali
- 21 Destination Évasion
- 22 Agence de voyages et de trekking Cobratours
- 23 VDM Maroc
- 24 Atlas Voyages
- 🏺 29 Place Vendôme

- 🏺 30 Scènes de Lin
- 🏺 31 ACIMA
- 🏺 36 Librairie Chatr Ahmed
- 🏺 39 Naturelle d'Argan
- 🏺 116 Alcools
- 🏺 119 L'Orientaliste

🛏 **Où dormir ?**

- 40 Auberge de jeunesse
- 41 Hôtel Franco-Belge
- 43 Hôtel Toulousain
- 44 Hôtel Akabar
- 45 Hôtel Jnane El Harti
- 46 Hôtel Ibis Moussafir Centre-Gare
- 48 Hôtel Diwane
- 50 Résidence Hôtel Zahia
- 51 Résidence Gomassine

🍽 🍴 **Où manger ?**
(glace, pâtisserie)

- 136 Snack-bar de l'Escale et Top Ladid
- 137 Restaurants populaires (Chez Bej Guenî) et Chez Ouazzani
- 138 La Gourmandise
- 139 La Marjolaine
- 140 Aladdin Space

- 141 Puerto Banus
- 144 Kechmara et Al Jawda, chez Mme Alami Hakima
- 146 Le Chat qui Rit
- 147 Al Fassia
- 148 Catanzaro
- 157 Les Jardins de Guéliz
- 158 La Grillardière
- 166 Season's
- 167 Le 16-Café

☕ **Où prendre le petit déj ?**

- 148 Adamo
- 164 Amandine

🍸🍽 **Où boire un verre ?**

- 43 Le Café du Livre
- 172 Solaris
- 173 Café Les Négociants
- 174 Trois cafés-brasseries : Millénium, L'Hivernage et L'Opéra
- 176 Le Grand Café de la Poste

🍸♪ **Où sortir ?**

- 168 Le Paradise
- 180 Comptoir Paris-Marrakech

■ **Adresses utiles**

✈ Aéroport
🛈 Délégation du tourisme
🚌 Gare routière principale
🚌 Gare routière Supratours
✉ Poste
🚕 Station de petits taxis
1 Royal Air Maroc
🖳 2 Espace Internet Mogador
🖳 3 Cyber Les Remparts
4 Banque BMCE
5 Crédit du Maroc
6 Wafabank
7 Société Générale et Galerie des arts Frédéric-Damgaard
8 Dr Saïd El-Haddad
9 Dr Mohammed Taddrarat
10 Dr Sayegh
11 Pharmacie Hamad Ismail
12 Pharmacie de nuit
13 Location de VTT et de vélos
14 Essaouira Wind Car et Tassourte Cars
15 Essaouira Travel Car
16 Librairie Jack's
17 Librairie Wafa
18 Photo Service Mogador
19 Labo Photo Flash et épicerie
20 Base nautique de l'Océan Vagabond et UCPA
21 Louizi Rent A Car
22 Gipsysurfer
23 Le Bolisi (hammam)
24 Le Sidi Abdsamieh (hammam)
25 Hammam Pabst
26 Hammam du Lalla Mira
27 Hammam du Riad Al Madina
28 Les Massages Berbères
29 Thalassa Sofitel Mogador
30 Coiffeur-barbier Hamdoune
🍷 31 Vente de vins (libre-service)
32 Espace Othello Galerie d'art
33 Galerie d'art Bâb-S'Baâ-Abderrahim-Harabida
43 Chez Youssef (location de vélos)
65 Espace Taros
116 Galerie Aïda

🛏 **Où dormir ?**

16 Jack's Apartments
29 Hôtel Sofitel Mogador
40 Casa di Carlo
41 Hôtel-pension Smara
42 Hôtel Chakib
43 Résidence Hôtel Al Arboussas
44 Hôtel Souiri et Les Matins Bleus
45 Hôtel Tafraout
46 Hôtel Beau Rivage
47 Hôtel Cap Sim
48 Hôtel Riad Nakhla
49 Résidence El Mehdi
51 Dar Al Bahar
52 Hôtel El Dar Qdima, L'Ancienne Maison
53 Emeraude Hotel
54 Riad El Mess
55 Dar Nafoura
56 Riad Marosko
57 Hôtel El Fath
58 Villa Garance
59 Hôtel du Grand Large
60 Riad Al Zahia
61 Riad Asmitou
62 La Maison des Artistes
63 Dar Adul
64 Hôtel Palazzo Desdemona

65 Dar Loulema
66 Dar Ness
67 Riad Mímouna
68 Madada Mogador
69 Résidence Vent des Dunes – Villa Sarah, Riad Zahra et Villa Quieta
70 Hôtel-restaurant Océan Vagabond
71 Riad Essalam
72 Chez Brahim
73 Villa Maroc
74 Dar L'Oussia

🍽 **Où manger ?**

18 Restaurant Tawrirt
20 Beach Restaurant Lounge (restaurant-snack de l'Océan Vagabond)
29 Restaurants du Sofitel Mogador
41 Restaurant Les Alizés
52 Elizir
63 D'Orient et d'Ailleurs
65 Taros Café-restaurant-galerie
71 Essalam
80 Laâyoune et La Petite Perle
81 After Five
82 Le Dauphin
83 Crêperie Mogador
84 Superbe Pastilla
85 Chez El Ouazzani
86 Barbecues de poisson grillé
87 Restaurant Sirocco
88 Restaurant Ferdaouss
89 Beldy
90 La Licorne
91 Le Patio
92 El Menzah
93 Casa Bella
94 Dar Loubane
95 L'Heure Bleue
100 Le Samarcande

🍽 🍷 ☕ **Où prendre le petit déjeuner ? Où manger une pâtisserie ou une glace ? Où boire un verre ?**

65 Taros Café-restaurant-galerie
96 Pâtisserie Chez Driss
97 Café de l'Horloge - Chez Kanane
98 Cafés-salons de thé du marché aux grains
99 Il Mare
101 Casa Vera

🍽 🍷 🎵 **Où sortir ?**

50 Bar musical du Mechouar
65 Taros
91 Le Patio
93 Aigue Marine
99 Il Mare
101 Casa Vera

🛍 **Achats**

110 Coopérative artisanale des marqueteurs
111 Artisans de la sqala
112 Produits naturels
113 Poteries berbères Chez Aïcha
114 Atelier de tissage – Chez Elahri
116 Galerie Aïda
117 Caravansérail
118 Galerie La Kasbah
119 Galerie Jama
120 Rafia Craft
121 Au P'tit Bonhomme La Chance
122 Chez Rafia Style

REPORTS DU PLAN D'ESSAOUIRA

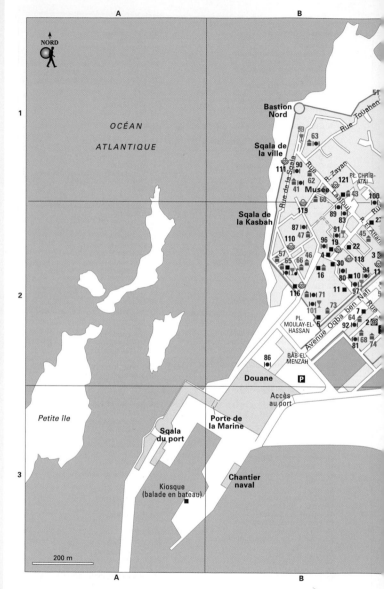

NORD

OCÉAN

ATLANTIQUE

Petite île

Sqala
du port

Kiosque
(balade en bateau)

200 m

Bastion
Nord

Sqala de
la ville

Rue Touahen

Rue

Rue de la Sqala

111

90

63

62

41

Musée

R. Zayan

R. Laâlouj

121

PL. CHRÎB-
ATAÏ

89

60

43

100

Sqala de
la Kasbah

119

87

110

47

91

96

19

83

R. El Attarin

27

45

57

55

66

46

4

30

22

118

3

116

16

71

11

80

10

11

94

11

97

101

73

PL.
MOULAY-EL-
HASSAN

Avenue Oqba ben Nafi

5

64

7

92

68

81

74

2

Rue

86

BÂB-EL-
MENZAH

Douane

P

Accès
au port

Porte de
la Marine

Chantier
naval

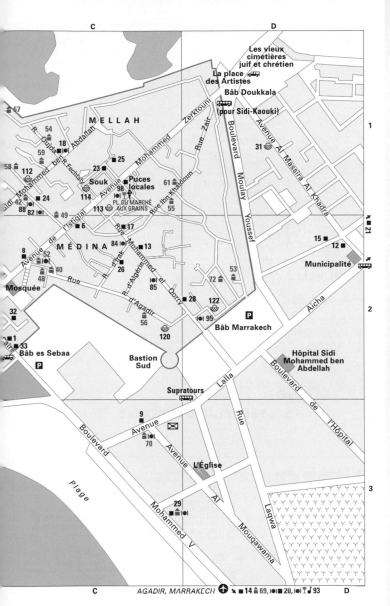

ESSAOUIRA

FÈS – PLAN D'ENSEMBLE

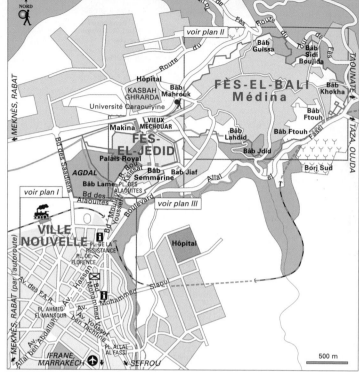

NORD

voir plan II

Bâb Guissa
Bâb Sidi Boujida

FÈS-EL-BALI
Médina

Bâb Khokha

Hôpital
KASBAH GHRARDA
Bâb Mahrouk

Université Qaraouiyine

Bâb Ftouh

VIEUX MÉCHOUAR
Makina

FÈS-EL-JEDID

Bâb Lahdid   Bâb Ftouh

Palais Royal

Bâb Jdid

AGDAL
Bâb Lame
Bâb Semmarine   Bâb Jiaf

Borj Sud

PL. DES ALAOUITES

voir plan I

Bd des Alaouites

voir plan III

VILLE NOUVELLE

Hôpital

PL. DE LA RÉSISTANCE
PL. DE FLORENCE

MEKNÈS, RABAT (par l'autoroute)

IFRANE MARRAKECH

SEFROU

PL. AHMED EL MANSOUR
PL. ALLAL AL FASSI

500 m

MEKNÈS, RABAT

TAOUNATE

TAZA OUJDA

FÈS – PLAN D'ENSEMBLE

REPORTS DU PLAN GÉNÉRAL DE FÈS – VILLE NOUVELLE

■ Adresses utiles

- 🛈 Délégation régionale du tourisme
- ✉ Postes
- 🚂 Gare ferroviaire ONCF
- 🚌 Gare routière CTM
- 🚕 Station de grands taxis
- **1** Institut français
- **2** Papeterie El-Fikr-el-Moaser
- **3** Kiosque Rami
- **4** Centre artisanal
- **5** Pressing Mamounia
- **7** Cyber Net
- **8** Royal Air Maroc
- **9** Station-service Total
- **10** Service cartographique régional
- **11** Change au Grand Hôtel
- **12** Cinéma Rex
- **113** Piscine

⚲ 🏠 Où dormir ?

- **20** Camping du Diamant Vert

- **21** Camping International, Hôtel Errabie et Hôtel Fès Inn
- **22** Auberge de jeunesse
- **23** Hôtel Volubilis
- **24** Hôtel du Maghreb
- **25** Hôtel Central
- **28** Splendid Hôtel
- **29** Hôtel de la Paix
- **30** Hôtel Mounia

🍴 Où manger ?

- **60** Sicilia
- **61** Al-Khozama
- **62** Chez Ismaïl
- **63** Restaurant-sandwicherie Bajelloul
- **65** Snack Marina
- **66** La Mamia
- **67** Café-restaurant Ten Years
- **68** Restaurant Marrakech
- **69** Vesuvio
- **70** Le Majestic
- **71** Café-restaurant Al Moussafir

- **72** Chez Vittorio
- **73** Restaurant Zagora

🍴🍷 ♀ Où boire un verre ? Où manger une pâtisserie ? Où déguster une glace ?

- **73** La Noblesse Fassie
- **90** Café Cristal
- **91** Crémerie de Lausanne
- **92** Crémerie Skali ou « Chez Youssef »
- **93** Pâtisserie Assouan
- **94** Blue Babel
- **95** Le Club WAF
- **97** Café-snack Walima

♫ Où sortir ?

- **110** Le Volubilis
- **111** Le Palace
- **112** Le Wassim
- **113** Le Menzeh Zallagh

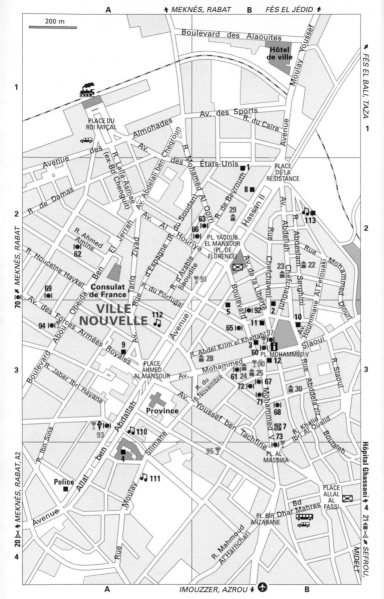

FÈS – VILLE NOUVELLE (PLAN GÉNÉRAL I)

FÈS – VILLE NOUVELLE (PLAN GÉNÉRAL I)

FÈS – LA MÉDINA, FÈS-EL-BALI (PLAN II)

■ **Adresses utiles**

🚌 Gares routières
✉ Postes
🖥 6 Cyber Batha

🏠 **Où dormir ?**

32 Moulay Idriss
33 Pension Kawtar
34 Hôtel Erraha
35 Hôtel Cascade et Hôtel Mauritania
36 Pension Talâa
37 Pension Batha
38 Pension Hôtel Dalila
39 Hôtel Lamrani
40 Pension Campini
41 Hôtel Batha
42 Le Palais Jamaï
43 Riad-al-Bartal
44 Riad Lune et Soleil
45 Riad Lalla Zoubida
46 Riad Louna
47 Ryad Mabrouka
48 Riad Fès-Baraka

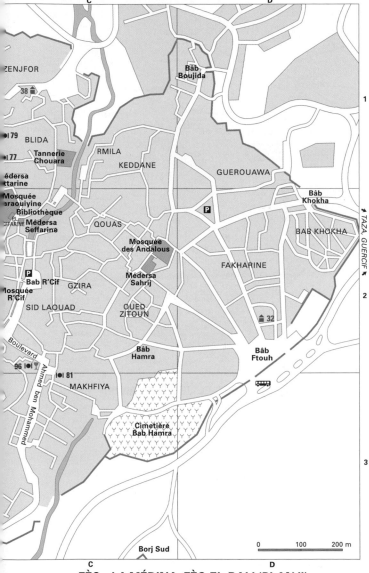

FÈS – LA MÉDINA, FÈS-EL-BALI (PLAN II)

49 Riad Norma
50 Maison Bleue « Le Riad »
51 Riad Fès
52 Riad Souafine

|●| Où manger ?

42 Restaurant marocain Al-Fassia,
   Palais Jamaï

51 Riad Fès
64 Café Clock
74 La Kasbah
75 Médina Café
77 Restaurant Asmae
78 Dar Jamaï ou Dar Masmoudi
79 Restaurant Tijani
80 Chez Thami
81 Le Palais de Fès

▼ |●| Où boire un verre ?
   Où manger une
   pâtisserie ?

64 Café Clock
96 Café Allah
98 Fès et Gestes

FÈS – FÈS-EL-JÉDID (PLAN III)

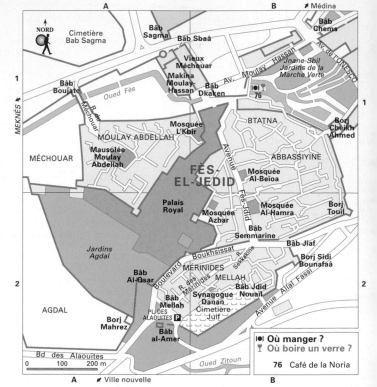

FÈS – FÈS-EL-JÉDID (PLAN III)

NORD

Cimetière
Bab Sagma

Bâb
Sagma

Bâb Sbaâ

Bâb
Chems

Médina

Vieux
Méchouar

Makina
Moulay-
Hassan

Bâb
Dkaken

Av.

Moulay

Hassan

Jnane-Sbil
Jardins de la
Marche Verte

76

Av. de TUNESCO

Bâb
Boujate

Oued Fès

MEKNÈS

R. du Méchouar

Mosquée
L'Kbir

BTATNA

Borj
Cheikh
Ahmed

MOULAY ABDELLAH

Mausolée
Moulay
Abdellah

MÉCHOUAR

FÈS-
EL-JÉDID

ABBASSIYINE

Mosquée
Al-Beïoa

AVENUE

Fès-Jdid

Palais
Royal

Mosquée
Azhar

Mosquée
Al-Hamra

Borj
Touil

Bâb
Semmarine

Bâb Jlaf

Jardins
Agdal

Boukhsissat

Boulevard

R. Sekkatine

Borj Sidi
Bounafaâ

Bâb
Al-Qsar

MÉRINIDES

R. des Mérinides

MELLAH

Bâb Jdid

AGDAL

Bâb
Mellah

Synagogue
Danan
Cimetière
Juif

Nouaïl

Avenue Allal Fassi

Borj
Mahrez

Pl. DES
ALAOUITES

P

Bâb
al-Amer

Bd des Alaouites

0   100   200 m

Oued Zitoun

Où manger ?
Où boire un verre ?

76 Café de la Noria

Ville nouvelle

Pour votre tranquillité et votre sécurité, portez des vêtements amples, couvrant les épaules et les genoux. Notez que si les Marocaines se promènent le soir dans les rues, elles le font en groupe et très rarement seules. Prenez exemple sur elles quand il commence à se faire tard, surtout dans certains quartiers. En règle générale, évitez les endroits déserts ou peu fréquentés (les parcs, les plages tard le soir, etc.).

Les voyageuses solitaires éviteront par ailleurs de faire du stop et diront qu'elles vont rejoindre un groupe plus tard. Voilà, mesdames, mesdemoiselles, les petits aléas du voyage en solitaire. Sachez néanmoins que, sans homme à vos côtés, vous aurez davantage de chances de pénétrer dans l'univers des femmes, et c'est là un très beau cadeau.

Fausses recommandations du *Guide du routard*

Votre guide favori est une référence auprès des établissements cités (normal !), mais ceux qui n'y sont pas mentionnés ou que nous déconseillons se servent aussi de notre image. Nombreux seront les guides, hôteliers, restaurateurs ou marchands de tout poil à vous dire « Je suis cité dans le *Guide du routard* » pour vous prouver leur sérieux. Méfiance ! Ne vous fiez qu'aux adresses recommandées dans la dernière édition (chaque année, nous faisons le ménage). Attention aux panonceaux anciens ou aux cartes de visite portant la mention « Recommandé par le *Guide du routard* » et qui s'avèrent purement factices. Le Maroc est certainement le pays où circulent le plus de fausses recommandations.

Rabatteurs

Ils sont nombreux dans les gares, aux portes principales des médinas, un peu moins pressants dans les ruelles cachées. Ce sont des adultes et malheureusement souvent des enfants de familles démunies. Il s'agit pour eux d'essayer de vous emmener dans des hôtels ou des boutiques pour toucher de petites commissions, ou de vous guider dans les médinas quand vous êtes perdu, moyennant une pièce à l'arrivée.

Attention quand vous cherchez un hôtel ou un resto, si quelqu'un se glisse devant vous quand vous ouvrez la porte. Le mot glissé en arabe au gestionnaire des lieux fait croire qu'il vous a conduit là. Il demande une commission sur le prix de la chambre ou du repas, commission que vous payez. Soyez ferme avec les restaurateurs ou hôteliers en leur disant que vous êtes venu par vous-même.

Plus enquiquinant, il est parfois difficile de chercher un site touristique dans une médina tout seul. On se retrouve encerclé par plusieurs personnes qui veulent absolument vous guider quand vous leur demandez juste le chemin. Ils tiennent à vous faire grimper sur une terrasse pour avoir la plus belle vue du coin, etc. Ils peuvent se montrer extrêmement insistants, voire menaçants si vous refusez leur compagnie. Ce sont de véritables chefs de quartier, qui voient d'un mauvais œil la liberté du voyageur, qui les prive d'une commission...

Une façon de s'en sortir : ne jamais répondre à leurs sollicitations ou à leurs questions. Ils se lasseront !

Et puis aussi...

Lisez, dans les différentes rubriques, nos conseils relatifs :
– à l'arnaque à la carte de paiement (dans « Argent, banques, change ») ;
– au retour avec des objets contrefaits (dans « Achats » dans « Hommes, culture et environnement ») ;
– aux vendeurs de kif peu scrupuleux (dans « Drogue ») ;
– aux risques de maladie (dans « Santé ») ;
– aux baignades dangereuses (dans « Sports et loisirs » dans « Hommes, culture et environnement ») ;

– à l'hécatombe sur les routes marocaines (dans « Transports ») ;
– à certains tatouages au henné (dans « Santé ») ;
– aux « Guides et faux guides », dans « Maroc utile ».

Mais ne devenez pas parano pour autant ! Vous êtes venu découvrir une culture, un pays et ses habitants, et quelques précautions simples et de bon sens vous permettront de le faire en toute sécurité. Un homme averti en vaut deux !

DÉCALAGE HORAIRE

Le Maroc vit à l'heure T.U. (Temps Universel). Quand il est 12h en France, il est 10h au Maroc en été et 11h en hiver. Toutefois, le pays a adopté l'heure d'été en 2008 (seulement 1h de décalage avec la France), mais rien ne dit que ce changement sera reconduit en 2009. La polémique sur les changements d'heure est, elle aussi, universelle ! À suivre...

DROGUE

Un monde moins drogué

Depuis 2005, pour toutes les drogues confondues (cocaïne, héroïne, cannabis ou drogues de synthèse), les spécialistes constatent un fait nouveau : la tendance est à la stabilité et non plus à l'augmentation, aussi bien pour la culture des plantes, leur transformation ou la consommation (en particulier pour le cannabis).

L'ONU ose même écrire dans son rapport sur les drogues, début 2008 : « le problème mondial de la drogue a été endigué ». Gonflé ! Au Maroc, la consommation même de cannabis est passible de prison.

Cannabis marocain

Ironiquement, on constate que le seul pays pour lequel on dispose d'estimations fiables sur la culture de cannabis est le Maroc, qui reste l'exemple parfait d'une production à grande échelle, permanente, et d'un haut niveau technique (comprendre : fort rendement par parcelles). Sur 172 pays produisant du cannabis, le Maroc demeure le premier producteur et exportateur mondial de résine de cannabis ! On fait la différence entre les feuilles séchées de cannabis, appelées marijuana, principalement produites en Amérique du Sud, et la résine de cannabis donnant le haschisch, spécialité du Maroc. La région productrice est le nord du pays, précisément dans les montagnes du Rif. On y trouve la plus grande superficie avérée de culture de cannabis au monde. Les chiffres et les enquêtes des différentes études de l'ONU donnent le vertige : le Maroc fournit 70 % de la résine consommée en Europe, et 28 % de la résine produite dans le monde viennent du seul sol marocain, laissant loin derrière ses poursuivants de tout le continent asiatique, avec (à peine !) 20 %. C'est dire l'importance économique et agricole, l'enracinement traditionnel et quasi idéologique, les enjeux de trafic et de corruption liés au cannabis marocain. Ce constat fait, une petite et maigre lueur d'espoir surgit par-delà les montagnes rifaines. Les rapports de l'ONU sur les drogues et les crimes de ces dernières années indiquent, comme pour d'autres pays (hormis l'Afghanistan où la production augmente), une forte baisse de la résine produite au Maroc depuis 2003 (moins 62 % en 2005, par exemple).

D'après les études réalisées, les superficies de cannabis cultivées au Maroc ont diminué quasi de moitié entre 2003 et 2005. De plus de 3 000 t, le Maroc ne produisait plus que 1 066 t de résine à la fin 2005 (sur un total de 6 600 t dans le monde entier).

L'ONU peut bien se réjouir de cet « endiguement » de la production, mais aujourd'hui, 200 millions de personnes dans le monde consomment encore des drogues, dont 160 millions accros au cannabis. Notons qu'en France, la consommation de cannabis est jugée stable.

Bon, on arrête là avec les chiffres. Sachez tout de même que cette petite entreprise agricole amène 386 millions de dollars (0,7 % du PIB) de chiffre d'affaires aux cultivateurs et trafiquants marocains, et en rapporte plus de 13 milliards aux trafiquants européens ! À noter que si le Maroc est le premier producteur mondial de résine, les saisies policières se passent plutôt en Espagne, plaque tournante pour l'Europe (la moitié de ce qui est saisi dans le monde l'est en Espagne).

Le kif du Rif

D'après l'Observatoire français des drogues et des toxicomanies, « 90 % du haschisch saisi en Europe est originaire du Rif où il constitue la principale activité agricole ». Et ça ne date pas d'hier. Ainsi, dans la province d'Al Hoceima, la culture du cannabis existe depuis des siècles. Elle y est traditionnelle et tolérée. En revanche, dans les autres régions du Nord plus récemment « converties », elle est soit officieusement tolérée et non détruite (zone de Chefchaouen), soit carrément éradiquée, comme dans la plaine côtière jusqu'à Larache. Les 72 000 ha cultivés nourrissent 90 000 familles. Pendant une période, le ministère marocain de l'Agriculture classait même cette activité illégale dans les « cultures industrielles » !

Il existe principalement deux types de producteurs : ceux qui revendent leurs plantes à des intermédiaires, et ceux (65 % des paysans) qui transforment eux-mêmes la résine en plaquettes de haschisch et qui parfois se chargent du transport. Personne n'est à l'abri d'un changement de politique ou de commissaire local, d'une initiative européenne ou d'une campagne d'assainissement. Amendes, peines de prison, champs brûlés, les sanctions sont diverses et plus ou moins médiatiques.

Des narcotrafiquants bien actifs et peu inquiétés

Dans les années 1990, le roi Hassan II lança une vaste campagne « d'assainissement » qui déboucha sur une série d'arrestations et de procès retentissants avec pour cible, entre autres, le « cartel de Tanger ». On s'aperçut que les barons locaux bénéficiaient de soutiens dans l'administration et certaines sphères du pouvoir et qu'ils disposaient d'une double nationalité marocaine et espagnole, l'Espagne étant évidemment la porte d'accès du trafic vers l'Europe. Les mauvaises langues prétendent que le pouvoir n'éradiqua que la partie la plus visible du réseau. Cela afin de corriger sa mauvaise image à l'étranger au moment où se négociait un accord de libre-échange (ALE) avec l'Union européenne en 1995. Cette période coïncida d'ailleurs avec de violentes émeutes à Tanger en 1996 et une augmentation de l'immigration clandestine vers l'Europe.

Une nouvelle politique de la « main de fer », énième campagne d'assainissement lancée en 2004, permit sinon d'éradiquer les trafics, du moins de mettre au jour ses ramifications tentaculaires. Gros caïds, fonctionnaires locaux et policiers corrompus furent mis en prison. D'importants et notoirement connus trafiquants de Tanger furent inculpés, mais leurs procès reportés le temps pour eux de négocier avec la justice, de « balancer » quelques noms. Cela a abouti par exemple à l'arrestation du directeur de la sécurité des palais royaux, du commandant de la gendarmerie royale, et au limogeage du tout-puissant patron de la direction générale de la sûreté nationale ! Arrestations spectaculaires qui révèlent bien l'étendue des trafics et complicités dans le Rif. Au royaume des dealers, les hauts fonctionnaires semblent rois...

Du kif au béton

Il est clair qu'avec l'importante demande en provenance d'Europe (surtout depuis les années 1970), le Rif, région pauvre et surpeuplée, se révèle de plus en plus dépendant du cannabis et ce ne sont pas les prix insuffisants proposés aux paysans pour se lancer dans de véritables « productions agricoles » qui les feront renoncer, ni l'aide bien trop faible de l'Union européenne comparée aux revenus générés par la drogue. Depuis quelques années, le roi Mohammed VI s'intéresse au développement économique du Nord. Ainsi a-t-il lancé de vastes chantiers autour de Tanger, construction d'un port de commerce, d'autoroutes, de voies ferrées et d'infrastructures touristiques. Cette économie se substituera-t-elle au kif ? Pas encore sûr. Certains prétendent que l'immobilier dans le Nord est le principal débouché du blanchiment de l'argent de la drogue, les immeubles étant construits avec l'argent des trafics puis revendus « légalement ».

Pour lire les rapports détaillés de l'ONU, rendez-vous sur ● unodc.org ●

Conseils de prudence

Faites attention lorsque des vétérans de la route vous parlent de la sacrée bonne époque où, dans le Rif, on achetait sans risque le « chocolat » pour se faire « bronzer la tête » en toute quiétude. Les temps changent ! La police veille au grain, les barrages à l'entrée des villages sont fréquents.

Il n'y a pas si longtemps, on pouvait encore se faire poursuivre ou arrêter sur la route pour se voir vendre de force de petits sachets de résine. Ce n'est plus vraiment le cas aujourd'hui. La politique d'éradication et la diminution des espaces cultivés ont fait baisser la pression des dealers. Malgré tout, en voiture dans le Rif, si vous voyez quelqu'un couché sur la route, évitez-le, mais ne vous arrêtez surtout pas. C'est un moyen de vous vendre du kif. De plus, le vendeur peut facilement vous dénoncer à la police et empocher une commission. C'est une pratique courante, méfiez-vous.

Par ailleurs, les *knife experiences* se généralisent un peu trop (principalement à Tanger, à Tétouan et dans les villes du Rif). Le scénario est toujours le même : sous prétexte de boire un thé et de se rouler un joint, un jeune sympa, cool et tout, vous emmène chez lui. Il ferme à double tour, ses copains dans la chambre d'à côté rappliquent. « Tu achètes tant de grammes, à tel prix ou bien... » Il peut aussi disparaître sous prétexte d'acheter de la menthe et vous envoyer une escouade de policiers. Cependant, pas de panique, ne vous privez pas systématiquement de contacts ; un peu d'intuition et de discernement suffisent. Soyez circonspect par rapport à tout plan du type : « Bonjour les Français, venez boire un thé chez moi », qui mène soit à une affaire de commerce foireuse, soit à un plan fumette au fond d'un bar, où il vous faudra payer une note salée...

Évidemment, refusez systématiquement de convoyer en France un paquet dont vous ne connaissez pas le contenu. Les contrôles aux douanes et dans les ports sont efficaces. Certains chiens sont dressés pour reconnaître des odeurs bien particulières. On vous rappelle que la plupart des pays du Maghreb appliquent la règle du « 1 g = 1 an ». Et que, généralement, les condamnés effectuent la totalité de leur peine !

ÉLECTRICITÉ

Au Maroc, tout le pays est équipé en 220 V avec des fiches de standard européen. Pas d'adaptateur à prévoir donc. Dans quelques zones rurales en revanche, les villages reculés (notamment dans certaines vallées des Atlas) sont alimentés par des groupes électrogènes collectifs gérés par la communauté des villageois. Il peut y avoir des risques de surtension pour vos appareils électriques, principalement lorsque vous les mettez en recharge : caméscope, téléphone mobile, ordinateurs. Pensez aussi qu'il vous faudra attendre la nuit pour le faire, car on ne gaspille pas de gazole pour faire tourner le groupe de jour, évidemment !

FÊTES ET JOURS FÉRIÉS

Organisation de la vie civile

La vie civile est régie par le calendrier grégorien. À la différence d'autres pays musulmans, le week-end se compose du samedi et du dimanche. Le vendredi n'est pas férié, mais administrations et services publics allongent leur pause déjeuner pour permettre aux fidèles de se rendre à la grande prière. Dans la médina, les échoppes des souks sont souvent fermées.

Jours fériés

– *1er janvier :* Jour de l'an.
– *11 janvier :* manifeste de l'Indépendance.
– *1er mai :* fête du Travail.
– *30 juillet :* fête du Trône. La plus importante fête civile au Maroc, célébrée avec de nombreux feux d'artifice et parades.
– *14 août :* commémoration de l'allégeance de l'oued Eddahab.
– *20 août :* anniversaire de la révolution du Roi et du Peuple.
– *21 août :* fête de la Jeunesse. Correspond également à la date de naissance de Mohammed VI.
– *6 novembre :* anniversaire de la Marche verte.
– *18 novembre :* fête de l'Indépendance (retour d'exil de Mohammed V).

Fêtes religieuses musulmanes

La vie religieuse suit le calendrier musulman, qui débute le 16 juillet 622, jour où le prophète Mahomet quitta La Mecque pour s'établir à Médine (événement connu sous le nom d'*hégire,* c'est-à-dire « expatriation »). L'année de l'hégire, année lunaire, se compose de douze mois (dont celui du ramadan), mais elle est plus courte que l'année solaire. Les grandes fêtes religieuses varient par rapport au calendrier grégorien, conformément au tableau ci-dessous. Ce sont :
– *L'Aïd el-Kebir* (« grande fête ») *ou el-Adha :* fête du sacrifice du mouton. Manifestation religieuse et sociale très importante, elle commémore le moment où Abraham, s'apprêtant à sacrifier son fils à Dieu sur ordre de ce dernier, vit s'approcher de lui, à l'ultime minute, un mouton « envoyé du ciel ». En souvenir, chaque famille sacrifie son mouton après l'avoir câliné et bichonné pendant plusieurs jours. Une semaine avant la fête, d'immenses marchés s'organisent à la périphérie des villes. Le choix du mouton familial est une affaire sérieuse. Une fois acheté, l'animal est engraissé dans le jardin ou sur le balcon jusqu'au jour de la grande fête. Le sacrifice suit la grande prière collective, et tout le monde est sur son trente et un. L'ordre d'abattre la bête est donné par Sa Majesté en personne, dont le geste est retransmis à la télévision. Les rues vides ne sont plus traversées que par quelques hommes maculés de sang, un grand couteau à la main, qui passent de foyer en foyer pour égorger l'animal, laissant ensuite à la famille le soin de le dépecer. Terrasses et balcons des villes s'emplissent alors de peaux mises à sécher tandis que, sur les trottoirs, cornes et sabots demeurent les ultimes traces du sacrifice. On consomme en premier lieu les viscères et la tête, que l'on fait griller sur des *canoun.* Les morceaux de choix sont gardés pour plus tard. Ceux qui n'en ont pas les moyens achèteront du mouton en morceaux la veille, pour faire « comme si »... La fête est prétexte à exprimer l'unité familiale et à réunir tout le monde. La veille de l'*Aïd,* le jour même et le lendemain, les institutions ne fonctionnent évidemment pas, ni même la plupart des restaurants, y compris dans la capitale.
– *Le Ras el-Am :* premier jour du premier mois *(Muharram)* du calendrier de l'*hégire.* Le jour est férié.
– *L'Achoura :* dixième jour du mois de *Moharram,* date vécue de manière très contrastée par les musulmans, en fonction de leurs origines. Les chiites (majoritai-

res en Iran et en Irak) célèbrent l'anniversaire de la mort d'Hussein, petit-fils du prophète, en un jour de deuil absolu, tandis qu'au Maroc l'*Achoura* dure deux jours (non fériés). À cette occasion, les démunis et les enfants reçoivent des cadeaux. Le premier soir, vous aurez peut-être du mal à dormir à cause des pétards, qui éclatent tard dans la nuit ! Le second jour, soyez prudent : la coutume veut que les enfants aspergent d'eau les passants ! À l'origine, une rencontre de Mahomet, le 10 de *Moharram,* avec un rabbin jeûnant pour Yom Kippour en mémoire de la traversée de la mer Rouge sous la houlette de Moïse, qui vit la déroute des armées de Pharaon emportées par les flots. Le Prophète a surenchéri en décrétant deux jours de jeûne (facultatifs depuis l'instauration du ramadan) à la mémoire de Moïse, reconnu comme prophète par l'Islam. De génération en génération, les flots de la mer Rouge se sont « transformés » en douche forcée dans la rue, le second soir de l'*Achoura*...

– *L'Aïd el-Mouled :* commémoration de la naissance du prophète Mahomet. Véritable Noël musulman, c'est l'occasion de deux jours de fête, qu'il est impensable de ne pas passer en famille. Trains et bus sont pris d'assaut, nombreux bouchons sur les routes à prévoir d'après « Mouton futé » ! Tout ce qui n'est pas fermé fonctionne au ralenti.

– *Le début du ramadan :* début du jeûne rituel, période qui peut être délicate pour celui qui ne l'observe pas (voir « Religions et croyances »).

– *L'Aïd es-Seghir ou el-Fitr :* fête de rupture du jeûne, le lendemain de la fin du ramadan. Pour en savoir plus, voir « Religions et croyances ».

Calendrier des fêtes musulmanes

Ce calendrier n'est qu'indicatif, car il a été obtenu à partir de calculs astronomiques. Mais l'islam est une religion où la tradition est reine, et les fêtes religieuses ne sont décrétées que lorsque l'observateur humain peut voir, de ses yeux, le croissant de lune du mois nouveau. Il s'ensuit une incertitude d'une journée, et ce jusqu'au tout dernier moment (sauf pour l'*Aïd el-Mouled,* qui survient le 12 du mois, et dont la date est donc connue douze jours à l'avance). Pas très pratique pour prévoir la mise en congé du personnel !

Voici les dates prévisionnelles, à 1 ou 2 jours près :

– **Nouvel An** *(ou Ras el-Am, le 1er muharram) :* le 18 décembre 2009 (1431).

– **Ramadan :** il débute 22 août 2009.

– **Aïd el-Fitr :** marque la fin du ramadan ; le 21 septembre 2009.

– **Aïd el-Kebir** *(ou Aïd el-Adha) :* c'est la fête du Sacrifice, le 28 novembre 2009.

– **Al-Mawlid an-Nabawi :** célèbre la naissance du Prophète, le 9 mars 2009.

Les *moussem*

Ce sont de grandes fêtes populaires qui rassemblent souvent jusqu'à plusieurs milliers de personnes, à époque fixe, pour fêter l'événement fondateur d'une région, d'une ville ou d'une communauté. Les *moussem* les plus célèbres du Maroc sont ceux d'Imilchil dans le Haut Atlas central et de Tan-Tan.

La fantasia

La fantasia est l'occasion pour le cavalier d'afficher son rang et son lignage, car le cheval est depuis toujours le signe extérieur de richesse des tribus nomades arabo-berbères. C'est un spectacle haut en couleur simulant les anciennes joutes guerrières. Vous vous devez d'y assister si l'occasion se présente. Elles ont souvent lieu lors des *moussem*. Les cavaliers, richement vêtus, mènent une charge héroïque et acrobatique en ligne, ponctuée par des danses traditionnelles et les youyous des femmes. Le plus spectaculaire, quand les cavaliers sont excellents, est la parfaite synchronisation avec laquelle tonne le *baroud* (la poudre) de leurs longs fusils *(mouqahla)* au manche incrusté de pierreries.

GUIDES ET FAUX GUIDES

L'hospitalité marocaine a considérablement contribué au développement du tourisme. L'accueil chaleureux que des générations de voyageurs ont reçu a probablement fait beaucoup plus que toutes les campagnes publicitaires.

Malheureusement, dans les endroits très touristiques, un certain harcèlement parvient dans bien des cas à gâcher la visite de sites que l'on aimerait découvrir seul. Des enfants vous abordent pour vous aider à trouver votre chemin dans les ruelles labyrinthiques des médinas, ou des jeunes proposent de vous faire découvrir tel ou tel site. Ce sont des « faux guides », même s'ils connaissent parfaitement les lieux. Conscientes du problème, les autorités ont pris le taureau par les cornes. Elles tentent de sensibiliser la population par les médias et ont mis en place une brigade touristique efficace qui a produit ses effets dans certaines villes (Marrakech, par exemple). Cette brigade touristique a cependant des limites, car habillée en civil dans la médina, elle n'est pas repérable par les touristes quand on se retrouve face à un faux guide un peu insistant. Par ailleurs, au Maroc où la corruption est un vrai problème, cette brigade n'y échappe pas, les faux guides achetant contre quelques dirhams leur liberté de mouvement et d'action dans la médina. Nous maintenons donc notre texte, en ne perdant pas de vue que les problèmes inhérents aux faux guides ont sensiblement diminué ces derniers temps. Mais un routard averti en vaut deux...

Guides et pratiques

Les guides marocains sont des professionnels, certains ont une formation universitaire de haut niveau et sont absolument passionnants. Tous doivent passer un examen pour devenir guide et la loi les oblige à repasser des tests tous les trois ans. Visiter une médina avec un bon guide est l'assurance de vraiment aller à la rencontre de la culture du pays et d'apprendre de savoureuses anecdotes.

Seulement, il arrive qu'en guise de merveilles architecturales, on soit conduit de boutique en boutique. Les guides, même officiels, appartiennent à un système qui les oblige à ce genre de pratiques. Leur rémunération est faible ; ainsi au cours de la promenade, s'ils vous font découvrir les artisans les plus authentiques ou les *foundouk* les plus cachés, ils espèrent faire craquer leurs clients pour quelques achats. Quand le guide (officiel ou non) marchande le prix en arabe avec le vendeur, ce n'est pas pour baisser le tarif, mais pour fixer sa commission. Le prix négocié s'en trouve obligatoirement augmenté. Interrogés, les guides affirment que même avec ces commissions, les prix qu'ils obtiennent pour les touristes sont toujours bien plus avantageux que ce que vous pourriez obtenir seul. Possible, mais on en doute sérieusement. De plus, ce qu'on vient chercher, c'est précisément ce contact avec l'autre, cet espace de négociation qui fait partie du rapport social. L'intervention d'un guide dans le marchandage nous en frustre. Au-delà de l'objet, ce qu'on achète, c'est aussi ce moment partagé. Celui-ci est précieux et personne ne doit nous en priver.

Mais ce système n'est pas une nouveauté, il a toujours existé, au Maroc ou ailleurs. Sa perversion vient de sa généralisation, de sa planification. Les guides ont leurs boutiques préférées où ils vous conduiront automatiquement même si vous ne le leur demandez rien.

Aussi qualifiés et compétents soient-ils, ils participent à ce système sans lequel ils n'auraient simplement pas de travail. Car celui qui refuserait de placer dans sa visite telle boutique ne pourrait pas travailler longtemps. Il ne contribuerait pas à l'économie locale, ne « jouerait pas le jeu ». Les commerçants vivent de ces petits arrangements. Difficile pour les voyageurs en groupe d'y échapper, car ils ne maîtrisent pas l'itinéraire de leur guide. Mais au moins ils le savent. Quant aux individuels, ils trouveront difficilement un guide qui accepte de ne pas s'arrêter dans les boutiques. C'est pourtant une condition impérative. Le mieux consiste à mettre les choses au point avant le début de la visite : indiquez-lui tous les sites que vous souhaitez visiter, la durée de cette visite et mettez-vous d'accord sur le prix. Attention aux réponses du genre : « C'est fermé » ou « c'est sans intérêt ». Rien ne vous empêche à la fin, si tout s'est bien déroulé, de le gratifier d'un pourboire.

Pour une plus juste rémunération

Un guide est rémunéré 150 ou 250 Dh (22,70 €) la journée. Vous pouvez vérifier ces tarifs auprès de l'office de tourisme de la ville que vous désirez visiter. Tout l'argent revient au guide mais ça n'est pas suffisant car il s'agit d'une rentrée irrégulière. Les commissions et les pourboires des touristes s'avèrent donc indispensables pour compléter leur revenu. Conscients de l'engrenage malsain du système, les guides se sont regroupés au sein d'un syndicat national depuis 2008. Leur but : défendre leurs droits, faire reconnaître leurs compétences et leur formation par rapport aux « faux guides », et surtout militer pour une plus juste rémunération. Ils demandent une augmentation de leurs tarifs journaliers. S'ils obtiennent gain de cause, la journée avec un guide pourrait passer à 500 Dh (45,50 €), seul moyen pour eux de s'émanciper de ce système pervers à l'origine d'une véritable économie parallèle aux enjeux financiers considérables à l'échelle du pays. À suivre...
– En mettant en lumière ces pratiques, le *Guide du routard* est souvent montré du doigt, notamment par les faux guides. Mais c'est notre rôle.

Et maintenant, suivez le guide !

Quatre cas de figure s'offrent à vous : vous faire accompagner par un guide officiel, un faux guide, un gamin, ou vous y aventurer seul. Mais répétons-le, les guides officiels sont les meilleurs connaisseurs de leur ville et une visite avec eux est toujours passionnante.
– *Le guide officiel :* il est soit local, soit national, offrant sensiblement les mêmes prestations. La différence majeure se trouve dans leur tarification officielle. Ils ont tous deux un badge et une carte de guide officiel du ministère du Tourisme marocain. Cette carte, avec photo, est toujours écrite en français (et non en arabe !).
En général, en ville, le *guide national* porte une djellaba blanche. Il est habilité à vous conduire à travers le pays et à vous faire visiter la ville à laquelle il est rattaché (le nom de la ville figure sur sa carte). Exemple : un guide national basé à Marrakech peut vous faire découvrir les joyaux de la « Perle du Sud », mais devra laisser sa place à un guide local à Casablanca par exemple. Pour la visite de la ville, prévoir 150 Dh (13,60 €) la demi-journée et 250 Dh (22,70 €) la journée (repas en sus) ; 350 Dh (31,80 €) la journée (logement et nourriture en sus) pour une excursion à travers le pays.
Le *guide local* (ou guide de tourisme) est habilité à vous accompagner au sein d'une même province. Il ne peut donc pas, contrairement au guide national, vous conduire à travers le pays. Ses services sont moins chers : compter 120 Dh (10,90 €) la demi-journée et 150 Dh (13,60 €) la journée (toujours avec le repas en plus) pour une excursion en ville ; 200 Dh (18,20 €) pour une escapade d'une journée à la campagne.
En principe, les offices de tourisme peuvent vous fournir une liste de guides (à contacter vous-même), sinon, renseignez-vous dans les *bureaux des guides* des villes touristiques ou à la réception des grands hôtels. Les guides connaissent souvent bien l'histoire de la ville et peuvent donc tout vous raconter en détail. Nous en connaissons de nombreux qui aiment vraiment leur métier et savent vous faire partager l'amour de leur ville. Malheureusement, les choses sont biaisées par le fait qu'ils touchent un certain pourcentage sur tout ce que vous achetez (lire plus haut). Attention enfin à la pratique qui consiste à être reçu par un guide officiel qui sous-traite à la dernière minute la visite ou la randonnée montagnarde à un ami ou à un frère, lequel, pour sa part, n'est pas un guide officiel. Soyez ferme, refusez, et cela quelles que soient les recommandations du premier guide. À ce sujet,

reportez-vous au début du chapitre consacré aux montagnes du Haut Atlas occidental, dont on parle après Marrakech.

– *Le guide de moyenne montagne :* il est formé à Tabant dans la vallée des Aït-Bougmez, et c'est comme ça pour tout le Maroc. Une formation ardue, soit dit en passant, à laquelle les candidats accèdent sur concours après le bac. Là encore, un guide diplômé doit toujours se trouver en possession de sa carte (avec photo). Tarif officiel, fixé par le ministère du Tourisme : 200 Dh (18,20 €) par jour, repas en sus. Sachez que c'est peu. On vous demandera d'ailleurs plutôt 300 Dh (27,30 €) par jour. En général, le guide prend également une marge sur les prestations annexes qu'il vous propose : hébergement chez l'habitant, pique-nique, location des mulets pour le portage.

– *Le faux guide :* il vous aborde avec l'inévitable questionnaire : « Bonjour. Vous êtes français ? Pour combien de temps ici ? C'est la première fois au Maroc ? Je suis étudiant et je voudrais parler avec vous. Je n'ai pas de cours aujourd'hui et je peux vous conduire où vous voulez. », etc. C'est parti ! Il s'agit bien souvent de vous conduire de magasin en magasin dans l'espoir de toucher une commission. Évitez d'être désagréable, hautain ou dédaigneux, c'est souvent son seul moyen de subsistance. Si vous souhaitez effectuer la visite seul, éconduisez-le en prenant le temps de vous expliquer, et surtout avec le sourire (ça va tellement mieux avec le sourire). Toutefois, il est délicat de généraliser. La visite avec un guide non officiel peut aussi se terminer par une vraie rencontre. Dans le cas contraire, si l'argent reste le moteur essentiel, soyez ferme, basez-vous sur la rémunération des guides officiels indiquée plus haut, en l'adaptant en conséquence. Mais quoi qu'il en soit, pour éviter toute embrouille, toujours se mettre d'accord sur le prix et ce que vous souhaitez voir.

– *Le gamin :* on vous le déconseille. Certes, souvent débrouillard, il saura chasser les importuns. Mais gare à lui si la police lui tombe dessus. Vous pouvez être sûr qu'il passera un bien mauvais quart d'heure. D'ailleurs, s'il décèle un danger quelconque, il risque de s'enfuir avant la fin de la visite. Dans les grandes villes, les gamins des rues sont un vrai problème de société. Ils sont encouragés par leurs parents (ou souvent leur mère qui vit seule) à mendier ou à servir les touristes pour subvenir aux besoins de la famille. Et quand ils sont orphelins ou fugueurs, il n'existe que très peu de structures d'accueil.

– *S'aventurer seul :* en montagne, jamais ! En ville, c'est tout le contraire. Il faut quelquefois savoir se perdre dans le dédale d'un souk. Rabatteurs et faux guides sont moins nombreux au centre des médinas, et la balade est d'autant plus authentique. Un conseil, en plus de la carte, munissez-vous d'une boussole, très pratique pour s'orienter quand on est complètement perdu.

HÉBERGEMENT

Campings

FONDAMENTAL : en arabe, on ne dit pas camping mais *moukhayyem*. Mais heureusement, c'est souvent fléché « Camping ». Si certains d'entre eux, pas très nombreux, sont correctement aménagés – douches, épicerie et quelquefois piscine –, le camping marocain moyen ressemble la plupart du temps à un terrain vague dépourvu d'ombre, parfois entouré d'un mur richement décoré de tessons de bouteilles. Toutefois, il faut reconnaître une lente mais certaine amélioration. Nous vous en indiquons quelques-uns, les plus recommandables bien évidemment.

On signale à tout hasard qu'il y a des coquins qui rôdent de temps en temps dans les campings (comme partout !). Il est donc préférable de déposer les objets de valeur à la réception.

Le camping sauvage n'est pas interdit par la loi, mais est vivement déconseillé. Sachez que la plupart des maisons d'hôtes, auberges et petits hôtels (surtout dans le Sud et les régions touristiques) proposent souvent un matelas en terrasse, une bonne douche et parfois un petit déj pour moins de 35 Dh (3,20 €) par personne et par nuit. Pensez-y quand vous établissez votre budget ! Une tente, c'est lourd ! Dernier petit conseil : prévoyez une recharge de bonbonne de gaz, car le système n'est pas le même au Maroc.

Auberges de jeunesse

On en compte une douzaine au Maroc, dans les principales villes. Il n'y a pas de limite d'âge pour séjourner en AJ. Il faut simplement être adhérent.

La FUAJ propose trois guides répertoriant toutes les AJ du monde : un pour la France, un pour l'Europe et un pour le reste du monde (les deux derniers sont payants).

Mieux vaut acheter la carte dans son pays d'origine, souvent moins chère que sur place. Pour les coordonnées des fédérations, se reporter à la rubrique « Avant le départ » en début de guide.

■ *Au Maroc : Fédération royale marocaine des auberges de jeunesse, 6, pl. Ahmed el-Bidaoui (ancienne médina), Casablanca 21000.* ☎ *(00-212) 22-47-* 09-52. ● *frmaj1@menara.ma* ● *frmaj. org* ● La fédération se trouve dans les locaux de l'auberge de jeunesse de Casablanca.

Hôtels

Il y aurait beaucoup à dire sur la plupart des hôtels du Maroc, leur état alimente d'ailleurs très régulièrement notre courrier des lecteurs.

Pourtant, il existe une classification officielle établie par le ministère du Tourisme, avec un cahier des charges pour chaque catégorie. Dans les hôtels classés, le prix des chambres est toujours affiché à la réception. Ce prix peut se négocier, surtout en basse saison. S'il y a beaucoup d'hôtels de catégorie supérieure, les établissements de moyen standing (2 étoiles) sont peu nombreux. En effet, lorsque les Marocains voyagent, ils se rendent dans leur famille qui se doit de les accueillir en poussant les murs au besoin et, de ce fait, le réseau des petits hôtels ne s'est pas développé (sauf dans les sites touristiques).

Les établissements non classés situés à l'écart des routes touristiques sont souvent trop sales pour que l'on puisse y passer une nuit sans être importuné par de petites bestioles. Si un budget étriqué oblige à y recourir, on se munira d'un sac à viande afin d'éviter le contact avec les draps, ainsi que des serviettes de toilette car elles sont rarement fournies. Les bouchons d'oreilles ne sont pas superflus dans bien des cas. D'une manière générale, la plomberie est défaillante.

Lorsque l'on monte en gamme, ça s'arrange nettement. Et l'hospitalité est bien réelle. Certes, tous les hôteliers ne prêtent pas la même attention au confort, à l'hygiène ou au calme de leur établissement, mais ni plus ni moins qu'ailleurs. Méfiance toutefois aux petites négligences qui peuvent parfois vous faire dresser les cheveux sur la tête.

Quelques conseils en vrac :

– Attention aux réservations mal enregistrées par des hôteliers qui marquent sur leur cahier « réservé », sans mentionner de nom. Essayez de ne pas arriver trop tard à l'hôtel... ou n'oubliez pas de téléphoner pour confirmer votre arrivée tardive.

– Dans les grandes villes, sauf recommandation contraire de notre part, évitez les restaurants des hôtels, où la carte est souvent chère et la cuisine ordinaire.

– De nombreux établissements, en général les plus modestes, possèdent une terrasse où vous pouvez vous installer pour la nuit. C'est plus rigolo d'y dormir et c'est moins cher. N'oubliez pas cependant que les nuits sont parfois fraîches.

– Quelle que soit la catégorie de l'établissement, sachez que les établissements à étage donnant sur un patio central sont bruyants, et si, de surcroît, vous êtes près d'une mosquée, impossible d'échapper au muezzin qui appelle à la prière de la nuit (*al-'Icha*) et à celle du matin (*al-Soubh*) !

Note importante concernant les couples binationaux non mariés

Pour les couples binationaux, dont l'un est arabe (franco-marocains, par exemple), non mariés, l'accès à l'hôtel, et même au camping (!), n'est pas simple. Lisez attentivement à ce sujet notre paragraphe dans la rubrique « Sexe » dans « Hommes, culture et environnement ».

Prix spéciaux routards

Nos lecteurs peuvent parfois bénéficier d'avantages spéciaux. Dans le cours du texte, nous vous signalons les établissements qui consentent des remises. Toutefois, celles-ci ne s'appliquent pas toujours en haute saison : fin d'année, Pâques ou fête locale.

Logement chez l'habitant, maisons d'hôtes ou location d'appartements privés

Dans certains sites, les capacités hôtelières étant nettement insuffisantes en saison, les habitants proposent de vous louer une chambre ou un appartement. De jeunes rabatteurs se chargent de vous indiquer les adresses dès votre arrivée à la gare routière. Inutile de vous dire que la plus grande prudence s'impose. Visitez impérativement les lieux et négociez les prix de manière claire avant de conclure. Ces locations sont généralement illégales et vous n'obtiendrez aucune aide de la part des autorités en cas de pépin. Cela étant dit, en louant une chambre chez l'habitant, vous partagerez la vie de la famille et aurez, peut-être, la chance de découvrir l'hospitalité marocaine. Dans le Sud, on vous propose parfois de vous héberger amicalement. Il serait incongru de refuser, sauf si vous pressentez que cela va déboucher sur une arnaque.

Certains propriétaires ont tendance à abuser du terme « maison d'hôtes ». Dans une maison d'hôtes digne de ce nom, le propriétaire vous reçoit chez lui, et vous mangez sa cuisine. Une maison d'hôtes ne compte pas plus de 4 ou 5 chambres ; dans le cas contraire, c'est une auberge ou un petit hôtel. Avec les locations d'appartements, ça reste une formule économique quand on voyage à plusieurs et que l'on reste quelques jours au même endroit. Ces locations sont très répandues dans les stations balnéaires comme Essaouira. Pour la location d'appartements, vous aurez intérêt à passer par une agence qui vous offrira des garanties. Pour les chambres d'hôtes, nous vous indiquons les meilleures adresses.

Riad

Cette formule d'hébergement a pris naissance à Marrakech et s'étend maintenant à d'autres villes du Maroc comme Essaouira, Fès et Rabat. On en trouve même dans certains villages du Sud. Ces maisons, souvent très anciennes, ont été achetées et joliment restaurées, en grande majorité par des Français qui ont lancé ce qu'il faut bien appeler une mode (surtout à Marrakech et à Essaouira). Généralement très confortables et parfois même luxueuses, ces demeures, nichées au cœur de la médina, possèdent un charme indéniable. Mais attention, dans un *riad*, si merveilleux soit-il, on ne touche pas du doigt la vie « à la marocaine », contrairement à ce que certains peuvent croire, puisque très rares sont les Marocains qui les louent et y habitent. En revanche, la décoration soignée donne souvent un vrai sentiment de merveilleux. Attentionné et discret, un personnel de maison sera à votre disposition tout au long de votre séjour. La plupart des proprios n'habitant pas les lieux (quand c'est le cas, on le signale), on ne peut pas parler de « maison d'hôtes », mais plutôt d'hôtellerie de charme.

Pour en savoir encore plus sur les *riad*, lire nos excellents (!) commentaires plus loin dans la rubrique « Habitat » dans « Hommes, culture et environnement » et, à Marrakech, dans la rubrique « Où dormir ? ».

Taxes

Les hôtels et chambres d'hôtes sont tenus d'appliquer une taxe de promotion touristique (TPT) par nuit et par personne. Son montant varie en fait selon la catégorie de l'établissement. Dans la grande majorité des cas, elle est déjà incluse dans le prix affiché, sauf parfois, pour les établissements les plus chic qui la rajoutent sur la facture. À cela s'ajoute une taxe de séjour communale. Le principe est le même. Mais difficile, voire impossible, de préciser un montant pour ces deux taxes car elles changent d'un coin à l'autre et les autorités les modifient souvent, parfois dans de fortes proportions. En principe, chacune d'elles ne dépasse pas 30 Dh (soit 2,70 €) par nuit et par personne pour les établissements les plus luxueux. À cela, il faut ajouter une taxe de « débit de boissons », que tous les hôteliers doivent acquitter.

ITINÉRAIRES CONSEILLÉS

Une semaine

– *Marrakech (4 jours) :* place Jemaa el-Fna (dîner sur la place) ; les souks et les monuments de la médina, les tombeaux saadiens, le palais El-Badi, le musée Dar Si Saïd, la Bahia, un tour des remparts en calèche. Les montagnes du Haut Atlas occidental : Asni, Ouirgane, le lac de Lalla Takerkoust, l'Oukaïmeden ou la vallée de l'Ourika.
– *Essaouira (3 jours) :* déjeuner sur la plage, visite du port, de la sqala, le souk, la place aux grains, le mellah, excursion à Sidi Kaouki.

Dix jours

– *Marrakech (2 jours) :* place Jemaa el-Fna (dîner sur la place) ; les souks et les monuments de la médina, les tombeaux saadiens, le palais El-Badi, le musée Dar Si Saïd.
– *Route du Tizi n'Tichka (1 jour) :* très belle route montagneuse qui permet de rejoindre Ouarzazate en visitant Aït Benhaddou.
– *Ouarzazate (1 jour) :* la kasbah de Taourirt.
– *Ouarzazate-Taroudannt (1 jour) :* la route du Safran, l'occasion de percer les mystères de la précieuse fleur en visitant par exemple la coopérative à Taliouine.
– *Taroudannt (1 jour) :* les souks ; le tour des remparts ; le marché berbère. Dans les environs : la palmeraie de Tioute.
– *Agadir (1 jour) :* un jour. Baignade dans l'océan !
– *Essaouira (2 jours) :* flâner dans la ville ; le port ; le mellah ; le marché.
Retour sur Marrakech.

– *Autre variante, le Sud :* Marrakech – Ouarzazate – Mhamid (erg Lehoudi) – Tansikht – Rissani (et les dunes de Merzouga) – Tineghir (les gorges et la palmeraie du Todgha) – Boumalne (la haute vallée du Dadès) et retour à Marrakech. Un classique.

– Vous pouvez tenter également *le tour de l'Atlas :* Marrakech – cascades d'Ouzoud – El Ksiba – Imilchil – Rich – gorges du Ziz – Merzouga – Tineghir (les gorges du Todgha) – Dadès – Ouarzazate – Marrakech.

Trois semaines

Tout est possible ! C'est le temps à consacrer pour voyager convenablement au Maroc et sortir des sentiers battus ! En été, préférez les circuits des villes impériales, les Atlas (haut et moyen) et le littoral.
En hiver, prenez plutôt la route du Sud et du Souss, car la température y est plus clémente.

Un mois

Faites le grand tour : Marrakech – Essaouira – Safi – Rabat – Meknès – Fès – Ifrane – Azrou – Midelt – Errachidia – Merzouga – Tineghir – Dadès – Ouarzazate – Taliouine – Taroudannt – Agadir – Essaouira – Marrakech.

LANGUES

– **L'arabe :** il a été importé d'Orient par les Arabes. Comme dans tous les pays arabes, on distingue l'arabe classique, la langue du Coran (ou littéraire, accessible aux lettrés), langue de l'éducation, de l'administration et des médias, de l'arabe dialectal, langage parlé qui varie selon les régions et selon les classes sociales. Un autre dialecte, très différent de l'arabe classique, est parlé dans les régions de Guelmim (Goulimine) et Tan-Tan, ainsi qu'en Mauritanie, le *hassaniya*.

Évidemment, avec la langue arabe, on ne se sent pas en terrain familier. Difficile de s'y retrouver : le système phonologique est totalement différent de celui des langues européennes. Avec seulement trois sons vocaliques (a, i, ou) mais 26 consonnes, dont certaines difficilement prononçables pour nous, l'arabe, littéraire ou dialectal, est une langue difficile. Mais, au fait, comment se débrouille-t-on avec trois voyelles ? Et, pire encore, comment fait-on pour prononcer *Mahomet* lorsqu'on ne dispose ni du « e » (le « e » des transcriptions sert surtout à éviter des groupes de lettres imprononçables), ni du « o » ? En fait, *Mahomet* est une transcription occidentalisée de l'arabe *Muhammad*. En effet, les sons arabes ne correspondent pas exactement aux sons français. Le « a » arabe est souvent prononcé de manière intermédiaire entre notre « a » et notre « è ». Dans le même journal francophone, vous pourrez voir le même nom propre transcrit de deux manières différentes. Ce qui explique pourquoi, sur les plans de villes ou sur les cartes (y compris les nôtres !), les transcriptions peuvent différer : un peu d'indulgence donc, car ce n'est pas facile de transcrire au plus juste. La seule transcription exacte utilise des signes complexes, telles des barres horizontales au-dessus de certaines voyelles ou des points sous certaines consonnes. Nous vous en faisons grâce !

Vous remarquerez que l'arabe dialectal marocain reprend directement du français beaucoup de noms modernes ou d'expressions courantes.

– **Le berbère :** pratiqué dans de nombreuses régions du Maroc, le berbère, tout comme l'arabe, est une langue de la famille chamito-sémitique (l'hébreu appartient aussi au même groupe). Pour les Berbères, l'arabe est une langue étrangère, au même titre que le français.

Le berbère, langue essentiellement parlée, se décline en plusieurs idiomes : le rifain *(tarifift)* dans la région du Rif, le braber *(tamazight)* dans le Haut et le Moyen Atlas, le chleuh *(tachelhit)*, la plus ancienne langue connue de l'Afrique du Nord, parlée dans le Haut Atlas, dans l'Anti-Atlas et dans le Souss, et le zénète parlé dans le Nord-Est, près de la frontière algérienne. Il existe bien un alphabet, d'origine très ancienne, le *tifinagh,* encore en usage chez les Touareg, mais le berbère demeure avant tout une tradition orale. Tout comme l'arabe, le berbère reprend du français beaucoup de noms modernes ou d'expressions courantes.

Dans la toponymie berbère, vous remarquerez sans doute qu'un très grand nombre de villages ou de villes commencent et se terminent par la lettre « t » (Tiznit, Taroudannt...) : c'est tout simplement la marque du féminin. Grande avancée pour les berbérophones, la langue est désormais enseignée à l'école primaire.

– **Le français :** dans de nombreuses entreprises employant du personnel de niveau universitaire, le français est la langue quotidienne de travail, y compris entre Marocains. Selon l'interlocuteur qu'elle a en face d'elle, la même personne peut privilégier soit l'arabe, soit le français. Vous serez parfois étonné d'entendre une phrase commencée en arabe, poursuivie en français, puis terminée en arabe. Le résultat est surprenant ! En effet, la majorité des Marocains ayant fréquenté l'école parle notre langue. Dans les grandes villes, les établissements français de la mission culturelle (familièrement appelée « la mission ») dispensent dès la maternelle un enseignement général en français, permettant aux enfants de la bourgeoisie de devenir parfaitement bilingues. Pour les autres, reste l'école primaire, où le français est enseigné en tant que langue étrangère dès l'âge de 8 ans. Évidemment, le niveau obtenu ne sera pas le même ! Dans les régions reculées, notamment à mesure que l'on descend vers le sud (vers Tata et Akka par exemple, voire aussi à Ouarzazate), le français est loin d'être toujours parlé, en particulier par les femmes (surtout les anciennes générations), puisque nombreuses sont celles qui n'ont pas pu aller à l'école. À noter qu'avec 40 % de la population, le Maroc est le pays d'Afrique du Nord qui compte le plus grand nombre d'analphabètes.

– **L'espagnol :** autre vestige de la colonisation. La langue est parlée principalement dans le Nord.

Et pour vous aider à communiquer, n'oubliez pas notre *Guide de conversation du routard* **en arabe du Maghreb.**

Prononciation

h	Très fortement expiré.
r	Doit être roulé.
gh	« R » grésillé, comme un gargarisme.
kh	raclement énergique au fond de la gorge, comme la *jota* espagnole.
q	Explosion sourde au fond de la gorge.
' *(ayn)*	Comme un « h » expiré émis du plus profond de la gorge, avec vibration des cordes vocales.

Vocabulaire de base

Les mots indiqués ci-dessous sont ceux de l'arabe dialectal marocain le plus couramment pratiqué.

Oui	*ayeh* ou *naâm*
Non	*o-o* ou *la*

Formules de politesse

Bonjour	*sbah el kheir*
Bonsoir	*msa el kheir*
Bonne nuit	*lila saïda*
Au revoir	*bslâma*
Merci	*choukrane, barak allahou fik*
Soyez le bienvenu	*marahbabek*
S'il vous plaît	*afak* ou *min fadlak*

Très souvent, vous entendrez la formule *salaam alaikoum,* littéralement « Que la paix soit avec toi », formule de politesse signifiant à la fois le bonjour et la bienvenue.

Expressions courantes

Si Dieu le veut	*Inch' Allah*
Ça suffit	*safi*
Comment dit-on... en arabe ?	*kif tkoulbal... Arbia ?*
Je ne sais pas	*ma araftchi*
Je ne comprends pas	*ma fhamtchi*

Abréviations usuelles

Deux abréviations reviennent très fréquemment, par exemple dans les adresses :

Med	pour Mohammed
May ou *My*	pour moulay (titre des sultans alaouites et par extension d'une personne respectable)

MAROC UTILE

Nombres

Zéro	*ziro* ou *sifr* : ٠	Sept	*seb'aa* : ٧
Un	*wâhed* : ١	Huit	*tmania* : ٨
Deux	*zouj* ou *tnine* : ٢	Neuf	*ts'oud* : ٩
Trois	*tlâta* : ٣	Dix	*'achra*
Quatre	*arb'aa* : ٤	Cent	*mya*
Cinq	*khamsa* : ٥	Mille	*alf*
Six	*setta* : ٦		

Quelques mots qui doivent bien vous dire quelque chose

Le français argotique utilise beaucoup de mots arabes : bakchich, baraka, baroud (vacarme), bled, caïd (chef), chouia, kawa, kif-kif, klebs, fissa, flouz, nouba (à l'origine une suite chantée et dansée de poèmes, signifiant aujourd'hui « grande fête »), ramdam, toubib, walou (rien, des clopinettes).
Et c'est sans compter tous les mots français dérivés de l'arabe (alcool, algèbre, épinards, fardeau, jupe, magasin, etc.).

LIVRES DE ROUTE

– *L'Enfant de sable* et *La Nuit sacrée* (1985 et 1998), de Tahar Ben Jelloun (Éd. du Seuil ; coll. « Points », 1995). Deux livres contant le curieux destin de cet « enfant de sable », petite fille que son père, humilié, en bon musulman, de n'avoir pas d'héritier mâle, va faire passer pour un garçon. Vingt ans après, son histoire lui est racontée par le même père mourant ; elle décide alors de quitter sa mère et ses sœurs pour vivre en femme dans un corps trop longtemps opprimé.
– *Les Berbères* (2003), de Jean Servier (PUF, coll. « Que sais-je ? »). Un ouvrage essentiel pour appréhender les différentes facettes d'un des peuples les plus mythiques du bassin méditerranéen.
– *Les Voix de Marrakech* (1968), d'Élias Canetti (Le Livre de Poche, 2002). Ce petit livre, sous-titré *Journal d'un voyage,* relate le séjour que fit Élias Canetti (futur Prix Nobel de littérature) à Marrakech en 1953. Canetti ressent Marrakech mieux que personne, ou exprime mieux que personne ce que chacun ressent. On reste ébahi devant une telle performance de la sensibilité et de la technique. Que ce soit dans les souks ou dans le mellah, au contact des écrivains publics ou à celui des chameaux promis à l'abattoir, Canetti sait capter l'atmosphère de la vie marrakchie. Un beau témoignage.
– *La Mission ou De l'observateur qui observe ses observateurs* (1986), de Friedrich Dürrenmatt (Éd. de Fallois, 1991). Le désert a ses secrets et le grand écrivain suisse alémanique nous y promène à nos risques et périls. Ce livre est une belle introduction à Marrakech et à l'Atlas marocain. Sa forme peut sembler très expérimentale : 24 chapitres constitués chacun d'une seule phrase ! Pourtant, il n'y a rien d'ennuyeux dans ce procédé, et le livre se lit avec un intérêt croissant du début à la fin. Du grand art.
– *Au Maroc* (1890), de Pierre Loti (Christian Pirot Éditeur ; coll. « Autour de 1900 », 2002). Loti est invité chez le sultan de Fès. C'est d'abord la traversée du pays, au rythme des chameaux, qui impose au récit une lenteur sereine, chargée d'émotions : odeurs, couleurs, sons et musique, avec ces quelques « notes grêles et plaintives comme des bruits de gouttes d'eau » qu'un des chameliers « tirait de sa petite guitare sourde ». Écrit en 1890, ce livre est l'un des plus beaux textes qui existent consacrés au Maroc.
– *L'Esprit de sérail. Mythes et pratiques sexuels au Maghreb* (1995), de Malek Chebel (Payot, coll. « Petite Bibliothèque Payot », 2003). La sexualité au Maghreb, ses tabous et ses rites, analysée par l'anthropologue Malek Chebel, futur auteur du *Dictionnaire amoureux de l'Islam* (Plon, 2004) et du *Kama-sutra arabe* (Pauvert, 2006).

– *Le Maroc à nu* (1990), de Michel Van der Yeught (L'Harmattan, 1990). Un ouvrage indispensable pour mieux comprendre le Maroc. L'auteur lève le voile sur la popularité réelle du Trône alaouite, sur la prostitution des garçons à Marrakech, sur l'alcool tant interdit et tant consommé... Avec lui, découvrons la valeur symbolique du pain, le sens profond de la fantasia et ce qui se cache sous le grand silence des Berbères.

– *Une enquête au pays* (1981), de Driss Chraïbi (Éd. du Seuil ; coll. « Points », n° 656, 1999). Un récit tragico-burlesque dans lequel sont aux prises les membres d'une tribu montagnarde, vivant à l'écart de la « civilisation », et deux représentants de cette dernière, venus enquêter : le « chef » et son adjoint, l'inspecteur Ali (variante du couple maître/esclave). À travers cette satire, Driss Chraïbi dénonce l'incompréhension qui règne entre diverses composantes de la société marocaine.

– *Méfiez-vous des parachutistes* (1999), de Fouad Laroui (J'ai Lu, 2002). L'individu, l'identité et la tolérance, trois valeurs mises à mal au Maroc. Elles sont au centre de ce roman loufoque qui dresse un portrait sans concession, à la fois tendre et cruel, de la société marocaine contemporaine, son archaïsme et ses contradictions. Une lecture réjouissante.

– *Zaynab reine de Marrakech* (2004), de Zakya Daoud (L'Aube, coll. « L'Aube Poche », 2006). Roman historique contant la création de Marrakech en l'an 1062 par Zaynab et son mari Youssef Ibn Tachfin. Ce livre où se mêlent faits historiques et fiction (il fallait bien combler les trous !) est une peinture vivante, humaine et colorée du Maroc sous les Almoravides et une agréable façon de revoir (ou voir !) son histoire (même si, évidemment, on s'embrouille un peu dans la multitude de noms, tribus, etc.).

– *L'Islam expliqué aux enfants* (2002), de Tahar Ben Jelloun (Éd. du Seuil). L'histoire de l'islam et de la civilisation arabe. Un livre destiné à tous les petits curieux (musulmans et autres) qui ont envie de comprendre l'histoire d'une religion et plus encore d'une civilisation.

– *Morceaux de choix* (2005), de Mohamed Nedali (L'Aube, 2006). Un roman vif, au verbe truculent où, au travers des émois d'un jeune boucher de la médina de Marrakech très sensible aux attraits féminins, on lit les fantasmes et les tribulations d'une jeune génération aux prises avec une société encore régie par les traditions et où le sexe reste un tabou.

– *Le Griot de Marrakech* (2005), de Mahi Binebine (L'Aube, 2006). Petit recueil de nouvelles sur Marrakech, ville d'origine de l'auteur. On oscille entre la nouvelle, l'anecdote et l'histoire dite par un talentueux conteur qui aime sa ville. Ça se boit comme du petit lait !

– *Le Pain nu* (1980), de Mohamed Choukri (Éd. du Seuil ; coll. « Points », n° 365, 1997). Le récit autobiographique sans tabou de l'un des auteurs majeurs de la littérature marocaine. Mohamed Choukri évoque avec une écriture alerte et brute une jeunesse sacrifiée entre violence familiale et pauvreté. Censuré, ce livre n'est paru au Maroc qu'en 2000.

– *Maroc* (2007), d'Éric Milet (Arthaud, coll. « Guide des merveilles de la nature »). Un livre qui répondra à toutes vos questions sur la géologie, la faune et la flore que vous rencontrerez au Maroc. Très bien illustré, il vous constitue une excellente mise en bouche avant le départ et peut vous aider à construire votre itinéraire.

– *Marrakech,* de Patrick de Panthou (EDL ; coll. « Géo Ville », 2004). On ne compte plus les albums consacrés à cette ville impériale. Celui-ci a retenu notre attention par la beauté de ses images et la qualité de son texte. L'auteur, à la fois photographe et écrivain, nous fait partager son amour de cette « Perle du Sud » sertie dans un corset de remparts roses, au pied de l'Atlas. Du même auteur, associé cette fois à Quentin Wilbaux, on peut également lire *Marrakech et le Sud marocain* (Hermé, 2001).

– *La Médina de Marrakech,* « formation des espaces urbains d'une ancienne capitale du Maroc » (2002). Thèse publiée de Quentin Wilbaux, Paris, Éd. Harmattan. Pas toujours facile d'accès, mais il y a plein de renseignements à chiner sur l'histoire de la ville. Et surtout on comprendra que la médina de Marrakech, c'est pas trop le souk finalement...

MUSÉES

Les horaires sont variables selon les musées et parfois un peu fantaisistes. En général, tous les jours sauf mardi, 9h-12h, 15h-17h30 environ. Certains font la journée continue 9h-18h. Pendant le ramadan : 9h-16h. Ils ferment pour l'*Aïd el-Kebir* et l'*Aïd es-Seghir* ainsi que, souvent, le 1er mai.

Le prix de l'entrée varie de 10 à 30 Dh (0,90 à 2,70 €) ; gratuit généralement pour les enfants. La carte d'étudiant donne parfois droit à une réduc. Vous trouverez souvent à l'entrée quelques guides officiels. Faites-vous toujours indiquer à l'avance le prix d'une visite guidée (le tarif officiel est normalement de 30 Dh, soit 2,70 €, pour les guides des monuments).

PHOTO

Les amateurs seront comblés. Les paysages et les monuments sont magnifiques et la lumière exceptionnelle. Dans le Sud, méfiez-vous du vent qui charrie de la poussière et bloque le mécanisme des zooms et autres mises au point autofocus des appareils. Sachez qu'en cas de panne, hormis dans les grandes villes, il vous sera difficile de le faire réparer sur place.

On trouve sans problème des cartes mémoire quasi au même tarif qu'en Europe. En ville, décharger sa carte mémoire d'appareil photo numérique dans les labos photo ou dans les cafés Internet ne pose aucun problème. Les amateurs d'appareils argentiques prévoiront suffisamment de pellicules. Sur place, elles sont souvent périmées !

On peut photographier librement partout, sauf dans les zones militaires. Un droit de photographier est exigé dans certains musées. Photographier une personne sans son consentement explicite, et à fortiori quand elle exécute sa prière, est très mal considéré. En cas de refus, ne jamais insister. En cas d'acceptation, attendez-vous à ce qu'on vous demande une petite rétribution. Refusez catégoriquement ! Une photo ne s'achète pas ! À Marrakech, place Jemaa-el-Fna, chaque déclic est payant et âprement négocié, mais c'est la règle du jeu. C'est le gagne-pain des porteurs d'eau, des charmeurs de serpents, des bonimenteurs et autres acrobates. Pour photographier les gens : faites-vous inviter dans une famille, et n'oubliez pas de leur envoyer les photos dès votre retour, surtout !

POSTE

La *Poste Maroc* arbore un logo jaune et bleu. ● poste.ma ● Transferts d'argent liquide avec *Western Union,* service *Chronopost,* etc.

Horaires des principaux bureaux de poste : du lundi au vendredi de 8h30 à 16h ; le samedi de 8h à 12h. Service réduit le vendredi au moment de la grande prière. Si les guichets sont trop fréquentés, vous trouverez dans la plupart des grandes postes des distributeurs automatiques de timbres.

Compter 7,80 Dh (0,70 €) pour acheminer une carte postale ou une lettre de moins de 20 g. Tout courrier insuffisamment affranchi ne partira pas, alors en cas de doute faites peser votre lettre. Prévoir une petite semaine pour que le courrier arrive à bon port. Les problèmes d'acheminement, notamment en provenance des petits bureaux, se sont nettement améliorés.

Les boîtes aux lettres de couleur jaune poussin sont nombreuses et facilement identifiables.

Pour les amateurs de beaux timbres, il existe un comptoir philatélie dans beaucoup d'agences. Le service de poste restante fonctionne bien. Demandez à vos correspondants d'écrire en majuscules votre nom de famille suivi du prénom. Cela facilite le travail du postier. Se munir, comme partout, d'une pièce d'identité pour retirer son courrier. De plus en plus de bureaux de poste disposent d'un distributeur de billets.

SANTÉ

– Pour les vaccinations recommandées, se reporter en début de guide à la rubrique « Avant le départ ».
Le sida, quoique moins répandu que dans d'autres pays du continent africain, croît rapidement, surtout dans les grandes villes et cités touristiques (Marrakech et Agadir en particulier). Un seul conseil : sortez couvert ! On trouve des préservatifs dans toutes les pharmacies marocaines.

Quelques règles d'hygiène

Pas de risques particuliers, le Maroc n'étant pas un pays au climat malsain. Néanmoins, dans beaucoup d'endroits règnent la mauvaise hygiène et le manque d'eau. Donc, méfiez-vous des maladies transmises par l'eau et les aliments mal lavés ou mal cuits. Selon l'OMS, « la distribution d'eau potable est assurée dans toutes les grandes villes et dans certains villages, mais il est recommandé de boire de l'eau minérale ». Pour les boissons chaudes (thé notamment), l'eau doit être bouillie. Voici donc quelques règles universelles à suivre, surtout si vous allez dans de petits villages hors des sentiers battus.
– Avant toute chose, le flair est le meilleur ami du routard. Quand vous ne « sentez » pas le coup, trouvez tous les prétextes, mais refusez de manger ! Quoi qu'on en dise au sujet des usages, aucun Marocain ne s'offusquera de voir un *roumi* décliner une cuisse de pigeon faisandée baignant dans du beurre rance !
– Pensez à vous laver les mains régulièrement, surtout avant les repas. N'importe quel savon est efficace contre les bactéries, pourvu que le lavage soit vigoureux.
– Évitez les boissons non industrielles, les glaçons, le lait et ses dérivés non industriels, les coquillages.
– Exigez que l'eau minérale soit décapsulée devant vous.
– Pour purifier son eau : avec de l'*Hydroclonazone* ou, mieux, du *Micropur*® *DCCNa* (plus cher mais sans mauvais goût), ou par ébullition, par des filtres ou des résines antimicrobiennes (type *Katadyn*).
– Fruits et légumes : d'après l'OMS, « lavez-les, pelez-les, faites-les bouillir ou laissez-les ». Mais encore une fois, le risque est réduit dans les grandes villes, ce serait dommage de passer à côté des délicieuses salades marocaines.
– Consommez les viandes bien cuites, bannissez les viandes saignantes et rabattez-vous donc sur les couscous, tajines et méchouis, qui ne posent pas de problème.
– Pensez au riz blanc ! Mieux : consommez-en !
– Consultez un médecin en cas de diarrhée contenant des glaires, du pus, du sang ou qui s'accompagne d'une fièvre. Pour de simples selles molles et fréquentes, utiliser un antibiotique en une prise, type *Ciflox* (2 comprimés en une seule prise) allié à un ralentisseur du transit intestinal, le *lopéramide (Imodium)* : 2 gélules puis 1 gélule après chaque selle non moulée, sans dépasser 8 par 24h.
Pour le reste :
– évitez de vous baigner ou de patauger en eaux douces stagnantes ;
– méfiez-vous du soleil, partout et encore plus en montagne ;
– évitez les contacts avec les chiens ;
– en cas de bobo, ne paniquez pas : les pharmacies marocaines sont très bien approvisionnées et les médecins bien formés ;
– pour conjurer le mauvais sort, souscrivez donc, avant le départ, une assurance « Assistance-rapatriement ».

– Contre les moustiques et autres insectes piqueurs, munissez-vous d'une bonne lotion antimoustiques *(repellent),* active pendant 3 ou 4h.
Pour plus d'informations, consultez aussi le site ● astrium.com ●

Tatouages au henné

Des femmes vous abordent parfois de manière insistante (comme sur la place Jemaa-el-Fna à Marrakech), pour vous proposer des tatouages au henné.
ATTENTION : on ajoute parfois au henné du PPD (paraphénylène-diamine, plus exactement) afin de le rendre plus résistant. Cette substance, qui est également utilisée pour les teintures capillaires, peut provoquer chez certaines personnes des réactions allergiques potentiellement graves.
En tout cas, si vous craquez pour vous en faire réaliser un, faites-vous bien préciser le motif, et surtout le prix, AVANT qu'on vous fasse le travail. Certaines tatoueuses demandent des tarifs déments une fois le travail terminé, sachant qu'il est trop tard pour refuser ! Vous pouvez aussi demander à votre hôtel de vous conseiller quelqu'un de sérieux.

SITES INTERNET

Infos pratiques

● *routard.com* ● Tout pour préparer votre périple. Des fiches pratiques sur plus de 180 destinations, de nombreuses informations et des services : photos, cartes, météo, dossiers, agenda, itinéraires, billets d'avion, réservation d'hôtels, location de voitures, visas... Et aussi un espace communautaire pour échanger ses bons plans, partager ses photos ou trouver son compagnon de voyage. Sans oublier *routard mag,* ses reportages, ses carnets de route et ses infos pour bien voyager. La boîte à outils indispensable du routard.
● *diplomatie.gouv.fr* ● Cliquer sur « Conseil aux voyageurs ». Le site du ministère des Affaires étrangères, mis à jour régulièrement, répertorie les régions déconseillées et donne aux voyageurs, selon un classement par pays, des conseils généraux de sécurité, les formalités d'entrée et de séjour. Un site à consulter avant votre départ.
● *ambafrance-ma.org/imaroc* ● Un annuaire des ressources Internet au Maroc. Des liens vers plusieurs centaines de sites classés par thèmes, y compris certains portails et moteurs de recherche marocains.

Sites généralistes

● *maroc.ma* ● Le site officiel du gouvernement marocain. Très généraliste !
● *meteoma.net* ● Prévisions météo pour les grandes villes marocaines.

Cuisine

● *cuisine-marocaine.com* ● Un site de partage de recettes marocaines entre internautes.
● *travel-in-morocco.com/cuisine.htm* ● Un éventail très complet de la cuisine marocaine. Également des infos généralistes sur le pays en revenant à l'accueil du site.

Société

● *lamarocaine.com* ● Tout sur et pour la femme marocaine. La simple existence d'un tel site n'est-elle pas déjà une révolution ?

Culture

● *maghrebarts.ma* ● Toute l'actualité des arts marocains (cinéma, musique, théâtre, etc.), mise régulièrement à jour, sous forme d'articles de presse.

● *festival-gnaoua.net* ● Ce festival, qui a lieu chaque année fin juin à Essaouira, accorde une large place au talent des Gnaoua (artistes descendant des anciens esclaves) et aux autres musiques traditionnelles marocaines. Biographie des artistes, présentation des Gnaoua et de la ville d'Essaouira.

● *art-maroc.co.ma* ● Une présentation des artistes-peintres marocains.

Actualités

● *lagazettedumaroc.com* ● Pour s'informer sur toute l'actualité marocaine.

● *ambafrance-ma.org/presse* ● Revue de presse quotidienne réalisée par l'ambassade de France à Rabat. Idéal pour épater les gens que vous rencontrerez par votre connaissance des sujets dont on discute là-bas !

● *telquel-online.com* ● Site internet du magazine *Tel Quel,* hebdomadaire traitant de l'actualité marocaine avec une vivacité de ton très rare dans nos propres magazines. Sur place, on vous recommande même de plonger votre nez dans ses feuilles pour prendre la température du pays.

● *albayane.ma* ● Site du quotidien *Al Bayane.* Une mine d'informations, et un relatif franc-parler. Accès aux archives, avec un bon moteur de recherche. Parfois quelques problèmes de fonctionnement.

● *comfm.com* ● Une sélection de radios et de TV qui diffusent sur le Web.

TÉLÉPHONE ET TÉLÉCOMS

Les communications sont chères, beaucoup plus qu'en Europe. Pour connaître les derniers tarifs, composer le ☎ 126. Dans une cabine agréée (téléboutique), l'unité de base (près de 1,50 Dh, soit 0,10 €) permet d'appeler pendant environ 3 mn en local, 2 mn jusqu'à une distance de 35 km et seulement 40 s au-delà. Pour l'international, le coût minimal d'une communication en heures pleines est de 3,50 Dh (0,30 €) vers la France, 4,80 Dh (0,40 €) vers la Suisse, la Belgique et 5 Dh (0,50 €) vers le Canada (moins cher les week-ends et jours fériés et en semaine 20h-8h). Méfiez-vous si vous appelez d'un hôtel, les prix sont bien souvent multipliés de façon astronomique ! Renseignez-vous avant à la réception sur le tarif.

■ *Renseignements nationaux :* ☎ 160.

■ *Renseignements internationaux :* ☎ 126.

– Il existe des *cabines à cartes* ou *publiphones.* Les cartes sont vendues dans les bureaux de poste, bureaux de tabac et chez quelques commerçants. Tarifs (susceptibles de changer) : 18, 30, 60 et 99 Dh (1,60, 2,70, 5,40 et 9 €). Téléphoner depuis ces cabines peut être tout un sport : le plus souvent, elles sont en pleine rue, et le bruit du trafic couvre la voix de votre interlocuteur.

– Mais, nombre de ces cabines étant victimes d'actes de vandalisme, *Maroc Télécom* a aussi mis en place un système de *téléboutiques,* ouvertes tard le soir. On les reconnaît à leur enseigne bleue. Il s'agit de lieux abrités comportant un certain nombre de postes d'où l'on peut téléphoner avec des pièces et des cartes. Un gérant vous fera de la monnaie. Les pièces de 5 Dh ne sont parfois pas reconnues par les téléphones. Certaines téléboutiques sont équipées d'un service de fax (attention, bien demander le prix avant car l'envoi d'un fax revient souvent cher). Il y en a désormais dans chaque ville un nombre incroyable (ainsi que dans quasiment tous les villages, sauf ceux difficiles d'accès) et tout le monde vous les indiquera. À présent, beaucoup de ces téléboutiques sont équipées d'ordinateurs branchés sur Internet.

Malheureusement, comme il n'y a pas de petit profit, on a assisté à une nouvelle dérive : certaines téléboutiques ont des téléphones trafiqués pour que vous y engloutissiez un maximum de pièces. Ou bien, après avoir mis une pièce de 5 Dh (0,40 €), le téléphone affiche curieusement : « hors service » et votre pièce ne retombe pas ! **Un conseil : si vous téléphonez à l'étranger, commencez par mettre 5 Dh avant d'alimenter l'appareil en pièces.** Enfin, méfiez-vous si une téléboutique propose une carte prépayée, car elle ne sera pas utilisable dans une autre boutique.

– Avec votre *téléphone portable,* il faut avoir contracté une option « monde », « international » ou « sans frontière ». Attention, bien se renseigner auprès de son opérateur avant le départ car chacune des options peut recouvrir des zones et des pays différents. La couverture s'est nettement améliorée ces derniers temps, et dans les principales villes, pas de souci. Vous pouvez consulter les cartes de couverture sur Internet : ● gsm.org/gsminfo/cou-ma.htm ● Sur place, deux compagnies se partagent le gâteau : *Maroc Télécom* et *Meditel* (d'origine espagnole). Pour l'Union européenne, il vous en coûtera un peu plus de 1 €/mn en « roaming », avec votre opérateur national donc. N'oubliez pas que vous payez aussi à l'étranger les appels reçus du territoire d'origine. Résultat : on ne saurait trop vous conseiller d'acheter une puce à l'un des deux opérateurs cités plus haut. Pas mal de petits points de vente dans les grandes villes, partout disséminés. Une fois installée dans votre téléphone, elle vous permettra d'avoir un numéro marocain. Mais attention ! Si vous avez acheté votre portable auprès d'un opérateur européen, il faut le faire débloquer (ou encore « dé-simlocker » dans leur jargon) avant votre départ pour faire fonctionner cette nouvelle puce. Cela n'est possible sans frais qu'après 6 mois de forfait. Avant, votre opérateur vous demandera de payer, mais sachez que vous pouvez le faire faire sur place, dans nombre de médinas, moyennant 20 à 50 Dh (1,80 à 4,50 €) selon le type de votre appareil. Les puces coûtent 30 Dh (2,70 €) et offre le plus souvent un petit crédit de communication pour débuter. Les recharges coûtent 20, 50 et 100 Dh (1,80, 4,50 et 9 €). C'est un peu plus cher que depuis une cabine, mais vous êtes beaucoup plus libre. Pour appeler à l'étranger, ou même envoyer des sms, cette solution est de toute façon plus rentable que votre puce habituelle, surtout en période de promotion (Ramadan, Aïd...) où le prix peut être divisé par deux ! Sans parler du fait qu'elle évite les mauvaises surprises lors de la réception de sa facture au retour...

Urgence : en cas de perte ou de vol de votre téléphone portable, suspendre aussitôt la ligne permet d'éviter de douloureuses surprises au retour du voyage ! Voici les numéros des trois opérateurs français, accessibles depuis la France et l'étranger :

– *SFR :* depuis la France : ☎ 10-23 ; depuis l'étranger : ☎ + 33-6-1000-1900.

– *Bouygues Télécom :* depuis la France comme depuis l'étranger : ☎ 0-800-29-1000 (remplacer le « 0 » initial par « + 33 » depuis l'étranger).

– *Orange :* depuis la France comme depuis l'étranger : ☎ + 33-6-07-62-64-64.

Maroc → Maroc

ATTENTION, à partir de mars 2009, *Maroc Telecom* doit mettre en place une nouvelle numérotation téléphonique. Les numéros passeront ainsi à 10 chiffres (au lieu de 9 actuellement).
Voici les changements prévus :

– Pour tous les numéros fixes, il faudra insérer « 5 » après le « 0 ». Exemple : 024-11-11-11 deviendra 05-24-11-11-11.

– Pour les portables, un « 6 » devra être placé après le « 0 ». Exemple : 068-11-11-11 deviendra 06-68-11-11-11.

– Pour les numéros gratuits commençant par « 08 », il faudra ajouter « 0 » après le « 08 ». Exemple : 081-11-11-11 deviendra 08-01-11-11-11.

– Enfin pour le numéros qui débutent par « 09 », il conviendra d'insérer un « 8 » avant le « 9 ». Exemple : 090-11-11-11-11 deviendra 08-90-11-11-11-11 (12 chiffres).

Si les numéros actuels ne fonctionnent pas, n'hésitez pas à contacter sur place les renseignements téléphoniques marocains (☎ 160). Ils sont efficaces. En France, pour le service des renseignements internationaux d'*Orange* par exemple, il faut composer le ☎ 118-700. Également ● telecontact.ma ●

France, Belgique ou Suisse → Maroc

00 + 212 (indicatif du pays) + numéro d'appel à huit chiffres (puis neuf chiffres lorsque la nouvelle numérotation sera effective) sans le 0 initial.

Maroc → France et autres pays francophones

On ne compose jamais le 0 qui précède le numéro.
– **Vers la France :** 00 + 33 + numéro du correspondant à neuf chiffres.
– **Vers la Belgique :** 00 + 32 + numéro du correspondant à huit chiffres.
– **Vers la Suisse :** 00 + 41 + numéro du correspondant à huit ou neuf chiffres.
– **Vers le Canada :** 00 (tonalité) + 1 + indicatif de la ville + numéro du correspondant.

Les cybercafés

Il y en a maintenant partout, dans presque chaque rue des grandes villes. Les ordinateurs sont de bonne qualité et les connexions rapides. Une heure revient à moins de 10 Dh (0,90 €). La plupart sont équipés de logiciels type *skype* avec microphones et haut-parleurs pour des communications quasi gratuites. À certaines heures, ils sont pleins à craquer, fréquentés notamment par de jeunes étudiantes et étudiants qui en font un sport national. Il est de plus en plus fréquent de trouver des cybercafés dans les petites villes.

TRANSPORTS

Avion

Des vols relient l'Europe à dix aéroports marocains : Agadir, Casablanca, Essaouira, Fès, Marrakech, Nador, Ouarzazate, Oujda, Rabat et Tanger. Il existe d'importantes disparités de prix : un vol d'une compagnie régulière vers Marrakech ou Agadir (liaisons où la concurrence est vive) est beaucoup moins cher qu'un vol vers Rabat. Dans certains cas, selon votre destination, la formule consistant à arriver à Marrakech et à terminer le trajet en train ou en bus peut être très économique par rapport au vol direct.
La *RAM* et la *Régional Air Lines* desservent également l'intérieur du pays. Vous trouverez des aéroports à Casablanca, Tanger, Rabat, Tétouan, Al-Hoceima, Nador, Oujda, Fès, Marrakech, Essaouira, Ouarzazate, Agadir, Guelmim, Er-Rachidia, Tan-Tan, Dakhla et Laâyoune.

■ **Office national des aéroports :** ☎ 081-00-02-24. ● onda.ma ● Pour toute question relative à votre voyage aérien, sur les liaisons nationales et internationales.

Train

Il serait imprudent de trop compter sur la ponctualité de l'**ONCF** (Office national des chemins de fer) ! Mais celui-ci dispose de trains express relativement rapides, propres, climatisés et entièrement non-fumeurs (la consigne est respectée). En première classe, vous bénéficierez de la musique et de l'annonce des gares, ainsi que d'une plus grande probabilité de trouver une place assise si vous n'avez pas réservé (la 2de classe étant souvent prise d'assaut !).

MAROC UTILE

DISTANCES EN KILOMÈTRES ENTRE LES PRINCIPALES VILLES

Distances entre les villes	TÉTOUAN	TAROUDANNT	TANGER	SMARA	SEBTA	SAFI	RABAT	OUJDA	OUARZAZATE	MEKNÈS	MARRAKECH	LAÂYOUNE	KÉNITRA	IFRANE	FÈS	ESSAOUIRA	EL-JADIDA	CASABLANCA	BENI-MELLAL	AGADIR
TÉTOUAN	0																			
TAROUDANNT	1015	0																		
TANGER	56	822	0																	
SMARA	1875	633	1451	0																
SEBTA	37	892	65	1521	0															
SAFI	639	376	606	845	676	0														
RABAT	276	579	243	1177	313	363	0													
OUJDA	547	1025	547	1623	584	897	534	0												
OUARZAZATE	830	299	797	932	867	357	554	1000	0											
MEKNÈS	250	685	306	1283	287	510	147	387	660	0										
MARRAKECH	632	223	599	821	669	159	356	802	198	462	0									
LAÂYOUNE	1635	784	1547	240	1672	996	1359	1774	1083	1506	972	0								
KÉNITRA	226	629	193	1305	263	413	50	540	604	153	406	1409	0							
IFRANE	354	631	410	1305	391	594	231	394	604	84	406	1378	211	0						
FÈS	280	705	336	1303	317	569	206	320	680	67	482	1452	166	74	0					
ESSAOUIRA	757	258	724	727	794	118	481	1015	370	628	172	878	578	578	654	0				
EL-JADIDA	485	418	452	999	522	154	209	743	393	356	195	1150	259	440	415	272	0			
CASABLANCA	386	469	353	1067	423	253	110	644	444	257	246	1249	160	341	316	371	99	0		
BENI-MELLAL	574	409	488	1007	611	345	245	616	384	276	186	1158	295	220	296	358	306	210	0	
AGADIR	933	82	900	551	970	294	626	1072	381	732	270	702	754	754	752	176	448	516	456	0

Les horaires et les tarifs sont en consultation sur le site ● oncf.ma ● Du Maroc, centre d'appel : ☎ 090-20-30-40. Le réseau, hérité du protectorat, est peu développé (1 700 km) :
– *La ligne de l'Est* relie Casablanca, Rabat, Kénitra, Meknès, Fès et Oujda.
– *La ligne du Nord* relie Casablanca à Tanger. Compter 6h.
– *La ligne de l'Ouest* relie Casablanca à Marrakech (240 km). Compter 3h.
Vous pouvez acheter une carte de fidélité, valable un an (150 Dh environ, soit 13,60 €) permettant d'obtenir des réductions allant jusqu'à 50 % sur 16 voyages. Pour les moins de 26 ans, le principe et les avantages sont les mêmes, sauf que la carte *(carte Jeune)* coûte 100 Dh (9,10 €). Par ailleurs, réductions pour les groupes, familles et retraités. Les enfants ne sont pas oubliés : gratuit pour les moins de 4 ans ; 50 % de réduction pour les 5-12 ans. Pour plus d'infos et pour connaître les pièces à présenter afin de bénéficier de ces avantages, consulter le site internet de l'ONCF.
Les billets sont valables le jour de leur émission. Si vous n'avez pas pu vous procurer votre billet au guichet, demandez un ticket d'accès délivré gratuitement à l'entrée du quai de la gare ou avisez le contrôleur avant d'emprunter le train. Dans tous les cas, un billet acheté dans le train vous coûtera plus cher.
Si l'on veut une place assise, il faut apprendre à courir vite, ou arriver très longtemps à l'avance si l'on part d'une tête de ligne... ou tout simplement réserver ! Vous pouvez vous procurer vos billets six jours à l'avance, sauf pour les billets combinés train + autocar (un mois à l'avance) et les billets avec réservation de voiture-lit ou de couchettes (deux mois à l'avance). Certains trains sont avec supplément.
– Attention aux nombreux vols, surtout dans les trains de nuit. Des bandes opèrent sur la ligne Tanger-Marrakech, avec une technique très au point. Dormez sur votre sac ou restez éveillé !

Bus

Ils sillonnent tout le pays et vous mènent dans les coins les plus reculés pour un prix modique. Demandez systématiquement un reçu ou un titre de transport, les bus sont contrôlés.
Trois grandes sociétés de bus, *CTM, SATAS et Supratours,* ont des gares routières spécifiques dans les villes importantes, mais il en existe de nombreuses autres de tailles diverses. Les compagnies locales, sur les mêmes destinations, sont souvent meilleur marché, mais le service est beaucoup plus rustique et la sécurité laisse à désirer. Elles utilisent bien souvent de vieux véhicules qui sont entretenus lorsqu'il n'y a vraiment plus moyen de faire autrement...
– Malgré tout, si vous voulez vous plonger au cœur du pays, rien ne remplace les *compagnies locales* : véhicules bondés, souvent anciens pour ne pas dire antiques, donc. La moyenne frôle 40 km/h les grands jours ; on a tout le temps d'admirer le paysage ! Les arrêts sont fréquents et prolongés car, si besoin est, il faut aller rechercher sur le toit les bagages des passagers et les moutons, avant les fêtes. Il est de coutume de donner un pourboire d'environ 5 Dh (0,50 €) par colis descendu. En principe, les bagages sont facturés en fonction du poids (surtaxe au-dessus de 10 kg par personne). Présentez-vous longtemps à l'avance, car vous ne serez pas seul. Les cars s'arrêtent partout (s'ils ne sont pas complets, bien sûr). À propos, s'il fait très chaud, faites donc comme les Marocains : empruntez les bus qui partent très tôt le matin ou qui font le trajet de nuit. Et prévoyez votre propre bouteille d'eau. Il arrive que celle qu'on vous vend soit remplie à l'eau du robinet. Pour piquer un somme, pensez aux boules *Quiès,* ça atténue la musique à plein volume relayée par la voix de stentor du chauffeur. Pour parer au mal des transports (fréquent dans ces conditions), n'oubliez pas les sacs plastique ! Enfin, sachez que la sécurité de vos bagages (comme la vôtre !) n'est pas garantie.

– La **CTM** couvre presque tout le territoire marocain, d'Oujda à Dakhla, et dessert aussi plusieurs pays européens, dont la France et la Belgique, en partenariat avec *Eurolines* notamment (voir « Comment y aller ? »). *Centre d'appel :* ☎ *022-43-82-82.* ● *ctm.co.ma* ●

Pour un prix légèrement supérieur, vous aurez droit à un bus confortable, en principe avec l'AC (parfois tellement efficace qu'on vous recommande de prendre de quoi vous couvrir), et à un trajet plus direct.

Les bus sont souvent complets, réservez 24h à l'avance et évitez de les prendre en cours d'itinéraire. L'enregistrement du bagage doit être fait 1h avant le départ. La compagnie perçoit une taxe sur les bagages, dépendant de leur valeur. Conservez le billet et le reçu du bagage jusqu'à l'arrivée. On peut, le cas échéant, faire voyager son bagage avant ou après son départ. Il suffit de bien fermer ses sacs avec un cadenas, de les faire peser et de les enregistrer. Le jour et l'horaire du transport sont inscrits sur le billet.

– La **Supratours** est une agence privée, correspondant de l'*ONCF.* ☎ *037-77-65-20.* ● *supratours.ma* ● Ses services sont excellents. Pour de longs trajets, nous vous la conseillons car deux chauffeurs se relaient systématiquement, question de sécurité.

– La **SATAS** dessert pratiquement tout le Sud marocain jusqu'à Tan-Tan et dispose de cars confortables sur certaines lignes. Les formalités sont les mêmes que pour la *CTM* : réservation, enregistrement, etc. Renseignements à Agadir, ☎ et fax : 028-84-24-70.

Consignes

Vous en trouverez dans les principales stations de bus *CTM* (accessibles sur présentation d'un titre de transport *CTM*). En revanche, les consignes tendent à disparaître des gares *ONCF*. Quoi qu'il en soit, les bagages doivent être cadenassés, sans quoi ils sont refusés. Sinon, confiez de préférence votre sac à un établissement conseillé dans votre *Guide du routard.* Il y aura toujours quelqu'un qui acceptera de vous le garder en échange de quelques dirhams. N'y laissez toutefois pas d'objets de valeur, du type appareil photo.

Stop

Souvent monnayé, il fonctionne principalement sur les grands axes comme Tanger-Casablanca-Marrakech. N'hésitez pas à demander aux touristes dans les campings. C'est une pratique courante chez les Marocains et vous les verrez nombreux sur le bord des routes. La technique consiste à indiquer avec le doigt la direction de la route que l'on veut prendre et non de lever le pouce vers le ciel.

Déconseillé aux filles seules.

Voitures de location

Louer une voiture est une excellente solution. Une voiture permet de pénétrer à l'intérieur du pays et de profiter au maximum du séjour.

Tous les grands loueurs ont des représentants au Maroc.

– Sachez aussi que l'agence **Auto Escape** réserve auprès des loueurs de gros volumes de location, ce qui garantit des tarifs très compétitifs. *N° gratuit :* ☎ *0800-920-940.* ☎ *04-90-09-28-28.* ● *autoescape.com* ● *info@autoescape.com* ● *Vous trouverez également les services* d'Auto Escape *sur* ● *routard.com* ● *Réduc de 50 % sur l'option d'assurance « zéro franchise » (soit 2,50 €/j. au lieu de 5 €) pour les lecteurs du* Guide du routard. *Résa à l'avance conseillée.*

– N'hésitez pas non plus à contacter les grandes compagnies internationales avant votre départ et à comparer leurs tarifs : **Avis,** ☎ *0820-05-05-05 (0,12 €/mn),* ● *avis. fr* ● *; **Hertz,** ☎ *01-39-38-38-38,* ● *hertz.fr* ● *; **Europcar,** ☎ *0825-358-358 (0,15 €/ mn),* ● *europcar.fr* ●

Il existe des sociétés marocaines pratiquant des prix plus doux (voir notre sélection dans les « Adresses utiles » des principales villes). Les véhicules de base sont plutôt destinés à la conduite en ville, et peuvent se révéler fragiles si vous avez l'intention de faire un long périple dans le Sud. Il est alors préférable de louer un modèle plus cher mais plus résistant (les voitures plus anciennes et rudimentaires ont néanmoins l'avantage de ne pas être courtes sur pattes, donc assez hautes pour éviter de racler le ventre du véhicule sur les gros cailloux des pistes que vous n'êtes pas censé prendre, d'ailleurs !).

ATTENTION, une location de voiture est une affaire délicate. Quelques tuyaux.

– Les contrats d'assurance ne vous garantissent plus si vous quittez une voie goudronnée pour emprunter une piste avec un véhicule de tourisme.

– Exigez toujours un exemplaire vierge de constat à l'amiable.

– Méfiez-vous des loueurs qui ne procèdent pas aux contrôles élémentaires entre deux locations. Ce sont généralement les mêmes qui ne vous dépanneront pas en cas de pépin.

– Ne signez jamais votre contrat avant d'avoir vu le véhicule et de l'avoir vérifié, surtout l'état des pneus (y compris la roue de secours) et celui des phares : en effet, conduire de nuit (qui tombe 2h plus tôt que chez nous) dans un pays où 90 % des vélos n'ont pas de lumière et dont nombre d'entre eux roulent à gauche, où vaches et chèvres se baladent allègrement, devient une aventure que nous vous déconseillons vivement !

– Assurez-vous que le tarif sur lequel vous vous êtes mis d'accord inclut bien l'assurance et les taxes de 20 % (que de nombreux lecteurs oublient et que les loueurs rajoutent au dernier moment, une fois le contrat signé). Vérifiez également les éventuels frais de prise en charge à l'aéroport, ainsi que ceux applicables à une restitution de la voiture dans une autre agence. Bref, toujours vérifier si d'autres montants n'ont pas été ajoutés en marge du contrat.

– Vérifiez bien le niveau d'essence. Le réservoir doit, en principe, être plein et vous devrez le rendre avec le même niveau. Attention aux loueurs qui vous donnent une voiture dont le réservoir est plein aux deux tiers, car dans ce cas, il n'est pas facile d'évaluer la bonne quantité restante au retour. Risque d'embrouille.

– Si vous louez depuis l'étranger, faites-vous confirmer par fax le maximum d'informations (prix TTC incluant les assurances, kilométrage approximatif du véhicule...).

– Il est vivement conseillé de prendre l'assurance tous risques. Mais vu le comportement de certains touristes qui « refont » le Paris-Dakar à bord des voitures de location, les loueurs refusent de plus en plus de la donner. Ceux qui en proposent une le font à un tarif très élevé.

– Si vous rachetez la franchise, sachez qu'il est de plus en plus fréquent qu'il reste une petite part incompressible imposée par les compagnies d'assurances.

– Au moment de la prise en charge du véhicule, le loueur vous demandera une empreinte de carte de paiement en caution. Pas de panique, c'est une procédure habituelle, au Maroc comme ailleurs. Elle vous sera restituée automatiquement (sinon, n'oubliez surtout pas de la réclamer) au moment de rendre le véhicule. Sachez que tous les dommages occasionnés au véhicule seront à votre charge, même les pneus si l'on se rend compte que vous avez roulé sur piste.

Conduite sur route

Comme nous tenons à conserver nos lecteurs le plus longtemps possible, nous devons les mettre en garde contre la façon très spéciale dont les Marocains interprètent le code de la route (qu'ils ne semblent pas tous connaître, d'ailleurs...). D'emblée, on est frappé par l'anarchie totale qui règne aussi bien sur la route que dans la rue. Il y a trois concepts fondamentaux que le conducteur méconnaît complètement : celui de niveau de risque, celui d'anticipation et celui de respect d'autrui. Conséquence : de nombreux automobilistes ne respectent pas toujours les stops, doublent en général n'importe où et n'importe comment, changent de direction sans clignotant, démarrent quand ça leur chante et tant pis si vous aviez la mauvaise idée d'arriver à ce moment-là, et n'ont aucune, mais alors vraiment aucune notion de distance de sécurité.

Ajoutons que le conducteur marocain fait un écart pour un oui ou pour un non, en particulier pour éviter les nombreux nids-de-poule. Sachez que, dans ce dernier cas, il s'estime dans son plein droit même s'il vient largement empiéter sur votre côté de la chaussée, et qu'il s'attend que vous réagissiez en conséquence... Quand la route se réduit à une bande asphaltée (dans le Sud ou dans certaines régions moins bien desservies), les taxis ou les camions qui arrivent en face, pour vous impressionner, restent au milieu et, dans ce cas, attention, à vous le bas-côté ! Quant au piéton ou au cycliste, sa principale préoccupation est de se déplacer le plus vite et le plus en ligne droite possible ; faire un détour de 30 m pour prendre un passage pour piétons n'est pas concevable, pas plus que d'attendre que les voitures soient bloquées par un feu. Il arrive aussi qu'à un carrefour tous les feux se bloquent à la même couleur ; si c'est au rouge ou à l'orange, c'est un moindre mal...

Conduire de nuit est vivement déconseillé. La quasi-totalité des cycles sont dépourvus de tout éclairage. Les carrioles suivent le mouvement. Certains véhicules n'ont qu'un phare qui fonctionne. Pour constater le résultat, il suffit de faire un tour dans la salle des urgences des grands hôpitaux du Maroc.

En dehors des villes, tout le danger vient des INIT (individus non identifiés traversant), et ils sont nombreux : l'âne, la vache, les moutons et biquettes, le dromadaire, etc. Dans tous les cas, l'usage du klaxon est appréciable. Règle de base : ne jamais passer entre un animal isolé et ses congénères ; son instinct grégaire lui fera toujours rejoindre son troupeau au moment où vous passez...

Et ce n'est pas tout. Personne n'apprend aux jeunes enfants qu'il faut toujours regarder à gauche et à droite avant de traverser. La spontanéité est reine, ce qui les conduit à jaillir d'une maison et à traverser sous vos roues (et on ne vous parle pas des autoroutes où l'on voit des gens traverser !). Attention aussi aux enfants qui essaient d'ouvrir la portière d'une voiture roulant à 60 km/h (c'est arrivé à un lecteur !) ou à ceux qui se plantent au beau milieu de la rue pour vous obliger à vous arrêter.

Un vrai bonheur, quoi ! Une règle absolue : dès qu'il y a quelqu'un sur la route, mettez le doigt sur le klaxon (c'est d'ailleurs ce que font les Marocains). Ayez une conduite défensive, et attendez-vous toujours au pire en espérant le meilleur... Ne croyez pas que l'on exagère ! Les routes du Maroc sont parmi les plus meurtrières du monde, et on les déconseille vivement à tout conducteur inexpérimenté.

Alors, n'aggravez pas les statistiques ! Même si vous êtes bloqué derrière un camion, inutile de doubler dangereusement.

En cas d'accident, en particulier avec des blessés, dès que les secours sont prévenus, téléphonez au consulat puis à la gendarmerie (à l'occasion, on vous y enferme d'abord et on discute après). On peut éventuellement acheter (quand ils sont disponibles) des constats à l'amiable chez certains petits commerçants, genre bureau de tabac. Mieux vaut apporter le vôtre, sait-on jamais.

Limitation de vitesse et contrôles de police

La vitesse sur route est limitée à 100 km/h. Dans la traversée des agglomérations, il est interdit de dépasser les 60 km/h et, en centre-ville, les 40 km/h. Attention aux panneaux qui se succèdent de façon fantaisiste (100, 80, 60, 40... indifféremment). À vous de vous y retrouver. De toute façon, on ne saurait trop vous conseiller de ne pas rouler trop vite et de faire preuve de la plus grande vigilance.

Compte tenu du grand nombre d'accidents mortels de la circulation, la police marocaine est très présente sur les routes (y compris en campagne) et autoroutes, et de plus en plus sévère. Les « halte police » ou « halte gendarmerie » sont nombreux, notamment aux entrées et sorties de villes, grandes ou moyennes. Arrêtez-vous toujours avant le panneau et attendez le geste du gendarme qui vous fait signe d'avancer. Parfois, il se contentera de vous regarder ou d'échanger quelques mots. Une règle générale : un grand sourire. S'il vous reproche quelque chose, n'hésitez pas à reconnaître votre erreur et à vous excuser.

Attention ! Les radars fleurissent, même sur les petites routes peu fréquentées et la limitation de vitesse indiquée est strictement appliquée. Le contrôle est sévère, parfois fantaisiste. Pas de photo. Et du coup, c'est souvent à la tête du client... Plus question alors de politesse ou d'arrangement à l'amiable ; il faut payer une amende qui oscille entre 300 et 450 Dh (27,30 et 40,90 €). Et les autorités envisagent très sérieusement d'augmenter ces montants ! Vous noterez que les conducteurs marocains ne manquent pas de vous prévenir de la présence des pandores par de discrets appels de phares quand ils vous croisent. Sachez aussi que le port de la ceinture de sécurité est obligatoire sur route.

Conduite sur piste (ou comment faire pour que les vacances restent des vacances...)

Si vous avez opté pour le 4x4, sachez qu'un périple sur piste ne s'improvise pas. Nous vous donnons ci-dessous quelques conseils généraux, mais ceux-ci ne vous dispensent pas, bien au contraire, de vous tourner vers des professionnels avant le départ ou même sur place.

– Sur piste, les distances ne se mesurent pas en kilomètres, mais en heures de conduite (entre 5 et 20 km/h de moyenne pour les pistes de l'Atlas, entre 20 et 50 km/h de moyenne pour les pistes roulantes au sud de l'Anti-Atlas).

– De manière générale, attention aux gués, aux lits d'oued à sec, aux mauvais fonds de route, aux tas de pierres, aux bosses de sable et à l'étroitesse des routes, problèmes qui s'aggravent quand on descend dans le Sud.

– Ne vous engagez jamais sur une piste inconnue sans vous être renseigné au départ sur l'état de celle-ci, sur les éventuelles montées des eaux et sur les noms des villages qu'elle dessert. Toutes les pistes ne mènent pas forcément à un village, mais peuvent déboucher sur des zones d'extraction de matériaux. Au moindre doute (en particulier s'il n'y a pas d'indications), n'hésitez pas à prendre un Marocain en stop. En plus de la sécurité qu'apporte une personne qui connaît la région, ce sera un moyen de nouer un contact avec quelqu'un du pays.

– Ne vous fiez pas trop au tracé des cartes routières.

– À l'époque de la fonte des neiges ou après les pluies d'orage, de nombreuses pistes sont rendues impraticables, avec des fondrières et des passages à gué. Il faut alors essayer de sonder la profondeur de l'oued, puis s'engager au pas dans la cuvette. Ne vous fiez pas trop à ce que vous disent les gamins, qui n'attendent que de vous voir en panne au milieu du gué avec un moteur noyé afin de vous proposer leurs services, moyennant finances bien entendu.

– Ne vous engagez jamais sur une piste de montagne quand l'orage menace, et cela surtout en seconde partie d'après-midi.

– Ne prenez pas de piste de montagne de nuit et ne vous engagez pas sur une piste l'après-midi sans être certain d'en sortir avant la tombée de la nuit. Un GPS peut alors s'avérer très utile. Attention tout de même : certes, il vous indique où vous vous trouvez, mais il ne sait pas que la piste a peut-être été coupée suite à un orage la semaine précédente !

– Nous ne saurions trop vous recommander de prendre la piste à deux véhicules 4x4 minimum, et de vous munir d'eau en quantité suffisante. Ne partez en solitaire que très bien équipé et avec une longue expérience, en veillant à rester au maximum à une demi-journée de marche des secours possibles (en espérant que vous sachiez dans quelle direction ils se trouvent !). On oublie trop souvent que le désert est un milieu hostile qui ne pardonne pas, et il faut considérer, sauf exception, que l'on n'y commet qu'une seule erreur mais qui est juste fatale.

– Vérifiez l'état des pneus avant de partir.

– Prévoyez au moins une bonne roue de secours et une réserve de carburant.

– En traversant les villages isolés, prenez garde aux enfants qui, espérant toujours quelque chose, s'accrochent au véhicule en montant sur le pare-chocs. Leur inconscience est à la hauteur de leur entêtement.

– Dans les villages, pensez à ralentir, outre le danger que cela représente, les nuages de poussière ne sont ni agréables ni polis pour les habitants.
– Veillez à ne pas traverser les oueds (dans le Sud, par exemple) en amont de l'endroit où des femmes lavent leur linge ou prélèvent l'eau pour boire.
– Méfiez-vous aussi des nombreux animaux qui traversent les routes et des troupeaux de chèvres et de vaches, surtout au coucher du soleil quand les bergers les ramènent des champs.

Carburant

Le pays dispose de stations en nombre de plus en plus important. Attention toutefois, dans les coins perdus, on trouve plus facilement du gazole que de l'essence, et le sans-plomb se fait parfois rare, sorti des grands axes. Il existe deux types de gazole : le « gasoil » et le « gasoil 350 » (appelé aussi « eurogasoil » ou « ecogasoil »). Préférez le second, c'est l'équivalent de ce qu'on trouve en France. Il est un peu plus cher, mais il encrassera moins le moteur, surtout si le véhicule est récent. Avant d'aller explorer les vallées du Haut Atlas, mieux vaut faire systématiquement le plein à Marrakech. Il y a bien quelques stations dans les vallées, mais il n'est pas rare qu'elles soient à cours de carburant ou en panne le jour de votre passage, comme par hasard. Enfin, rares sont les stations-service qui acceptent les cartes de paiement étrangères car les frais financiers sont beaucoup trop lourds pour un petit pompiste local (et même quand elles les acceptent, il peut arriver qu'il y ait des problèmes de connexion avec le terminal).

Cartes

Sur route, la signalisation est faite à l'économie. La plupart du temps, les panneaux sont plantés dans un seul sens. Pratique quand on arrive en sens inverse ! Une bonne carte routière est de toute façon indispensable, même si l'on voyage en bus ou en train. On conseille la carte *Michelin* n° 742. C'est la meilleure. L'acheter avant le départ, car elle est beaucoup plus chère au Maroc (quand on la trouve, ce qui semble de plus en plus difficile).
Pour les pistes, la carte *Michelin* n'est pas d'un grand secours. Voyez alors les conseils d'achat que nous donnons au paragraphe « Randonnée » de la rubrique « Sports et loisirs » dans « Hommes, culture et environnement ». Vos cartes doivent indiquer la longitude et la latitude, utiles pour les calculs de points en coordonnées GPS.
Et si ça ne suffit pas pour vous orienter, n'hésitez pas à demander aux habitants, toujours prêts à vous aider... même s'il est vrai que nous n'avons manifestement pas les mêmes rapports aux distances (méfiez-vous notamment des « non, non, c'est pas loin ! ») ni les mêmes repères. Un exemple : l'habitant du village du coin qui parcourt régulièrement une piste sur le dos de sa mule ne se rend pas toujours compte de ce que cela peut donner en voiture. Sa mule passe, et donc, il y a de grandes chances qu'il vous réponde que ça passe... Bref, les indications tendent souvent à manquer de clarté... Évitez par ailleurs les questions entraînant une réponse par « oui » ou par « non », sinon vous remarquerez qu'invariablement on vous répondra « oui ».
« C'est à droite ?
– Oui.
– Ce ne serait pas plutôt à gauche ?
– Oui »...
Pas toujours facile de s'y retrouver. Préférez les alternatives : « C'est à droite ou à gauche ? » Allez, bonne route !

Pannes et stationnement

S'il vous arrive un pépin technique, il y aura toujours, à proximité, un garage pour un petit dépannage. Dans l'ensemble, les Marocains sont plutôt bricoleurs et leurs réparations efficaces. Les crevaisons peuvent être assez fréquentes. Depuis quelques années, certains gardiens de parking d'hôtel n'hésitent pas à les provoquer nuitamment. Cela leur permet de toucher quelques dirhams pour changer la roue, et de vous envoyer pour la réparation chez un compère peu scrupuleux qui aura tendance à vous mettre une chambre à air hors d'usage. Assistez impérativement à toutes les opérations.

Dès que vous stoppez votre voiture, l'arrêt du moteur fait surgir, comme par miracle, un gardien. Reconnaissable à sa blouse bleue ou à son gilet orange fluo. Si vous vous trouvez sur une zone de stationnement payante, soit le gardien vient vous proposer un ticket (que vous paierez le même prix qu'à l'horodateur), soit vous allez le chercher vous-même. Dans les grandes villes, on vous conseille vivement d'être ponctuel, le sabot est rapidement placé. Pas de panique si cela vous arrive, contre moins de 50 Dh (4,50 €) le gardien vous libérera.

Sur une zone de stationnement non réglementé, le gardien, en échange de 2 à 5 Dh (0,20 à 0,50 €), fera en sorte que personne n'approche du véhicule. Compter 10 Dh (0,90 €) toute la nuit, c'est 2 fois moins cher que le parking public. Dans les secteurs très touristiques, le système de forfait tend à se développer et peut grimper jusqu'à 5 Dh/h (0,50 €). Un conseil : le jour, ne payez le gardien qu'à votre retour, en revanche, payez-le avant la nuit, pour vous assurer de sa présence. C'est une pratique courante, en définitive peu onéreuse et bien pratique, contre laquelle il est inutile de s'insurger. Dans certains villages, ce sont des enfants qui proposent leurs services. Ne laissez jamais rien d'apparent dans votre voiture, principalement dans les centres touristiques, où les vols à la roulotte ont tendance à se généraliser.

Dans les villes, attention à la mise en fourrière pour stationnement interdit. Les panneaux ne sont pas toujours visibles. Une règle cependant : lorsque le trottoir est rayé en rouge et blanc, c'est interdit.

Moto

Le Maroc est un royaume, et en particulier pour le motard. Il bénéficie d'un certain relent de Paris-Dakar. La vitesse étant limitée à 100, 60 et 40 km/h, on a tout le temps d'admirer les paysages et ses figurants. OK, ce n'est pas bon pour la moyenne, mais c'est génial pour les souvenirs.

La piste est partout. En tant que réseau secondaire, elle distribue tous les villages et, avec trois mots d'arabe, on retrouve toujours son chemin.

Néanmoins, pour profiter au maximum de ce voyage, il faut un minimum de précautions.

– Les pistes sont en règle générale très cassantes, particulièrement celles qui bordent les oueds. Ce sont carrément des lits de cailloux, ce qui implique de partir avec du matériel en bon état, surtout les pneus. Le port des bottes est obligatoire, le bermuda déconseillé.

– **Le port du casque est obligatoire**, même si cela ne paraît pas évident à première vue. Mais le gendarme vous le rappellera moyennant bakchich.

– Toujours faire le plein d'essence avant de s'engager dans une virée.

– La bombe anti-crevaison se trouve difficilement sur place, mieux vaut l'acheter avant le départ.

– En cas de panne légère, vous trouverez toujours un bricolo local et, si c'est plus grave, un camion, un bâché ou une charrette pour remonter votre moto.

– La conduite en ville est infernale ; personne ne respecte le code, en particulier les deux-roues, les piétons et les charrettes.

Dromadaire

Le dromadaire n'a qu'une bosse. Le chameau, qu'on trouve plutôt en Asie centrale, en a deux. Sans précipitation, l'animal avance d'un pas lent et chaloupé en posant sur le sol ses pieds mous qui font office de coussins. S'il y a des vents de sable, votre dromadaire se pincera les narines et continuera comme si de rien n'était. Pour vous, en revanche, ce sera plus difficile. Tout comme pour les douleurs des fessiers. Le dromadaire peut rester 3 jours sans boire (mais pas vous !), et sa bosse rétrécit alors sous l'effet de la déshydratation. Mais quand il trouve un point d'eau, il peut boire jusqu'à 50 litres d'un coup !

Taxis

Les petits taxis

Les petits taxis n'ont pas le droit de sortir des villes. Les tarifs sont très abordables, surtout si on connaît les règles du jeu. Ils sont toujours munis d'un compteur. Mais trop de chauffeurs traînent encore des pieds (c'est le cas de le dire !) pour l'enclencher. Le cas échéant, rappelez-leur poliment leur obligation à ce sujet. En cas de refus, inutile de protester plus longtemps et changez de taxi. **La règle de base c'est : pas de compteur, pas de course.** Le coût de la prise en charge s'élève à 1,60 Dh (0,10 €), en journée et à 2,40 Dh (0,20 €) à partir de 20h ou 21h jusqu'à 6h du matin.
– Si vous prenez votre taxi directement à la sortie d'un grand hôtel, ne vous étonnez pas de payer le prix fort.
– Vous voyant planté sur le trottoir en quête désespérée d'un véhicule, un chauffeur proche de sa destination peut vous prendre même s'il a déjà un passager. Charge à vous de mémoriser dès votre arrivée le prix affiché qui sera votre zéro à vous. Les compteurs électroniques permettent de mesurer deux ou même trois courses en parallèle.
– Si vous connaissez un tant soit peu la ville, n'hésitez pas à rappeler au conducteur que la ligne droite reste le plus court chemin d'un point à un autre.
– À la tombée de la nuit, il y a une majoration légale de 50 %. Les compteurs électroniques intègrent directement l'augmentation. Cette particularité peut être très utile pour vous appliquer de jour le tarif de nuit, ne vous laissez pas endormir !
– En cas de litige important avec un chauffeur, dites-lui que vous allez à la brigade touristique porter plainte avec son numéro de taxi (inscrit sur les portières avant). Le problème se règlera très souvent immédiatement. En effet, les chauffeurs vivent dans la hantise d'une dénonciation, avec une sanction souvent arbitraire qui peut les priver de leur gagne-pain pendant deux ou trois jours, voire plusieurs semaines dans des cas extrêmes.
– On ne peut pas monter à plus de trois personnes dans les petits taxis, enfants compris. N'insistez pas, le chauffeur, là encore, risquerait de se faire retirer sa licence pendant un temps.
– Ayez toujours de la monnaie. Payer avec un billet de 200, voire de 100 Dh est une gageure.
– Ne généralisez pas nos propos : nous avons rencontré beaucoup plus de chauffeurs profondément intègres et honnêtes que de véritables escrocs. Et si vous vous agacez que certains en aient tant après votre argent, souvenez-vous qu'un chauffeur moyen, les meilleurs jours, se fait 350 Dh (31,80 €), desquels il déduit 200 Dh (18,20 €) de location du véhicule ainsi que le gazole. Il lui reste environ 150 Dh (13,60 €) pour faire vivre sa famille, après 12 ou 14h de travail quotidien et, dans les meilleurs cas, une journée de repos hebdomadaire... Alors, un peu d'indulgence !

Les grands taxis

Ils sont effectivement plus grands que les précédents, en général des *Mercedes* balèzes. Ce sont les seuls à pouvoir sortir de leur ville d'attache. Autre différence de taille avec leurs petits cousins : **ils sont dépourvus de compteur.** Commencez par chercher le courtier, simple à reconnaître, c'est le seul muni d'un carnet. Il est habilité à vous vendre un billet et à vous placer dans une voiture. Les courses ont un prix fixe. Une bonne base de calcul est : environ 0,50 Dh, soit 0,05 €, par kilomètre et par personne. Les prix sont légèrement supérieurs à ceux des bus, mais pas toujours, et les taxis sont nettement plus confortables. En s'y entassant à six passagers (deux devant et quatre derrière) plus le chauffeur, on arrive à destination plus vite et pour moins cher. N'hésitez pas à les utiliser, en vous assurant que l'on vous demande le même prix qu'aux autres passagers. **Les grands taxis partent quand ils sont complets ;** si vous êtes pressé et que le taxi tarde à se remplir, vous pouvez payer pour les places vides afin de partir immédiatement. Si vous craignez l'effet boîte à sardines, vous pouvez acheter les deux places avant pour être tout à votre aise.

Les minibus

On voit de plus en plus ces moyens de transport pour dix à douze personnes, intermédiaires entre le grand taxi et le bus. Plus récents que les grands taxis, ils devraient en principe être plus fiables mais, en pratique, c'est loin d'être le cas.

TRAVAIL BÉNÉVOLE

■ *Concordia :* 17-19, rue Étex, 75018 Paris. ☎ 01-45-23-00-23. ● *concordia-association.org* ● Ⓜ *Guy-Môquet.* En tout, sept délégations en Île-de-France et en province. Travail bénévole. Logé, nourri. Chantiers très variés : restauration du patrimoine, valorisation de l'environnement, travail d'animation... Places limitées. Également des stages de formation à l'animation et des activités en France. Attention, voyage à la charge du participant.

URGENCES

Numéros d'urgence

Il s'agit de numéros gratuits.

■ *Police :* ☎ 19 *(en ville depuis un téléphone fixe).*
■ *Gendarmerie royale :* ☎ 177 *(hors des villes depuis un téléphone fixe).*
■ *Pompiers et protection civile :* ☎ 15 *(depuis un téléphone fixe).*
■ *Ambulance :* ☎ 150.
■ *Pharmacie de garde :* en principe, les pharmacies affichent sur leur devanture la liste des pharmacies de garde.

HOMMES, CULTURE ET ENVIRONNEMENT

Le Maroc, un nom qui évoque les palais chérifiens entourés de somptueux jardins, les souks desquels s'échappe l'odeur mystérieuse des épices, la fantasia et ses rites éclatants. Mais il serait dommage d'en rester à ce somptueux décor de théâtre. De même que, dans une médina, c'est en quittant les rues les plus larges que l'on s'immergera dans la vie populaire, puis en osant quitter les ruelles pour accéder à de sombres impasses que l'on trouvera les plus belles portes de la ville, celles derrière lesquelles s'épanouissent les plus luxueux palais, de même, c'est en renonçant à votre cocon de touriste repu et en allant humblement à la rencontre de l'homme que le Maroc vous laissera percevoir, l'un après l'autre, ses secrets les plus profonds. Mais, comme le laisse entrevoir Michel Van der Yeught, c'est affaire de temps et d'humilité :

« Derrière cette façade occidentale, [le voyageur] découvre un pays arabo-musulman très attaché à ses traditions. C'est ce que le tourisme appelle "un pays de contrastes"... C'est peut-être pourquoi "connaître le pays" ne signifie pas ici la même chose qu'ailleurs. Il me semble que l'on ne connaît pas le Maroc. [...] Ce n'est pas un pays que l'on peut appréhender dans un mouvement continu. Il faut chaque fois franchir un nouveau mur, et derrière celui-ci, il s'en trouve toujours un autre.

Il importe d'y être accueilli et guidé. L'un des aspects les plus caractéristiques de l'hospitalité marocaine est précisément d'introduire le visiteur étranger dans une intimité, comme si on lui faisait partager un mystère. On n'apprend pas à connaître le Maroc, on ne peut qu'y être graduellement initié. »

(Extrait de l'ouvrage de Michel Van der Yeught, *Le Maroc à nu,* L'Harmattan.)

ACHATS

Attention aux articles contrefaits. Il est tentant de s'acheter une *Cartier,* un T-shirt *Chanel,* une chemise *Lacoste* ou une montre *Rolex* pour trois fois rien. Seul problème : ces objets de luxe sont des imitations. La loi Longuet de 1994 punit sévèrement la contrefaçon et vous risquez d'être ennuyé à la douane. Mieux vaut épater vos amis avec d'authentiques souvenirs du pays.

Les tapis

C'est la grande affaire du Maroc et peut-être ce que vous pourrez acheter de plus beau. Tissés, noués ou brodés, les tapis sont, au Maroc, l'apanage des femmes. Ils constituent en quelque sorte les « sicav » de la famille berbère. Les femmes tissent pendant les longues périodes d'hiver, quand les villages sont coupés du monde. Lorsque l'ouvrage est terminé, il sert de dot à l'occasion d'un mariage, ou est offert au *Hajj* quand il revient de son pèlerinage à La Mecque. En cas de coup dur (perte d'une récolte), il est troqué au souk contre monnaie sonnante et trébuchante, ou échangé contre du grain. Le tapis est la carte de visite de l'artisanat marocain. Il incarne également sa diversité culturelle. Le problème tient toutefois à l'idée des vendeurs de tapis marocains que chaque touriste doit repartir avec son tapis. D'où le harcèlement des bazaristes, guides et faux guides. Presque tout le monde en vend et en vit ; le meilleur côtoyant souvent le pire. Il n'est pas question de vous faire un cours sur les tapis, mais de vous donner quelques indications qui vous éviteront de vous faire rouler...

À noter que dans certains villages comme Tazenakht, les panneaux signalant une coopérative de femmes poussent comme des champignons. Derrière la plupart d'entre eux, les commerçants se frottent les mains. Certains tenteront de vous vendre un vieux tapis, qui n'a d'ancien que la quantité d'eau de javel dans laquelle il a trempé quelque temps ! Préférez donc les véritables coopératives gérées par des femmes qui n'ont pas d'intermédiaire à la vente.

Il existe deux sortes de tapis au Maroc : les citadins et les ruraux.

Les tapis citadins sont le plus souvent noués. Ceux de Rabat, inspirés des tissages d'Anatolie, et dont les premiers spécimens ont été introduits au Maroc il y a deux siècles, comportent généralement un motif central, la *koubba*, d'une chaude tonalité, entouré de motifs floraux ou géométriques.

Les tapis ruraux sont de couleurs différentes selon leur origine. Ceux de teintes vives, garance et cochenille, proviennent de Tazenakht, dans le Sud. Il s'agit le plus souvent d'un tissé-noué-brodé, appelé *glaoua* (du pays du Glaoui). Les femmes utilisent désormais des produits chimiques pour réaliser plusieurs couleurs. Mais la composition du bleu reste encore naturelle. Une mixture à base de figues, de dattes et de henné révèlent un indigo chatoyant.

Les tapis du Haouz, à fond rouge garance, sont chargés de mystérieux dessins qui leur confèrent un style Art déco. Dans le Moyen Atlas, on préfère les couleurs beiges. Leur fabrication est surveillée par un organisme d'État et des prix officiels sont établis au mètre carré. L'étiquette orange garantit un tapis de qualité extra-supérieure (360 000 points/m^2), la bleue désigne un tapis de qualité supérieure, la verte indique une qualité courante, alors que la jaune est réservée à la qualité moyenne. Quelques trucs pour jauger cette qualité :

– brosser la laine au niveau des dessins, avec la main, pour bien la mettre droite, puis regarder : le dessin doit vous apparaître net et non flou, ou du moins avec des lignes droites et non ondulantes (pour un très bon tapis, il est inutile de brosser).

– les bords du tapis doivent être droits.

– les nœuds d'un bon tapis doivent être très serrés. On peut le vérifier en grattant le tapis avec son ongle.

Enfin, souvenez-vous que si sa valeur provient essentiellement de sa qualité, de son ancienneté ou encore de sa région de production, sa beauté et son charme jouent avant tout. L'achat d'un tapis n'est pas autre chose qu'un coup de cœur.

Avant tout achat, prenez votre temps. Allez voir les ateliers où les ouvrières travaillent avec une dextérité étonnante. Ne vous laissez pas impressionner par le temps de travail passé à sa réalisation : la matière première compte autant dans le prix final. Si vous faîtes une bonne affaire, vous le paierez 4 à 6 fois moins cher qu'en France. Emportez-le avec vous. Si vous l'expédiez, vous avez de grandes chances de payer des taxes à l'arrivée (voir plus loin la sous-rubrique « Douane »). Les commerçants acceptent presque toujours les cartes de paiement, rarement les chèques bancaires.

À noter que l'on trouve aussi des tapis tissés, les *henbel* (ou *hendira* pour désigner la couverture servant de manteau chez les Berbères), que tous les bazaristes appellent *kilim*, ce mot étant plus familier des touristes.

Attention, il existe aussi des fabriques de tapis synthétiques. On vous les proposera principalement dans la région de Ouarzazate, où on vous les fera payer un prix exorbitant en vous faisant croire qu'ils ont été fabriqués par d'authentiques Touareg, en bordure du désert (sic !). Pour vérifier si la laine est bien naturelle, arrachez-en un bout à l'envers du tapis (n'ayez crainte, tous les marchands de tapis le font). Mettez-y le feu. Contrairement au synthétique, la laine ne se consume pas et cela doit sentir le mouton grillé. Par ailleurs, de plus en plus, les vendeurs vous racontent qu'il y a de la soie dans les tapis. Ce qui est faux : il n'y a jamais eu de soie au Maroc !

Les plateaux et la dinanderie

Alors qu'il a contribué à la pérennisation des échanges caravaniers avec le Soudan (l'actuel Mali) au Moyen Âge, le cuivre n'est plus produit au Maroc depuis des lustres. Reste le savoir-faire... Il y a peu de différence de prix entre un plateau de cuivre martelé, un autre gravé et un troisième ciselé. Si vous achetez du bronze (en fait du laiton oxydé) au lieu de cuivre, vous paierez un peu plus cher, parce que les matières premières sont coûteuses. D'ailleurs, pour savoir de quel matériau il s'agit, faîtes sonner avec un ongle le plateau tenu en équilibre sur trois doigts. Si le son s'éteint tout de suite, c'est le cuivre, sinon c'est du bronze. De nombreux artisans arborent un diplôme de qualité obtenu dans les foires du pays. Voici un gage de qualité qui ne majore pas pour autant les prix. Sachez enfin que les motifs gravés sur les tableaux représentent très souvent des œuvres d'art existantes (plafonds, portes de monuments, etc.).

Si le plateau reste la pièce la plus classique, n'oubliez pas non plus les boîtes à sucre ou à thé, les chandeliers, les aiguières, les bouilloires et les lanternes ciselées équipées de verres multicolores. Le problème, c'est que la mondialisation étant en marche et les Marocains des commerçants avant tout, une grande majorité du cuivre vendu dans les souks pour touristes provient d'Inde ou du Pakistan !

Le cuir

D'où viennent, selon vous, les mots *maroquinerie* et *maroquin* (ce portefeuille dont rêvent les ministrables) ? Le travail du cuir compte parmi les plus vieilles traditions marocaines. Les techniques de travail varient selon les régions : à Marrakech, on le brode avec des fils de couleur ou de fines lanières de peau (les *filali*) ; à Fès, les artisans sont réputés pour les dorures appliquées sur les maroquins teints en vert ou en rouge ; à Rabat, on est plutôt spécialisé dans le cuir repoussé. Contrairement à ce qu'on voit en France, le cuir est très bon marché, mais la qualité souvent médiocre. Ouvrez l'œil, et le bon, avant d'acheter.

La vanne la plus courante, c'est de rapporter un pouf en cuir de gazelle et de voir les copains rigoler ! Le cuir de gazelle, c'est aussi dur à attraper que le bestiau en question et les souks n'en recèlent guère, bien que les marchands vous divisent leur marchandise en autant de merveilleuses catégories : mouton, lapin, chameau, gazelle, voire antilope et même zébu... Tout est du mouton ou de la chèvre ! Si l'on vous dit qu'il s'agit de gazelle, demandez combien ça coûterait si c'était en mouton. Si, par un funeste hasard, ce n'est pas du mouton, vous aurez l'air idiot, mais au moins, vous saurez la véritable nature du cuir.

Vous pouvez aussi vous offrir des babouches. Elles sont toujours faites à la main, comme vous pourrez le constater dans le souk des maroquiniers de Marrakech. Les babouches pointues sont d'origine arabe ; les babouches à bout rond, berbères. Cet achat est incontournable à Tafraoute, dont les artisans fournissent les habitants toute l'année. Messieurs, vous en porterez des jaunes. Pour ces dames, le rouge sera de rigueur.

Les routardes se laisseront séduire par la *choukhara,* cette sorte de petite gibecière que les anciens portent encore en bandoulière pour se rendre au souk. Certaines, bien travaillées, peuvent faire de jolis sacs à main. Et pourquoi ne pas acheter des sandales, pour un prix dérisoire ?

Les étains, les poinçons

Signe distinctif de qualité à exiger : ils doivent être frappés d'une mouche au fond (mais les Marocains imitent très bien les poinçons de mouche !). D'ailleurs, tous les produits artisanaux doivent être frappés d'un poinçon s'ils sont en métal noble : argent, or, étain, etc., en sachant que les tolérances sont plus larges qu'en France en ce qui concerne la qualité.

Les minéraux et les fossiles

Le Maroc est un paradis pour les géologues, et il est bien souvent tentant de rapporter des pierres constituant de jolis souvenirs (mais c'est officiellement interdit). Ainsi, un peu partout au bord des routes, en particulier dans le Sud et dans les régions montagneuses du Haut Atlas, on vous proposera des pierres. Le plus gros pourcentage des minéraux et fossiles vendus s'avère pourtant faux ou acheté en masse au Brésil. Mais quelles œuvres d'art ! Il en faut du savoir-faire pour transformer un pamplemousse ou une orange en véritable géode en les trempant dans du plâtre ! Et quelle dextérité nécessaire pour faire naître sous ses doigts habiles un fossile du Permien ! Aux alentours de Midelt, vous trouverez des vanadinites et des barytines. Vers Rissani-Erfoud-Merzouga, de magnifiques goniatites (mollusques fossiles à coquille enroulée), vieilles de plusieurs millions d'années. Sur la route Marrakech-Ouarzazate, de belles améthystes (souvent teintées à l'encre violette, il est vrai). Dans la région de Tazzarine, attention aux étudiants en géologie qui demandent des prix aussi élevés que l'âge des fossiles !

Les bijoux et l'orfèvrerie

Près de 90 % des bijoux vendus au Maroc proviennent d'Inde, d'Indonésie ou du Niger ! En ce qui concerne les bijoux dits touareg, les plus typiques (et les plus chers) sont en thaler (c'est une monnaie datant de l'impératrice Marie-Louise d'Autriche, importée en masse en Afrique au XIXe s), ce qui équivaut à de l'argent 800 millièmes (l'argent massif étant à 925 millièmes). Pour le reste, la proportion d'argent par rapport au nickel dépasse rarement 50 %. En principe, les bijoux d'argent se négocient au poids. Les pièces anciennes sont pour ainsi dire inexistantes, mais certains artisans joailliers ont su reproduire des motifs traditionnels et réaliser de belles copies, essentiellement dans la région de Tiznit. Même chose pour les lourds colliers de pierres semi-précieuses que portent les femmes du Sud. Tout est copie, attention donc aux prix demandés. Les routards se verront aussi proposer des poignards. Il s'agit plus d'un élément du costume que d'une arme. Son manche est en bois et le fourreau, en métal ciselé. Comme pour les bijoux, la plupart des poignards sont des copies, mais, là encore, quel travail de ciselure ! Quelle maîtrise de la patine pour faire d'un objet d'à peine trois semaines une antiquité de plusieurs siècles !

Les poteries

Elles constituent un souvenir original mais souvent encombrant et fragile. On trouve un peu partout un grand choix de faïences et de céramiques. Les pièces les plus réputées sont les faïences de Fès, principalement les plats (*ghotar* ou *mokfia*), les jarres (*khabia*), les pots à beurre (*gellouch*) ou encore les pichets (*ghorraf*), que l'on peut admirer dans les musées. Mais les potiers savent les copier avec beaucoup de talent. C'est ainsi qu'ils font revivre sous leurs pinceaux des motifs traditionnels datant parfois de plusieurs siècles. Ils savent si bien reproduire que vous pouvez même leur commander du sur-mesure. À El-Oulja, près de Salé, des potiers peuvent vous exécuter un service de table sur commande avec le décor que vous leur soumettez.

Dans les boutiques, on trouve surtout des plats agrémentés de belles couleurs comme le bleu de Fès, ainsi que des potiches qui peuvent se transformer, au retour, en pied de lampe. Les artisans réussissent aussi dans la réalisation de pièces contemporaines très décoratives. Si la poterie artisanale est répandue dans tout le Maroc, c'est surtout à Fès, à Meknès, à Safi et à Marrakech que les potiers ont plus d'un tour... pour vous séduire. Préférez les poteries cuites au four à gaz. C'est plus solide et surtout moins polluant, car, la plupart du temps, faute de bois, les Marocains brûlent de vieux pneus pour faire monter leurs fours en température...

Les couvertures en laine

Avant d'acheter, vérifiez par transparence la qualité du tissage. Les couvertures parfaites sont quasiment opaques. Le second grand critère de qualité est la matière première. Les couvertures en laine sont bien sûr plus chaudes que celles en coton. Il en existe deux tailles de base : 1,50 m x 2 m et 2 m x 3 m. Les prix ne sont pas exactement proportionnels à la surface. Une petite couverture nécessite comparativement un peu plus de boulot qu'une grande. Les motifs et les dessins innombrables varient suivant les régions. En général, il s'agit de motifs géométriques caractéristiques des tissages berbères.

Le bois travaillé

Les artistes marocains ont toujours été très habiles dans le travail du bois. Il suffit de regarder les magnifiques plafonds de la nécropole saadienne de Marrakech ou les lourdes portes des anciennes demeures. On peut voir, dans les souks de Marrakech, la fabrication des échiquiers et le tournage des éléments destinés aux moucharabiehs, ou encore les incrustations de lamelles de bois de différentes essences qui feront d'un plateau de table une véritable broderie. Mais c'est à Essaouira que l'ébénisterie et la marqueterie sont les plus remarquables. On y travaille la loupe de thuya, un bois chaud et odorant qui, malheureusement, se raréfie en raison de son exploitation abusive (voir à Essaouira « Achats »).

La vannerie

Pourquoi ne pas acheter un grand couffin comme celui utilisé par les ménagères marocaines pour transporter vos achats ? Les vanniers tressent aussi des sacs de différentes tailles, des corbeilles, des dessous-de-plat et des chapeaux. Très originales aussi sont les panières berbères en doum (sorte de palmier nain). De base cylindrique et fermées par un cône formant le couvercle, elles servent à conserver les pains ronds et les plats au chaud. Toujours faites de paille tressée, certaines ont des motifs colorés et une petite décoration de cuir au sommet. Pour les fêtes, les femmes berbères portent ces « sac à dos » piqués de pompons de couleur.
À Inezgane, à la sortie d'Agadir, on trouve de nombreux objets en roseau : fauteuils, suspensions, etc., pour un prix dérisoire.

Santé et beauté au naturel

– *Le fliou :* du menthol qu'on utilise quand on est enrhumé. Peut remplacer la menthe pour la préparation du thé.
– *Le ghassoul :* pour la vie des cheveux (argile qui les fortifie) ou la douceur de la peau (très efficace en massages sous la douche… essayez !). Il fait partie du rituel lorsqu'on le se rend au hammam.
– *Le souak :* écorce de noyer qui sert à se nettoyer les dents (remplace la brosse et le dentifrice).
– *Le khôl :* plus qu'un produit de maquillage, c'est un antiseptique, car il lave l'œil de toutes les impuretés. Il est élaboré à partir d'un minerai appelé antimoine.
– *Le sanouge :* graines de la nigelle, calme le rhume et la sinusite. Prise avec du miel, cette plante est efficace contre les toux bronchitiques et les douleurs de la colonne vertébrale (à ce qu'on dit…).
– *L'ambre gris :* parfume le thé et calme aussi certaines douleurs.
– *Le musc :* sécrétion des glandes de la civette, utilisée comme parfum.
– *La cantharide :* ce coléoptère pilé donne une poudre autrefois utilisée comme aphrodisiaque (Sade en glissait dans les bonbons qu'il offrait aux demoiselles) et abortif. On la prend sous forme de poudre dissoute dans du miel ou versée dans le kawa. Ne pas en abuser…

– *Le henné :* pour teindre cheveux, ongles et peau. Il est dit que le henné est une plante du paradis. Par conséquent, il est illicite de le brûler. La tradition de la technique du henné est très ancienne. Le Moyen-Orient et l'Inde connaissaient son usage depuis l'Antiquité. Une fille qui a la chance d'être accueillie par une famille peut demander à se faire teindre les pieds au henné (la teinture dure 15 jours et en fortifie la plante), quoiqu'il ne soit destiné en règle générale qu'aux femmes mariées. En revanche, sur les mains, le henné est destiné aux jeunes filles et par extension à toutes les femmes. Si vous vous décidez à le faire, c'est un succès garanti auprès des Marocains qui vous considéreront dès lors comme l'une des leurs ! Idéal pour un accueil encore plus chaleureux dans les villages, et un peu plus de tranquillité dans les villes. L'opération est assez longue. On peut aussi la réaliser soi-même en se procurant du henné fort et des bandelettes prédécoupées (genre scotch noir) pour les dessins. Mélangez le henné à de l'eau tiède jusqu'à l'obtention d'une pâte. Collez les bandelettes dans le creux de vos mains et étalez la pâte (monter assez haut jusqu'au poignet et ne pas oublier les espaces interdigitaux). Ne plus bouger et patienter environ 2h jusqu'au séchage complet. Attention au henné mélangé avec de l'encre noire indélébile qui comporte des risques d'allergie potentiellement graves ! Lire à ce propos le texte consacré au henné à la rubrique « Santé » dans « Maroc utile ».

Les épices dans la cuisine

– *La cannelle :* elle s'achète en poudre ou en bâton et s'utilise dans la cuisson de la viande et dans certains desserts, comme la salade d'orange.
– *La noix de muscade :* elle se râpe au dernier moment. Son parfum se marie bien à celui de la cannelle.
– *Le safran :* il se présente en pistils. Provenant de la fleur de crocus, il ne se récolte qu'à la main, d'où son prix très élevé. Il parfume agréablement les légumes et le riz.
– *Le gingembre :* il s'utilise en poudre au Maroc. On le mélange souvent au safran ou au curcuma pour relever le goût des viandes.
– *Le paprika :* c'est en fait du poivron rouge séché et réduit en poudre. Il entre également dans la confection de nombreux plats de viande.
– *Le curcuma :* on l'appelle aussi le « safran des Indes » et pour beaucoup de commerçants safran tout court (sic !), mais, contrairement à la fleur de crocus, cette herbe est vendue en poudre. Elle entre dans la composition du curry.
– *Le cumin :* il facilite la digestion. En poudre, il s'utilise indifféremment pour la viande et les légumes.
– *Le ras-el-hanout :* mélange d'un nombre d'épices très variable selon les experts que nous avons consultés... L'expression signifie « tête de l'étagère » ! (dans une boutique), ce qui laisse supposer que la composition dépend de l'épicier qui commercialise le mélange. On l'utilise en cuisine dans le couscous ou le tajine. C'est aussi un stimulant qui doit réchauffer tous les organes.

Souk des villes et souk des champs

Le terme *souk* signifie « marché » et définit un élément fondamental de la vie marocaine. Carrefour commercial, c'est l'endroit où les gens se rencontrent ou se retrouvent régulièrement. Il existe deux sortes de souks : le marché rural et les rues commerçantes de la *médina* (terme arabe signifiant « ville », couramment utilisé pour qualifier la vieille ville). C'est du premier que nous vous parlons maintenant.
Les produits de l'artisanat y sont groupés par corps de métier. Il y a le souk des marchands de tissus, celui des bijoutiers, celui des marchands de tapis, des cordonniers, des potiers, des dinandiers (marchands de cuivre). Chaque corporation a ses règles qu'elle ne peut enfreindre sans encourir la vindicte publique et le châtiment de son *amin,* représentant du prévôt des marchands.

À la campagne, où que vous soyez, il y a presque toujours un souk hebdomadaire. Son importance dépend de celle de la région qu'il dessert et de la clientèle qu'il attire, ainsi que des zones de production dont il est le débouché. Généralement, le souk rural se trouve sur une voie de communication assez fréquentée, à un carrefour ou au débouché d'un col important.

On signale, chaque fois que c'est possible, le jour du souk local. Quant aux nombreuses localités que nous ne citons pas, sachez que le nom de certaines mentionne le jour du souk. Ainsi, à Souk-el-Arba-du-Rharb, le marché a lieu le mercredi, et à Khémisset il a lieu le jeudi !

Le souk a toujours lieu le matin. Inutile d'y aller l'après-midi, il n'y a plus rien à voir. Il suit aussi le cours des saisons puisque l'animation diminue en hiver.

Pour en apprécier les plaisirs dans les meilleures conditions, les femmes éviteront le port du short et du débardeur, jugés provocants, et tout maquillage trop voyant. Les hommes, quant à eux, auront le bon goût de ne pas se mettre torse nu.

Les coopératives d'État

Elles sont situées dans les centres artisanaux (Fès, Tétouan, Marrakech, Rabat, Agadir...). On paie parfois un peu plus cher que dans les souks, mais on est sûr de ne pas se faire rouler sur la qualité. Les prix sont généralement fixes.

Les magasins

Les échoppes des médinas ouvrent tôt le matin et vous pourrez y faire vos achats jusqu'à des heures indues. Le vendredi, elles restent fermées ou n'ouvrent qu'en fin d'après-midi. Les autres magasins n'ont pas d'horaires fixes, mais ils ferment aussi soit le vendredi soit le samedi, et toujours le dimanche. Dans les centres touristiques, les magasins destinés aux touristes sont ouverts tous les jours et ne ferment que très tard dans la nuit. Les grands magasins suivent un horaire équivalent à celui de la France.

Douane

C'est bien connu, en vacances, la puce de la carte de paiement remplace parfois une partie du cerveau. On craque pour un beau tapis négocié à grands coups de thé à la menthe, et, la veille du départ, le spectre du douanier vous apparaît en rêve. Pas de panique ! Tout se passe généralement très bien... à condition de savoir à quoi s'en tenir.

Objets autorisés

Si vous avez jeté votre dévolu sur un objet de valeur, assurez-vous que ce produit est autorisé à l'exportation. Ne comptez surtout pas sur les vendeurs pour vous renseigner, ils manquent souvent d'objectivité ! Trop de personnes se font encore confisquer des « souvenirs » au moment de l'embarquement : bijoux anciens, œuvres d'art, et autres denrées considérées comme faisant partie du patrimoine marocain... Pensez donc à vous renseigner avant le départ, par exemple sur le site de la douane marocaine, fort bien fait : ● douane.gov.ma ●

Réglementation à l'import

Mais vous avez craqué donc, et vous êtes pris de court ! D'abord, il faut connaître la réglementation à l'importation. En France, la franchise douanière est de 175 € pour les voyageurs de plus de 15 ans et 90 € pour les moins de 15 ans. Cette somme n'est pas cumulable à plusieurs personnes. Si la valeur des objets que vous rapportez est supérieure à cette somme, vous devez vous acquitter de la taxe sur la valeur ajoutée (TVA) et des droits de douane normalement exigibles. Ils s'appliquent sur la totalité du prix mentionné sur la facture. Pas de facture ? Alors vous négocierez de gré à gré avec le personnel de douane. Certains vendeurs vous proposeront de fausses factures mais soyez prudent : les douaniers en épluchent tous les jours, et une facture de 35 € pour un tapis de haute laine de 4 mètres sur 3 a peu de chance de passer. Soyez réaliste !

Les frais de port

Votre tapis est vraiment très très gros, et lourd en plus. Votre vendeur propose donc de vous l'expédier. Dans ce cas, c'est la même chose... ou presque. Au-dessus de 525 €, votre vendeur fera appel à un déclarant en douane pour expédier le colis (en port dû, évidemment). Il vous demandera de régler les frais inhérents à cette opération (emballage, frais de transitaire, taxi pour l'aéroport, etc.). Mais ça n'est pas fini.

À l'aéroport d'arrivée, on vous demandera de venir retirer l'objet placé sous douane. En dessous de 525 €, vous pourrez effectuer vous-même le retrait auprès du service des douanes (droits et taxes dus évidemment). Sinon, il faut, là encore, faire appel à un déclarant en douane (transitaire) pour pouvoir retirer l'objet. Il vous refacturera ses prestations. La surprise est bien souvent là. En général, une fois arrivé à destination, votre tapis aura coûté pas loin du double du prix que vous aurez négocié sur place ! Autant le savoir.

BAKCHICH

À l'origine du mot, qui se perd un peu dans la nuit des temps, le *bakchich* était le cadeau de bienvenue, en signe d'hospitalité et d'amitié ; c'était la façon la plus simple et la plus commode de prouver à son invité que l'on n'était pas insensible à sa venue.

Aujourd'hui, le bakchich est employé à tort et à travers, doux héritage des périodes précoloniale et coloniale, au cours desquelles il était quasiment une institution. C'est un pourboire, une rétribution en échange d'un service rendu, en aucun cas une aumône. Sachez qu'a contrario le *zakât* (l'aumône légale) est l'un des piliers de l'islam, et n'a rien à voir avec cette pratique. Il est important de savoir qu'une commission perçue n'est en aucun cas un bakchich (pris ici dans le sens d'un dessous-de-table), car cette pratique remonte très loin dans l'histoire, à la période où les Berbères qui assuraient le commerce transsaharien devaient s'affranchir de quelques grammes d'or auprès des tribus rebelles pour garantir l'arrivée à bon port de la marchandise confiée aux caravaniers. Sachez également que le Maroc souffre encore de manière importante de certaines pratiques corruptrices. Les encourager, c'est nier le processus démocratique qui fera le Maroc de demain.

BOISSONS

Eau

L'eau du robinet est garantie potable et les Marocains en boivent quotidiennement. Mais elle a un fort goût de désinfectant, qui peut rebuter. Si c'est le cas ou si vous êtes méfiant, rabattez-vous sur les eaux minérales plates comme la *Sidi Ali*, la *Sidi Harazem,* ou gazeuse comme l'*Oulmès* ou encore les eaux ionisées, en choisissant la *Ciel*, l'*Aïn Saïss* ou la *Bonaqua*. Pour plus de sûreté, et si vous n'êtes pas confiant, exigez que la bouteille soit décapsulée devant vous.

Si vous avez le moindre doute sur la provenance de l'eau (principalement dans le Sud ou dans des petits villages reculés), restez à l'eau minérale et évitez les glaçons. Gare à l'eau de source, très souvent polluée. Sans vouloir être alarmiste, sachez que, si les grandes épidémies ont été depuis longtemps jugulées, certaines maladies, comme le choléra ou la typhoïde, persistent et sont favorisées lors des grandes canicules. Si vous ne pouvez pas faire autrement, désinfectez-la avec des pastilles de *Micropur*® *DCCNa* ou d'*Hydroclonazone,* en laissant agir suffisamment longtemps.

Sodas et jus de fruits

On trouve des sodas partout. Ils sont moins chers qu'en France. Selon les endroits, vous pourrez boire de délicieux jus de fruits frais (jus d'orange, de lait d'amande, jus de banane, d'avocat, etc.). Veillez toujours à ce que les oranges soient pressées sous vos yeux et servies dans des verres essuyés. Nombreux sont les vendeurs qui coupent le jus avec de l'eau. Le résultat peut être désastreux pour les intestins.

Alcool

Les musulmans, théoriquement, ne boivent pas d'alcool : le Coran le leur interdit. Ainsi, la grande majorité des restaurants marocains ne disposent pas de licence de débit de boissons alcoolisées. On vous signale, quand c'est possible, ceux qui en bénéficient. Il est parfois admis d'apporter sa bouteille, mais la moindre des choses est d'en demander la permission à l'aubergiste. Si le restaurant se trouve à proximité d'une mosquée, celle-ci vous sera évidemment refusée.

Au Maroc, l'alcool est vendu dans les supermarchés ou dans des débits de boissons qui sont toujours situés en dehors de la médina. On s'y presse le soir. En général, leur façade est anonyme et la bouteille vous sera toujours remise enveloppée dans du papier journal et placée dans un sac de plastique noir, car il est vrai que, sur le strict plan religieux, il s'agit d'un délit...

Malgré cette interdiction, la consommation d'alcool fait des ravages au sein de la population masculine marocaine. À la nuit tombée, les hommes se réunissent volontiers dans les hôtels ou restaurants avec licence. Hormis les établissements de luxe qui doivent satisfaire une clientèle étrangère, il s'agit généralement d'endroits qui, faute de rentrées suffisantes en basse saison, choisissent de vendre de l'alcool pour échapper au dépôt de bilan.

– *La bière :* la bière locale, la *Flag Special,* est assez légère et brassée sous licence à Casablanca. La *Stork* est une bonne bière, brassée à Marrakech, Casa et Fès (où la pureté de l'eau locale la rendrait meilleure, paraît-il !). Enfin, la *Heineken,* brassée aussi à Casablanca, est moins chère que les bières importées que l'on peut se procurer dans les centres touristiques.

– *Le vin :* les vins locaux sont produits dans la région de Meknès (région de Volubilis) depuis l'époque romaine, et présentent bien des qualités. Les conditions de vinification s'étant beaucoup améliorées, le goût s'en ressent. On retiendra :

– dans les rouges, les cépages cabernet : la cuvée-du-président (eh oui !), le médaillon, le domaine-de-sahari, le ksar, le guerrouane, l'amazir ou le siroua ;

– dans les blancs : le val-d'argan, chaud-soleil, valpierre et le muscat de Beni-Snassen ;

– dans les rosés : le président, le guerrouane et surtout le domaine-de-sahari, un petit gris pas triste !

Depuis quelques années, un producteur français de Châteauneuf-du-Pape produit à côté d'Essaouira un vin qui sort vraiment du lot : le val-d'argan. Il existe en blanc, rosé et rouge.

Café et pousse-café

Le café marocain est souvent très fort et servi dans un verre (mais dans les endroits touristiques, c'est régulièrement une tasse que l'on pose devant l'étranger). Demandez un verre d'eau bouillante pour l'adoucir. Si vous l'aimez avec un nuage de lait, comme les Marocains, demandez un « café cassé », ou si vous aimez le café au lait un « noss-noss », qui signifie moitié-moitié.

La *mahia* est un alcool de figues qui titre 40°. Auparavant produite par de petites entreprises familiales, elle est maintenant distillée d'une manière industrielle à Casablanca. Excellente pour conclure un bon repas, à condition de ne pas en abuser. Mélangée à des jus de fruits, elle permet de faire de très bons cocktails.

Thé

Au Maroc, on consomme généralement du thé vert de Chine avec beaucoup de menthe. Ce sont les Anglais qui ont introduit et généralisé cette habitude de consommation dans le pays. Jusqu'au XIXe s, les Marocains consommaient des infusions de menthe, de verveine, de sauge ou de marjolaine ! Le « whisky berbère » a changé leur vie !

En 150 ans, le thé est devenu une véritable institution au Maroc. C'est une cérémonie à laquelle on n'échappe pas. Il est généralement préparé par le maître de maison ou, en son absence, par son fils ou par le doyen de la famille. Si l'on veut vous faire honneur, on vous confiera la tâche. Quand vos mains seront lavées, quelqu'un apportera la bouilloire remplie d'eau, la boîte à thé vert, la boîte à sucre (pain de sucre concassé en gros morceaux) et, sur un plateau, la théière et les verres avec un bouquet de menthe fraîche. Pendant que l'eau de la bouilloire chauffe, vous mettrez dans la théière une cuillerée à café de thé vert pour deux verres. Lorsque l'eau sera à ébullition, vous en verserez une petite quantité sur le thé et donnerez à la théière un petit mouvement tournant afin de faire gonfler le thé, puis vous verserez ce premier jet dans un verre (c'est pour éliminer la théine). Vous recommencerez l'opération deux fois. Tout se fait toujours trois fois dans les rituels marocains. Ensuite, vous verserez le contenu du premier verre dans la théière en rajoutant de l'eau bouillante sur le thé et porterez la théière sur le feu. Quand le thé sera à ébullition (plus vous le laisserez bouillir, plus il sera fort), vous retirerez la théière du feu et mettrez la menthe, que vous aurez préalablement équeutée, en poussant avec un gros morceau de sucre. Vous compléterez jusqu'à atteindre un morceau par tasse. Commencera alors l'opération d'aération. Vous verserez le thé dans un verre et reverserez le contenu du verre dans la théière deux ou trois fois de suite, en prenant soin à chaque fois de lever la théière pour que le jet s'étire et fasse de la mousse. Il ne vous restera plus qu'à vérifier si le thé est suffisamment sucré, à remplir définitivement les verres et à les passer aux convives en prononçant « *bismillah* », qui signifie « à la grâce de Dieu ».

En hiver, lorsque la menthe est rare, on fait du thé avec du *chiba* (de l'absinthe) ou du *fliou* (du menthol). Le parfum est étonnant.

Chez les Berbères, on accompagne le thé de pain chaud que l'on trempe dans de l'huile d'olive ou d'argan, dans du miel ou de l'*amlou* (une pâte à tartiner, composée d'amandes broyées, de miel et d'huile d'argan aromatisée d'une pincée de cannelle). Au-delà de Guelmim, la menthe disparaît et l'on vous sert le thé des Sahraouis, bouilli et rebouilli. Il est si fort qu'au troisième verre vous grimpez aux arbres !

Les cafés et bars

La fréquentation des cafés est très masculine. Les filles non accompagnées d'un homme choisiront de préférence les salons de thé ou les crémeries-laiteries.

Dans les villes touristiques (du Nord et à Marrakech), quelques bars (branchés) servent de l'alcool. En revanche, évitez les bars des petits hôtels où viennent s'encanailler les hommes du coin. Ambiance un peu glauque.

CINÉMA

Longtemps la production marocaine s'est cantonnée à quelques comédies à succès ne dépassant pas les frontières du pays. À partir des années 1970, apparaît un timide cinéma d'auteur porté par Souheil Ben Barka *(Noces de Sang),* Moumen Smihi *(El Chergui ou le silence violent, Chroniques marocaines)* ou encore Abdelkader Lagtâa *(Le Grand Voyage).* L'émergence d'un cinéma marocain pluriel et d'envergure internationale ne prend réellement de l'ampleur qu'au début des années 2000 grâce à la volonté du nouveau roi Mohammed VI et grâce à la création d'un fonds de soutien, à l'instar du CNC en France.

Une bonne quinzaine de longs métrages sont désormais produits chaque année, ainsi qu'une trentaine de courts métrages. La multiplication des coproductions, avec la France, les États-Unis, l'Italie et la Belgique principalement, offre plus de fonds aux réalisateurs et une visibilité plus importante à leurs œuvres. Parmi la nouvelle vague de cinéastes, on signalera Nabil Ayouch *(Mektoub, Ali Zaoua),* Hakim Belabbes *(Les Fibres de l'âme)* et Mohamed Zineddaine *(Réveil).* Les sujets traités sont également plus personnels et abordent des faits de société comme le déracinement, la place des jeunes et des femmes. En 2006, *Marock,* le premier long métrage de la réalisatrice Laïla Marrakchi, a été l'objet d'une vive polémique. L'histoire raconte la relation amoureuse de deux jeunes de la bourgeoisie de Casablanca, une musulmane et un juif. On y découvre à cette occasion les talents de Morjana Alaoui. En 2007, *En attendant Pasolini,* du réalisateur Daoud Oulad Syad, a remporté le prix du meilleur film arabe au Festival international du Caire.

Mais le cinéma marocain, c'est avant tout un cadre idyllique pour de nombreuses productions étrangères. Le tournage de ces longs métrages génère un chiffre d'affaires supérieur à 100 millions de dollars par an et offre un travail régulier pour des milliers d'artisans, figurants, techniciens et commerçants, principalement dans la région de Ouarzazate. La ville abrite les plus grands studios du pays, créés en 1983. *Le Diamant du Nil, Kundun, Gladiator, Alexandre, Astérix et Cléopâtre, Babel* ou encore *Indigènes* y ont été tournés.

Depuis 2001, toutes ces productions sont désormais célébrées à l'occasion du Festival international du film de Marrakech, qui a lieu la deuxième semaine de décembre (● festivalmarrakech.info ●).

CUISINE

Les spécialités

L'idée n'est pas de vous détailler toutes les spécialités marocaines, mais de vous présenter quelques plats et gâteaux auxquels il serait regrettable de ne pas goûter. La cuisine est ici affaire de femmes et les recettes se transmettent de mère en fille. Les hommes, eux, s'occupent du thé et n'ont pas accès aux fourneaux. Pour déguster les véritables spécialités marocaines, il faut être invité dans une famille ou se rendre dans une table d'hôtes comme celles que nous vous conseillons à Marrakech. Vous verrez alors toute la différence. Sachez aussi que les recettes de cuisine marocaine demandent une longue préparation. Pensez à les commander longtemps à l'avance ! Dans les restaurants, les plats sont souvent réchauffés pour vous éviter d'attendre, mais un tajine au micro-ondes sera moins bon que s'il est au moins remis à mijoter dans son plat en terre cuite... Autant dire aussi que la plupart des recettes ont tendance à perdre leur cachet artisanal. Tel est le cas du tajine, le plat national, souvent remplacé par un vulgaire ragoût, mais resservi dans son plat typique avant d'être présenté en salle. Alors choisissez votre tajine quand il mijote sur le *canoun* (le brasero), il n'en sera que meilleur !

– **Les salades** commencent généralement un repas. Une simple salade de tomates, d'oignons et de poivrons à une saveur particulière grâce à la coriandre ou au *kamoun* (le cumin), qui entre dans la composition de nombreux plats marocains. La salade *mechouia,* consommée de Tunis à Tanger, est réalisée à base de tomates et de poivrons cuits, d'ail, d'huile d'olive et de jus de citron. Dans les restaurants un peu sophistiqués, on vous apportera une variété de salades d'olives *(meslalla),* de fenouil, de carottes râpées sucrées et parfumées à la fleur d'oranger, de *feggous* (des petits concombres longs et fins). Outre la *mechouia* très répandue, on vous proposera d'autres salades de légumes cuits : de betteraves, de mauve *(bekkoula)*, plante printanière assez proche des épinards, de patates douces, de fèves fraîches, de petits pois ou de courgettes, le tout parfumé au safran, à la cannelle, au cumin, à la fleur d'oranger, à la coriandre hachée, ou mariné à l'ail pilé, au jus de citron, ou à l'huile d'olive. Ces salades, servies dans de petites soucoupes, se dégustent avec du pain et ouvrent l'appétit.

– *Le tajine :* c'est le plat le plus répandu au Maroc, facilement reconnaissable à son chapeau pointu en terre cuite souvent surmonté d'une tomate fraîche. Le terme « tajine » désigne à la fois le contenant et le contenu. Dans les repas de fête, il est servi entre la salade et le couscous. Ce n'est pas tant une recette particulière, qu'un mode de cuisson. Tantôt épicé, tantôt sucré, parfois les deux, il est préparé à base de légumes et de poisson ou de viande. C'est le plat familial par excellence, mais c'est également une tradition rurale d'une population méditerranéenne ayant adopté très tôt l'usage du blé, car il ne saurait y avoir de tajine sans pain. De la ville au fin fond de la campagne, il est toujours consommé en commun, on mange à même le plat, en y trempant son bout de pain.

Mis à part les recettes les plus classiques, à base de viande ou de légumes courants, les restaurants en proposent souvent plusieurs variantes : aux pruneaux et aux amandes, aux olives, aux oignons confits, aux bourgeons de figuier, ou au poulet au citron... En saison, ne manquez pas le tajine aux coings et au miel (un régal).

– *Le couscous* est le plat que l'on mange traditionnellement en famille le vendredi après la prière de *dhuhr* (de midi). Contrairement au couscous tunisien, algérien, ou pied-noir, le couscous marocain n'est pas très épicé. Il est même un peu fade. La semoule de blé ou d'orge est roulée par des mains expertes et cuite à la vapeur. Elle accompagne des légumes : potiron, courgettes, navets... ou des légumineuses, telles que les fèves, les pois, les lentilles. On y trouve également de la viande de bœuf ou de mouton, rarement du poulet et jamais de merguez. Chaque famille a sa recette, toujours composée en fonction des légumes disponibles sur les marchés. N'hésitez pas, si l'occasion se présente, à goûter le couscous à l'orge, beaucoup plus facile à digérer.

– *Les brochettes grillées* sur les braises offrent l'avantage de constituer un repas rapide et bon marché. Elles se mangent avec du pain. Préférez toujours les endroits très fréquentés (les relais routiers par exemple), la viande est en général de bonne qualité et tout ce qui est grillé est recommandé en cas de turista.

– *Les keftas* sont des brochettes ou boulettes de viande hachée épicée. Il existe aussi les *keftas de sardines,* assaisonnées à l'huile d'olive et que l'on achète en petites boîtes. Excellent et introuvable chez nous.

– *Les soupes* sont servies dans la plupart des petits restaurants, principalement la célèbre *harira* qui, pendant le ramadan, sert à rompre le jeûne quotidien. C'est une soupe à base de tomates, de farine, de lentilles ou de pois, dans laquelle on trouve quelques morceaux de viande. On y ajoute un peu de jus de citron au moment de la servir dans un grand bol. La *bissara* agrémente également les repas marocains. Il s'agit d'une soupe populaire très épaisse à base de fèves concassées, d'huile et d'épices. Plat du pauvre, elle n'apparaît jamais dans les menus touristiques. Les plus curieux devront passer commande.

– *Les briouate* sont des petits beignets constitués de feuilles de pâte de *pastilla* et farcis de viande hachée, de cervelle, de saucisses, de poisson, d'amandes, etc. Frits et dorés à souhait, ils se laissent croquer avec délice.

– *La pastilla* est un plat exceptionnel : grand gâteau de pâte feuilletée aux amandes, fourré de hachis de pigeon, de poulet ou de poisson, et saupoudré légèrement de sucre et de cannelle. Ce plat assez cher n'est servi que dans certains restaurants, souvent uniquement sur commande.

– *Le méchoui* est un plat de fête. Il marque souvent le dénouement d'un événement quelconque. Au Maroc, il est souvent cuit à l'étouffée dans un four en argile spécialement construit à cet effet. Rares sont les méchouis embrochés comme chez nous. Selon que la bête ait pâturé en plaine ou en montagne, sa chair est plus ou moins parfumée.

– *Le poisson* est excellent... quand il est frais ! Grâce au courant froid qui baigne les côtes atlantiques, le littoral marocain est très poissonneux. Mieux vaut tout de même le consommer dans les villes côtières, car exception faite des restaurants des grandes villes, dans l'intérieur des terres, la chaîne du froid est rarement respectée. Prudence donc, et sentez toujours votre poisson avant de le goûter ! De toute façon, une seule règle : demandez aux locaux où ils mangent la friture ! En principe, les bonnes adresses ne sont pas légion.

– *Les escargots* sont aussi appréciés par les Marocains. On les mange sur le pouce auprès de marchands ambulants dans les rues de Marrakech avec une sauce au cumin, ou de manière plus raffinée au menu de certains restaurants.

– *Le pain* est presque toujours rond comme une galette. Encore fait à la maison dans bien des cas et cuit dans le four du boulanger, il se conserve dans des *tbikat* pendant plusieurs jours. Dans le Sous, il est cuit à même les galets, ce qui lui donne un aspect bosselé très particulier. Il est généralement excellent, surtout à la sortie du four.

– On ne saurait conclure sans parler des *pâtisseries.* Les plus connues, sont les *kaab el ghzal* ou cornes de gazelle, mais vous pouvez essayer les *briouate* au miel et aux amandes, les *griouch*, le *haloua rhifa* (gâteau en forme de cône servi à l'occasion d'un mariage, d'une naissance ou d'une circoncision), les *ghoriba* aux amandes ou aux graines de sésame, les *bechkito* (des petits-beurre croustillants), les *mhann-cha* (sorte de serpents lovés et recouverts de cannelle en poudre),

> ### UN ROYAUME OÙ TOUT LE MONDE SE SUCRE...
>
> *Le sucre est un des ingrédients fonda-mentaux de la cuisine marocaine. À titre d'exemple, un Marocain consomme quasiment 7 fois plus de sucre par an qu'un Français ! Loin de nous l'idée de vous en détourner pendant votre séjour, mais sachez néanmoins qu'ici, le sucre est devenu un véritable fléau sanitaire. Si ne pas goûter aux pâtisseries marocaines serait un crime, en abuser aussi...*

les *shebbakia* (rubans de pâte frits avec du miel chaud et des graines de sésame grillées, typiques du ramadan). Pour nous, la palme revient à la *pastilla* au lait, dite *ktéfa*. Ce dessert succulent est fait de feuilles de *ouarka* (pâte à base de farine et d'eau, qui doit être élastique) parfumées à la fleur d'oranger, superposées les unes sur les autres avec des amandes pilées, sur lesquelles on verse avant de servir un peu de lait refroidi. Il existe aussi une version à la crème pâtissière. Impossible de résister à ce dessert qui n'est le plus souvent servi que dans les familles et dans les tables d'hôtes.

Les emprunts culinaires

Si le tajine devient lassant au bout de quelques jours, rien ne vous empêche de varier les plaisirs. Comme toutes les cuisines, celle du Maroc a adopté, çà et là, quelques éléments qui lui sont étrangers pour l'accommoder au goût des Marocains. C'est notamment le cas de la *pizza,* de la *salade niçoise,* du *chawarma,* sandwich libanais à la viande de bœuf chaude servie avec une sauce fortement vinaigrée et citronnée, devenu lui aussi très populaire et servi dans de nombreux restaurants bon marché.

Les restaurants

En règle générale, les prix sont affichés ou figurent sur un menu. En revanche, lorsque les tarifs ne sont pas mentionnés, demandez le prix à l'avance, afin d'éviter des surprises. En principe, le service et les taxes sont compris. Dans le cas contraire, ils sont indiqués sur le menu (écrits en tout petit bien sûr !). Il est courant de laisser un petit pourboire de quelques dirhams au serveur (2 à 5 Dh, soit 0,20 à 0,50 €). Bien sûr, cela dépend du montant de l'addition. Dans les zones rurales, préférez toujours les petits restaurants aux abords des gares routières. La nourriture y est en général excellente, car fraîche, en raison de la fréquentation des lieux. C'est plus par la vaisselle que vous risquez d'attraper quelque chose, alors n'hésitez pas à manger « à la marocaine », en trempant votre bout de pain dans le frichti ! Privilégiez les grillades et les petits tajines, tomate au faîte, gage de fraîcheur, qui cuisent sur le *canoun* (brasero).

Savoir-vivre

Si vous êtes invité à prendre un repas avec des Marocains (ou simplement à participer à la fameuse cérémonie du thé, installé sur un tapis tout en dégustant des biscuits ou des dattes), la tradition veut que vous mangiez avec la main droite : la main gauche est réservée à la toilette, sage précepte du Coran datant d'une époque où l'hygiène n'était pas ce qu'elle est aujourd'hui. Traditionnellement, tout ustensile est superflu. Le repas commence par un rapide lavage des mains. Utilisez ensuite des morceaux de pain pour saisir légumes et viande de votre tajine, et n'hésitez pas à attraper l'os pour en arracher la chair qui s'y colle. Le repas terminé, on se lave les mains et la bouche, et vous vous doutez bien que ce n'est pas un luxe !

Enfin, il ne faut pas gâcher de pain, ni en entamer plus que l'on n'en mangera. En effet, le pain est respecté au plus haut point par les Marocains qui le surnomment « don de Dieu ».

DROITS DE L'HOMME

Derrière l'image de plus en plus mise en avant de jeune démocratie modèle et florissante du Maghreb, de nombreuses interrogations demeurent en matière de Droits de l'homme. La liberté d'expression est toujours en butte à des lois qui interdisent toute critique de la monarchie et/ou tout propos portant sur des questions « sensibles ». Des journalistes ont encore été inquiétées pour leurs écrits en 2008, et la censure se concentre de plus en plus sur Internet. Un blogueur qui s'était fait passer pour le frère du roi sur le site « Facebook » a par exemple été condamné à trois ans de prison ferme avant d'être grâcié par le roi. Par ailleurs, les bons résultats de l'économie marocaine cachent mal les problèmes sociaux qui s'accumulent (accroissement des inégalités, chômage endémique, etc.). Dans le port de Sidi Ifni, c'est l'absence de confiance dans l'avenir qui a ainsi poussé des milliers de chômeurs dans les rues les 6 et 7 juin 2008. Ils ont protesté contre un « tirage au sort » de l'emploi organisé par les autorités. Des manifestations sévèrement réprimées, au cours desquelles les forces de l'ordre se seraient rendu coupables de mauvais traitements. Elles commettent, par ailleurs, toujours des exactions dans le cadre de la lutte antiterroristes. Ainsi, en contradiction avec les discours du ministre de la Justice – qui s'était déclaré, il y a peu, favorable à l'abolition –, des tribunaux ont de nouveau prononcé des condamnations à la peine capitale. Les organisations regrettent également l'attitude des autorités (expulsions massives, droits bafoués...) vis-à-vis des migrants travaillant dans le pays ou en transit. Enfin, la réforme de la Moudawana (code du statut personnel) a singulièrement amélioré le cadre législatif des droits des femmes au Maroc, mais il faudra encore du temps pour que les mentalités évoluent.

Pour plus d'informations, contacter :

■ *Fédération internationale des Droits de l'homme (FIDH)* : 17, passage | de la Main-d'Or, 75011 Paris. ☎ 01-43-55-25-18. ● fidh.org ● Ⓜ Ledru-Rollin.

■ *Amnesty International* (section française) : 76, bd de la Villette, 75940 Paris │ Cedex 19. ☎ 01-53-38-65-65. ●amnesty.fr ● Ⓜ Belleville ou Colonel-Fabien.

N'oublions pas qu'en France aussi les organisations de défense des Droits de l'homme continuent de se battre contre les discriminations, contre le racisme et en faveur de l'intégration des plus démunis.

ÉCONOMIE

À son arrivée au pouvoir, Mohammed VI a hérité d'une économie en crise, empêtrée dans des lourdeurs administratives et douanières, sans oublier la corruption, principale gangrène du pays.

Mais la volonté de réformes du jeune roi et une situation macroéconomique plus favorable ces dernières années ont permis des améliorations : baisse du chômage qui s'élève à environ 10 % des actifs, un taux de croissance autour de 5 % au cours de la dernière décennie (grâce notamment à l'expansion du tourisme et de l'immobilier), et enfin une inflation qui se stabilise autour de 3 %. Ajouter à cela une hausse des investissements étrangers qui ont plus que doublé entre 2006 et 2007. Même si ce sont surtout les flux en provenance des pays du Golfe qui augmentent, ils ne représentent pour l'heure que 10 % du total... La France reste le premier partenaire économique du Maroc (1er client avec 28,7 % des échanges, et 1er fournisseur avec 16,1 %), mais la Chine avance ses pions et se place dorénavant au 3e rang. Malgré ces résultats encourageants, le déficit extérieur du Maroc atteignait plus de 11 milliards d'euros fin 2007, soit près de 24 % du PIB. Tandis que la dette publique s'élevait à 64 % du PIB, soit 32 milliards. C'est-à-dire à peu de choses près, les mêmes chiffres qu'en France.

Un secteur primaire encore prépondérant

D'une manière générale, la croissance reste nettement insuffisante au regard de l'évolution démographique, et les autorités doivent encore plus que jamais poursuivre les réformes structurelles entreprises, notamment dans le domaine agricole, pilier de l'économie marocaine (15 à 20 % du PIB). Hélas ! diront certains. Trop dépendante de son agriculture, l'économie marocaine n'en est que plus fragile. Là où les exportations progressent annuellement de 5 %, elles gagnent de 8 à 10 % dans les pays voisins et concurrents. En cause : la structure des exploitations, de type familial, extrêmement morcelée (moins de 2 ha en moyenne), l'archaïsme des méthodes, la surexploitation des ressources naturelles, la gabegie hydraulique avec une céréaliculture qui consomme 80 % de l'eau du pays (car totalement inadaptée au climat), et occupe les trois quarts des surfaces cultivables ! Le plan « Maroc vert », ambitieux programme de réforme de l'agriculture proposerait notamment la priorité à la culture de l'olivier, de l'amandier, du figuier de barbarie et du caroubier. Ne perdons pas de vue que près de 45 % de la population réside en milieu rural, et l'agriculture emploie 40 % de la population active. Les conséquences climatiques peuvent être dramatiques. Une mauvaise année et c'est toute une partie de l'économie du pays qui flanche. Cela crée les conditions d'un exode rural de plus en plus préoccupant, qui jette la population dans des bidonvilles toujours plus denses (voir plus bas). Il faut avoir à l'esprit que 72 % des personnes les plus pauvres vivent actuellement en milieu rural. Ce qui était valable au moment de l'indépendance du Maroc en 1956, à savoir une agriculture moteur du pays, doit évoluer si le Maroc veut poursuivre son développement.

– La pêche, autre branche du secteur primaire, représente une manne financière non négligeable. Avec plus de 3 000 km de côtes, les pêcheurs travaillent dans des eaux riches (Agadir est le port sardinier le plus important au monde), mais un peu trop prisées par leurs voisins espagnols, français ou portugais qui sont, depuis 2001, persona non grata dans les eaux marocaines, au grand dam de l'Union européenne.

Des filières en perte de vitesse

– Le textile et le secteur de l'habillement représentaient, jusqu'en 2005, le premier poste des exportations (près de 40 %). Néanmoins, la concurrence des géants chinois et indiens semble impossible à contrer. Les risques sont importants pour toute l'économie marocaine car le textile est le 1er employeur industriel du pays, avec 520 000 emplois qui en dépendent.
– Les phosphates constituent la seule richesse minière. Le pays détient 50 % des réserves mondiales, ce qui en fait le premier producteur et exportateur au monde. L'activité connaît toutefois une petite baisse en réponse aux sirènes écologiques qui découragent l'utilisation des engrais chimiques, dérivés principaux du phosphate.

« Le printemps du tourisme marocain »

Le tourisme au Maroc représente 8 % du PIB. C'est donc sans complexe et avec une politique très offensive que les Marocains mettent en avant le développement touristique comme un secteur clé de leur économie. « Le tourisme vit un véritable printemps », comme l'affirment les responsables de ce secteur. Le plan *Vision 2010* cherche à atteindre 10 millions de touristes en 2010. Tout semble concourir à sa réussite. Les autorités estiment à environ 13 % l'augmentation des touristes en 2007 par rapport à 2006, avec 7,5 millions de visiteurs. Le nombre de nuitées moyennes progresse lui aussi de 3 %. Bref, tous les indicateurs semblent être au... beau fixe !
Si un grand espoir est fondé sur le tourisme, c'est qu'il constitue en effet la première source de devises du pays avec près de 7,3 milliards de dollars de recettes, en augmentation de 12 % sur un an. Sur le podium, les Français sont toujours les plus nombreux à visiter le royaume avec près de 3 millions de voyageurs, suivi par l'Espagne (1,6 millions), les Belges et les Britanniques faisant quasiment jeu égal autour de 425 000.
En plus de celle d'Agadir, 6 nouvelles stations balnéaires sont en cours d'aménagement (le plan Azur). On construit des hôtels à Fès, à Marrakech et à Tanger. Au total, les autorités comptent augmenter de 160 000 lits la capacité d'hébergement d'ici à 2010.
Vision 2010 devrait par ailleurs créer 600 000 emplois ! Il n'y a pas encore assez de lits et les infrastructures manquent, mais des efforts ont été entrepris pour rendre le Maroc plus attractif. Après les villes impériales et le Sud, c'est maintenant dans le Nord que les politiques de développement se concentrent. Il était temps. Le tout nouveau port Tanger-Med (inaugurée en juillet 2007) est le plus grand port de commerce à l'entrée du détroit de Gibraltar. De plus, les autoroutes de Casablanca et de Rabat se prolongent maintenant vers le nord et le long de la côte méditerranéenne.

La manne étrangère

Autre source de devises non négligeable, les Marocains résidant à l'étranger (les MRE) ont rapporté plus de 3 milliards d'euros dans les caisses en 2008. Ils représentent 10 % du PIB, et 50 % du nombre de « touristes ».
Par ailleurs, de plus en plus d'étrangers s'installent au Maroc et l'immobilier connaît un certain essor grâce aux résidences secondaires. De vastes demeures sont ainsi édifiées autour de Rabat, Casablanca, Tanger et Marrakech pour un marché d'acheteurs européens. Véritables réussites écologiques et architecturales, exemple

d'intégration au pays avec de larges espaces clôturés et sécurisés où ronronnent villas pourvues de piscines et de golfs dans le désert... oui, on ironise !

La fiscalité marocaine est bien généreuse avec les étrangers, puisqu'elle exonère les droits de succession sur les biens immobiliers. Les retraités français ont bien compris leur intérêt à investir au Maroc. Dans une société qui fonctionne déjà à plusieurs vitesses, fallait-il un traitement de faveur de plus ? Et des exclusions supplémentaires pour les Marocains qui doivent subir les incidences inévitables sur la hausse des prix du logement ?

Les exclus de la modernisation

Car le sort des plus démunis ne s'est pas encore amélioré. Aujourd'hui, près de 20 % de la population vit en dessous du seuil de pauvreté (moins de 1 $ par jour). Cela fait 6 millions de personnes. Le revenu annuel par habitant est l'un des plus bas du pourtour méditerranéen. Les jeunes diplômés eux-mêmes estiment que leur avenir au Maroc est compromis par le népotisme et la corruption. Pas étonnant, donc, que 72 % des Marocains instruits soient tentés par l'émigration. Une fuite de la matière grise, en quelque sorte. L'immobilier touche le plafond, avec des taux d'intérêts bancaires qui ne cessent de grimper, enclenchant la spirale du « tout inaccessible », du moins jusqu'à ce que la bulle finisse par éclater, inévitablement. Par ailleurs, l'entassement dans les bidonvilles menace l'ordre et la sécurité du pays et favorise criminalité et intégrisme islamiste. Un vaste programme d'éradication « Villes sans bidonvilles » a été lancé en 2004 qui prévoit leur disparition en 2012. Il prévoit le relogement des familles dans de beaux immeubles flambant neufs. Difficile toutefois d'imaginer l'ampleur de la tâche : 480 bidonvilles répertoriés pour la seule ville de Casablanca où s'abriteraient un demi-million de personnes, sans eau ni électricité ! Et il reste 79 autres centres urbains (de moindre ampleur certes) concernés.

Mohammed VI, « le roi des pauvres », comme on le surnomme, semble avoir pleinement pris conscience de ces enjeux socio-économiques et politiques. Ce n'est pas un hasard s'il fait de la lutte contre le chômage, l'analphabétisme et la pauvreté ses priorités. Le taux d'analphabétisme est encore de 48 % ! Des réformes et des programmes ambitieux commencent à voir le jour, comme l'initiative nationale pour le développement humain. Il s'agit d'un vaste programme visant à appuyer, dans une première phase d'urgence, le développement de 360 communes rurales et 250 quartiers défavorisés.

Ces mesures se doivent de réussir, car, pour l'heure, la jeunesse désabusée et sans espoir ne se reconnaît pas dans un pays à l'avenir bouché par manque de perspectives.

Une nouveauté s'invite dans les projets marocains : l'énergie nucléaire. Totalement dépendant du fioul, gaz et charbon étranger, et sans ressources naturelles dans son sous-sol, le Maroc réfléchit à se doter d'un réacteur nucléaire. Si le projet aboutit, il faudra attendre au moins 2013 pour voir la première fission d'un atome marocain.

Le développement humain

En 2007, la Namibie a devancé le Maroc en terme d'IDH (Indice du Développement Humain). C'est le constat du dernier « rapport mondial sur le développement humain 2007-2008 » du PNUD (Programme des Nations Unies pour le Développement). 126e rang sur 177 pas très glorieux, c'est sûr... Quand on sait que la plupart des spécialistes considèrent ce facteur comme véritablement révélateur du niveau de vie d'un pays (à contrario du sacro-saint PNB par habitant), il y a de quoi s'inquiéter. À fortiori lorsque l'on est à deux doigts de basculer dans le groupe des « pays à faible développement humain » ! Plus de cinquante ans après l'indépendance, un certain constat d'échec dans ce domaine se fait durement ressentir.

ENFANTS ET ÉDUCATION

Avec près du tiers de la population âgée de moins de 15 ans (et la moitié de moins de 25 ans), le Maroc est un pays « jeune ». Néanmoins, le taux de fertilité se stabilise (2,6 enfants par femme aujourd'hui) entraînant progressivement un ralentissement de la croissance de la population. Le Maroc est donc confronté à l'important défi de la scolarisation et de l'alphabétisation.

Un système public défaillant

Selon une étude récente, plus de 300 000 enfants ne vont pas à l'école. Tandis que le taux d'alphabétisation des adultes s'élève à seulement 52 %... Un peu moins de 15 % des élèves obtiennent le baccalauréat après avoir redoublé au moins une fois dans 80 % des cas. En milieu rural principalement, les écoles ne sont pas assez nombreuses pour accueillir tous les élèves. On fonctionne alors par rotation et les enfants sont scolarisés à mi-temps ! Et pourtant, l'État consacre au système éducatif près de 26 % de son budget ! Par ailleurs, la disparité est importante entre milieu rural et milieu urbain, mais aussi selon les tranches d'âge et le sexe. Un bon point tout de même : le recensement réalisé en 2004 révèle que si l'analphabétisme touche actuellement 40 % de la population parmi les 25-34 ans, il n'est « plus que » de 13,3 % pour les 10-14 ans. Au-delà de ce chiffre qui peut paraître encourageant, la sonnette d'alarme est belle et bien tirée et les plus hautes autorités du pays ont reconnu la défaillance du système éducatif public. Les causes sont multiples : nombreuses réformes menées par le passé sans stratégie claire et définie, pas de système d'évaluation de l'apprentissage, vétusté des infrastructures.
Le défi est énorme ! La réforme du système éducatif est aujourd'hui une nécessité admise. Mais pour l'heure, les choses en restent au stade des bonnes intentions... En attendant, les écoles privées fleurissent et ce phénomène s'est même accéléré ces dernières années. Il n'est certainement pas prêt de s'arrêter...

Stylo Missié !

Ces enfants, bien souvent, vous demanderont de l'argent, des bonbons, un stylo ou un cahier. Cela reste avant tout un jeu. « Mon grand frère le fait, pourquoi ne le ferais-je pas ? » La plupart du temps, il s'agit de comportements spontanés, induits par les touristes eux-mêmes. On donne, croyant faire plaisir. Cela part d'un bon sentiment, mais attention ! La multiplication anarchique des raids en 4x4, le plus souvent non encadrés, ou, plus grave encore, mal encadrés, a contribué au cours des dernières années à accroître le harcèlement – car il s'agit bien d'un harcèlement – des enfants envers les touristes de passage pour obtenir des stylos. Alors de grâce, ne donnez RIEN aux enfants, sans quoi un jour ce seront des cailloux que, par frustration, les enfants vous enverront. On sent d'ailleurs déjà dans les villes de taille importante cette frustration qui peut se traduire par une certaine agressivité de la part des jeunes les plus démunis quand on refuse leurs services ou de donner une pièce. Et les bidonvilles de Casablanca, Marrakech ou Fès deviennent peu à peu de véritables poudrières : cette jeune génération des rues, sans éducation ni repère, est une cible idéale pour le banditisme en tout genre.
Si votre éducation vous porte à penser qu'il faut donner aux pauvres, sachez que les pauvres sur le sol africain ne sont peut-être pas ceux que l'on croit. Mais si néanmoins votre bonne conscience vous pousse à le faire, regroupez vos dons et allez voir l'instituteur du village ou le responsable du dispensaire qui, eux, connaissent les besoins.

ENVIRONNEMENT

Le Maroc se développe et les causes de pollution sont de plus en plus nombreuses (comme un peu partout dans le monde d'ailleurs !). Malheureusement, le coût des mesures correctives est, pour le moment, hors de portée de l'économie du pays.

Ainsi, avec l'augmentation considérable du nombre de véhicules, aggravée par leur vétusté et le manque d'entretien préventif, la qualité de l'air s'est excessivement dégradée en ville. Chaque bus urbain dégage des panaches de résidus toxiques de combustion du gazole. On vous laisse imaginer la pollution qui flotte dans les villes de l'intérieur, à Marrakech en particulier, où aucun vent ne vient balayer les odeurs de gaz d'échappement ni alléger l'atmosphère étouffante accentuée par les grosses chaleurs. Certains jours chauds et sans vent, il devient difficile de respirer, la bouche et le nez s'irritent facilement. Asthmatiques, prudence !

Problème majeur auquel est confronté le Maroc : la dégradation du couvert forestier avec près de 30 000 ha de forêt qui disparaissent chaque année. Le bois est une des ressources principales du pays, puisqu'il assure 30 % de la consommation en énergie. Il est utilisé pour la cuisson des aliments, le chauffage des hammams et dans les fours collectifs. La déforestation pose plusieurs problèmes. La régulation de l'écoulement des eaux s'en trouve modifiée, l'érosion des sols accentuée, la biodiversité menacée. En cause : les défrichements et les feux d'origine diverses. N'oubliez pas que dans ces contrées où sévit la sécheresse, un mégot jeté par la fenêtre peut avoir des conséquences catastrophiques !

Dans un autre registre, vous vous apercevrez vite que les paysages aux abords des lieux fréquentés, comme de nombreux sites urbains (où même parfois en montagne), restent fort sales. La négligence et l'absence de sensibilité écologique des gestionnaires locaux en sont les causes premières. La famille marocaine en goguette a tendance à abandonner dans le premier endroit venu tout ce qui l'embarrasse. Le résultat est sans équivoque : papiers gras, bouteilles en plastique et détritus en tout genre. Ne vous étonnez pas non plus de voir tournoyer dans le ciel d'étranges oiseaux noirs dépourvus d'ailes. Il s'agit, en fait, de sacs en plastique échappés des décharges à ciel ouvert. Mais pensez que nous aussi avons nos responsabilités. Si vous participez à un trek par exemple, détruisez les restes d'un campement ou d'un pique-nique ou, mieux, emportez vos déchets jusque dans la vallée. Et pensez à enterrer votre papier toilette après usage.

Du côté des plages, ce n'est pas forcément mieux. Si de gros efforts sont faits dans les lieux les plus touristiques, comme sur l'immense plage d'Agadir, certaines côtes, notamment en Méditerranée, se transforment en véritables décharges publiques 8 mois sur 12 (elles sont nettoyées l'été). De plus, la plupart du temps, les eaux usées sont déversées sur le littoral, sans oublier les rejets des bateaux et des pétroliers... Résultat : seulement près de 20 % des eaux de baignade sont de bonne qualité et autant sont fortement polluées.

Mais il n'y a pas que des ombres au tableau ! Mohammed VI a interpellé citoyens et collectivités sur le danger que constituent « indifférence ou accoutumance » qui conduiraient à un suicide collectif ». De plus, le Maroc s'est récemment engagé dans des programmes de développement durable et de sauvegarde de l'environnement, notamment dans le cadre de ses relations avec l'Union européenne.

Une stratégie de protection et restauration des forêts a été mise en place. Au-delà d'un simple pro-

DES ÉOLIENNES CONTRE VENTS ET... MARÉES

En avril 2007, a été inauguré le parc éolien de Sidi-Kaouki, au sud d'Essaouira. Près de 70 éoliennes blanches, fièrement dressées face à l'océan, qui n'ont de cesse de tourner pour économiser le rejet de 156 000 t de CO_2 environ par an ! Les premiers contreforts du Rif, dans un triangle Tanger-Ceuta-Tétouan, sont recouverts de ces grandes ailes blanches. Et ce n'est qu'un début !

gramme de prévention et d'information, il s'agit de donner un sacré coup d'accélérateur aux reboisements ; l'objectif affiché étant d'atteindre un rythme de croisière de 50 000 ha plantés par an ! Par ailleurs, en appui avec la *Banque mondiale*, le Maroc planche actuellement sur un ensemble de dispositifs visant à améliorer la gestion des ressources en eau.

Autre nouvelle réjouissante, le développement des énergies renouvelables dont la part doit représenter d'ici à 2012, près de 10 % de la consommation globale d'énergie du pays (20 % du bilan électrique).

FAUNE ET FLORE

Faune

Les éléphants ont disparu, et le lion de l'Atlas, que prétendait défier Tartarin de Tarascon, s'est éteint au début du XXe s. La chasse, pratiquée d'une manière intensive par les Romains, a privé le Maroc d'une partie de sa faune sauvage. Pourtant, quelques singes magots, chacals et lynx hantent encore certaines régions montagneuses. En bordure du désert, les outardes, les gazelles et les fennecs se font rares.

Ce sont les oiseaux et les reptiles que vous aurez le plus souvent l'occasion d'observer. Ornithologues et herpétologistes sont ici au paradis. L'avifaune marocaine est extrêmement variée. On y dénombre plus de 300 espèces d'oiseaux, dont deux tiers nichent au Maroc. Plusieurs zones humides figurent sur la liste de la convention Ramsar (zone reconnue d'intérêt international pour la migration des oiseaux d'eau). Le Maroc abrite de nombreuses espèces de canards, plusieurs espèces d'hirondelles et de martinets, et les cigognes font partie du paysage. Parmi les espèces sédentaires, citons la perdrix, de nombreuses variétés de fauvettes, le ganga, le faisan, la caille, l'ibis chauve, le merle bleu et ces magnifiques oiseaux que sont la huppe, le guêpier et le rollier. Les amateurs de rapaces observeront le percnoptère, le vautour fauve, les faucons, busards et milans, sans oublier l'aigle botté ou l'aigle royal dans son envol majestueux. Dans les régions désertiques, les reptiles se distinguent : tortues, uromastyx (fouette-queue), agame, vipère, cobra. Rien que du beau monde ! Sans oublier les arachnides, le solifuge et le scorpion, au tempérament si câlin !

Au printemps, vous serez surpris par l'éclosion massive des papillons dans la région d'Ifrane. À tel point qu'il est parfois nécessaire de mettre en route les essuie-glaces pour voir la route !

Commerce illégal, espèces menacées

Certaines espèces menacées, et pourtant protégées par différentes conventions internationales dont le Maroc est signataire, font l'objet d'un commerce illégal. À commencer par les petites tortues terrestres *(Testudo graeca)* en vente dans certains souks. N'en achetez pas ! De toute façon, la plupart meurent en quelques mois ! Évoquons aussi le sort des serpents manipulés sur de nombreuses places (et notamment la plus célèbre, celle de Jemaa-el-Fna à Marrakech). Il s'agit de cobras, de vipères heurtantes, de couleuvres de Montpellier et d'autres espèces dont la plupart sont menacées d'extinction en Afrique du Nord. Les reptiles sont malmenés, leurs crochets arrachés, et leur espérance de vie est bien courte... Ils meurent d'épuisement après quelques mois de « spectacle » stressant. Les cobras se dressent au son de la musique ? Faux ! Tous les serpents sont sourds ! C'est un simple réflexe de défense. Toutes les traditions n'ont pas que du bon ! On casse peut-être un mythe, mais c'est la réalité, le revers d'une illusion à laquelle de nombreux touristes s'accrochent pour maintenir la magie des Mille et Une Nuits.

Flore

La flore marocaine est d'une extrême diversité, car elle dépend de la nature géologique du sol et du climat qui influence son développement. Selon les régions, elle est méditerranéenne, montagnarde ou saharienne. Dans le Nord, elle est de type méditerranéen. On y trouve un matorral d'essences aromatiques ou de bruyère, des oliviers, des lentisques et des palmiers nains, auxquels se mêlent genévriers, chênes verts et chênes-lièges. Aux abords des massifs poussent le pin d'Alep, le thuya (la tétraclinaie marocaine est très réputée), le cèdre de l'Atlas. Plus on monte en altitude, plus la végétation se nanifie, elle se développe la plupart du temps sous forme de tapis de xérophytes. Subsistent également quelques beaux spécimens de genévrier thurifère. Dans les vallées d'altitude, on trouve les trembles, les peupliers et les noyers. Passé l'Atlas et à l'instar des piémonts, les succulentes phagocytent les versants, offrant à leur floraison des paysages sans pareils. Dans le Sud, le grand tamaris et le palmier-dattier garantissent l'ombre aux oasiens, tandis que dans les steppes à alfa subsiste une végétation rabougrie d'épineux. De cette nature généreuse, l'homme a su tirer profit en plantant le citronnier, l'oranger, le bigaradier, l'amandier, le figuier, fournissant aux populations rurales une source de revenus non négligeable.

L'arganier

Les régions d'Essaouira, d'Agadir et de Tafraoute sont célèbres pour leurs arganiers *(Argana spinosa),* endémiques dans le Sud-Ouest marocain. Ses forêts s'étendent sur 828 000 ha et bénéficient d'une mesure de protection datant de 1925. L'arbre, très prisé des chèvres qui grimpent sur ses branches pour en déguster les fruits, ressemble un peu à l'olivier, mais il résiste beaucoup mieux aux conditions climatiques que son cousin. Ses très longues racines lui permettent en effet d'aller puiser l'eau profondément. S'il a l'air mort, ne vous y fiez pas, c'est qu'il se repose : il peut ainsi survivre 7 ans sans une goutte d'eau !

Quant à son fruit, la noix d'argan, qui peut ressembler aussi bien à une olive qu'à une datte selon son degré de maturité, il produit une huile d'une qualité exceptionnelle. Il existe en fait l'huile culinaire et l'huile cosmétique.

Outre ses vertus anti-cholestérol et vitaminiques, l'huile diminuerait les risques de maladies cardio-vasculaires. On l'utilise aussi contre les dermatoses, brûlures, rhumatismes, etc., usage que pour la fabrication de nombreux produits cosmétiques occidentaux

> ## DE LA NOIX D'ARGAN À L'HUILE
>
> *Contrairement à l'extraction aisée de l'huile d'olive, celle de l'argan est plus complexe car entièrement manuelle. Les fruits sont séchés et débarrassés de leur écorce tandis que le noyau est recyclé comme combustible. C'est l'amande du noyau qui sera grillée, puis réduite en pâte pour en extraire une huile de couleur dorée, voire orangée. Son grand plus : un goût de noisette incomparable.*

pour ses bienfaits revitalisants sur la peau et les cheveux. Mélangée à du miel et des amandes, elle donne le délicieux *amlou*. Autant de raisons pour l'adopter.

Attention toutefois à certains vendeurs à la sauvette et à certaines boutiques. Cette huile est très souvent « coupée » et donc sans intérêt (on le remarque en agitant la bouteille : l'huile d'olive se dissocie alors de l'huile d'argan) ; les amandes mal torréfiées donnent au produit un arrière-goût de brûlé. Certaines huiles coupées ou allongées d'eau présentent un dépôt noirâtre qui se forme au bout d'un certain temps. Ce qui altère bien sûr l'huile. Le matin, vers 10h, les femmes des coopératives font la tournée des restaurants pour leur vendre l'huile nécessaire à la cuisine ; c'est, à notre avis, la meilleure solution pour obtenir cette huile savoureuse à prix raisonnable (autour de 100 Dh le litre, soit 9,10 €, et donc environ 3 fois moins cher que dans les boutiques pour touristes), mais sachez que, dans ces conditions, elle vous sera vendue dans une bouteille en plastique, style bouteille d'eau. L'avantage est que l'on peut la sentir et parfois même la goûter avant de l'acheter.

FEMMES

Comme dans la plupart des pays musulmans, la condition de la femme n'est pas très enviable au Maroc. Le gouvernement a pourtant provoqué une petite révolution au début de l'année 2004 en décidant d'abroger les textes les plus discrimina-toires de la *moudawana*, le code de la famille, afin d'instaurer une égalité de droits entre l'homme et la femme. Adoptée par les députés marocains, la nouvelle légis-lation émancipe les Marocaines et modernise toute une société. Désormais, dans les textes, la femme n'est plus sous la tutelle patriarcale, elle peut choisir librement son époux (alignement de l'âge du mariage des filles sur celui des garçons, 18 ans et non plus 15), voyager seule, établir des contrats de partage des biens acquis durant le mariage, divorcer sans perdre la garde des enfants en cas de remariage (sous certaines conditions), refuser la polygamie. Bref, une véritable révolution. Cette réforme est directement inspirée (et c'est là toute la subtilité du gouverne-ment) des préceptes du Coran : « Dans l'opinion, réformer la *moudawana* équiva-lait à toucher aux textes sacrés du Coran. Ce tabou est brisé », affirme la parlemen-taire Nouzha Skalli. Depuis, on sent chez de nombreuses Marocaines le désir de s'exprimer et de souligner la nécessaire égalité des sexes dans un pays qui, notam-ment en ville, adopte chaque jour un peu plus des modes de vie proches de ceux des Occidentaux. Cependant, si en milieu urbain on compte aujourd'hui quelques femmes policiers ou chauffeurs de taxi, on constate a contrario que bien des lieux leur sont encore interdits d'accès ; c'est notamment le cas des cafés. Rares, en effet, sont les Marocaines qui osent s'y aventurer.

De plus, les disparités sont énormes entre la ville et la campagne, selon les milieux sociaux et les générations. Si l'émancipation des femmes des grandes villes est évidente, elle tarde dans le reste du pays à dominante rurale, qui demeure très traditionnel, et où les femmes ont encore peu accès à l'éducation. Dans les gran-des villes, le niveau de vie est désormais tel que deux salaires dans un ménage ne sont pas de trop. Une réalité économique qui, par voie de conséquence, donne à l'épouse une place non négligeable dans le couple.

Mais cette loi, qui accorde aux femmes un statut qu'elles n'avaient pas, freine cer-tains hommes qui, du coup, rechignent à se marier. C'est là tout l'effet pervers d'une société qui fonctionne à deux vitesses. Car les traditions pèsent encore lourd. La *hchouma*, la loi silencieuse et informelle des sociétés maghrébines, impose encore sont diktat à l'individu en définissant une ligne de conduite conforme à la loi du père. Les mères célibataires n'ont pas leur place dans la société marocaine. Avoir un enfant en dehors du mariage est même puni d'emprisonnement. Le che-min est encore long, et on ne peut qu'encourager des associations telles que *Soli-darité Féminine* à Casablanca, qui se bat et œuvre pour la réinsertion sociale de ces femmes. Il faudra du temps pour que les mentalités changent, notamment le regard des hommes sur les femmes. Or, ce n'est qu'en partenariat avec les hom-mes que les femmes des villes, et surtout des campagnes, pourront bénéficier de cette avancée législative.

Une révolution pour les femmes : la pilule du lendemain

Il aura fallu 10 ans de combat pour que le Maroc autorise mi-2008 la mise sur le marché de la pilule du lendemain. À la tête du ministère de la Santé, une femme. Est-ce cela, ou l'évolution générale des mœurs et des mentalités qui a permis ce changement capital pour les femmes ? Sans doute un peu des deux. Même les cadres du parti islamiste ont fini par modérer leurs propos. Petit problème quand même, elle n'est délivrée que sur ordonnance, quand l'OMS en préconise la vente libre. Et son prix, dans les 100 Dh (9,10 €), la rend inaccessible à beaucoup de femmes. Quand on sait qu'elle doit être prise dans les 72h, il reste des freins à l'efficacité de cette nouvelle mesure.

Notez qu'au Maroc, la pilule contraceptive est autorisée, mais que l'avortement est illégal. Quatre cents femmes avortent donc dans la clandestinité tous les jours au Maroc, et nombreuses sont celles qui en meurent. La loi punit de 1 à 5 ans de prison toute personne ayant provoqué un avortement. Seul cas où il est autorisé, une maladie grave de la mère pouvant mettre en danger sa vie en début de grossesse.

GAZELLES

C'est fou ce qu'il y a comme « gazelles » au Maroc. Chaque touriste femme est ainsi baptisée. Quant aux hommes, ce sont des « gazeaux » ou plus souvent des « gazous ». Ne vous offusquez pas : c'est une formule amicale, et même affectueuse. Le mot *ghouzel* signifie « joli » en arabe, son féminin *ghzala* signifiant aussi « gazelle ». C'est en quelque sorte une métonymie (figure de style) de la beauté, de l'amour, qui remonte à la poésie bédouine d'avant l'islam, du temps où étaient évoqués sans tabou, le corps, les sens, l'ivresse...

GÉOGRAPHIE

Al-Jazirat Al-Maghreb, « L'île du Couchant », comme l'avaient baptisé les Arabes, le Maroc, pays montagneux, est entouré de trois mers : l'océan Atlantique, la Méditerranée et la grande mer de sable du Sahara. Il dessine la continuité géologique de l'Europe par l'intermédiaire du Rif, avant de se perdre, en longeant l'Atlantique, jusque dans les sables du désert mauritanien. D'une exceptionnelle

CHAUD DEVANT, FROID DEDANS !

Le Gulf Stream ne réchauffe pas les eaux marocaines. Se baigner dans l'Atlantique relève toujours d'un exploit, d'autant plus méritoire qu'à l'extérieur la température de l'air est cuisante, sauf dans la région d'Essaouira, où un vent glacé vous attend à la sortie du bain !

diversité de terrains naît une grande variété de paysages, qui comptent parmi les plus beaux du monde.

Les chaînes de montagnes furent longtemps un obstacle à la communication entre le Nord et le Sud, engendrant des différences culturelles notables, qui confèrent encore aujourd'hui au voyageur qui découvre le Maroc le sentiment de changer de pays quand il change de région. Le Maroc est résolument un pays montagneux. Sur ses 710 850 km², dont 252 000 km² pour le seul Sahara Occidental soit plus d'un tiers, 100 000 km² du territoire se situent au-dessus de 2 000 m d'altitude.

Le Moyen Atlas se déploie tantôt dans un relief tabulaire essentiellement calcaire parsemé de cônes volcaniques, tantôt à travers une zone plissée d'où se détache le djebel Bou-Naceur (3 340 m). C'est le château d'eau du Maroc, car il arrête en premier les perturbations atlantiques et les restitue grâce à son important système hydrographique. C'est le pays des sources. Les bergers transhumants le savent. Ils viennent y faire pâturer leurs troupeaux.

Le Haut Atlas, le plus célèbre, étire sur 700 km une succession de sommets dont 400 environ dépassent les 3 000 m et une dizaine atteignent les 4 000 m. Il culmine à 4 167 m, au djebel Toubkal, le sommet le plus élevé d'Afrique du Nord. La neige y persiste tout l'hiver. Dans sa partie centrale, son versant méridional est entaillé par deux événements majeurs : les gorges du Todgha et les gorges du Dadès, fleurons du tourisme marocain.

L'Anti-Atlas est une chaîne aride, géologiquement très ancienne, qui s'étend de l'embouchure de l'oued Drâa jusqu'au Tafilalet, en bordure du désert. La végétation se fait rare dans ce massif austère et aride.

Quant au Rif, il n'est autre que le prolongement de la cordillère Bétique du Sud de l'Espagne. C'est une région verdoyante car très arrosée, couverte de forêts, et culminant au djebel Tidighine (2 450 m). Sa côte rocheuse, longue de 530 km est particulièrement belle.

Le bassin du Sebou, l'une des principales régions agricoles du pays, fait communiquer la Méditerranée avec l'Atlantique, dont la côte s'étale sur plus de 2 800 km. Bordé de plaines, le littoral compte les régions les plus urbanisées et les plus riches du pays.

Vers l'intérieur se développe le plateau des phosphates et, en limite des piémonts, la grande plaine à blé du Tadla.

Au sud, de l'autre côté de l'Anti-Atlas, commencent les étendues désertiques du Sahara. Des kilomètres de désert à perte de vue, des paysages de dunes et de massifs érodés, sculptés par le vent, dans lesquels sont disséminées les oasis. Deux grandes vallées se distinguent : le Tafilalet, berceau des Alaouites, qui fut longtemps le terminus des caravanes en provenance du « Bilad as-Sudan » (le pays des Noirs), et la vallée du Drâa, dont les gravures rupestres attestent sa très ancienne occupation par l'homme. Un pays pratiquement sans eau, où nomadisent les bergers Aït-Atta et où s'activent les oasiens récolteurs de dattes. Encore plus au sud, allant vers les confins mauritaniens, c'est le « Sahara atlantique », une étendue monotone, où l'homme s'est fixé sur le littoral : Laâyoune, Dakhla. Peu de touristes s'aventurent encore sur ce territoire sauvage bordé par le Sahara occidental. Aucun risque à signaler pour autant. Enfin, le Maroc oriental, à l'écart des chemins touristiques, est composé de terres pauvres et mal arrosées, culminant en quelques hauts plateaux qui s'étendent jusqu'à la frontière algérienne.

HABITAT

Des pays du Maghreb, le Maroc est certainement le pays le plus riche dans le domaine du patrimoine architectural. En ville, les réalisations datant des grandes dynasties urbaines mérinides ou saadiennes se trouvent en médina : toits recouverts de tuiles vernissées, plafonds de cèdres enluminés, moucharabiehs, arc outrepassé des baies, zelliges courant sur les murs, autant d'expressions du savoir-faire des *maalem,* les maîtres artisans marocains. À la campagne, quelques belles *kasbah* typiques de l'architecture berbère jalonnent l'ancien parcours des caravanes. Sur les hauteurs, ce sont les greniers fortifiés (*tighremt* ou *agadir* selon les régions) qui se dressent encore ici et là.

– *Les kasbah :* partout dans le Sud, vous rencontrerez au milieu des palmeraies ces superbes bâtisses fortifiées en pisé. Autrefois résidence du seigneur, la *kasbah* joua un rôle fondamental pendant des siècles. Elle servait à la fois d'abri pour les récoltes et de refuge aux oasiens quand les pillards du désert devenaient menaçants.

Comme toutes les maisons traditionnelles du Sud marocain, les *kasbah* sont construites en pisé, mais sur des fondations en pierre. Cette technique consiste en l'empilage de grosses briques coffrées (les *leuhs*), fait de terre et de paille et présentant un léger fruit pour éviter que la pluie ne détruise la façade. Ses murs épais en terre offrent en particulier une excellente isolation thermique. En été, grâce aux modifications de cristallisation de la chaux qui sert de liant et à l'évaporation de l'eau, ils isolent de la chaleur extérieure. Et c'est tout l'inverse en hiver où celle-ci est conservée.

Les *kasbah* comprennent trois niveaux : le rez-de-chaussée est consacré aux animaux, avec une étable et une pièce pour les activités agricoles ; le 1er étage est l'espace central, réservé aux femmes, avec sa cuisine à ciel ouvert ; le 2e étage est constitué du salon de réception, réservé aux hommes, l'ensemble étant coiffé d'une terrasse.

Les parties supérieures sont souvent décorées de motifs géométriques d'inspiration berbère, que l'on retrouve sur les bijoux et les tapis. La muraille est en général couronnée de merlons en épis (cette forme étant supposée éloigner le mauvais sort). Autrefois, le Glaoui de Marrakech régnait sur les plus belles *kasbah* le long des rives du Drâa et du Dadès. En 1956, avec l'indépendance et le retour du roi, ses biens furent confisqués. Pratiquement laissées à l'abandon, les *kasbah* ont beaucoup souffert. Certaines d'entre elles, inscrites au patrimoine mondial de l'humanité par l'Unesco à la fin des années 1980, font l'objet d'un programme de conservation. Les *kasbah* les plus célèbres sont celles d'Ameridhil (à côté de Skoura), de

Telouet (sur la route du Tichka), de Tamnougalt (au sud d'Agdz) et le *ksar* d'Aït Ben-haddou (dans la région de Ouarzazate).

Plusieurs *kasbah* forment un *ksar* (au pluriel *ksour*), c'est-à-dire un village fortifié.

– Les riad et dar : le terme *riad* signifie en fait « jardin clos », tandis que *dar* veut dire « maison ». Le *riad* est toujours de plain-pied. C'est en quelque sorte la maison bourgeoise de la médina. Dans un *dar,* on compte deux étages maximum, un salon de réception au rez-de-chaussée et une terrasse. Par abus de langage, dans les médinas très touristiques des villes impériales comme Marrakech ou Fès, on utilise le terme *riad* pour qualifier des maisons traditionnelles construites autour de cours intérieures. En effet, la plupart de ces cours étaient plantées de quatre parterres ou de quatre arbres entourant une fontaine sur le modèle du jardin arabe, ce qui explique l'utilisation abusive du terme. La vie familiale s'organise autour de ces cours intérieures. Les différentes pièces ne communiquent pas nécessairement : il faut repasser par l'espace central. Les fenêtres s'ouvrent sur la cour intérieure alors que les murs donnant sur la rue ne disposent d'aucune fenêtre. Rien ne permet donc, depuis la rue, de deviner la splendeur de certains *riad* cachés derrière des murs aveugles.

Selon la richesse de son propriétaire, la grandeur et le nombre des pièces d'une maison varient, mais c'est surtout la décoration intérieure qui fera la différence. Les *zelliges* (céramiques à motifs géométriques), le plâtre sculpté (le stuc) et le *tadelakt* donnent aux murs un cachet inimitable. Le *tadelakt* est un enduit réalisé à partir de chaux. Sachez que seule la chaux de Marrakech utilisée pure permet d'obtenir l'authentique *tadelakt.* Si on utilise une chaux d'une autre provenance, il faut obligatoirement ajouter des additifs comme la poudre de marbre. Appliqué à l'aide d'un galet, il permet d'habiller les murs d'un revêtement lisse, brillant et étanche. Originaire du Sud, il est tout d'abord apparu dans les hammams, où il remplaçait le marbre.

– La tente berbère : c'est l'habitat utilisé par les nomades en transhumance avec leurs troupeaux. La tente *(khaïma)* de couleur marron est tissée en laine de mouton ou en poil de chèvre. Elle est décorée de motifs géométriques. À l'instar des maisons en dur, on retrouve l'espace réservé aux femmes et aux enfants, et un autre espace de réception, que les hommes utilisent pour dormir. Le sol est recouvert de nattes, de tapis et de coussins. Certains hôtels, surtout dans le Sud, proposent de dormir dans des tentes berbères. À ne pas confondre avec les tentes dites caïdales, beaucoup plus hautes, que l'on trouve dans certains restaurants : ces tentes en toile claire parsemée de motifs noirs servaient à l'origine à honorer les invités de marque du sultan.

HAMMAM

Au Maroc, où il n'y a pas toujours de salles de bains dans les maisons, le hammam tient une place importante. Toutefois, un certain nombre d'entre eux ne présentent pas une propreté correspondant à nos critères d'hygiène. Le mieux est donc de demander conseil à la réception de l'hôtel ou à un pharmacien de la ville.

En créant les thermes, les Romains furent les véritables inventeurs du hammam. Construits un peu partout sur l'ensemble de l'Empire romain, les thermes furent ensuite considérés comme des endroits de débauche par la très prude morale judéo-chrétienne et, de ce fait, disparurent progressivement d'Europe occidentale. À l'autre extrémité de l'Empire, les musulmans les adoptèrent d'autant mieux qu'ils permettent l'ablution totale, conformément au Coran, ce qui leur donne une grande importance religieuse.

La signification sociale est tout aussi essentielle. Autrefois, une ville se jugeait par la beauté et la magnificence de son hammam (un peu comme, chez nous, les églises). Dans les anciennes médinas, chacun des quartiers a ainsi son hammam, lieu aussi incontournable que sa mosquée. Il s'agissait aussi d'impressionner le visiteur, en lui montrant la richesse et la prospérité de la ville à travers l'abondance de l'eau. On les reconnaît de loin grâce à leurs cheminées noircies par la suie.

Le hammam est un lieu où hommes et femmes viennent se laver et se détendre pour passer le temps. Mais attention, jamais en même temps bien sûr, même s'il s'agit du même endroit. Alors, inutile de fantasmer : le hammam n'est pas mixte et un minimum de décence y est toujours requis. Généralement, les hommes se baignent matin et soir, et les femmes l'après-midi. Mais certains hammams disposent également d'une partie réservée aux hommes et d'une autre aux femmes. Les bains ferment plus tard les veilles de fête.

Aujourd'hui encore, le hammam représente pour de nombreuses femmes l'occasion d'abandonner, le temps d'un bain, leur cercle familial pour rencontrer des amies. C'est également au hammam que les mères viennent juger des qualités de leur future belle-fille ! Quant aux mâles, ils sont admis dans ce gynécée jusqu'à 7 ans et leur exclusion est une épreuve psychologique redoutable en même temps qu'un passage initiatique.

En tant que touriste, pour une première expérience, l'idéal serait de s'y rendre avec des amis marocains. Pour vous intégrer facilement à ce rendez-vous social, prenez votre maillot de bain, apporter un morceau de savon noir et un gant pour vous frotter vigoureusement (on en trouve dans les épiceries proches des bains ou à la caisse de l'établissement). Pensez aussi au shampooing ou au *ghassoul*, cette argile qui fortifiera vos cheveux. Si vous demandez un massage, un gommage ou les deux, quelqu'un s'occupera de vous de A à Z, sous les regards rieurs et bientôt complices de vos acolytes. Les femmes pudiques devront laisser ce sentiment de côté quelques instants pour en retirer très vite un certain bien-être ! Attention aux champignons qui prolifèrent parfois : pour éviter tout risque de mycose, ne vous asseyez jamais à même la pierre sans protection (une serviette de bain fait très bien l'affaire).

Les tarifs sont fixés par l'État et s'élevaient en 2008 à 8 Dh (0,70 €) pour les hommes et environ 10 Dh (0,90 €) pour les femmes. C'est en général plus cher pour les femmes qui y viennent avec leurs enfants. Pour le massage ou le gommage du corps, prévoir (pour tout le monde) 20 Dh (1,80 €). Il est évident que dans les lieux touristiques ou dans les hôtels, les prix sont fortement majorés. De plus, les hammams n'ont plus rien d'authentique et on se retrouve entre routards de différentes nationalités, mais de Marocains, *makache* !

Hammam traditionnel mais pas très écolo

Omniprésents dans les médinas, les hammams sont voraces en énergie. Ce sont les plus gros consommateurs de bois en milieu urbain. En se promenant, on surprend des hommes assis sur des tonnes de copeaux qui alimentent les chaudières. Chaque hammam consomme environ 300 t de bois par an, brûlé dans des chaudières à très faible rendement, qu'il faut changer tous les 3 ans. Beaucoup de gaspillage donc, et une pratique qui favorise la déforestation du pays (la forêt marocaine perd 30 000 ha chaque année). Il existe bien des solutions pour limiter cette consommation, qui consiste à remplacer les vieilles chaudières par des machines plus modernes, à la durée de vie trois fois plus longue et trois fois moins gourmandes en bois. Elles permettraient d'économiser 10 000 ha de bois par an, et 200 t de bois par hammam et par an, sans parler de la réduction des rejets de CO_2. Problème : les installateurs n'ont pas vraiment intérêt à les proposer, et surtout, pour les dimensionner, les gérants des hammams doivent préciser le nombre de personnes qui fréquentent les hammams. Mais livrer le chiffre exact, c'est prendre le risque de payer plus d'impôts... Par ailleurs, les fabricants de chaudières maîtrisent un savoir-faire qui risque de disparaître avec les nouvelles technologies. Au fait, un hammam consomme 5 000 litres d'eau par jour. Écologie et hammam, un couple en eaux troubles...

HISTOIRE

Le Maroc antique

Comme en Algérie, parmi les premiers habitants identifiés du Maroc, on compte les Berbères, mais leur origine et leur histoire sont assez mal connues. On sait que les Phéniciens du Liban s'établissent dès le XIIe s av. J.-C., d'une part sur les côtes méditerranéennes du Maroc, fondant ce qui deviendra Melilla, d'autre part sur la côte atlantique à Lixius, près de Larache, et jusqu'à l'île de Mogador en face d'Essaouira. Ils sont relayés par les Carthaginois à partir du Ve s av. J.-C. Véritable puissance africaine, Carthage établit des relations étroites avec les royaumes numides, et contribue à la sédentarisation d'une partie des populations berbères jusque-là nomades. À la fin du IVe s av. J.-C., quelques tribus berbères créent dans le Nord du Maroc le royaume de Maurétanie.

Après la chute de Carthage (milieu du IIe s av. J.-C.), les Romains s'implantent au Maghreb. Au milieu du Ier s apr. J.-C., ils fondent dans le Nord du Maroc la province de Maurétanie Tingitane (d'après le nom romain *Tingis,* aujourd'hui Tanger), qu'ils administrent en profondeur. À la différence des Grecs et des Carthaginois, les Romains ne sont pas de grands explorateurs. Ils cherchent en premier lieu à consolider les frontières de leur territoire. Aussi construisent-ils un *limes* afin de se prémunir des invasions nomades. En outre, ils apportent avec eux un invité de marque : le dromadaire. Grâce à cet animal, les nomades, qui jusqu'alors se déplaçaient à cheval, acquièrent une grande autonomie. Sous les Romains, le développement économique, architectural et culturel du Maroc devient très important, particulièrement au tournant de notre ère sous le règne de Juba II, roi local éduqué à la cour impériale d'Auguste, époux de la fille d'Antoine et de Cléopâtre, qui favorise grandement les arts et les lettres. La ville de Volubilis en est le témoignage. Cet âge de grâce durera jusqu'au milieu du IVe s apr. J.-C. Puis c'est l'effondrement de l'empire. Au début du Ve s de notre ère, les Romains entrent en conflit avec Byzance et sollicitent l'aide des Vandales, qui ne se font pas prier pour intervenir. Ils prennent Carthage en 439, mais finissent à leur tour par succomber aux attaques des Byzantins. Dans le même temps, les tribus nomades du désert sont plus belliqueuses que jamais. C'est donc dans une Afrique méditerranéenne très affaiblie que pénètrent les Arabes.

La conquête arabe

Partie d'Arabie, l'expansion arabe vers l'ouest atteint l'Égypte en 640, progresse en Cyrénaïque (l'actuelle Libye) quelques années plus tard, pour atteindre l'Ifriqiya (actuelle Tunisie) vers 670 (fondation de Kairouan). Les Arabes assimilent, tout en la repoussant vers l'ouest, une tribu berbère nomade : les Zénètes. Parmi eux s'individualise un groupe important : les *Sanhadja,* qui, contrairement aux Zénètes, sont restés exclusivement berbérophones. La conquête du Maghreb proprement dite se heurte à une vive résistance des Berbères *sanhadja* et s'achève vers 705. On raconte que Oqba ben Nafi, le chef arabe, atteignant la côte atlantique à Massa, pénétra à cheval dans la mer et prit Dieu à témoin que seule celle-ci l'empêchait d'aller combattre plus loin... La conquête du Maroc servira de point d'appui à celle de l'Espagne.

Les Arabes possèdent alors un empire allant de la Perse à l'Atlantique. À l'évidence, un territoire trop difficile à contrôler de Bagdad ; des révoltes berbères amènent la constitution de royaumes indépendants.

Le royaume idrisside

Idriss ibn Abdallah, descendant du prophète Mahomet par sa fille Fatima, échappant au massacre de sa famille par le calife abbasside de Bagdad, arrive à Volubilis en l'an 788. Il réussit à séduire une tribu berbère – les Aouraba – et à s'en faire élire chef : il est le premier d'une longue série à user d'une autorité religieuse pour s'imposer.

Son fils, né de sa concubine berbère deux mois après sa mort, est lui aussi reconnu par la même tribu comme héritier et chef. Idriss II fonde la ville de Fès et parvient à rassembler les Berbères du Nord du Maroc en un seul royaume. Mais, à sa mort, ce royaume est partagé entre ses fils.

Les grandes dynasties berbères

Désireux de propager leur conception d'un islam orthodoxe, le kharidjisme, mais aussi poussés par un besoin d'expansion économique, de grands nomades caravaniers originaires du Sahara occidental progressent vers le nord par la force des armes. Remontant les rives du fleuve Sénégal, ils s'emparent tout d'abord de Sijilmassa, carrefour du commerce transsaharien, puis de Taroudannt, capitale du Sous.

– En 1061, leur chef, Youssef ben Tachfin, établit la dynastie des **Almoravides** (en arabe : *al-morabitoun,* « les Fidèles du *ribat* », un monastère fortifié). Ils fondent la ville de Marrakech (1062 ou 1070) et étendent leur domination sur tout le Maroc et une grande partie de l'Espagne : en 1103, ils s'emparent de Valence, défendue par un certain Rodrigue (souvenez-vous : le Cid, c'est lui !). Amollis par la douceur andalouse, en butte aux offensives chrétiennes en Espagne et à de redoutables contestations au Maroc, les successeurs de Youssef sont rapidement confrontés à une nouvelle puissance venue elle aussi du Sud. En 1125, Mohammed ibn Toumert – un Berbère originaire d'une tribu de l'Anti-Atlas – s'installe à Tinmel, dans le Haut Atlas, et commence à prêcher une réforme des pratiques musulmanes et de la théologie : pour lui, les Almoravides sont des impies. Cet homme lettré, puritain et intransigeant, se sent investi d'une mission divine. À sa mort, il nomme Abd al-Moumin, un Berbère d'Alger, comme successeur.

– Excellent soldat et homme d'État, Abd al-Moumin instaure la dynastie des **Almohades** (de l'arabe *al-muwahiddun,* les « Unitaires », car Ibn Toumert, entre autres, prêchait la doctrine de l'unicité de Dieu) à la place des Almoravides. Pendant plus d'un siècle, à l'apogée de la puissance berbère, les Almohades règnent sur un empire s'étendant de l'Espagne à la Libye. Bon nombre de monuments civils ou religieux datent de cette époque et sont l'œuvre du plus fameux des sultans, Yacoub el-Mansour. Là encore, un mouvement très strict au départ donne naissance à une civilisation brillante et raffinée qui attire de grands esprits (le philosophe Averroès meurt en 1198 à Marrakech, où il s'est établi). Mais les succès de la reconquête chrétienne en Espagne provoquent l'effondrement des Almohades, auxquels succèdent, de 1269 à 1421, les *Mérinides.*

– **Les Mérinides :** Abou Youssef Yacoub, chef d'une tribu zénète, les Beni-Merine, ne peut accepter cette défaite contre les chrétiens. Après s'être emparé de Marrakech en 1269, il entraîne ses troupes à la reconquête de l'Espagne et fonde, au passage, en 1276, Fès-el-Jédid, qui aura la particularité de posséder un quartier juif placé sous la protection du sultan. Dans la première moitié du XIVe s., deux grands souverains, Abou el-Hassan et Abou Inan, rétablissent, pour peu de temps, l'unité du Maghreb : Tunis est conquise en 1347. Mais les Mérinides doivent affronter d'autres tribus rivales, très supérieures en nombre, et lutter contre les troupes catholiques espagnoles. De plus, l'infant du Portugal, Henri le Navigateur, s'empare d'un certain nombre de villes de la côte et fonde des comptoirs fortifiés, notamment à Ceuta (1415). Enfin, contrairement à leurs prédécesseurs, les Mérinides ne sont pas investis d'une haute mission religieuse et ne peuvent galvaniser leurs troupes à l'évocation d'un simple au-delà de félicités éternelles. À l'expansion succède le repli.

– Une autre dynastie zénète, les **Wattassides,** après avoir régenté les Mérinides, finit par les supplanter en 1472 (elle régnera dans une période de troubles jusqu'en 1554). Dans le même temps, l'Occident chrétien affiche des visées expansionnistes. Ferdinand d'Aragon et Isabelle de Castille reprennent la ville de Grenade en 1492, parachevant ainsi la *Reconquista* de la péninsule Ibérique. Les Andalous regagnent en masse l'Afrique du Nord, migrant jusqu'aux confins du Sahara. Simultanément, Portugais et Espagnols se font agressifs sur les côtes marocaines, et multiplient l'implantation de comptoirs.

– Une telle déchéance appelait une réaction. Elle viendra d'une famille originaire d'Arabie, les **Saadiens,** se proclamant *chorfa* (pluriel de *chérif* qui signifie « descendant du prophète ») et implantée dans la vallée du Drâa, qui décide de chasser l'envahisseur chrétien et organise une véritable guerre sainte. Les Saadiens réussissent à reprendre la totalité des comptoirs portugais, à l'exception de celui de Mazagan, l'actuel El-Jadida. Et en 1578, c'est le coup de grâce : les troupes portugaises sont défaites à la bataille d'Alcaçar-Quivir (nom portugais de la ville d'el-Ksar el-Kébir, dans l'arrière-pays de Larache) et leur jeune souverain, Sébastien, est tué. Cet événement marque le début du déclin du Portugal, qui tombe rapidement sous la coupe de l'Espagne de Philippe II. Les Saadiens triomphent. Ils pratiquent une politique d'expansion vers le sud, qui se concrétise en 1591 par la prise de Tombouctou et le déclin de l'empire songhaï au Mali, alors appelé « pays des Noirs » *(Bilad as-Sudan),* notamment grâce à de petits canons montés sur une armada de 4 000 chameaux. Le bénéfice est immense : le Maroc prend le contrôle des mines de sel du Sahara central, source de revenus très importante. De plus, l'or produit dans les mines du Bambouk et du Bouré, ainsi que les esclaves, remontent vers le nord. Le principal souverain de la dynastie saadienne, Ahmed el-Mansour, est surnommé *Ed-Dehbi* (« le Doré »).

Mais ce court âge d'or ne dure qu'un quart de siècle car, rongée par des querelles intestines et la médiocrité des souverains, leur dynastie ne peut conserver le pouvoir. Leur dernier chef, Mohammed XII (1636-1654), exerce une politique extrêmement favorable au monde chrétien, ce qui, en réaction, favorise l'influence des confréries religieuses, les *zaouïas.*

La dynastie alaouite

Originaires du Tafilalet (région d'Erfoud-Rissani), les **Alaouites** se proclament descendants d'Ali, gendre du prophète. Ils mènent une vie pauvre, méditative et vertueuse. C'est la dynastie régnant encore aujourd'hui, et représentée par l'actuel roi du Maroc, Sa Majesté Mohammed VI.

C'est moulay Ismaïl (1672-1727), en succédant à moulay Mohammed et à moulay Rachid, qui réorganise le Maroc. Pendant plus d'un demi-siècle de règne, il ne cessera de batailler contre les tribus insoumises, les Turcs ottomans et les chrétiens. Moulay Ismaïl est surnommé par les historiens « l'Assoiffé de sang » ! C'est un peu le Louis XIV marocain : longévité exceptionnelle, grand appétit de puissance dans tous les domaines (il avait un harem de 500 femmes, dit-on...). À son époque, Meknès est privilégiée comme ville impériale. Il met en place un système politique centralisé appelé *makhzen* (littéralement le « magasin »), qui se maintiendra jusqu'au protectorat. On opposera longtemps le *bled makhzen* (le pays soumis au pouvoir central) au *bled saïba,* les régions dissidentes, comme les régions de montagne qui conservent une farouche indépendance.

Mais le XVIIIe s voit le Maroc s'enfoncer dans une longue période de troubles : sécheresse, famine et épidémies (la peste notamment, entre 1797 et 1800) déciment la population, l'économie va mal et le pays se replie sur lui-même, favorisé par l'émergence d'une forme de caïdat. De son côté, l'Europe, engagée dans la voie de la révolution industrielle, prend pied en Afrique du Nord. Par son immobilisme et ses richesses supposées, le Maroc excite les convoitises.

L'ère coloniale

Le débarquement des troupes françaises à Alger en 1830 suscite de vives réactions au Maroc. Moulay Abd er-Rahman, en nouant des intrigues avec l'émir Abd el-Kader, alors en rébellion contre l'autorité française en Algérie, se laisse entraîner dans une guerre ouverte contre la France. L'armée française, conduite par le général Bugeaud (qui devait posséder une drôle de casquette, puisqu'elle fit l'objet d'une chanson reprise en cœur par tous les gamins pendant plus d'un siècle !), pénètre au Maroc en 1844, écrasant les troupes chérifiennes à la bataille d'Isly. Dans le même temps, les Espagnols s'emparent de Tétouan (1860). Moulay Hassan (1873-1894) réussit cependant à maintenir la barre du royaume, mais l'entrée en dissidence de nombreuses confréries et l'accentuation de la crise financière poussent l'État marocain à l'endettement. Des traités commerciaux régaliens sont alors conclus, qui suppriment pratiquement les droits de douane pour les produits européens. Tout en reconnaissant la souveraineté du Maroc, la conférence de Madrid (1880) autorise les étrangers à acquérir des terres. Les grandes entreprises anglaises, allemandes et françaises s'implantent alors en masse.

Algésiras : un contrat d'ingérence totale

Intronisé à l'âge de 14 ans, le jeune et inexpérimenté souverain chérifien Abd el-Aziz (1894-1908) hérite d'une situation inextricable. Des mouvements de révolte éclatent un peu partout dans le pays. Dès 1905, la France envisage l'installation d'un protectorat, ce qui entraîne une vive réaction allemande : un débarquement à Tanger, très « médiatique » pour l'époque, avec l'empereur Guillaume II à sa tête, qui prononce un retentissant plaidoyer pour l'indépendance du Maroc... Le jeune souverain marocain, manipulé, soumis aux influences occidentales, ne s'occupe guère du sort de son pays. Réunies à Algésiras en 1906, les grandes puissances occidentales tiennent une conférence internationale et règlent le sort du Maroc. La France abandonne ses prétentions sur l'Égypte, obtenant, en contrepartie, le champ libre au Maroc. En 1907, sous prétexte de juguler les émeutes antifrançaises, les troupes françaises occupent Oujda, puis, l'année suivante, Casablanca et son arrière-pays. En 1911, Fès est occupée à son tour : grosse crispation avec l'Allemagne. La Première Guerre mondiale n'est pas loin d'éclater avec trois ans d'avance, lorsque Guillaume II envoie un navire de guerre dans la baie d'Agadir ! L'installation d'un protectorat français est imminente.

Les années de tutelle française

Le traité de protectorat est signé le 30 mars 1912 entre le sultan et la France, représentée par Lyautey. La France et l'Espagne se partagent le gâteau. Les Ibères obtiennent le Rif, le Sud du Sahara et les enclaves de Ceuta, Melilla, Tarfaya et Ifni, et les Français le reste du territoire, à l'exception de Tanger qui devient zone franche internationale. Lyautey assure, pour la France, les fonctions de résident général (gouverneur, en quelque sorte) de 1912 à 1925. Son profond respect pour l'Islam n'ayant d'équivalent que ses qualités humaines, il réorganise le pays avec rigueur et loyauté en intégrant les notables locaux. En se portant garant des valeurs traditionnelles du pays, Lyautey conquiert l'estime du peuple marocain, tout en établissant les bases économiques du Maroc moderne. Toutefois, sa vision progressiste dérange. À l'occasion d'un discours à Rabat en 1925, il déclare : « Il est à prévoir, et je le crois comme une vérité historique, que dans un temps plus ou moins lointain, l'Afrique du Nord, évoluée, civilisée, vivant de sa vie autonome, se détachera de la Métropole. Il faut qu'à ce moment-là – et ce doit être le but suprême de sa politique – cette séparation se fasse sans douleur et que les regards de ses habitants continuent toujours à se tourner avec affection vers la France. Il ne faut pas que les peuples africains se retournent contre elle. À ces fins, il faut dès aujourd'hui, notre point de départ, nous faire aimer d'eux. » Visionnaire et professionnellement suicidaire, Lyautey est remercié la même année. Le protectorat permit au Maroc – selon certains – d'accéder aux infrastructures et aux avantages des pays dits « développés ». À contrario, cette mainmise de l'Europe en territoire musulman bouleverse les équilibres sociaux. Dans le domaine agricole, les cultures intensives d'exportation remplacent les cultures vivrières. Dans le commerce et l'industrie, les produits manufacturés, importés en masse, tuent une partie de l'artisanat local. Cette combinaison de facteurs engendre un appauvrissement d'une partie de la population, qui entame un exode massif vers les villes. Commence alors la paupérisation des laissés-pour-compte. La grogne monte dans les campagnes.

Sans oublier le traumatisme asséné à la fierté nationale...

Pour Lyautey, homme d'ordre s'il en est, le *bled saïba* est inadmissible. Une des tâches principales du protectorat est donc la soumission des campagnes. Ce qui ne se fait pas sans mal. Mais le pire reste à venir du côté espagnol : dès 1919, des foyers d'insurrection éclatent dans le Rif où une république est proclamée en 1922. La révolte menaçant de s'étendre aux régions contrôlées par la France, celle-ci intervient alors aux côtés de l'Espagne. Deux généraux s'illustrent particulièrement sur le champ de bataille : Pétain, vainqueur de Verdun, et un inconnu nommé Franco... Malgré la débauche de moyens militaires, la « pacification » ne prendra fin qu'en 1926 avec la reddition du chef des insurgés, Abd el-Krim.

L'accession à l'indépendance

Malheureusement, tous les résidents généraux, dont le pouvoir était, en fait, supérieur à celui du sultan, n'ont pas les qualités stratégiques de Lyautey. Maladroitement, la Résidence joue la carte des Berbères contre les Arabes. En 1930, la promulgation d'un *dahir* accordant aux Berbères un statut juridique fondé sur leur propre code traditionnel, au détriment du droit coranique, soulève un flot de protestations chez la bourgeoisie citadine, et des aspirations nationalistes commencent à apparaître.

En sortant affaiblie de la Seconde Guerre mondiale, la France perd son aura aux yeux des Marocains. En novembre 1942, les Alliés débarquent à Casablanca et, l'année suivante, une conférence y réunit Churchill, de Gaulle et Roosevelt. En marge de celle-ci, Roosevelt assure le sultan Mohammed ben Youssef de son soutien dans sa lutte pour l'émancipation et l'affranchissement de la tutelle française. Du coup, le sultan rallie illico la cause du parti de l'*Istiqlal* (indépendance). En 1947, il prononce un discours assurant l'avenir arabe et musulman du Maroc et commence la *grève du sceau* en refusant de signer les *dahir*. La Résidence organise sa destitution par une assemblée de notables, où s'illustre le pacha de Marrakech, le célèbre Glaoui, qui joue dans le camp des Français, ce dernier accusant le père de Hassan II d'être « le sultan de l'*Istiqlal* communiste et athée » ! Le sultan et ses fils sont exilés à Madagascar en 1953. C'est un cadeau royal fait au parti nationaliste, derrière lequel le peuple se soude, exigeant le retour du sultan. Manifestations, boycott des produits français, attentats, actions commandos : le monde français de la finance comprend que, pour garder son influence économique, mieux vaut un régime indépendant sur le papier qu'une situation de guerre civile. En métropole, les choses sont vues différemment. Après la débâcle en Indochine et devant les troubles qui montent en Algérie, la France jette l'éponge et préfère rappeler Mohammed V, qui fait un retour triomphal au pays en novembre 1955. L'indépendance du Maroc est proclamée le 2 mars 1956.

Le règne d'Hassan II

Arrivé au pouvoir en 1961 à la suite de la mort prématurée de son père, victime d'un accident d'anesthésie, Hassan II est un monarque absolu qui s'acharne à détruire toute forme possible d'opposition autour de lui. Les deux tentatives d'attentat dont il fait l'objet en 1971 et 1972 – occasions pour lui de prouver que le descendant des Alaouites possède toujours la *baraka* transmise depuis des générations – ne sont pas là pour lui donner tort. Et c'est grâce à un coup de génie politique que le roi va faire l'unité des forces vives de la nation : la « Marche verte » lui permet de s'emparer pacifiquement du Sahara occidental, jusqu'alors aux mains des Espagnols (voir la rubrique « Sahara occidental »).

Mais le Sahara ne permet pas d'oublier les difficultés économiques. Pour ceux qui, en juin 1981, découvrent la flambée des prix de l'huile et de la farine après la libération des prix demandée par le FMI, le souvenir de la « Marche verte » est désormais bien lointain. Les émeutes de Casablanca sont durement réprimées par les blindés : on parle d'un millier de morts.

Il faut attendre plus d'une dizaine d'années pour que la situation commence à se décrisper. En juillet 1994, 400 détenus, pour la plupart politiques, sont libérés. En septembre 1996, adoption par référendum du nouveau texte de la Constitution instaurant deux assemblées : une chambre des Députés (ou chambre des Représentants) et un Sénat (ou chambre des Conseillers), qui seront chargés de contrôler l'action gouvernementale. En mars 1998, le mécontentement grandissant à l'encontre de la politique menée par le Palais amène une alternance politique assez inattendue : un ancien opposant au roi, emprisonné pendant quelque temps, accède au poste de Premier ministre d'un gouvernement d'alternance de centre gauche. Il s'agit d'Abderrahmane Youssoufi. Les ministères clés restent toutefois aux mains des fidèles du roi.

Hassan II meurt subitement le 23 juillet 1999, après 38 ans de règne. Son fils aîné lui succède sous le nom de Mohammed VI.

Mohammed VI : le règne du renouveau ?

Avant même d'accéder au trône, « Sidi Mohammed » avait séduit les Marocains par son dynamisme, la simplicité de son comportement public et son intérêt pour les déshérités. Dès son intronisation, le Maroc a attendu beaucoup de son nouveau roi. Même les plus grands adversaires de son père ont mis d'emblée tous leurs espoirs en lui. Car le peuple avait grand-soif de changement, et Mohammed VI semblait décidé à faire bouger les choses et à sortir l'administration de sa léthargie. Ainsi, dès son accession au trône, il libère 46 000 prisonniers, pour la plupart politiques. Quelques mois plus tard, il limoge Driss Basri, ministre de l'Intérieur et âme damnée de Hassan II pendant plus de vingt ans, haï du peuple marocain. Encore six autres mois, et c'est la libération du chef islamiste intégriste Cheikh Yassine. C'est un réel vent de liberté qui souffle alors sur le Maroc : le retour au pays d'Abraham Serfaty, exilé pendant huit ans pour avoir remis en cause l'appartenance du Sahara occidental au Maroc historique, en a été le principal symbole... Le roi s'attire aussi l'affection de son peuple de multiples manières. Il s'affirme comme le souverain de toutes les régions : à l'opposé de son père, terré dans son palais depuis les attentats dont il fut victime, Mohammed VI parcourt le Maroc, participe à la prière ici ou là, visite telle ou telle localité éloignée.

Il rend public son mariage, une première dans l'histoire de la monarchie (les mauvaises langues diront qu'il s'agissait de faire taire certaines rumeurs), et l'organise de manière telle que les classes populaires puissent se reconnaître dans la cérémonie. En somme, la monarchie apparaît soudain humanisée, démythifiée, comme en témoigne le surnom familier de « M6 » donné par ses sujets téléphiles. Petit à petit, Mohammed VI entreprend d'autres tâches de fond, comme la moralisation de la vie publique, nécessaire dans un pays où le peuple se réfère à la classe dominante en parlant des « voleurs » : des gestionnaires d'établissements publics sont mis en examen et écroués pour détournement de fonds. Toute son action est contenue dans cette phrase lâchée en 2002 : « Ce qui est en jeu, c'est de trancher entre la démocratie et l'engagement d'un côté, et le désordre, le gâchis et le défaitisme de l'autre. »

Mais les forces conservatrices en place sont toujours influentes, et le chemin reste très long. Ainsi, beaucoup de secteurs échappent à l'autorité du Premier ministre, en particulier les quatre ministères dits « de souveraineté », l'Intérieur, la Justice, les Affaires étrangères et les Affaires religieuses. Sans que rien dans la Constitution ne l'y oblige, leur gestion directe par le Palais dilue les responsabilités et constitue une limite à la démocratie. Dommage, car l'année 2002 a connu l'organisation d'élections plus libres et plus transparentes que celles les plus fous du plus imaginatif des opposants marocains ! À la suite de ces élections, qui ont vu un éclatement des suffrages et une notable percée des islamistes modérés du PJD (Parti de la justice et du développement), « M6 » a nommé Premier ministre Driss Jettou, un grand commis de l'État sans appartenance partisane, en insistant sur « la nécessité impérieuse de mettre en place un gouvernement d'action ».

On se risquerait à penser que, dans leur grande majorité, les Marocains vivent mieux que sous Hassan II allant jusqu'à affirmer qu'ils n'ont jamais été aussi libres, mais cette amélioration leur permet justement d'apprécier ce qui leur fait défaut : un grand projet national, un projet de société crédible et attractif qui occultera peut-être en eux le mirage de l'exil. Confronté à un fort taux de chômage, à des disparités sociales accrues et à une remise en cause croissante du modèle social séculaire, le peuple marocain doit encore supporter les effets d'une sécheresse persistante qui, accablant le pays depuis 1975 malgré quelques rémissions ces dernières années, poussent encore les jeunes ruraux désespérés vers les villes.

Le danger d'un islamisme rampant...

Mais c'est mi-mai 2003 que la problématique de l'avenir du Maroc s'est posée de la manière la plus radicale : huit jours après la naissance du prince héritier Moulay El Hassan, les fanatiques intégristes commettaient à Casablanca cinq attentats-suicides simultanés visant des intérêts occidentaux, avec un lourd bilan : plus de quarante morts. Plus que jamais, c'est sur la dynastie alaouite que pèse la responsabilité de l'avenir du pays : si la loi coranique *(shariah)* est en principe applicable au Maroc, il incombe au monarque, commandeur des croyants, de suppléer par des lois positives à ses lacunes.

L'histoire de l'islam est jalonnée de moments tragiques où, prêchant la destruction des régimes prétendus corrompus et militant pour le retour à la pureté de la *shariah,* des illuminés ont proposé au peuple une relecture des textes sacrés. Aujourd'hui, si de tels prophètes n'ont aucun mal à recruter dans les bidonvilles où croupissent de misère et d'ennui des adolescents déshérités, ils s'attirent la réprobation de la quasi-totalité du corps social soudé pour l'occasion autour de son roi. Pour cette raison, la naissance de l'héritier est un événement essentiel car il garantit la pérennité de la dynastie.

Il faut cependant garder à l'esprit qu'une course de vitesse est engagée dans la mesure où seul un développement durable et partagé par le plus grand nombre empêchera une expansion radicale du nombre de ces fondamentalistes. En effet, le problème est gravissime. Il ne s'agit pas ici d'un mouvement réformiste « de plus » comme en a connu l'histoire de la religion musulmane par le passé, ni même d'un rapprochement avec les événements tragiques qui se sont déroulés ces dernières années en Algérie. Les *tafkiristes* poseurs de bombes sont des aliénés, des désespérés, dont la haine a germé sur le terreau social déstructuré d'une frange de la population marocaine n'ayant connu que des univers sordides et en rupture totale avec la société dont elle est issue. Le *salafisme tafkiriste* est dangereux, il développe une milice dont la condition première est la rupture unilatérale avec l'État, l'administration et la famille, avec les fondements mêmes de la société marocaine.

Dans le même temps, en mai 2006, la première promotion de femmes prédicatrices et destinées à devenir imams, a terminé sa formation. Selon les autorités politiques, il s'agit de relever « le niveau de l'encadrement religieux ». Une révolution ! Mais quelques jours plus tard, le Conseil supérieur des oulémas (théologiens) a lancé une *fatwa* (avis religieux) précisant que, non seulement les femmes ne peuvent mener la prière, mais qu'elles se doivent de la réciter à voix basse ! Bref, que les réformateurs tempèrent leur enthousiasme, le chemin sera encore long.

... mais écarté in extremis

Plus que jamais, le problème du fanatisme religieux a été au centre de l'actualité ces derniers temps. Coup sur coup, trois attentats ont touché Casablanca au printemps 2007. S'ils n'ont fait aucune victime en dehors de leurs auteurs, ils mettent en évidence une nouvelle forme de terrorisme revendiquée par Al-Qaïda. L'un des trois attentats à la bombe était notamment dirigé contre le consulat général des États-Unis.

Ces préoccupations sont toutefois loin de ralentir les avancées démocratiques promises par le gouvernement. Avec d'une part la lutte contre une corruption massive, véritable frein au développement de l'économie nationale, et qui a valu au Maroc le sermon de la Banque mondiale. D'autre part, avec les propositions de règlement de la question du Sahara occidental. Le Conseil de sécurité de l'ONU a ainsi adopté une nouvelle résolution mettant en avant les efforts réalisés dans ce domaine par le royaume.

Les élections législatives de septembre 2007 sont arrivées dans ce contexte très agité. Le PJD (Parti de la justice et du développement, islamiste) était donné grand vainqueur, une issue qui aurait entaché l'image d'un pays moderne voulu par le roi et inquiété une partie de la sphère internationale, et donc freiné les investissements étrangers. D'où un découpage des circonscriptions ciselé, favorisant la population rurale (les islamistes étant plus implantés dans les villes), et un scrutin à la proportionnelle qui empêche l'émergence d'une majorité absolue. Résultat, le parti nationaliste Istiqlal a remporté 52 sièges (sur les 325 que comporte l'assemblée) contre 47 pour le PJD. Mais de quelle victoire parle-t-on puisque le scrutin a engendré le paradoxe suivant : en pourcentage des voix, les nationalistes ne recueillent que 10,7 % des suffrages et les islamistes, 10,9 % ?

Le chiffre le plus marquant fut toutefois celui de l'abstention : 63 %. Il prouve une désaffection de la part des citoyens pour la politique, la plupart s'interrogeant sur la portée de leur vote, persuadés que le Palais est déconnecté de la réalité sociale du pays. Aspect positif quand même : jamais des élections au Maroc n'avaient été aussi « transparentes ».

Avec ces résultats très partagés, les alliances sont inévitables. Les islamistes se voyaient déjà diriger le gouvernement. Ils sortent groggy par cette défaite. Fort de cette (maigre) victoire, le roi nomme au poste de Premier ministre Abbas El Fassi, du parti de l'Istiqlal, qui succède à Driss Jettou. Après un mois de tractations, il forme un gouvernement s'alliant plutôt avec la gauche, sans les représentants islamistes arrivés seconds aux élections.

2008 en bref

En juin, des jeunes sans emploi bloquent le port de Sidi Ifni, dans le sud du pays, pour protester contre un chômage endémique. Quelques jours plus tôt la municipalité avait organisé un tirage au sort pour recruter 8 personnes dans le service nettoyage. Mais ce sont plus d'une centaine de chômeurs qui ont manifesté, revendiquant leur droit à l'emploi dans une région à dynamiser d'urgence. La répression, violente et d'envergure, a entraîné des centaines d'arrestations. La chaîne de télévision *Al-Jazira* a même été jusqu'à évoquer des morts, ce qu'ont démenti les autorités marocaines. Depuis, le correspondant de la chaîne qatarie s'est vu retirer son accréditation pour « diffusion de fausse information » et a été condamné à verser une amende ; un militant des Droits de l'homme a, quant à lui, été condamné à 6 mois de prison pour les mêmes faits.

Le 11 juillet 2008, le roi Mohammed VI se faisait représenter par son frère à l'occasion du lancement à Paris du sommet de « l'Union pour la Méditerranée ».

INSTITUTIONS

Le Maroc est l'une des plus anciennes monarchies du monde, fondée il y a douze siècles. L'actuel roi du Maroc, Mohammed VI, est le 23ᵉ monarque issu de la lignée des Alaouites, originaire de la côte d'Arabie sur la mer Rouge. De nature héréditaire, la monarchie est néanmoins régie par une constitution. Celle-ci affirme que le royaume est à la fois « un État musulman souverain » et « une monarchie constitutionnelle, démocratique et sociale » dont la langue officielle est l'arabe. Elle précise également qu'il ne peut pas y avoir de parti unique ; que l'islam, religion d'État, garantit néanmoins le libre exercice des cultes ; enfin que l'homme et la femme jouissent de droits politiques égaux.

Concernant le choix du roi, la Constitution est très claire : « La Couronne du Maroc se transmet de père en fils aux descendants mâles en ligne directe et par ordre de primogéniture, à moins que le roi ne désigne, de son vivant, un successeur parmi ses fils, autre que son fils aîné. » S'il n'y a pas de descendance mâle directe, la succession est dévolue à la ligne collatérale mâle la plus proche. Personnage « inviolable et sacré », le roi est aussi le chef suprême des forces armées et, en tant qu'*Amir Al-Mouminine* (c'est-à-dire « commandeur des croyants »), il « veille au respect de l'islam et de la Constitution ». Le monarque nomme le Premier ministre et, sur proposition de ce dernier, les membres du gouvernement, tout comme il a le pouvoir de mettre fin à leurs fonctions. Il préside le Conseil des ministres et le Conseil supérieur de la magistrature dont il nomme également les membres.

Il a le pouvoir d'ordonner la révision de mesures législatives et de dissoudre les deux chambres du Parlement, à savoir la chambre des Représentants et la chambre des Conseillers (système bicaméral institué par Hassan II en 1996 suite à un référendum). Les membres de la première sont élus pour 5 ans au suffrage universel direct (c'est un peu l'équivalent de l'Assemblée nationale en France). Les conseillers, eux, sont élus pour 9 ans au suffrage indirect (leur fonction se rapproche de celle de nos sénateurs). Les deux chambres peuvent déposer une motion de censure qui, si elle est votée, oblige le gouvernement à démissionner. La Constitution précise également qu'aucun membre du Parlement ne peut être détenu ou jugé pour ses opinions, sauf si celles-ci remettent en cause la monarchie ou la religion musulmane. Ces deux aspects ne peuvent pas non plus entrer dans le cadre d'une révision de la Constitution.

Il existe enfin une Haute Cour, une Cour des comptes, un Conseil économique et social et un Conseil constitutionnel dont le président et la moitié des membres sont nommés par le roi, l'autre moitié étant désignée par le Parlement.

Le Maroc compte une trentaine de partis politiques autorisés.

MÉDIAS

Programmes en français sur TV5MONDE

TV5MONDE est reçue dans le pays par câble, satellite et sur Internet. Retrouvez sur votre télévision : films, fictions, divertissements, documentaires – qui témoignent de la diversité de la production audiovisuelle en langue française – et informations internationales.

Le site • tv5.org • propose de nombreux services pratiques aux voyageurs (• tv5. org/voyageurs •) et vous permet de partager vos souvenirs de voyage sur • tv5. org/blogosphere •

Pensez à demander dans votre hôtel sur quel canal vous pouvez recevoir TV5MONDE et n'hésitez pas à faire vos remarques sur le site • tv5.org/contact •

Radio

Les stations marocaines diffusent de nombreuses émissions en langue française. Il est également possible de recevoir des radios de l'Hexagone comme *France Inter, Europe 1* et *RMC*. Le sud du Maroc reçoit somme toute assez mal les fréquences.

Télévision

Il existe deux chaînes nationales, *TVM* et *2M* (avec davantage de programmes en français sur *2M*). Ces chaînes détaillent par le menu le programme des inaugurations et autres visites officielles des membres du gouvernement. D'autres canaux existent tels *Assadissa* et ses programmes religieux, la chaîne culturelle *Arrabiâ* ou encore *TV Laâyoune* qui mise sur la proximité. La dernière venue s'appelle *Aflam TV,* une fenêtre sur le cinéma étranger et un levier pour la production marocaine. La majorité des Marocains préfère les chaînes satellitaires françaises et arabes, surtout depuis la nationalisation de *2M.* Ainsi, la chaîne qatarie *Al-Jazira* suscite un véritable engouement. Mais le satellite accueille aussi une chaîne publique marocaine. *Al Maghribiya* se veut ainsi la voix du Maroc à l'attention des Marocains installés à l'étranger. Le journal télévisé est diffusé en arabe, amazigh, français et espagnol.

Journaux et hebdomadaires

Dans les grandes villes, on trouve tous les quotidiens français, le jour même (comme *Le Figaro,* imprimé au Maroc) ou le lendemain (comme *Libération,* le plus lu étant *Le Monde*). Les journaux sont un peu moins chers qu'en France.
Pour les nouvelles locales, une vingtaine de quotidiens sont disponibles, dont plusieurs d'expression française. Les principaux sont : *L'Opinion, Libération* (sic !), **Le Matin du Sahara et du Maghreb, et** *Al-Bayane.* Ces quotidiens sont les organes officiels des partis politiques, et même de la monarchie, ce qui ne laisse aucun doute sur leur marge de manœuvre. Une plongée dans les éditoriaux du *Matin du Sahara,* par exemple, montre vite le peu d'esprit critique et le manque de recul de ces journaux. La presse transmet les événements internationaux de façon quasi analogue à celle des quotidiens européens, puisqu'elle recopie les dépêches d'agences (AFP, Reuters). En revanche, elle adopte un ton coincé dès qu'il est question de politique intérieure, s'attardant sur la journée du roi et de la reine. On y trouve quand même des informations ponctuelles utiles : festivités locales, expositions, pharmacies et médecins de garde, marées, météo et une multitude d'adresses utiles. Lisez *L'Économiste,* ou le dernier venu **Le Soir Échos,** seuls quotidiens francophones qui ne soient ni l'organe du pouvoir ni celui d'un parti. **Le Journal hebdomadaire** est également une source précieuse d'informations.
On vous conseille aussi *Femmes du Maroc,* magazine féminin dirigé par une femme, et militant pour les droits des femmes. L'esprit est indépendant et délicieusement subversif. Pour prendre la température du pays, on recommande vivement *Tel Quel,* un hebdo au ton vif et engagé, indépendant et audacieux.

Liberté de la presse

La presse marocaine jouit d'une plus grande liberté que la presse tunisienne ou libyenne (il faut dire que ce n'est pas difficile...). À la fin du règne de Hassan II, les quelques journaux indépendants parviennent à élargir le champ de la liberté d'expression et le tout-puissant ministre de l'Intérieur, Driss Basri, avait fini par laisser faire. Ainsi, depuis sa création en 1997, l'hebdomadaire *Le Journal* et, plus tard, l'hebdomadaire *Demain,* ont pu aborder de nombreux sujets qui, quelques années plus tôt, auraient provoqué la colère de Driss Basri. Néanmoins, malgré les discours de Mohammed VI en faveur de la liberté de la presse, « l'affaire Lmrabet », qui a défrayé la chronique en 2003, a malheureusement montré que cette liberté pouvait être, du jour au lendemain, remise en question. En juin 2003, ce directeur de deux publications satiriques – les premières du genre au Maroc – *Demain magazine* et *Douman* (son pendant en arabe) a été accusé « d'atteinte au régime monarchique, outrage à la personne du roi et atteinte à l'intégrité territoriale » et condamné à trois ans de prison. Il a été libéré par grâce royale le 7 janvier 2004, mais ses journaux sont toujours interdits et il a été lui-même interdit d'exercer son métier pendant dix ans, le 12 avril 2005. Par ailleurs, certains hebdomadaires marocains sont dans le collimateur dès lors qu'ils traitent de sujets sensibles comme l'avenir du Sahara occidental, les dérives de la lutte antiterroriste, le roi et la famille royale, les violations des droits de l'homme, etc. Ainsi, en août 2007, Ahmed Reda Benchemsi, directeur de publication des hebdomadaires *Nichane* et *Tel Quel,* a été longuement interrogé par la brigade nationale de la police judiciaire suite à la publication d'un éditorial critique envers Mohammed VI. Sur ordre du ministre de l'Intérieur, la police a saisi puis détruit tous les numéros de *Nichane* et *Tel Quel* dans les locaux de l'imprimeur, lui-même interrogé dans le cadre de cette affaire. Ahmed Reda Benchemsi a été inculpé en vertu de l'article 41 du code de la presse pour « manquement au respect dû au roi ». Son procès, qui s'est ouvert en 2008, a été reporté *sine die,* la justice marocaine semblant peu disposée à débattre du fond de l'affaire.

Par ailleurs, au début de l'été 2007, deux journalistes de l'hebdomadaire arabophone *Al Watan Al An* ont été arrêtés après avoir publié des notes confidentielles des services de renseignements. Leur procès a ouvert, pour la première fois au Maroc, le débat sur la question de la protection des sources, pierre angulaire de la liberté de la presse. L'un d'entre eux, Mustapha Hurmatallah, a écopé d'une peine de sept mois de prison en vertu du code pénal.

En mai 2002, l'adoption d'un nouveau code de la presse a provoqué le courroux des journalistes. Si le texte contient certains points positifs, il maintient néanmoins des peines de trois à cinq ans de prison en cas de « diffamation » à l'encontre du roi, des princes et des princesses. En mai 2003, c'est l'adoption d'une loi antiterroriste qui éveillait à nouveau les craintes du milieu journalistique tant certains passages – flous – concernant la couverture de la question terroriste pouvaient prêter à des interprétations abusives. Depuis 2007, un nouveau projet de réforme est en discussion entre les membres du gouvernement et les professionnels de la presse. Ce texte a été réalisé en collaboration avec *Reporters sans frontières.* Pour plus d'informations sur les atteintes aux libertés de la presse, n'hésitez pas à contacter :

■ *Reporters sans frontières :* 47, rue Vivienne, 75002 Paris. ☎ 01-44-83-84-84. ● rsf@rsf.org ● rsf.org ● Ⓜ Grands-Boulevards ou Bourse.

MUSIQUE ET DANSE

Les musiques

La musique, qui s'exprime sous de nombreuses formes, fait partie de la vie quotidienne du Maroc.

La musique populaire

Variée et imaginative, la musique populaire est en constante évolution. Ce sont des chansons légères, en langue arabe dialectale, destinées surtout à divertir l'homme de la rue, l'artisan ou le boutiquier. Il en existe plusieurs types, parmi lesquels trois que vous entendrez plus souvent que les autres. Le *griha* (appelé plus populairement *malhoun*) est une improvisation poétique, à l'origine purement vocale, qui s'est ensuite discrètement accompagnée de *oûd* (sorte de luth arabe) ou de violon avant de laisser place aux percussions. La musique de cortège fait la part belle à une sorte de hautbois très criard, le *ghaïta* (qui rappelle la bombarde du bagad de Lan-Bihoué), et au tambour *tabala.* Lors d'événements importants, on utilise aussi une longue trompette droite, le *nafir.* Enfin, la *ghounia* est une chanson légère qui utilise des thèmes d'actualité et une musique orientale. En marge de cette dernière, notons en particulier le *raï,* d'origine algérienne, qui a fait des émules au Maroc et qui possède désormais ses chanteurs-compositeurs populaires ; leur chef de file est Cheb Amrou, qui allie les sonorités raï et techno. Il faut aussi citer les Nass el-Ghiwane, groupe formé à la fin des années 1960 à Casablanca et dont le nom renvoie à une confrérie religieuse. Ils se sont fait connaître par des textes engagés chantés sur des rythmes traditionnels (accompagnement au *guembri,* une sorte de luth à deux ou trois cordes originaire de la boucle du Niger). On les considère à la fois comme les Beatles et les Stones marocains car, après un immense succès qui n'a rien à envier à celui des « Fab Four » en Grande-Bretagne, le groupe continue son parcours avec de nouveaux membres, après deux décès et un départ fracassant...

Moins nombreuses sont les chanteuses : raison de plus pour en citer, comme Najat Aâtabou, la voix des jeunes Marocaines criant leur ennui (*J'en ai marre,* en français dans le texte, a été son plus grand succès) ou le groupe B'net Houariyat (*Les Filles de l'Houara,* plaine du Sud de Marrakech), composé de six chanteuses-percussionnistes qui ont à leur répertoire différentes traditions musicales du Sud marocain.

La musique classique

Connue sous le nom de musique arabo-andalouse, c'est une musique de cour jouée et chantée généralement par des hommes musulmans dans les milieux traditionalistes des grandes villes du Nord, à Fès, à Tétouan et à Rabat. Elle est surtout un divertissement pour les hommes de lettres et les savants, les textes étant toujours d'une grande qualité. Originaire de l'Arabie (Médine, La Mecque), elle s'est propagée jusqu'en Espagne, via le Maroc où elle a fait son apparition au IXe s.

Après la chute de Cordoue, beaucoup de musulmans arabes sont venus s'installer à Fès et à Tétouan, devenus ainsi les foyers de la musique arabo-andalouse au Maroc, dont le grand maître fut Ziryab, arrivé à Cordoue en 822. L'orchestre est composé d'instruments à cordes frottées et pincées : *rébab* (ou rebec, vieil instrument de la famille des violes, connu au Moyen Âge et disparu des orchestres occidentaux modernes, qui tient le registre grave de l'orchestre), violon quart de ton, *oûd* (luth typique à six cordes des pays arabes), cithare *(qânûn)* ; et aussi de percussions, le *tar* (tambour sur cadre porteur de cymbalettes, instrument de haute virtuosité conducteur rythmique de l'orchestre) et la *derbouka* (tambourin en poterie). Les poèmes sont chantés en arabe classique ou en dialectal andalou. Les Marocains ont même développé une forme de poème qui leur est propre : le *malhun,* où le chanteur tient la place centrale. Cette musique traditionnelle n'est pas notée mais se transmet par l'enseignement auditif. Un grand nom en est Abdelkrim Raïs, disparu en 1996, dont un disque propose un excellent concert enregistré à Paris (distribution Harmonia Mundi).

Classique également est la musique d'inspiration sacrée qui relève du soufisme. Pour les orthodoxes musulmans, la pratique des instruments est une hérésie, notamment dans les lieux sacrés, mais le soufisme, autre expression de l'islam sous forme de confréries, a développé l'art du chant sacré (pour voix d'hommes). On passe de la *nouba* (eh oui ! c'est une suite de poèmes chantés) au *dikhr (ladkar* au pluriel), forme incantatoire où l'on répète une formule jusqu'à la transe. Comme vous n'aurez sans doute pas l'occasion d'assister à ce genre de séance, le disque *Les Voix de Fès* (chants sacrés du soufisme marocain chez Sony Music) peut vous permettre d'approcher cette spiritualité.

La musique berbère ou rurale

La musique rurale, notamment berbère, est souvent indissociable de la danse et de la poésie, et a gardé, dans son isolement pastoral, toute son authenticité. Elle est inspirée de la campagne marocaine, au seul rythme résonnant du *bendir* (cadre circulaire en bois tendu de peau de chèvre) ; les chants et danses des paysans sont de magnifiques spectacles. Ils changent de caractère selon l'endroit et la tribu mais ont très souvent une fonction religieuse, puisque le nom de Dieu est invoqué de façon répétitive afin de prévenir du gel, du vent, de la sécheresse... Yuba est un chanteur qui fait connaître la culture amazighe, en chantant l'amour mais aussi les problèmes actuels de la société marocaine, notamment l'immigration clandestine.

La musique du monde arabe

Enfin, le Maroc est très ouvert aux grands chanteurs égyptiens ou proche-orientaux, tels Oum Kalsoum, Fairuz et Mohammed Abdel Wahab dont vous entendrez souvent les airs, peut-être sans le savoir, en particulier dès qu'un joueur de *oûd* vient agrémenter un dîner au restaurant.

Les danses

Il vous sera certainement donné d'assister à quelques danses folkloriques, le plus souvent collectives. La plus répandue, dans la région du Moyen Atlas, est l'*ahidous*, qui rassemble plusieurs dizaines d'hommes et de femmes autour d'un meneur de jeu. Les battements de mains scandent la mélodie.

Dans le Haut Atlas, en pays chleuh, on peut observer l'*ahouach,* dansée par des femmes alors que les hommes donnent le rythme en frappant les *bendir.*

À Guelmim et dans une partie de la région saharienne, on assiste à la *guedra,* danse qui tire son nom de la marmite ou des pots de terre sur lesquels on a tendu une peau de chèvre. Pour plus de détails, reportez-vous à l'introduction torride de « Guelmim ».

Les Gnaoua, dont la présence au Maroc remonte aux premières caravanes en provenance du Soudan (l'actuel Mali), ont conservé leurs rythmes africains. Ils s'étourdissent, sautent, voltigent en suivant la cadence frénétique des crotales (rassurez-vous ! ce sont de grosses castagnettes métalliques). On peut assister à leur démonstration à Essaouira ou à Marrakech (place Jemaa-el-Fna notamment et dans certains restaurants). C'est un spectacle inoubliable lorsque les danseurs, en transe sous l'effet de la musique et... de stimulants, font tournoyer en cadence le pompon de leur bonnet orné de coquillages et s'enivrent de sons jusqu'à l'extase. Mais il faut bien avouer que la majeure partie de ces « spectacles » sont adaptés pour les touristes et de plus en plus dénués d'authenticité (lire la rubrique qui leur est consacrée à propos de la ville d'Essaouira).

PERSONNAGES

– *Ibn Battuta :* né à Tanger en 1304, c'est sans doute l'un des personnages les plus fascinants du Maroc. Cet infatigable voyageur et routard avant l'heure a parcouru en 29 ans 116 800 km correspondant à 44 pays actuels (avec les moyens de l'époque !). Ses pas l'ont mené de l'Afrique occidentale et orientale à la Chine, à Ceylan et à Sumatra, en passant par la Syrie, l'Iran, l'Irak et l'Inde, sans oublier Byzance et la Russie ! En pèlerinage vers La Mecque, il entreprit de transmettre la parole du Prophète à travers le monde. Il a rapporté de ses voyages l'un des plus fabuleux témoignages sur les us et coutumes de l'époque, intitulé *Présent à ceux qui aiment à réfléchir sur les curiosités des villes et les merveilles des voyages.* Après toutes ses pérégrinations, il revint se fixer au Maroc et mourut vers 1369.

– *Mehdi ben Barka :* né en 1920, ce professeur de mathématiques fonde, en 1950, l'Union nationale des forces populaires (UNFP) qui devient le principal parti d'opposition au régime. Exilé, il est condamné à mort par contumace en 1963 pour avoir pris position en faveur de l'Algérie contre le Maroc. Il est enlevé à Paris en 1965 par des policiers français travaillant pour le compte du général Oufkir, chef de la police marocaine. Il a sans doute été assassiné dans les jours qui suivirent son enlèvement. Cette affaire, symbolique de la répression des opposants au régime d'Hassan II, a longtemps gelé les relations franco-marocaines, et des zones d'ombre subsistent encore aujourd'hui sur cette affaire.

– *Driss Chraïbi :* né en 1926 à Mazagan (aujourd'hui El-Jadida), il s'installe à Paris en 1945. Son premier roman, *Le Passé simple* (Éd. du Seuil ; coll. « Points Roman »), paraît en 1954. Il stigmatise la condition féminine et le poids des traditions en terre d'islam. Très bien accueilli par la critique française, il a longtemps été interdit au Maroc. L'œuvre de Chraïbi compte une quinzaine d'ouvrages aux thèmes variés, parmi lesquels une série de romans policiers un tantinet loufoques dont le personnage central est l'inspecteur Ali. Driss Chraïbi s'est éteint en avril 2007 dans le Sud-Ouest de la France où il résidait.

– **Mohammed Choukri :** né dans le Rif marocain en 1935. Il débarque à Tanger à l'âge de 7 ans avec ses parents qui fuient la famine. Il mène une vie de vagabond et n'apprend à lire et à écrire qu'à l'âge de 20 ans. Ami de Paul Bowles, qui l'a fait connaître dans le monde anglophone, et de Jean Genet, c'est un écrivain reconnu, auteur de romans, de poèmes et de nombreux articles. Son œuvre la plus célèbre est *Le Pain nu* où il retrace sa jeunesse tumultueuse. Tahar Ben Jelloun le traduira en français dans les années 1980. Mohammed Choukri est décédé en novembre 2003.

– **Tahar Ben Jelloun :** né à Fès en 1944, c'est sans doute l'un des écrivains marocains les plus connus en France et en Europe. Tour à tour journaliste (au *Monde*) et écrivain, il révèle à ses débuts les failles sociologiques et psychologiques de son pays d'origine. Son œuvre devient au fil des ans de plus en plus romanesque, s'installant dans la tradition merveilleuse des contes arabes. Quelques thèmes toutefois continuent de le hanter : l'errance, la solitude et la sensualité des corps. Il a obtenu en 1987 le prix Goncourt pour *La Nuit sacrée,* une suite au livre qui le fit connaître : *L'Enfant de sable*.

– **Jilali Ferhati :** né à Tanger en 1948, c'est l'un des plus grands et des plus poétiques cinéastes du monde arabe. Il a réalisé six films dont *La Plage des enfants perdus,* sélectionné dans tous les grands festivals de la Méditerranée et souvent primé. Le dernier, tourné en 2004, *Mémoire en détention,* revisite les années de plomb à travers un personnage amnésique.

– **Bziz :** né à El-Jadida en 1960, de son vrai nom Ahmed Sanoussi, cet humoriste a la particularité d'être une star dans son pays sans pouvoir y être médiatisé : son humour engagé et incisif traitant des problèmes de société lui a fermé les portes des radios, des TV et des grandes salles de spectacles, sans qu'il soit toutefois officiellement interdit...

– **Abdelatif Benazzi :** né à Oujda en 1968. Plusieurs fois capitaine de l'équipe de France de rugby, il s'illustre dans les années 1990 en remportant à plusieurs reprises le Tournoi des cinq nations, puis en disputant la finale de la Coupe du Monde en 1999. Débarqué à Agen en 1988, où il fit l'essentiel de sa carrière, il n'en garde pas moins des relations très fortes avec son pays natal. Depuis 2005, il préside une association qui aide les jeunes Marocains de la région d'Oujda à s'insérer grâce au sport.

– **Nabil Ayouch :** cinéaste casablancais né en 1969, il a déjà réalisé trois films importants : *Mektoub, Ali Zaoua,* et *Whatever Lola wants.* Il a également tourné pour Arte un téléfilm intitulé *Une minute de soleil en moins,* qui aborde le thème de la corruption. À lui seul, il a modernisé le cinéma marocain.

– **Gad Elmaleh :** né en 1971 à Casablanca. Fils d'un mime, il interrompt une scolarité chaotique pour partir au Québec, où il fait ses premières armes sur les planches. À 21 ans, il retraverse l'Atlantique pour suivre le cours Florent à Paris. Aujourd'hui acteur de cinéma (*A+ Pollux, La Doublure, Hors de prix...*) comme de théâtre, il explose dans ses one man shows riches de personnages très méditerranéens (on se souvient de *Chouchou*) ou directement issus de notre vie quotidienne.

– **Hicham El Guerrouj :** né en 1974 à Berkane, cet athlète, quadruple champion du monde (1997, 1999, 2001 et 2003) et recordman du monde à de multiples reprises, a dominé sans conteste la discipline du 1 500 m depuis 1995. Parmi ses quatre seules défaites entre 1995 et 2003, deux d'entre elles eurent lieu en finale olympique – à Atlanta et Sydney. Les Jeux d'Athènes en 2004 sonneront le glas de cette malchance olympique : il y remporte la médaille d'or sur 1 500 m et 5 000 m, devenant ainsi héros national et porte-drapeau de l'athlétisme marocain. Il a pris sa retraite sportive en 2006.

POPULATION

Les Berbères

Les différentes communautés berbères se répartissent sur l'ensemble de l'Afrique du Nord. Au Maroc, ils comptent parmi les plus anciens habitants du pays et représentent aujourd'hui deux tiers de la population. Au nord, vivent les Rifains, plus au sud les Brabers et les Chleuhs. Tous ont en commun la culture berbère. Entre eux, ils s'appellent *Imazighen,* c'est-à-dire « hommes libres ». Cette étymologie, qui sonne bien pour les touristes, est toutefois controversée ; l'étymologie serait en fait : « les fils de Mazigh », l'ancêtre mythique. Pour beaucoup, il serait plus juste de parler de berbérophones, car il n'y a pas de type berbère. Même si les dialectes berbères diffèrent, il est possible, avec une certaine bonne volonté, de se comprendre de l'un à l'autre.

On distingue plusieurs groupes.

– *Les Rifains,* habitants du Rif et qui parlent le tariffitou zenatiya, ont subi de nombreuses invasions, ce qui explique pourquoi certains ont les yeux bleus et les cheveux blonds... De tout temps, les Berbères du Rif ont été des rebelles, voire des insurgés. La guerre du Rif en 1921 demeure dans toutes les mémoires. Une guerre coloniale qui opposa les tribus rifaines aux armées françaises et espagnoles.

– *Les Chleuh* vivent dans la plaine du Sous, la vallée du Drâa, le Haut Atlas et l'Anti-Atlas. Ils parlent le tachelhit (l'un des trois principaux dialectes berbères) et forment probablement, avec les Rifains, le fonds le plus ancien du groupement berbère.

– *Les Soussis,* habitants du Sous, sont très connus pour leurs aptitudes commerciales, surtout ceux de la tribu des Ammeln, près de Tafraoute. Ils fournissent le gros du contingent des épiciers marocains, et même parisiens et bruxellois...

– *Les Braber,* qui parlent le tamazight, sont localisés essentiellement dans le Moyen Atlas et une partie du Haut Atlas, ainsi que dans certaines vallées. Ils transhument avec leurs troupeaux de moutons ou cultivent la terre, assez riche dans le Moyen Atlas ou desséchée par le soleil le long de la route des Mille-Kasbah (d'Er-Rachidia à Ouarzazate). Beaucoup ont fait des études et occupent des postes importants à travers le Maroc. Mais ils sont toujours liés à leur famille et à leur village d'origine. Ils ont cependant un niveau de vie moyen inférieur à celui des Rifains et des Soussis.

– Pour être tout à fait complets, il faut aussi citer les *Zénètes.* Ce groupement se rencontre majoritairement en Algérie centrale et occidentale, mais il est représenté dans le Nord-Est du Maroc.

À l'époque du protectorat, les Français ont voulu favoriser les Berbères au détriment des Arabes, en encourageant, par exemple, la création d'écoles berbères comme le collège d'Azrou, ou en promulguant le *dahir* berbère. Cette politique ne fut pas appréciée par le pouvoir alaouite, qui redoutait une possible sécession des Berbères et une éventuelle opposition musclée au régime. En effet, le *makhzen* a de tout temps éprouvé une méfiance exagérée devant toutes les manifestations de la culture berbère, à commencer par la langue. La politique d'arabisation menée depuis les années 1960 a rendu le berbère hors la loi dans les écoles, avec comme conséquence inattendue un taux d'analphabétisme particulièrement élevé (beaucoup plus qu'en Libye, en Tunisie ou en Algérie, par exemple), puisque l'enseignement se fait dans une langue que bon nombre d'enfants ne comprennent pas. Comme il existait néanmoins une tradition et une littérature orales, le berbère est alors devenu, en réaction, un moyen d'expression artistique et même politique. Dans ce domaine, l'arrivée de Mohammed VI fait bouger les choses : un Institut royal de la culture amazighe (● ircam.ma ●) a-t-il été créé en 2001, un an après la décision officielle d'enseigner à nouveau la langue berbère à l'école.

Attention toutefois à ne pas tomber dans le piège du gentil Berbère contre le méchant Arabe. Ce raccourci simpliste n'est en rien le reflet de l'histoire. Il sert le discours des pensées racistes et xénophobes. L'histoire du Maroc est métissage, la richesse de son patrimoine en témoigne, ne l'oublions pas !

Les Arabes

Les premiers Arabes, originaires d'Arabie, ne sont arrivés qu'à partir du VIIe s. Leur pénétration sur le sol africain va ouvrir la partie nord du continent de manière quasiment unilatérale à la religion musulmane. Mais les Arabes, peu nombreux, n'ont aucune appétence colonisatrice. C'est en enrôlant des Berbères dans leurs troupes qu'ils vont entreprendre la conquête de la péninsule Ibérique, et y rester pendant sept siècles. Les populations berbères ont été rapidement islamisées, avec plus ou moins de résistance, car le *Moughrabi* (l'Occidental en arabe) n'éprouve aucune difficulté pour adhérer au monothéisme. En effet, plusieurs siècles de romanisation l'ont déjà familiarisé avec la notion de dieu unique (culte de Saturne, du Soleil, judaïsme ou chrétienté byzantine). Mais les Berbères vont très rapidement se différencier des Arabes en embrassant le *kharidjisme* (de l'arabe *kharji* qui signifie « dissidence »), branche orthodoxe de l'islam prônant une doctrine démocratique sur le choix du calife. L'influence la plus notable de la culture arabe dans cette partie de l'Afrique est due aux invasions des Banu Hilal dans la seconde moitié du XIe s. Ces nomades arabes, originaires du Hedjaz, vont déferler en masse sur les campagnes, assimilant une partie des Berbères, et obligeant l'autre à se réfugier dans les massifs montagneux. Ces soldats s'installèrent dans les grandes plaines comme le Tadla ou le Haouz, conduisant à ce qu'on a appelé la « bédouinisation » du Maroc, le système de vie pastoral s'imposant aux dépens de l'agriculture sédentaire.

Les Arabes sont cantonnés dans certaines zones, telle la plaine littorale englobant entre autres Rabat et Casablanca, Fès, et dans certaines villes berbères à l'origine, telles Marrakech (ancienne capitale berbère) ou Agadir.

Les juifs marocains

Installés dans cette partie de l'Afrique très certainement suite à la destruction du Temple par les Babyloniens en 586 av. J.-C. (qui marque le début de la diaspora), les juifs s'intègrent très rapidement aux populations berbères, tant et si bien qu'à l'arrivée des Arabes et de l'islam, un certain nombre de Berbères étaient convertis au judaïsme. Plus tard, quand en 1492 les juifs furent expulsés d'Espagne, quelque 150 000 d'entre eux appartenant à la communauté séfarade andalouse s'établissent au Maroc. Avec souplesse, ils se font une place dans la société marocaine. Dans les grandes villes, leur quartier, le mellah, ne ressemble guère aux ghettos des pays d'Europe orientale. Il jouxte le plus souvent le palais royal, les conseillers du roi étant souvent juifs.

Malgré quelques épisodes sanglants et une politique du protectorat visant à les opposer aux Arabes, les juifs marocains ont rarement eu à pâtir d'un antisémitisme virulent. L'attitude du roi Mohammed V pendant la Seconde Guerre mondiale en est la preuve irréfutable : il refusa que les juifs portent l'étoile jaune, allant jusqu'à s'afficher au cours d'une réception royale en présence d'un grand rabbin.

Après la naissance d'Israël, l'Agence juive envoya d'excellents émissaires, le nouvel État ayant grand besoin de bras. C'est ainsi qu'une partie importante de la communauté juive marocaine prit le chemin d'Israël.

Mais c'est surtout l'indépendance du Maroc, en 1956, puis la guerre des Six Jours entre Israël et l'Égypte, en 1967, qui provoquèrent le départ de très nombreux juifs marocains. Aujourd'hui, l'essentiel de la communauté juive demeure à Casablanca.

Les autres minorités

– **Les Haratin** seraient parmi les plus anciens habitants du Maroc, peut-être descendants de populations préhistoriques qui se seraient réfugiées vers le nord lors de l'assèchement progressif du Sahara. Ayant subi très tôt la domination des tribus protoberbères nomades, la plupart d'entre eux se sont métissés avec les esclaves noirs que la traite orientale a abandonnés en servitude aux populations oasiennes commerçantes ou agricoles. Ils habitent toujours les oasis du Sud, et appartiennent aux couches sociales les plus humbles. Leur nom (que l'on prononce « haratine », avec un « h » fortement expiré) est le pluriel de *hartani*, qui est utilisé à la fois pour caractériser une couleur de peau très sombre et pour dénommer des affranchis de second rang. Moulay Ismaïl a aussi employé 150 000 *Songhay,* pour l'essentiel amenés du « pays des Noirs » *(Bilad as-Sudan),* l'actuel Mali, comme soldats de sa garde personnelle, dite « Garde noire ». Il les considérait comme les seuls à être sûrs, car restant en dehors des querelles tribales. Cette milice chérifienne existe encore de nos jours.

– **Les étrangers** seraient au nombre d'environ 50 000, dont 28 000 Français.

La famille

La famille constitue la pierre angulaire de la société marocaine. Ce n'est pas la famille moderne européenne, mais plutôt le « clan » composé de nombreux cousins, aux enfants de qui on marie ses propres enfants pour éviter que les biens familiaux ne soient éparpillés. Il existe entre ses membres une très grande solidarité. Ainsi en cas de difficulté ou de deuil, chacun trouve aide et réconfort. Inutile donc de se tracasser pour le montant de sa future retraite, puisque la communauté familiale pourvoira aux besoins vitaux de la personne âgée. Inutile de s'inquiéter d'un lieu où passer ses vacances, puisqu'il y aura toujours un cousin éloigné chez qui dormir.

Mais, revers de la médaille, la famille fait peser sur chacun de ses membres un poids immense, d'autant que la religion musulmane et la tradition marocaine valorisent le collectif au détriment de l'individuel : hors de l'obéissance au patriarche ou à son représentant, point de salut pour le Marocain, conditionné depuis son plus jeune âge à se conformer à la norme. Cette forme de surveillance caractéristique des sociétés maghrébines porte un nom, la *hchouma.* Elle varie selon les régions, et règle ce qui se fait et ce qui ne se fait pas. C'est le regard de la communauté sur l'individu. Soumis à Dieu, il l'est aussi au père. Et si la ruse permet d'échapper au regard paternel, comment échapper à celui du voisinage, qui assure un contrôle social d'une terrible efficacité ? Toute révolte du jeune est quasiment impossible, puisqu'elle aurait pour effet de l'exclure du groupe. Et pourtant, aujourd'hui, une grande partie de la jeunesse marocaine est confrontée à un choc culturel entre valeurs traditionnelles et occidentales, magistralement illustré par Driss Chraïbi dans son roman *Le Passé simple.* Si bien que le poids des traditions et des tabous est cause souvent d'un refoulement, voire d'une aliénation susceptible d'engendrer les plus graves névroses.

À titre d'exemple, une des caractéristiques notables de la famille traditionnelle marocaine concerne le refus catégorique de la mixité, pour faire en sorte que les filles encourent le minimum de risques d'être séduites et cela dans un seul but : permettre aux filles d'arriver vierges au mariage. Dans toutes les couches sociales, le tabou de la virginité reste incroyablement puissant, avec pour corollaire un refoulement très grand, aussi bien chez les hommes que chez les femmes. Beaucoup de femmes sont convaincues qu'en manifestant un intérêt trop marqué pour l'érotisme, elles courent le risque d'apparaître comme des « filles perdues » aux yeux de leur mari. En effet, la société traditionnelle ne considère l'épouse qu'à l'image d'une génitrice, alors que la loi réformant le code de la famille, votée début 2004 et initiée par Mohammed VI, place désormais la famille sous la responsabilité conjointe des deux époux. Cette avancée (et d'autres du même ordre, voir plus haut la rubrique consacrée aux « Femmes ») est le fruit d'un âpre combat mené par les associations féministes, qui sont parvenues à redéfinir le rôle des femmes dans la société. À présent, celles-ci sont immergées dans la vie moderne, travaillent en entreprise, vivent de vraies relations d'amour avec le mari qu'elles ont choisi.

Il est clair qu'aujourd'hui une certaine frange de la société marocaine, à dominante citadine il est vrai, ne peut revenir à une organisation traditionnelle pure et dure.

Mais la structure ancestrale est si prégnante que le corps social éprouve de grandes réticences face à la modernité. Il faudra donc sans doute un peu de temps avant que les mentalités intègrent cette mini-révolution sociale et réussissent à se tourner vers l'avenir.
– Lire également plus haut les rubriques « Enfants » et « Femmes ».

L'immigration clandestine : le nouveau drame du Maroc

Avec l'Algérie et la Libye, le Maroc est un des principaux pays de transit de l'immigration clandestine vers l'Europe. Le mirage d'une vie meilleure en Europe est entretenu par des passeurs peu scrupuleux, agissant comme de véritables trafiquants d'humains (certains immigrants déclarent avoir payé 1 200 € la seule traversée). Les immigrants arrivent principalement de l'Afrique subsaharienne. À ce titre, certains hauts responsables du ministère de l'Intérieur espagnol ont admis que le désert du Sahara s'est transformé en un « gigantesque cimetière de sable » pour les clandestins. Depuis le Maroc, ils essaient de gagner l'Espagne à bord d'embarcations de fortune.

Jusqu'en 2005, les routes classiques de l'immigration au Maroc passaient par les enclaves espagnoles de Ceuta et Melilia. En effet, les candidats qui arrivaient à franchir ces deux frontières, au péril de leur vie, avaient l'assurance de l'examen administratif de leur dossier. Mais en septembre et octobre 2005, ces points de passage ont été véritablement pris d'assaut plusieurs nuits de suite par des milliers d'immigrants tentant de franchir les clôtures. Débordée, la police marocaine a tiré sur la foule.

Depuis, le Maroc a renforcé la surveillance de ses côtes au nord, et les migrants tentent à présent de traverser depuis le Sud marocain vers les plus lointaines Canaries, avec encore plus de risques... Fréquemment on entend parler d'embarcations qui chavirent faisant des dizaines de noyés (24 morts lors d'une tentative de traversée en février 2008 pour ne citer qu'elle). Ces tentatives désespérées aboutissent souvent à des drames. Deux embarcations ont aussi chaviré au nord, au large de Nador, fin avril 2008, faisant penser à une bavure de la police marocaine, accusée d'avoir délibérément crevé un zodiac avec un couteau. Bilan : 29 noyés.

Au port de Tanger, des candidats à l'immigration vers l'Espagne se font arrêter toutes les nuits. Contre parfois quelques billets, les policiers du port les laissent repartir, puis ils retentent leur chance quelques jours plus tard.

RELIGIONS ET CROYANCES

Mahomet, « le Loué »

Le fondateur de la religion islamique est Mahomet (*Muhammad*, « le Loué »). Contrairement à ce qui se passe chez la concurrence, ce n'est pas un fils de Dieu. Il serait né vers 571 dans une famille de La Mecque. Orphelin à l'âge de 12 ans, il accompagne son oncle en Syrie où, si l'on en croit la tradition *Sunna*, c'est-à-dire la tradition qui rapporte les actions et paroles du Prophète, un moine reconnaît en Mahomet un prophète et lui prédit une grande destinée. Celle-ci commence modestement par un rôle de gardien de moutons (non, il n'entend pas des voix célestes, vous mélangez tout !). À l'âge de 25 ans, il est engagé par une riche commerçante, Khadidja, qui le charge d'aller en Syrie vendre ses marchandises. Ce garçon, d'une valeur morale exemplaire, qui avait l'habitude de se retirer dans une caverne pour méditer sur les choses de la religion, n'en est pas moins homme pour autant : il épouse sa patronne, et quatre filles naissent de cette union, parmi lesquelles Fatima, dont de nombreuses familles revendiquent aujourd'hui la descendance. Faute d'enfant mâle, il adopte un esclave du nom de Zayd, qu'il affranchit.

Lors d'une de ses retraites, vers l'an 610, l'archange Gabriel lui apparaît en songe et lui dicte des versets qu'il répète d'abord à son entourage, puis transmet à ses secrétaires. Au rythme d'une visite par an pendant 23 ans, l'archange dicta encore de nombreux versets, formant le texte du *Coran* (mot arabe signifiant « récitation »). Le Prophète commence sa vie publique et ses prédications. Les premiers disciples se rassemblent, mais son enseignement dérange. Son idée de l'*islam,* c'est-à-dire de « l'abandon volontaire de soi à la toute-puissance divine », autant que le refus du culte polythéiste et idolâtre alors en vigueur choquent les notables. Des persécutions et des guerres religieuses s'ensuivent, principalement dans sa tribu, qui lui est la plus hostile. La situation devenant intenable à La Mecque, il émigre le 16 juillet 622 à Yathrib, avec une soixantaine de partisans : c'est à partir de cette date (*hégire,* c'est-à-dire « expatriation ») que commence l'ère musulmane. La ville est rebaptisée la ville du Prophète, *Madinat al-Nabi,* connue dans notre langue sous le nom de Médine.

L'influence de Mahomet prend très vite une importance considérable. Après de nombreuses péripéties, il conquiert par la force sa ville natale en 630, y entre triomphalement et brise toutes les idoles qui entouraient la Kaaba (grand cube noir au centre du temple de La Mecque). Le Prophète s'éteint deux ans plus tard, le 8 juin 632. Sa succession est prise en main par ses compagnons, mais donnera lieu, un peu plus tard, à une scission, toujours vivace, opposant les chiites et les sunnites.

L'islam

L'islam est consigné dans le Coran et la Sunna. Les musulmans croient non seulement à la mission de Mahomet, leur prophète, mais aussi à celle de tous les messagers qui l'ont précédé en invitant au monothéisme : Abraham, Moïse, Jésus-Christ et tous les autres prophètes. Ils croient à la nature divine des Psaumes, de la Torah, des Évangiles, mais considèrent que certains Livres révélés n'ont pas échappé à l'altération apportée par les hommes, altération qui a rendu l'unicité divine moins radicale. La mission de Mahomet est de rétablir la révélation divine dans son intégrité.

Le Maroc observe le rite malékite, l'un des quatre rites de la branche sunnite, se caractérisant par une relative souplesse et une ouverture sur la réalité qui rend la société marocaine plus perméable aux autres cultures, à l'opposé du rite hanbalite, dogmatique et intransigeant, qui a cours dans la péninsule arabique.

Le Coran

Recensé en arabe en 634, le Coran est la transcription des paroles de Dieu dictées à Mahomet. Il enseigne que la durée de la Création est de six jours. Les bonnes et les mauvaises actions des hommes jugées au Jugement dernier méritent un paradis et un enfer, où les félicités et les souffrances corporelles tiennent la plus grande place. Car c'est là un des traits dominants de l'islam : il n'y est pas fait abstraction des besoins et des passions du corps humain. Le fatalisme n'y est pas aussi absolu qu'on se l'imagine ; la globalité de ses actions a été écrite d'avance sur les tables de Dieu, mais l'homme peut en modifier la qualité, en bien ou en mal.

La morale, évidemment, tient une grande place dans la doctrine de l'islam. La première vertu est la piété ; sans elle, les meilleures actions ne sont pas agréables à Dieu. L'homme vertueux doit donner au pauvre, sans ostentation, le quarantième de son revenu. L'esprit de fraternité et d'égalité interdit le prêt à intérêt, atténue la condition de l'esclavage, laisse la femme mariée gérer sa fortune, ne transmet ni les privilèges ni les titres. L'esprit de castes n'existe pas chez les musulmans, qui vivent dans une sorte de théocratie.

La polygamie a été acceptée et limitée rigoureusement, et non créée par l'islam. La condition de la femme a même été l'objet de la sollicitude du législateur, qui lui assure sa part d'héritage dans la famille.

Les mosquées

Si le mot français « mosquée » vient de *masdjid*, il ne faut pas se méprendre sur le sens de ce terme. *Masdjid* désigne le lieu où l'on se prosterne devant Allah. Ce peut être bien sûr la mosquée, mais aussi n'importe quel endroit, pourvu qu'il soit dans un état de propreté et de sacralisation. Le mot « mosquée » se traduit d'ailleurs en arabe par *jemaa*, qui a le sens de « rassemblement ». Le vendredi est le jour du rassemblement *(yôm el jemaa)* et aussi le jour de la mosquée, puisque c'est là que l'on se rassemble pour la grande prière collective de l'après-midi.

La première mosquée fut érigée à Médine par le prophète Mahomet pour adorer Allah. Il institua ainsi dans ses grandes lignes ce nouveau style architectural.

La mosquée traditionnelle, différente au Maghreb de celle de type persan, se compose, en général, d'une cour au centre de laquelle se trouvent souvent une fontaine, pour les ablutions, et des sortes de préaux. C'est là que les fidèles se mettent en lignes parallèles pour prier ensemble derrière l'imam qui dirige la prière. La direction exacte du temple de La Mecque est indiquée par une niche, le *mihrab*, dont on a pu dire qu'il était « le moule en creux de la présence du Prophète ». Pour effectuer le prêche à la communauté, l'imam monte sur une sorte de chaire en bois, que l'on appelle le *minbar*.

> **TÉLÉPHONE ARABE**
>
> *Voici l'origine de cette célèbre expression : malgré l'excavation dans le mur du fond de la mosquée (le mihrab) pour faire caisse de résonance, la voix de l'imam ne portait pas toujours assez loin. Pour relayer ses paroles et que les fidèles du fond puissent bien écouter la prière, des « assistants » se tenaient un peu partout dans la mosquée. D'un bout à l'autre de l'auditoire, ils répétaient les prières de l'imam... Aujourd'hui, ce « téléphone arabe » a été remplacé par des haut-parleurs, qui ne jouent vraiment pas le jeu puisqu'ils répètent tout sans rien déformer !*

Au Maroc, la visite des mosquées et des lieux de pèlerinage (mausolée, koubba, etc.) est interdite aux non-musulmans. Il est inutile d'insister. Il existe toutefois de très rares exceptions, comme celle de Tin-Mal, à une centaine de kilomètres au sud-ouest de Marrakech, et la mosquée Hassan-II de Casablanca (entrée payante). Si vous avez la chance de pouvoir pénétrer dans une grande mosquée, vous serez frappé par le volume libre à l'intérieur. On ressent vraiment la notion d'espace, d'infini, de manière analogue à ce que l'on éprouve au fond de la nef d'une grande cathédrale gothique. Assis, agenouillés un peu partout, des gens prient. L'intérieur est dépourvu de tout élément décoratif, à l'exception de quelques tapis. Très important : tenue décente, bien sûr, et avant d'entrer, déchaussez-vous. Se déchausser avant d'entrer dans un lieu saint est capital. Si vous voulez faire du zèle, lavez-vous aussi le visage et les mains ; de toute façon, ça ne leur fera pas de mal.

Les cinq piliers de l'islam

L'islam est basé sur des obligations que chaque musulman doit respecter scrupuleusement : ce sont les cinq *piliers* de l'islam. Ils sont classés par ordre d'importance.

La profession de foi (chahada)

On doit la réciter chaque jour à l'heure de la prière et au moment de la mort pour se voir ouvrir les portes de l'au-delà. En résumé : « Il n'y a pas d'autre Dieu qu'Allah, et Mahomet (Muhammad) est son prophète. » Si l'on veut se convertir à l'islam, il suffit de réciter (avec conviction et sans contrainte) cette profession de foi.

La prière (salât)

Elle a lieu cinq fois par jour : à l'aurore, au zénith du soleil, l'après-midi, au coucher du soleil et à la disparition de toutes lueurs à l'horizon, lorsque les étoiles apparaissent. L'heure de la prière est annoncée par l'appel *(azân)* du muezzin, qui tournait jadis autour de la galerie du minaret ; cet appel est aujourd'hui diffusé par haut-parleurs.

Le croyant ne peut accomplir la prière sans s'être purifié, se protégeant des souillures ou les éliminant (tapis de sol pour prier, abandon des chaussures pour ne pas souiller la mosquée des poussières de la rue, ablutions du visage, de la barbe, des pieds et des mains avant la prière). Et le Livre saint, qui pense à tout, signale qu'en cas de pénurie d'eau (dans le désert, cela n'a rien d'anormal) on peut se purifier avec du sable.

Dans la mesure du possible, la prière doit se faire dans une mosquée (avec ou sans chaussettes), mais elle peut avoir lieu dans un endroit propre, quand il est difficile de procéder autrement. En l'absence de tapis de prière, les chaussures (propres) peuvent être conservées. Dans certaines chambres d'hôtel, vous remarquerez un autocollant indiquant la direction de La Mecque.

L'aumône légale (zakat)

C'est un impôt permanent (ou si l'on préfère, une dîme) permettant de se purifier de la possession des biens de ce monde, réputés impurs (*zakat* signifie d'ailleurs « purification »). De ce fait, le donneur doit éprouver un sentiment de reconnaissance envers celui à qui il donne !

L'aumône est une obligation pour tout musulman possédant une richesse minimale (le *nisâb*) et doit représenter le quarantième du revenu épargné. On la verse annuellement, spontanément, sans contrôle de quelque autorité, à une personne ou à une œuvre choisie parmi les plus défavorisées. Aujourd'hui, signe des temps, il existe des sites internet qui permettent de calculer son *zakat* et qui le collectent pour les bonnes œuvres. Cartes de paiement acceptées !

Le jeûne du ramadan

Les Marocains observent scrupuleusement le ramadan. L'islam étant la religion officielle, ils se surveillent mutuellement, et faillir à la règle en public serait une provocation sanctionnée par les forces de l'ordre.

Le jeûne du mois du ramadan est obligatoire à partir de l'âge de la puberté, sauf pour les femmes indisposées, enceintes ou allaitant, les malades (qui doivent rattraper dès que possible les journées rompues) et les voyageurs. Attention, ces derniers doivent le pratiquer à leur retour, car il serait trop simple de prendre ses vacances à ce moment-là. L'abstinence s'étend à tous les aliments liquides et solides, à la fumée du tabac, aux parfums et à tout acte sexuel. On doit rester pur même moralement. Essayez de ne pas boire de grandes rasades à la gourde devant les musulmans, et ne leur proposez pas de cigarettes... soyez sympa !

Le jeûne dure de l'aurore jusqu'au coucher du soleil, plus précisément tant que l'on peut distinguer un fil noir d'un fil blanc. En soirée, on assiste à un spectacle plutôt insolite : les gens attablés devant leur repas, attendant le signal de la fin du jeûne. Pendant cette période, la vie est transformée et tout fonctionne au ralenti. Non seulement les horaires sont différents, mais les employés présents ne sont guère enclins à travailler, malgré la journée continue qui se termine à 15h. D'un point de vue purement touristique, la période du ramadan n'est pas idéale : beaucoup d'hôtels (1 et 2 étoiles), ainsi que de nombreux cafés et restaurants sont fermés, et ceux qui ne le sont pas augmentent leurs prix. Les Occidentaux travaillant dans le tourisme profitent de cette période pour prendre leurs vacances. Avant de vous rendre dans des endroits peu touristiques, renseignez-vous... Mais le ramadan se révèle justement intéressant, d'une part pour le nombre plus restreint de touristes, et d'autre part parce que cette période encourage une approche plus sociologique du pays. On peut aborder le sujet de la religion avec les habitants. Et puis être invité à un repas de rupture de jeûne *(ftour)* peut devenir un grand moment.

En revanche, l'expression « faire le ramadan » (devenu en français « faire du ramdam ») trouve ici sa pleine justification : du coucher du soleil jusqu'à une heure très avancée de la nuit, vous serez le témoin auditif du folklore local. Difficile de dormir !

Du fait de la mobilité lunaire, le ramadan tombe chaque année environ onze jours plus tôt. En 2009, il débutera autour du 22 août. Ces dates, théoriques, sont validées le jour même après observation de la lune. Le ramadan dure 29 ou 30 jours, auxquels il faut ajouter les 3 ou 4 jours fériés de l'*Aïd es-Seghir,* la « petite fête » (ou *Aïd el-Fitr,* fête de la rupture du jeûne), qui clôturent la période de jeûne. Le pays est alors fortement paralysé. Rien ne fonctionne.

Le pèlerinage à La Mecque (hadj)

Le pèlerinage aux lieux saints de La Mecque est une obligation pour tout musulman qui en a la possibilité matérielle. Le voyage, coûteux, dure généralement deux semaines. Il arrive que l'on se cotise pour payer le pèlerinage d'un musulman qui n'en a pas les moyens, tant ce voyage à La Mecque est important.

Le retour des pèlerins est un grand moment : de fierté pour ceux qui reviennent de La Mecque, devenus des *hadj,* et de liesse pour ceux qui les accueillent dans leur quartier ou dans leur village. Dans les campagnes, il est quelquefois de tradition de peindre sur la façade de la maison du pèlerin des scènes de son périple vers La Mecque (avion, bateau, bus...). C'est au cours des rites du pèlerinage qu'a lieu, pour ceux qui restent au pays, le sacrifice du mouton, la fête de l'*Aïd el-Kebir* (voir « Fêtes et jours fériés » dans « Maroc utile »).

Pratiques liées à la religion

La circoncision

C'est une tradition abrahamique : la religion ne l'impose pas. C'est un rite qui prend ici un sens tout particulier car, comme pour le baptême catholique, cela marque l'entrée du jeune garçon dans le monde des croyants. L'opération (qui consiste à exciser la peau du prépuce) peut être effectuée sur un nourrisson dès l'âge d'un mois. Les familles qui en ont les moyens confient l'enfant à un chirurgien dans une clinique privée. Les familles nécessiteuses s'adressent à un hôpital public où les circoncisions se font à la chaîne, la veille des fêtes religieuses. Dans les campagnes, il arrive encore parfois que ce soit le barbier qui procède à l'opération, sans aucune anesthésie, mais c'est de plus en plus rare.

Cette cérémonie donne lieu à des festivités plus ou moins importantes selon les moyens de la famille, et le jeune circoncis reçoit des cadeaux. Lorsque la plaie est cicatrisée, après quelques jours, le jeune intronisé est emmené au hammam pour se purifier.

Les aliments prohibés

Ce sont la chair du porc, celle des carnassiers et de certains reptiles, le sang et la charogne. Pour être *halal,* c'est-à-dire conforme aux prescriptions du Coran, la viande doit être absolument exsangue pour être consommée.

Les *zaouïa*

Il existe une autre forme de dévotion populaire qu'on pourrait, en caricaturant un peu, appeler l'islam des campagnes par opposition à l'islam officiel des villes. De nombreuses localités portent le nom d'un marabout (saint) local précédé du terme *zaouïa,* qui désigne le sanctuaire où il est enterré. Souvent, autour de ce sanctuaire, s'est créée par le passé une fondation ou une confrérie. Une fois par an, un grand pèlerinage est l'occasion pour la population d'affirmer sa ferveur religieuse.

Les marabouts

Un marabout est un musulman sage et respecté qui fait l'objet d'un culte, équivalent d'un saint pour le christianisme. Par extension, ce mot désigne aussi son tombeau, en remplacement du mot arabe *koubba.* Pour beaucoup de femmes musulmanes, ce tombeau est un lieu privilégié où elles se retrouvent entre elles, libérées de la loi des hommes. Ceux-ci n'y font qu'un rapide passage, alors que les femmes peuvent y rester plusieurs heures. En cas de difficulté (mais aussi en cas de maladie, plutôt que d'aller voir un médecin qui lui demande de se déshabiller et utilise des mots qu'elle ne comprend pas), une femme peu instruite préfère s'adresser au saint du marabout. La prière se faisant le plus souvent à voix haute, il se crée entre les femmes présentes une empathie aux vertus thérapeutiques : toutes partagent l'expérience de la souffrance. Les pratiques spontanées qui en résultent sont assez proches, dans leur forme, de celles de la *Gestalt* pratiquée en thérapie de groupe dans les sociétés occidentales. La fréquentation du marabout, à défaut de faire revenir le fils éloigné par ses études ou de guérir la fillette malade, a donc une efficacité par le soulagement qu'elle apporte, ainsi que par l'appui et les conseils reçus des autres femmes.

SAHARA OCCIDENTAL

Jusqu'en 1975, le Río de Oro était placé sous tutelle espagnole. Le 6 novembre 1975, une marée humaine pacifique de 350 000 Marocains (la fameuse « Marche verte ») l'envahit et, depuis, le territoire se trouve en grande partie (80 %) rattaché à la couronne chérifienne. Ce fut le début d'une longue guerre. Comment en est-on arrivé là ?

Il faut en chercher les racines en 1956, au moment où le Maroc se libère du protectorat instauré par la France depuis 1912. À cette époque, Mohammed V, réinstallé à la tête du pouvoir par la France, hérite d'un pays amputé d'un territoire gigantesque : le Sahara espagnol. Une zone dont on sait depuis 1950 qu'elle recèle d'importants gisements miniers, notamment de phosphates. Mais les tractations pour l'indépendance du pays, dont le souverain marocain semble se satisfaire, ne sont pas du goût de *l'Istiqlal,* parti de l'indépendance. Celui-ci crée une armée de libération marocaine, comprenant Mauritaniens et Sahraouis, et dont l'action s'inscrit dans une sorte de lutte panmaghrébine de plus grande envergure. Ladite armée sera dissoute par le roi. Le sentiment d'avoir été écartés monte chez les Sahraouis, installés aux confins de la frontière algéro-marocaine, mais dont le territoire est toujours sous domination espagnole. Fin de l'acte I.

En 1962, l'Algérie accède à l'indépendance et conteste le tracé des frontières avec le Maroc. Point culminant : la « guerre des sables », qui fait rage en 1963 et 1964. L'Algérie, privée d'une fenêtre sur l'Atlantique que lui aurait accordée l'occupation du Sahara espagnol et redoutant la montée en puissance de son voisin marocain, appuie généreusement les revendications sahraouies. Fin de l'acte II.

Au début des années 1970, la vie est dure pour Hassan II. Il échappe à deux attentats. Il doit conforter sa souveraineté politique de manière ostensible. Seul un geste d'envergure, comme la récupération du Sahara espagnol au nom d'une vindicte populaire, peut lui permettre de rassembler l'ensemble de la classe politique autour de lui. Dans le Sud, une partie du territoire semble avoir prit fait et cause pour le *Front populaire pour la libération de la Saquia el-Hamra et du Río de Oro,* connu aujourd'hui sous son acronyme Polisario. Créé en 1973 par des nationalistes sahraouis, le groupe revendique son autodétermination et, s'oppose au rattachement du Sahara espagnol tant au Maroc qu'à la Mauritanie. De son côté, le royaume chérifien exerce de fortes pressions sur l'Espagne afin qu'elle évacue le territoire. Finalement, c'est la « Marche verte » du 6 novembre 1975, véritable coup de génie politique, qui emporte la décision : après l'invasion pacifique du territoire par des centaines de milliers de civils marocains exaltés, Madrid cède les deux tiers nord de sa colonie au Maroc et le tiers sud à la Mauritanie. En 1976, le peuple sahraoui, issu d'un regroupement de plusieurs tribus arabophones, se constitue en République arabe sahraouie démocratique (RASD) reconnue aujourd'hui par plus de 70 États. Son bras armé, le Polisario, intensifie le conflit avec l'appui des militaires algériens. La Mauritanie, qui n'a pas les moyens de soutenir un effort de guerre, abandonne le morceau en 1979, le Maroc occupant le terrain. Fin de l'acte III.

Le rideau ne retombe pas pour autant. Le Polisario menace les mines de phosphate et les centres urbains, obligeant Hassan II à engager son pays dans une guerre de fond. Il envahit la zone, et fait ériger un mur de sable fortifié, de plus de 200 km de long, protégé par des milliers de soldats, provoquant l'exil des populations civiles vers des camps de réfugiés. En difficulté sur le terrain, le Polisario, soutenu par l'Algérie, joue la carte diplomatique. En 1984, l'Organisation de l'unité africaine (OUA) lui accorde un siège, le Maroc en claque la porte. L'ONU, sollicitée pour mettre fin au conflit armé, recommande sans originalité la tenue d'un référendum d'autodétermination sous contrôle international et permet ainsi un accord de cessez-le-feu en 1991. Mais le projet de référendum a achoppé sur un « détail » qui vaut son pesant de phosphates : l'identification des votants ! Le nombre de Sahraouis, des nomades pour la plupart, variait de 170 000 à un million selon que les réfugiés étaient comptabilisés ou non. Depuis, la mission de l'ONU chargée d'organiser le scrutin (la MINURSO) est reconduite de mois en mois, et le Maroc reste toujours absent de l'Union africaine (ex-OUA). L'année 2000 aurait pu être propice à un apaisement du conflit avec l'intronisation du jeune roi Mohammed VI et avec l'élection d'Abdelaziz Bouteflika en Algérie ; mais il n'en fut rien, bien au contraire. En 2003, le ton de Rabat s'est durci et le roi a fermement annoncé que le Maroc n'acceptait « aucun marchandage » au nom de la thèse du « grand Maroc », chère au parti de l'Istiqlal, qui voyait la carte de l'empire chérifien s'étendre jusqu'au Mali comme au temps des Saadiens ! Ainsi, le plan initié par James Baker (ancien envoyé personnel du secrétaire général de l'ONU au Sahara occidental), qui préconisait une période d'autonomie de cinq ans avant un référendum d'autodétermination, a été rejeté.

Depuis mai 2005, des manifestations sécessionnistes violemment réprimées par le pouvoir central se succèdent à El-Ayoun et à Smara. La tension est là, ce qui prouve qu'à Rabat le problème n'est pas totalement maîtrisé.

Le plan d'autonomie des territoires présenté par le Maroc à l'ONU en avril 2007 n'est que relatif dans la mesure où le royaume chérifien entend conserver les attributs de sa souveraineté : le drapeau, l'hymne national, la monnaie, les affaires étrangères, la sécurité nationale, mais aussi et surtout le rôle religieux du roi. La région récupérait le contrôle du commerce, de l'industrie, de l'agriculture, ainsi que la gestion des infrastructures dans les domaines tels que la santé, les transports, l'habitat, le tourisme, etc. En face, les Sahraouis et les Algériens n'ont qu'un objectif : l'autodétermination à travers le référendum. Le Maroc ne veut pas en entendre parler. Statu quo donc.

SAVOIR-VIVRE ET COUTUMES

Vous êtes dans un pays musulman, dont certaines traditions et coutumes sont très différentes des nôtres. Il faut donc connaître, en plus de celles mentionnées à la fin de la rubrique « Cuisine », quelques règles élémentaires.

Ce qu'il faut faire

– Se déchausser avant d'entrer dans une pièce quand vous voyez des chaussures déposées près de la porte. Les tapis des demeures individuelles sont aussi respectés que ceux des mosquées.

– Si vous êtes invité dans une famille à la campagne, ne pas hésiter à répondre à toutes les questions que l'on vous posera et qui, parfois, vous paraîtront indiscrètes. Est-ce bien votre femme qui vous accompagne ? Combien avez-vous d'enfants ? Que font-ils ? Quel est votre salaire ? Combien vous a coûté votre montre ou votre appareil photo ?

– Prolonger la pause thé en acceptant plusieurs verres, même si l'on n'a plus soif.

– Si l'on a photographié ses amis marocains, ne pas oublier de leur envoyer les clichés au retour. C'est vrai partout, mais encore plus au Maroc qu'ailleurs.

– Considérer le fait que tous les jeunes hommes qui se promènent main dans la main (ou plutôt doigt dans la main) est un signe d'amitié et non d'homosexualité.

Ce qu'il ne faut pas faire

– Donner quoi que ce soit en échange de l'hospitalité que l'on vous offre. Si par hasard (comme c'est souvent le cas) votre hôte, que vous soupçonnez avoir très peu de moyens, vous somme de rester pour dîner, préférez l'accompagner au marché pour effectuer les achats nécessaires à la préparation du repas (que vous paierez vous-même) que de donner de l'argent.

– Porter une tenue un tant soit peu dénudée. Les shorts et les vêtements sans manches sont considérés comme indécents dans certaines régions peu touristiques (même pour les hommes). Idem sur les plages (le nudisme est interdit). Autour des piscines des grands hôtels, mesdames, mesdemoiselles, ne vous laissez pas non plus aller aux joies du bronzage topless. C'est une règle de respect élémentaire à l'égard du personnel marocain.

– S'adonner au bronzage intégral sur la terrasse d'un *riad*, même tenu par des Européens. D'une terrasse à l'autre, tout se voit, et le voisinage est outré de ces pratiques. Ne compliquez pas la vie de vos hôtes !

– Se faire des mamours en public.

– Essayer d'entrer dans une mosquée, une koubba, un mausolée qui n'est pas explicitement ouvert aux touristes.

– Se moucher bruyamment en public, surtout pendant un repas.

– Éructer bruyamment en fin de repas, sous prétexte de respecter une vieille coutume maghrébine. Toutes les familles ne pratiquent pas ainsi, et surtout pas celles d'un certain niveau social.

– Refuser le thé que l'on vous offre, sauf si vous avez une bonne raison de le faire.

– Critiquer l'organisation marocaine (vos interlocuteurs ne s'en priveront pas, mais ça ne vous donne pas pour autant le droit de surenchérir), et surtout la religion ou la monarchie. Si votre interlocuteur vous interroge, vous pouvez exprimer franchement votre pensée et vos étonnements, pourvu que vous le fassiez en termes mesurés.

La politesse

Comme on peut le constater dès l'arrivée, les Marocains utilisent des formules de politesse beaucoup plus longues que les nôtres. Elles appartiennent à un ancien code des usages toujours en vigueur. Qui ne connaît le fameux *Inch Allah* (« s'il plaît à Dieu »), qui s'emploie systématiquement dans une phrase qui comporte un verbe au futur, et même parfois au milieu d'une phrase prononcée en français ? Le nom de Dieu revient souvent d'ailleurs dans les formules utilisées.

Lorsque deux Marocains arabisant se rencontrent, cela donne à peu près le dialogue suivant :

« *Salaam aleikum !* (Que la paix soit sur toi !)

– *Aleikum Salaam !* (Qu'elle soit sur toi aussi !)

– *Lèbès ?* (Comment ça va ?)

– *Lèbès* (Ça va), ou *Bèkher* (Bien).

– *Ach khbârek ?* (Et quelles sont les nouvelles ?)

– *Lèbès.* (Ça va.)

– *La bâs alik ?* (Pas de mal sur toi ?)

– *La bâs el hamdoullah !* (Non, grâce à Dieu, pas de mal sur moi !) »

À ce dialogue, inévitable préambule à toute conversation, il faut joindre les gestes à la parole, et en particulier la main droite que l'on pose sur le cœur. La longueur de cet échange, qui a impressionné les premiers Européens en contact avec les Arabes, est à l'origine du mot français *salamalecs,* directement dérivé de ses premiers mots !

Si vous êtes à table, il est de coutume de dire *Bismillah* (« Au nom de Dieu ») avant de manger. Cette formule s'utilise toujours avant de commencer quelque chose.

Pour remercier, ne pas oublier *choukrane* : vous n'avez pas d'excuses, c'est très facile à prononcer !

SEXE

Le Coran interdit formellement aux musulmans d'avoir des rapports sexuels en dehors des liens du mariage. Ce qui est valable entre deux coreligionnaires l'est en principe aussi pour un couple mixte, dont l'une des personnes est de confession musulmane. Sans être officiellement transposé dans la loi marocaine, ce précepte est appliqué de fait, et même souvent élargi, et les gérants d'hôtels (même européens), qui redoutent les contrôles de police, sont en général très vigilants. Ils refusent d'accueillir dans une même chambre un couple non marié dont un des conjoints est marocain ou porte un nom à la consonance musulmane évidente. Pas question de mentir, car on vous demande votre certificat de mariage si vous prétendez être marié. Face à ces couples, les hôteliers réagissent très différemment : certains leur refusent l'accès à leur établissement, d'autres leur donnent deux chambres géographiquement opposées. La tolérance est plus grande lorsque les deux voyageurs sont porteurs d'un passeport européen. Dans ce cas, les hôteliers ferment les yeux, ou leur accordent une ristourne sur le prix de la deuxième chambre.

Inutile donc d'imaginer ramener à l'improviste dans votre chambre un sujet de ce beau royaume qu'il vous aura été donné de draguer pendant les vacances ! Si vous voulez être discret et éviter les palabres, la parade consiste à louer une chambre séparément et à arriver en ordre dispersé comme si vous ne vous connaissiez pas. Mais attention ! Restez le plus discret possible : si vous vous faites pincer, vous risquez la prison ! Rien que ça ! De même que le gérant de l'hôtel. Pour le camping, l'équation se pose de la même façon... À chacun sa toile !

Mais un problème important touche le Maroc depuis quelques années : le tourisme sexuel. Dans les grandes villes touristiques, la plupart des lieux nocturnes sont associés à la prostitution. La plupart de ces « filles de l'Aurore » ne sont pas membres d'obscurs réseaux financiers souterrains. Elles sont étudiantes pour certaines, sans emploi pour la plupart, mais toutes se sont laissé prendre au piège de l'argent « facile ». Les tarifs leur permettent en effet de gagner l'équivalent d'un SMIC en quelques nuits ou quelques jours. Les autorités ont bien conscience du phénomène mais ne semblent pas vraiment pressées d'agir. Il faut dire que depuis le chauffeur de taxi jusqu'à l'hôtelier crapuleux en passant par le gérant de disco, tout le monde y trouve son compte. Soupape sociale de sécurité, diront certains, phénomène gravissime fauchant une génération tout entière, diront d'autres. La pédophilie a en revanche essuyé de beaux revers et certains *riad* impliqués ont été fermés. Tout ce joli (im)monde a fini derrière des barreaux avec de lourdes peines de prison à la clé.

À l'instar de la Tunisie amie, le Maroc est également une destination très prisée pour les Européennes en manque de câlins. Le sida n'est pas absent du Maroc, pensez-y ! Quant au sujet de l'attrait que pourraient exercer les Européennes sur les Marocains, sans rien exagérer, il faut reconnaître qu'il existe. Les médias occidentaux véhiculent l'image de femmes libérées et donc réputées « faciles ». Si un Européen tombe sous le charme d'une Marocaine, la conversion à l'islam est un prélude obligatoire au mariage. Autant être prévenu ! C'est toujours un honneur pour un père de savoir que sa fille a converti un roumi à la religion du Prophète, sachez-le !

SITES INSCRITS AU PATRIMOINE MONDIAL DE L'UNESCO

Organisation
des Nations Unies
pour l'éducation,
la science et la culture

En coopération avec
le centre du patrimoine mondial de l'UNESCO

Pour figurer sur la Liste du patrimoine mondial, les sites doivent avoir une valeur universelle exceptionnelle et satisfaire à au moins un des dix critères de sélection. La protection, la gestion, l'authenticité et l'intégrité des biens sont également des considérations importantes.

Le patrimoine est l'héritage du passé dont nous profitons aujourd'hui et que nous transmettons aux générations à venir. Nos patrimoines culturel et naturel sont deux sources irremplaçables de vie et d'inspiration. Ces sites appartiennent à tous les peuples du monde, sans tenir compte du territoire sur lequel ils sont situés. Pour plus d'informations ● http://whc.unesco.org ●

➢ Le Maroc compte 8 sites culturels inscrits : les *médinas de Fès* (1981) *et de Marrakech* (1985), le *ksar d'Aït Benhaddou* (1987), les *médinas de Meknès* (1996) et de *Tétouan* (1997), le *site de Volubilis* (1997), la *médina d'Essaouira* (2001) et la *cité portugaise d'El-Jadida* (2004).

SPORTS ET LOISIRS

Comme la plupart des pays du monde, le sport roi au Maroc demeure le football avec quelques-uns des clubs les plus titrés d'Afrique, le *Raja* de Casablanca notamment. Mais d'autres disciplines connaissent un certain engouement comme l'athlétisme ou le cyclisme. En juin 2007, le Tour du Maroc (inscrit au calendrier de l'Union cycliste internationale) a ainsi fêté son 20e anniversaire. Ne vous étonnez pas si vous croisez un peloton au sommet des cols de l'Atlas à cette époque-là.

Sports nautiques

Grâce à ses 3 530 km de littoral répartis entre Méditerranée et Atlantique, le Maroc offre de nombreuses possibilités pour pratiquer les sports nautiques tels que le surf, la planche à voile, le kite-surf et le jet-ski. Une précision toutefois qui va en refroidir plus d'un : les côtes atlantiques marocaines n'étant pas baignées par le Gulf Stream, la température de l'eau n'excède pas 18 °C, même en plein été !
– Par ailleurs, la houle puissante de l'Atlantique rend la baignade dangereuse et il est recommandé de se baigner dans les endroits aménagés ou surveillés (Oualidia ou Agadir, par exemple). Important : le naturisme est formellement interdit.
– L'*upwelling* (remontée d'eaux froides des profondeurs) associé à un puissant vent thermique rafraîchit considérablement le bord de mer en plein été, notamment aux environs d'Essaouira. Si le phénomène ravit les véliplanchistes, il est fort désagréable pour ceux qui veulent bronzer sur la plage. Préférer la côte méditerranéenne.

Sports d'eaux vives

Au printemps, le versant nord du Haut Atlas central autorise la pratique des sports d'eaux vives. Cependant, il est prudent de s'informer sur la hauteur des eaux de l'oued Ahanesal et de l'oum Er-Rbia.

Randonnée

Depuis quelques années, le tourisme rural est en plein boom au Maroc. Les petites infrastructures hôtelières fleurissent un peu partout dans les Atlas, proposant de surcroît des excursions et des guides pour accompagner les touristes. Le Maroc est le paradis des randonneurs. Une randonnée pédestre, équestre ou à VTT est l'occasion rêvée pour un contact avec les gens des montagnes, dont le mode de vie demeure encore très simple. Région du Toubkal, du djebel Siroua, Haut Atlas central, Anti-Atlas, Moyen Atlas et Rif, autant de paysages et d'ambiances à découvrir pour l'amateur de pleine nature. Dans la montagne, la meilleure saison pour une randonnée pédestre s'échelonne d'avril à octobre. En hiver, préférer le désert.

Pour certaines randonnées, les services d'un guide peuvent se révéler très pratiques, voire indispensables. Mais attention, il y a les vrais guides (demander à voir la carte officielle) et il y a les faux !

Avant d'enfiler vos chaussures de marche, *lire attentivement* la rubrique « Guides et faux guides » dans « Maroc utile », ainsi que notre texte concernant la randonnée dans la partie « Les montagnes du Haut Atlas occidental ».

Attention, même accompagné d'un guide diplômé, il est prudent de souscrire une assurance couvrant les activités sportives en cas de pépin. Et ce avant votre départ. Pour tout renseignement complémentaire, voir les « Adresses utiles » de Marrakech et de Ouarzazate. Nous citons plusieurs agences qui proposent toutes sortes de randonnées sérieuses. On peut également contacter :

■ *Club alpin français de Casablanca :* 50, bd Moulay-Abderrahman (ex-Grande-Ceinture), Casablanca 20200. ☎ (00-212) 22-98-75-19. ● cafmaroc.com ● Propose des randos et circuits pour les adhérents. Peut vous aider à préparer votre randonnée et vous renseigner sur les guides, cartes, gîtes, refuges...

Les ouvrages sur le sujet sont rares et les cartes topographiques imprécises et difficiles à se procurer :

■ *Division de la cartographie :* bureaux à Rabat et à Fès (pour les coordonnées, se reporter à ces villes). Édite des cartes couvrant tout le Maroc, mais les bureaux régionaux disposent surtout des cartes de leur province (malheureusement pas toujours très à jour). Échelles du 1/1 000 000 au 1/25 000. La quasi-totalité des cartes des zones touristiques au nord d'une ligne de Sidi-Ifni à Zagora est disponible au 1/50 000. Les cartes des régions de Tanger-Ceuta et Meknès-Fès sont disponibles au 1/25 000 (ainsi qu'une large zone au sud de Casa, d'intérêt touristique moindre).

■ Il est aussi possible de se procurer quelques exemplaires sur les régions les plus courues dans les librairies spécialisées à Paris. *Ou bien encore de se rendre à l'IGN, Service Cartothèque, 2-4, av. Pasteur, 94165 Saint-Mandé Cedex.* ☎ 01-43-98-80-00. ● ign.fr ● Ⓜ *Saint-Mandé-Tourelle. Lun-ven 9h-17h.* Consultation sur place. Voir les différents points de vente sur leur site.

■ Se procurer la brochure *Guide de montagne et du désert,* auprès du *ministère du Tourisme : av. Ennakhil à Rabat.* ☎ (00-212) 37-71-50-59 ou (00-212) 37-56-37-29. Fax : (00-212) 37-71-70-96. Guide très complet sur la pratique de la randonnée en montagne et du désert, classé par régions. Adresses d'hébergement, d'agences et infos en tout genre.

Équitation

Au Maroc, l'équitation est généralement pratiquée à proximité des grands centres touristiques (Tanger, Essaouira, Agadir, Marrakech) et dans les régions où les habitants sont en majorité arabophones (Fès, Meknès).

Ski

Les spécialistes du ski de randonnée connaissent le Maroc depuis longtemps, car le Haut Atlas central offre de nombreuses possibilités de randonnées hors pistes. Les amateurs de ski de fond préféreront le Moyen Atlas et la région d'Ifrane, pour d'authentiques randonnées dans les forêts de cèdres. Pour le ski alpin, la plus haute station d'Afrique se trouve au sud de Marrakech, à l'Oukaïmeden (2 600 m d'altitude) ; malheureusement, l'enneigement y demeure souvent très aléatoire. Elle ouvre théoriquement de mi-décembre à mi-avril, et dispose de sept téléskis et d'un télésiège.

UNITAID

Les Nations unies ont voté en 2000 un plan, appelé « Objectifs du millénaire », visant à diviser par deux l'extrême pauvreté dans le monde (plus d'un milliard d'individus vivent avec moins de 1 $ par jour), à soigner tous les êtres humains du sida, du paludisme et de la tuberculose, et à mettre à l'école primaire tous les enfants du monde d'ici 2015. Les États ne fourniront que la moitié des besoins requis, c'est-à-dire 40 des 80 milliards de dollars nécessaires.

C'est dans cette perspective qu'a été créée, en 2006, UNITAID, qui permet l'achat de médicaments contre le sida, la tuberculose et le paludisme.

Aujourd'hui, plus de 30 pays se sont engagés à mettre en œuvre une contribution de solidarité sur les billets d'avion afin de financer UNITAID. Cette taxe obligatoire est de l'ordre de 1 à 4 € par billet d'avion en classe économique, et s'applique à tous les trajets au départ de France depuis 2006. Les frais de gestion sont réduits à 3 % des sommes collectées grâce à l'hébergement de l'OMS et à une organisation particulièrement efficace.

Grâce aux 300 millions de dollars récoltés en 2007, UNITAID a déjà engagé des actions en faveur de 100 000 enfants séropositifs en Afrique et en Asie, de 65 000 malades du sida, de 150 000 enfants touchés par la tuberculose, et fournira 12 millions de traitements contre le paludisme.

Le *Guide du routard* soutient, bien entendu, la réalisation des objectifs du millénaire et tous les outils qui permettront de les atteindre ! Pour en savoir plus :
● unitaid.eu ●

HOMMES, CULTURE ET ENVIRONNEMENT

Attention, à partir de mars 2009, *Maroc Telecom* doit mettre en place une nouvelle numérotation téléphonique. Les numéros passeront ainsi à 10 chiffres (au lieu de 9 actuellement).

Voici les principaux changements prévus :

➢ **Pour tous les numéros fixes,** il faudra insérer « 5 » après le « 0 ». Exemple : 024-11-11-11 deviendra 05-24-11-11-11.

➢ **Pour les portables,** un « 6 » devra être placé après le « 0 ». Exemple : 068-11-11-11 deviendra 06-68-11-11-11.

➢ **Pour les numéros spéciaux,** se reporter en début de guide à la rubrique « Téléphone et télécoms » dans « Maroc utile ».

LE NORD DU MAROC

Attention, à partir de mars 2009, *Maroc Telecom* doit mettre en place une nouvelle numérotation téléphonique. Les numéros passeront ainsi à 10 chiffres (au lieu de 9 actuellement).

Voici les principaux changements prévus :

➤ **Pour tous les numéros fixes,** il faudra insérer « 5 » après le « 0 ». Exemple : 024-11-11-11 deviendra 05-24-11-11-11.

➤ **Pour les portables,** un « 6 » devra être placé après le « 0 ». Exemple : 068-11-11-11 deviendra 06-68-11-11-11.

➤ **Pour les numéros spéciaux,** se reporter en début de guide à la rubrique « Téléphone et télécoms » dans « Maroc utile ».

Cette partie du Maroc n'est pas la plus visitée, et c'est cependant l'une des plus intéressantes, encore épargnée par le tourisme de masse ; carrefour de civilisations à la charnière de deux mondes : ici finit l'Europe et commence l'Afrique.

Partons de la pointe atlantique avec Tanger ; fille de l'eau et de la terre, belle alanguie entre deux continents et entre deux mers, Tanger est un lieu magique qui a fait et continue à faire rêver. Bien des destins en partance pour la grande Afrique se sont arrêtés à Tanger, charmés et séduits par cette ville si particulière. Ancien repaire de mauvais garçons et refuge de femmes fatales, Tanger inspira de nombreux romanciers et servit de décor à tant de films d'aventures et d'espionnage. Une ville au parfum de scandale, où les intrigues et les extravagances sont de rigueur. Une ville où tout est possible, y compris la rencontre de Tintin et du fameux capitaine Haddock dans *Le Crabe aux pinces d'or.*

Glissons le long de la côte méditerranéenne pour atteindre le Rif. Région secrète et d'un accès souvent difficile, depuis toujours, une terre de résistance fermée à toute pénétration étrangère. Ne fut-elle pas la dernière à se soumettre à Lyautey ? Sur les premiers contreforts du Rif, Tétouan, chargé d'histoire, est un morceau d'Andalousie qui se serait trompé de continent. L'ancienne capitale du protectorat espagnol cache, derrière les façades de ses maisons blanches décorées de céramiques et ornées de balcons de fer ouvragés, des petits patios secrets où bruissent des fontaines discrètes. Sa médina est la plus belle et la plus étincelante de vie qui soit dans le Nord.

Chefchaouen, encastrée dans la montagne qui lui a donné son nom berbère signifiant « cornes », surprend par ses étonnantes couleurs et son atmosphère tranquille. Nappées d'une couche épaisse de chaux bleutée, ses ruelles forment un labyrinthe où la lumière, avec ses jeux d'ombres, modifie sans cesse les volumes des maisons qui semblent taillées dans de grands blocs crayeux. Toute la palette des blancs et des bleus, exacerbés dans une gigantesque composition abstraite où l'azur et la neige se fondent sous un soleil de feu.

Le chef-lieu de la province rifaine est Al-Hoceima. Son charme est typiquement méditerranéen. En fond de décor, de grandes forêts de chênes-lièges et un maquis couvert de lavande qui a donné son nom à Al-Hoceima (« la Lavande »).

Oujda, proche de la frontière algérienne, est un peu oubliée. C'est pourtant une occasion de partir à la découverte des gorges du Zegzel. Au-dessus des vallées fertiles, où se succèdent cultures en terrasses, vignobles et orange-raies, serpente une route étroite qui s'élève dans une région boisée, surplombant un paysage sauvage ponctué de grottes préhistoriques et de falaises à pic. Une incursion hors des sentiers battus dans une nature authentique encore préservée.

De la Méditerranée à l'océan, des montagnes secrètes du Rif à la plaine d'Oujda, le Nord marocain recèle bien des trésors avec des paysages où les forêts de chênes alternent avec les palmiers, venant nous rappeler que l'Afrique et l'Europe n'ont jamais été aussi proches. Pour s'en convaincre, il suffit de monter au cap Spartel, près de Tanger, pour assister aux noces marines des eaux de la Méditerranée et de l'océan.

TANGER

173 500 hab.

Comment parler de Tanger ? Comment évoquer cette ville ? Comment définir ce quelque chose d'unique, d'impalpable, qui est dans l'air ? Tanger est avant tout une ambiance. On y a le sentiment de traverser un véritable mythe, qui ne s'effondre pas mais qui s'effrite peu à peu.

Henry de Montherlant l'appelle « Tanger à la gorge bleuâtre, tourterelle sur l'épaule de l'Afrique ». Et on ne compte plus les artistes, peintres, photographes, poètes, écrivains, musiciens... qui ne l'ont quittée qu'avec tristesse et regret. Le temps semble s'être cristallisé autour de son faste passé. Ce n'est ni une ville culturelle ni une ville d'intellectuels, c'est une ville qui s'intellectualise. Eh oui ! Rien n'y est anodin, lorsque l'on est sensible à son charme diffus. Paradoxalement, Tanger regorge de petits trésors historiques, délaissés, négligés. Aussi les touristes n'y voient-ils qu'un point de passage. Et pourtant, pour peu que l'on prenne le temps de se laisser séduire, Tanger marque à jamais.

Sur les pentes d'une colline qui descend dans les eaux du détroit de Gibraltar, Tanger s'est lovée dans l'une des plus belles baies de la Méditerranée, à cheval sur deux continents. C'est la seule ville d'Afrique où l'on se baigne le matin dans la Méditerranée et le soir dans l'Atlantique. C'est aussi un creuset linguistique et culturel, puisqu'on y parle, selon l'humeur, le français, l'arabe ou l'espagnol. Habitée depuis 2 500 ans, la ville est en effet marquée par les peuples qui se sont successivement établis sur le pourtour méditerranéen, comme les Phéniciens, les Romains et, plus récemment, les Espagnols. Tanger a toujours été le point de passage entre l'Europe et l'Afrique. Aujourd'hui, c'est ici que nombre d'Africains se heurtent à la porte fermée de l'Europe, dans l'attente d'un passage (et d'un passeur), après avoir traversé une bonne partie du continent. Il est difficile de rester insensible à la vue du détroit de Gibraltar, et surtout du continent européen, si loin, si proche.

L'ÂGE D'OR INTERNATIONAL

Tanger, 1923. Alors que le reste du Maroc est aux mains des Français et des Espagnols, la position de Tanger à l'entrée du détroit de Gibraltar en fait un lieu éminemment stratégique et par conséquent très disputé. Elle devient une zone franche internationale. Un sultan débonnaire et une assemblée représentant neuf grandes puissances dirigent la ville. Son régime fiscal exceptionnel attire commerçants, diplomates et aventuriers de tout poil, mais aussi des artistes, poètes, trafiquants et milliardaires. Tanger se taille vite une réputation sulfureuse. Liberté des mœurs, homosexualité, maisons closes, *sea, sex and drug*. Le Rif et sa production de kif n'est pas loin.

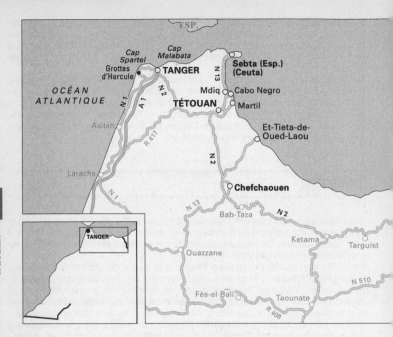

Dans cette ville pleine d'audace et de liberté, dopé par le soutien américain, le (futur) roi Mohammed V prononça en 1947 un discours pour réclamer officiellement l'indépendance pour son pays.

Tanger, 1955. La révolution nationaliste s'enflamme, la débâcle s'installe dans les colonies, et Tanger s'enfonce dans la décadence et les trafics en tous genres. Mais elle continue d'aimanter les personnalités les plus marquées.

UNE VILLE COSMOPOLITE ET BOUILLONNANTE

Il est des lieux qui de tout temps sont associés à l'aventure, l'intrigue, et qui servent de repaire aux plus intrépides des hommes. Déjà au XIIIe s, un explorateur hors pair naissait à Tanger, Ibn Battuta. Pendant 30 ans, il sillonna la quasi-totalité du monde méditerranéen, s'aventura jusqu'en Asie du Sud en passant par le Moyen-Orient et l'Afrique noire. Humbles routards que nous sommes, aurions-nous trouvé notre maître ?

Tanger la sulfureuse a attiré dans ses bas-fonds des truands certes, mais a aussi envoûté un nombre d'artistes incroyable. Les peintres, comme Delacroix, Matisse, ont pu être attirés par la lumière, les romanciers par l'intrigue permanente, les poètes par son mystère. Le célèbre auteur américain Paul Bowles s'y installa au début des années 1950 et y mourut en 1999.

PIERRES QUI ROULENT

En 1968, Tanger servit de camp de base à Brian Jones. Le plus excentrique des Rolling Stones, à la découverte de nouvelles sonorités, se laissa envoûter par les sons de la flûte de Jajouka dans le Rif. Il écrivit un album et mourut par noyade quelque temps après.

Nombre de ses œuvres se déroulent au Maroc et à Tanger. William Burroughs y

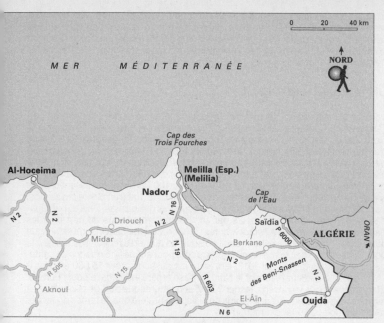

LE NORD DU MAROC

rédigea son fameux *Festin nu.* Paul Morand, Tennessee Williams, Barthes, Pasolini, Samuel Beckett, Jean Genet, le peintre Francis Bacon ; et plus récemment
Yves Saint Laurent, le photographe Gérard Rondeau, le couturier Jean-Louis Scher-
rer et tant d'autres ont marqué la ville et foulé les rues de leurs pas... Le milliardaire
Malcolm Forbes a habité dans le quartier Marshan, dans une superbe villa blanche
entourée d'un magnifique jardin. Il y organisa les plus belles fêtes de Tanger, plus
belles, dit-on, qu'à Hollywood.
La ville folle, fenêtre sur l'Europe, vit pourtant ses derniers jours de faste. La zone
franche internationale connaît ses ultimes soubresauts. Après l'indépendance
(mars 1956), elle est vite rattachée au reste du pays et reprend une vie plus « traditionnelle », gommant ainsi peu à peu les traces du mythe...

LE TEMPS DE LA DÉSILLUSION

Qu'est devenue la fameuse cité des truands, des bars interlopes et de la traite des
Blanches ? Qu'est devenu le paradis terrestre des artistes ? Cet âge d'or racoleur
et fascinant a laissé la place à une séduction plus diffuse. Le cosmopolitisme décadent a fait place au désœuvrement. Le mythique théâtre Cervantès, construit
en 1913 par les Espagnols, est en ruine, ainsi que les arènes sur la route de Tétouan.
Comme le dit Tahar Ben Jelloun, natif de la ville, Tanger est « une dame qui n'ose
plus se regarder dans un miroir ». Et il suffit justement, lorsque l'on est sensible à ce
charme un peu décadent, de passer de l'autre côté de ce fameux miroir.
Mais il faut faire vite car, à l'aube du XXIe s, se dessine déjà un autre décor : le Maroc
moderne est à l'œuvre et Tanger bouillonne d'une nouvelle sève. Pour le pire, avec
l'explosion démographique qui fait croître la ville de façon anarchique et se côtoyer,
en ses faubourgs, bidonvilles et grands immeubles de béton. Ou avec la spéculation qui détruit sans vergogne les zones boisées de sa périphérie. Pour le meilleur,

avec le transfert du port marchand loin du centre, avec la suppression de la voie ferrée qui coupait la ville de sa plage et avec de grands travaux d'équipement tels ceux du nouveau stade. Dès que l'on sort de son centre historique, Tanger apparaît comme un gigantesque chantier. Jour après jour, Tanger se réinvente et n'a pas fini de nous surprendre.

UN NOUVEAU SOUFFLE

Voilà ce qui aujourd'hui devrait modifier pour longtemps la ville : le nouveau port Tanger-Med. Contrairement à Hassan II, Mohammed VI cherche à développer le Nord. Le nouveau port de commerce construit à 35 km de Tanger ouvre la voie à un très attendu essor économique de la région. L'idée : dévier le trafic des cargos et des camions de transport routier qui arrivaient jusqu'ici dans le centre de Tanger, et faire un peu respirer la ville. L'enjeu est de taille. Le détroit de Gibraltar étant la deuxième « autoroute maritime » du monde avec 100 000 navires passant chaque année, Tanger veut se donner les moyens d'accueillir un trafic en pleine croissance. Le port devrait même supplanter son voisin espagnol d'Algésiras. Déjà d'une capacité de 3,5 millions de conteneurs par an, il comptera à terme un port pour les passagers et un terminal à hydrocarbures. Tanger-Med risquant vite de saturer, un autre projet pharaonique est en cours, puisque les autorités réfléchissent déjà à la construction d'un deuxième terminal juste à côté pour accueillir 5 millions de conteneurs supplémentaires d'ici 2012. L'objectif est aussi de créer 15 000 emplois à l'horizon 2015 et de transformer le Nord en base arrière industrielle pour l'Europe. Et maintenant que va devenir Tanger ? Seul son pittoresque port de pêche devrait survivre, bientôt flanqué d'une marina de plaisance. Il s'éloigne, le temps du Tanger rayonnant, place au Tanger moderne...

Arriver – Quitter

En avion

✈ **Aéroport Ibn Battuta** (hors plan d'ensemble) **:** à 15 km. ☎ 039-39-37-20. Royal Air Maroc : ☎ 039-39-41-29 ou 47-17. Vols en provenance d'Agadir, Al-Hoceima, Casablanca, Fès, Laâyoune, Marrakech, Rabat, Ouarzazate, Tan-Tan, Oujda et des capitales européennes.
■ **Royal Air Maroc** (plan I, A1, **1**) **:** 1, pl. de France. ☎ 039-37-95-08, 09 ou 039-93-55-02. Résas : ☎ 039-93-47-22 ou 40-45. Fax : 039-93-26-81. Lun-ven 8h-12h, 14h30-19h ; sam 8h30-12h, 15h-18h.
■ **British Airways** (plan I, A1) **:** 83, rue de la Liberté. ☎ 039-93-52-11 ou 58-77.
■ **Iberia** (plan I, A-B1) **:** 35, bd Pasteur. ☎ 039-39-34-33.

Un bureau de change juste après le passage de la douane est ouvert à l'arrivée des vols ; il ne prend pas les chèques de voyage. Distributeur automatique dans le hall de l'aéroport.
On trouve plusieurs agences de location de voitures.
Pour rejoindre le centre-ville, il n'y a pas de bus :
– vous avez choisi un hébergement haut de gamme : demandez à ce que l'on vienne vous chercher à l'aéroport ;
– vous logez dans la médina avec un budget serré : essayez le stop ou marchez pour arrêter un des nombreux bus sur la grande route Tanger-Asilah située à environ 2 km de l'aéroport.
– Sinon, un taxi coûte en principe 150 Dh (13,60 €) de jour et 200 Dh (18 €) entre 21h et 6h. Parfois moins cher hors saison, faites-vous bien préciser le prix de la course avant de monter dans le taxi.

En bateau

■ *Limadet Ferry* et *Trasmediterranea (plan I, B1, 9)*.
Se reporter aux chapitres « Comment y aller ? » et « Quitter le Maroc » en début de guide.
Ceux qui débarquent feront attention aux nombreux chasse-touristes et préféreront les petits taxis aux grands (bien plus chers).

En train

🚆 **Gare ferroviaire** *(hors plan d'ensemble) : route de Malabata, à 2 km au sud-est.* ☎ *(090) 20-30-40 (numéro national). ● oncf.ma ● Pour s'y rendre, prendre un taxi ; compter env 12 Dh* *(1,10 €).* Consigne. Distributeur automatique. Redoubler de vigilance, tant à la gare que dans les trains, car c'est là qu'opèrent de nombreux petits truands tangérois.

Liaisons avec :
➢ *Casablanca :* 5 départs/j. dans les 2 sens. Trajet : env 6h.
➢ *Asilah :* 6 départs/j. dans les 2 sens. Trajet : env 30 mn.
➢ *Fès et Meknès :* 4 trains/j., mais slt 1 direct (sinon, changement à Sidi Kacem). Trajet : env 4h pour Meknès et 5h pour Fès.
➢ *Rabat :* 5 trains/j. dans les 2 sens. Trajet : env 4h45.
➢ *Marrakech :* 4 trains/j. (slt 1 direct). Trajet : au moins 9h (couchettes confortables).
➢ *Oujda :* en principe, 1 train/j.

En bus

🚌 **Gare CTM** *(plan II, E5) : à l'entrée du port.* ☎ *039-93-11-72. CB acceptées.* Consigne fermée à clé pour les colis. Un bureau également à la gare routière privée (voir ci-dessous). Départ des bus internationaux d'*Eurolines.*

Liaisons avec :
➢ *Rabat et Casablanca :* 5 bus/j., 6h-minuit. Trajet : 4h pour Rabat et 6h pour Casa. Résa au moins 1 j. à l'avance, surtout en été.
➢ *Ceuta :* par la nouvelle autoroute Tanger-Port Med-Fnideq, ou bus pour Tétouan, avec 1 correspondance.
➢ *Fès et Meknès :* 3 départs/j. l'ap-m dans les 2 sens. Trajet : 5h pour Meknès et 6h pour Fès.
➢ *Tétouan et Chefchaouen :* 1 bus/j. le midi.
➢ *Marrakech :* 3 départs/j., 11h-17h. Trajet : 9h env.
➢ *Agadir :* 5 départs/j. (slt 1 direct, sinon correspondance à Casa), 6h-minuit. Trajet : 15h-16h.

■ **Adresses utiles**

✈ Aéroport Ibn Battuta
🚆 Gare ferroviaire
🚌 Gare routière
🚕 Grands taxis
🏪 5 Supermarché Sabrine
🏛 6 Centre artisanal Coopartim

⚓ ⌂ **Où dormir ?**

10 Camping Miramonte
38 Hôtel Intercontinental
39 Hôtel Ahlen
41 Mövenpick Hôtel et Casino

🍽 **Où manger ?**

41 Restaurants de l'hôtel Mövenpick
59 Casa Italia
69 Villa Joséphine

🍸 **Où boire un thé, un jus ?**

90 Café Hafa

♪ **Où danser ?**

111 La Passarella

TANGER

Av. Al Haj Mohamed Tazi

Av. des U.S.A.

10

NORD

69

90

Tombeaux phéniciens

Stade Marshan

PLACE DR ROUX

Avenue Imam Malik

R. Assad Ibn el Farrat

Institut Pasteur

voir plan II

KASBAH

Rue de la Casbah

MÉDINA

Avenue

Rue Hasnona

Rue Ibn Al Abbar

Avenue Hassan Ier

59

Palais des Institutions italiennes

Avenue

Rue de Bouarrakia

PL. DU 9 AVRIL 1947

R. du Portugal

38

Rue Ibn Zaïdoune

Rue Ouaghak

Hassan II

Rue

Cathédrale

Sidi Bouabid

d'Angleterre

Complexe Istiraha-Dawliz

Terrasse des paresseux

Bourguiba

Avenue Habib

Rue de

Belgique

6

PL. DE FRANCE

Bd Pasteur

i

Mosquée Mohammed V

Rue du Mexique

Cap Spartel

Hôpital

Rue Maharma

Rue Mohammed ben

PL. OUED ABMAKHAZINE

Avenue

Rue de Fès

Avenue du Prince Héritier

ben

Rue Allal

Rue

Avenue

Haroun

Rue Fès

Ibn Tumert

Rachid

Abdallah

Rue de

Rue de Gibraltar

Avenue

Rue de la Marche Verte

Av. Bir Anzarane

Boulevard Moulay

Av. d'Anfa

PLACE DU 20 AOÛT

R. Hafid ben Adbedbar

Av. de la Paix

0 100 200 m

RABAT↓

155

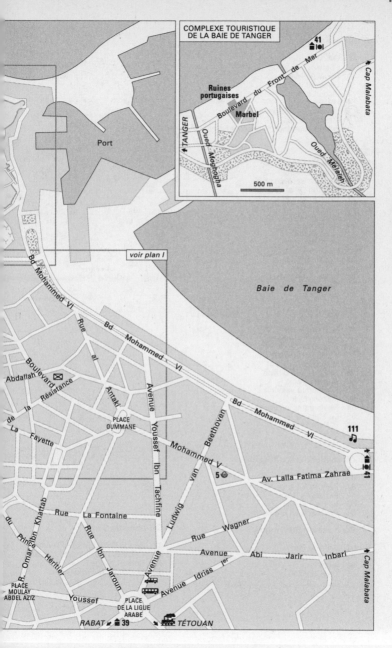

TANGER – PLAN D'ENSEMBLE

156

TANGER

■ **Adresses utiles**

	Office de tourisme
⊠	Poste
1	Royal Air Maroc
2	Consulat de France
3	Institut français
4	HIT Voyages
⬡ 7	Librairie Les Colonnes
⬡ 8	Marché de Fès
9	Trasmediterranea et Limadet Ferry

🏠 **Où dormir ?**

23	Pension Miami
24	Hôtel l'Île Verte
25	Pension Excelsior
26	Pension Omar Khayam
27	Hôtel El Muniria
28	Hôtel Nabil
29	Hôtel Andalucia
30	Hôtel Ritz
31	Hôtel Biarritz
32	Hôtel Royal
33	Hôtel de Paris
34	Hôtel Rembrandt
35	Hôtel Chellah
36	Apart Hotel Nezha
37	Tanjah Flandria
40	El-Minzah

🍴 **Où manger ?**

40	Restaurant marocain de l'hôtel El-Minzah
53	Alhambra Sandwichs
55	Restaurant Agadir
56	Eldorado
58	Saveurs de Poisson
60	Anna et Paolo
62	Restaurant Valencia
63	Pizzeria Oslo
64	Restaurant San Remo
65	Le Marquis
66	El Pescador
67	555
68	Relais de Paris

🍴 **Où manger une pâtisserie ?**

80	Salon de thé Vienne
81	Pâtisserie Florence
82	Pâtisserie Roxy
83	Le Petit Prince
84	Pasteleria La Española

🍷 **Où boire un thé, un jus ?**

91	Café de Paris
92	Porte du Nord
93	Ibiza
95	Café Horizon

🍷 **Où boire un verre ?**

37	Bar de l'hôtel Tanjah Flandria
40	Caïds Bar de l'hôtel El-Minzah
68	Relais Lounge
96	El Mesón de Pépé Ocaña

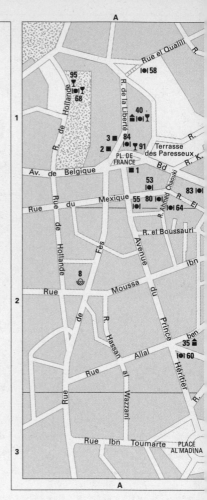

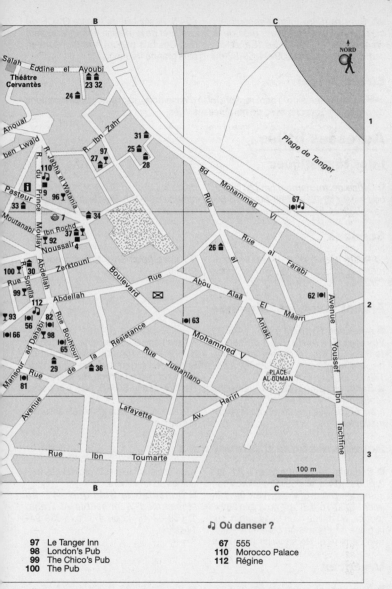

TANGER

♫ Où danser ?

97 Le Tanger Inn
98 London's Pub
99 The Chico's Pub
100 The Pub

67 555
110 Morocco Palace
112 Régine

TANGER – CENTRE (PLAN I)

🚌 *Gare routière* (plan d'ensemble) : av. Ludwig-van-Beethoven, près de la place de la Ligue-Arabe (Sahat-al-Jamia-al-Arabia). ☎ 039-94-66-82 ou 69-28. Assez loin de la gare ONCF, du centre et de la médina. Prendre un petit taxi. Des bus partout à toute heure en plus grande fréquence.

En grand taxi

🚐 À prendre près de la gare routière (plan d'ensemble), sauf pour les destinations de proximité. Liaisons avec de nombreuses villes.

Adresses utiles

Infos touristiques

ℹ️ *Office de tourisme* (plan I, B1) : 29, bd Pasteur. ☎ 039-94-80-50 ou 86-69. Fax : 039-94-86-61. ● dttanger@mena ra.ma ● Lun-ven 8h30-16h30 ; pdt le ramadan, 9h-15h. Pas de doc en dehors du dépliant officiel et peu de conseils.

Services

✉️ *Poste* (plan I, B2) : 33, bd Mohammed-V. Lun-sam 8h-16h15. Téléphone 24h/24.

■ *Renseignements téléphoniques :* ☎ 160.

Argent, banques, change

■ *American Express* (plan I, A-B1) : *Voyages Schwartz,* 54, bd Pasteur. ☎ 039-37-48-37. ● schwartztng@iam. net.ma ● Lun-ven 9h-12h30, 15h-18h30 ; sam 9h-12h.
■ *Banques :* pour la plupart, situées bd Mohammed-V, bd Pasteur et pl. de France. Équipées de distributeurs automatiques.

– BMCE (plan I, A-B1) : 21, bd Pasteur. A l'avantage d'être ouverte tlj (sf ramadan) 8h-14h, 16h-20h. Elle permet de retirer de l'argent avec la carte *Visa.* Même chose au **Crédit du Maroc,** bd Pasteur, et à la **SGMB,** face à la poste, bd Mohammed-V.
– Pratiquement tous les hôtels assurent le change.

Représentations diplomatiques

■ *Consulat de France* (plan I, A1, 2) : 2, pl. de France. ☎ 039-33-96-00. ● con sulfrance-ma.org ● Lun-ven 9h-12h (mer 13h30-16h). À voir pour son architecture, au milieu d'un beau jardin, sur la place de France, au centre névralgique de la ville. Ne se visite pas. Peut vous assister pour des problèmes juridiques ou financiers.
■ *Consulat de Belgique :* 41, bd Mohammed-V, immeuble Al-Waha. ☎ 039-32-48-49 ou 47. Fax : 039-94-11-30.

Urgences

■ *Permanence médicale :* ☎ 039-33-33-00 (les médecins peuvent se déplacer).
■ *Polyclinique de la Sécurité sociale* (plan d'ensemble) : route de Malabata. ☎ 039-94-01-99. Urgences jour et nuit.
■ *Docteur Youssef Lahrichi :* Plaza Toro (vers Charf), 9, Yacoub-Mansour.

☎ 039-94-62-22. 📱 061-16-77-16 ou 060-66-66-69. Excellent médecin généraliste recommandé par les expats.
■ *Hôpital italien :* ☎ 039-93-12-88.
■ *Croissant rouge :* ☎ 039-94-25-17.
■ *Service des Urgences :* rue de Fès. ☎ 039-93-35-55.

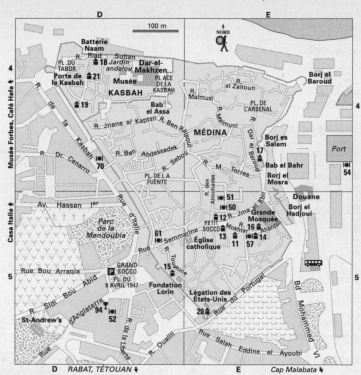

TANGER – LA MÉDINA (PLAN II)

■ **Adresse utile**

   🚌 Gare CTM

🛏 **Où dormir ?**

   11 Pension Palace
   12 Pension Mauritania
   13 Pension Fuentes
   14 Hôtel Olid
   15 Pension Regina
   16 Hôtel Mamora
   17 Hôtel Continental
   18 La Tangerina
   19 Dar Nour
   20 Riad Tanja

   21 Dar Sultan

|◐| **Où manger ?**

   50 Andalus
   51 Atlas
   52 Restaurant de la Maison
       communautaire des
       Femmes Darna
   54 Les gargotes du port
   57 Restaurant Ahlen
   61 Mamounia Palace
   70 Restaurant Hamadi

🍸 **Où boire un thé, un jus ?**

   94 Chorouk

– Pour les autres urgences (pompiers, pharmacies de garde), reportez-vous à la rubrique « Urgences » dans « Maroc utile », en début de guide.

Culture

■ ***Institut français, ex-Centre cultu-rel, galerie d'exposition Delacroix*** | (plan I, A1, **3**) : 86, rue de la Liberté. ☎ 039-93-21-34. À côté du consulat de

France. Tlj sf lun 11h-13h, 16h-20h. Très nombreuses manifestations. Belles

expositions d'artistes français et arabes, surtout axées sur l'art contemporain.

Internet

On trouve des cybercafés dans presque chaque rue de la ville nouvelle, généralement visibles de loin grâce à des pancartes marquées de grands @. Aux abords de la médina, tentez votre chance à l'extrémité nord du bd Mohammed-VI, sur la place en face de la gare CTM. Connexions rapides.

Transports

■ **Grands taxis** (plan d'ensemble) : à côté de la gare routière.
■ **Garage Renault** : 2, av. de Rabat, au km 2. ☎ 039-94-14-87 ou 039-93-69-38. Sur l'ancienne route de Rabat.
■ **Garage Peugeot** : 37, rue Quevedo. ☎ 039-32-22-71.
■ **Dany's Car** (plan I, A-B2) : 7, rue Moussa-ibn-Noussair. ☎ 039-32-20-72 ou 039-34-12-54. Fax : 039-94-38-23. Un des loueurs de voitures les moins chers. La maison **Cady**, bd

Mohammed-V, pratique à peu près les mêmes prix. ☎ 039-94-52-31 ou 039-32-22-07.
■ **Harris** (plan I, B2) : 1, rue Mohammed-Zerktouni. ☎ 039-94-21-58 ou 55-74. Un loueur conciliant.
■ Les principales **agences de location** (**Avis**, ☎ 039-93-46-46, **Hertz**, ☎ 039-32-22-10, et **Europcar**, ☎ 039-94-19-38) sont situées sur le bd Pasteur (plan I, A-B1) et sur le bd Mohammed-V (plan I, B-C2).

– Pour les coordonnées des compagnies aériennes, se reporter plus haut au chapitre « Arriver – Quitter. En avion ».

Agence de voyages et excursions

■ **HIT Voyages** (plan I, B2, **4**) : 4, rue Moussa-ibn-Noussair. ☎ 039-93-68-77 ou 039-94-31-97. Fax : 039-93-44-38. Une excellente adresse pour organiser des excursions ou des séjours au départ de Tanger. Propose également des dîners-spectacles hebdomadaires (chaque jeudi) pour assister à une fantasia. Accueil très chaleureux.
■ **Nature et Découverte** : 🖥 061-15-28-60. ● safari-africain.com ● Spécialiste des safaris dans toute l'Afrique,

Lionel propose des randonnées dans le Rif pour découvrir les derniers coins reculés et encore préservés. Il organise des activités sportives : randos aquatiques dans des oueds, canyoning, escalade, rappel géant. Également au programme, dans les environs de Tanger, une découverte faune et flore dans les marais de migration des flamants roses. Randonnées d'une demi-journée à plusieurs jours.

Achats

🏵 **Supermarché Sabrine** (plan d'ensemble, **5**) : 144, bd Mohammed-V. Ouv tlj. On y trouve tout, même les produits les plus rares au Maroc.
🏵 **Centre artisanal Coopartim** (plan d'ensemble, **6**) : dans la rue de Belgique, qui relie la mosquée Mohammed-V à la place de France. Tlj sf ven 9h-13h, 15h-19h.
🏵 **Librairie Les Colonnes** (plan I, B2, **7**) : 54, bd Pasteur. ☎ 039-93-69-55. Lun-ven 9h30-12h30, 15h30-19h30 ;

sam 9h30-13h. Une institution tangéroise. Tous les livres sur Tanger et le Maghreb... et de nombreux autres.
🏵 **Marché de Fès** (plan I, A2, **8**) : rue de Fès. L'endroit idéal pour faire ses courses. Ce petit marché couvert est une corne d'abondance : poulets, épices, amandes, vendeurs sympas. On n'y est pas du tout sollicité (ça change du Petit Socco) et ce n'est vraiment pas cher. Un îlot apaisant, à ne pas manquer.

⚜️ **Parfumerie Madini :** 5, bd Pasteur, en face de la terrasse des Paresseux (plan I, A1), et 14, rue Sebou, dans la médina. La famille Madini distille les huiles essentielles depuis 14 générations ! Ils ont le secret des mélanges, et leur travail est renommé à travers tout le monde musulman. Les émirs du Koweït se fournissaient chez eux, comme le faisait la milliardaire américaine Barbara Hutton. Faites comme elle, et abandonnez-vous aux effluves capiteux. Ils invitent aussi à sentir tous les parfums.

Circuler à Tanger

À pied, bien entendu, car les principales adresses sont relativement concentrées. Sinon, ne pas hésiter à prendre un taxi, pas cher du tout. Se reporter en début de guide, à la rubrique « Transports » dans « Maroc utile », pour quelques conseils utiles.
– **Bus :** peu pratiques, car desservant presque exclusivement les quartiers excentrés. Station principale : angle avenue Sidi-Mohammed-ben-Abdallah et rue de la Marche-Verte (plan d'ensemble).
– **Permanence des taxis :** ☎ 039-94-55-18. En dehors des heures de pointe, aucune difficulté pour attraper un des petits taxis (turquoise à bande latérale orange) qui pullulent dans la ville.
– **Parkings de voitures :** comme dans toutes les villes du Maroc, les gardiens de parking (en veste fluo orange ou jaune le plus souvent) se partagent les rues du centre. Pour un stationnement de 1h ou de 2h, donnez-leur 1 ou 2 Dh ; pour toute la nuit, 10 Dh (0,90 €). Grande fantaisie pour les parkings à péage, qui sont aussi gardés par des particuliers. Attention, les contrôleurs patrouillent beaucoup et sont prêts à vous mettre un sabot si vous n'avez pas votre ticket d'horodateur (2 Dh, soit 0,20 €, l'heure).
Conseil : toujours se renseigner dans la rue où vous garez la voiture auprès d'un passant ou d'un commerçant pour savoir si le stationnement est autorisé ou non.

Sécurité

En principe, il n'y a plus de problèmes majeurs de sécurité dans la médina. Le seul coin un peu interlope, où l'on n'a pas trop envie de traîner la nuit, est le bas de la rue Mokhtar-Ahardan (plan II, E5) qui descend du Petit Socco, dans la partie qui suit la Grande Mosquée, là où elle rejoint la ruelle menant à l'hôtel Continental. Une petite faune désœuvrée y traîne, surtout sur la terrasse surplombant le port et à ses abords. Cependant, dans la journée, pas de problème et le spectacle vaut le coup car le quartier, plein de petites échoppes, vous en fera voir de toutes les couleurs.

Où dormir ?

Contrairement à Chefchaouen où la petite hôtellerie connaît un dynamisme certain, Tanger n'offre que des établissements vieillissants se cherchant un second souffle. Dommage, diront certains : les hôtels sont parfois installés dans des immeubles du début du XXᵉ s ou Art déco et ont dû connaître un passé glorieux. D'autres trouveront que cette décadence ajoute encore à l'ambiance surannée qui fait l'un des charmes de Tanger. Réservation fortement conseillée lors des manifestations culturelles, notamment le célèbre festival international de jazz (Tanjazz) qui a lieu mi-mai.

Camping

⚕ 🏠 **Camping Miramonte** (hors plan d'ensemble, 10) : à 3 km à l'ouest du centre. ☎ 039-26-03-86. 📱 065-06-50-09. Suivre la direction de l'ancienne kasbah, c'est alors indiqué. Arrivé face au cimetière, le longer sur la gauche ; c'est un peu plus loin dans la petite rue (indiqué). Du Grand Socco, bus n° 1 (le plus pratique) ou n° 12. Pour 2 pers avec tente et voiture, 80 Dh (7,30 €). Chambre double 300 Dh (27,30 €). Appart avec cuisine et sdb 1 000 Dh (90,90 €). Resto ouv en été (bon). Bar-cafétéria. Petits commerces et marché à proximité les jeu et dim. Camping étagé situé au creux d'une jolie vallée calme à la végétation luxuriante et débouchant sur une plage agréable. Outre les emplacements de camping, les chambres d'en haut, près de la piscine, disposent d'une vue à couper le souffle. Belle piscine payante. Sanitaires récemment rénovés et propres, mais pas assez nombreux (douche payante).

Dans la médina

Il existe un grand nombre de **pensions** dans l'ancienne rue des Postes, maintenant rue Mokhtar-Ahardan (plan II, E5), qui va de l'entrée de la médina (en venant du port, prendre les escaliers) au Petit Socco (plan II, E5). Mais le quartier est mal fréquenté le soir. Et la plupart du temps, ces pensions sont sales, l'accueil n'est pas terrible et les douches communes sont difficilement praticables.

De très bon marché à bon marché

La place du *Petit-Socco*, cœur historique et populeux de la médina, très animée et bruyante, abrite quelques pensions très sommaires, idéales pour les petits budgets. La **pension Mauritania** (plan II, E5, **12**) : 2, rue des Almohades (ex-rue des Chrétiens). ☎ 039-93-46-77. Chambre 45 Dh/pers (4,10 €), négociables en basse saison. Douches communes froides et quelques chambres avec balcon donnant sur la place. Autre option, la **pension Fuentes** (plan II, E5, **13**) : 9, pl. du Petit-Socco. ☎ 039-93-46-69. Double 100 Dh (9,10 €). Pour frissonner un tantinet ou se mettre dans la peau de Burroughs... Jolies céramiques dans les couloirs et les escaliers. Sanitaires communs acceptables. Café au rez-de-chaussée, et grande salle au 1er étage pour la retransmission des matchs de foot. Cris et clameurs assurés les soirs de match du championnat espagnol.

Pension Palace (plan II, E5, **11**) : 2, rue Mokhtar-Ahardan (ex-rue des Postes). ☎ 039-93-61-28. Doubles 100-150 Dh (9,10-13,60 €) selon saison ; prix dégressifs à partir de la 2e nuit. L'ancienne poste espagnole a gardé son magnifique patio et ses coursives... Petit jardin intérieur et belle terrasse. Grandes chambres chaulées de blanc avec lavabo. Salle de bains propre et carrelée au rez-de-chaussée ; évitez celle de l'étage, franchement repoussante. Notre meilleure adresse dans cette catégorie. Les chambres donnant sur le Petit Socco sont très bruyantes.

Hôtel Olid (plan II, E5, **14**) : 12, rue Mokhtar-Ahardan. ☎ 039-93-13-10. À côté du resto Ahlen. Double 100 Dh (9,10 €). Ancienne demeure bourgeoise. Chambres acceptables assez claires. Avec douche (chaude en principe), mais w-c communs.

Pension Regina (plan II, D5, **15**) : 32, rue Touahine. ☎ 039-93-72-57. Assez proche du Grand Socco. Compter 30 Dh/pers (2,70 €). Une pension possédant un certain charme, à l'accueil sympa, mais où le ménage semble malheureusement une priorité tout à fait secondaire. De même, préférez dormir dans un sac à viande, les draps ne sont pas nets. Lavabo dans les chambres, w-c communs et douche froide au rez-de-chaussée. Douche publique et hammam à 50 m de la pension.

Prix moyens

Hôtel Mamora (plan II, E5, **16**) : 19, rue Mokhtar-Ahardan (ex-rue des Postes). ☎ 039-93-41-05. Proche du Petit Socco. Doubles avec douche chaude mais w-c extérieurs 160-260 Dh (14,50-23,60 €) selon saison. Belle terrasse sur le toit, avec vue sur le détroit de Gibraltar. Hôtel sans grand charme, avec des chambres en enfilade que distribuent de grands couloirs un peu moroses. Pour-

tant rien à voir avec les adresses bon marché citées plus haut ; l'ensemble est bien tenu, propre et calme. Préférez les chambres avec vue sur un petit bout de mer et les toits de tuiles vertes de la mosquée.

Chic

▲ *Hôtel Continental* (plan II, E4, **17**) : 36, rue Dar-el-Baroud. ☎ 039-93-10-24 ou 039-37-58-51. ● *hcontinental@ iam.net.ma* ● *Parking. Accès en suivant le bd Mohammed-VI, puis par la rue qui grimpe vers la médina à côté du bâtiment des douanes. Continuer tt droit, puis fléché. Doubles 490-520 Dh (44,50-47,30 €) selon saison, parfois moins cher, petit déj compris. CB refusées.* L'une des institutions de Tanger, hôtel qui défie le temps, on l'on vient rechercher l'ambiance surannée du Tanger bohème et mythique des années 1950. L'incroyable bâtisse, construite en 1870 a vu défiler du beau monde : Churchill aurait occupé la chambre n° 108, avec son lit à baldaquin et son mobilier rétro... Malheureu-

sement, aujourd'hui, la vieille dame s'endort un peu sur son glorieux passé. Certaines chambres ont été restaurées par une décoratrice marocaine qui a su mettre en valeur leur cachet d'antan en osant jouer la carte du modernisme. Mais elles sont inégales. Mieux vaut visiter avant de vous décider au risque de vous retrouver dans une petite chambre sans fenêtre. De plus l'accueil est un peu mou. Plein de patios intérieurs et de petits salons. Vue exceptionnelle sur le port et la médina de sa terrasse. Superbe décor de la salle du petit déj (un vrai petit palais), mais les gens préfèrent bien sûr la terrasse. Dommage que le médiocre petit déj ne soit pas à la hauteur de la vue !

Chic et charme

▲ *La Tangerina* (plan II, D4, **18**) : 19, riad Sultan, dans la kasbah. ☎ 039-94-77-31. ▤ 072-20-90-83. ● *latangerina. com* ● *Doubles 440-770 Dh (40-70 €) selon vue, également des suites avec terrasse 1 100 Dh (100 €).* Farida, d'origine tangéroise, a longtemps vécu en Espagne où elle a rencontré Jürgen, venu de son Allemagne natale. Le couple a franchi le détroit avec ses deux enfants et a acquis une ruine devenue, après beaucoup d'efforts, une maison confortable à la déco épurée. Perçant murs et plafonds, ils ont fait ressurgir les éléments d'origine, comme de belles portes ou le patio intérieur, donnant volume, fraîcheur et clarté à la maison. Intégrant ensuite des éléments d'architecture moderne, le tout est très harmonieux. Chambres et suites s'étagent sur plusieurs niveaux. Terrasse à la vue panoramique époustouflante. Hammam traditionnel dans les soubasse-

ments. Très cosmopolite : la langue familiale est l'espagnol, et on y parle selon les circonstances l'allemand, l'arabe, le français et à l'occasion l'anglais !

▲ *Dar Nour* (plan II, D4, **19**) : 20, rue Gourna, Kasbah. ▤ 062-11-27-24. ● *dar nour.com* ● *De la place du Tabor, descendre par la rue Sidi-Ahmed-Boukouja jusqu'à une petite fontaine. Prendre ici la ruelle qui fait presque demi-tour à droite, c'est un peu plus loin au n° 20. Doubles 600-1 100 Dh (54,50-100 €) selon taille. Également des suites et mini-suites avec terrasse.* Philippe, le propriétaire de cette maison traditionnelle tangéroise, est un fin connaisseur de sa ville. Il y vit depuis les années 1990. Du Tanger mythique, fier de ses artistes, il a conservé un fort goût pour les arts et les lettres, insufflant une véritable âme à sa demeure. Beaux livres et jolis tableaux composent la déco de cette maison raffinée, chargée de mobilier et à l'architecture compliquée. Nombreux salons et escaliers tortueux découpent et relient les étages. Les chambres chaulées, toutes d'inspiration différente, rivalisent de charme. L'accueil y est d'une grande gentillesse, les petits déj délicieux et la vue de la terrasse sur la médina et la baie est imprenable. Une adresse qui sonne juste, un peu intello, mais reposante à souhait.

▲ **Riad Tanja** (plan II, E5, **20**) : rue du Portugal, escalier américain. ☎ 039-33-35-38. ● riadtanja.com ● Prendre la rue du Portugal par son côté sud-ouest et monter l'escalier à gauche pour pénétrer dans la médina. Suites 800-1 500 Dh (72,70-136,40 €). Table d'hôtes tlj sf lun. La charmante Dounia, qui allie dynamisme et sens de l'hospitalité, est l'âme de cette belle demeure restaurée et aménagée par un Marrachki. Belles pièces subtilement meublées et décorées, aux salles de bains carrelées de motifs marocains. La salle de resto ouvre sur une belle terrasse, qui donne malheureusement sur un quartier peu engageant de la médina. Sinon, une bien bonne adresse.

▲ **Dar Sultan** (plan II, D4, **21**) : 49, rue Touila. ☎ et fax : 039-33-60-61. ▯ 071-18-15-80. ● darsultan.com ● Fléché depuis la place du Tabor à côté de la porte de la Kasbah. Un conseil, quand vous voyez la rue Cheikh-ab-Dessamad-Guennoun, arrêtez-vous, vous y êtes, c'est la porte discrète sur la droite, n° 49. Double 990 Dh (90 €), suite avec terrasse 1 210 Dh (110 €). Un adorable dar dans le sympathique et pittoresque quartier populaire dominant la médina. Accueil chaleureux de Jean-Pierre et Maïté. Cadre particulièrement coloré, décor de charme, de beaux objets rapportés d'autres horizons, tout ça pimpant à souhait... Certains trouveront cette accumulation de bibelots typiquement marocains un brin trop tape-à-l'œil, mais la plupart se laisseront prendre au jeu et bercer par cette atmosphère cosy et d'une réjouissante intimité. Quatre confortables chambres avec bains et ameublement de caractère entourent un mignon atrium. Au dernier étage, une superbe suite avec terrasse privée pour les amoureux. Plantureux petit déj à partir de bons produits maison et superbe vue sur Tanger en prime. Thé et pâtisseries à partir de 16h. Bons tuyaux sur la ville et parking gardé. Possibilité de louer tout le dar (minimum 3 jours) pour un prix fort intéressant.

Hors de la médina

Très bon marché

▲ **Pension Miami** (plan I, B1, **23**) : 126, rue Salah-Eddine-el-Ayoubi. ☎ 039-93-29-00. Double 80 Dh (7,30 €) sans sdb. Douche payante. Pension banale mais bien située à proximité des bus et de la médina, dans une des rues les plus animées de la ville. Confort sommaire, sanitaires communs propres.

Bon marché

▲ **Pension Excelsior** (plan I, B1, **25**) : 17, rue Magellan. ▯ 012-08-91-11. Double 100 Dh (9,10 €). Petit et familial. Dans une belle bâtisse aux escaliers décorés de céramiques. Un hôtel bien entretenu ; certaines chambres ont un balcon. Les douches communes (payantes) sont praticables et l'accueil est vraiment sympathique. Bon rapport qualité-prix.

▲ **Pension Omar Khayam** (plan I, C2, **26**) : 26-28, rue Al-Antaki. ☎ 033-05-38-19. ▯ 063-71-84-60. Double 150 Dh (13,60 €). Après quelques menus travaux, les chambres de cette petite pension banale se sont un peu embellies. Préférez celles du 1er étage. L'ensemble reste modeste. Douches dans les chambres. Assez jolie façade de la maison, colorée, moins blockhaus que les immeubles du quartier.

Prix moyens

🛏 *Hôtel l'Île Verte* (plan I, B1, *24*) : 5, rue Ampir. ☎ 039-93-53-86. Venant du bd Mohammed-VI, prendre la rue Salah-Eddine-el-Ayoubi, puis la ruelle à gauche après la téléboutique ; indiqué. Doubles avec sdb 150-300 Dh (13,60-27,30 €) selon saison. Parfois négociable hors saison, devenant alors très bon marché. À deux pas de l'entrée sud de la médina, près du bouillonnant marché des Pauvres. Un quartier particulièrement animé et coloré tapissé de petits marchés. Les chambres sont impeccablement tenues (mobilier et literie récents), très propres, à demi carrelées de mosaïques, et aux murs blancs immaculés. Salles de bains nickel.

🛏 *Hôtel El Muniria* (plan I, B1, *27*) : 1, rue Magellan. ☎ 039-93-53-37. Résa indispensable l'été. Double 200 Dh (18,20 €), certaines avec douche (mais w-c communs), d'autres avec sdb complète. Pas de petit déj. Le récent coup de peinture a bien amélioré le confort de cet hôtel qui tombait un peu en ruine. Le lieu est chargé d'histoire. C'est dans ce petit hôtel de 8 chambres que William Burroughs aurait rédigé Le Festin nu et qu'il recevait ses copains de la beat generation. Certaines chambres jouissent d'une vue magnifique sur la baie. Également un bar très populaire la nuit, et très bruyant aussi... éviter donc les chambres juste au-dessus, au 1er étage.

🛏 *Hôtel Nabil* (plan I, B1, *28*) : 11, rue Magellan. ☎ 039-37-54-07. Garage payant dans l'hôtel. Fermeture de la porte d'entrée à 1h. Doubles avec sdb 230-260 Dh (20,90-23,60 €) selon saison. Petit déj en sus, servi l'été slt. Dans une grande demeure. Les grandes chambres sont agréables, mais la propreté s'avère aléatoire, notamment dans les salles de bains, par ailleurs assez petites. Certaines ont des petites terrasses privatives qui donnent sur la baie. Attention, pas de chauffage en hiver. Des lecteurs se sont émus de devoir payer d'avance. C'est une pratique assez courante néanmoins, en vigueur ici !

🛏 *Hôtel Andalucia* (plan I, B2, *29*) : 14, rue Ibn-Hazm (ex-Vermeer). ☎ 039-94-13-34. Parking payant. Doubles avec sdb 230-260 Dh (20,90-23,60 €). Un petit hôtel un peu excentré, dans une rue derrière le salon Roxy. Bien tenu et accueil affable. Chambres avec balcon (vue peu intéressante) impeccables, en enfilade dans un couloir.

🛏 *Hôtel Ritz* (plan I, B2, *30*) : 27, rue Moussa-ibn-Noussair. ☎ 039-32-24-43 ou 45. Fax : 039-94-10-02. Angle rue Sorella. Double avec sdb 300 Dh (27,30 €) tte l'année, petit déj compris. CB acceptées. Établissement propre de style Art déco. Chambres spacieuses et agréables. Certaines ont de grandes baies vitrées et des formes arrondies, architecture de l'immeuble oblige. Salon de thé au rez-de-chaussée. Bon petit déj. Accueil qu'on aimerait plus souriant.

🛏 *Hôtel Biarritz* (plan I, B1, *31*) : 102-104, bd Mohammed-VI. ☎ 039-93-24-73. Doubles avec sdb 230-250 Dh (20,90-22,70 €), petit déj en sus. Bien tenu dans l'ensemble et au cœur de l'animation nocturne (tous les restos, boîtes et bars s'alignent de l'autre côté de l'avenue). De ce fait, chambres sur le devant pas trop calmes.

🛏 *Hôtel Royal* (plan I, B1, *32*) : 144, rue Salah – Eddine-el-Ayoubi. ☎ 039-93-89-68. Doubles avec sdb 180-260 Dh (16,40-23,60 €) ; quelques chambres sans sdb moins chères. Les chambres, d'aménagement récent, s'organisent sur plusieurs étages autour d'un patio intérieur assez large. Propre et très classique, sans charme. Bien placé.

🛏 *Hôtel de Paris* (plan I, B1, *33*) : 42, bd Pasteur. ☎ 039-93-18-77. Fax : 039-93-81-26. Doubles avec sdb à partir de 340 Dh (30,90 €), sans petit déj. Certaines partagent des w-c communs. Adresse surtout intéressante hors saison, où les prix peuvent baisser. Sinon, on flirte ici avec la catégorie « Chic ». Les chambres sont grandes, hautes de plafond et propres. En revanche, les salles de bains ne sont pas toujours terribles. L'hôtel est situé en plein centre-ville, alors mieux vaut oublier les grasses matinées... Son entrée décorée donne une idée de sa splendeur passée. Demander une chambre en haut, pour la vue.

De chic à très chic

🛏 **Hôtel Rembrandt** (plan I, B1-2, **34**) : à la jonction du bd Mohammed-V et du bd Pasteur. ☎ 039-93-78-70. ● hotel-rembrandt.com ● Résa conseillée à l'avance en hte saison. Doubles 620-860 Dh (56,40-78,20 €) suivant saison et vue sur baie, avec TV, téléphone. Là encore, l'une des institutions de Tanger, dont elle partage le charme suranné. Très beau hall en marbre, chambres spacieuses avec mobilier d'époque mais sans excès de confort. Préférer absolument les chambres avec une vue sur la baie. Belle piscine, et même un coin de gazon au cœur de la ville. Bon accueil.

🛏 **Hôtel Chellah** (plan I, A2, **35**) : 47-49, rue Allal-ben-Abdellah. ☎ 039-32-10-02 ou 03 ou 58. ● ksarchellah@menara.ma ● Doubles 550-680 Dh (50-61,80 €) selon saison. Petit déj en sus. Un immense et très ancien hôtel du centre-ville, proche de la plupart des restos. Il fait partie des hôtels réputés de la ville, même s'il a un peu vieilli. Il garde tout de même son superbe jardin et sa piscine.

🛏 **Apart Hotel Nezha** (plan I, B2, **36**) : 58, av. de la Résistance. ☎ 039-94-28-24. Fax : 039-34-14-30. Loc de studios ou d'apparts 2-8 pers en service hôtelier. Pour 2 pers en hte saison, 300-600 Dh (27,30-54,50 €) selon la taille. Intéressant à partir de 4 pers. Dans un grand immeuble sans beaucoup de charme. Appartements meublés, avec une cuisine équipée et un peu de vaisselle. En visiter plusieurs avant de se décider. La décoration est assez banale, mais c'est confortable et propre. Certains studios ont un petit balcon. Salon de thé au rez-de-chaussée.

🛏 **Tanjah Flandria** (plan I, B2, **37**) : 6, bd Mohammed-V. ☎ 039-93-32-79 ou 31-64. ● hotelflandria@hotmail.com ● Doubles 600-1 000 Dh (54,50-90,90 €) avec bains, TV, téléphone et AC

(bruyante !). CB acceptées. Présente un bon rapport qualité-prix hors saison. Grand établissement « moderne » très bien tenu. On regrette quand même la déco franchement froide, incolore et impersonnelle des chambres. Elles sont impeccables, certes. Bar et piscine sur le toit, tout en zelliges verts et tommettes, et dominant Tanger, la mer et l'Espagne... Le bruit sur le boulevard peut gêner. Sauna et salon de coiffure. Possibilité de venir juste prendre un verre sur la terrasse (voir plus loin la rubrique « Où boire un verre ? »).

🛏 **Hôtel Intercontinental** (plan d'ensemble, **38**) : parc Brooks. ☎ 039-93-60-53 à 57. ● intercontinental-tangier.com ● Parking gardé gratuit. Double 1 000 Dh (90,90 €). Bien situé dans un parc verdoyant, à 10 mn du centre-ville. Si l'hôtel est impersonnel (clientèle d'affaires), les chambres, spacieuses et avec AC, sont confortables, et on arrive à dormir en toute quiétude... Les plus agréables donnent sur un joli jardin avec piscine.

🛏 **Hôtel Ahlen** (hors plan d'ensemble, **39**) : av. Mohammed-VI. ☎ 039-31-23-56 ou 78-32. ● hotelahlen@yahoo.fr ● À env 5 km (route de Rabat). Double à partir de 800 Dh (72,70 €), petit déj en sus. Luxueux complexe hôtelier, mais dont les prix demeurent encore raisonnables. Architecture traditionnelle horizontale, somptueux décor oriental, calme et charmant... Conviendra tout à fait à ceux et celles souhaitant avant tout un lieu de détente et de repos. Les abords verdoyants de l'immense piscine vous propulsent loin dans la campagne. Confortables chambres climatisées (téléphone, TV câblée, chauffage, terrasse, etc.). Resto, piano-bar, discothèque, spectacle de fantasia et autres animations en font un vrai lieu de séjour. Tennis et équitation. Navette pour la ville.

Encore plus chic

🛏 **El-Minzah** (plan I, A1, **40**) : 85, rue de la Liberté. ☎ 039-93-58-85. ● elminzah.com ● Doubles 1 600-2 400 Dh (145,50-218 €) selon saison et vue, petit déj

compris. L'un des plus beaux hôtels du Maroc et le plus ancien de Tanger. Certaines parties datent de 1830. On ne compte plus les hôtes célèbres qui y ont

TANGER

séjourné : Churchill, Jean Genet, le roi Juan Carlos... Jardin débordant de roses et de bougainvillées et surplombant la baie de Tanger. Palmiers autour de la piscine. Après une période délicate, l'établissement a retrouvé de sa superbe. Service d'étage en habit traditionnel un peu folklo. Accueil prévenant. Le resto est une institution connue de tous (voir « Où manger ? »). Allez prendre, si vous en avez les moyens, un verre au *Caïds Bar* (pianiste le soir) après avoir traversé le patio à arcades bleu et blanc (voir « Où boire un verre ? »).

🛏 *Mövenpick Hôtel et Casino (hors plan d'ensemble, 41) :* à 4 km du centreville, sur la route de Malabata. ☎ 039-32-93-00. ● *moevenpick-hotels.com* ● *Double standard à partir de 1 400 Dh (127,30 €) ; plus de 2 000 Dh (182 €) en hte saison. Petit déj-buffet pantagruélique compris.* Énorme hôtel (240 chambres), ultrachic et moderne (façade en verre et béton), avec tout le confort possible. Construit et décoré avec les matériaux les plus nobles. Beau travail de mosaïques au sol, dans les chambres et les couloirs ; mobilier ethnico-chic alliant l'osier et le bambou. Superbement situé au bout de la baie de Tanger et retiré de l'agitation de la ville. Très belle piscine avec un îlot de verdure. Plusieurs restos et bars (voir « Où manger ? »), casino, etc.

– Voir également, « Dans les environs de Tanger », l'hôtel *Robinson* et l'hôtel *Mirage* au cap Spartel.

Où manger ?

Tanger est une ville où l'on mange bien, mais on y trouve surtout des restaurants de cuisine étrangère. Goûtez le poisson au gros sel (recette d'origine portugaise ; à commander toujours à l'avance) et la tarte au citron, très différente de celle que l'on fait en France. Les meilleures sont servies au *San Remo* et au *Mirage* du cap Spartel.

Très bon marché (moins de 50 Dh / 4,50 €)

Sur le Grand-Socco, ou place du 9-Avril-1947 *(plan II, D5)*, les plus fauchés pourront manger une *harira* ou *bissara* (spécialité du Nord, aux fèves) et toute la cuisine rapide maghrébine, près des marchandes de pain. De quoi se caler l'estomac à bon marché.

|●| Deux petites *rôtisseries* (sans nom) restent ouvertes toute la nuit : la première se trouve sur le Petit Socco ; la seconde, rue Es-Siaghîn, en montant vers le Grand Socco. Poulets à la broche, foie grillé, etc. Bonne qualité et sans histoires.

|●| *Andalus (plan II, E5, 50) :* 7, rue du Commerce. *Ouv sans interruption jusqu'à 23h.* À deux pas du Petit Socco, une petite échoppe proprette où l'on mange dans l'arrière-boutique quelques brochettes ou des poissons frits frais pour une poignée de dirhams.

|●| *Atlas (plan II, E5, 51) :* dans la ruelle partant à droite de la pension Mauritania. Tout de suite en face, petite gargote populaire, discrète (le nom est peint sur le mur) et bien tenue, réputée pour ses poissons (bonnes sardines pimentées) et crevettes grillés à prix très modérés.

|●| *Restaurant de la Maison communautaire des Femmes Darna (plan II, D5, 52) :* rue Jules-Cot. ☎ 039-94-70-65. *À deux pas de la place du 9-Avril-1947. Accès par les escaliers depuis la place ou la rue de la Liberté. En face du café Chorouk. Lun-ven, midi slt.* C'est un resto associatif dit « d'insertion économique des femmes ». Donc une bonne œuvre dans le bon sens du terme. Ensuite, un cadre fort plaisant (salle propre et agréable, cour intérieure reposante à l'ombre du figuier). Et, pour couronner le tout, un intéressant menu. Cuisine familiale traditionnelle bien sûr, à partir de bons produits (délicieuse tarte au citron). Accueil souriant. Idéal

pour manger sain, bon marché et pas trop lourd le midi.

|●| *Alhambra Sandwichs* (plan I, A1, 53) : 10, rue du Mexique. Très populaire. Familles nombreuses et travailleurs pressés au coude à coude.

Dans leurs deux petites salles toujours remplies, ça dépote jour et nuit des sandwichs comme des petits plats cuisinés, le tout très frais (pas difficile, vu le débit...). Très sympa et bien tenu.

Bon marché (moins de 80 Dh / 7,30 €)

|●| *Les gargotes du port* (plan II, E4, 54) : pas difficile à trouver ; se rendre à l'entrée principale, au bout du bd Mohammed-VI, puis partir à droite. Y aller plutôt le midi, le soir le quartier est un peu glauque. En attendant qu'il ne soit transformé à son tour comme toute la zone, le port de pêche de Tanger (se reporter à la rubrique « À voir ») propose de sympathiques gargotes où frétillent dans les assiettes tous les poissons ruisselant encore des eaux de l'océan et de la Méditerranée. Plein de petites terrasses pour un repas très bon marché. Les lecteurs dormant à l'hôtel *Continental* seront déjà à bon port...

|●| *Restaurant Agadir* (plan I, A1-2, 55) : 21, av. du Prince-Héritier. Tlj jusqu'à 23h. Attention : prix indiqués hors taxe ! Petit resto discret mais très réputé, et à juste titre. On vous recommande la carte marocaine, avec ses spécialités de tajines en tout genre servies sur des nappes à petits carreaux. Majorité de convives européens qui

viennent aussi pour l'accueil, très sympathique. Une des rares adresses à prix modérés où l'on sert de l'alcool.

|●| *Eldorado* (plan I, B2, 56) : 21, rue Allal-ben-Abdellah. Une excellente adresse, où l'on rencontre surtout des Tangérois qui y dégustent de copieux plats de poisson très frais et notamment de savoureux petits rougets. Bon, pas cher, très simple et ils servent de l'alcool. Aux beaux jours, la terrasse éloignée de la rue est particulièrement agréable. Dommage que le service ne soit pas à la hauteur et ne s'améliore guère avec le temps.

|●| *Restaurant Ahlen* (plan II, E5, 57) : 8, rue Mokhtar-Ahardan (ex-rue des Postes). Sur le Petit Socco. Un grand classique de la restauration à bas prix et une salle accueillante. Cuisine simple mais de qualité. Dans l'entrée pleine d'odeurs qui vous mettront en appétit, couscous, tajines divers, omelette espagnole, et, près de la caisse, grande marmite de *harira* fumante.

Prix moyens (80-150 Dh / 7,30-13,60 €)

La plupart des restaurants à partir de cette catégorie servent de l'alcool.

|●| *Saveurs de Poisson* (plan I, A1, 58) : juste après l'hôtel El-Minzah, au milieu de l'escalier qui mène au marché des Pauvres. ☎ 039-33-63-26. Tlj sf ven 13h-16h, 19h-22h. Les Tangérois considèrent cette adresse comme l'une des meilleures tables pour le poisson. Ils savent de quoi ils parlent. L'entrée se fait par la cuisine, où un délicieux bouquet d'odeurs titille déjà les narines. Puis la fine lame du cuisinier hachant et découpant ses produits frais devrait finir de vous convaincre de franchir le pas. Point de carte mais menu quasi imposé inscrit sur une grande ardoise à l'entrée. Grande jarre de

soupe de poisson chauffant en permanence au centre de la salle décorée de mosaïques. Infusion de 14 herbes différentes. Sinon, goûter la soupe d'orge aux fruits de mer, la brochette de requin, le merlan grillé sur l'argile, etc. Ah ! c'est un peu cher... enfin, on a connu gargote plus ruineuse pour assiette aussi riquiqui.

|●| *Casa Italia* (plan d'ensemble, 59) : dans le palais des Institutions italiennes. ☎ 039-93-63-48. Parking. Accès par l'av. Hassan-II. Sert de l'alcool. On vient ici tant pour le cadre que pour la nourriture. Installé dans le palais des Institutions Italiennes, monument qu'on

ne visite pas (se reporter à la rubrique « À voir »), voici une bouffée de fraîcheur dans la ville. Au milieu d'un jardin planté de séquoias, la terrasse étale ses tables dans une atmosphère paisible et douce. Calme total. Attirées par l'excellente réputation de la *casa,* les familles chic de Tanger viennent s'y détendre, des célébrités aussi à l'occasion. Cuisine évidemment italienne, bonnes pizzas bien garnies. Le reste de la carte est plutôt moyen. Mais on craque pour le petit charme désuet qui règne ici.

|●| *Anna et Paolo (Chellah Grill ; plan I, A2, 60) :* 77, av. du Prince-Héritier. ☎ 039-94-46-17. *Fermé dim.* Petite salle agréable, animée et bruissante, ornée de vieilles photos. Sympathique rendez-vous d'hommes d'affaires décontractés, d'employés du coin et d'expats. Sérieuse cuisine italienne et de qualité constante. Pizzas réputées, lasagnes maison succulentes, belles viandes. Plat du jour sur l'ardoise. Accueil affable, service diligent.

|●| *Mamounia Palace (plan II, D5, 61) :* 6, rue Semmarine. ☎ 039-93-50-99. *Dans la rue principale de la médina,* juste après la porte du Grand Socco. Au 1er étage, dominant l'animation de la rue. *Sert de l'alcool.* Cadre confortable et aéré. Décor cossu tout en moulures dorées et argentées, murs tendus de tissus colorés, banquettes et poufs... à la limite du resto folklorique. Parfois des musiciens accompagnent le repas. Cuisine marocaine classique correcte, sans plus. Attention, point de chute des groupes (en cas d'affluence), ça peut être un rien oppressant. Accueil inégal.

|●| *Restaurant Valencia (plan I, C2, 62) :* 6, av. Youssef-ibn-Tachfine. ☎ 039-94-51-46. *Un peu excentré. Fermé mar.* Resto spécialisé dans les paellas et les fruits de mer. Grand choix de poissons. Quelques viandes aussi. Cuisine très correcte. Accueil cordial.

|●| *Pizzeria Oslo (plan I, B-C2, 63) :* bd Mohammed-V, sous les arcades. Un peu plus bas que la grande poste. Tlj 5h-2h. Cadre moderne « nickel chrome », confortable, un poil kitsch même, c'est le cas de le dire. Populaire pour ses excellentes pizzas (2 tailles) et son service jeune et dynamique. À côté, une boutique pour les pizzas à emporter.

Chic (150-250 Dh / 13,60-22,70 €)

|●| *Restaurant San Remo (Chez Toni ; plan I, A1-2, 64) :* 15, rue Ahmed-Chaouki. ☎ 039-93-84-51. Carte de spécialités italiennes. Cadre chaleureux et raffiné, en jaune et vert, avec de belles chaises en osier et des tables joliment dressées. La petite mezzanine offre une belle vue sur la salle. Fréquenté par les touristes mais aussi beaucoup par les Tangérois, qui, eux, commandent la veille des plats imprégnés de sauces riches en épices. Faites comme eux ! Accueil très pro mais pas guindé.

|●| *Le Marquis (plan I, B2, 65) :* 18, rue Bouhtouri. ☎ 039-94-11-32. *Service tlj 12h-16h, 19h-minuit.* Lassé de ne pas trouver de resto à sa convenance à Tanger, le propriétaire, un sacré personnage, s'est fabriqué son petit palais. *Le Marquis* s'épanouit au milieu d'abondants tissus aux murs, banquettes de velours rouge et portraits de princes et de duchesses. Fausses poutres en carton-pâte et peintures au plafond encadrées d'épaisses moulures parachèvent ce décor Renaissance d'un pimpant kitsch assumé et délirant. Cuisine française et poisson frais très raffiné aux sauces un peu travaillées.

|●| *El Pescador (plan I, B2, 66) :* 35, rue Allal-ben-Abdellah. ☎ 039-34-10-05. *Juste à côté de l'hôtel* Chellah. Un spécialiste de... poisson, mais aussi plats espagnols (le patron est de Burgos) et accessoirement français. Entre autres, la brochette de lotte au safran, les palourdes marinées, le poisson « gros sel », le château Brillant (dans le texte). La cuisine est raffinée et le service impeccable et attentionné. À droite du resto, après avoir traversé une courette, un petit bar propose d'excellentes tapas sur le superbe comptoir en bois. Bien plus animé, et à l'ambiance chaleureuse.

TANGER

l●l *Les restos de la plage :* tout au long du boulevard Mohammed-VI, côté plage, s'échelonnent les restos un peu chic, certains ouverts quasiment toute l'année, d'autres ouvrant progressivement à partir du printemps. Parmi ceux que l'on a testés, on vous recommanderait bien le *555 (plan I, C1-2, 67)*, qui recueille les suffrages des jeunes (et moins jeunes) branchés. La boîte est ouverte à l'année, en revanche le resto (de bonne réputation) n'ouvre que d'avril à octobre. Quant au *Balnéaire des Hôtels associés,* à côté de *La Passarella (plan d'ensemble, 111)*, si le cadre est confortable et le service discret et efficace, la cuisine se révèle, elle, très classique (certes avec copieux amuse-bouches) et l'atmosphère assez pépère.

Très chic (autour de 250 Dh / 22,70 €)

l●l *Restaurant marocain de l'hôtel El-Minzah (El Korsan ; plan I, A1, 40) :* 85, rue de la Liberté. ☎ 039-93-58-85. *Fermé lun.* Belle salle avec arches en fer à cheval. Une cuisine marocaine raffinée, où l'on connaît la différence entre le « couscous bidaoui » et le « couscous fassi ». Signe d'authenticité. *Pastilla* sublime. Prix élevés mais justifiés, eu égard à la qualité et au cadre. Pour les spécialités, comme le pageot farci aux fruits de mer, commander 3h à l'avance. Sinon, goûter au tajine de daurade à la Safi. En dessert, un plateau d'excellentes pâtisseries (les meilleures cornes de gazelle). Orchestre et danseuses traditionnels.

l●l *Restaurants de l'hôtel Mövenpick (plan d'ensemble, 41) :* voir « Où dormir ? ». Plusieurs formules : d'abord le formidable buffet du soir en haute saison, somptueux étalage de plus de 50 plats. Flambeaux autour de la piscine, tapis, musique et tout. Vraiment bien. Sinon, la *Mouette* (fermé en été le soir) pour une cuisine qui semble élaborée : raviolis aux fruits de mer, papillote de sole et saint-pierre, huîtres de Oualidiya, curry de crevettes à l'indonésienne, etc. Enfin, le must, c'est le *Layali* installé sous une tente caïdale. Banquettes confortables et poufs pour de succulentes spécialités marocaines et libanaises. Pour les malins, on rappelle le buffet gratuit du casino le vendredi soir.

l●l *Relais de Paris (plan I, A1, 68) :* complexe Dawliz, 42, rue de Hollande. ☎ 039-33-18-19. *Au 1er étage du centre commercial. Fermé mer. Menu 100 Dh (9,10 €) ; plus du double à la carte. Vin au verre.* Cadre de bistrot parisien traditionnel et cuisine française pour ceux qui souhaitent varier un peu leurs menus. Tables bien séparées, box pour les amoureux. Service particulièrement pro, par des jeunes solidement formés à l'école du patron. Plats classiques servis généreusement (confit de canard, etc.), mais la spécialité, c'est l'entrecôte servie par moitié (l'autre étant maintenue chaude) avec sa sauce spéciale (et « secrète ») aux 15 épices.

Ultra-chic

l●l *Villa Joséphine (hors plan d'ensemble, 69) :* 231, route de la Vieille-Montagne (Sidi-Masmoudi). ☎ 039-33-45-35. *Sur la route du cap Spartel. Au resto, il faut tout de même compter 550-660 Dh (50-60 €) le repas (sans boisson).* Imaginez alors les tarifs de l'hôtel, l'un des plus luxueux du Maroc et abordable uniquement si vous avez gagné au loto (doubles à partir de 300 €). Ces prix sont en rapport avec la qualité des lieux, ça va de soi... Immense villa toute blanche construite par Walter Harris, fameux éditorialiste du *Times,* puis habitée par un grand d'Espagne, avant de finir comme résidence d'été du Glaoui, pacha de Marrakech. Parc magnifique et somptueux décor intérieur pour une fine cuisine française traditionnelle. Des plats fort classiques certes, mais exécutés avec un professionnalisme sans faille. Atmosphère chic et élégante, service à la française. Pour une petite folie... voilà l'occasion !

Restaurant folklorique

I●I *Restaurant Hamadi* (plan II, D4, **70**) : 2, rue de la Kasbah. ☎ 039-93-45-14. Le soir, n'ouvre pas avt 20h. Plats 40-60 Dh (3,60-5,40 €). Une entrée aux couleurs du Maroc et une déco dans les tons rouges très accentuée, mais chaleureuse et agréable. Ils reçoivent surtout des groupes (220 couverts). La cuisine, elle, ne suit pas toujours et l'atmosphère très touristique peut devenir assez pesante. Musiciens au déjeuner et au dîner. De nombreux hôteliers le considèrent comme un passage obligé pour le touriste étranger, mais vous n'êtes pas forcé de les croire !

Où manger une pâtisserie ?

Énormément de pâtisseries et de salons de thé. En voici une petite sélection :

I●I *Salon de thé Vienne* (plan I, A1, **80**) : angle rue du Mexique et rue El-Moutanabi, à deux pas de la place de France. Ambiance branchée dans un décor de marbre tout à fait rétro, vélums passés et dorures. Assez cher.

I●I *Pâtisserie Florence* (plan I, B2, **81**) : angle rues Lafayette et Mansour-ad-Dahabi. Tlj 5h-23h. Ce n'est pas un salon de thé, mais on peut y acheter des pizzas. Excellents gâteaux marocains et européens.

I●I *Pâtisserie Roxy* (plan I, B2, **82**) : 11, rue Mansour-ad-Dahabi, juste à côté du ciné Roxy. Bonne odeur de croissant chaud. Le matin, la boutique est pleine de lycéens qui raffolent des succulents pains au chocolat ou aux amandes.

I●I *Le Petit Prince* (plan I, A1, **83**) : 36, bd Pasteur. Délicieuses pâtisseries, glaces, jus de fruits frais et pizzas à emporter.

I●I *Pasteleria La Española* (plan I, A1, **84**) : 97, rue de la Liberté. En face de la galerie Delacroix. Jusqu'à 22h. Belle salle confortable où les Marocaines adorent se retrouver pour savourer de bons gâteaux, tartes (à emporter aussi) et glaces.

Où boire un thé, un jus ?

I●I *Café Hafa* (« La Falaise » ; plan d'ensemble, **90**) : de la porte nord-ouest de la kasbah, prendre la rue Assad-ibn-el-Farrat qui longe la côte et, lorsque l'esplanade des tombeaux phéniciens apparaît sur la droite, s'y engager, tourner à gauche dans une ruelle puis à droite : c'est au bout. Fermé dans la journée pdt le ramadan. Depuis 1921, tout le monde y est passé. Impossible de venir à Tanger sans aller y boire l'une des deux seules boissons que l'on y sert : café ou thé à la menthe, recette inchangée depuis des décennies. Des jardins en terrasses étagés sur la falaise, des plantes, des tables disséminées entre des arbustes et des balustrades, des chats gambadant. En haut, quelques cabanes enfumées. On ne vous dit pas la composition des « cigarettes »... On peut simplement passer des journées entières ici, à siroter son verre, à jouer aux cartes et à contempler le paysage : la mer, le détroit de Gibraltar et la côte andalouse, juste en face. Un endroit magique qu'il ne faut manquer à aucun prix. On en oublie le mal qu'on a à passer commande !

I●I *Café de Paris* (plan I, A1, **91**) : pl. de France. Tlj 6h-23h30 (22h30 en hiver). C'est un peu le *Flore* de Tanger avec son charme suranné. Ouvert en 1920, ce serait le premier café à s'être installé en dehors de la médina. Au fond à droite, une grande salle avec vue sur le détroit. Le *Café de Paris* a connu son heure de gloire, et le Tout-Tanger chic s'y retrouvait.

I●I *Porte du Nord* (plan I, B2, **92**) : rue Ibn-Rochd. ☎ 039-37-05-45. Tlj 7h-22h. À la grande époque, on servait chez Mme Porte la meilleure pâtisserie du royaume, et son *Martini dry* était célèbre dans toute la région.

Aujourd'hui, c'est un salon de thé chic qui a sacrément vieilli. Vraiment l'ambiance d'une autre époque.

🍷 *Ibiza (plan I, B2, 93)* : 46, rue Allal-ben-Abdellah. *Ouv jusqu'à minuit, et tte la nuit pdt le ramadan.* Une adresse typique. On y sert, à notre avis, le meilleur thé à la menthe de Tanger préparé avec des fleurs d'oranger, de la sauge et de l'aneth. Nous, on aime bien ce café qui diffuse des films toute la journée sur sa TV à écran géant. À moins que vous ne préfériez sa petite terrasse sur le trottoir. Possibilité de grignoter.

🍷 *Chorouk (plan II, D5, 94)* : *Grand Socco, sur la gauche vers l'église Saint-Andrew's.* Une minuscule gargote au-dessus de la place, avec une terrasse et 4 vieilles tables pour siroter un thé à la menthe en dominant la ville.

🍷 *Café Horizon (plan I, A1, 95)* : 42, rue de Hollande. *Dans le complexe Dawliz.* Les consommations sont un peu chères mais, à deux pas du centre-ville, la terrasse panoramique mérite vraiment le détour. Les petits déj sont, eux, peu onéreux.

Où boire un verre ?

🍷 *El Mesón de Pépé Ocaña (plan I, B1, 96)* : 7, rue Jabha-el-Watania. *Juste derrière l'hôtel* Rembrandt. *Tlj sf ap-m et dim.* Fréquenté majoritairement par des hommes, tous accoudés au bar en regardant la TV les soirs de match. Totalement inconnu des touristes, un petit bar tout en longueur, où les tapas se succèdent au rythme des bières. Une ambiance sans histoires, détendue et agréable, et un petit morceau d'Espagne qui a dû traverser le détroit...

🍷 *Le Tanger Inn (plan I, B1, 97)* : 1, rue Magellan. *Juste en dessous de l'hôtel* El Muniria. *En principe, ouv 21h-1h.* Un guide local en dit : « C'est là que sont cachées les dernières traces du mythe de Tanger. » Et pour cause, si vous avez aimé cette ville, vous ne pourrez pas dédaigner la vue, ses banquettes en skaï, ses petites tables Art déco en formica et son piano... Il semblerait que le spectre de Burroughs, qui avait ses appartements dans l'hôtel au-dessus, hante encore ces lieux. Une ambiance calme en semaine, qui s'enflamme parfois le week-end sans que l'on ne sache bien pourquoi.

🍷 *London's Pub (plan I, B2, 98)* : 15, rue Mansour-ad-Dahabi. *Fermé le midi.* Une ambiance feutrée : larges panneaux de bois et moquette vert anglais (forcément). Peu de monde en semaine, une certaine tenue dans le service, quelques expatriés et 2 ou 3 jeunes cadres... sans surprise, mais toujours agréable. On peut aussi y manger, mais c'est un peu cher.

🍷 *The Chico's Pub (plan I, B2, 99)* : rue Sorella. *Tlj sf dim, 15h-minuit.* Un lieu chic et agréable, dans des tons calmes, avec de belles couleurs de bois, des reproductions de tableaux et Piaf et Aznavour en musique de fond. De jeunes cadres viennent y déguster un whisky de marque. Possibilité également de manger. Petites fleurs et bougies de rigueur sur les tables, mais c'est plutôt cher.

🍷 *The Pub (plan I, B2, 100)* : 4, rue Sorella. *En face de l'hôtel* Ritz. *Tlj 12h-15h, 19h-1h30.* On aime bien son cadre chaleureux. Des dizaines de tableaux aux murs, banquettes confortables. Ambiance étonnante et cosmopolite. Tenue correcte exigée. Clientèle 30-40 ans. Grand choix d'alcools. Bonne carte de plats bien préparés. Même genre, mêmes tarifs que le *Chico's,* mais le cerbère à l'entrée est un peu moins engageant...

🍷 *Relais Lounge (plan I, A1, 68)* : complexe Dawliz, 42, rue de Hollande. ☎ 039-33-18-19. *Tlj 18h-2h.* Dépend du resto le *Relais de Paris,* juste à côté. Bar *lounge* vraiment chic et cosy aux consommations assez chères. Rendez-vous de la jeunesse moderne et branchée de Tanger. Confortables fauteuils et canapés. Adresse qui a rapidement connu un beau succès, toujours plein et très animé.

🍷 *Bar de l'hôtel Tanjah Flandria (plan I, B2, 37)* : 6, bd Mohammed-V. Sur la terrasse de l'hôtel, au bord de la piscine, une vue magnifique et imprenable sur la baie, et un petit quelque chose de magique dans la lumière et les couleurs au moment du coucher de soleil.

♟ *Caïds Bar de l'hôtel El-Minzah* *(plan I, A1, 40)* : 85, rue de la Liberté. On y vient plus pour le cadre exceptionnel loin du bruit et de l'agitation de la ville que pour le service. Bon choix de cocktails. Si vous avez des goûts de luxe, belle carte de champagnes...

Dans la médina

♟ ♪ Juste à côté de l'entrée du musée Dar-el-Makhzen, au coin de la place de la Kasbah, se trouve le local de répétition d'un groupe de musique traditionnelle arabo-andalouse, *Les Fils du détroit*, qui jouent pour leur plaisir et éventuellement celui des gens de passage. Très agréable et pas du tout touristique. La théière est toujours pleine et on vous en proposera peut-être un verre.

♟ *Le Café Tingis, le Café Fuentès et le Café Central* *(plan II, E5)* : *Petit Socco.* Difficile de lire un livre dont l'intrigue se déroule à Tanger sans que l'un des personnages ne se retrouve, à un moment ou un autre, dans l'un des cafés du Petit Socco, et ce quelle que soit l'époque. Il faut dire que les cafés y sont apparus presque en même temps que la place elle-même... On aime bien le *Tingis*, qui s'est agrandi en récupérant une boutique (ancien nom en carrelage sur le sol, « À la Samaritaine »). Si l'on y croise moins de célébrités qu'auparavant, on y commente toujours l'actualité et les affaires, plus ou moins légales dans ce quartier au passé sulfureux. Une atmosphère que viennent toujours chercher les gens de passage.

Où danser ?

Les boîtes de nuit s'animent très tard dans la nuit (1h30) et sont souvent fréquentées par des « filles qui travaillent ». Une certaine vigilance s'impose, car il existe un grand nombre de discothèques douteuses. La plupart se trouvent derrière le boulevard Pasteur.

♪ *555* *(plan I, C1-2, 67)* : *bd Moham-med-VI (en face de l'hôtel* Rif*).* ☎ 039-94-49-50. ● *beachclub555.com* ● Une des boîtes les plus en vue, le rendo des jeunes branchés de la ville. Tous les vendredis, une soirée à thème. Fait également resto (voir « Où manger ? »). Cadre assez sympa.

♪ *Morocco Palace* *(plan I, B1, 110)* : *rue du Prince-Moulay-Abdellah.* ☎ 039-93-55-64. La boîte la plus sympa. Une superbe salle décorée comme un palais marocain, qui vous donnera un avant-goût des *riad.* Tou-jours plein de monde, et parfois des chanteurs marocains s'y produisent. Ambiance marocaine.

♪ *La Passarella* *(plan d'ensemble, 111)* : *bd Mohammed-VI, côté plage.* Si les videurs vous laissent entrer, vous pénétrerez dans « la » boîte chic de Tanger. Une ambiance très occidentale avec une belle piscine entourée de céramiques. Bonne musique.

♪ *Régine* *(plan I, B2, 112)* : *8, rue Man-sour-ad-Dahabi.* Un peu moins sélect, néanmoins plus grand et moins cher. En perte de vitesse...

À voir

🍴 *Le Grand Socco ou place du 9-Avril-1947* *(plan II, D5)* : place assez vaste, reliant la ville ancienne à la ville moderne, sans intérêt si ce n'est son activité grouillante, puisque c'est un lieu de passage obligé. Les jeudi et dimanche sont jours de marché sur la place. Vous verrez les paysannes, encore vêtues de leurs traditionnelles *fouta* rayées, et coiffées d'immenses chapeaux de paille à pompons de laine.

C'est sur cette place que le sultan Mohammed ben Youssef prononça, le 9 avril 1947, le discours dans lequel il évoquait l'indépendance du Maroc. Les rues autour ont subi d'importants travaux et accueillent une succession de marchés couverts.

🏃🏃 *La médina et la kasbah :* moins intéressante que celle de Tétouan toute proche, la médina de Tanger offre tout de même au routard de passage son contingent de dépaysement ainsi qu'une immersion dans le passé tangérois.

– *Le Petit Socco (plan II, E5) :* au bout de la rue Es-Siaghîn, c'est-à-dire des Bijoutiers. Place constamment animée, carrefour central des ruelles de la médina autour duquel s'est peu à peu formée la ville de Tanger, bordée de terrasses de cafés et de petits hôtels. S'arrêter par exemple au *café Tingis* (voir « Où boire un verre ? »).

– *Les borjs (plan II, E4) :* anciennes redoutes permettant de surveiller la baie et, au besoin, de tirer quelques obus sur un bateau ennemi ! Pour les visiter, suivre la rue Dar-el-Baroud depuis le boulevard Mohammed-VI. Remarquer les systèmes d'orientation des canons, encore en place malgré la rouille et les gravats. Du borj el-Baroud, tout au bout, belle vue sur le port et la baie.

– *La kasbah (plan II, D4) :* ancienne forteresse surplombant la médina. On y accède soit depuis le Petit Socco par des ruelles pentues, jalonnées d'échoppes et d'escaliers, soit depuis le borj el-Baroud par la rue al-Zaitoun. N'échappe pas à une certaine « boboïsation », comme en témoignent les maisons d'hôtes qui s'y ouvrent les unes après les autres. Ici, encore plus qu'ailleurs, mieux vaut refuser toute sollicitation des gens dans la rue vous proposant une visite.

🏃 *La fondation Lorin* (plan II, D5) : juste à côté de la Pension Regina, 44, rue Touahine. Tlj sf sam 11h-13h, 15h30-19h30. Gratuit, mais il est conseillé de laisser un petit quelque chose pour l'entretien. Grande salle où sont entreposées de nombreuses et vieilles photos (certaines du début du XXe s) des personnalités, événements et édifices qui ont fait Tanger à travers les âges.

🏃🏃 *La légation des États-Unis* (plan II, E5) : 8, rue d'Amérique. ☎ 039-93-53-17. Proche du Grand Socco. Lun-ven et j. fériés 10h-13h (12h ven), 15h-17h ; ramadan 10h-14h. Entrée gratuite. Un tronc permet de déposer quelques dirhams pour l'entretien.

La plus ancienne légation des États-Unis à l'étranger, installée depuis 1821 et en activité jusqu'en 1956. Puis, de 1956 à 1962, elle a abrité le consulat des États-Unis, ainsi qu'une école pour former les diplomates américains à la langue arabe. En 1977, l'endroit a été transformé en musée. C'est aujourd'hui un ensemble de 45 pièces (on ne visite cependant pas tout !), dont le mobilier européen et l'ambiance début XIXe contrastent fortement avec la médina qui l'entoure. Au rez-de-chaussée, plusieurs salles en enfilade avec un très beau mobilier et une riche collection de tableaux orientalistes. Lettre de George Washington adressée au sultan du Maroc en 1789 pour lui assurer la reconnaissance de son pays. Il faut dire que le Maroc avait été le premier pays à reconnaître les États-Unis, et ce dès 1777. Autre écrit *(in English, of course)* : une missive désopilante d'un diplomate en poste à Tanger décrivant ses efforts désespérés et vains pour décliner le don de deux lions fait par le sultan au président des États-Unis. Les miroirs exposés, qui datent du XVIIIe s et proviennent de Provence, étaient destinés à l'exportation vers les harems d'Afrique du Nord. Œuvres intéressantes de Mohammed ben Ali R'Bati, un des premiers artistes arabes à avoir rompu le tabou de la représentation humaine. La bibliothèque, très complète, était jadis une maison close. Ouverte uniquement le samedi de 15h à 18h et le dimanche de 10h à 13h. Fermé en semaine, alors que des femmes viennent y suivre des cours d'alphabétisation.

Au 1er étage, la salle de réception. Petit couloir enjambant la rue. Plafond de cèdre sculpté polychrome. Salle à manger à colonnes, et un aperçu du travail de Stewart Church qui peint à la façon de Delacroix.

De l'autre côté de la rue, un adorable et paisible patio andalou, une salle présentant de belles portes de Fès et une scène de bataille en soldats de plomb offerte par le milliardaire Forbes (*bataille des Trois Rois*, ou d'Alcazar-Quivir, de 1578, voir « Histoire » dans « Hommes, culture et environnement »). Encore quelques gravures anciennes, avant de parvenir à une petite pièce consacrée à Paul Bowles (ses premières valises, souvenirs divers, émouvantes photos, etc.).

🗼🗼 **Dar-el-Makhzen** (plan II, D4) : *dans la* kasbah. *Accès par la place de la Kasbah. Tlj sf mar 9h-16h. Fermé ven midi pour la prière. Entrée : 10 Dh (0,90 €).* Palais du sultan, agrémenté d'un patio qu'entourent des arcs décorés de faïence. Il renferme un intéressant musée d'Art marocain. La visite est surtout intéressante pour l'architecture du palais. Construit à la fin du XVIIᵉ s par le sultan moulay Ismaïl, juste après le départ des troupes anglaises de Tanger, puis agrandi par ses descendants. Il a servi simultanément de siège au pacha de la ville, de palais de justice et de trésorerie. Celle-ci était située dans une salle carrée fermée par de lourdes portes en fer et surmontée d'une belle coupole en bois peint.

Le musée lui-même date de 1922. Jusqu'au rattachement de Tanger, ville internationale, au Maroc en 1956, il servit de vitrine des arts marocains et permit aux Tangérois de les découvrir, alors que le reste du pays était sous protectorat français et espagnol. Coffres d'époque en bois de cèdre, où l'on stockait les richesses provenant des prélèvements obligatoires. Le coffre-fort en fer est fermé par un ingénieux système. Demandez qu'on vous l'ouvre pour comprendre la complexité du mécanisme. Il faut d'ailleurs être deux pour l'ouvrir. Celui qui connaissait la combinaison ne pouvait donc pas le voler sans un complice. Belle collection d'encadrements de fenêtres en bois peint et de portes ciselées avec des restes de polychromie du XVIIIᵉ s, portes avec figures géométriques ou deux entrées en fer à cheval. Autre salle avec fragments de plafonds, corbeaux (consoles), frises en bois de cèdre sculptées, fragments de coupoles... Noter aussi le plafond, tout aussi richement ornementé.

La partie centrale du palais autour de laquelle se répartissent les salles est un très beau patio qui sert traditionnellement de cour d'honneur. Delacroix y a été reçu officiellement par le pacha de la ville. Cette cour a reçu la visite des plus grands dignitaires, alors que Tanger fut, du XVIIᵉ au début du XXᵉ s, la capitale diplomatique du Maroc et le siège du ministère des Affaires étrangères. Uniques au Maroc, à notre connaissance, les chapiteaux des colonnes du patio sont sculptés en forme de feuilles d'acanthe (ordre corinthien dans les temples grecs). De plus près, vous remarquerez que, en fait, les trois ordres grecs sont représentés, avec le disque dorique et les volutes ioniques. Il reste un peu de place pour le croissant turc. Pavement du XVIIIᵉ s d'origine.

Les appartements, caractéristiques des palais princiers avec salle du trône, sont revêtus de mosaïques et de plâtre sculpté. Reconvertis aujourd'hui en salles d'expo. D'abord les bijoux : fibules, bracelets, parures de tête, bijoux antiques (phéniciens et romains). Puis les armes : poignards traditionnels, cornes à poudre, fusils ciselés, armures du XVIIᵉ s.

Puis succession de salles présentant des cuirs brodés de fils d'or, des reliures anciennes, des instruments de musique (insolite guitare *gnaoua*), des poteries peintes et de superbes faïences, céramiques polychromes (de Fès et de Meknès) et antiques (phénicienne, punico-mauritanienne, etc.).

Monter à l'étage pour ce petit jardin andalou au charme d'un lieu abandonné. Havre de paix rempli de senteurs et de chants d'oiseaux.

🗼🗼 **Le port de pêche** (plan II, E4) : *au bout du bd Mohammed-VI, puis à droite.* Le charmant port de pêche de Tanger offre le spectacle de son animation colorée et ses montagnes de filets de toutes les couleurs à ravauder, au milieu des cris des mouettes, des interpellations des pêcheurs et du choc des caisses sur le quai... Un festival de couleurs, d'odeurs et de sons !

🗼 **La terrasse des Paresseux** (plan I, A1) : *vous ne pouvez pas la manquer, sur le bd Pasteur, proche de la place de France.* C'est le surnom de cette place car, du matin au soir, une population hétéroclite se relaie pour simplement regarder, pendant des heures. Il faut dire que la terrasse offre une vue agréable sur le port et la baie ainsi que, au loin, sur le détroit de Gibraltar et la côte espagnole.

🍴 *L'église Saint-Andrew's* (plan II, D5) : *rue d'Angleterre. Tlj 9h30-12h30, 14h30-18h.* Mustafa, le gardien volubile, vous ouvrira les portes de cette petite église construite à la fin du XIXe s dans un style maure-andalou. À l'intérieur, son arche est gravée d'une prière en arabe. Si vous oubliez l'obole pour l'entretien, ne vous inquiétez pas, Mustafa vous le rappellera. Jouxte un petit cimetière charmant noyé dans la verdure.

🍴 *Le marché des Pauvres* (plan I, A1) : *prendre la rue de la Liberté et, ensuite, descendre le 1er escalier à droite qui débouche sur la rue Oualili.* À gauche, le *marché traditionnel* (fruits et légumes, viandes, épices, pain, etc.). Sur la droite, pittoresque passage étroit (attention aux pickpockets !) bordé de vénérables échoppes (serruriers, horlogers, vendeurs de pièces détachées, récupérateurs de vieux papiers, etc.), au poétique et millénaire désordre... Au n° 32, le *souk des tisserands* : au 1er étage d'un ancien caravansérail *(foundouk),* des tisserands travaillent dans les anciennes chambres, sur des métiers antiques où la navette portant le fil de trame est encore lancée à la main entre les fils de chaîne.

🍴 *Le théâtre Cervantès* (plan I, B1) : ou plutôt ce qu'il en reste. Inauguré en 1913, il fut l'un des plus dignes représentants du faste et de l'activité artistique tangéroise – ses 1 400 places en disent long sur ce qu'il fut. Aujourd'hui le théâtre (qui ne se visite pas) tombe peu à peu en ruine, mais garde un charme certain et mystérieux.

🍴🍴 *Le palais des Institutions italiennes* (plan d'ensemble) : *av. Hassan-II, tourner à gauche, rue Mohammed-ben-Abdelouahab. Fermé au public.* Si vous êtes motivé, il est possible de le visiter en en faisant la demande auprès du consulat italien à Casablanca, qui vous accordera peut-être l'autorisation (☎ 022-27-75-58). Autre possibilité : profiter d'un concert ou d'une représentation théâtrale. Après avoir franchi la porte cochère, on se retrouve dans une sorte de cloître qui entoure un jardin planté de séquoias, de papyrus, d'orangers, de cyprès, de palmiers, etc. Autour, une multitude de colonnes soutiennent le corps du bâtiment, composé de salles en enfilade, toutes ornées de magnifiques cheminées en marbre florentin. Les plafonds et les murs sont splendides, en bois sculpté et peint dans un style raffiné et discret. Sinon, il vous reste l'accès au jardin, qui est libre. On y trouve d'ailleurs un resto... italien, de bonne réputation (voir « Où manger ? »). Terrasse fort agréable.

🍴🍴 *Les tombeaux phéniciens* (plan d'ensemble) : *de la porte nord-ouest de la kasbah, prendre la rue Assad-ibn-el-Farrat qui longe la côte, jusqu'à ce qu'une esplanade se dégage sur la droite.* Les tombeaux sont des excavations millénaires dans la roche, utilisées aujourd'hui comme poubelles par les familles contemplatives qui, à toute heure de la journée ou de la soirée, se relaient pour un sit-in sur les roches en pente vers la mer. Le regard embrasse le port, la baie jusqu'au cap Malabata, un quartier pauvre en bord de mer, le détroit et la côte espagnole dont, le soir, les lumières constituent un miroir aux alouettes pour ceux qui rêvent d'une vie moins vulnérable.

Manifestations

– *Salon international du livre de Tanger :* en janv. Un bon plan pour les amoureux du livre. À l'occasion du salon, un forum réunit intellectuels, écrivains, philosophes, romanciers et poètes occidentaux et arabes autour de thématiques sociales.
– *Festival international de jazz (Tanjazz) :* en général au cours de la 2de quinzaine de mai. Infos : ☎ 039-94-41-19. ● tanjazz.org ● On trouve le programme dans presque ts les hôtels de Tanger. L'un des grands moments musicaux du Maghreb, qui met la ville à sons et à swing. Il engage pour une semaine de bonnes pointures

d'une dizaine de pays. Éclaté dans la ville, entre bars de grands hôtels et pubs, théâtres de verdure, places publiques, clubs, etc. Les concerts sont, à quelques exceptions près, gratuits. Et à certaines adresses, jam-sessions mémorables si vous tenez jusqu'aux « *after* ».

➤ DANS LES ENVIRONS DE TANGER

LE CAP SPARTEL ET LES GROTTES D'HERCULE

Comment y aller de Tanger ?

➤ **En grand taxi :** *à partir de la rue Fenikiyine, à l'intersection avec la rue d'Angleterre, près de la mosquée Mohammed-V.* En été et le week-end, le nombre de passagers est suffisant pour constituer un taxi collectif, et le prix des places est de 10 Dh (0,90 €), soit vers le cap, soit vers les grottes. Sinon, vous paierez l'équivalent de 6 places. Entre le cap et les grottes, prenez un taxi si vous en trouvez, sinon comptez environ 1h de marche, de préférence par les plages.

➤ **En voiture :** pour gagner le cap Spartel, sortir par la Montagne, le quartier résidentiel (on longe la résidence d'été du roi). Dans le centre-ville, des panneaux indiquent le cap, mais plus dans les quartiers résidentiels : pas de panique, c'est toujours tout droit.

Ensuite, pour les grottes d'Hercule, il faut reprendre la voiture sur quelques kilomètres vers le sud (indiqué).

Où dormir ? Où manger ? Où boire un verre ?

⚹ *Camping Achakar Grottes d'Hercule :* entrée en face du Mirage *(voir plus bas),* de l'autre côté du rond-point. ☎ 039-33-38-40. Pour 2 pers avec tente et voiture, 70 Dh (6,40 €). Bungalow avec sdb 400 Dh (36,40 €). Ce camping de 200 places est le plus recommandable dans les environs, bien qu'il n'y ait pas d'eau chaude. Sanitaires propres. Snack. Ambiance un peu triste hors saison.

⌂ *Hôtel Robinson :* quand on vient du cap Spartel, juste avt d'arriver aux grottes. ☎ 039-33-81-52. ● robinson-tanger. com ● *Parking gardé. Ouv quasi tte l'année. Double avec sdb* 500 Dh (45,40 €) *en hte saison ; petit déj en sus.* Au milieu des pins et des eucalyptus, complexe touristique à l'architecture respectant l'environnement, tout en crépi blanc. Les différentes constructions descendent en pente douce vers la plage privée. Certaines donnent directement sur l'océan. Ambiance familiale, jeune et cosmopolite. Piscine, resto. Bar avec une terrasse au-dessus de la plage, où l'on organise les soirées en été. Si vous souhaitez être tranquille, demandez une chambre éloignée de ce bâtiment, comme celles du bloc « Kasbah », avec vue sur la mer et terrasse privée. Accueil chaleureux.

⌂ |●| ▼ *Le Mirage :* à 14 km de Tanger, au-dessus des grottes d'Hercule. ☎ 039-33-33-32 ou 31. ● lemirage-tan ger.com ● *Doubles avec petit salon* 1 800-2 400 Dh (163,60-218,20 €) *selon saison. Au resto, plats* 120-150 Dh (10,90-13,60 €). Magnifique hôtel en amphithéâtre sur un site exceptionnel et paradisiaque, organisé en bungalows au-dessus de la mer. Considéré comme l'un des 3 plus beaux hôtels du Maroc (et le seul en bord de mer). Plus abordable que l'hôtel, le resto est très agréable et d'un bon rapport qualité-prix. Les tables sont disposées autour d'un patio blanc s'ouvrant sur la mer. La vue est tellement belle qu'on pourrait vraiment croire à un mirage, avec ses 40 km de plage en enfilade ! Bonne cuisine du chef. Spécialités de produits de la mer, en particulier le poisson au four dans sa grosse croûte de sel (uniquement sur commande). Sinon, soupe de poisson de roche au safran, truite fumée de l'Atlas, etc. Cuisine marocaine aussi. À l'intérieur, belle salle avec cheminée pour les soirées d'hiver. Clientèle plutôt européenne, parfois même des célébrités. Pour boire un verre, vous avez le choix entre la terrasse et un magnifique bar de style british, confortable, tamisé, avec profonds fauteuils, tableaux, piano-bar...

|●| À l'entrée des grottes, nombreux *petits restaurants* à la mode locale.

À voir

🏃 *Le cap Spartel :* au pied de la falaise, les eaux de la Méditerranée et celles de l'Atlantique se mélangent. Paysage superbe tout le long de la route du cap, où il fait bon prendre un verre sur la terrasse panoramique orientée au nord. Il n'y a pas vraiment de promenade possible, mais, parfois, moyennant une petite pièce, on peut accéder aux abords du phare.

🏃 *Les grottes d'Hercule :* entrée 10 Dh (0,90 €). Excursion très prisée des Tangérois le dimanche. Il s'agit d'une série de quelques cavernes naturelles où la mer pénètre à marée haute, et dont l'ouverture a la forme du continent africain à l'envers (il y a même un petit trou dans la roche pour figurer Madagascar !). On y a trouvé des vestiges préhistoriques. Naguère, on détachait de ces parois des blocs de calcaire dur pour fabriquer des meules. À voir plutôt en soirée, pour profiter du coucher de soleil. Des faux guides essaieront de vous accompagner, éconduisez-les gentiment.

LE CAP MALABATA ET KSAR-ES-SÉGHIR
Comment y aller de Tanger ?

➢ *En bus :* prendre le bus n° 15.
➢ *En grand taxi :* jusqu'au cap Malabata et à Ksar-es-Séghir.
➢ *En voiture :* suivre le bd Mohammed-VI qui longe la mer vers le sud-est, puis indiqué.

Où manger dans les environs ?

|●| *Restaurant Laachiri :* à Ksar-es-Séghir, pile au croisement avec la route allant vers Ceuta (Sebta) et Tétouan. ☎ 039-39-00-06. De sa terrasse, jolie vue sur l'oued, la mer et le vieux fort. Spécialités de poisson copieusement servies, pour un prix moyen. Le patron, qui a donné son nom au resto, est un étonnant polyglotte qui vous accueille chaleureusement.

|●| *Restaurant Dakhla :* à l'entrée de Ksar-es-Séghir, à droite en venant de Tanger. ☎ 039-39-00-33. Le patron est un brave gaillard. De la terrasse, où se prennent les repas, on voit la mer, dans un authentique style de carte postale. Cuisine allant à l'essentiel : poisson et viande grillés, salades, omelette.

À voir

🏃 *Le cap Malabata :* à env 10 km à l'est de Tanger. Nous, on aime bien ce coin-là. Cette mer bleue, ces couchers de soleil et ces étoiles... Comment résister ?

🏃 *Ksar-es-Séghir :* à 33 km à l'est de Tanger, sur la route qui longe la côte vers Ceuta (Sebta). La balade en vaut la peine. Évitez la plage du centre, devenue un vaste dépotoir, avec camping bondé. Allez plutôt un peu plus loin en direction de Tanger (10 mn à pied), vous trouverez des criques désertes, sablonneuses, à l'eau limpide...

– **Souk :** le samedi, les Rifains en costume viennent vendre leurs étoffes. Un spectacle haut en couleur à ne pas manquer.

LA ROUTE CÔTIÈRE JUSQU'À CEUTA (SEBTA)

Cette route, très belle, surplombe, après le cap Malabata, de grandes criques sablonneuses parfois désertes *(râahh, so lovely !)*, parfois plantées de quelques tentes (camping sauvage...). Elle traverse des paysages assez vallonnés. Il n'est pas rare de croiser bergers accompagnant leurs troupeaux, et paysannes vêtues de leurs habits traditionnels, pièces de coton rayées autour de la taille et portant de grands chapeaux de paille recouverts de laine. Après Ksar-es-Séghir, on passe devant le nouveau port Tanger-Med. La large route continue vers Ceuta dans un paysage encore plus montagneux et divertissant, à la végétation moins aride.

CEUTA (SEBTA)   73 000 hab.   IND. TÉL. (espagnol) : 0034

CEUTA

Fondée par les Phéniciens, Ceuta passa successivement sous domination carthaginoise, romaine, arabe, puis portugaise en 1415. C'est à cette date que la ville perdit son ancien nom de Sebta pour celui, plus occidental, de Ceuta. Les Marocains continuent néanmoins à utiliser le nom de Sebta. Celui-ci serait dérivé du latin *Septem Fratres,* qui désignait dans l'Antiquité les sept collines sur lesquelles la cité est construite. Mais l'origine du nom reste confuse, puisque certains auteurs affirment que Sebta se rapporte en réalité à Saba, supposé être le fondateur de la ville. En 1580, Ceuta tombe aux mains des Espagnols, ceux-ci ayant annexé le royaume moribond du Portugal. Aujourd'hui encore, la ville demeure une enclave espagnole sur le sol marocain. Mais pour combien de temps ? Si Ceuta donne l'impression d'une ville tranquille, où la sieste est parfaitement respectée, de nombreux habitants pressentent un prochain abandon de la métropole et un rattachement définitif au Maroc.
Bien qu'il y ait peu de choses à voir à Ceuta, la ville fait de nombreux efforts pour satisfaire les touristes. Il n'est pas désagréable de s'arrêter une journée ou une nuit sur la presqu'île avant de repartir sur les routes. Les Tangérois apprécient son calme, ses rues proprettes, et aiment venir se changer les idées sur ce morceau d'Espagne échoué sur le toit de l'Afrique.

Bon à savoir

– Attention au décalage horaire. Ceuta vit à l'heure espagnole : avancez vos montres d'1h.
– Bien penser à faire l'indicatif téléphonique espagnol (0034) pour passer un coup de fil.

Arriver – Quitter

En voiture

Pour ceux qui entrent à Ceuta en voiture, lire attentivement nos indications sur le « Passage de la frontière », ci-dessous.

En taxi ou en bus

🚌 *Gare routière :* au centre de Fnideq, la dernière ville marocaine 3 km avt Ceuta. Grand taxi pour s'y rendre. Liaisons avec **Casablanca, Rabat, Tanger** et **Tétouan.**

Ceuta est également relié à :
➤ **Tanger :** par le nouveau réseau d'autoroutes. En principe il existe un bus entre la frontière de Fnideq (3 km de Ceuta) et Tanger. Également des taxis collectifs. Sinon, en grand taxi jusqu'à Tétouan, puis un bus vers Tanger.
➤ **Tétouan :** en taxi collectif depuis Tétouan jusqu'à la frontière. Une fois passée la frontière, prendre le bus n° 7 côté espagnol vers le centre-ville de Ceuta. Pour retourner à Tétouan, de la frontière, on peut reprendre un taxi collectif (6 pers). Le trajet (env 40 km) ne revient pas beaucoup plus cher que le bus. Jalonné de belles plages, dont celle de Cabo Negro.

En bateau

Le trafic est assuré par 4 compagnies, aux prix et aux prestations similaires : *Tras-mediterranea, Euroferrys, Balearia* et *Buquebus España.* Liaisons avec :
➤ **Algésiras** (Espagne) *:* env 20 traversées/j., pratiquement ttes les heures. Compter 35 mn.

Passage de la frontière

À pied

Pour les routards qui viennent du Maroc et qui n'auraient l'intention de rester qu'une journée à Ceuta, **mieux vaut laisser son véhicule du côté marocain et passer à pied.** En effet, pour peu qu'il y ait beaucoup de trafic, l'attente et les formalités sont trop longues pour une seule journée de visite. De plus, avec une voiture de location, vous devez présenter à la douane un papier de votre loueur vous autorisant à quitter le territoire avec ce véhicule. Attention, pas de parking officiel côté marocain. Arrivé au poste-frontière, les autorités tenteront de vous repousser. L'astuce consiste à se garer au « parking de la police », à droite des premiers bâtiments de la frontière. Ce n'est pas un parking pour touristes, faites-vous connaître au gardien, précisez quand vous viendrez rechercher la voiture pour qu'elle ne soit pas embarquée. Gardez vos clés. Ce parking plus ou moins sauvage est une bonne façon de vous extorquer 100 Dh (9,10 €), parfois moins (à la tête du client !), mais au moins, là, le véhicule est en sûreté !
En règle générale, le passage de la frontière est assez rapide si vous êtes un tout petit peu organisé. Des personnes viennent vous vendre des formulaires à remplir que l'on trouve gratuitement, bien sûr, au guichet. Présentez passeport et fiche remplie. Un coup de tampon et le tour est joué. Plus qu'à passer à pied la frontière et vous voilà en Espagne !
– **Rejoindre Ceuta depuis la frontière :** Ceuta est à environ 3 km de la frontière *(Frontera Tarajal).* Une ligne de bus de l'autre côté (n° 7) assure la liaison avec le centre-ville (plaza Constitución). Le trajet coûte moins de 1 € et dure à peine 10 mn. Un taxi officiel vous coûtera 3-4 €. Un taxi « improvisé », au moins 5 €.

En voiture

Si malgré tout vous tenez à (ou devez) passer la frontière en voiture, sachez que, lors des grands départs en vacances, le passage de la douane peut prendre plusieurs heures. Vous voilà prévenu ! Si vous êtes deux, faites preuve d'organisation : l'un descendra chercher au poste les papiers à remplir tandis que l'autre fera la

CEUTA

<table>
<tr><td>■ **Adresses utiles**</td><td>11 Hostal Plaza Ruiz</td></tr>
</table>

■ **Adresses utiles**

   🛈 Office de tourisme
   ✉ Poste
   🖳 1 Cyber Ceuta

🛏 **Où dormir ?**

   10 Pensión La Bohemia

11 Hostal Plaza Ruiz
12 Hostal Central
13 Residencia de la Juventud
14 Tryp Ceuta

🍽 **Où manger ?**

20 La Jota
21 El Restaurante

queue. Gain de temps appréciable ! Les formalités douanières sont pointilleuses.
Voici d'ailleurs la marche à suivre :
1) se procurer une fiche par passeport et la remplir ;
2) aller au guichet des passeports et (si vous arrivez à l'atteindre) y déposer les
vôtres avec les fiches remplies ;
3) se procurer un formulaire pour la voiture (dernier guichet avant les douanes), le
remplir puis le faire viser avec les papiers du conducteur, carte grise, etc., ainsi
qu'une autorisation du loueur à quitter le territoire pour les voitures de location ;
4) une fois les passeports récupérés (ça peut prendre du temps), allez au guichet
près de l'endroit où l'on fouille les bagages des piétons, avec votre carte grise et
votre passeport ;
5) après obtention du tampon, interpellez un douanier qui traîne par là, montrez-lui
tout ça et vous pourrez alors passer. Ouf !

Achats

Ceuta est un port franc et une enclave espagnole.

Les nombreuses enseignes en espagnol témoignent de l'activité économique de cette enclave ibérique. On y trouve, hors taxe, tout ce que l'on peut fabriquer dans le monde, principalement ce qui est *made in China*. Beaucoup de commerces sont tenus par des Indo-Pakistanais. Mais, en fait, les prix ne sont pas inférieurs à ceux des promotions de nos grandes surfaces.

Attention à la longue sieste espagnole. Tous les magasins sont fermés entre 13h et 16h (heure espagnole), et le dimanche est sacré.

Adresses utiles

◻ Offices de tourisme : *Baluarte de los Mallorquines (plan A1), calle Edrisis.* ☎ 856-200-560. • *ceuta.es* • *Un autre bureau Estación Marítima s/n, sur le port à l'arrivée du ferry.* ☎ 956-506-275. Tlj 8h30-20h30. *Les hôtesses sont très affables, compétentes, et donnent une belle carte de la ville au touriste égaré.*

✉ Poste *(plan B2) : plaza de España. Lun-ven 9h-20h.*

◼ Banques : *lun-ven 9h-14h, certaines ouv sam également. La plupart sont équipées de distributeurs automatiques.*

◼ Urgences : ☎ *061 ou 956-51-15-53.*

◼ Consul honoraire de France : *Beatriz de Silva, 14-1H, Aptado de correos 75.* ☎ *et fax : 956-51-17-59.*

◙ Cyber Ceuta *(plan B2, 1) : en face du musée de la Légion. Tlj sf dim mat 11h-14h, 17h-22h.*

Où dormir ?

Camping

⚐ **Tres Piedras :** *à 6 km de Ceuta, sur le sol marocain, en direction de Tétouan.* Sur la plage. Bon marché. Très fréquenté mais propre. Peu de sanitaires.

De bon marché à prix moyens

🛏 **Pensión La Bohemia** *(plan B2, 10) : 12, paseo del Revellin.* ☎ *956-51-06-15. Fort bien placé. La porte de l'hôtel est située dans le passage couvert ; c'est au 1er étage. Double 30 €. Pas de petit déj. Chambres douillettes et décorées avec de grands éventails espagnols accrochés au-dessus des lits. Sanitaires et douches communs, mais extrêmement propres. Un petit patio joliment décoré et meublé, niché au cœur de l'établissement, éclaire les pièces alentour.*

🛏 **Hostal Plaza Ruiz** *(plan B2, 11) : 3, pl. Tte-Ruiz.* ☎ *956-51-67-33. • hostalesceuta.com • Doubles avec sdb 42-56 € selon saison. En face du musée. Jolie façade aux fenêtres ornementées et bow-windows en ferronnerie. Chambres agréables au mobilier en bois*

blanc, aux tissus colorés, etc.

🛏 **Hostal Central** *(plan B2, 12) : 15, paseo del Revellin.* ☎ *956-51-67-16. • hostalesceuta.com • Doubles 42-56 € selon saison. Pension discrète et très propre. Chambres plaisantes avec bains. Même propriétaire que l'Hostal Plaza Ruiz. Confort comparable.*

🛏 **Residencia de la Juventud** *(plan B2, 13) : 27, pl. Rafael-Gilbert.* ☎ *956-51-51-48. AJ ouv slt juin-sept. Résa conseillée. Prévoir 15 €/pers, chambre double 30 €.* En plein centre-ville, sur une agréable petite place commerçante que l'on gagne en empruntant un petit escalier qui part du paseo del Revellin (à droite lorsque l'on vient de la plaza de la Constitución). La résidence, propre et bien tenue, est souvent complète.

Très chic

🛏 **Tryp Ceuta** (plan A1, **14**) : 3, Alcalde Sánchez Prado. ☎ 956-51-12-00. ● tryp. ceuta@solmelia.com ● Double avec sdb 80 € ; petit déj non compris. L'immense hall très épuré, aéré et moderne, augure bien du grand confort des chambres. Dans la veine des hôtels design, le mobilier opte pour des lignes simples mais classe. Peintures brillantes et colorées. Piscine intérieure.

Où dormir dans les environs ?

Fnideq, en territoire marocain, est la ville frontière aux portes de Ceuta. Aucun intérêt en soi hormis ses hôtels bon marché et son positionnement proche de la frontière. Voici nos deux meilleures adresses :

🛏 **Hôtel Fnideq :** av. Mohammed-V (sur la rue principale, à côté du souk Massira). ☎ 039-67-54-67. Fax : 039-67-70-61. Doubles avec douche et w-c 165-190 Dh (15-17,30 €). Propre et bien tenu. Un peu bruyant tout de même.

🛏 **Hôtel Tarik :** également sur la rue principale, un peu avt l'hôtel Fnideq en arrivant de la frontière. ☎ 039-67-55-24. Fax : 039-97-64-21. Doubles avec sdb 220-280 Dh (20-25,40 €) selon taille. Bon établissement et accueil sympa.

Où manger ?

Beaucoup de bars à tapas simples et économiques.

🍴 **La Jota** (plan B2, **20**) : 5, Mendez Nuñez. ☎ 956-51-53-65. Menu du jour 7 €. Bar-resto populaire. On mange des tapas, des assiettes de charcuterie ou des sandwichs au bar. Dans la salle au fond, repas un peu plus copieux. Très animé.

🍴 **El Restaurante** (plan A1, **21**) : pl. de San-Daniel. ☎ 956-20-01-09. Carte 15 €. Petite salle intime (déco marine, maquettes de bateau, etc.) pour une cuisine d'excellente réputation. Bien sûr, spécialités de poisson et fruits de mer.

À voir

🔭 Très belle vue en haut du **mont Hacho** : 181 m au-dessus de la mer. Par temps dégagé, on peut apercevoir le rocher de Gibraltar.

🔭 Si vous êtes bloqué longtemps, vous verrez la **plaza de Africa,** les remparts de la ville, l'**église Notre-Dame-d'Afrique,** de style baroque, construite au XVIIIe s, la **cathédrale,** le petit **Musée archéologique** ou le **musée de la Légion** (☎ 956-51-40-57 ; lun-sam 10h-13h30). Histoire de la Légion étrangère espagnole dont l'un des chefs fut... un certain Franco. Bof !

🔭 **Le Musée archéologique municipal** (plan B2) : 30, paseo del Revellin. ☎ 956-51-73-98. Tlj sf dim ap-m : sept-mai 10h-14h, 17h-20h ; juin-août 10h-14h, 19h-21h. Petit musée certes, mais présentation claire et attrayante du produit des fouilles locales. Au rez-de-chaussée, amphores et poteries, petite section Préhistoire (pointes de flèches du Néolithique), restes d'un beau sarcophage romain sculpté. Au 1er étage : d'autres amphores, jarres, ancres de bronze ou en pierre, vestiges lapidaires divers, lampes à huile, petits objets en os ciselés, poterie peinte et céramiques. Intéressantes expos temporaires thématiques.

🔭 **Parque Marítimo del Mediterráneo** (plan B1) : av. Compania-de-Mar. ☎ 956-51-77-42. Un des poumons verts de la ville, lieu de promenade des familles. Belle végétation, petits lacs, casino et possibilité de se baigner dans la mer pour les courageux. En hiver, point de départ de balades en bateau. Quelques événements culturels dans l'année (concerts, etc.).

LE RIF

Loin de la civilisation urbaine et des grands axes touristiques, le Rif est un monde à part. En forme de croissant, il étend ses crêtes sur 250 km, des environs de Tanger jusqu'à la frontière algérienne. Il est densément peuplé de tribus berbères sédentarisées. Celles-ci sont très attachées à leurs traditions, au point de se dire rifaines avant d'être marocaines. Pendant le protectorat, les Berbères ont toujours résisté farouchement aux colonisateurs français et espagnols. Aujourd'hui encore, plus de 60 % des Rifains affichent et revendiquent leur identité culturelle via la langue berbère, dans sa variante rifaine, le *tarifit*.

ABD EL-KRIM... ET CHÂTIMENTS

Opposées au protectorat espagnol, les tribus rifaines font éclater des foyers d'insurrection dès 1919. À leur tête de 1921 à 1926, le chef de guerre Abd el-Krim réussit à les unifier avant de mener une révolte sanglante contre l'occupant. Après quelques succès militaires, le rebelle est capturé par les troupes françaises en 1926, puis emprisonné à Chefchaouen, et envoyé en détention sur l'île de La Réunion. Évadé en 1946, l'initiateur de la guerre du Rif mourut en exil dans l'Égypte de Nasser, où il avait trouvé refuge.

UN CADRE ET UN MODE DE VIE PRÉSERVÉS

Le Rif recèle des paysages montagneux superbes et des forêts magnifiques. Suivant l'altitude, le paysage passe du maquis aride, traversé çà et là d'un oued, à des forêts de pins et de chênes verts. Vers Ketama, les cèdres dégagent une odeur caractéristique lorsqu'ils viennent d'être coupés. Cette biodiversité est unique dans le pays.

Par ailleurs, le Rif se distingue des autres régions marocaines par l'habillement caractéristique des femmes berbères. En pleine campagne, la plupart portent encore le costume traditionnel rifain composé de la *fouta,* grand carré de coton à rayures blanc et rouge serré autour de la taille, et du chapeau de paille tressée à large bord orné de cordelières de laine. Les populations s'ouvrent peu à peu sur l'extérieur et s'initient à un dialogue normal avec les « non-Rifains ». L'accueil dans les *douar* sera toujours plus détendu qu'au bord de la route. Il faut prendre le temps de s'arrêter et de marcher.

À LA DÉCOUVERTE DU RIF

La meilleure façon de découvrir le Rif est de rayonner à partir de Chefchaouen. Évitez d'y aller entre novembre et mars, car les pluies et le brouillard alternent avec la neige, et les routes sont souvent fermées. La route superbe de 220 km entre Chefchaouen et Al-Hoceima est jalonnée de nombreuses stations-service (Bâb-Taza, Bâb-Berret, Ketama, Targuist...), ainsi que de postes forestiers. En revanche, en dehors de Chefchaouen, il n'y a pas d'hôtels convenables dans la région.

Une petite remarque au passage : avec le développement du Nord, les routes praticables se construisent jusque dans des coins reculés. Ainsi certains sites préservés sont maintenant pris d'assaut par des visiteurs pas toujours respectueux de cet environnement magnifique. Si vous vous risquez dans les montagnes, n'oubliez pas que la nature n'est pas une poubelle géante...

■ **Nature et Découverte :** à Tanger (voir les « Adresses utiles » de la ville). L'enthousiaste Lionel organise des acti-vités sportives dans des lieux encore sauvages. Un bon moyen de découvrir le Rif un peu hors des sentiers battus.

LE GRENIER À KIF DE L'EUROPE

Le Rif a longtemps souffert auprès des touristes et des Marocains eux-mêmes d'une mauvaise réputation, malheureusement justifiée. D'après les Nations unies, le Rif produit 28 % de l'offre mondiale de résine de cannabis, ce qui fait du Maroc le premier producteur dans le monde. Sachant que 80 % des usagers de drogue consomment du cannabis, ça donne une idée de l'étendue et de l'importance locale de la production. On y cultive le kif de manière méthodique : les parcelles rectangulaires d'un vert vif qui tranchent sur un décor aride sont en fait des champs de cannabis, trop verts pour être innocents. Le climat à la fois suffisamment humide et ensoleillé fait pousser les plants de cannabis comme de la mauvaise herbe. Toute la région vit de cette monoculture qui représente aussi un danger pour l'écosystème, en raison d'une surexploitation des sols. Même si le prix au kilo est multiplié par 800, voire par 1 000 en arrivant dans les *coffee shops* d'Amsterdam, la région n'est pas mécontente de ce commerce. Depuis quelques années, il faut noter que le pouvoir central, sous les diverses pressions internationales, lutte contre les trafics et la culture du cannabis. La conséquence est l'importante diminution de la production d'année en année. Beaucoup reste à faire, néanmoins. Lire à ce propos la rubrique « Drogue » dans « Maroc utile » en début de guide.

Sa culture est légale, mais son transport et son commerce sont prohibés, un compromis que l'on peut qualifier de tolérant ou d'hypocrite. *Le Monde* explique les raisons de ce privilège unique accordé aux Rifains, qui fait pâlir de jalousie les autres fellahs du Maroc, de la façon suivante : « Dans la partie sous protectorat français, le kif avait disparu parce que l'État français avait installé son monopole du tabac. Du coup, le kif s'était concentré dans la partie espagnole. Au moment de l'indépendance, on a voulu généraliser l'interdit. Mais on a senti que ça ne passerait pas. D'autant que plusieurs passeurs de kif et autres trafiquants, habitués à la clandestinité, avaient joué un rôle important dans le combat de la libération, et ils étaient considérés comme de véritables héros. Aussi, Mohammed V a-t-il accordé aux Rifains le "privilège de la culture légale du kif, tout en interdisant son négoce". » Mohammed V et ses ministres ont acheté ainsi le silence des Rifains, qui ne pourraient pas survivre sans le kif. Cela dit, ils n'avaient certainement pas prévu l'engouement de l'Europe pour le cannabis. Cette situation perdurera tant qu'une économie de substitution rentable ne sera pas mise en place dans la région.

À BON ENTENDEUR...

Il y a quelques années, on considérait le Rif comme une région dangereuse. Pour le touriste de passage, ce n'est plus le cas. Mais quelques précautions sont néanmoins de mise. Sachez qu'une personne arrêtée par la police ou la douane marocaine en possession d'une quantité de haschisch ou de kif passera un très mauvais moment. Les autorités ne sont pas franchement clémentes.

Sur les routes rifaines, on rencontre encore des dealers. Postés sur le bord de la route, semblant faire du stop ou attendant on ne sait quoi, ils brandissent leurs bouquets de kif enveloppés dans du plastique, au cas où vous n'auriez pas compris. Ce sont souvent des ados, parfois des enfants. Ils crient ou sifflent au passage des voitures. Rien de bien méchant, il suffit de continuer sa route. Une autre pratique, de moins en moins courante toutefois, consiste à poursuivre les voitures des touristes. Un véhicule vous rattrape, flaire en vous l'Européen naïf, dépasse,

LE RIF

klaxonne, se gare plus loin. Le seul but est de vous inciter à vous arrêter pour vous vendre la camelote. C'est sur la route entre Bâb-Berret et Ketama que cette aventure a le plus de chance de vous arriver. Or, il ne faut jamais s'arrêter. En effet, il est arrivé que le vendeur, de mèche avec les flics marocains, ait ensuite dénoncé son client. Résultat des courses, risque d'être arrêté plus loin et gros ennuis en perspective. Mais, aujourd'hui, on note une très nette baisse de ces agissements, sans compter que la police est partout présente à l'entrée des petits villages sur la route.

TÉTOUAN

321 000 hab.

Dominant la vallée de l'oued Martil, Tétouan compose, avec ses remparts crénelés, ses terrasses et ses jardins, un tableau des plus attachant. Remarquer le contraste entre la ville nouvelle, très hispano-mauresque (tout le monde parle l'espagnol) dans sa conception et son architecture, et la médina, tout en demi-teintes, la plus belle du Nord marocain.
La ville nouvelle, dont le cœur est bâti sur une colline pelée, est un balcon aéré, ouvert sur la montagne, les contreforts du Rif. Dans la médina, au contraire, l'enchevêtrement des ruelles, l'obscurité, les puits de lumière ne se retrouvent guère ailleurs. Au marché, les femmes sont vêtues de cotonnades à rayures rouge et blanc, superbes, que l'on ne rencontre que dans cette partie du Maroc. Tétouan est une des rares villes du Maroc dont la balade dans la ville nouvelle et ses rues pavées chargées d'histoire offre un réel plaisir, une belle entrée en matière avant la découverte de la médina, plus intime et au charme fascinant.
La mauvaise réputation de la ville (surnommée « la cité des voleurs ») s'estompe, heureusement, et la situation a nettement été reprise en main. À moins que la brigade touristique ne relâche sa vigilance, vous ne devriez pas y être ennuyé plus qu'ailleurs.

Arriver – Quitter

En bus

⊞ **Gare routière CTM** (plan B3) **:** bd Muqawama, à côté du marché central. Consigne à bagages. Dans un grand hall peu entretenu, le seul lieu de la ville où vous risquez quelques enquiquinements, service de faux guides. Liaisons avec :
➢ **Tanger :** 2 bus/j. Trajet : 1h.
➢ **Rabat, Casablanca :** 3-4 bus/j. Trajet : respectivement 5h et 7h.
➢ **Fès et Marrakech :** 3 bus/j. Trajet : respectivement 6h et 11h.
➢ **Chefchaouen :** 3 bus/j. Trajet : 1h30.
➢ **Al-Hoceima, Nador :** 2 bus/j. Trajet : respectivement 7h et 11h.

– Autres compagnies pour ces destinations à la nouvelle gare routière située sur la rocade, à l'est de la ville.

En taxi

⊞ **Taxis collectifs :** av. Maarakah-Annoual (plan B2), derrière la gare routière. Pratique pour gagner **Oued-Laou, Martil, Cabo Negro, Chefchaouen** et **Ceuta.**

En avion

✈ **Aéroport de Sania R'Mel** (hors plan par D2) **:** à 6 km. ☎ 039-97-12-33. Liaisons avec **Casablanca** et **Al-Hoceima.**
■ **Royal Air Maroc** (plan B2, **1**) **:** 5, av. Mohammed-V. ☎ 039-96-12-60.

Adresses utiles

🛈 **Délégation du tourisme** (plan B2) : 30, av. Mohammed-V. ☎ 037-57-78-00. ● dttetouan@menara.ma ● Lun-ven 8h30-12h, 14h30-18h30. Ouv le midi en été.

✉ **Poste** (plan B2) : pl. Moulay-el-Mehdi. Tlj sf dim 8h-16h15.

■ **Supratours** (plan A2, **2**) : 18-19, av. du 10-Mai. ☎ 039-96-75-59. Fermé dim et j. fériés. Vous pouvez acheter vos billets de train et de bus ; ceux-ci assurent la liaison directe avec les gares, en correspondance avec les trains. Très pratique.

■ **Police** (plan A3, **3**) : av. Sidi-Driss.
■ **Hôpital civil** (hors plan par D2) : route de Martil. ☎ 039-97-24-30.
■ **Banques** : pl. Moulay-el-Mehdi et av. Mohammed-V. Distributeurs automatiques de billets.
@ **Internet El Mandri** (plan B2, **4**) : 10, rue Sidi-Mandri (à côté de l'hôtel Regina). Tlj 10h30-0h30. D'autres adresses dans la rue Mohammed-V.

Où dormir ?

Très bon marché

🛏 **Hôtel Bilbao** (plan B2, **10**) : 7, av. Mohammed-V. 📱 066-15-31-30. Double 80 Dh (7,30 €), avec douche et w-c extérieurs. Belle petite pension dans une ancienne maison espagnole, avec escalier de marbre et céramiques vertes et blanches sur les murs de l'escalier. Chambres modestes mais propreté acceptable. La chambre n° 6 est très spacieuse, avec de beaux meubles anciens, et donne sur la rue piétonne. Le moins cher, et on ne peut plus central.

🛏 **Pension Iberia** (plan B2, **11**) : 5, pl. Moulay-el-Mehdi (3ᵉ étage). ☎ 039-96-36-79. À côté de la BMCE. Double sans sdb 80 Dh (7,30 €). Peu de chambres, mais elles sont propres et calmes, certaines avec une vue bien dégagée. Demander celles dernièrement rénovées et repeintes, plus agréables. Bon accueil. Douche chaude payante. Souvent complet.

Bon marché

🛏 **Hôtel Principe** (plan B2, **12**) : 20, av. Youssef-ben-Tachfine. 📱 066-55-38-20. Doubles 100-120 Dh (9,10-10,90 €), avec ou sans douche. Cet hôtel comprend une soixantaine de chambres, mais il est très fréquenté. Arriver tôt, sous peine de devoir monter au 4ᵉ étage à pied, et de n'avoir plus que de l'eau froide : l'eau chaude ne monte pas jusque-là (l'eau froide non plus, parfois...). Globalement bien tenu, bon rapport qualité-prix. En revanche, l'accueil n'est guère aimable. Café animé au rez-de-chaussée.

🛏 **Hôtel Regina** (plan B2, **13**) : 8, rue Sidi-Mandri. ☎ 039-96-21-13. Double env 130 Dh (11,80 €). Petit hôtel banal, mais tout à fait intéressant pour les petits budgets. Chambres avec douche. Ascenseur (quand il fonctionne !). L'entretien général laisse tout de même à désirer.

Prix moyens

🛏 **Hôtel de Paris** (plan A2, **14**) : 31, bd Chakib-Arssalane. ☎ 039-96-67-50. Garage avec gardien. Doubles avec douche et w-c 250-300 Dh (22,70-27,30 €) selon saison. Sans grand charme mais fonctionnel. Propreté acceptable. Salle de bains petite.

Accueil quelconque.

🛏 **Hôtel Oumaima** (plan A2, **15**) : av. du 10-Mai. ☎ 039-96-34-73. Double avec sdb 250 Dh (22,70 €), sans petit déj. Café en dessous. Hôtel classique. Chambres correctes et propres.

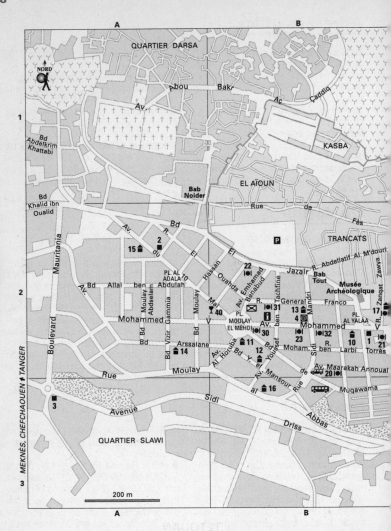

■ **Adresses utiles**

✈ Aéroport de Sania R'Mel
🛈 Délégation du tourisme
✉ Poste
🚌 Gare routière CTM
🚐 Taxis collectifs
1 Royal Air Maroc
2 Supratours
3 Police

@ **4** Internet El Mandri

🛏 **Où dormir ?**

10 Hôtel Bilbao
11 Pension Iberia
12 Hôtel Principe
13 Hôtel Regina
14 Hôtel de Paris
15 Hôtel Oumaima
16 Hôtel Panorama Vista

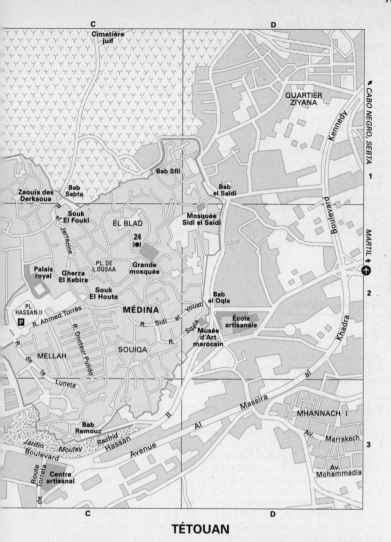

LE RIF

TÉTOUAN

17 El Reducto

|●| **Où manger ?**

17 Resto de l'hôtel El Reducto
20 Bocadillos
21 Restaurant Tihad-La Union
22 Restaurant Al-Hilal
23 Le Restinga
24 Palace Bouhlal

|●| **Où prendre le petit déjeuner ?**
Où déguster une pâtisserie ?

30 Café de Paris
31 Pâtisserie Rahmouni
32 Café-pâtisserie Smir

🍷 **Où boire un verre ?**

40 Café Nipon

De chic à très chic

🛏 *Hôtel Panorama Vista* (plan B3, **16**) : rue Moulay-al-Abbas. ☎ 039-96-49-70 ou 68. ● *panoramavista.com* ● *Double avec sdb 380 Dh (34,50 €), petit déj compris*. Hôtel assez grand et très bien situé, à la fois proche de la gare routière et de la médina. Peu de charme dans cet hôtel moderne, certes, mais excellent confort. De plus, les chambres offrent une vue imprenable sur les montagnes du Rif, ou sur les toits de la vieille médina.

🛏 *Le Safir* (hors plan par D1) : bd Kennedy, sur la route de Ceuta, à 3 km du centre. ☎ 039-97-01-44. Fax : 039-97-06-92. *Double 600 Dh (54,50 €), petit déj en sus*. Chambres fraîches et confortables. Piscine et jardin agréables.

🛏 *El Reducto* (plan B2, **17**) : 38, Zanqat Zawya. ☎ 039-96-81-20. ● *riadtetouan. com* ● *Prendre la ruelle à gauche juste avt l'entrée de la place Hassan-II. Indiqué. Pour une des 4 chambres doubles avec sdb, prévoir 550-900 Dh (50-81,80 €) en ½ pens pour 2 pers*. Cette maison traditionnelle, vieille de 3 siècles, a été rénovée tout en conservant son caractère d'origine. Murs couverts de mosaïques d'inspiration andalouse. Grand patio intérieur en bois magnifique, finement sculpté. Les splendides portes des chambres, dont on vous laisse découvrir la richesse et la minutie, ouvrent sur de belles pièces dans des tons pastel clair et chaleureux. Toutes de déco différentes. Mobilier noble, ici un petit salon en mezzanine, là une immense salle de bains. Fait aussi resto (voir « Où manger ? »).

Où manger ?

Très bon marché (moins de 50 Dh / 4,50 €)

|●| *Bocadillos* (la Isla ; plan B2, **20**) : 21, av. Maarakah-Annoual. Une gargote où l'on mange pour pas grand-chose. Sandwichs, paella... Quelques tables à l'étage. Service rapide.

Bon marché (moins de 80 Dh / 7,30 €)

|●| *Restaurant Tihad-La Union* (plan B2, **21**) : 1, rue Ahmed-Torrès. *Quand on vient de la ville nouvelle, prendre à droite par un passage sous les arcades, juste avt la grande place*. Resto et bar très populaire à l'ambiance surchauffée. Le propriétaire est un fou de foot, fan des clubs espagnols. Aux murs, photos de ses équipes fétiches. Cuisine simple de brochettes au barbecue, tajines et carte marocaine traditionnelle. Si d'aventure le *Barca* plante 5 buts, une hystérie collective s'empare de la petite cour où rebondissent tous les bruits.

|●| *Restaurant Al-Hilal* (plan B2, **22**) : 22, calle Salah-Eddine-el-Ayubi. Resto pour les familles dans une vaste salle sans charme mais toujours très animée le midi (peu de monde le soir ; on a l'impression de flotter dans cette grande pièce). Large variété de plats, y compris la paella.

Prix moyens (moins de 150 Dh / 13,60 €)

|●| *Le Restinga* (plan B2, **23**) : 21, av. Mohammed-V. ☎ 039-96-35-76. *À deux pas de l'office de tourisme. Ouv jusqu'à 21h, mais essayez d'arriver plus tôt pour ne pas être bousculé à la fermeture. Service non compris*. Situé dans une agréable cour intérieure à l'ombre d'un grand arbre, cuisine marocaine, menu copieux, service efficace. Bière et vin. Plat de friture de poisson d'une belle fraîcheur. Beaucoup de monde en saison, attiré par

cet excellent rapport qualité-prix.

⦿ Palace Bouhlal (plan C2, 24) : jamaa Kbir, à côté de la grande mosquée. Slt le midi. Situé juste à côté d'un herboriste exhalant de délicieux parfums. Resto intéressant pour son cadre somptueux sur atrium, dans une maison typique avec grand lustre, plafond peint, fer forgé, stucs et profusion de mosaïques. Prix modérés, menu unique. Forcément touristique (point de chute des groupes). Cuisine traditionnelle : couscous, tajines, etc., pas d'une grande finesse, mais rapport prix-cadre-remplissage d'estomac globalement acceptable (thé et gâteau en dessert compris).

⦿ Le resto de l'hôtel El Reducto (plan B2, 17) : voir « Où dormir ? De chic à très chic ». Ouv midi et soir. Sert de l'alcool. Dans un esprit traditionnel, un brin folklorique, on y sert une cuisine plutôt raffinée. Excellents tajines, à prix toutefois peu élevés.

Où prendre le petit déjeuner ? Où déguster une pâtisserie ?

⦿ Café de Paris (plan B2, 30) : pl. Moulay-el-Mehdi. Entièrement recouvert de mosaïques. Idéal pour le petit déj. Bonnes pâtisseries. Serveurs accueillants.

⦿ Pâtisserie Rahmouni (plan B2, 31) : 10, av. Youssef-ben-Tachfine. Tlj 6h-23h. Au rez-de-chaussée d'un immeuble de style hispano-mauresque. Même propriétaire que la célèbre pâtisserie tangéroise. Elle ne désemplit pas le soir à l'heure de la promenade, surtout pour ses excellentes pâtisseries marocaines. Également des glaces, jus de fruits et pâtisseries européennes.

⦿ Café-pâtisserie Smir (plan B2, 32) : 17, av. Mohammed-V. Tlj jusqu'à 22h30. Très central et très réputé pour ses pâtisseries marocaines et françaises. Terrasse sur la voie piétonne et petite salle en mezzanine.

Où boire un verre ? Où danser ?

🍸 Café Nipon (plan A-B2, 40) : 7, av. du 10-Mai. Grande salle couverte de mosaïques avec de vieux miroirs et un comptoir en marbre.

♪ Discothèque de l'hôtel Safir (hors plan par D1) : bd Kennedy, sur la route de Ceuta. Très chaud à partir de minuit. Ça tangue sec au gré de l'orchestre.

À voir

🎎 ⊘ La médina (plan C2) : inscrite au Patrimoine mondial de l'Unesco. À juste titre, car c'est à notre avis l'une des plus belles médinas du Maghreb, vraiment authentique, où chaque ruelle est consacrée à une activité particulière.

L'idéal est de commencer la visite par Bâb Noider d'où l'on s'immerge dans le quartier d'El Aïoun, avec la commerçante rue de Fès, la plus colorée de la ville. Elle mène au souk des ébénistes et des menuisiers (près de la porte Bâb-Sebta, appelée aussi Bâb-M'Kabar ; plan C1), dont l'atmosphère, le cadre, les outils et les gestes n'ont pas bougé depuis des centaines d'années. Celui de la laine n'est, bien sûr, pas loin du quartier des tanneurs. Quelques monuments à ne pas manquer : à droite, en descendant de Bâb-Sebta, la zaouïa des Derkaoua (ou Harakia ; plan C1). Un peu plus bas, le mausolée Sidi Ali Baraka du XVIIᵉ s. Puis, par un dédale incroyable de ruelles le plus souvent couvertes, la grande mosquée. Itinéraire composé de petits galets noirs et ronds, plafonds rythmés de voûtes d'ogive ou d'arcs romans en brique, avec remplage de treillis de branches. À côté de la grande mosquée, même si vous n'y mangez pas, jetez un œil ou buvez un thé au resto Buhlal, bel

LE RIF

exemple de demeure aristocratique ou de riche marchand. Un vrai petit palais. À deux pas de Bâb-el-Saïdi *(plan D1)*, une autre petite merveille, la *mosquée Sidi el-Saïdi (plan D1-2)*.

Enfin, accès très populaire pour le musée d'Art marocain, la *Bâb-el-Oqla (plan D2)*, l'une des plus anciennes entrées de ville. Plus bas, *Bâb-Remouz (plan C3)*, s'élève l'*ancien casino*, élégant édifice orné de superbes balcons en ferronnerie et d'un large auvent soutenu par de fines colonnettes de fer. Plus d'inscription, l'immeuble a vieilli, mais il détonne toujours dans le paysage urbain.

À propos, certains marchands de la médina abusent parfois des Européens qui débarquent fraîchement de leur contrée pour leur lancer des prix complètement aberrants... Négociez ferme et ne vous précipitez pas pour acheter si vous êtes néophyte.

> ## UN LABEUR HAUT EN COULEUR
>
> *Près de la Bâb-Sebta, se découpent, dans un camaïeu de couleurs, des bassins creusés dans le sol. Ce sont les petites tanneries de Tétouan. On y débarrasse les peaux de leurs poils dans les cuves remplies d'excréments de pigeons et de chaux. Elles sont ensuite lavées et teintes. Spectacle unique ! Invitez-vous dans le jeu d'équilibriste des artisans sautant entre les cuves. Et si, sous l'écrasante chaleur, une puissante odeur s'en dégage, ne vous pincez pas le nez pour autant... ça fait aussi partie de cet artisanat, dont on peut alors imaginer les difficiles conditions de travail, et apprécier d'autant mieux ces gestes millénaires.*

🍴🍴 **Le mellah** *(plan C2)* **:** contrairement au reste de la médina, véritable enchevêtrement de ruelles, le mellah (l'ancien quartier juif) présente un plan à angles droits (entre la rue de la Luneta et la rue du Dr-Pulido), dont toutes les rues sont ornées d'alignements de plantes en pot. Pratiquement aucune trace ni indice de la présence juive, pourtant l'une des plus importantes du Maroc (voir l'immense cimetière). Pas de restes d'inscriptions de caractères hébraïques, encore moins de signes de la présence de synagogues. Et, pourtant, il y en a encore (parfois soigneusement entretenues), mais elles se dissimulent derrière des portes d'habitations. Le seul « signe » interprétable pourrait être certaines fenêtres géminées en forme de Tables de la Loi. Là aussi, ruelles grouillantes de vie (beaucoup de tailleurs). Au bout de la rue de la Luneta, le *teatro National* (non loin des hôtels *Salam* et *Souisso*), très dégradé, dont on devine cependant toute la noblesse d'antan.

🍴🍴 **La place Hassan-II** *(plan C2)* **:** l'une des entrées prestigieuses de la médina est la place Hassan-II, avec le *palais royal,* une ancienne résidence du représentant du sultan sous le protectorat. Architecture d'une grande finesse. Noter le beau travail de ferronnerie. À l'autre bout de la place, à l'entrée de l'avenue Mohammed-V, s'élève un bâtiment public avec un immense et étrange personnage ailé ! Le contour nord de la place est bordé d'intéressants cafés (aux ambiances presque exclusivement masculines !) perchés dans des immeubles sur plusieurs étages. De leurs minuscules balcons où l'on pose une chaise et son verre de thé à la menthe, ces cafés deviennent un poste d'observation idéal pour surveiller la place. Le soir, tout s'anime, se colore. Marchands en tout genre déplient de grands draps, étalent leurs mille merveilles, tandis que s'installent les vendeurs de glaces ou d'escargots à déguster, debout, dans des bols.

🍴 **L'avenue Mohammed-V** *(plan B2)* **:** belle voie piétonne au départ de la place Moulay-el-Mehdi. Elle a gardé de son passé espagnol un remarquable alignement de façades de style hispano-mauresque du début du XXᵉ s, avec leurs balcons en fer forgé et leurs loggias ouvragées sur colonnettes et les derniers étages sur arcades. Assez unique au Maroc. Perspective de la colonne de la place Al-Yalâa, au fond.

🍴 **L'école artisanale** *(plan D2)* **:** lun-ven 8h30-12h, 14h30-18h30. Fermé pdt les vac scol. Différents métiers artisanaux sont enseignés ici à une quarantaine d'élèves : travail du cuir, du bois, ou fabrication de tapis et de céramiques... L'occasion de prendre la mesure de l'apprentissage que nécessite la fabrication des objets à rapporter dans vos valises !

🎥 **Le musée Archéologique** *(plan B2) : lun-jeu 8h30-12h, 14h30-18h30 ; ven 8h30-11h30, 15h-18h30. Entrée : 10 Dh (0,90 €).*
Pour ses mosaïques provenant de Lixus surtout. On y voit, juste à l'entrée, les *Trois Grâces* entre les *Quatre Saisons,* Vénus, Adonis, Mars et Rhéa (les parents de Romulus et Remus). Section préhistoire : outils néolithiques, meules, poteries puniques, maquette du *cromlech de M'Zora,* vestiges de la période romaine, vases islamiques ornementés du XIIIe s. *Salle des mosaïques :* celle de Vénus et Adonis, couple d'une grâce un peu précieuse, ravit. Beau pavement à motifs géométriques. À l'étage, témoignages et vestiges de la période romaine. Riche collection d'appliques de lit en bronze et de boucles de ceintures militaires. Délicats petits bronzes, bagues en pâte de verre, épingles à cheveux en os. Insolites, ces « lacrimatoires » en verre où l'on conservait les larmes versées lors des funérailles. Vaisselle et objets domestiques, divers petits objets en os (sifflets romains), complètent ce rapide mais néanmoins intéressant tour d'horizon.

🎥 **Le marché couvert** *(plan B3) : derrière la gare routière.* Assez typique.

🎥 **Le musée d'Art marocain** *(plan D2) : à Bâb-el-Oqla. Lun-ven 8h30-11h30, 15h-18h. Entrée : 10 Dh (0,90 €).*
Abrité dans un beau palais, avec salles voûtées en fer à cheval. Pour mieux connaître le folklore et l'art du Maroc du Nord. Entre autres, au rez-de-chaussée, une expo d'armes (fusils incrustés de nacre, os et argent), quelques manuscrits. Dans la salle centrale, tissus, poterie rifaine peinte, artisanat de cuir, céramique de Fès, Safi, Tétouan, etc.
Au 1er étage, très belles portes peintes, collection de heurtoirs, reconstitution d'un intérieur traditionnel, dont un salon « tétouan » typique, révélateur d'un art de vivre légendaire. Beau mobilier incrusté de marbre. Enfin, intéressante section d'instruments de musique avec le *rebab* (petit violon), le *qânoun* (cythare), les *crotales* (petites cymbales), le *hajhouj* (guitare primitive en peau), etc.

🎥 **Le cimetière juif** *(plan C1) : accès depuis la Bâb-Sebta. Marcher env 500 m jusqu'à l'entrée principale (Cimeterio judeo).* Il s'étage sur une haute colline. En bas, quelques rares tombes de ces dernières années. En haut, les tombes les plus anciennes, totalement imbriquées dans un pathétique désordre végétal, qui semblent retourner à la terre. Les petites maisons en ruine sont les chapelles qui servaient au lavement des corps. De là-haut, panorama exceptionnel sur la médina. Parmi les milliers de tombes, une bizarrerie, des tombes gravées avec des motifs précolombiens. Il s'agirait de juifs espagnols qui, revenus d'Amérique du Sud, se seraient inspirés de ces thèmes pour orner leur tombe, ce qui pourtant ne se fait guère dans la religion juive.

➤ *DANS LES ENVIRONS DE TÉTOUAN*

Pour visiter les environs de Tétouan, préférer les taxis collectifs, plus souples et plus rapides. Vous trouverez sans problème des locaux pour partager la course. Les bus, eux, sont irréguliers et quasi inexistants dans ce secteur.
➤ *De Tétouan : les taxis collectifs s'alignent sur l'av. Maarakah-Annoual (plan B2).*

OUED-LAOU

🎥🎥 Petite station balnéaire, à 50 km de Tétouan. Trop touristique en été. Le paysage est splendide, la route côtière offre des émotions ; chaussée étroite plongeant dans le vide et traversée de villages de pêcheurs au bord des oueds.

LE RIF

Spécialité de céramiques. La mosquée possède un original minaret octogonal. *Moussem* en juillet.

– **Souk :** *le sam, à 4 km de la ville, sur la route de Chefchaouen.* Exceptionnel. À voir absolument. Dès le milieu de l'après-midi, la route s'emplit de moyens de locomotion à pattes ou à moteur, tous chargés comme des baudets et éclatants de couleurs, qui acheminent dans la montagne les précieuses denrées du marché.

Où dormir ? Où manger ?

Les hôtels de la côte sont souvent bondés pendant la haute saison, de juin à septembre. En dehors de cette période, nombreux établissements fermés et piscines désespérément vides.

⚊ **Camping :** *en plein centre de la station, proche de la plage. Très bon marché.* Douches froides. Propreté à revoir.

🏠 |◯| **Hôtel Oued-Laou :** *en face de la mer. Doubles rudimentaires mais pro-* pres 120 Dh (10,90 €). Accueil très sympathique. Café-resto proposant du poisson grillé, des salades et des *pinchitos* (brochettes de viande). La terrasse sous les canisses donne sur la mer.

MARTIL

Station balnéaire où séjournent de nombreuses familles de Tétouan. La ville mise sur le développement touristique et s'agrandit en conséquence. Une belle promenade longe la mer. Attention, la propreté de la plage peut parfois laisser à désirer. Pas d'hôtels directement sur le front de mer. Pour cela, il faut monter au nord, vers Cabo Negro, où le littoral se bétonne inexorablement. Martil est pour l'instant épargné. Et on peut encore venir y profiter de la mer et de sa table sans souffrir du désordre architectural qui règne trop souvent sur la côte.

Où dormir ?

Camping

⚊ **Camping Al-Boustan :** *du centreville de Martil, prendre la route principale vers le nord (direction du camping indiquée) et continuer quelques km ; c'est ensuite fléché.* ☎ 039-68-88-22. Fax : 039-68-96-82. *Pour 2 pers avec voiture et tente, compter 45-100 Dh (4,10-9,10 €) selon saison.* Le camping, propre et bien tenu, propose quelques emplacements ombragés avec du gazon, très agréables. Beaucoup de monde en été, du coup, assez bruyant le soir. Sanitaires quand même insuffisants. Au fond du terrain, un resto et une piscine attendent les résidents. Bon accueil.

Prix moyens

🏠 **Hôtel Addiafa :** *av. Hassan-II.* ☎ 039-68-80-10 ou 11. *À l'entrée de la ville venant de Tétouan, sur la droite, 100 m après une station-service (et à env 1 km de la plage). Double 250 Dh (22,70 €) avec douche ; petit déj en sus.* Moins cher hors saison. Chambres pas très spacieuses mais propres et confortables, après une belle rénovation. Sal- les de bains nickel.

🏠 **Hôtel l'Étoile de Mer :** *av. Moulay-al-Hassan, à proximité de la grand-place.* ☎ 039-97-90-58. Fax : 039-97-92-76. *Double avec sdb 230 Dh (20,90 €), petit déj servi slt l'été.* Dans un immeuble des années 1970, les chambres sont réparties sur plusieurs étages autour d'une cour intérieure avec un escalier. De ce fait, peut-être un peu bruyant. Le plus proche de la plage, mais pas le mieux. L'établissement vieillit assez mal. Quelques chambres, petites et au confort minimal, ont vue sur la mer. Un gardien surveille les voitures devant l'hôtel.

▲ *Hôtel Los Mares :* av. Moulay-al-Hassan. ☎ 039-68-87-06. *Peu après l'Addiafa sur la route principale, même* côté. *Doubles 220 Dh (20 €) avec douche, 150 Dh (13,60 €) sans.* Immeuble moderne blanc et bleu en bord de route. L'hôtel est perché au-dessus d'un café, reconnaissable à sa façade représentant un dauphin bleu en mosaïque. Les chambres avec douche sont plus grandes. Propre et très bien tenu.

Chic

▲ *Hôtel Hacienda :* juste à la sortie de Martil, sur la route de Cabo Negro. ☎ et fax : 039-68-86-68 ou 60. ▯ 061-98-84-32. ● haciendamartil.com ● À 500 m de la plage, mais en bord de route. Doubles 400-650 Dh (36,40-59,10 €) selon saison, petit déj inclus ; ½ pens obligatoire en été. Bungalow pour 4 pers, avec sdb et cuisine, 900 Dh (81,80 €). Structure plutôt agréable s'intégrant bien au paysage. Les chambres confortables sont dispersées dans de petits bâtiments simples, et donnent sur un jardin verdoyant et fleuri. TV câblée, piscine (avec bassin pour les petits) et resto.

Où manger ?

Cafés, snacks, salons de thé sur la plage. Ambiance familiale.

Bon marché (moins de 80 Dh / 7,30 €)

I●I *Café-restaurant Avenida :* 100, av. de Tétouan. *Pas d'alcool.* Bien connu sous le nom de « Petit Bleu » par plusieurs générations de coopérants. Une excellente adresse qui conviendra aux routards les plus fauchés. Cadre propre, frais et coloré, agrémenté de céramiques. Le patron soigne bien nos lecteurs en leur servant de belles salades.

De prix moyens à chic (moins de 250 Dh / 22,70 €)

I●I *Vitamine de la Mer :* bd Miramar. ☎ 039-68-92-12. *En venant de Tétouan, continuer sur la route principale vers la mer. Au bout, prendre la rue à gauche juste avt le virage vers la corniche (enseigne discrète). Plats 80-200 Dh (7,30-18,20 €).* Dans la cuisine du rez-de-chaussée s'élaborent de délicieux plats de poisson et fruits de mer. Au 1er étage, une plaisante petite salle à manger appréciée des familles espagnoles. Ne pas manquer les *conchas* parfumées et goûteuses, le poisson cuit à la perfection. Ici, qualité régulière et service efficace (parfois un peu stressé).

CABO NEGRO

Station balnéaire, à 15 km au nord de Tétouan. Situé au bout d'une route sans issue, Cabo Negro donne l'impression d'un petit village résidentiel aux maisons proprettes et chaulées. Il s'agit plutôt d'un complexe touristique qui tire profit de son emplacement sur un rocher en bord de plage. Idéal pour une pause serviette sur la plage. Juste à côté, il y a *Mdiq*, une autre petite station balnéaire avec son port de pêche bien vivant.

LE RIF

Environnement saisonnier

Comme sur la quasi-totalité des plages de la côte méditerranéenne, la propreté est une question de saison. La sauvegarde de l'environnement, comme dans bien des pays, n'est pas une priorité. Hors saison, les plages se résument à des décharges publiques : pneus de voiture, carcasses de bouteilles en plastique, en verre, papiers éparpillés... Deux semaines avant la haute saison touristique, une armée de petites mains vient équipée de seaux nettoyer les plages. Ainsi de juin à septembre, elles sont parfaitement propres. Pour les poissons et ceux qui viennent les autres mois, dommage...

Où dormir ? Où manger à Cabo Negro et dans les environs proches ?

Chic

🛏 ⦿ *La Ferma :* à quelques km de la côte, juste après le village de Mdiq en direction de Cabo Negro. ☎ 039-97-80-75 ou 84-81. ● laferma.com ● *Doubles 500-630 Dh (45,40-57,30 €) selon saison, petit déj compris. Également une aire de repos pour camping-cars à prix modique. Env 150 Dh (13,60 €) pour un repas. Sert de l'alcool. CB acceptées.* Il s'agit en réalité d'un petit complexe touristique de charme, surplombant tranquillement le paysage. Plaisante architecture locale au calme. Chambres de bon confort et décorées de belles ferronneries. Pour les repas, on a le choix entre un snack décoré de deux petites cheminées, où l'on peut s'exercer au billard, et un resto plus rustique. Salle fraîche et agréable, décor chaleureux. Canapés en pierre ou en bois, différents outils exposés aux murs. Malheureusement, cuisine pas toujours à la hauteur. Jolie vue sur la campagne environnante depuis la terrasse. Centre équestre en contrebas très bien tenu et manège pour débutant. En prime, accueil jovial et service impeccable.

🛏 *Hôtel Le Petit Mérou :* à Cabo Negro, au bord de la plage et au bout de la route (bien indiqué). *Doubles 520-750 Dh (47,30-68,20 €) selon saison, petit déj compris.* Un petit complexe hôtelier au bord de sa plage privée. Plutôt horizontal, tout blanc avec des volets bleus, plusieurs terrasses, l'ensemble se fond assez bien dans le paysage. Chambres plaisantes et d'excellent confort. Joli décor de céramiques. Suite et appartements pour familles.

À voir dans les environs

🎣 *Le port de pêche de Mdiq :* à quelques km au nord de Cabo Negro. Si la ville en elle-même ne possède pas de charme particulier, en revanche, son petit port se révèle sympathique. Arrivé dans la ville, suivre les pancartes du port, passer sous la grande arche d'entrée et aller au fond. Vous y retrouverez toute la panoplie des bateaux multicolores, les montagnes de filets ruisselants, les chaleureuses petites gargotes où grillent sardines et anchois. Les familles de la région ne s'y trompent pas. L'endroit est bondé le soir, comme en témoignent les tables jonchées d'arrêtes de poisson.

🎣 *Le souk Khémis-des-Anjra :* de Tétouan, prendre la route de Tanger et, après 10 km, emprunter sur la droite la S601 ; c'est à env 15 km, sur la gauche. Ts les jeu. Ce marché, à l'écart des circuits touristiques, a conservé beaucoup d'authenticité (voir les costumes).

CHEFCHAOUEN (CHAOUEN)
36 000 hab.

Attention, à partir de mars 2009, *Maroc Telecom* doit mettre en place une nouvelle numérotation téléphonique. Les numéros passeront ainsi à 10 chiffres (au lieu de 9 actuellement).

Voici les principaux changements prévus :

➤ **Pour tous les numéros fixes,** il faudra insérer « 5 » après le « 0 ». Exemple : 024-11-11-11 deviendra 05-24-11-11-11.

➤ **Pour les portables,** un « 6 » devra être placé après le « 0 ». Exemple : 068-11-11-11 deviendra 06-68-11-11-11.

➤ **Pour les numéros spéciaux,** se reporter en début de guide à la rubrique « Téléphone et télécoms » dans « Maroc utile ».

À 600 m d'altitude, Chefchaouen s'adosse contre deux montagnes en forme de cornes, dont elle tire d'ailleurs son nom. On ne découvre la ville qu'après avoir franchi les derniers lacets des routes qui y accèdent, ce qui la rend, de prime abord, mystérieuse. On profite de la plus belle vue sur le village blanc depuis la route de Ouezzane.

Avec ses maisons à flanc de coteau et sa médina qui s'enfuit dans la montagne, on se croirait dans un village. Le long de ses ruelles pittoresques, les petites constructions blanches s'étirent vers les hauteurs, toutes semblables à des maisons de poupée. Leurs toits sont couverts de tuiles et elles disposent presque toutes de patios souvent ombragés par un arbre fruitier.

On l'appelle bien justement « la ville bleue », tant cette couleur s'y retrouve partout, du pâle au plus foncé, dans toutes ses nuances, des linteaux des fenêtres aux pas des portes pour éloigner les insectes. Certains habitants vont jusqu'à peindre le sol pavé de leurs ruelles et aucun ne met la même quantité de bleu dans sa peinture, vous imaginez le camaïeu... Quelle merveille !

Fuir la place principale et ses ruelles alentour, trop touristiques et sans intérêt, où vendeurs de kif et faux guides se font parfois pressants, pour flâner dans les venelles aux pentes escarpées de la médina... Il faut grimper pour apprécier la vue superbe sur la vallée heureuse, en contrebas.

Ville des tisserands et des artisans, où les touristes sont désormais presque aussi nombreux que les autochtones. Pourtant, pas de grands marchés, pas de ruelles traditionnelles encombrées de marchands d'épices, pas de souks regroupant d'anciens métiers. Moins bouillonnante que Tétouan, les voyageurs viennent y chercher calme et repos. Les gens y sont détendus (normal, on y trouve tout le kif qu'on veut !), comme ils aiment eux-mêmes à le rappeler. Chefchaouen est une ville simple qui fut longtemps difficile d'accès. Espérons que sa douceur de vivre ne la transforme pas en ville musée...

– *Souk :* les lun et jeu.

UN PEU D'HISTOIRE

Fondée dans la seconde moitié du XVe s, la ville est alors la base arrière de moulay Ben Rachid dans sa lutte contre les Portugais. Ville sainte (en témoignent de nombreux oratoires et mosquées), elle fut longtemps interdite aux chrétiens, mais non aux juifs. C'est seulement en 1883 que Charles de Foucauld, revêtu d'un costume de rabbin, réussit le premier à y pénétrer. Il s'agissait là d'un acte d'une grande témérité. En 1892, William Saumers, troisième Occidental à oser s'aventurer en ville, fut découvert et empoisonné par les autorités en châtiment pour sa curiosité.

Arriver – Quitter

En bus

🚌 **Gare routière** *(plan A1) : en descendant l'av. Mohammed-V. S'y rendre à pied. Résa des billets vivement conseillée la veille.* Liaisons avec :

➤ **Tanger :** 2 bus/j. via Tétouan. Trajet : 1h30.
➤ **Fès :** 3 bus/j. dans les 2 sens. Trajet : 4-5h.
➤ **Al-Hoceima, Nador :** 2 bus/j. dans les 2 sens. Trajet : env 6h jusqu'à Al-Hoceima.
➤ **Meknès :** 3 bus/j. Trajet : 6h.
➤ **Tétouan :** 3 bus/j. Trajet : 1h30.

En taxi collectif

➤ Liaisons avec **Tétouan** : ce n'est pas trop loin et beaucoup font le trajet.

En voiture

Petit avertissement pour les routards qui souhaiteraient gagner **Al-Hoceima** (par **Ketama**) en voiture : s'il s'agit certainement de l'un des plus beaux itinéraires du Maroc, la route est aussi merveilleuse qu'elle est sauvage. Il faut prévoir environ 5h pour parcourir les 220 km jusqu'à Al-Hoceima. Cette route des crêtes serpente à flanc de montagne et prend d'assaut les cols les plus hardis durant tout le trajet.

Adresses utiles

✉ **Poste** *(plan A1) : av. Hassan-II. Lun-ven 8h30-16h.*
◼ **Journaux** *(plan A1, 1) : av. Hassan-II, à côté de la* Banque populaire. *On y trouve des revues et quotidiens français.*
◼ **Librairie Alnahj** *(plan A1, 2) : 15, av. Hassan-II.* Un excellent point de vente qui a toujours le *Guide du routard* en stock. On y trouve aussi *Le Monde* et *Libé.*
@ **Internet** *(plan A1, 3) : 10, av. Hassan-II. Juste à côté de la librairie. D'autres adresses Internet dans la médina.*
◼ **Banques :** *av. Hassan-II (plan A1). Distributeurs automatiques de billets.*
◼ **Pharmacie** *(plan A1) : dans la rue qui descend à gauche de la poste.* ☎ 039-98-61-58.

◼ **Stations-service : Mobil** *(plan A1, 4)* et **Total** *(hors plan par B1).*
◼ **Chaouen Rural :** *rue Machichi, bureau n° 3, dans le quartier administratif, à 5 mn à pied de la place Mohammed-V en direction de la médina (plan A1). Autre bureau sur la pl. El-Makhzen, en face de l'hôtel* Parador *(plan B1, 22).* ☎ 039-98-72-67. ● chaouenrural.org ● Ce réseau d'exploitations agricoles promeut le tourisme rural autour de Chefchaouen. Il propose des excursions, des circuits, mais aussi des hébergements dans des fermes pour partager le quotidien des habitants du Rif. Une belle initiative à laquelle sont associés de nombreux acteurs locaux et qui favorise le maintien d'une population rurale dans la région.

Où dormir ?

Ville touristique oblige, les rues du centre, autour de la place principale de la médina, alignent de très nombreux hôtels. Certains sont bruyants. À 5h, il est possible d'être réveillé par le muezzin, et, pendant la journée, les amplis sont si puissants que l'on entend sa voix à plusieurs kilomètres à la ronde. On est dans une ville sainte ! De plus, les bruits sont amplifiés car le site est dans une cuvette.
Attention aux rabatteurs à la descente du bus, qui n'hésitent pas à vous suivre jusqu'à votre hôtel pour réclamer ensuite une commission !

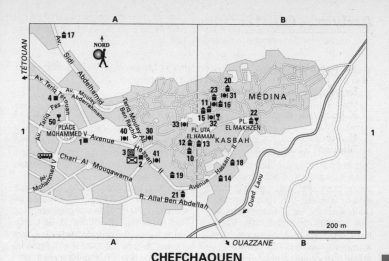

CHEFCHAOUEN

■ **Adresses utiles**

🚌 Gare routière
✉ Poste
1 Journaux
2 Librairie Alnahj
@ **3** Internet
4 Station-service Mobil

⌂ **Où dormir ?**

10 Hôtel Mouritania
11 Pension Znika
12 Hôtel Andaluz
13 Hostal Yasmina
14 Hôtel Salam
15 Hôtel Chefchaouen
16 Pension Barcelona
17 Hôtel-Résidence Estrella
18 Hôtel Marrakech
19 Hôtel Rif
20 Pension Dar Terrae
21 Hôtel Madrid

22 Hôtel Parador
23 Hôtel-Casa Hassan

|●| **Où manger ?**

23 Restaurant Tissemlal
30 Restaurant As Saada
31 Restaurant Granada
et Chez Fouad
32 Restaurant Aladin
33 El-Baraka, chez Didi

|●| **Où déguster de bons
gâteaux ?**

40 Boulangerie-pâtisserie Diafa
41 Pâtisserie Aziz

🍸 **Où boire un verre ?**

22 Terrasse de l'hôtel Parador
32 Café Zitan
50 Café C.T.M.

LE RIF

Si vous restez plusieurs jours, possibilité de louer des appartements. Voir les pancartes à l'entrée de la médina, et visiter avant de se décider.
Pendant la période d'hiver, il fait froid. C'est pour cela que les « Chaounis » ne quittent jamais leur épaisse djellaba de laine ainsi que leur manteau, même à l'intérieur de leur maison. Il est donc impératif de vérifier si le chauffage fonctionne, car il s'agit souvent d'un élément décoratif.

Camping

⌂ **Camping municipal** (hors plan par A1) : à 2 km du centre, sur le piton, en remontant l'av. Sidi-Abdelhamid. ☎ 039-98-69-79. Pour 2 pers avec tente et voiture, 65 Dh (5,90 €). Assez ombragé. Douches et w-c corrects. Situé au-dessus du village, il surplombe toute la vallée et bénéficie d'une vue superbe lorsque le ciel est dégagé. Bon accueil. Fait aussi resto. Du camping, possibilité de rejoindre le centre-ville par un escalier qui traverse ce qui ressemble à un cimetière (!). À éviter la nuit.

Très bon marché

🛏 **Hôtel Mouritania** (plan A1, **10**) : 15, rue Kadi-Alami. ☎ 039-98-61-84. Dans la médina, près de la pl. Uta-el-Hamam. Fléché depuis la rue principale. Double 80 Dh (7,30 €), douche chaude payante à l'extérieur. Une dizaine de chambres donnent sur un petit patio recouvert de jolies mosaïques. Cadre traditionnel bleu et blanc. Petit salon andalou. Caféteria à l'intérieur, et le tout en musique. Curieusement, au 2e étage, les chambres les plus modestes (mais toujours aussi propres) présentent un joli plafond peint. Literie plutôt ferme.

🛏 **Pension Znika** (plan B1, **11**) : 10, rue Znika. ☎ 039-98-66-24. Un poil au-dessus de la pl. Uta-el-Hamam. Dans la ruelle en pente qui part à gauche de l'Hôtel-Casa Hassan (puis 50 m plus bas). Env 50 Dh/pers (4,50 €), douche chaude à l'extérieur. Pas de petit déj. Au fond d'une petite impasse, calme assuré (et on reste proche de l'animation). Une petite dizaine de chambres sommaires mais propres. Petit patio intérieur au centre de cette ancienne demeure. Une excellente adresse dans cette catégorie.

🛏 **Hôtel Andaluz** (plan A1, **12**) : 1, rue Sidi-Salem. ☎ 039-98-60-34. Double 80 Dh (7,30 €). Douche payante. Pas loin d'une placette adorable, un populaire point de chute routard. Dans l'ensemble, remarquablement tenu. Là aussi, une maison traditionnelle offrant une dizaine de chambres modestes mais propres. Préférer celles à l'étage, beaucoup plus claires. Sanitaires communs. Petite cuisine à disposition. Terrasse fort agréable.

Bon marché

🛏 **Hostal Yasmina** (plan A-B1, **13**) : 12, rue Lalla-Horra. ☎ 039-88-31-18. ● yasmina45@hotmail.com ● Accès par le sud de la pl. Uta-el-Hamam, prendre la ruelle à gauche du Crédit Agricole. Double 140 Dh (12,70 €), guère plus cher en été. Un charmant petit hostal, bien inséré dans le quartier, et à deux pas du centre. Propreté impeccable. Intérieur frais, murs chaulés de blanc, couvertures colorées, même les chambres sans fenêtre sont plaisantes. En outre, bon accueil. Super terrasse pour assister au lever ou coucher de soleil (pour y accéder, attention à la tête à l'ultime porte... On vous aura prévenu !).

🛏 **Hôtel Salam** (plan B1, **14**) : 39, av. Hassan-II. ☎ 039-98-62-39. Sur la route de la médina, en dessous du Parador. Double 200 Dh (18,20 €), petit déj non compris. Vue merveilleuse sur la vallée, atmosphère jeune et relax. Chambres carrelées, fraîches. Sanitaires à l'étage avec douche chaude gratuite (sans serviettes), mais pas toujours très propres. Beaux salons marocains. Le petit déj sera un grand souvenir s'il est pris sur la terrasse dominant le paysage du Rif. Sinon, on peut toujours aller y boire un verre dans la journée.

🛏 **Hôtel Chefchaouen** (plan B1, **15**) : Zankat Znika, quartier Andalous. ☎ 070-06-90-87. Un peu plus bas que la pension Znika, même trottoir. Doubles 140-200 Dh (12,70-18,20 €) avec ou sans sdb, petit déj inclus. Charme et simplicité caractérisent cette gentille pension. Cadre intérieur tout à fait ravissant avec ses portes peintes et plafonds décorés de stucs. Chambres plaisantes. Accueil affable.

Prix moyens

🛏 **Pension Barcelona** (plan B1, **16**) : dans une ruelle au-dessus de la pl. Uta-el-Hamam. ☎ 039-98-85-06. En face de l'hôtel Hassan et du resto Tissemlal.

Doubles 160-350 Dh (14,50-31,80 €), avec ou sans sdb. Sinon, douche chaude payante. Hôtel bien tenu, aux teintes flashy. Nordine, plutôt zen, propose des chambres de 2, 3 ou 4 lits se fermant par des volets bleus. Sanitaires propres. Terrasse extra et vue sur la *kasbah.*

⬛ *Hôtel-Résidence Estrella (plan A1, 17) : 134, av. Sidi-Abdelhamid.* ☎ *039-98-65-26. Doubles 120-300 Dh (10,90-27,30 €) selon taille, avec ou sans sdb.* Les chambres les plus chères disposent d'un salon ou de pièces communicantes, avec douche et w.-c. Ni petit déj ni chauffage. Terrasse sur le toit. Cuisine commune disponible au 2ᵉ étage.

⬛ *Hôtel Marrakech (plan B1, 18) : 41,*

av. Hassan-II. ☎ *039-98-77-74. Doubles 250-300 Dh (22,70-27,30 €) avec ou sans douche ; petit déj en sus.* Dans cet hôtel aux tons bleus, préférez les chambres du 2ᵉ étage qui ont une vue sur la vallée. Intérieur clair, fenêtres en fer forgé. Cabinets de toilette petits mais fonctionnels. Terrasse extra. Bien tenu et excellent accueil.

⬛ *Hôtel Rif (plan A1, 19) : rue Hassan-II.* ☎ *et fax : 039-98-69-82.* ▯ *061-20-49-52.* ● *hotelrif@caramail.com* ● *Double avec sdb 240 Dh (21,80 €), petit déj compris.* Hôtel classique mais très correct et accueil fort affable. Chambres plaisantes. Une bonne alternative si c'est plein ailleurs. Bons tuyaux sur les randonnées dans le Rif.

Chic

⬛ *Pension Dar Terrae (plan B1, 20) : M'Daka, quartier Andalous.* ☎ *039-98-75-98.* ● *darterrae@hotmail.com* ● *Un peu plus haut que la* Casa Hassan. *Doubles ou suites 350-450 Dh (31,80-40,90 €), avec petit déj. Dar* de poche tout à fait séduisant. Beaucoup de couleurs vives, dans le style maison de poupée. Chambres pas trop grandes bien sûr, mais l'ensemble plaira à qui recherche charme et intimité.

⬛ *Hôtel Madrid (plan A1, 21) : av. Hassan-II.* ☎ *039-98-74-96 ou 97.* ● *hotel madrid@menara.ma* ● *Dans la montée vers la médina. Double avec sdb 380 Dh (34,50 €), sans petit déj.* Les chambres, avec eau chaude et chauffage électrique, sont propres et joliment décorées. Sanitaires un peu vieillots. Petit salon confortable avec TV et, dans le hall, belle fontaine en mosaïque.

⬛ *Hôtel Parador (plan B1, 22) : pl. El-Makhzen.* ☎ *039-98-63-24 ou 61-36.* ● *parador@iam.net.ma* ● *Parking payant, accessible même aux non-résidents. Fort bien situé dans le 1ᵉʳ cercle de la médina. Double 530 Dh (48,20 €), avec petit déj.* Grand hôtel

tout en longueur, rénové récemment. Mais pourquoi les chambres sont-elles aussi biscornues ? Salle de bains carrelée de céramique verte pour les plus petites. Nous, on aime surtout la terrasse avec le vélum, la petite piscine, en été, et la vue sur la montagne. Point de chute des groupes et ne possède pas le charme de la *Casa Hassan.*

⬛ *Hôtel-Casa Hassan (plan B1, 23) : 22, rue Targhi.* ☎ *039-98-61-53.* ● *casa hassan.com* ● *En bas de la médina, dans une ruelle montant de la grande* pl. Uta-el-Hamam. *Pas trop difficile à trouver, juste au-dessus du resto* Aladin. *Résa conseillée. Double avec sdb 800 Dh (72,70 €) pour 2 pers en ½ pens (obligatoire).* Un décor très réussi dans un joli intérieur marocain avec loggia, fontaine pour l'été et cheminée pour l'hiver. Chambres très propres avec un mobilier « classieux », des objets raffinés, disposées au 1ᵉʳ étage du patio. Le cadre tout à fait ravissant distille une atmosphère de charme. Confortable terrasse intérieure, avec petit jardin. À notre avis, la plus belle adresse de la ville.

Où manger ?

D'une manière générale, la région du Rif ne brille pas par sa cuisine. On n'y trouve aucune des spécialités culinaires qui font la renommée du Maroc. Ne vous attendez donc pas à déguster de bons tajines ni de bons couscous, ou alors ce ne seront pas les meilleurs, même si quelques restaurants de Chaouen cèdent à la demande touristique. Les Rifains mangent traditionnellement la *bessara* (sorte de purée de fèves) accompagnée de pain, d'huile d'olive et d'œufs. Mais ils raffolent aussi du poisson frais. Vous en trouverez donc dans les petits restos de rue, plus souvent frit que grillé, ainsi que des spécialités espagnoles comme les tortillas ou la paella. Rappelons que Chaouen faisait partie de l'ancien protectorat espagnol. Ceci explique cela !

De très bon marché à bon marché (moins de 80 Dh / 7,30 €)

Nombreux *cafés* tous très semblables qui grignotent de plus en plus la place Uta-el-Hamam *(plan B1).* Menus similaires (brochettes, etc.).

|●| *Restaurant As Saada* (plan A1, *30*) : de la porte principale de la médina av. Hassan-II, prendre la rue commerçante qui monte, puis 1re à gauche après 30 m. Situé sur une très mignonne placette ombragée par une vigne tendue entre les deux côtés de la rue. Tajine, couscous, *harira* le soir. Frais et de qualité très honnête. Les marmites bouillonnent toute la journée dans ce petit resto de quartier. Sert aussi sur une terrasse au-dessus de la vigne.

|●| *Restaurant Granada* (plan B1, *31*) : rue Targhi, un peu après le resto Aladin (à ne pas confondre avec le resto de l'auberge Granada). Tlj 12h-16h, 18h-21h. Deux choix : couscous ou tajines pour 3 fois rien, mais les portions ne sont pas énormes. Correct et très calme.

|●| *Chez Fouad* (plan B1, *31*) : en face du resto Granada. Spécialités de tajines. Décor et cuisine classiques mais de bonne réputation. Une étape idéale sur cette petite place.

Prix moyens (moins de 150 Dh / 13,60 €)

|●| *Restaurant Tissemlal* (plan B1, *23*) : resto de l'Hôtel-Casa Hassan *(de l'autre côté de la rue).* Salade marocaine, couscous, tajine. Très bonne cuisine dans un intérieur raffiné typiquement chaouénien (coupole sur atrium). Pour les amateurs de desserts, bon flan au caramel et délicieuse tarte au citron.

|●| *Restaurant Aladin* (plan B1, *32*) : 17, rue Targhi. ☎ 039-98-90-71. Entre la place Uta-el-Hamam et le Tissemlal. Resto assez touristique proposant un menu très classique mais correct. Tons bleu foncé à l'intérieur et atmosphère tamisée. Terrasse sur la rue (ou salle intime au 1er étage) et une alcôve pour famille ou copains. Musique assez forte.

|●| *El-Baraka, chez Didi* (plan A1, *33*) : ☎ 039-98-69-88. S'y faire conduire, car l'endroit est vraiment perdu au milieu d'un labyrinthe de ruelles. Bons menus avec couscous ou tajines. Peu de choix, mais bonnes brochettes. Atmosphère assez touristique (pas mal de groupes).

Où déguster de bons gâteaux ?

|●| *Boulangerie-pâtisserie Diafa* (plan A1, *40*) : *petit kiosque dans la rue qui monte en face de la poste.* Bon accueil. Gâteaux traditionnels et viennoiseries.

|●| *Pâtisserie Aziz* (plan A1, *41*) : av. Hassan-II. Un peu plus loin que l'hôtel Rif, *même trottoir.* Ouv jusqu'à 22h. Délicieuses pâtisseries et jus de fruits frais.

Où boire un verre ?

Pas d'alcool, sauf à l'hôtel *Parador* (voir plus haut).

🍷 **Café de la Cascade :** tt en haut de la médina, d'où l'on domine la vieille ville. Thé à la menthe excellent.

🍷 **Café Zitan** (plan B1, 32) : à l'extrémité nord de la pl. Uta-el-Hamam, à gauche du resto Aladin. Pas de pancarte mais impossible à manquer. Un vieux café qui a su conserver son style ancien, et s'intègre bien à la place. Belle salle intérieure traditionnelle andalouse, fenêtre en vitraux colorés. Sur la terrasse couverte, chaises en fer forgé et tables en mosaïques de Fès. Rendez-vous des vieux Chaounis qui tapent le carton et observent l'agitation de la place.

🍷 **Café Kasba** (plan B1) : à gauche de la kasbah. Pour son calme et ses fleurs.

🍷 **Terrasse de l'hôtel Parador** (plan B1, 22) : pour sa vue et son cadre luxueux.

🍷 **Café C.T.M.** (plan A1, 50) : pl. Mohammed-V. Terrasse aux couleurs locales. Pour y boire un thé à la menthe anonymement.

À voir

Pour avoir la meilleure idée de cette ville, sortir vers Ouezzane jusqu'au dernier virage avant la descente.

🍴 **La place du marché** (plan A1) et son **souk** les lun et jeu mat sur l'av. Chari-al-Khattabi, derrière la poste en descendant. Intéressant pour la couleur locale. Les Berbères qui descendent de la montagne s'y rendent, comme les artisans de Chefchaouen. Tous les jours, grand choix d'épices (piment, gingembre, paprika, poivre). Achetez une fouta, pièce de tissu rayé que les femmes portent sur leur jupe. En cherchant un peu, vous en trouverez avec des couleurs superbes. On n'en voit que dans le Rif.

🍴 **La galerie Hassan** (plan B1) : près de la pension Barcelona (voir « Où dormir ? »). Galerie d'objets d'art tenue par le même Hassan que celui de la pension et du resto. De très beaux objets artisanaux, de bon goût et très bien finis. Des peintres locaux ou même espagnols, tous amis de Hassan, exposent parfois.

🍴 **La place Mohammed-V** (plan A1) : cette petite place circulaire abrite un élégant jardin parsemé de jolis bancs en céramique et en fer forgé. Très bien entretenu, et toujours fleuri. On y trouve des dattiers et des orangers, mais aussi des rosiers grimpants et des lauriers-roses. Au centre, un bassin serti de petites grenouilles en bronze qui crachent de l'eau. Sur la fontaine, une petite plaque indique « Juan Miró, Séville », qui serait l'ingénieur paysagiste du jardin.

🍴🍴🍴 **La médina** (plan B1), et son dédale de ruelles étroites et inextricables, pavées de galets, n'est pas très grande. Ne pas hésiter à s'y promener, et même à s'y perdre ; on retrouve facilement son chemin. Demandez où se trouve le plus vieux hammam de la ville. Encore chauffé au feu de bois, il n'a pas bougé depuis des siècles.

Si vous en avez envie, il existe, à quelques minutes de marche au-dessus de la ville, une source (dite source du Loup) que l'on vous indiquera. Chouette récompense en redescendant ; vous arriverez, après avoir fait le tour des petits bazars et des marchands de souvenirs, sur la place Uta-el-Hamam, ombragée et bordée de cafés maures. Pour l'atteindre en partant de l'avenue Hassan-II, franchir le passage voûté et suivre la foule toujours en montant.

🍴 **Les hammams :** leur accès est strictement réglementé. Hommes : 4h-17h ; femmes : 18h-minuit. Tous les gens du village viennent se laver dans les différents hammams correspondant à leur quartier : ils font donc partie intégrante de la vie des habitants. Le hammam est composé de trois bains situés dans trois salles en enfilade. L'eau, qui provient d'une cascade située au-dessus de Chaouen (source Ras-el-Ma, c'est-à-dire « Tête-de-l'Eau »), est chauffée au feu de bois. Dans une sorte de fourneau, on brûle du chêne, mais aussi des têtes et des pieds de mouton (car la

corne met longtemps à se consumer). Chaque quartier comprend quatre mosquées, quatre hammams et quatre écoles coraniques.

🏃🏃 **La place Uta-el-Hamam** (place des Pigeons) **et la kasbah** (plan B1) **:** jusqu'en 1970, le souk s'y déroulait. Dès le matin très tôt, les marchands de farine et
les paysans berbères s'y installaient, attirant les pigeons avec leur nourriture. D'où
son nom. Aujourd'hui, les cafés autour de la place constituent la principale
attraction.
Une double porte en bois sculpté, près de la ruelle qui grimpe dans la *kasbah*,
abrite un caravansérail *(fondouk)* qui sert toujours, surtout les jours de marché. En
effet, les Berbères, qui sont agriculteurs dans les alpages, y passent la nuit avant
de tuer leurs ânes et moutons sur le marché.
La *kasbah* est une sorte de poumon vert et ombragé de la ville. Sa tour crénelée
domine la médina. Elle remonte à 1471, comme la fondation de la ville. Joli jardin à
l'intérieur, et petit musée andalou. Au fond, un donjon où Abd el-Krim, grand ennemi
de Lyautey, fut emprisonné en 1926.

🏃🏃 **Le musée** (plan B1) **:** dans la kasbah. Tlj sf mar 9h-13h (11h30 ven), 15h-18h30.
Entrée : 10 Dh (0,90 €). Peu d'objets présentés, mais de bonne qualité et ça donne
un aperçu intéressant. Photos de costumes traditionnels, métier à tisser, poterie
peinte (amphorette, brasero, jarre, assiettes, etc.), mobilier peint, armes anciennes,
poires à poudre, coffres ciselés et polychromes, instruments de musique et tissus.
Au 1ᵉʳ étage, photos anciennes du temps du protectorat espagnol. Dans le jardin
planté d'orangers, l'ancienne prison avec les fers aux murs. Ne pas manquer de
grimper dans le donjon pour le panorama sur le verdoyant et paisible jardin et la
ville.

🏃 **La source Ras-el-Ma** (à côté de la médina ; plan B1) et la **source Tissemlal,**
situées dans la montagne (chemin d'accès partant dans la pinède, non loin du
camping).

🏃 **Le petit Musée artisanal** (plan B1) : av. Hassan-II ; à côté de l'hôtel Parador (voir
« Où dormir ? »). Chefchaouen possède deux spécialités artisanales : les tissus en
laine (couvertures, tapis...) et les peintures sur bois (miroirs, petites tables...). Nombreux tisserands et menuisiers dans la médina.

➤ *DANS LES ENVIRONS DE CHEFCHAOUEN (CHAOUEN)*

🏃🏃 **Les greniers d'El-Kalaa et le pont de Dieu :** renseignez-vous pour vous faire
accompagner d'un guide. Balade d'une demi-journée pour découvrir un *douar* où
l'on peut visiter de vieux greniers pittoresques. On poursuit dans la montagne jusqu'à une vallée où l'érosion a formé un étonnant pont naturel. Départ près du
camping.

🏃🏃 **Le parc naturel de Talassemtane :** Chefchaouen se trouve au pied du massif
de Talassemtane, qui recèle les seules sapinières du pays. Il s'agit d'une espèce
endémique, cousine de celle que l'on trouve en Espagne dans la sierra Nevada.
Profitez de l'occasion pour découvrir l'un des plus beaux paysages de montagne
du Maroc, encore isolé et peu fréquenté. Avec l'altitude, les forêts de cèdres laissent la place aux sapins et aux chênes verts.
➤ Pour y aller, il est préférable de demander les services d'un guide de montagne.
On en rencontre peu à Chaouen, la plupart ne connaissent que la médina, même
s'ils vous disent le contraire. S'adresser directement à Hassan, le patron de l'*Hôtel-
Casa Hassan* (voir « Où dormir ? »).
Le chemin monte dans la pinède non loin du camping. Pour ceux qui sont motorisés, aller à Bâb-Taza, à 25 km au sud-est de Chaouen sur la route de Ketama, puis
prendre un taxi Land Rover qui dessert les *douar* dans le parc naturel, comme Beni-

M'hamed, Taria, Abou Bnar... Demander à aller à la sapinière de Talassemtane, soit au poste forestier, soit à la place dite des Espagnols.

Le parc permet aussi de pratiquer des sports de nature (voir « À la découverte du Rif » dans le texte d'introduction du Rif).

AL-HOCEIMA
55 400 hab.

Longtemps petite bourgade fréquentée par les navigateurs européens, la ville a attendu la fin de la guerre du Rif pour se développer. Appartenant à l'Espagne, elle portait le nom de Villa Sanjurjo. Après l'indépendance du Maroc en 1956, Al-Hoceima s'est résolument tournée vers le tourisme. La ville profite d'une situation exceptionnelle, construite au-dessus d'une baie bordée de hautes falaises. C'est l'une des plus agréables stations balnéaires de la côte méditerranéenne marocaine. Nombreuses plages, criques, calanques et promontoires.

Comme toute cette région du Nord, la ville connaît une forte expansion. De nouvelles zones balnéaires, avec complexes hôteliers et villages de vacances, devraient être construits dans les prochaines années. Pour seconder l'activité balnéaire, les efforts se portent aussi sur l'écotourisme. Un parc national a été créé à cheval sur la mer et le massif des Bokkoyas, à l'ouest d'Al-Hoceima. L'idée est d'instaurer des mesures de protection pour sauver ce sanctuaire marin tout en permettant un développement homogène de la région. En préparation, circuits et gîtes d'étape jalonneront le parc.

En février 2004, un séisme d'une forte intensité a touché Al-Hoceima, causant la mort de près de 600 personnes. Le tremblement de terre a provoqué des dégâts matériels importants et laissé des dizaines de milliers de personnes sans abri, surtout dans les bidonvilles et les villages alentour. La population berbère du Rif a été la plus touchée, elle qui, par ailleurs, est une des plus défavorisées du pays.

Al-Hoceima est une ville de saison (de juin à octobre). Le reste de l'année, tout est pratiquement fermé.

Arriver – Quitter

En bus et taxis collectifs

🚌 *Gare routière CTM (plan B2) : pl. du Rif.* Liaisons avec :
➤ *Tétouan :* 2 bus/j., l'ap.-m. Trajet : env 7h.
➤ *Chefchaouen :* 1 bus/j., le midi. Trajet : env 6h.
➤ *Nador (pour rejoindre Melilia) :* 2 bus/j., le mat. Trajet : env 3h30.
➤ *Casa, Rabat, Meknès, Fès, Taza :* 1 bus/j., le soir.
➤ *Tanger :* par Tétouan, 1 bus/j.
➤ *Oujda :* par Nador, 1 bus/j.

🚐 *Taxis collectifs (plan B2) : à côté des bus, au-dessus de la place du Rif.*

En voiture

➤ Pour profiter de la plus jolie vue en arrivant à Al-Hoceima, emprunter la route de Tétouan qui passe par le village d'Izemmouren. Pour cela, tourner à gauche 15 km avant la ville (c'est indiqué).

LE RIF

En avion

✈ *Aéroport Charif-al-Idrissi :* à 17 km sur la route d'Oujda. ☎ 039-98-20-05. Transfert en taxi.
■ *Royal Air Maroc* à l'aéroport : ☎ 039-98-20-63.
➢ Vols pour *Rabat, Casablanca, Tanger* et *Tétouan.*

En bateau

Liaisons avec l'Espagne (voir en début de guide les chapitres « Comment y aller ? » et « Quitter le Maroc »).

Adresses utiles

🛈 *Délégation régionale du tourisme* (hors plan par B2) : Zankate Al Hamra, Cala Bonita. ☎ 039-98-11-85. ● medtahri@menara.ma ● À l'entrée de la ville. Au milieu de la côte, après avoir passé le camping sur la droite, juste en face des 3 bâtiments de la Province. Ouv tte l'année lun-ven 8h30-16h30.
@ *Internet* (plan A2) : 31, av. Mohammed-V. Tlj 10h-minuit. Une boutique discrète sans enseigne.
■ *Librairie et journaux* (plan A2, **1**) : 22, rue El-Mourabitine.
■ *Banques :* les principales banques

ont leurs bureaux sur l'av. Mohammed-V. La plupart possèdent des distributeurs automatiques. Change.
■ *Pharmacies :* la plupart se trouvent bd Hassan-II. Pharmacie de nuit : dans la municipalité, bd Hassan-II.
■ *Hôpital Mohammed-V :* bd Hassan-II. ☎ 039-98-28-04.
■ *Agence de voyages Kétama* (plan A1, **2**) : 146, av. Mohammed-V. ☎ 039-98-51-20. 📠 061-64-45-03. ● ketama-voyages@iam.net.ma ● Tlj sf dim 8h30-12h15, 14h30-18h30 (17h sam). Correspondant de *Royal Air Maroc.*

Où dormir ?

Camping

⚕ *Camping municipal de la plage de Cala Bonita* (hors plan par B2, **10**) : à l'entrée de la ville quand on arrive du sud, tourner à droite après la station Total. *Pas de téléphone. Forfait 60 Dh/j. (5,50 €) avec emplacement, eau et électricité.* Situation exceptionnelle au

fond d'une crique, en bordure d'une plage de sable. Terrain sans ombre et plutôt cailouteux. On nous promet chaque année la rénovation complète des sanitaires. Douches froides. Bondé en saison.

De très bon marché à bon marché

🛏 *Hôtel El Hana* (plan B2, **11**) : 17, rue Imzouren. *Derrière la station de bus. Double 80 Dh (7,30 €).* Petit hôtel propret, proposant des chambres tout à fait correctes à des prix très intéressants pour les petits budgets. Douche chaude en sus.

🛏 *Hôtel Al Maghreb* (plan B2, **12**) : 23, rue Imzouren. 📠 068-64-21-82. *Doubles 120-140 Dh (10,90-12,70 €) selon saison.* Dans un immeuble bien rénové, grandes chambres claires, propres dont certaines disposent d'un balcon. Sanitaires communs bien entretenus.

Prix moyens

🛏 *Hôtel Étoile du Rif* (plan B2, **13**) : 40, pl. du Rif. ☎ 039-84-08-47 ou 48. *Dou*- ble env 190 Dh (17,30 €). Occupe un bel immeuble en arrondi situé sur la très

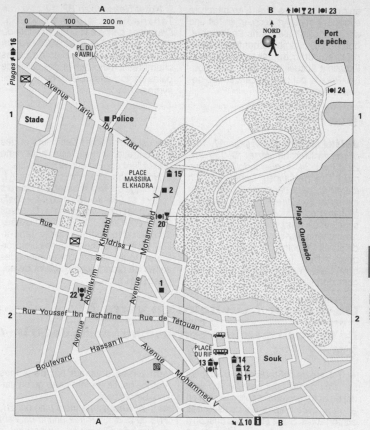

AL-HOCEIMA

■ Adresses utiles

- 🚌 Gare routière CTM
- 🚐 Taxis collectifs
- ℹ️ Délégation régionale du tourisme
- ✉️ Poste
- @ Internet
- **1** Librairie et journaux
- **2** Agence de voyages Kétama

⚕ ▲ Où dormir ?

- **10** Camping de la plage de Cala Bonita
- **11** Hôtel El Hana
- **12** Hôtel Al Maghreb
- **13** Hôtel Étoile du Rif
- **14** Hôtel Nekor
- **15** Hôtel Mohammed-V
- **16** Hôtel Charafina

|●| ☿ Où manger ? Où boire un verre ?

- **13** Café de l'hôtel Étoile du Rif
- **20** Cafés-restaurants Bellevue et Nejma
- **21** Al Khouzama
- **22** La Brise de Mer
- **23** Mimoun
- **24** Le Club nautique

animée place des bus. L'architecture évoque le style Art déco, et en fait une adresse originale. Dans l'ensemble, hôtel clair, chambres confortables et propres, bien qu'assez bruyantes. Excellent accueil de la part du personnel. Pour le petit déj, le café au rez-de-chaussé est parfait.

Hôtel Nekor (plan B2, **14**) : 20, rue Tahanaoute. ☎ 039-98-30-65. *Deux rues derrière la* CTM, *non loin de* El Hana. *Double avec sdb 190 Dh (17,30 €).* Petit hôtel avec de belles chambres lumineuses et des salles de bains confortables. Bien tenu et accueil sympa.

Très chic

Hôtel Mohammed-V (plan A1, **15**) : pl. de la Marche-Verte. ☎ 039-98-22-33 ou 34. ● quemado@sogatour. ma ● *Ouv tte l'année. Double 620 Dh (56,40 €), petit déj compris.* Bâtiment moderne de plain-pied, sans grâce, le Mohammed-V propose des chambres spacieuses, très claires, au mobilier, en revanche, assez conventionnel, dotées de salles de bains carrelées de mosaïques vertes. Toutes disposent de la clim', de la TV satellite, ainsi que de balcons donnant sur la mer et la falaise. La vue est formidable ! Des hauts et des bas (entretien inégal), mais l'hôtel reste d'excellent confort et très bien situé.

Hôtel Charafina (hors plan par A1, **16**) : plage de Tala Youssef, à 5 km vers l'ouest. ☎ 039-84-16-01 ou 04. ● chafa rinas.beach@menara.ma ● *Doubles 800-1 000 Dh (72,70-90,90 €).* Luxueux complexe touristique, assez tape-à-l'œil même. Piscine. Pelouses bien vertes en toute saison. Uniquement des suites de grand confort, ça va de soi. Resto très moyen.

Où manger ? Où boire un verre ?

De très bon marché à bon marché (moins de 80 Dh / 7,30 €)

Café de l'hôtel Étoile du Rif (plan B2, **13**) : parfait pour prendre son petit déj ou boire un verre le soir. Joli café en arrondi, avec d'épaisses chaises très confortables. Sur la place des bus, on a le choix entre entamer une discussion avec son voisin ou détailler l'agitation des voyageurs pressés autour des cars.
Cafés-restaurants Bellevue et Nejma (plan A1-2, **20**) : au bout de l'av. Mohammed-V, face à la pl. du 20-Août. Les deux cafés sont côte à côte et disposent des mêmes avantages, avec un intérieur plutôt agréable et une vue magnifique sur la baie. Tous deux possèdent un balcon avec des tables souvent prises d'assaut par de jeunes Marocains. Ils ne font resto qu'en saison. Sinon, café.
Al Khouzama (hors plan par B1, **21**) : au port (2e entrée quand on vient de la plage Quemado), un peu avt le Mimoun (voir ci-dessous). Ouv jusqu'à 23h, parfois plus tard le w-e. Ici, la salle de resto se révèle quasiment vide, tandis que le large comptoir de marbre du bar est pris d'assaut par tous les marins et soiffards du port. Canettes de bière et bouteilles de vin défilent au même rythme que les tapas, poissons frits et petites salades. Atmosphère souvent rugissante.

Prix moyens (moins de 150 Dh / 13,60 €)

La Brise de Mer (plan A2, **22**) : rue Abdelkarim-el-Khattabi, à côté de la grande mosquée. ☎ 039-84-17-17. Un des rares établissements ouv tte l'année. Service continu jusqu'à 21h30. Fait à la fois resto et bar. La TV est toujours allumée. Intérieur confortable et aéré, colonnes en céramique. Cuisine vraiment correcte, surtout les tajines et le poisson. Sinon, pizzas, couscous, poulet, etc. Service attentionné.

– Dans les restos de poisson cités ci-dessous, pas de carte. La pêche du jour est présentée sur un plateau, il n'y a plus qu'à choisir. Fraîcheur garantie.

|●| **Mimoun** (hors plan par B1, 23) : sur le port (2ᵉ entrée quand on vient de la plage Quemado), l'un des derniers au fond. ☎ 039-98-44-10. Ouv jusqu'à 21h30. Pas d'alcool. Ce resto populaire est bourré d'habitués, ce qui est toujours bon signe. Il ne faut pas s'attendre ici à des expériences gastronomiques délirantes mais le poisson est très frais, excellent et bien préparé. Resto d'atmosphère présentant un fort bon rapport qualité-prix. Accueil personnalisé.

|●| **Le Club nautique** (plan B1, 24) : à la 1ʳᵉ entrée du port, à droite en arrivant de la plage Quemado. ☎ 039-98-14-61. Tlj jusqu'à minuit (plus tard le w-e). N'allez pas imaginer un club classieux bourré de yachtmen aux tempes argentées... Familles, bandes de copains ou couples d'amoureux se partagent les tables de la grande salle et de la terrasse couverte, sur fond de télé bruyante. La bière coule à flots. Bien connu, le resto est très fréquenté. Cuisine pas d'une exceptionnelle finesse mais le poisson est frais, bien servi et ça nourrit. Quelques viandes aussi.

À voir. À faire dans la région

🎣 **Le port de pêche** (plan B1) : niché au cœur des calanques. Des kyrielles de bateaux colorés en partance, aux noms évocateurs, l'Étoile de l'Afrique ou l'Est du Rif, démêlent et chargent leurs filets. Le soir, les pêcheurs étalent sur le sol, devant le Club nautique, leur pêche du jour. Crabes, crevettes, soles, anguilles et prises plus insolites comme des raies. On y a même vu un petit requin, en attente d'acheteurs. Sardines grillées au barbecue à toute heure.

LE RIF

Les souks

– **Souk hebo** : les mar et dim. À moins de 2 km du centre. Suivre la rue Bir-Anzarane tt droit, on passe le lycée à main droite et on y arrive. Grand souk classique à la périphérie de la ville.
– **Souk de ville** : tlj. À deux rues de la station de bus et des petits taxis. Intime et tranquille. Quartier des volailles intéressant. On assiste à la mise à mort des poulets... âmes sensibles, s'abstenir.
– **Souk d'Izemmouren** : le lun. À env 10 km d'Al-Hoceima. Prendre la petite route de Tétouan (la plus à l'ouest). Seules les routardes pourront visiter ce souk réservé aux femmes.
– **Souk Had Rouadi** : le dim. À 30 km à l'ouest d'Al-Hoceima.
– **Souk de Beni-Boufrah** : le jeu. À 60 km à l'ouest (accès par la N16).
– **Souk d'Agni** : le mar. À 65 km près de Beni-Boufrah. Un autre souk de femmes. Encore plus authentique que celui d'Izemmouren.

Les plages

Comme ailleurs, sur cette côte méditerranéenne, les plages sont très sales hors saison, et consciencieusement nettoyées fin mai.

🏖 **Quemado** : en ville. Surpeuplée et payante en saison (sf pour ceux qui logent à l'hôtel Mohammed-V). Prix modique.

🏖 **Cala Bonita** (hors plan par B2) : à l'entrée d'Al-Hoceima. Envahie par les occupants du camping, dont c'est la plage. Les égouts se déversent à proximité, et ceux qui font de la plongée constateront qu'il n'y a plus rien à voir : tout est mort...

🏖 **Les plages d'Asfiha et de Souani** : à 7 km à l'est de la ville, sur la route d'Imzourene-Ajdir, sur la gauche. Ces plages n'en forment en fait qu'une, de près de 5 km de long. Face à l'îlot (peñón de Alhucemas), Nakor, qui est une résidence surveillée espagnole ; on ne peut donc accoster. Deux buvettes font épicerie et servent des repas simples en saison.

⚲ *La plage du Tala Youssef :* à l'ouest d'Al-Hoceima. Sortir par le bd Tarik-ibn-Ziad, et continuer pdt 5 km. La route longe la mer puis remonte quelques kilomètres en montagne avant de rejoindre la plage. Vue superbe du haut des falaises. La plage de sable noir est dominée par le complexe hôtelier de luxe de Chafarina. Apporter son boire et son manger.

➤ DANS LES ENVIRONS D'AL-HOCEIMA

🦌 *Cala Iris :* il faut compter une bonne heure pour parcourir les 60 km qui séparent Al-Hoceima de Cala Iris. Sortir par le bd Hassan-II (route de Tétouan) pour rejoindre la N2 ; peu après, c'est indiqué sur la droite ; prendre la N16 à Aït-Kamara. Si la route est magnifique sur tout le trajet, les derniers kilomètres sont vraiment superbes. On découvre des paysages de vastes collines, bientôt remplacées par des étendues de roches déchiquetées avec, par endroits, quelques îlots de verdure. La route, assez peu empruntée, traverse plusieurs hameaux tranquilles avant d'aboutir au village de *Torrès-al-Kala.* Celui-ci repose au bord d'une plage de galets sur laquelle sont installés deux petits cafés. Ruines d'une ancienne forteresse. Il ne reste plus que 4 km pour gagner *Cala Iris,* qui apparaît subitement en contrebas, ramassé autour de son petit port de pêche. La vue est splendide.
Dans Cala Iris, les plus assoiffés peuvent se désaltérer dans un petit café situé à l'entrée du port. Des pêcheurs proposent des balades en barque pour voir les falaises impressionnantes du *massif des Bokkoyas* qui tombent à la verticale dans la mer. Plage de 2 km.
Une balade à ne pas rater et un véritable remède au stress. En outre, si vous l'effectuez le dimanche, possibilité de visiter au passage le souk de *Had Rouadi* et, le jeudi, celui de *Béni Boufrah.*

➤ *La route d'Al-Hoceima à Kassita* est magnifique (52 km). Elle suit l'oued *Nekor.* D'abord, au fond d'une large vallée (cultures vivrières). Dans le coin, les paysannes arborent un chapeau de paille et un foulard noir leur cache le visage jusqu'aux yeux. Ceux qui disposent d'une voiture pourront aller jusqu'à Melilia et, le lendemain, faire la balade jusqu'au *cap des Trois-Fourches* (voir plus loin « Dans les environs de Melilia »).

➤ *La route d'Al-Hoceima à Nador par la côte* permet d'éviter la montagne. Récemment goudronnée, elle longe la mer et ses criques encore sauvages. Les derniers contreforts du Rif viennent ici se jeter dans la grande bleue. Le paysage, splendide, est presque désertique. Au centre, des versants de montagne bousculés par le vent du large présentent une façade dentelée, cisaillée, presque torturée.

VERS LA FRONTIÈRE ALGÉRIENNE

NADOR

Ville frontière avec Melilia ne présentant pas plus d'intérêt que d'être une étape sur la route d'Oujda ou pour visiter Melilia. Tranquille et reposante, avec un plan de rues à angles droits. L'avenue Mohammed-V, grande perpendiculaire à la mer qui rejoint l'hôtel de ville en plein centre, aligne ses nombreux et agréables cafés à l'ombre des orangers. Bon moment de détente. Nombreux taxis pour la frontière.

➢ Des bateaux de la *Comanav* effectuent la liaison entre **Sète** (France) et Nador de mars à décembre, 1 ou 2 fois/sem. Traversée : 34h (coordonnées en début de guide dans « Comment y aller ? »).

Où dormir ? Où manger ?

🛏 |●| *Hôtel Méditerranée :* 2, av. Yous-sef-Ibn-Tachfine. ☎ 036-60-64-95 ou 10-64. Fax : 036-60-66-11. *Double 280 Dh (25,40 €), avec petit déj.* À deux pas du front de mer, au bout de l'avenue principale. Classique, confort correct. Resto à prix modérés.

🛏 |●| *Hôtel Ryad :* av. Mohammed-V. ☎ 036-60-77-17. ● hotelryad@hotmail.com ● *Double 440 Dh (40 €).* Bien situé, à côté de la belle mairie. L'hôtel de petit

luxe de la ville. Grandes chambres modernes, à l'excellent confort.

|●| *Restaurant Mieramar :* 4ᵉ *rue à droite, en remontant du front de mer et de l'hôtel* Méditerranée *; il fait l'angle. Carte 100 Dh (9,10 €).* Spécialités de poisson et fruits de mer. Fraîcheur et portions généreuses garanties. Le midi, clientèle d'hommes d'affaires et pourtant prix abordables. Petite terrasse sur le trottoir.

MELILIA (MELILLA)   65 000 hab.   IND. TÉL. (espagnol) : 0034

Ville espagnole depuis 1497, Melilia connut son heure de gloire au début du XXᵉ s. Si l'exploitation des mines du Rif fut la principale raison de l'amé-nagement de son port de 1912 à 1914, son statut de zone fran-che lui valut un développement fort rapide. La ville est toujours restée espagnole, même pen-dant la guerre du Rif. C'est même depuis Melilia qu'un cer-tain Franco déclencha la guerre civile espagnole, qui le propulsa au pouvoir en 1936.

MELILIA OU LE MÉLI-MÉLO DE CULTURES

Melilia affiche fièrement ses quatre visages. À côté des chrétiens, les plus nombreux (conquête espagnole oblige), se côtoient des musulmans, Berbères du Rif, ainsi qu'une importante commu-nauté juive et, plus inattendu, quelques hindous. Si de violentes manifestations ont secoué l'enclave dans les an-nées 1980, la cohabitation se déroule aujourd'hui de façon pacifique.

L'indépendance du Maroc en 1956 devait bientôt la priver des richesses de son arrière-pays. Ce fut le début d'un long déclin pour la ville, consommé aujour-d'hui avec la fermeture de la frontière algérienne. Désormais, l'essentiel de son trafic maritime sert à alimenter la contrebande avec le Maroc.

La ville ancienne ne manque pas de charme. Quant à la ville nouvelle, très vivante, construite au début du XXᵉ s, elle comprend plusieurs rues cossues à l'architecture coloniale, dite « moderniste » (on dénombre plusieurs centai-nes d'immeubles de ce type en ville). Cette originalité architecturale fait de Melilia une ville de caractère, qui surprend par son cachet et sa personnalité, finalement bien plus intéressante que sa petite sœur espagnole Ceuta. Une demi-journée suffit à prendre le pouls de la ville. Beau point de vue sur les remparts depuis les hauteurs.

Bon à savoir

– *Rappel :* ne pas oublier, si vous devez quitter le Maroc en partant de Melilia, que ce port vit à l'heure espagnole, donc avec 2h de décalage en plus par rapport à l'horaire d'été. On en connaît beaucoup qui, faute d'y avoir pensé, ont dû attendre le bateau suivant.

VERS LA FRONTIÈRE ALGÉRIENNE

– Bien penser à faire l'indicatif téléphonique espagnol (☎ 0034) pour passer un coup de fil.

Arriver – Quitter

En avion

➢ Vols tlj depuis *Málaga, Almería, Grenade* et *Madrid.*

En voiture

Pour ceux qui rentrent à Melilia en voiture, lire attentivement nos indications « Passage de la frontière », ci-dessous.

En bus et taxi

Terminus à Nador. Ensuite, prendre un taxi jusqu'à la frontière. Liaisons avec :
➢ *Al-Hoceima :* 2 bus/j. dans les 2 sens.
➢ *Fès :* 3 bus de nuit au départ de Fès. Depuis Nador, 2 bus/j. en soirée.
➢ *Rabat, Casablanca et Tanger :* 2 bus/j. en soirée.
➢ *Oujda :* en principe, 1 bus/j.

En bateau

Pour changer de continent, voir les chapitres « Comment y aller ? » et « Quitter le Maroc » en début de guide.

Passage de la frontière

Le poste-frontière de Beni-Enzar se trouve à 2 km du centre-ville. Suivre la direction du port. Même conseil que pour Ceuta, aucun intérêt d'y aller en voiture. En outre, il est plus facile de garer son véhicule à la frontière (sur la grande avenue qui passe à 200 m devant, gardiens présents. Compter environ 10 Dh, soit 0,90 €, pour la journée). Mêmes formalités. Un bus relie ensuite la frontière espagnole à la plaza de España (ligne n° 2, nommée « Aforos », passages fréquents). Attention : il existe un poste-frontière secondaire entre Melilia et le cap des Trois-Fourches. Ne pas s'y rendre, car vous n'obtiendrez pas de tampon sur le passeport. Le poste ne sert que pour les travailleurs marocains.

Entre Afrique et Occident

Le poste-frontière de Melilia est un des points de passage favoris de l'émigration clandestine. Dans cette zone particulièrement chaude, d'inévitables incidents se produisirent entre septembre et octobre 2005, quand plusieurs milliers de candidats au « bonheur » occidental ont tenté de prendre d'assaut la clôture à plusieurs reprises. Les soldats marocains les en ont empêchés par la force et les armes, certains en sont morts. Pénétrer à Melilia ou à Ceuta, même au péril de sa vie, assure au candidat à l'immigration un examen administratif de son dossier. Ces spectaculaires tentatives (parfois réussies) pour rejoindre l'Europe ont révélé au grand jour les conditions terribles dans lesquelles survivent les immigrants africains, relançant le débat sur l'immigration en provenance de l'Afrique. En attendant, les clôtures ont été surélevées...

Adresses utiles

🏛 *Office de tourisme* (plan A2) *: Fortuny, 21 (dans le palais des congrès, à* | *côté de la plaza de Toros).* ☎ 952-97-61-51. ● *melillaturismo.com* ● *Lun-ven*

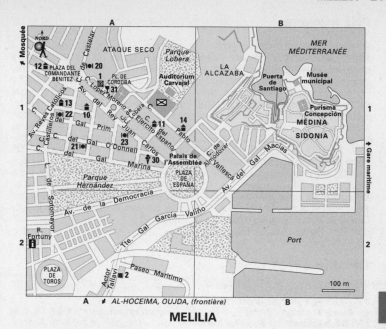

MELILIA

VERS LA FRONTIÈRE ALGÉRIENNE

■ **Adresses utiles**

🛈 Office de tourisme
✉ Poste
@ 1 Locutorio Fon-Net
2 Police

🛏 **Où dormir ?**

10 Hostal-Residencia Cazaza
11 Hostal-Residencia Rioja
12 Pension La Rosa Blanca
13 Hôtel Nacional

14 Hôtel Anfora et Hôtel Rusadir

🍽 **Où manger ?**

20 La Gaviota
21 La Cervecería
22 Mar de Alboran
23 Nuevo California

🍦🍷 **Où manger une glace ?**
Où boire un verre ?

30 Heladería La Ibense
31 Cafetería Los Arcos

8h30-14h45, plus l'été 16h-20h. Bon matériel touristique. Demander leur brochure répertoriant toutes les réalisations du fameux architecte moderniste *Enrique Nieto* et de ses collègues.
✉ *Poste* (plan A1) : calle de Pablo Vallescá. Lun-ven 9h-20h.
■ *Banques :* sur la plaza de España ou av. Juan Carlos (plan A1).
@ *Locutorio Fon-Net* (plan A1, **1**) : calle Lopez Moreno, à l'étage. Ouv jusqu'à minuit.
■ *Police* (plan A2, **2**) : sur Actor Tallavi.
■ *Consul honoraire de France à Melilla :* 27, calle Napoles. ☎ 952-67-77-27.

Où dormir ?

On peut à la rigueur garer son camping-car sur la plage. Camping sauvage très déconseillé. Vols fréquents dans les véhicules, surtout lors de la sieste.

Prix moyens

🛏 *Hostal-Residencia Cazaza* (plan A1, **10**) : 6, calle José A. Primo de la Rivera. ☎ 952-68-46-48. *Double 35 €. Pas de petit déj.* Quartier sympa, rue tranquille. Pension modeste mais propre. Bon accueil. Les chambres avec bains et TV les moins chères de la ville.

🛏 *Hostal-Residencia Rioja* (plan A1, **11**) : 10, calle del Ejército Español. ☎ 952-68-27-09. *Doubles 28-31 €.* Petite pension basique mais bien tenue. Chambres fort correctes avec sanitaires communs. Eau chaude.

🛏 *Pension La Rosa Blanca* (plan A1, **12**) : 7, Gran Capitán. ☎ 952-68-27-38. *Double 25 €, sanitaires communs.* Propre dans l'ensemble, belles cérami-

ques aux murs. Accueil aimable.

🛏 *Residencia de estudiantes y deportes :* à côté de l'estadio *(stade)* Alvarez Claro. ☎ 952-67-00-08 ou 58-58. ● *residencia@ctv.es* ● *Prendre Actor Tallavi* (plan A2) qui devient General Polavieja ; au niveau du supermarché, suivre l'avenida de Los Domantes de Sangres sur la droite. *Chambre double en pension complète 260 Dh (23,60 €)/pers.* Bâtiment de style hôpital... tout comme son intérieur. Il y a d'ailleurs pas mal de piaules. C'est un bon plan pour rencontrer d'autres jeunes. Dommage que ce soit si loin du centre-ville.

De chic à très chic

🛏 *Hôtel Nacional* (plan A1, **13**) : 10, calle José A. Primo de Rivera. ☎ 952-68-45-40. ● *nacional@terra.es* ● *Double 50 €, sans petit déj.* Propre, confortable et très central.

🛏 *Hôtel Anfora* (plan A1, **14**) : 16, calle Pablo Vallescá. ☎ 952-68-33-40. Fax : 952-68-33-44. *Au cœur de la ville. Double env 60 €.* Établissement chic, pourvu de tout le confort moderne : TV,

AC, ascenseurs... Chambres irréprochables.

🛏 *Hôtel Rusadir* (plan A1, **14**) : 5, calle Pablo Vallescá, en face du *Anfora.* ☎ 952-68-12-40. Fax : 952-67-05-27. *Double env 80 €.* Un peu plus cher que son voisin *Anfora.* Style plus moderne, avec des clins d'œil Art déco. Cafétéria au rez-de-chaussée.

Où manger ?

Vous trouverez plein de bars à tapas dans le centre, économiques et conviviaux.

Bon marché (moins de 80 Dh / 7,30 €)

🍴 *La Gaviota* (plan A1, **20**) : 20, calle de Castelar. Excellent et populaire bar à tapas. Fruits de mer très frais grillés sous vos yeux, à manger accoudé au zinc avec les travailleurs du quartier en partageant leurs pauses, ou dans la salle très bruyante. Prix très raisonnable.

🍴 *La Cervecería* (plan A1, **21**) : 23, calle del General O'Donnell. Façade discrète, en face du resto La Onubense. *Tlj 12h-16h, 20h-minuit.* La porte poussée, on atterrit dans un univers à la Gaudí, qui respire l'originalité et un brin

de folie. Décor évidemment farfelu, mélange de mosaïques, de pierre de taille et de bois aux murs. Moulures au plafond. Une adresse de caractère à la fois moderne, colorée, finalement inclassable, avec en prime un délirant et très dur canapé aux coussins... en pierre recouverts de petites mosaïques. Clientèle chic d'habitués, mais pas ennuyeuse pour autant. Prix encore corrects (tapas, paella...), bien qu'un peu plus chers que les autres bars à tapas de la ville.

Prix moyens (moins de 150 Dh / 13,60 €)

|●| Mar de Alboran (plan A1, **22**) : 24, calle del General Prim. Ouv midi et soir jusqu'à 23h. Peu de clients avant 13h30 (on mange à l'heure espagnole ! !). Salle plaisante et confortable, tables bien séparées, jolie alcôve en arabesque sur fond de céramique. Cuisine familiale de qualité régulière et bien présentée. Le midi, clientèle de travailleurs du quartier, qui commandent essentiellement le plat du jour bon et copieux. Choix d'une quinzaine de viandes et de 20 pois-

sons. Friture d'une belle fraîcheur. Excellente paella, malheureusement pas tous les jours. Gouleyant vino de la casa pas cher du tout.
|●| Nuevo California (plan A1, **23**) : 11, avda del Rey Juan Carlos. Une cafétéria qui offre de quoi se restaurer tout au long de la journée. C'est vivant et nickel. Menu varié avec des salades, soupes, pizzas, sandwichs, gâteaux... et même des glaces. Service rapide et habile. Terrasse passante.

Où manger une glace ? Où boire un verre ?

⸙ Heladería La Ibense (plan A1, **30**) : pl. de España, angle calle del General O'Donnell et avda del Rey Juan Carlos. Excellentes glaces et charmant accueil.
⸆ Cafetería Los Arcos (plan A1, **31**) : sur le côté de l'église del Sagrado Cora-

zón. Café marocain décoré de mosaïques et d'un vélum de couleur rose. Très fréquenté par les habitants, sans distinction d'âge. Pour ceux qui veulent boire un dernier thé à la menthe avant de quitter le pays.

À voir. À faire

Une plage, le farniente, un café con leche, la vieille ville. Les façades des maisons de la ville nouvelle sont un mélange désuet de styles espagnol et colonial. Le carillon de la cathédrale est amusant.

🎥🎥 Le palais de l'Assemblée (plan A-B1) : pl. de España. Une des œuvres les plus monumentales d'Enrique Nieto.

🎥🎥 La mosquée centrale (hors plan par A1) : représentative du style d'Enrique Nieto, elle date de 1945. Mérite le détour.

🎥🎥 La calle Lopez-Moreno (plan A1) : on y trouve au n° 8 la synagogue d'Or Zaruah datant de 1924 et réalisée, là encore, par Enrique Nieto. Belle frise en corniche, fenêtres en fer à cheval et à colonnettes. Les six immeubles qui suivent sont typiques du style hispano-mauresque : balcons à consoles élaborées, riche décor en façade, notamment au n° 20,

> **OLÉ**
>
> La partie la plus récente de la ville a été dessinée par l'architecte Enrique Nieto, un disciple du Barcelonais Antonio Gaudí, pape de l'Art nouveau, au début du XXe s. D'inspiration Art déco et néo-arabe, près de 900 constructions aux extravagantes façades colorées agrémentées de balcons en fer forgé, fines colonnes et tourelles composent le visage de la ville nouvelle. Motifs géométriques et végétaux ornent portes et fenêtres. Étonnant.

avec ses larges bow-windows. D'autres intéressants immeubles sur l'avenue Rey-Juan-Carlos.

🎥🎥 La vieille ville (plan B1) : enserrée dans ses remparts, bien rénovée. Montée par une rue en spirale. Tout en haut, abrité dans l'ancien corps de garde de la tour principale, un petit musée municipal (horaires irréguliers).

Achats

Comme à Ceuta, il n'y a pas grand-chose d'intéressant en fait, sauf l'essence à moitié prix. On peut aussi y trouver de l'alcool, de la charcuterie et des fromages. Sans plus.

➤ *DANS LES ENVIRONS DE MELILIA*

🚶🚶 *Le cap des Trois-Fourches :* à 12 km env. Route accessible en voiture de tourisme. C'est l'un des plus beaux sites du Maroc. Au bout, au pied du phare, deux ou trois petites plages sublimes. Pour ceux qui plongent, beau fond sous-marin à voir. Camping sauvage possible mais peu recommandé.

OUJDA

431 000 hab.

Oujda joue un rôle important sur le plan politique, car c'était l'un des deux points de passage entre le Maroc et l'Algérie jusqu'à la fermeture de la frontière en 1995. Le second poste était à Figuig, à 360 km de là.

La région d'Oujda est la seule du pays où l'on puisse, en une journée, passer de la montagne à la mer et au désert. Malgré cela, elle est à l'écart des circuits et il y a peu de chances que vous y croisiez d'autres routards. Pourtant, c'est un Maroc authentique que les voyageurs curieux découvriront ici. Certes, Oujda offre un intérêt touristique limité, mais sa vaste médina et ses souks particulièrement vivants et colorés permettent une plongée au cœur de la vie quotidienne de ses habitants.

Cette animation s'explique par le fait qu'Oujda est non seulement une ville frontalière, mais aussi et surtout un centre commercial très actif au cœur de la vaste plaine agricole des Angads. Cependant, la fermeture de la frontière, puis celle des mines de charbon, de zinc et de plomb dans son arrière-pays ont porté un rude coup à l'économie locale, laissant de nombreux jeunes sans travail. Ceux-ci espèrent un geste du gouvernement et l'amélioration

> **CETTE ANCIENNE « CITÉ DE LA PEUR »**
>
> *La ville, fondée à la fin du Xe s par Ziri ben Attia, chef de la tribu des Meghraoua, fut convoitée par tous les chefs militaires désireux de s'assurer la maîtrise du Maghreb. Elle fut si souvent l'objet de luttes entre les conquérants almoravides, almohades, puis mérinides, que ses habitants lui attribuèrent le surnom de « Médina El-Haïra », la « cité de la peur » ; rien à voir avec le film !*

des relations avec l'Algérie. Voilà pourquoi le vaste programme hôtelier qui émerge sur le littoral, à Saïdia, concentre tous les efforts. Du coup, les problèmes environnementaux qu'il entraîne pèsent peu face aux créations d'emplois attendues et à la croissance espérée.

Arriver – Quitter

En train

🚆 *Gare ferroviaire* (plan A1) : pl. de l'Unité-Africaine. ☎ 090-20-30-40. Liaisons avec :

➤ *Casablanca par Fès, Meknès, Kénitra et Rabat :* 4 trains/j. dont 1 avec changement à Fès. Durée : 11h jusqu'à Casablanca.

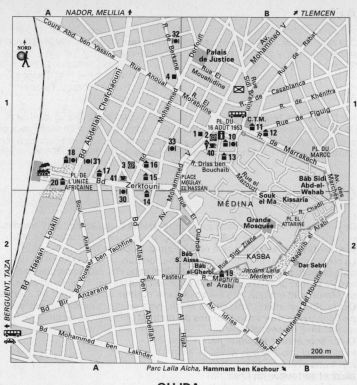

OUJDA

■ **Adresses utiles**	**15** Hôtel des Lilas
	16 Hôtel Al Fajr
ⓘ Délégation régionale du tourisme	**17** Hôtel Al-Manar
	18 Hôtel Ibis
🚂 Gare ferroviaire	**19** Atlas Orient
🚌🚕 Gare routière et taxis collectifs	**20** Atlas Terminus et Spa
🚌 Station des bus CTM	
✉ Poste	|⚫| **Où manger ?**
1 Western Union	**18** Resto de l'hôtel Ibis
@ **2** Cyberclub Alf@net	**30** Restaurant National
@ **3** Aminet	**31** Pescadilla
4 Institut français de l'oriental	**32** Le Dauphin
	33 Le Comme Chez Soi
🛏 **Où dormir ?**	
	|⚫| 🍷 ♦ **Où manger des glaces**
10 Hôtel Tlemcen	**et des gâteaux ?**
11 Hôtel Al Hanae	**Où boire un bon café ?**
12 Hôtel 16 Août	**10** Café-pâtisserie Tlemcen
13 Hôtel Afrah	**40** L'Excellence
14 Hôtel Royal	**41** Café Cala Iris

➢ **Pour Marrakech :** 3 trains/j. Changement à Casablanca ou à Fès. Durée : 11h.
➢ **Pour Tanger :** 2 trains/j. avec changement à Sidi-Kacem. Durée : 11h.

En bus

🚌 *Gare routière* (hors plan par A2) : de l'autre côté de l'oued Nashef, à 15 mn de la gare ferroviaire ou y aller en petit taxi (peu cher). Toutes les compagnies y sont présentes, mais le bureau de la CTM n'ouvre que le mat.

➤ Bus pour *Nador* (ttes les heures, 3h-16h), *Al-Hoceima,* la station balnéaire de *Saïdia* (ttes les heures juin-août, 2/j. le reste de l'année ; durée : 1h), *Tanger* (7/j., durée : 11h, soit par la route du nord, soit via *Fès*), *Chefchaouen* et *Tétouan* (1/j., durée : 9h30 jusqu'à Tétouan), *Er-Rachidia* (4/j., durée : 9h30).

🚌 *Station des bus CTM* (plan B1) : 12, rue Sidi-Brahim. ☎ 036-68-20-47.

➤ *Sur la ligne Fès-Rabat-Casa :* 1 départ/j., le soir. Durée : 5-6h pour Fès, 8-9h pour Rabat et 9-10h pour Casa.

➤ *Sur la ligne Fès-Meknès-Sidi Kacem-Larache-Tanger :* 1 départ/j., le soir. Durée : 12h jusqu'à Tanger. Avec changement à Casablanca, correspondance pour Marrakech, Agadir, Essaouira.

➤ Également un départ pour *Fès* le mat.

🚌 *Transghazala :* juste en face de la CTM. ☎ 036-68-58-87. Départ de leur bureau et de la gare routière.

➤ Compagnie privée spécialisée sur *Fès, Rabat* et *Casablanca* : 2 à 3 départs/j.

En taxi collectif

🚕 *Taxis collectifs* (hors plan par A2) : à la gare routière.

➤ Service régulier pour *Taza* et *Saïdia.*

➤ Service régulier pour *Nador* et *Saïdia.*

En avion

✈ *Aéroport des Angads :* à 15 km. ☎ 036-68-36-36. Vols par la *Royal Air Maroc* pour *Paris, Marseille, Bruxelles* et *Casablanca.*

– Pour rejoindre Oujda en taxi, prévoir 150 Dh (13,60 €).

Adresses utiles

🛈 *Délégation régionale du tourisme* (plan B1) : pl. du 16-Août-1953. ☎ 036-68-56-31. ● djouta@menara.ma ● Lun-ven 8h30-16h30. Fermé j. fériés. Personnel très aimable.

✉ *Poste* (plan B1) : av. Mohammed-V. Sur la place du Palais-de-Justice. Lun-ven 8h30-16h.

■ *Western Union* (plan B1, **1**) : av. Mohammed-V. Quasi en face de la délégation du tourisme. Lun-ven 9h-13h, 16h-19h ; sam 9h-12h, 16h-19h ; dim 9h-13h.

@ *Cyberclub Alf@net* (plan B1, **2**) : 48, av. Mohammed-V. ☎ 036-68-83-34. À l'étage de la téléboutique Cherkaoui, juste avt le café l'Excellence en venant de la délégation du tourisme.

@ *Aminet* (plan A1, **3**) : dans la rue face à l'hôtel Al Fajr. À l'étage. Tlj 9h-minuit.

■ *Institut français de l'oriental* (ex-Centre culturel ; plan A1, **4**) : 3, rue de Berkane. ☎ 036-68-44-04 ou 49-21. ●

ambassade-ma.org/institut/oujda ● Mar-sam 14h30-18h, dim 9h-12h. Fermé lun, ainsi que fin juil-début sept. Il assure une animation culturelle (médiathèque, spectacles). Accueil très sympathique et personnel compétent.

■ *Agence consulaire de France :* 7, angle des rues Khnata et Assila (immeuble Ipeti). Derrière l'église. ☎ 036-70-69-69 ou 64-13. ● afo_san drine_tanche@yahoo.fr ● Permanence mar 14h30-18h ; jeu 8h30-12h. En cas d'urgence, ou dehors de ces horaires, contacter le consulat de Fès, ☎ 035-94-94-00.

■ *Consulat d'Algérie :* rue de Taza. ☎ 036-71-04-52. Lun-jeu 8h-15h30 ; ven 8h-12h, 13h30-17h.

■ *Journaux français :* av. Mohammed-V, quasi en face du café l'Excellence (plan B1, **40**).

Où dormir ?

De très bon marché à bon marché

🛏 **Hôtel Tlemcen** (plan B1, **10**) : 26, rue Ramdane-el-Gadhi. ☎ 036-70-03-84. À l'entrée de la médina. Double 120 Dh (10,90 €) avec sdb. Petit hôtel sans prétention, avec des chambres simples aux couleurs pimpantes pour beaucoup d'entre elles, sanitaires un peu vétustes. Celles qui donnent sur la rue sont plus bruyantes. TV dans les chambres, grande armoire. Attention, certaines chambres n'ont qu'une fenêtre donnant dans le couloir. Bon accueil et un de nos meilleurs rapports qualité-prix, d'autant que la bonne odeur de la pâtisserie d'à côté envahit tout l'hôtel.

🛏 **Hôtel Al Hanae** (plan B1, **11**) : 132, rue de Marrakech. ☎ 036-68-60-03. Non loin de la CTM. Double 120 Dh (10,90 €), sanitaires communs, lavabo dans les chambres. En bordure de la médina, hôtel d'une grande simplicité, dont les chambres entourent un patio. Accueil souriant.

🛏 **Hôtel 16 Août** (plan B1, **12**) : 128, rue de Marrakech. ☎ 036-68-41-97. Double 70 Dh (6,40 €), sanitaires communs. L'hôtel pour routards au long cours par excellence et le plus propre parmi les moins chers qu'on ait visités.

🛏 **Hôtel Afrah** (plan B1, **13**) : 15, rue de Tafna. ☎ 036-68-65-33. Au début de la médina. Double env 140 Dh (12,70 €), avec sdb ; petit déj en sus. Banal mais propre (salle de bains néanmoins vieillissantes). Vue sur rue ou sur patio, plus calme, mais moins aéré et en été ça peut être gênant ! Bon rapport qualité-prix.

Prix moyens

🛏 **Hôtel Royal** (plan A1-2, **14**) : 13, bd Zerktouni. ☎ 036-68-22-84. ● royal.hotel@menara.ma ● Doubles 280-380 Dh (25,50-34,50 €), avec ou sans clim'. Petit déj en sus. Un petit hôtel de charme aménagé dans le style d'un riad. Marbre et tapis dans les parties communes, petit patio carrelé et arboré, avec sa fontaine. Agréable coin salon au 1er étage. Les chambres ne sont pas bien grandes mais arrangées avec goût. Elles disposent toutes d'une salle de bains et donnent sur la rue ou sur le patio où on prend le petit déj. Ça manque un peu d'air en été. Bon accueil.

🛏 **Hôtel des Lilas** (plan A1, **15**) : rue Jamal-Eddine-el-Afghani. ☎ 036-68-08-40 ou 41. Pas de clim'. Double 200 Dh (18,20 €). Pas de petit déj. Dans une rue tranquille, petit hôtel aux parties communes plaisantes proposant une cinquantaine de chambres très correctes à bon prix. Les salles de bains sont toutefois mal entretenues. Celles avec 2 lits donnent sur un puits intérieur (plus sombre, mais a priori plus calme). Accueil un peu nonchalant.

🛏 **Hôtel Al Fajr** (plan A1, **16**) : bd Mohammed-Derfoufi. ☎ 036-70-22-93. Quasi en face de la préfecture de police. Double avec sdb 250 Dh (22,70 €). Pas de petit déj. Hôtel à l'architecture moderne, fonctionnel, bien tenu, très correct dans l'ensemble, mais les vastes salles de bains ont déjà bien vécu. Direction manquant visiblement de dynamisme. Cela dit, tant mieux pour vous, calme garanti.

De chic à très chic

🛏 **Hôtel Al-Manar** (plan A1, **17**) : 50, bd Zerktouni. ☎ 036-68-88-55 ou 83-15. ● hotelmanar@menara.com ● Près de la gare. Double env 420 Dh (38,20 €), avec petit déj ; 350 Dh (31,80 €) sur présentation de ce guide. Hôtel bien tenu, aux chambres sobres et confortables. Accueil correct. Bon et copieux petit déj.

🛏 **Hôtel Ibis** (plan A1, **18**) : pl. de la Gare. ☎ 036-68-82-02 à 04. ● accorhotels.com ● Double 600 Dh (54,50 €), avec petit déj. Voir aussi les tarifs et promotions en ligne. CB acceptées. Hôtel

VERS LA FRONTIÈRE ALGÉRIENNE

de standing aux chambres impeccables (AC, TV câblée, écran plat, etc.). Resto et bar. Piscine ouverte aux non-résidents, moyennant un droit d'entrée (assez cher).

🛏 *Atlas Orient* (plan B2, **19**) : pl. Syrte, av. Idriss Al Akbar. ☎ 036-70-06-06. • hotelsatlas.com • *Double 600 Dh (54,50 €). Juste devant les remparts de la médina. Chambres tout confort déco-*rées dans des tons chauds. Piscine.

🛏 *Atlas Terminus et Spa* (plan A1, **20**) : pl. de l'Unité-Africaine. ☎ 036-71-10-10. • hotelsatlas.com • *Juste à côté de la gare ferroviaire. Double standard 1200 Dh (109,10 €), petit déj inclus. Le plus bel hôtel de la ville : déco design, chambres stylées, tout confort, piscine et spa, centre de remise en forme. Personnel pro.*

Où manger ?

Nombreux **petits restaurants** dans les rues piétonnes, derrière la *Banque El-Maghrib* et sur l'avenue Mohammed-V. On vous avertit, pas grand-chose à se mettre sous la dent à Oujda. Voici cependant quelques adresses.

Bon marché (moins de 80 Dh / 7,30 €)

|●| *Restaurant National* (plan A1-2, **30**) : 17, bd Allal-ben-Abdellah. Proche de la gare ferroviaire. Noter sa belle enseigne rétro. On y sert dans la bonne humeur des tajines, du poulet grillé et des grillades pour un prix très raisonnable. Préférer la salle à l'étage, plus tran-quille et décorée de moulures.

|●| *Pescadilla* (plan A1, **31**) : 6, bd Abdallah Chefchaouni. En face de l'hôtel Ibis. Petite cantine propre et sans prétention où les prix sont doux et la cuisine très correcte.

Chic (150-250 Dh / 13,60-22,70 €)

|●| *Le Dauphin* (plan A1, **32**) : 38, rue de Berkane. ☎ 036-68-61-45. *Fermé dim et pdt le ramadan.* Très vaste salle dans de douces tonalités de vert et de bleu et aux éclairages mesurés. Atmosphère fraîche et plaisante. Tables bien séparées dominées par un grand aquarium. Considéré comme l'un des meilleurs restos de la ville, nous ne sommes pas loin de le penser. Cuisine sérieuse et un large choix : une dizaine de poissons déclinés à toutes les sauces. Service discret et aimable.

|●| *Le Comme Chez Soi* (plan A1, **33**) : 8, rue Sijilmassa. ☎ 036-68-60-79. *Prendre la rue en face de la préfecture de police, puis la 1ʳᵉ à gauche. Ouv tlj sf lun et pdt le ramadan.* Cuisine euro-péenne et marocaine tout en finesse servie dans un cadre élégant, apaisant même grâce à l'aquarium. Carte diversifiée. Toujours du poisson frais et de bons produits. On y sert de l'alcool, du coup le resto sert de refuge à quelques Marocains venus écluser bière sur bière. En outre, bien vérifier son addition.

|●| *Resto de l'hôtel Ibis* (plan A1, **18**) : pl. de la Gare. ☎ 036-68-82-02. Bonne cuisine servie dans une grande salle au cadre impersonnel. Service efficace et sympa. Beau buffet de hors-d'œuvre. Viandes cuites à la demande et choix d'une demi-douzaine de poissons, ainsi que côte de bœuf, tajine de poulet aux citrons confits, etc.

Où manger dans les environs ?

Pour ceux qui disposent d'un véhicule :

|●| *Café-restaurant Gala* : bd Mohammed-V, à 4 km du centre en direction de la frontière algérienne. ☎ 036-71-25-52. *Tlj 8h-2h du mat en été (minuit en*

hiver). Env 100 Dh (9,10 €) le repas. Une vaste salle, mais surtout un grand jardin où se retrouvent les familles marocaines en été. On commande sa viande à la boucherie (à gauche, en entrant), et on vous l'apporte plus tard, grillée, en brochettes. Sinon plats à la carte pour tous les goûts. Succès oblige, l'attente peut être longue et le service vite débordé.

|●| *Restaurants de grillades :* à Bni-Drar, à 20 km d'Oujda, après l'aéroport, *sur la route de Saïda.* Le village de **Bni-Drar** est la plaque tournante du commerce. On y trouve de très nombreuses boucheries qui font aussi restaurants de grillades, tout le long de l'avenue principale. Ambiance très sympathique, surtout au retour de la plage.

Où manger des glaces et des gâteaux ?
Où boire un bon café ?

|●| *Café-pâtisserie Tlemcen (plan B1, 10) :* rue Ramdame-el-Gadhi, à l'entrée de la médina, juste à gauche de l'hôtel Tlemcen. *Tlj 6h-22h.* Idéal pour prendre son petit déj ou manger une pâtisserie. Excellents pains au chocolat vraiment pas chers.

☕ ⚊ *L'Excellence (plan B1, 40) :* bd

Mohammed-V. À 30 m de la délégation du tourisme, même trottoir. *Tlj 5h-23h.* Grand café-glacier au cadre moderne, avec une agréable terrasse pour déguster glaces et pâtisseries.

☕ *Café Gala Iris (plan A1, 41) :* en face du resto National. Pour siroter un bon expresso dans un cadre contemporain.

À voir. À faire

🔸 *La médina :* de l'av. Mohammed-V, prendre la rue des bijoutiers (El-Mazouzi), longue et bien achalandée. Très vaste et ceinte de remparts, la médina abrite de nombreux souks d'une réjouissante authenticité et grouillants d'une foule qui vaque à ses occupations. Ici, on n'est pas sollicité tous les 5 m. On trouve facilement le *souk El-Ma,* ou marché de l'eau, une place où l'on vendait autrefois l'eau destinée à arroser les jardins. Le cours variait suivant la saison et la fréquence des pluies. Ce souk est dominé par le minaret de la mosquée Sidi-Oqba. Vers la porte Sidi Abd-el-Wahab, le pittoresque petit *souk des ferblantiers* ; ces derniers fabriquent tout à partir de boîtes de conserve.

🔸 *Les souks* sont divisés en deux parties distinctes, l'une à l'intérieur de la médina, l'autre en dehors, après la porte de Sidi Abd-el-Wahab. Immenses, ces derniers sont en partie couverts. On y trouve tous les produits de contrebande ou non, venant d'Europe, de Melilla et d'Algérie (vêtements, chaussures, montres, etc.). Ils s'appellent d'ailleurs *souks Tanja* (ou *Sebta*), *Melilla*, et *El-Fellah.* Pas de surprise, on annonce ainsi la provenance. Attention aux pickpockets !

🔸 *Bâb Sidi-Abd-el-Wahab (plan B1-2) :* percée dans les remparts, cette belle porte menait à « l'exposition » des têtes des suppliciés suspendues le long des murailles. Oujda méritait bien son surnom de « cité de la peur », qu'elle garda pendant les siècles de son histoire mouvementée.

🔸 *La maison Dar Sebti (plan B2) :* inscription en arabe slt ; la maison donne sur le cours Maghrib-el-Arabi, un peu avt le virage, sur la gauche en venant du nord, quasi en face des jardins Lalla Meriem. Magnifique demeure datant de 1935, offerte à la ville d'Oujda par Abdellatif Sebti, un riche commerçant originaire de Fès, qui fit fortune dans le textile. Elle accueille aujourd'hui des fêtes de mariage et des manifestations culturelles. Se renseigner sur la programmation sur place ou à l'Institut français (voir « Adresses utiles »). En dehors des spectacles, le gardien laisse le promeneur jeter un petit coup d'œil à l'intérieur du bâtiment. On découvre alors une enfilade de pièces décorées d'étoiles de zelliges bleu et blanc, flanquées de colonnes élancées finement sculptées de stucs et des plafonds en bois peint.

🍴 Promenade, en fin d'après-midi, sur l'**avenue Mohammed-V** avec ses nombreux cafés. Dans la journée, on peut aller chercher un peu de fraîcheur à l'ombre dans les **jardins Lalla-Meriem** (le long des remparts ; *plan B2*) et **parc Lalla-Aïcha,** qui abrite une piscine et un club de tennis.

Hammams

– **Hammam El-Bali** *(plan B2)* **:** dans la médina. Depuis Bâb-el-Gharbi, continuer tout droit jusqu'à une fourche, prendre la ruelle sur la droite pour déboucher sur la pl. des Trois Fontaines, puis demander, ce n'est plus très loin. Dans une maison à la façade ocre, en demi-sous-sol. Ouv tlj. Femmes : 8h-18h ; hommes : 19h-23h. Prévoir 40-60 Dh (3,60-5,50 €) avec le gommage. Il s'agit du plus ancien hammam de la ville. Céramiques au sol, propre.
– **Hammam Ben Kachour** *(hors plan par B2)* **:** vers le parc Lalla Aïcha. Fléché depuis l'av. Idriss el Akbar. Tlj 5h-22h. Entrée : 10 Dh (0,90 €) ; gommage env 40 Dh (3,60 €). Un des plus populaires de la ville. Pas mal de monde. Entièrement carrelé. Propre.

➤ DANS LES ENVIRONS D'OUJDA

LES SOURCES DE SIDI-YAHIA-BEN-YOUNES

À 6 km d'Oujda (sortir par le boulevard de Sidi-Yahia). La grande source est à sec, mais l'endroit abrite le mausolée du saint patron de la ville. Curieusement invoqué par les musulmans, les juifs et les chrétiens, il ne serait autre que saint Jean-Baptiste. Ce site est très fréquenté. Beaucoup de Marocains habitant en Europe y viennent en pèlerinage. Cela dit, rien d'exceptionnel. C'est avant tout une atmosphère, un but de sortie pour les familles.

SAÏDIA

À 57 km (1h de bus) d'Oujda, à la frontière algérienne, à l'embouchure de la Moulouya. Cette station balnéaire, déjà bien bétonnée et sans grand charme, est envahie l'été (200 000 visiteurs !) par les MRE (lisez « Marocains résidant à l'étranger » !). Plage bondée, que la municipalité peine à gardé propre. Hors-saison, la ville revient à ses quelques habitants, qui peuvent profiter des 14 km de plage qui s'étirent à l'ouest (la moitié est toutefois grignotée par le projet touristique). Saïdia fait partie des six zones balnéaires retenues par le gouvernement dans le cadre du plan Azur. Du coup, les zones humides de l'embouchure de la Moulouya (site protégé !), qui accueillent des espèces d'oiseaux remarquables vont jouxter un complexe touristique et immobilier (une partie ouverte en 2009 et 30 000 lits prévus en 2011, sans compter les trois golfs qui seront constamment assoiffés). Comment prétendre que cet aménagement d'envergure n'aura aucun impact sur la partie protégée du littoral ? Encore un morceau de nature qui fout le camp...

Arriver – Quitter

🚌 **Gare routière :** *pl. Al-Alaouyine, entre l'ancienne* kasbah *et le souk.* Petite guitoune où on achète ses billets pour **Oujda.** Départs ttes les heures juin-août ; 2/j. le reste de l'année ; durée : 1h.
➤ Derrière la gare, bus pour **Berkane,** ttes les 15 mn, de mi-juin à fin août slt. On paie directement auprès du chauffeur. À Berkane, taxi pour **Nador.**

🚖 **Grands taxis :** *ils sont stationnés quasi devant l'entrée principale de la* kasbah. Taxis pour **Nador, Berkane** et **Oujda.**

Adresses utiles

✉ **Poste :** *bd Hassan II, non loin de l'hôtel Atlal. Lun-ven 8h-16h15.*
■ **Banques :** *sur le bd Hassan II.*
@ **Cyber sans frontière :** *rue d'Oujda, dans une petite rue qui donne sur la pl. Al-Alaouyine, près du souk. Tlj 9h-minuit.* On peut y téléphoner par skype,

msn ; casque et webcam à disposition.
■ **Hammam :** *rue d'Oujda, devant le cyber. Femmes : 10h-17h ; hommes : 18h-22h. Compter env 40 Dh (3,60 €) avec le gommage.* Petit, tout simple, c'est, pour l'instant, le seul hammam populaire en ville.

Où dormir ? Où manger ?

� **Camping :** *face à la plage.*
🛏 |●| **Hôtel Atlal :** *44, bd Hassan-II.* ☎ *036-62-50-21.* 📱 *061-19-13-67. Double 510 Dh (46,40 €), avec sdb ; petit déj inclus.* Un des meilleurs hôtels du coin. Accueil cordial. Établissement fort bien tenu proposant des chambres tout confort. Bon resto à prix modérés qui sert de l'alcool. Boîte en été.
🛏 **Hôtel-café Manhattan :** *bd Mohammed-V (angle Zerktouni).* ☎ *036-62-42-43. Sur le front de mer au dessus du café. Double avec sdb 450 Dh (40,90 €) en été ; petit déj en sus.* Chambres de bon confort, à la déco quelque peu kitsch. Celles qui ont une vue sur la mer ne bénéficient pas de la clim' et inverse-

ment. Bien pour 1 ou 2 nuits, pas nécessairement pour une semaine, surtout en été, lorsque l'animation sur la plage pousse les décibels à fond jusque tard dans la nuit.
|●| Plusieurs restos de poissons sur le boulevard Hassan-II, à l'est de l'hôtel *Atlal.* La plupart sont saisonniers et n'ouvriront pas forcément l'année suivante. Fiez-vous à votre instinct.
|●| Pour une atmosphère bien populaire, voir les cafés et gargotes de la place Al-Alaouyine, devant le souk, à l'est de la vieille *kasbah.* Larges terrasses à l'ombre des grands arbres où se retrouvent les autochtones.

Où boire un verre ? Où sortir ?

Sur la corniche, les jeunes se retrouvent notamment chez **Samy Playa** pour manger sur le pouce un *charwama,* boire un jus de fruits ou un café. Le soir, ils sortent à l'**Eden,** une boîte à la mode, également sur la corniche. Leurs parents optent pour les cafés qui s'égrènent devant la plage ou dans le boulevard Hassan-II, du côté de l'hôtel *Atlal.* Un des vieux cafés du coin, **chez Lahbib,** est connu pour ses beignets dont on se délecte en sirotant un thé. Beaucoup de monde l'été, à l'heure du goûter.

LES MONTS DES BENI-SNASSEN

Compter une bonne journée pour cette excursion de 180 km qui permet de traverser tout le massif, de visiter les *gorges du Zegzel* et *la grotte du Chameau.* Les routes sont en général en bon état, mais on aura intérêt à se munir d'une bonne carte.
On peut s'y rendre à partir d'Oujda ou de Saïdia. Dans ce dernier cas, on commence par la vallée du Zegzel (ne pas hésiter à demander son chemin, car pas ou peu d'indications).

Promenades inoubliables dans la **vallée du Zegzel.** Montez jusqu'au village de Taforalt (ou Tafoughalt) à partir de l'embranchement sur la route Berkane-Nador (avant d'arriver à Berkane), et descendez toute la vallée ; vous ne le regretterez pas car les paysages, verts même l'été, sont splendides et l'oued a toujours de l'eau. Deux kilomètres après Taforalt on passe à main droite à côté de la **grotte des Pigeons.** Un bel endroit pour pique-niquer. Cinq kilomètres plus loin, encore sur la droite, suivre le fléchage pour la **grotte du Chameau** (à cause de la forme de la montagne au-dessus ; actuellement fermée faute d'exploitant touristique). Attention, beaucoup de monde aux alentours le dimanche (surtout des Espagnols de Melilla). Quant à la piste des Crêtes (à faire en 4x4 ou à VTT) partant à hauteur de la grotte du Chameau vers Aïn-Sfa, elle était fermée lors de notre passage. Se renseigner sur place. Ces montagnes sont le paradis du randonneur.

LE DJEBEL MAHCEUR

À 25 km au sud d'Oujda, sur la route de Touissite. Ce plateau tubulaire a dû abriter une forteresse berbère en ruine. L'ascension vaut la peine, car le panorama sur les monts d'Algérie est exceptionnel. Source fraîche en cours de route.

RAS-EL-MA (CAP-DE-L'EAU)

Sur la route d'Oujda à Melilla. À Berkane, au km 60, prendre la direction de Cap-de-l'Eau (Ras-el-Ma). Accessible également depuis Saïdia (à environ 20 km). Suivre Nador, Rao Kabdana, puis bifurquer vers Ras-el-Ma. On traverse alors l'embouchure de la Moulouya, avant de longer une côte encore relativement sauvage. Cap-de-l'Eau est un village de pêcheurs, un peu défiguré par le béton, mais qui possède à la fois une longue plage de sable et des falaises. En face, les îles Chafarines (espagnoles), fameux spot de plongée sous-marine. De Cap-de-l'Eau, possibilité de rejoindre la plage de Nador par la côte ; la route, très sinueuse, domine la mer et, de temps en temps, des pistes permettent d'accéder à des plages isolées. Très beau panorama, et peu de risques de rencontrer des touristes !

▌●▌ *Restaurant Capado :* dans l'enceinte du port. Prévoir 120-150 Dh (10,90-13,60 €) le kilo de poissons. Ne sert pas d'alcool. On choisit son poisson frais qu'on paie au poids avant de se le faire griller. Bon débit. Belle terrasse à l'étage, aérée, d'où l'on profite de la mer. Propre et prix très raisonnables.

RABAT, CASA ET LA PLAINE CÔTIÈRE

Attention, à partir de mars 2009, *Maroc Telecom* doit mettre en place une nouvelle numérotation téléphonique. Les numéros passeront ainsi à 10 chiffres (au lieu de 9 actuellement).

Voici les principaux changements prévus :

➤ **Pour tous les numéros fixes,** il faudra insérer « 5 » après le « 0 ». Exemple : 024-11-11-11 deviendra 05-24-11-11-11.

➤ **Pour les portables,** un « 6 » devra être placé après le « 0 ». Exemple : 068-11-11-11 deviendra 06-68-11-11-11.

➤ **Pour les numéros spéciaux,** se reporter en début de guide à la rubrique « Téléphone et télécoms » dans « Maroc utile ».

Entre le Rif au nord et l'Anti-Atlas au sud, s'étend une longue plaine côtière qui concentre une grande partie des moyens de production du Maroc. C'est le cœur du « Maroc utile », comme le concevait cyniquement le protectorat. On y trouve bien sûr la capitale économique du pays, Casablanca, et sa capitale administrative, Rabat. Ces deux villes eurent leur destin bouleversé par Lyautey. Il fit construire un port dans la première avant qu'elle ne devienne une vaste métropole de plus de quatre millions d'habitants où siègent la plupart des grandes entreprises du pays, et édifier le centre administratif du protectorat dans la seconde, alors cité impériale sur le déclin. La plaine côtière abrite également le port sardinier de Safi, autre richesse économique de la région. Plus au nord, Asilah, qui vaut surtout pour sa belle médina et ses ruelles évoquant encore l'Andalousie.

L'itinéraire côtier lui-même n'est pas d'un intérêt majeur, mais il donne accès à de riches vestiges du passé qu'ont laissés les grandes dynasties berbères (notamment à Rabat), ainsi que les conquérants espagnols et portugais (à Asilah, à Larache ou à El-Jadida), des trésors méconnus (le musée Dar-Belghazi, la ville de Salé, la *kasbah* de Boulâouane), des sites naturels délaissés (la lagune de Moulay-Bousselham, la forêt de la Maâmora), sans oublier les sports nautiques et les belles excursions dans l'arrière-pays.

ASILAH
28 300 hab.

Jolie petite ville assez sympa, à 45 km au sud de Tanger. Si les maisons blanches et les ruelles étroites rappellent une île grecque, les fenêtres en fer forgé ne font pas oublier que, pendant longtemps, ce fut un territoire espagnol. Très convoitée au cours de son histoire, Asilah assume désormais sa vocation balnéaire et se trouve chaque année, en saison, envahie de groupes et de faux guides. Certains routards regretteront sans doute son côté très touristique et aseptisé, notamment dû à la rénovation de la médina. Pourtant, Asilah mérite le détour : pour sa vieille ville justement, entourée de remparts portugais construits au XVᵉ s, qui possède encore beaucoup de charme ; et pour ses

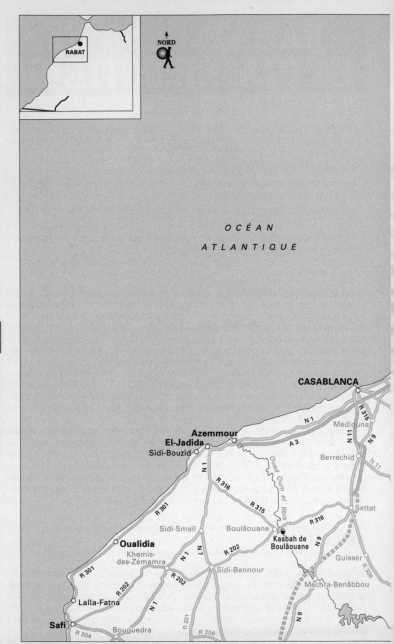

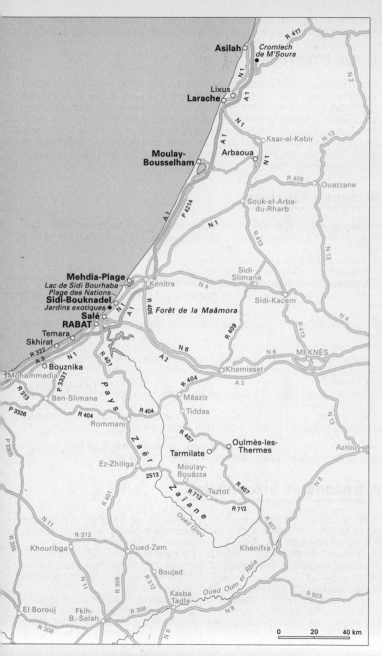

LA CÔTE ATLANTIQUE NORD

belles plages. Et puis, elle peut servir de point de départ pour découvrir les environs, qui offrent des coins de nature particulièrement beaux et sauvages.

UN PEU D'HISTOIRE

Colonie romaine, puis ville arabe, elle résiste aux Normands, avant de tomber aux mains des Espagnols en l'an 972. Les Portugais, pour ouvrir leur fameuse route de l'or à travers l'Afrique, n'hésitent pas à affréter 477 navires équipés de 30 000 hommes pour s'en emparer en 1471. Mais les Espagnols reviennent au XVIIe s et resteront longtemps maîtres de ce port stratégique. Au début du XXe s, il fut même conquis par un brigand nommé Raissouni, avant qu'il ne soit lui-même renversé par les Espagnols (voir encadré plus loin), qui se maintiendront à Asilah jusqu'à la fin du protectorat en 1956.

Arriver – Quitter

🚌 *Gare routière :* *à l'angle de la route principale Tanger-Rabat et de l'av. Moulay-Ismail, en face d'une station-service.* Plusieurs compagnies proposent des liaisons avec :
➤ *Tanger et Larache :* env ttes les 15 mn.
➤ *Casablanca :* env ttes les heures (6h-18h).
➤ *Meknès, Fès, Rabat :* env ttes les heures (5h-18h).
➤ *Tétouan et Chefchaouen* (correspondance à Tétouan) *:* 1 bus direct/j., tôt le matin.

🚆 *Gare ferroviaire :* *à 2 km au nord de la ville, sur la route de Tanger.* Liaisons avec :
➤ *Tanger :* 5 trains directs/j. dans les 2 sens. Trajet : 40 mn.
➤ *Rabat et Casablanca :* 5 trains/j. dans les 2 sens ; dont 4 directs, les autres avec changement à Sidi Kacem. Trajet : 4h-4h30 pour Rabat et env 5h30 pour Casablanca.
➤ *Fès :* 4 trains/j. dans les 2 sens ; un seul direct, les autres avec changement à Sidi Kacem. Trajet : env 4h30-5h.
➤ *Marrakech :* 4 trains/j. dans les 2 sens ; 1 train de nuit direct et les autres avec changement à Casablanca ou Sidi Kacem. Trajet : env 8-9h.

🚐 *Grands taxis :* *au départ de l'av. Moulay-Ismail (au-dessus de la pl. Mohammed-V).* Pour *Tanger* et *Larache.*

Adresses et infos utiles

✉ *Poste :* pl. des Nations-Unies. Lun-ven 8h30-16h.
■ *Banques : Banque populaire,* 8, pl. Mohammed-V. La *Wafabank,* la *BMCE* et le *Crédit Agricole* sont également sur cette place.
■ *Pharmacies :* pl. Zallaka, près du front de mer et au pied de la vieille ville, ou av. du Prince-Héritier-Sidi-Mohammed, à quelques pas de la gare routière.
◙ *Internet : Pyramide Net,* av. Hassan-II (rue qui longe les remparts). Tlj 9h-minuit.

🚐 *Taxis :* pl. Mohammed-V. Liaisons bon marché pour se rendre à la gare ferroviaire, à 2 km de la ville.
🍷 *Vente d'alcool :* pl. Zallaka, à proximité de l'hôtel Patio de la Luna, *dans la tte petite épicerie entre le café et le coiffeur.*
■ *Hammam El Manar :* dans un quartier populaire d'Asilah. De la pl. Zallaka, remonter assez longuement l'av. Imam-al-Assili, puis tourner à droite dans une rue sans nom, juste en face de la boutique Assili-Marbre ; le hammam se situe dans un imposant bâtiment rose, sur

une place. Entrée distincte pour les hommes et les femmes. Très propre.
– **Souk** : *jeu, sur la route de Tanger, en* haut de l'av. du Prince-Héritier-Sidi-Mohammed.

Où dormir ?

Attention, certains hôtels et campings sont fermés hors saison. Pour les camping-cars, possibilité de rester sur le parking au pied des remparts, près de la plage.

Campings

Avis aux campeurs au sommeil léger : l'environnement de ces deux campings est assez bruyant.

⚠ **As-Saada** : *sur la route de Tanger, à 300 m de la sortie de la ville.* ☎ 039-41-73-17. *Pour 2 pers avec tente et voiture, env 60 Dh (5,40 €).* Petit camping ombragé et bien tenu, agréablement disposé en carré et entouré de bâtisses blanches abritant les bungalows. Seule la route le sépare de la plage de sable et de la mer. Douches chaudes, payantes mais propres. Petite épicerie.
⚠ **Camping Echrigui** : *à côté du cam-*ping As-Saada, *sur la route de Tanger.* ☎ 039-41-71-82. *Pour 2 pers avec tente et voiture, env 60 Dh (5,40 €).* Camping plutôt vaste disposant d'espaces bien ombragés (mais pas partout !). Installations sanitaires propres, douche chaude payante. Ils ont aussi quelques bungalows. Épicerie et resto sur place. Accueil très sympa du patron.

De très bon marché à bon marché

🛏 **Hôtel Sahara** : *9, rue de Tarfaya.* ☎ 039-41-71-85. *Près de la pl. Moham-med-V, dans une petite rue qui part de l'av. du Prince-Héritier-Sidi-Moham-med. Double monacale 130 Dh (11,80 €), sans sdb ; douche chaude payante au rez-de-chaussée.* Très propre, accueillant et tranquille. Les murs joliment carrelés égayent l'ensemble.
🛏 **Hôtel Marhaba** : *9, rue Zallaka.* ☎ 039-41-71-44 *(changement de numéro possible). Juste à côté de la* place Zallaka, située à l'entrée principale de la médina. Doubles 100-150 Dh (9,10-13,60 €) ; sdb commune avec eau chaude (payante). Petite adresse sans prétention, chambres rudimentaires et pas très enthousiasmantes, mais l'accueil est plutôt sympathique. Préférez celles qui donnent sur la rue, plus grandes. Terrasse avec vue sur la médina. Souvent complet, mais le patron n'accepte pas les résas.

Chic

🛏 **Hôtel Patio de la Luna** : *12, pl. Zal-laka.* ☎ 039-41-60-74. ● hotelpatiodela luna@yahoo.es ● *Tt à côté de l'entrée de la médina. Résa conseillée en hte saison. Doubles 500-550 Dh (45,40-50 €) selon saison, avec sdb, mais sans petit déj.* Petite maison d'hôtes très bien agencée, tenue par un Espagnol et décorée dans le style des vieilles maisons de la médina, blanchie à la chaux. Les chambres colorées, dans un style maure, ont des salles de bains originales. Beaucoup de charme et accueil agréable.
🛏 **Hôtel Zelis** : *10, av. Mansour-Eddahabi.* ☎ 039-41-70-69. *Fax : 039-41-70-98. Juste après la pl. Moham-med-V en descendant vers la mer, dans une rue sur la droite. Doubles avec sdb 480-600 Dh (43,60-54,50 €) suivant saison (négociable en très basse saison). Repas env 170 Dh (15,40 €).* Vue sur

l'océan ou la petite piscine décorée de mosaïques. Si l'ensemble laisse une impression d'approximatif, les chambres sont très confortables, propres et lumineuses. Plats marocains sur commande au resto à l'étage. Repas corrects mais chers.

🛏 **Al-Khaïma :** *à la sortie de la ville, sur la route de Tanger.* ☎ *039-41-74-28. Fax : 039-41-75-66. Doubles avec sdb*

500-800 Dh (45,50-72,70 €) selon saison. Chambres agréables, mais sans réel charme, les plus grandes disposent d'un balcon. Un complexe hôtelier de petit luxe à proximité de la plage, avec piscine, tennis et discothèque (dans une grande tente façon cabaret). Ensemble bien tenu, mais prix un peu surévalués.

Où manger ?

Le long des remparts portugais (à l'extérieur de la médina, avenue Hassan-II), on trouve une multitude de *petits restaurants,* vous ne pouvez pas les rater : quelle que soit l'heure, on vous alpague dès que vous passez. La nourriture n'est pas exceptionnelle mais une fois installé, le service est plutôt sympa et les prix doux pour ce type de restos. Et puis il est agréable de manger sur les terrasses, à l'ombre des eucalyptus. Impossible de vous en conseiller un plutôt qu'un autre, tant qualité et service sont variables ; mieux vaut y aller au feeling ou en fonction des menus inscrits sur les tableaux.

Sinon, Asilah est réputée dans la région pour ses restos de poisson. Une réputation injustifiée selon nous, compte tenu du rapport qualité-prix médiocre. Asilah aurait-elle cédé aux mauvais penchants des villes trop touristiques ?

Bon marché (moins de 80 Dh / 7,30 €)

🍴 **Al Medina :** *sur la charmante pl. Guenoun, dans la médina.* En face d'une grande tour qui gardait l'entrée de la ville (en entrant par la porte de la place Zallaka, vous tomberez systématiquement dessus). C'est d'ailleurs l'emplacement de ce resto qui en fait l'intérêt, ainsi que les petits prix pratiqués.

🍴 **Restaurant Sevilla :** *18, av. Iman-al-Assili.* Bons poissons et tajines. Propre, et on y est toujours bien reçu. On note même des efforts de déco, ce qui ne gâche rien. Terrasse agréable quand il ne fait pas trop chaud.

🍴 **Restaurant Arabi Elegant :** *16, rue Okhouan.* Dans une petite rue qui part de la pl. Mohammed-V, au niveau de la Banque Populaire. Le patron volubile vous reçoit dans sa caverne d'Ali Baba ou sur sa terrasse envahie de plantes vertes. Son resto regorge d'objets aussi hétéroclites qu'insolites, et propose des plats marocains... moins savoureux que le cadre, dommage.

Prix moyens (jusqu'à 150 Dh / 13,60 €)

🍴 **Restaurant El Espigon :** *rue Moulay-Hassan-ben-Medhi.* Le long de la plage, presque à l'entrée de la ville, en venant de Tanger, en face du port de pêche. Repas 100-150 Dh (9,10-13,60 €). Spécialités de poisson et fruits de mer. On apprécie sa situation à l'écart de l'agitation touristique du centre-ville, qui en fait un rendez-vous plus populaire et authentique. Goûtez aux artichauts en entrée, et demandez à ce que votre poisson soit accompagné de leurs fameuses aubergines épicées.

🍴 **Restaurant Kasbah :** *à l'angle de la pl. Zallaka et du front de mer.* Repas 100-150 Dh (9,10-13,60 €). Oh, rien de sensationnel ! Mais une cuisine marocaine de bonne facture, un bon poisson (selon les arrivages), des prix raisonnables, tout près de la mer et un accueil sympa... c'est déjà pas si mal.

Où boire un verre ? Où sortir ?

🍷 *Le Café Meknès :* pl. Mohammed-V. Un café typique pour boire un thé à la menthe ou un café. Surtout des hommes, comme d'habitude. Un bel endroit, dont on apprécie particulièrement la terrasse couverte surplombant la place.

– On peut s'attarder le soir près du *marché aux légumes* ou du *marché au poisson*.

À voir. À faire

🚶 *La ville ancienne :* cette médina, contrairement à la plupart des autres, frappe par le calme qui y règne, son entretien et sa propreté. On pourra trouver qu'elle manque un peu de vie, mais la promenade est esthétique et reposante. Il faut franchir l'une des trois portes pour y accéder. La *Bâb-Homar,* baptisée par les Espagnols *Puerta de Terra,* conduit à un dédale de ruelles silencieuses entre deux rangées de maisons peintes. Si les murs sont blancs ou parfois ornés de fresques naïves, les soubassements et les huisseries sont toujours très colorés. Les fenêtres, souvent petites, sont agrémentées d'un *moucharabieh* que surmonte un auvent. La porte de la Mer, *Bâb-el-Bahar,* donne accès aux remparts construits par les Portugais au temps de leur grandeur. Un bastion, près d'une tour, permet de découvrir l'océan et le mouillage des bateaux de pêche. Juste à côté, émouvant cimetière avec mosaïques au sol autour d'un marabout. C'est là que les jeunes se retrouvent pour le coucher du soleil en fumant de drôles de cigarettes...

🚶 *Le palais de Raissouni :* sur une petite place. Dans la médina, suivre les remparts qui longent la mer. Accès par un passage couvert délimité par une grande porte verte. Le célèbre brigand Raissouni, qui connut son heure de gloire au début du XXᵉ s en devenant gouverneur d'Asilah, se fit construire un luxueux palais. Lequel revit chaque année en août à l'occasion du festival de musique. Le reste du temps, il abrite un centre culturel, qui n'ouvre que lors d'expos temporaires.

🚶 *Le marché aux légumes et au poisson :* il part de l'av. Moulay-Ismaël. Petit marché plein de couleurs, un îlot de fraîcheur dans un décor sympathique.

LA VILLE AUX MAINS D'UN BRIGAND

Asilah a son personnage mythique : le brigand Raissouni. Voleur, kidnappeur et meurtrier, il sévit à la fin du XIXᵉ s, et devient célèbre avec l'enlèvement du consul des États-Unis et d'un journaliste du Times. Il les libère contre une rançon de 14 000 £. Plus tard, la population d'Asilah appelle Raissouni à la rescousse pour la débarrasser de la tyrannie du pacha local. Il s'acquitte tant et si bien de sa tâche qu'il devient gouverneur de la ville, amassant au passage une belle fortune. Mais les fréquents conflits qui l'opposent aux Espagnols, maîtres de la région, auront raison de lui. Et après la Première Guerre mondiale, Raissouni est chassé d'Asilah.

Festival

– *Festival culturel d'Asilah :* en août. Cette fête de la culture met à l'honneur les arts plastiques et le folklore, d'où qu'ils proviennent.

➤ *DANS LES ENVIRONS D'ASILAH*

🚶 *Le cromlech de M'Soura :* prendre la route nationale vers Larache sur env 15 km et, au rond-point, bifurquer vers Tétouan. Après 5 km env, suivre la route goudron-

née sur la gauche (juste après la station-service) menant au village de Souk-Tnine. À l'entrée de Souk-Tnine, prendre sur la gauche à la fourche ; 6 km après la sortie du village, continuer par la piste sur la droite (pas de panneau) pdt 3 km (pas très praticable s'il a plu) avt d'atteindre le site. Cet ensemble gigantesque d'environ 200 menhirs autour d'un tumulus renfermant une tombe (sans doute d'un chef local) date du Néolithique (5000 à 2000 av. J.-C.). Unique ensemble de mégalithes que l'on trouve en Afrique du Nord, il complète ceux de la façade atlantique (Carnac, Stonehenge, etc.).

≜ **Berbari :** *dans le village de Dchar-Ghanem.* ☎ *062-58-80-13.* ● *berbari. com* ● *D'Asilah, prendre la route nationale vers Larache. Passé la borne « Asilah km 7 », suivre la piste sur la gauche, pdt env 1 km (peu praticable par temps de pluie, téléphonez avt pour qu'on vienne vous chercher). Chambres ou suites pour 2 pers 300-700 Dh (27,30-63,60 €). Possibilité de dîner (solution à ne pas négliger, vu l'isolement) pour env 150 Dh/pers (13,60 €).*

Dans un petit village perdu en pleine nature, cette habitation très joliment agencée est tenue par un Français et son équipe locale. Son environnement et l'utilisation de matériaux organiques (bois, torchis, paille, etc.) séduiront tout particulièrement nos lecteurs à la fibre écolo. Les chambres, toutes différentes, disposent d'une salle de bains et d'un salon. Vraiment une belle adresse pour ceux qui aspirent à un séjour au calme, dans une ambiance détendue.

LARACHE

107 400 hab.

Dès le XVIe s, Portugais et Espagnols s'intéressent à ce petit promontoire rocheux et à son port, qui devient pendant des siècles l'objet de luttes incessantes. Larache (El-Araïch) est occupée en 1911 par les Espagnols qui la garderont jusqu'à la fin du protectorat, en 1956. On en veut pour preuve les *azulejos* qui décorent la fontaine de la place centrale, ou encore la coutume persistante du *paseo* : aux beaux jours, comme à Madrid ou à Barcelone, tous les habitants sortent dans la rue en début de soirée pour se promener ou boire un verre entre amis.

Larache a l'apparence d'un village où il fait bon vivre dans ces belles maisons blanches, aux fenêtres et aux portes bleu ciel. La médina, bien qu'assez délabrée, a beaucoup de cachet, notamment grâce à ses ruelles pentues descendant vers la mer. Ses placettes offrent le beau spectacle des marchés ancestraux, bruyants et colorés, animés jusque tard dans la nuit. En s'enfonçant dans ses venelles étroites et biscornues, on goûte à une belle douceur, et on se laisse vite bercer par l'agréable dépaysement qui règne ici. C'est une étape sereine, entre Rabat et Tanger, bien loin du remue-ménage de ces grandes villes. Elle n'est pas encore envahie de touristes, ce qui contribue à son charme et en fait une ville particulièrement séduisante à bien des égards.

Mais le gouvernement en a décidé autrement, et le plan Azur va passer par là : la construction d'ici 2010 d'une importante station balnéaire à Khemis-Sahel, à une dizaine de kilomètres au nord, va certainement changer la face des choses. Jean Genet, qui repose à Larache, va se retourner dans sa tombe. Mais en attendant ce cap difficile, vous pourrez vous promener pendant des heures sans être importuné le moins du monde.

Arriver – Quitter

🚌 **Gare routière :** *rue du Caire. Au sud du centre-ville. Depuis la place centrale, prendre l'av. Mohammed-ben-Abdallah, puis tourner à gauche après l'hôtel Riad. La CTM propose des liaisons avec :*

➢ **Rabat et Casa :** 3 bus/j. (7h30-18h). Trajet : 3h et 4h.
➢ **Tanger :** 4 bus/j. (10h30-21h30). Trajet : 2-3h.
➢ **Tétouan :** 2 bus/j. (matin et soir). Trajet : 3h.
➢ **Meknès et Fès :** 3 bus/j. (l'ap-m). Trajet : 3h et 4h.
➢ **Marrakech :** 1 bus/j. (fin d'ap-m). Trajet : 7h.
➢ **Taza :** 2 bus (le soir).
➢ **Nador :** 1 bus (le soir).
D'autres compagnies desservent ces destinations.

Adresses utiles

✉ **Poste :** un peu en retrait sur le bd Mohammed-V, à l'angle de la rue du 2-Mars. Lun-ven 8h30-16h.

■ **Banques et change :** plusieurs banques avec distributeur sur l'av. Mohammed-V (l'avenue principale) qui débouche sur la pl. de la Libération.

@ **Internet : M@rnet,** rue Ben-Mouatamid. Depuis la place centrale, prendre l'av. Mohammed-ben-Abdallah ; c'est plus loin, après un rond-point. Tlj de 10h (15h ven) à minuit. Nombreux ordinateurs bien entretenus dans un espace assez aéré.

Où dormir ?

Très bon marché

⋌ **Aire de repos de Larache :** à l'entrée de Larache en arrivant de Rabat. ☎ 039-52-10-69. Parking gratuit gardé. Ouv tte l'année, 24h/24. Souvent complet en été. Grand centre d'accueil financé par la compagnie maritime Comarit-Limadet. C'est en principe réservé aux Marocains, mais on peut y rester gratuitement, avec sa tente ou son camping-car, à condition qu'il y ait de la place. Il est cependant sympa d'aller au moins manger à leur cafétéria (pas chère). Ils disposent même de quelques bungalows pendant l'été. Douches chaudes gratuites. Le centre fonctionne comme un village : bureaux de poste et de change, infirmerie et médecin, billetterie pour les bateaux reliant Tanger à Algésiras et Tanger à Sète.

🛏 **Pension El Watan :** rue du Grand-Vizir-Sid-Ahmed-Gun-Mia. Dans la médina, dans la 1re rue à gauche juste après l'entrée du souk, en passant sous une arche. Env 15-25 Dh/pers (1,40-2,30 €). Difficile de faire plus rudimen-

taire. Pas de douche. De petites alcôves monacales organisées autour d'un palier commun. Un charme particulier, propreté douteuse et bonnes odeurs de pieds ! Voilà pour le tableau visuel et olfactif. Difficile de communiquer en français. Pour les plus fauchés.

🛏 **Pension Amal :** 10, rue Abdellah-ben-Yassine. ☎ 039-91-27-88. Doubles 80-100 Dh (7,30-9,10 €). Le proprio installe petit à petit des salles de bains communes à tous les étages. Eau chaude encore souvent capricieuse, mais l'ensemble est plutôt bien tenu. Une petite pension un peu plus gaie et accueillante que le standard dans cette catégorie. Une adresse très simple, mais non dénuée de charme.

🛏 **Pension Es-Saada :** 18, rue Mohammed-ben-Abdallah. ☎ 039-91-36-41. Dans une rue qui part de la place principale, derrière l'hôtel España. Double 60 Dh (5,40 €). Douche chaude (pas toujours) au rez-de-chaussée, dans une espèce de cagibi. Simple mais un peu vieillot.

Bon marché

🛏 **Hôtel Essalam :** 9, av. Hassan-II. ☎ 039-91-68-22. Doubles 120-220 Dh (10,90-20 €) selon confort et saison. Sur 4 étages sans ascenseur. Le seul hôtel

vraiment digne de ce nom dans cette catégorie. Chambres spacieuses, très propres mais sans charme particulier. Les salles de bains, pour les chambres qui en sont équipées, sont grandes et assez agréables. Vraiment un bon rapport qualité-prix.

🛏 *Pension Málaga :* 4, rue Ahmed-Chaouki. ☎ 039-91-18-68. Fax : 039-91-23-44. De l'av. Mohammed-V, petite rue sur la gauche juste avt d'arriver sur la pl. de la Libération. Doubles 120-220 Dh (10,90-20 €) selon confort (avec ou sans sanitaires) et saison. Chambres assez monacales mais certaines ont un balcon. Pas toujours très propre.

De prix moyens à chic

🛏 *Hôtel España :* 6, av. Hassan-II. ☎ 039-91-31-95. ● hotelespana2@yahoo.fr ● *Double avec TV et sdb env 260 Dh (23,60 €) ; chambre sans sdb 170 Dh (15,40 €).* À l'époque de la colonisation espagnole, c'était le seul hôtel. Il a hérité de cette période des *azulejos* dans son hall, mais celui-ci a maintenant bien vieilli, tout comme les escaliers. Les chambres et les salles de bains se sont en revanche modernisées. On n'atteint quand même pas un style design choc éblouissant, mais elles ne manquent pas de confort. Très spacieuses et propres, nous vous recommandons celles qui donnent sur la place. Leurs grandes terrasses vous permettront de siroter un apéro en contemplant son animation.

🛏 *Hôtel Riad :* 88, rue Mohammed-ben-Abdallah. ☎ 039-91-26-26. Fax : 039-91-26-29. *Parking surveillé gratuit. Doubles 320-390 Dh (29,10-35,50 €) avec petit déj.* Il s'agit de l'ancienne résidence du comte de Paris. Quelques chambres et salles de bains laissent à désirer. Le manque d'entretien se fait, au fil des ans, de plus en plus sentir. Pour info, le manque d'eau chaude est chronique. Dommage, car l'habitation est noyée dans la verdure et le calme de son parc, avec un bar agréable sous une grande tente dans le jardin.

Chic et charme

🛏 *La Maison Haute :* 6, Derb-ben-Thami. 📠 068-34-00-72 ou 065-34-48-88. ● lamaisonhaute.com ● *Depuis la place de la Libération, prendre l'entrée principale de la médina, continuer sur 10 m. C'est la grande maison en face, sur la petite place du souk. Résa conseillée. Doubles avec sdb 350-570 Dh (32-52 €) selon taille et saison, petit déj inclus. Une suite aussi, plus chère.* De loin l'adresse la plus intéressante de Larache, qui plus est au cœur de la médina. Certes, l'état général laisse parfois à désirer (peintures qui s'écaillent ou mobilier un peu poussiéreux), mais ce petit côté négligé ajoute au charme indéniable des lieux. Voilà une maison d'hôtes qui vit, et qui ne semble pas sortir tout droit d'un magazine de déco. Construite début XXe s dans un style arabo-andalou, la demeure, arbore ses mosaïques d'origine, des murs peints dans des tons jaunes ou vert clair engageants et des objets anciens. Le salon confortable et intime donne sur le souk. Tandis que les chambres, réparties autour d'un patio, possèdent toute une déco différente. Les salles de bains optent pour des lignes sobres. En prime, accueil chaleureux de Hassan, âme de la maison. Terrasse panoramique fleurie avec vue splendide sur l'océan et le marché.

Où manger ?

Rien de bien réjouissant côté cuisine. Quant à boire un verre, n'en parlons pas...

De très bon marché à bon marché (moins de 80 Dh / 7,30 €)

🍴 *Restaurant El Mrini :* rue Ibn-Battouta, tt près de l'hôtel España *(voir ci-dessus).* Grillades de cœur et de foie de mouton, de bœuf, accompagnées de *chakchouka,* de frites et d'énormes salades, le tout pour un prix dérisoire. Demandez à être servi sur assiette, c'est le même prix qu'en sandwich et c'est plus copieux.

I●I *La Puerta del Sol : rue Ahmed-Chaouki, juste à côté de la pension*

Málaga. *Tlj 8h-23h.* Au menu : tajines, crevettes, poisson grillé, brochettes... et toute la panoplie de la restauration rapide, que l'on peut consommer sur place ou emporter. Salle à l'étage et petite terrasse agréable. Accueil souriant.

– Beaucoup de **cafés-restaurants** autour de la place de la Libération. S'installer dehors pour profiter du *paseo,* des palmiers, de la fontaine et de la vieille porte en bois sculpté. Vers 16h-17h, *churros* (beignets) autour de la place, côté médina.
– Nombreuses **gargotes** près du port, où l'on peut manger des sardines et autres poissons grillés.

Où manger une pâtisserie ?

I●I *Pâtisserie-glacier Lacoste : rue Moulay-ben-Abdallah. Près de la place principale, derrière l'hôtel* España *(voir « Où dormir ? »).* On y trouve un grand

choix de très bonnes pâtisseries marocaines ainsi que des viennoiseries et autres petits délices pour becs sucrés.

Où boire un thé, un jus ?

Y *Café-restaurant Lixus : pl. de la Libération.* Établissement situé sur la place centrale et séparé en deux salles distinctes : l'une plus classe à la belle décoration et l'autre, plus populaire, où se rassemblent en masse les locaux pour taper le carton ou papoter autour d'un verre (sans alcool). Plutôt agréa-

ble. Grande terrasse pour prendre le soleil et siroter un thé. Service nonchalant.
Y *Café de l'hôtel Riad :* grande terrasse dans le jardin de l'hôtel, bien agréable pour boire un verre (non alcoolisé, toujours), notamment en début de soirée.

À voir. À faire

Larache n'est pas limitée à sa place centrale. La ville livrera ses secrets à ceux qui savent prendre leur temps et méditer ce proverbe arabe : « Les gens pressés sont déjà morts. »

%% **La médina :** ceinte de murs épais, la médina surplombe le port réaménagé au début du XXᵉ s. Par le labyrinthe de ses ruelles, on parvient à une belle esplanade de laquelle on contemple l'estuaire du Loukkos et les marais salants (on évite de regarder les ordures en contrebas !). En traversant la médina, on peut atteindre la place du Makhzen où se trouve le *château de la Cigogne,* fortin qui date de l'occupation espagnole. De la vieille ville ainsi que de la *kasbah,* il ne reste malheureusement que des ruines, dans lesquelles il est dangereux de s'aventurer.
Le cœur de la médina est sans aucun doute le souk S'hrir, ou petit marché, juste à l'entrée. Une irrésistible agitation secoue cette petite place où grondent les sonos des vendeurs de CD dans une inaudible et joyeuse cacophonie. Prolongé par le Zoco de la Alcaiceria, une place encadrée de colonnes, les bouchers et poissonniers étalent sur les pavés leurs marchandises. Charrettes croulant sous les fruits et légumes viennent compléter ce savoureux tableau vivant et coloré.

% **La place de la Libération :** place principale de la ville, occupée par un large rond-point qui sert de lieu de rendez-vous. Au centre, une fontaine décorée d'azulejos. Construite par les Espagnols qui occupent la ville à partir du XVIIᵉ s, elle est cernée par de beaux immeubles aux façades hispano-mauresques dentelées. À voir le soir pour son ambiance festive et ses restos et cafés pris d'assaut par les joueurs de cartes.

⚲⚲ *Le marché* : de la pl. de la Libération, remonter la rue Mohammed-Zerktouni *(rue parallèle à la corniche, en direction du cimetière espagnol et du phare). Tlj 7h-17h.* Situé dans un joli bâtiment de style mauresque restauré par les Espagnols. Dans une joyeuse agitation, on trouve tout ce qui alimente les restos et les cuisines de la ville. Petit marché de fruits et légumes agréable.

⚲ *Le Musée archéologique* : *situé juste à l'extérieur des murs de la médina. Dans l'av. Mohammed-V, en descendant vers la mer, tourner à droite avt le petit parc au café tt vitré. À la fourche, prendre la rue à gauche qui remonte vers la médina, et non celle qui descend vers le port. Tlj sf w-e 10h-12h, 15h-18h. Entrée : 10 Dh (0,90 €).* Tout petit, à peine une studette avec kitchenette ! À moins d'adorer les morceaux de poterie, on s'en passe très bien. Remarquez quand même le bâtiment qui abrite le musée, un bastion espagnol qui porte les armes de Charles Quint.

⚲ *Le port de pêche* : *en contrebas de la médina (laissez votre passeport au policier qui garde l'entrée).* Animation et couleur locale garanties.

⚲ *La tombe de Jean Genet* : *dans le cimetière espagnol. Longer la corniche en direction du cimetière musulman et de la mosquée, après lesquels il faut continuer sur env 400 m. Le cimetière est sur la droite ; l'entrée se situe entre la fin du mur et la falaise couleur terre de Sienne ; le gardien est là pour vous ouvrir et vous guider.* La tombe n'est constituée que de deux simples plaques de marbre blanc veiné de bleu, posées dans un rectangle de pierres badigeonnées de blanc d'Espagne, éblouissant au soleil. Une sobre inscription, finement gravée et calligraphiée : *Jean Genet 1910-1986.* L'océan en vis-à-vis, et des mauvais garçons qui traînent. L'auteur des *Bonnes* a réussi son coup !

➤ *DANS LES ENVIRONS DE LARACHE*

⌂ *La plage* (immense et malheureusement très sale) est de l'autre côté de l'estuaire. Accès possible en barque, à partir du marché aux poissons. Promenade superbe. Sinon, en voiture, sortir de la ville en direction de Tanger et, à la hauteur de Lixus, tourner à gauche. Service de bus durant l'été. Nombreux cafés en été, face à la ville. Ah, la vue ! *Lovely !*

⚲ *Lixus* : *à 4 km au nord de Larache sur la nationale en direction de Tanger (sur la gauche, on le repère à ses grilles vertes). Les bus n°s 4, 5 et 7 (à prendre en face du château de la Cigogne) y conduisent. Ouv tte l'année. Si vous le souhaitez, le gardien est là pour vous renseigner.* Selon la légende, c'est dans les ruines de cette ville romaine, fondée par les Phéniciens sept siècles avant notre ère, que le géant Hercule accomplit le onzième de ses travaux : la cueillette des pommes d'or du jardin des Hespérides. Il en chargea en fait Atlas et soutint à sa place la voûte céleste. On ne dit pas combien de temps dura la cueillette ! Le théâtre romain du Ier s n'a été mis au jour qu'en 1964. Les gradins en hémicycle adossés à la colline sont séparés du chœur (avant-scène) par un haut mur afin d'utiliser celui-ci comme une arène pour les jeux des gladiateurs. Le site comprend plusieurs temples (dont le plus important couronne l'acropole), les vestiges d'une entreprise de salaison de poisson avec plus de cent bassins et les inévitables thermes dont le *tepidarium,* ou salle tiède, qui a conservé son pavage de mosaïques. On y voit Neptune, le dieu de la Mer, dont l'effigie est ornée de pattes de crustacés au-dessus d'une chevelure abondante. Malheureusement, victime de vandales, Neptune s'est transformé en Cyclope ! Au soleil couchant, superbe vue sur Larache, les méandres de l'oued Loukkos, l'océan et les marais salants.

🗡 *Arbaoua : dans l'arrière-pays de Larache, à 12 km de Ksar-el-Kebir.* L'une des plus belles réserves de chasse du Maroc, parfaite pour pique-niquer.

➤ *De Larache à Tanger,* la route côtière est très belle. Elle traverse des vallées agricoles très humides et une grande forêt d'eucalyptus qui embaument, surtout les jours de chaleur.

MOULAY-BOUSSELHAM
5 700 hab.

À environ 50 km au sud de Larache. Du haut de la ville, vue superbe sur l'océan et la lagune.

Où dormir ?

Une partie des hébergements se trouvent dans le village de pêcheurs, qu'on rejoint en s'enfonçant par des pistes à l'entrée de la ville, sur la gauche.

Campings

🏕 *Camping Flamants Loisirs : dans le village de pêcheurs.* ☎ 037-43-25-39. ● flamants@menara.ma ● *Prendre la piste à gauche juste après la station-service en entrant dans la ville ou poursuivre sur la route principale, fléchage sur la gauche, en face de la gendarmerie.* Compter 90 Dh (8,20 €) pour 2 pers avec tente et voiture, douche chaude comprise. Quelques bungalows avec petite sdb et cuisine. Les grands (pour 4 pers) 330-600 Dh (30-54,50 €) et les petits (pour 2 pers) 240-400 Dh (21,80-36,40 €) selon saison. Des appartements aussi, 500-800 Dh (45,50-72,70 €) selon saison, avec 2 chambres et un grand salon. Très beau camping, vert et ombragé, avec des sanitaires nickel. Aucun accès direct à la plage, mais une très belle vue sur la mer. Grande piscine payante, jeux pour enfants et toutes les premières nécessités en saison : épicerie, infirmerie,

laverie, etc., ainsi qu'une grande salle pour accueillir les services dansants avec DJ en saison. Mieux vaut savoir à quoi s'en tenir question tranquillité. Un peu cher mais bien entretenu et assez luxueux.

🏕 *Camping International :* en entrant dans la ville, sur la gauche, avt le Crédit Agricole *(indiqué).* ☎ 037-43-24-77. 📱 066-36-13-01. *Compter 60 Dh (5,50 €) pour 2 pers avec tente et voiture,* et 30 Dh (2,70 €)/nuit pour l'eau, l'électricité et la douche. Bien ombragé et joliment situé, avec une belle vue sur l'embouchure de la rivière. Mais alors... gare aux moustiques ! Les campeurs enfument le camp tous les soirs pour les chasser. Animation le soir en saison. Bondé et un peu bruyant, plaira surtout aux jeunes. Sanitaires vétustes, mais le proprio devait les rénover. Accès à la plage.

De bon marché à prix moyens

🛏 🍴 *Le Nid du Hibou : dans le village de pêcheurs. En venant du camping* Flamants Loisirs, *continuer tout droit, en direction de l'est, puis prendre le 1ᵉʳ chemin sur la droite, dont on suit les méandres ; après le 2ᵉ virage, repérer sur la gauche un portail bleu, inscription sur le côté, discrète.* ☎ 063-09-53-58.

Prévoir 200 Dh (18,20 €)/pers en ½ pens. Khalil, guide professionnel dans la lagune (lire plus loin, « À voir. À faire »), propose 2 bungalows tout simples (celui du fond à gauche possède plus de charme), dotés de 2 chambres et d'un salon marocain. Ils jouxtent sa propre maison. Délicieux repas préparés par sa femme. Pour un séjour authentique.

La Maison des Oiseaux : *dans le village de pêcheurs.* ☎ *et fax : 037-43-25-43.* 🖩 *061-30-10-67.* ● *http://moulay. bousselham.free.fr* ● *Suivre la direction du camping Flamants Loisirs, passer devant et prendre à droite au bout de 5 rues ; on aperçoit alors la maison, tte blanche et entourée d'un jardin verdoyant. Chambres doubles avec ou sans sdb 300-400 Dh (27,30-36,40 €) selon saison, petit déj compris. ½ pens possible ; réduc enfants jusqu'à 12 ans. Possibilité de dormir en gîte (avec son propre sac de couchage) pour 100 Dh (9,10 €)/pers. Resto sur demande.* Dans un jardin un peu sauvage et fleuri, belles chambres décorées toutes différemment. Cuisine à disposition, petite cheminée dans le salon. Accueil agréable, dans un cadre paisible face à la lagune. Bons tajines dégustés sous la tonnelle.

Le Jardin de Grabou : *dans le village de pêcheurs. Pas évident à trouver : avt l'entrée de la ville et la forêt, prendre à gauche après la petite épicerie et le resto Essalam. Tout de suite à la fourche, bifurquer à gauche, c'est tout droit. On débouche finalement sur une grande porte en bois encadrée par une façade bleu ciel et placardée du n° 66 (en souvenir du département où Mousselham a vécu).* ☎ *037-43-21-62.* 🖩 *068-29-21-78.* ● *http://lejardindebousselham.free. fr* ● *Doubles 250-350 Dh (22,70-31,80 €) avec ou sans sdb. Repas sur demande.* Chambres aménagées autour d'un luxuriant jardin fruitier, qui bénéficient d'un effort de déco. Bon rapport qualité-prix.

Hôtel Le Lagon : *sur la route principale, côté gauche.* ☎ *037-43-26-50. Fax : 037-43-26-49. Prévoir 350 Dh (31,80 €) la double avec sdb, petit déj inclus. Accès piscine payant pour les non-résidents.* Chambres au mobilier simple et un peu vieillot, mais prolongées par une grande terrasse qui donne sur la lagune. Vue magnifique. Piscine ouverte uniquement en juillet et août.

Chic

Villa Nora : ☎ *037-43-20-71.* 🖩 *064-87-20-71. En descendant la rue principale vers la mer, tourner à droite avt le début des arcades et aller jusqu'au bout du village, juste avt la nouvelle plage, c'est en bord de mer. Doubles 400-600 Dh (36,40-54,50 €) selon vue, avec ou sans sdb, petit déj compris. Possibilité de ½ pens. Pour les non-résidents, repas sur résa 150 Dh (13,60 €).* Chambres assez petites mais très propres, gérées par un couple d'Anglais. Ensemble lumineux et très agréable, même si la déco et le mobilier commencent à dater un peu. Du spacieux salon, de la petite terrasse, du jardin et de certaines chambres, vue somptueuse sur la mer. On accède à la superbe et longue plage par la porte du jardin.

**Possibilité de louer l'une des nombreuses *villas* sur la falaise, face à la lagune. Certaines sont très belles. Renseignements soit directement chez les propriétaires (il y a des pancartes dans la ville), soit dans une agence au village. Prix fantaisistes, mais si vous êtes bon négociateur, cela peut être une bonne option.

Où manger ?

Rien de très folichon. C'est sympa de manger sur le marché, en observant son animation. Évitez, malgré la vue sur la mer, les restos sous les arcades et en bas de la rue (pièges à touristes et hygiène discutable).

Izaguirre : *en contrebas du village, face à la lagune et au* Camping International. *Repas complet à partir de 60 Dh (5,40 €).* Petit café-resto superbement situé, avec une jolie vue de la terrasse (même si un imposant bâtiment en vole une partie) et au calme. De plus, le service est tranquille et on y mange bien.

À voir. À faire

🏌 *La lagune de Merdja Zerga :* réserve naturelle d'oiseaux, qu'il est possible de visiter en barque, notamment avec l'association *Hajra Hamra* qui tient un petit local en face du *Camping International*. ☎ 063-09-53-58. Khalil, guide ornithologue, travaille pour la protection des oiseaux migrateurs en voie de disparition. Il organise, dans le cadre de l'association, des visites de la lagune d'1h30 à 2h30 *(200-300 Dh, soit 18,20-27,30 €, pour 4 à 5 pers)*. Les volatiles viennent par milliers hiverner dans ce site exceptionnel d'octobre à mars, mais de nombreuses espèces se sont sédentarisées. On y découvre des hérons, des flamants roses, le hibou du cap, la sterne caspienne, le balbuzard pêcheur, des canards siffleurs, des oies cendrées, etc. Jumelles conseillées.

🏌 *Le marabout de moulay Bousselham :* parmi les dunes, nombreux tombeaux blancs. Celui du saint patron du lieu, moulay Bousselham (« le seigneur au burnous »), est situé, quant à lui, dans le village au-dessus du port. C'est un lieu de pèlerinage particulièrement fervent.

🏖 Côté océan, la *plage* est propre car nettoyée par la marée, mais dangereuse en raison des courants violents, surtout à marée basse, et heureusement surveillée en été. Dans la lagune, la plage est très sale.

MEHDIA
30 000 hab.

Surtout connue pour sa réserve naturelle et sa plage, Mehdia se situe à une petite cinquantaine de kilomètres au nord de Rabat, à l'ouest de Kénitra (ville industrielle sans grand intérêt). L'océan y déroule de magnifiques rouleaux bien réguliers. Un spectacle un peu gâché toutefois par le manque d'entretien des plages. Et en cas de grande chaleur, il règne une ombre bienfaisante sous les eucalyptus au bord du lac de la réserve de Sidi-Bourhaba. L'ensemble est apprécié par les Marocains, qui viennent ici pour des week-ends animés et familiaux.

Arriver – Quitter

En grand taxi, en bus et en train

➢ Du centre de Kénitra, grand taxi ou bus n° 15 (pour la plage) et n° 9 (pour la *kasbah*). La ville de Kénitra, quant à elle, est desservie par les trains : liaisons avec *Rabat* en continu tte la journée et avec *Tanger* (env 6 trains/j.).

En voiture

➢ De Rabat, prendre la RN 1. À gauche avant Kénitra une route mène directement aux plages et à la réserve naturelle, évitant ainsi un long détour par Kénitra. Soyez vigilant, le panneau est discret. Aller-retour possible dans la journée.

Où dormir ? Où manger ?

🏕 *Camping International :* sur la route longeant le front de mer, à 200 m de la plage. ☎ 070-76-46-01 et 060-66-31-25. Ouv tte l'année. Compter 50 Dh (4,50 €) pour 2 pers avec tente et voiture. Douches payantes. Les zones ombragées sont rares. Et malgré des sanitaires très simples, l'ensemble est correctement tenu. Un as du badigeon a officié sur tout le terrain, pas un caillou, pas un arbre n'a été épargné par sa peinture blanche et bleue. Très animé et bruyant l'été, avec sa salle de jeux, sa disco et son resto. Toujours en été, épicerie et café.

I●I *Nombreux* **restos** *face à la mer, pour ttes les bourses. À partir de 30 Dh (2,70 €) pour un plat de friture de poisson.*

À voir

🔏 *La kasbah :* sur les hauteurs, à la sortie de la ville en direction de Kénitra (on voit la kasbah de la route). Tlj 8h-13h, 14h-19h. S'adresser à un guide porteur de badge. Derrière une belle porte reconstruite par les Américains qui l'avaient bien amochée en 1942 lors de leur débarquement, des ruines envahies de végétation à explorer ad libitum. Attention quand même, certains endroits sont dangereux. Le sentier qui part à gauche conduit au *bordj* principal. De là, belle vue sur l'estuaire de l'oued Sebou qui fut longtemps le seul moyen d'accès à l'arrière-pays, d'où une occupation défensive de longue date de cette hauteur. Moulay Ismaïl y fit construire une résidence d'été, dont on discerne encore quelques vestiges de la splendeur passée (portes richement sculptées, mosaïques).

🔏 *La réserve naturelle de Sidi-Bourhaba :* entrée à env 2 km de Medhia-plage. En arrivant de Rabat et de Salé, suivre la direction de Medhia-plage, puis un panneau indique la réserve. Tlj du lever au coucher du soleil. Rens au CNEE (Centre national d'éducation environnementale) à 8 km de l'entrée, au cœur de la forêt : ☎ 037-74-72-09. ● spana.org.ma ● Slt les w-e et j. fériés 12h-16h (17h en été). Visite conseillée oct-mars. Habitat de prédilection pour des espèces menacées comme le hibou du Cap, cette forêt de genévriers rouges et d'eucalyptus est aussi une aire de repos pour les oiseaux migrateurs entre l'Europe et l'Afrique subsaharienne. Sur les bords du lac, sont aménagées des aires de pique-nique, très fréquentées le week-end par les familles de la région. Pensez à remporter vos déchets ! Sentiers de découverte avec des pupitres expliquant la faune et la flore de la réserve.

🔏 *La plage de Mehdia :* belle plage, très animée en fin de semaine. Attention les courants sont forts et dangereux.

➤ *DANS LES ENVIRONS DE MEHDIA*

🔏 *La forêt de la Maâmora :* 133 000 ha, dont 60 000 ha de chênes-lièges, ce qui en fait la plus grande forêt de ce type au monde. Elle s'étend dans l'arrière-pays entre Kénitra, Salé et Dar-bel-Amri, à 60 km à vol d'oiseau de la côte. Elle est menacée par les prélèvements illégaux en bois de chauffe que pratiquent les habitants des communes voisines, ainsi que par les troupeaux qui éciment les jeunes arbres, dès la fin de la transhumance jusqu'à la repousse des herbes, c'est-à-dire du début de l'automne aux premières pluies d'hiver (quand il pleut, ce qui n'est pas toujours le cas...). Quelques routes et de nombreuses pistes le sillonnent.

SIDI-BOUKNADEL   9 300 hab.

À mi-chemin entre Kénitra et Rabat, cette modeste bourgade rurale est bordée par une belle plage (malheureusement, baignade dangereuse). Elle abrite aussi un intéressant musée des traditions et des métiers d'art marocain.

Arriver – Quitter

➢ *En bus :* le n° 28 part sur l'av. Moulay-Hassan, à l'angle de la rue d'Ifni, à Rabat. Durée : 45 mn.

➢ *En grand taxi :* départ de Rabat par la station à côté de Bâb-Chellah, bd Hassan-II.

Où dormir ? Où manger ?

Chic

🛏 |◉| *Hôtel Firdaous :* plage des Nations. ☎ 037-82-21-31 et 32. Fax : 037-82-21-43. Accès par la route en face du musée Dar-Belghazi. Résa conseillée l'été. Double 500 Dh (45,50 €), petit déj compris. Plat env 100 Dh (9,10 €). Sur une superbe plage, grosse casemate de béton les pieds dans l'eau. Un pur délire de décorateur des années 1970, il ne manque rien pour tourner un remake de *Chapeau melon et Bottes de cuir*. Tout est d'époque, mobilier, couleur du papier peint, luminaires et même les craquelures sur les murs ! Toutefois, les chambres bien plus sobres n'offrent pas le même « cachet » ! L'ensemble est confortable et le dépaysement garanti. Piscine. Accueil courtois.

➢ *DANS LES ENVIRONS DE SIDI-BOUKNADEL*

🏃🏃 *Le musée Dar-Belghazi :* km 17, route de Kénitra. Au niveau de la route pour la plage des Nations. ☎ 037-82-21-78. ● museebelghazi.marocoriental.com ● Tlj sf j. fériés 9h-18h30. Entrée : 70 Dh (6,40 €) pour les salles principales ; ou 130 Dh (11,80 €) pour voir l'ensemble des collections ; réduc enfants.

Cette magnifique collection rassemblée depuis quatre générations par la famille fassie Belghazi, mérite vraiment un arrêt. On y découvre toute la richesse et la qualité des métiers d'art marocains. L'arrière-grand-père, astronome, collectionnait manuscrits et astrolabes, le grand-père brodait des selles au fil d'argent et s'intéressait naturellement aux tissus. Ses filles sont devenues orfèvre et brodeuse. Quant à l'arrière-petit-fils de cette famille d'artistes, l'actuel conservateur, il est ébéniste. Résultat : ce musée, est reconnu par l'État pour la qualité exceptionnelle de ses collections : bijoux, vêtements, étoffes brodées, portes en bois sculpté, manuscrits, poteries, armes, instruments de musique et de mesure, etc.

Une très belle galerie est dédiée aux spécificités du patrimoine juif marocain. On a apprécié, entre autres, le bel ensemble d'éléments architecturaux et de mobilier liturgique en bois de cèdre, comme ce minbar d'époque mérinide (XIIe s), les magnifiques coupoles en bois sculpté du XVIIe s, des tissus de provenance variée, et plein d'autres beaux objets bien mis en valeur.

Hélas ! de cet ensemble sans pareil, une grande partie est vouée à la destruction à petit feu si les fonds destinés à la régulation de l'hygrométrie ne sont pas rassemblés : nous sommes à 3 km de la mer, d'où soufflent les vents dominants...

🌿 *Les jardins exotiques :* à 12 km de Rabat sur la route de Kénitra. Tlj 9h-17h30. Entrée : 10 Dh (0,90 €). Créé dans les années 1950 par Marcel François, un horticulteur passionné, qui consacra trente ans de son existence à la création de ce luxuriant jardin paysager. Sur 4 ha il a savamment réuni des plantes du Japon, de Chine, d'Afrique, de Tahiti et d'Amérique du Sud.

⚠ *La plage des Nations :* belle plage, mais extrêmement dangereuse du fait d'une très forte houle. Chaque année, on y déplore des noyades.

SALÉ

850 000 hab.

À 3 km de Rabat, dont elle est séparée par l'oued Bou-Regreg, cette vieille implantation berbère, ancienne rivale de Rabat autrefois célèbre pour ses corsaires redoutés sur toutes les mers, n'a conservé de son passé tumultueux qu'une belle médina blanche et animée ; l'ancien marché aux esclaves est devenu un souk d'artisans où il fait bon déambuler – sauf peut-être pour les routardes seules. Tout oppose aujourd'hui Rabat la moderne, l'occidentalisée, la capitale, à Salé la traditionnelle, la religieuse, la populaire, la cité-dortoir. Et si cette dernière a été rabaissée au rang de faubourg, sa visite est indispensable car il reste de nombreux témoignages de la splendeur de ce port, prospère jusqu'à la fin du XVIe s. De plus, sa médina est beaucoup plus dépaysante que celle de Rabat.

– À consulter : ● villedesale.com ●

> ### LE SEUL ÉTAT PIRATE DE L'HISTOIRE !
>
> *Un moment remarquable de l'histoire de Salé est la constitution de la république de Bou-Regreg. Vers 1610, la « course en mer », autant dire la piraterie, est une activité très développée. En 1627, les écumeurs d'océans s'organisent en une éphémère république. Un scrutin proclame chaque année un gouverneur-amiral. La fête dure quelques saisons, pendant lesquelles le makhzen (pouvoir étatique) ferme les yeux, et pour cause... la ville lui verse 10 % de ses gains ! Dans la seconde partie du XVIIe s, moulay Ismaïl accable les pirates d'impôts et sonne la fin de l'histoire.*

Arriver – Quitter

Salé est une excursion au départ de Rabat. C'est pourquoi nous indiquons uniquement les liaisons entre ces deux villes.
Le meilleur moyen est le grand taxi au départ de Bâb-Chellah, sur le bd Hassan-II. Les petits taxis, eux, n'ont pas le droit de sortir de la ville. Sinon, Salé est facilement accessible en 30 mn de marche par le pont Moulay-Hassan *(voir plan d'ensemble de Rabat)*.

En grand taxi

🚕 **Grands taxis de Bâb-Chellah** *(plan I de Rabat, B1) :* de Rabat, départ de Bâb-Chellah, sur le bd Hassan-II. Env 5 Dh (0,50 €). Départs réguliers.

En train

➢ **Entre Rabat-ville et Salé-ville :** env 1 train ttes les 20 mn. Plus rares en soirée. Plus cher que le bus ou le grand taxi. Sachez aussi que tous les trains desservant Rabat s'arrêtent également à Salé.

En bus

➢ Bus n° 14 ou 42, depuis Rabat *(plan I, B1),* rue Melilia, près de la place du même nom.

Où dormir ?

Salé propose un choix d'hébergements restreint et excentré. L'aménagement des rives de l'oued Bou-Regreg s'échelonnera jusqu'en 2010 et, à priori, nos adresses ne sont pas menacées d'expulsion.

Camping

⚒ **Camping de la Plage** (plan d'ensemble de Rabat, **20**) : ☎ 067-70-90-26. Au rond-point après le pont Moulay-Hassan, prendre à gauche. Pdt la durée des travaux, risque de modification de parcours. Env 60 Dh (5,40 €) pour 2 pers avec tente et voiture. Douche payante. Camping peu ombragé, très fréquenté par les camping-cars. Prévoir un marteau-piqueur pour planter les sardines ! Sanitaires en péril et accueil quasi inexistant.

Très chic

Pour les hébergements bon marché, voir nos adresses à Rabat.

🛏 **Le Dawliz** (plan d'ensemble de Rabat, **39**) : av. du Bou-Regreg. ☎ 037-88-32-77 et 78. ● ledawliz.com ● De Rabat, après le pont, suivre la rive du Bou-Regreg en direction du parc d'attractions. Double env 1 000 Dh (90,90 €), petit déj inclus. Un complexe touristique agréable et frais où séjournent de nombreux groupes. Les chambres sont spacieuses, confortables et disposent toutes d'un balcon. Sur la terrasse qui domine le fleuve, belle piscine pour barboter. Discothèque. Accueil plaisant et service impeccable.

Où manger ? Où boire un verre ?

|●| **Complexe Le Dawliz** (plan d'ensemble de Rabat, **39**) : pizzeria et restauration internationale (plats marocains sur commande).

|●| ▼ **La Péniche** (plan d'ensemble de Rabat, **74**) : av. du Bou-Regreg. ☎ 037-78-56-59 ou 61. Sur la rive du Bou-Regreg, avt le parc d'attractions. Menus 140-210 Dh (12,70-19,10 €). Spécialités de poisson, fritures et coquillages. Bonne carte des vins. Cadre très agréable. Par forte chaleur, vous avez le choix : soit le pont balayé par le vent marin, soit l'intérieur climatisé, avec musique live en fond sonore. Les soirs d'été, sur la terre ferme, la maison propose des grillades à bon prix dans **La Guitoune.** Demandez au patron de vous conter l'aventure de l'unique péniche marocaine, partie par voie maritime des rives de la Moselle.

|●| **Le Bateau-Mouche** (plan d'ensemble de Rabat, **74**) : contact et restauration assurés par l'équipe de La Péniche (même maison). Sur résa slt et à partir de 8 pers. Déjeuner-croisière 180 Dh (16,40 €).

À voir. À faire

🔫 **Le borj Sidi-ben-Acher :** de la plage, suivre la route goudronnée qui passe entre les murs du cimetière. Passé la porte, prendre à gauche vers la mer, le borj est derrière la mosquée. Un militaire monte la garde, et laisse passer moyennant un petit sourire de porte-monnaie (pas obligatoire). Pas grand-chose à voir hormis les canons tournés vers l'océan.

🔫 **Le mausolée de Sidi Abdellah ben Hassoun :** du borj, on aperçoit la toiture de tuiles vertes du mausolée de Ben Hassoun, saint patron de la ville. Les bougies géantes promenées la veille de l'*Aïd el-Mouloud* (voir ci-dessous « Événement ») sont visibles par la fenêtre. Les femmes viennent au mausolée chercher remède à leurs maux. Continuez ensuite tout droit, entre la *zaouïa* de Hassoun à droite et la grande mosquée à gauche, et tournez à gauche pour arriver à la médersa.

🎭 *La médersa :* entrée 10 Dh (0,90 €). C'est l'une des très rares médersas dont l'accès au dernier étage en terrasse est encore possible. De là, on découvre une belle vue plongeante sur la cour et ses colonnades décorées de zelliges et de stucs, mais aussi un large panorama sur la ville, l'estuaire du Bou-Regreg et la *kasbah* des Oudaïa. Le bâtiment date de 1333. Belle porte et auvent en bois de cèdre patiné par les siècles.

🎭 *Les remparts :* construits au XIIIe s, vestiges de la puissance de Salé, ils délimitent la médina. La porte la plus remarquable est Bâb-Mrisa, la plus proche du pont sur le Bou-Regreg. Elle enjambait le canal menant au port intérieur et à l'arsenal maritime, depuis longtemps ensablés.

🎭 *Le bateau-mouche* (plan d'ensemble de Rabat, 74) : av. du Bou-Regreg. ☎ 037-78-56-61. Résa indispensable. Compter 30 Dh (2,70 €), min 8 pers ; réduc. Voir « Où manger ? Où boire un verre ? ». Une croisière de 1h sur le Bou-Regreg. Selon la hauteur de la marée, départ vers l'aval et la *kasbah* des Oudaïa ou vers l'amont jusqu'au niveau de Chellah (en aval, le pont ne permet pas le passage du bateau à marée haute).

Achats

⊛ *Les souks* sont actifs tlj 8h-21h ; le ven, ils ne s'animent qu'en milieu d'ap-m. On s'y balade, ballotté par la foule, enivré d'odeurs et de couleurs. C'est un vrai centre commercial où les Slaouis font leurs courses, loin de l'image d'Épinal et des produits spécial touristes. Les prix sont sensiblement inférieurs à ceux des villes touristiques, mais les produits sont surtout ceux de consommation courante.

⊛ *Le centre artisanal El-Oulja :* de Rabat ou Salé, prendre la direction de l'aéroport de Salé et de Meknès, et guetter le fléchage Sala al-Jadida à droite. Sorte de grand supermarché du souvenir, proposant un artisanat de bonne qualité. Un lieu pour faire ses achats en toute quiétude. Cette tranquillité a un prix : certes fixe, mais cher. Bar et cafétéria avec terrasse.

Événement

– *Cortège des cires* (ou procession des bougies) : la veille de l'*Aïd el-Mouloud,* en l'honneur de Sidi Abdellah ben Hassoun, a lieu une procession des étonnants lustres qui ornent son mausolée, composés chacun d'une multitude d'alvéoles de cire colorée. La procession part de la maison qui fabrique les bougies (une famille est en charge de cette tâche) en direction du souk El-Kebir, sort de la médina par Bâb-el-Khemiss, longe les remparts et se termine à la *koubba* du saint homme. Le hautbois *ghaïta* et les percussions sont de la partie. La ville est en fête.

➤ DANS LES ENVIRONS DE SALÉ

🎭 *Le lac :* créé par une retenue sur le Bou-Regreg. Indiqué nulle part. Prendre la direction de l'aéroport et de Meknès, tourner à droite vers Sala-al-Jadida (c'est-à-dire Salé-la-Nouvelle). Au bout de 6 km, au rond-point, continuer à gauche vers cette localité. La laisser sur votre gauche et redescendre : en allant tout droit au carrefour avec la rocade, on arrive au lac sans coup férir. Parking payant. Baignade non surveillée. Très fréquenté les week-ends d'été.

RABAT

630 000 hab.

Attention, à partir de mars 2009, *Maroc Telecom* **doit mettre en place une nouvelle numérotation téléphonique.** Les numéros passeront ainsi à 10 chiffres (au lieu de 9 actuellement).

Voici les principaux changements prévus :

➤ **Pour tous les numéros fixes,** il faudra insérer « 5 » après le « 0 ». Exemple : 024-11-11-11 deviendra 05-24-11-11-11.

➤ **Pour les portables,** un « 6 » devra être placé après le « 0 ». Exemple : 068-11-11-11 deviendra 06-68-11-11-11.

➤ **Pour les numéros spéciaux,** se reporter en début de guide à la rubrique « Téléphone et télécoms » dans « Maroc utile ».

Capitale politique et administrative du royaume, Rabat, comparé à Casa, c'est un peu Washington par rapport à New York. Plus sage et plus calme. Ville aérée, agréable et cosmopolite, percée de larges avenues fleuries plantées de palmiers, abritant un vaste palais royal, havre de paix et de traditions au cœur de l'activité d'une ville tournée vers la modernité. Tout y paraît plus propre qu'ailleurs, plus ordonné et même policé. Elle doit à Lyautey d'avoir été choisie comme centre administratif du protectorat, contribuant à lui donner son visage d'aujourd'hui, celui d'une grande ville moderne dont les larges avenues longent d'immenses remparts, tels ceux construits par Yacoub el-Mansour au XIIe s. En effet, Rabat, quatrième ville impériale du Maroc après Marrakech, Fès et Meknès, possède un riche passé historique, comme en témoignent la nécropole de Chellah et la *kasbah* des Oudaïa où l'on boit un thé au *Café Maure* en laissant son regard errer sur le panorama de l'estuaire.
Cerise sur le gâteau, la ville jouit d'un climat exceptionnel, le thermomètre ne descend jamais en dessous de 6 °C et ne dépasse que rarement 30 °C. En été, l'océan vaporise un voile de brume qui adoucit l'éclat du soleil.

UN PEU D'HISTOIRE

La ville est fondée en 1150 par le grand sultan almohade Abd al-Moumin sur l'emplacement d'une bourgade almoravide, au nord de l'antique cité romaine de Sala Colonia (dont le site est aujourd'hui occupé par la nécropole de Chellah). Le sultan fait édifier une citadelle (devenue la *kasbah* des Oudaïa), et son petit-fils Yacoub el-Mansour ordonne la construction d'immenses remparts qui participent au cachet actuel de la ville. Cet amour immodéré pour l'architecture militaire n'est pas gratuit : le but des sultans est la constitution d'une solide base d'expéditions en Andalousie, et la ville est nommée Ribat al-Fath (« la forteresse de la Conquête »). Sa situation, là où les plateaux désolés de la médersa étranglent les plaines littorales, en fait un point de passage obligé entre le Nord et le Sud du pays, facilitant le commerce et l'industrie. L'afflux de réfugiés d'Andalousie, culminant au début du XVIIe s après l'arrêté d'expulsion des musulmans d'Espagne par son roi Philippe III, lui donne un surplus de dynamisme. Elle est alors connue sous le nom de *Salé-le-Neuf* et tire ses ressources de la course en mer contre les bateaux chrétiens. En 1666, la ville est prise par moulay Al-Rachid qui transforme la *kasbah* en forteresse et fait prolonger les remparts. En 1912, Lyautey en fait la capitale administrative et politique du protectorat mais, sur le plan économique, elle est détrônée par le formidable essor que Casablanca connaît tout au long du XXe s. La première décennie du XXIe s est marquée par le déploiement tentaculaire de la ville du nord au sud. En particulier avec le quartier de Hay-Riad, et l'aménagement de l'estuaire et des rives du Bou-Regreg.

Arriver – Quitter

En avion

✈ **Aéroport de Rabat-Salé** (hors plan d'ensemble) : à 10 km, sur la route de Meknès. ☎ 037-80-80-90 et 89. Change et agences de location de voitures (Europcar, Avis, Hertz). Bureau d'informations.
– **Pour rejoindre Rabat :** il n'existe pas de navette, seulement des grands taxis. Prix fixes de jour comme de nuit par personne : 100 Dh (9,10 €) pour le centre-ville et 150 Dh (13,60 €), si la course est excentrée.

■ **Royal Air Maroc** (plan I, B2, **7**) : av. Mohammed-V. ☎ 037-70-97-66. Résa centrale : ☎ 0900-00-800. ● royalairmaroc.com ● Lun-ven 8h30-12h15, 14h30-19h ; sam 9h-12h.

■ **Air France** (plan I, B2, **8**) : 281, av. Mohammed-V. ☎ 037-70-75-80. ● air france.co.ma ● Lun-ven 8h30-12h15, 14h30-19h ; sam 9h-12h.

✈ **De l'aéroport Mohammed-V de Casablanca :** un peu plus de 15 trains/j., dès 4h du mat. Trajet : 1h40, avec changement à Aïn-Sebaa, sf pour les trains qui partent de Rabat le soir et reviennent de l'aéroport le matin, pour lesquels la correspondance est à Casa-voyageurs (une des gares de Casa).

En train

🚂 **Gare ferroviaire centrale de Rabat-ville** (plan I, B2) : av. Mohammed-V. ☎ 090-20-30-40. ● oncf.ma ● Point infos très compétent.

🚂 **Gare ferroviaire de Rabat-Agdal** (plan III, G6-7) : rue Abderrahmane-al-Ghafiqi. ☎ 090-20-30-40. Au sud de la gare centrale, en direction de Casa.

Pour les destinations mentionnées ci-dessous, les trains s'arrêtent dans les deux gares et les fréquences sont identiques dans les deux sens :
➢ **Casablanca :** 1-2 trains/h. Trajet : env 1h.
➢ **Kénitra :** 1 train ttes les 30 mn. Trajet : env 35 mn.
➢ **Tanger :** 6 trains/j. dont 3 directs, 3 avec changement à Sidi-Kacem. Trajet : 4h30.
➢ **Meknès et Fès :** 9 trains/j. et 1-2 trains de nuit. Trajet : env 2h pour Meknès et 2h30 pour Fès.
➢ **Marrakech :** 9 trains/j. et 1 de nuit. Trajet : plus de 4h.
➢ **Oujda :** 3 trains/j. et 1 avec changement à Fès. Également 1 de nuit. Trajet : env 9h.

En bus

🚌 **Gare routière principale** (plan d'ensemble) : loin du centre, sur la route de Casablanca. ☎ 037-79-58-16. Bus n° 52 à prendre av. Moulay-Youssef, près de la gare, ou nos 17, 30, 41 et 45 à Bâb-el-Had. Certains bus sont climatisés et directs.
➢ **Casablanca :** 1 bus/h. Trajet : 1h30.
➢ **Fès :** 1 bus/h. Trajet : 3h.
➢ **Marrakech :** ttes les 30 mn. Trajet : 4h.

🚌 **Gare routière CTM** (plan d'ensemble) : à 300 m de la gare routière principale sur la route de Casablanca. ☎ 037-28-14-78. ● ctm.ma ● Bus pour **Marrakech, Casablanca, Fès, Agadir...** mais fréquences nettement inférieures à celles de la gare routière principale. Consigne à bagages.

En grand taxi

🚐 **Grands taxis de Bâb-Chellah** (plan I, B1) : sur le bd Hassan-II.
➢ Départs réguliers pour **Salé, Casablanca, Kénitra, Fès, Meknès, Marrakech...**

Adresses utiles

Infos touristiques

ℹ **Délégation régionale du tourisme** (plan I, C2) : 22, av. d'Alger. ☎ 037-66-06-63. ● tourisme.gov.ma ● Lun-ven 8h30-16h30. Bureau d'information où vous obtiendrez la liste des guides officiels pour la visite de la ville.
ℹ **Office national marocain de tourisme** (plan III, G8) : angle des rues Oued-al-Makhazine et Zellaga. ☎ 037-67-40-13 ou 39-18. Lun-ven 8h30-16h30. Il s'agit de l'office national de tourisme, vous n'y trouverez donc aucune info sur Rabat même, et seulement quelques belles brochures et une poignée (mais vraiment une poignée) de bons conseils sur le Maroc.
■ **Rabat de A à Z :** le guide pratique des adresses de la ville. Fourni avec un plan. Prix : 55 Dh (5 €). Se trouve en librairie et dans certains kiosques (celui de la gare de Rabat-ville, notamment). Quelque 200 pages d'infos complètes et très variées sur Rabat, allant de la location de voitures aux pâtisseries, en passant par les maternités et les cercles d'échecs.

Poste et téléphone

✉ **Poste centrale** (plan I, A2) : av. Mohammed-V. Lun-ven 8h-16h30, sam 8h-12h. On y trouve un service Western Union.

Représentations diplomatiques

■ **Ambassade de France** (plan III, H6, 1) : 3, rue Sahnoun, Rabat-Agdal. ☎ 037-68-97-00. ● ambafrance-ma. org ●
■ **Consulat de France** (plan I, B2, 2) : 49, av. Allal-ben-Abdellah. ☎ 037-26-91-81. Le consulat peut, en cas de difficultés financières, vous indiquer la meilleure solution pour que des proches vous fassent parvenir de l'argent, ou encore vous assister juridiquement en cas de problème.
■ **Ambassade de Belgique** (plan I, D3, 3) : 6, rue de Marrakech. ☎ 037-76-47-46 et 037-26-81-62.
■ **Ambassade de Suisse** (plan I, D1, 4) : sq. Berkane. ☎ 037-70-69-74. Service des visas : rue Ouezzane (juste derrière l'ambassade). ☎ 037-26-80-41 et 037-70-75-12.
■ **Ambassade du Canada** (plan III, H8, 5) : 13 bis, rue Jaâfar-Assadik. ☎ 037-68-74-00.
■ **Ambassade de Mauritanie** : 6, rue Thami-Lamdawar, villa 266, Souissi 2. ☎ 037-65-66-78. Prévoir 2 photos. Déposer la demande de visa le matin à 9h et, en principe, il est prêt le lendemain. Il coûte autour de 200 Dh (18,20 €) ; ajouter environ 100 Dh (9,10 €) pour les papiers du véhicule. Mais la possibilité de prendre le visa à la frontière rend désormais le détour par Rabat inutile.

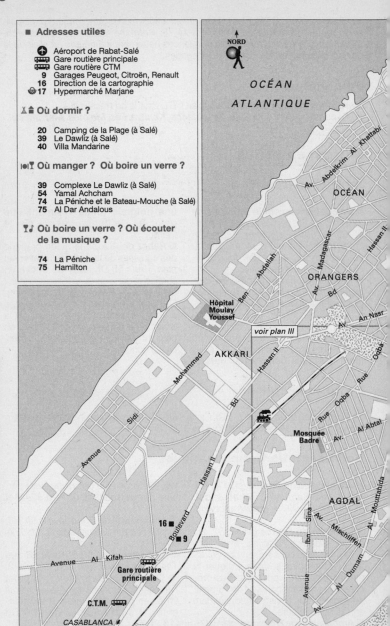

■ **Adresses utiles**

- ✈ Aéroport de Rabat-Salé
- 🚌 Gare routière principale
- 🚌 Gare routière CTM
- **9** Garages Peugeot, Citroën, Renault
- **16** Direction de la cartographie
- 🛒**17** Hypermarché Marjane

⚖🏠 **Où dormir ?**

- **20** Camping de la Plage (à Salé)
- **39** Le Dawliz (à Salé)
- **40** Villa Mandarine

🍽🍷 **Où manger ? Où boire un verre ?**

- **39** Complexe Le Dawliz (à Salé)
- **54** Yamal Achcham
- **74** La Péniche et le Bateau-Mouche (à Salé)
- **75** Al Dar Andalous

🍸♪ **Où boire un verre ? Où écouter de la musique ?**

- **74** La Péniche
- **75** Hamilton

NORD

OCÉAN

ATLANTIQUE

OCÉAN

Av. Abdelkrim Al Khattabi

Hassan II

Madagascar

Abdallah

Ben

ORANGERS

Av. Bd

An Nasr

Av.

Oqba

voir plan III

Hôpital Moulay Youssef

AKKARI

Hassan II

Mohammed

Rue Oqba

Rue

Mosquée Badre

Av.

Al Abtal

Sidi

Bd

AGDAL

Al Mouttahida

Avenue

Hassan II

Ibn Sina

Av.

Mischliffen

Al Oumam

16■

■ **9**

Boulevard

Avenue Al Kifah

🚌 Gare routière **principale**

Avenue

Av.

C.T.M. 🚌

CASABLANCA ↙

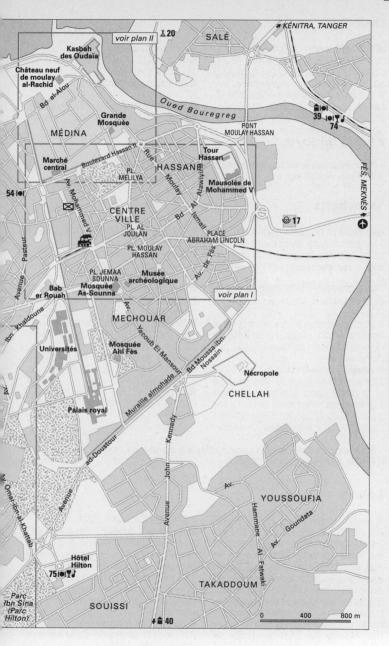

RABAT ET SES ENVIRONS

RABAT – PLAN D'ENSEMBLE

Urgences, santé

■ **SOS Médecin :** ☎ 037-20-20-20 et 037-73-73-73. Intervention 24h/24. Consultation à domicile 200 Dh (18,20 €) ou 250 Dh (22,70 €) la nuit et le w-e.
■ **Clinique des Nations unies** (plan III, G8, **18**) : rue Ibn-Hanbal. ☎ 037-67-05-05. Une bonne clinique en cas de pépin. Nombreuses spécialités.
■ **Hôpital Ibn-Sina** (aussi connu sous le nom d'**Avicenne** ; plan III, G8, **6**) : ☎ 037-67-28-71 ou 72. Pour les urgences : ☎ 037-67-44-50.
■ **Dentiste d'urgence :** ☎ 037-68-08-92.
■ **Police :** les formalités se font pour les étrangers au bureau central de la rue Soekarno (plan I, A2).

– Pour les autres urgences (pompiers, pharmacies de garde, etc.), reportez-vous à la rubrique « Urgences » de « Maroc utile », en début de guide.

Transports

🚕 **Taxis :** il en existe deux sortes :
– les grands taxis, seuls habilités à sortir de la ville ; en général blancs, ce sont quasi exclusivement des Mercedes ;
– les petits taxis sont quasi tous des Fiat de couleur bleue. Pour une course dans le centre, compter 15-20 Dh (1,40-1,80 €). La station la plus importante se trouve à la gare centrale (plan I, B2). Et comme toujours : pas de compteur, pas de course !
■ **Stationnement dans le centre :** av. Mohammed-V, entre la gare centrale et la poste, ainsi que dans les rues alentour, stationnement payant : env 3 Dh/h (0,30 €) ; gratuit dim et j.fériés. Distrait ? Pour faire retirer un sabot : ☎ 037-66-14-74, 72 ou 73. Env 50 Dh (4,60 €).
■ **Garage Peugeot et Citroën** (plan d'ensemble, **9**) : 475, bd Hassan-II. ☎ 037-69-40-61.
■ **Garage Renault** (plan d'ensemble, **9**) : juste à côté du Peugeot-Citroën. ☎ 037-69-09-41 ou 42.
■ **Budget** (plan I, B2) : dans le hall de la gare ONCF, Rabat-ville. ☎ 037-70-57-89. Fax : 037-70-14-77.
■ **Hertz** (plan I, B2, **10**) : 467, av. Mohammed-V. ☎ 037-70-73-66. Fax : 037-70-92-27.
■ **Avis** (plan I, B2, **11**) : 7, rue Abou-Faris-al-Marini. ☎ 037-76-97-59 et 037-72-18-18.

– Pour les coordonnées des **compagnies aériennes,** se reporter plus haut à la rubrique « Arriver – Quitter. En avion ».

Loisirs

■ **Institut français de Rabat** (plan I, B2, **14**) : 1, rue Abou-Inane. ☎ 037-68-96-50. ● ambafrance-ma.org/institut/rabat ● Mar-sam 10h-18h30. Fermé jeu mat, dim-lun, j.fériés et en août. Installé dans l'ancien archevêché, l'institut propose des spectacles, expositions d'artistes marocains et français de très bonne qualité. Concerts et projections de films. Café-restaurant **La Véranda** (voir « Où manger ? Où boire un thé, un jus ? »).
■ **Journaux français :** le kiosque le plus central est situé à la gare ferroviaire de Rabat-ville (plan I, B2).
■ **Kalila wa Dimna** (plan I, A1, **13**) : 344, av. Mohammed-V. Excellente librairie qui offre un choix large et pertinent de sujets de société et organise des débats hebdomadaires avec des auteurs. Bon rayonnage de romans. Galerie de peinture au premier étage.
■ **Aux Belles Images** (plan I, B2, **12**) : 281, av. Mohammed-V. Sous les arcades, une belle librairie qui propose des beaux livres sur le Maroc, des romans et Rabat de A à Z.

■ **Cinémas :** on trouve les programmes des salles dans tous les quotidiens. Ils se renouvellent tous les jeudis.

– *Le Renaissance : 360, av. Mohammed-V, face à la rue Jeddah.*
– *Le 7e Art (plan I, B2, 86) : av. Allal-ben-Abdellah.*

Internet

@ **Cyber Internet** *(plan I, B3, 15) : rue Pierre-Parent. Tlj 9h-23h. Fermé dim 13h-18h.* Cybercafé bien équipé.

@ **Téléboutique Internet** *(plan I, A1, 29) : bd Hassan-II, juste à côté de l'hôtel* Majestic. Billetterie de la *CTM* et téléboutique au rez-de-chaussée, et petite salle confinée avec une dizaine d'ordinateurs à l'étage.

Divers

■ **Direction de la cartographie** *(plan d'ensemble, 16) : bd Hassan-II.* ☎ *037-29-55-48, 50-34 ou 51-17. Loin du centre. Pas de panneau. Légèrement en retrait de la route (à 50 m du garage* Peugeot*). Bus n°s 17, 30, 41 et 45 à prendre à Bâb-el-Had. Pénétrer dans l'enceinte et passer sous le portique. La Division de la cartographie est le bâtiment tt au fond. La boutique est à gauche en entrant. Lun-ven 9h-15h30.* Prévoir une pièce d'identité. Grand choix de toutes sortes de cartes (voir la rubrique « Sports et loisirs » dans « Hommes, culture et environnement »). Cependant, pour éviter de vous casser le nez, avant de faire le déplacement, appelez pour savoir s'ils ont bien la carte que vous cherchez et s'il y a une démarche spéciale à entreprendre (en principe non pour un simple touriste et les cartes les plus courantes)... Certaines cartes ou plans exigent un peu de patience et quelques allers-retours.

■ **Pressing :** Pressing Royal *(plan I, B2,*

■ **Adresses utiles**

🛈 Délégation régionale du tourisme
✉ Poste centrale
🚂 Gare ferroviaire centrale de Rabat-ville
🚕 Grands taxis de Bâb-Chellah
2 Consulat de France
3 Ambassade de Belgique
4 Ambassade de Suisse
7 Royal Air Maroc
8 Air France
10 Hertz
11 Avis
12 Librairie Aux Belles Images
13 Librairie Kalila wa Dimna
14 Institut français de Rabat
@ 15 Cyber Internet
28 Pressing Royal
@ 29 Téléboutique Internet
86 Cinéma Le 7e Art

🛏 **Où dormir ?**

22 Hôtel d'Alsace
24 Hôtel Splendid
26 Hôtel Central
27 Hôtel Mon Foyer
28 Hôtel Velleda
29 Hôtel Majestic
30 Hôtel d'Orsay

32 Hôtel Balima
34 Hôtel Le Pietri

🍴 **Où manger ?**

14 La Véranda
50 Mix Grill
51 Ghazzah
52 Tajine Wa Tanjia
55 Pizzeria de l'Institut Goethe
56 Le SISISI
58 Le Petit Beur (Dar Tajine)
59 Le Koutoubia
60 La Mamma
61 L'Éperon
63 Zerda

🍴 **Où manger une pâtisserie ?**

29 Café-pâtisserie Shehrazade
82 Pâtisserie Majestic

🍸 **Où boire un thé, un jus ?**

14 La Véranda
86 Cafétéria du 7e Art

🍸 🎵 **Où boire un verre ?**
Où écouter de la musique ?

55 Weimar Café
93 Al-Yacout

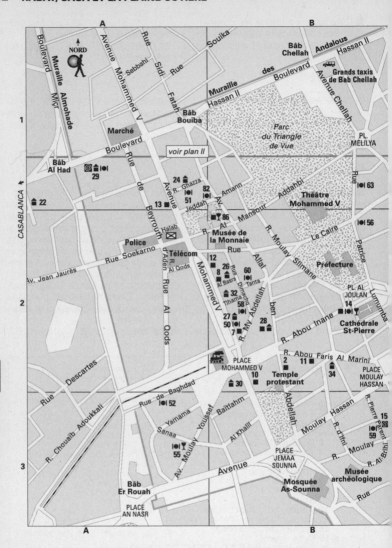

RABAT ET SES ENVIRONS

28), 104, av. Allal-ben-Abdellah, à côté de l'hôtel Velleda.

⊛ *Hypermarché Marjane (plan* d'ensemble, **17**) : à la sortie de la ville en direction de Salé. Tlj 9h-22h. Grande galerie commerciale.

Comment se repérer ?

La partie intéressante de la ville est vraiment à taille humaine. On peut grosso modo la diviser en quatre parties :

– **la vieille ville,** composée de la médina et de la *kasbah* des Oudaïa ; c'est la partie la plus touristique ;

RABAT – CENTRE (PLAN I)

– **le centre de la ville moderne,** qui s'articule autour de l'avenue Mohammed-V (axe nord-sud) et du boulevard Hassan-II (axe est-ouest longeant la médina) ; c'est là que vous trouverez l'essentiel des adresses que nous vous proposons ;

– **le palais royal,** immense espace au cœur de la ville, qui mérite une balade rapide, avec, tout près, à l'est, la nécropole de Chellah ;

– **l'Agdal,** de l'autre côté du palais royal, au sud, près de l'ambassade de France. Quartier résidentiel et administratif qui abrite la plupart des restos de Rabat. C'est d'ailleurs son unique intérêt ! Pas vraiment dépaysant, mais on y déambule avec plaisir.

Où dormir ?

Camping

⋇ **Camping de la Plage** (plan d'ensemble, **20**) : à Salé (voir à cette ville).

Très bon marché

Dans cette catégorie de prix, pas de petit déj (faut pas rêver !).

🛏 **Hôtel d'Alsace** (plan I, A1, **22**) : 9, impasse Guessous. ☎ 037-72-26-11. À deux pas de Bâb-el-Had, dans une impasse. Double 90 Dh (8,20 €). Douche chaude payante. Une adresse qui a tout pour plaire aux routards, calme, authenticité et prix raisonnables. Les chambres spartiates, avec lavabo, donnent sur l'impasse ou sur un patio intérieur. Bien tenu dans l'ensemble mais un petit bémol côté sanitaires. Accueil très gentil.

🛏 **Hôtel de Marrakech** (plan II, E5, **21**) : 10, rue Sebbahi. ☎ 037-72-77-03. Fax : 037-20-25-83. Double 100 Dh (9,10 €). Douche payante. Situé au cœur de la médina. Un petit hôtel agencé autour d'un minuscule patiorose bonbon chimique. Demandez une chambre avec fenêtre, celles du rez-de-chaussée sont aveugles et de véritables étuves. L'ensemble est sommaire mais propre. Le matin, cohue à l'heure de la douche, et pour cause... une seule pour tout l'établissement. Accueil très moyen.

🛏 **Auberge de jeunesse** (plan II, E5, **23**) : 43, rue Massara. ☎ 037-72-57-69. Sur la droite en sortant par Bâb-el-Had. Réception : juil-août, 8h-minuit ; sinon, 8h-10h, 12h-15h, 18h30-22h30. Lit 50 Dh (4,50 €), petit déj compris. Supplément 5 Dh (0,40 €) pour les non-membres. Auberge avec 3 dortoirs (filles-garçons séparés) répartis autour d'un patio convivial. Prévoir un sac à viande car les plumards ne sont pas de première fraîcheur. Côté sanitaires, ça n'est pas reluisant non plus. Heureusement, l'accueil est plutôt sympa.

🛏 Dans la rue Souq-Smara, 1re à gauche en pénétrant dans la médina par l'avenue Mohammed-V (plan II, E5), tentez votre chance dans l'**enfilade de petits hôtels**. Doubles 50-70 Dh (4,50-6,40 €). Pour routards expérimentés.

Bon marché

Attention, si vous jetez votre dévolu sur un hôtel des environs de l'avenue Mohammed-V et si vous êtes véhiculé, on vous rappelle que le parking est payant pendant la journée. Les parkings privés des garages ne sont pas forcément meilleur marché, mais vous n'avez pas la contrainte d'alimenter l'horodateur. Autre solution : vider soigneusement votre voiture et aller la garer dans un autre quartier.

🛏 **Hôtel Dorhmi** (plan II, E5, **25**) : 313, av. Mohammed-V. ☎ 037-72-38-98. Sur la droite en entrant dans la médina. Résa conseillée. Double 130 Dh (11,80 €). Douche chaude payante, sur le palier. Bien que situé au cœur du tumulte, cet établissement familial est calme. Les chambres sont simples et sentent bon le propre. Rançon du succès : c'est souvent complet. Accueil aimable.

🛏 **Hôtel Splendid** (plan I, A1, **24**) : 8, rue Ghazza. ☎ et fax : 037-72-32-83. Résa conseillée. Doubles 130-200 Dh (11,80-18,20 €) avec ou sans douche. Dans une rue commerçante du centre-ville, un immeuble des années 1930 qui ne manque pas de charme. Chambres spacieuses, certaines avec w-c à l'étage. Celles qui donnent sur le charmant patio bénéficient d'un calme étonnant. Propre. Petit déj servi dans le patio, où l'on peut aussi prendre son dîner en provenance du resto d'en face. Une adresse sympa qui tient bien la route.

🛏 **Hôtel Central** (plan I, B2, **26**) : 2, rue

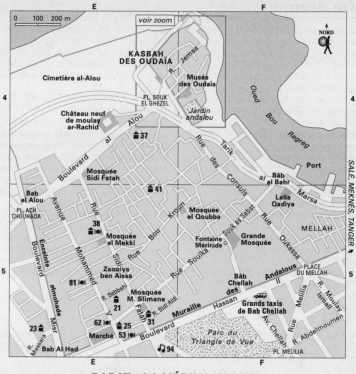

RABAT – LA MÉDINA (PLAN II)

🏠 **Où dormir ?**
- **21** Hôtel de Marrakech
- **23** Auberge de jeunesse
- **25** Hôtel Dorhmi
- **31** Hôtel Sidi Aïdi
- **37** Dar al-Batoul
- **38** Riad Oudaya
- **41** Riad Marhaba

🍴 **Où manger ?**
- **38** Riad Oudaya

- **53** El-Bahia
- **62** Café de l'Afrique du Nord

🍴 **Où manger une pâtisserie ?**
- **81** Pâtisserie Dar-el-Qortbi

🎵 **Où danser ?**
- **94** Amnesia

Al-Basra. ☎ et fax : 037-70-73-56. Doubles 150-200 Dh (13,60-18,20 €) avec ou sans douche ; pas de petit déj. Douche commune payante. Chambres lumineuses et propres. Dommage que l'accueil laisse parfois à désirer. Si vous avez le sommeil léger, évitez les chambres côté rue, les fêtards du night-club voisin ne sont hélas ! pas toujours discrets.

Prix moyens

🏠 **Hôtel Velleda** (plan I, B2, **28**) : 106, av. Allal-ben-Abdellah. ☎ 037-76-95-31. Fax : 037-76-95-32. Tt près de la gare. Réception au 5e étage, accès par ascenseur. Doubles 170-190 Dh (15,50-17,30 €) avec ou sans w-c mais ttes avec douche. *Petit déj en sus.* Chambres au mobilier hétéroclite, très simples et agréables. Demandez à en visiter plusieurs avant de choisir : l'exposition et le confort sont variables. Malgré quelques fissures, marque inévitable du temps qui passe, l'ensemble est bien tenu. Évitez les chambres accolées à la salle TV et aux w-c communs. Le soir, on peut prendre le thé sur la terrasse qui domine les toits de Rabat, au milieu d'une forêt d'antennes. Bon accueil.

≘ **Hôtel Majestic** *(plan I, A1, 29)* : 121, bd Hassan-II. ☎ 037-72-29-97 ou 037-70-33-33. Fax : 037-70-88-56. *Double 280 Dh (25,40 €). Petit déj en sus.* Un hôtel bien situé, avec des chambres modernes, impeccables mais un brin impersonnelles. Double vitrage bienvenu mais préférez celles sur cour. Un bon rapport qualité-prix.

≘ **Hôtel Sidi Aïdi** *(plan II, E5, 31)* : 8, rue Sidi-Aïdi-Bâb-Bouiba. ☎ 012-11-02-63 et 072-81-32-47. Dans la médina, simple à trouver. *Double 220 Dh (20 €).* Chambres très sobres avec douche et w-c, certes, les sanitaires sont un poil rustiques, type « deux en un » mais l'ensemble est propre. Les petites chambres, toutes blanches, s'organisent autour d'un agréable patio. Accueil souriant.

≘ **Hôtel d'Orsay** *(plan I, B2, 30)* : 1, av. Moulay-Youssef. ☎ 037-70-13-19. Fax : 037-70-82-08. *Double 270 Dh (24,50 €). Petit déj en sus.* Central mais bruyant, du fait de la circulation routière et de la proximité de la gare. Une adresse un peu vieillotte mais correctement tenue. Les chambres sont agréables, préférez celles sur cour. Salon marocain. Accueil sympa.

≘ **Hôtel Mon Foyer** *(plan I, B2, 27)* : 285, av. Mohammed-V. ☎ 037-70-97-34. Réception au 2e étage. *Double 300 Dh (27,30 €) avec douche.* Chambres nickel et impersonnelles. Accueil gentil.

Chic

≘ **Hôtel Le Pietri** *(plan I, B2, 34)* : 4, rue Tobrouk. ☎ 037-70-78-20. ● lepietri. com ● *Doubles à partir de 550 Dh (50 €), petit déj inclus.* Nous recommandons cet établissement pour ses chambres standard. Un hôtel fonctionnel et tranquille à la déco design et sobre. Les chambres sont bien équipées et d'un bon rapport qualité-prix. Fréquenté par les expats de passage. Accueil des plus attentionné.

≘ **Hôtel Balima** *(plan I, B2, 32)* : av. Mohammed-V. Entrée au 1, rue Tihama, sur la droite en regardant l'hôtel. ☎ 037-70-86-25 ou 77-55. Fax : 037-70-74-50. *Double 570 Dh (51,80 €).* Pour les

■ **Adresses utiles**

🛈 Office national marocain de tourisme
🚆 Gare ferroviaire de Rabat-Agdal
1 Ambassade de France
5 Ambassade du Canada
6 Hôpital Ibn-Sina
18 Clinique des Nations unies

≘ **Où dormir ?**

36 Hôtel Oumlil

|●| **Où manger ?**

65 La Graille
66 Best Food
67 Medersa
68 Chez El-Ouazzani
69 Pizzeria Reggio
70 Paul
71 Restaurant Le Margot
72 L'Entrecôte

|●| **Où manger une pâtisserie ?**

70 Paul
80 Pâtisserie La Française

🍸 ♪ **Où boire un verre ?**
Où écouter de la musique ?

89 El Rancho
90 Le Puzzle
92 Le Ve Avenue

♫ **Où danser ?**

92 Le Ve Avenue

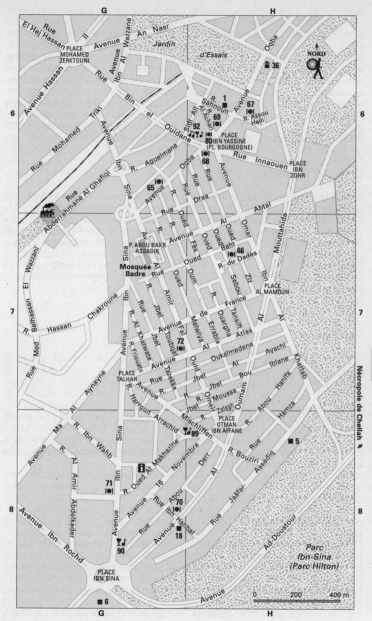

familles de 4 pers., suite 890 Dh (80,90 €). Petit déj inclus. Bâtiment en arche datant de 1926. Les chambres sont vastes et confortables. Au 5e étage, certaines sont pourvues d'une petite terrasse avec vue sur Rabat ; il n'y en a que quatre, très demandées, alors ne vous faites pas trop d'illusions ! Il faut bien reconnaître que l'ensemble subit le poids cruel des ans. Joli salon frais et aéré.

🏠 **Riad Marhaba** (plan II, E5, **41**) : 3, rue Es-Sam. Face à la kasbah des Oudaïa. ☎ 037-70-65-54. 🖥 052-81-25-21. Chambres doubles et suites avec clim' 385-660 Dh (35-60 €) selon taille et saison, petit déj compris. Dans un quartier calme, au cœur de la médina, un jeune couple de Français a restauré ce riad en mettant en valeur les éléments architecturaux d'origine. Belle sobriété dans la chambre et les trois suites, particulièrement spacieuses. Agréable terrasse, TV commune et accès wi-fi.

Chic et charme

🏠 **Riad Dar Baraka** (zoom F4, **33**) : 26, rue de la Mosquée. ☎ 037-73-03-62. 🖥 061-78-33-61. ● darbaraka-rabat. com ● Repérer la porte bleue au bout de la rue principale de la kasbah. Résa conseillée. Doubles 990-1 430 Dh (90-130 €) ; slt 2 chambres. Petit déj inclus. Une adresse de charme à la proue de la kasbah, dont les luxuriants jardins dominent les flots et Salé. Un havre de paix et d'intimité. Les chambres sont sobres et élégantes. Le chat qui mit la patte sur le trésor de la maison ne s'y est pas trompé : Dar Baraka est la perle des adresses. Demandez et on vous contera son histoire. Et pourquoi pas au coin du feu dans l'agréable salon ? Et quel bonheur le matin de déguster le nez au vent, les yeux sur l'horizon, un bon petit déj.

Très chic

🏠 **Dar al-Batoul** (plan II, E4, **37**) : 7, derb Jirari. ☎ 037-72-72-50. ● riadba toul.com ● Double 1 100 Dh (100 €), petit déj inclus. Resto sur demande : menu complet 250 Dh (22,70 €). Le cadre est enchanteur et le patio d'une bienfaisante fraîcheur. Les chambres, toutes différentes ont énormément de cachet et sont propices aux rêves les plus doux. De la terrasse, vue imprenable sur Rabat. Accueil toutefois inégal.

🏠 **Riad Oudaya** (plan II, E5, **38**) : 46, rue Sidi-Fatah. ☎ 037-70-23-92. ● riadou daya.com ● Double 1 350 Dh (122,70 €), suite 1 650 Dh (150 €), petit déj inclus. Une superbe maison marocaine restaurée avec goût et savoir-faire. Les chambres sont confortables et élégantes. Service souriant et attentionné. Agréable terrasse, idéale pour un bon far-niente. Possibilité de dîner (voir « Où manger ? » dans la médina). Le proprié-taire a également ouvert une nouvelle maison d'hôtes, le Riad Kasbah, dans la kasbah des Oudaïa.

🏠 **Hôtel Oumlil** (plan III, H6, **36**) : 31, av. Oqba. ☎ 037-68-34-34. ● oumlil@ fram.fr ● Double 1 030 Dh (93,60 €), petit déj en sus ; réduc au-delà de 2 nuits. Un hôtel FRAM avec un hall splendide. Chambres lumineuses et confortables. Une adresse de qualité, sans surprise. Présence de nombreux groupes en saison. Tout proche de la vie nocturne de l'Agdal. Piano-bar tous les soirs.

🏠 **Villa Mandarine** (hors plan d'ensem-ble, **40**) : 19, rue Ouled-Bousbaa. ☎ 037-75-20-77. ● villamandarine. com ● Sortir de la ville par l'av. John-Kennedy. Après 2,7 km, au niveau du supermarché Souissi et de la station-service CMH, prendre à droite l'av. El-Mehdi-ben-Barka. Continuer 2,3 km et guetter le fléchage (panneau à gauche). Doubles à partir de 1 800 Dh (163,60 €) ; également des suites. Une adresse au calme, dans un jardin odorant planté de mandariniers et de jasmins. Les cham-bres sont confortables, mais il leur man-que un supplément d'âme et l'ensemble commence à dater un peu. Piscine et petit bassin pour enfants.

Où manger ?

Les tarifs des restaurants étant plus chers que dans le reste du pays, nous utilisons une fourchette de prix adaptée. Nos adresses se répartissent en trois zones : le centre-ville, la médina et Agdal.

Dans le centre-ville

Très bon marché (moins de 50 Dh / 4,50 €)

|●| **Mix Grill** *(plan I, B2, 50)* : 285, av. Mohammed-V. Salades, brochettes, pizzas et *chawarmas*. Snack au cadre presque luxueux, très agréable avec sa petite salle climatisée à l'étage. Personnel accueillant. Un excellent rapport qualité-prix.

|●| **Ghazzah** *(plan I, A1, 51)* : rue Ghazza, entre l'av. Mohammed-V et l'av. Allal-ben-Abdellah. Tlj. Un petit snack très simple pour satisfaire les grandes faims.

Bon marché (moins de 100 Dh, soit 9,10 €)

|●| **Tajine Wa Tanjia** *(plan I, A3, 52)* : 9, rue de Baghdad. Fermé dim. Musique ts les soirs, en principe gnaoua ven et sam et oûd classique les autres jours. Qui pourrait croire que, dans cette rue sinistre qui s'étire le long de la gare, se cache un endroit aussi recommandable ? Tajines à des prix très doux et *tanjia*, ragoût typique marrakchi. Cadre original et traditionnel à la fois, avec un charmant salon marocain à l'ambiance douce et tamisée.

|●| **La Véranda** *(plan I, B2, 14)* : café-resto de l'Institut français, rue Ghafsa. Lun-sam 10h-23h30. Quelques tables sur un carré de gazon planté de palmiers. Formule déjeuner attractive, plus cher à la carte. Un bon petit resto au calme. Accueil avenant.

|●| **Yamal Achcham** *(plan d'ensemble, 54)* : 5, av. al-Maghrib al-Arabi. Pas très loin de la médina. Orchestre jeu-sam soir. Bonne cuisine syrienne. Salle agréable, éclairée par une coupole de verre coloré. Les soirées musicales sont animées et bon enfant, de quoi passer un excellent moment. D'autant que les groupes sont bons.

|●| **El-Bahia** *(plan II, E5, 53)* : bd Hassan-II. Dans la muraille des Andalous, sur la droite en arrivant par l'av. Mohammed-V. L'intérêt ne réside pas dans la cuisine (sans gloire) mais dans le cadre. Passé la porte, on oublie le tumulte du boulevard Hassan-II et on s'étonne d'y trouver une oasis de calme : une petite cour intérieure agrémentée d'une fontaine. Salon à l'étage, beaucoup plus frais les jours de grosse chaleur.

|●| **Pizzeria de l'Institut Goethe** *(plan I, A3, 55)* : rue de Sanaa, dans les locaux de l'Institut Goethe. Tlj sf sam midi et dim 10h-minuit. Traverser le petit vestibule et éventuellement présenter son sac aux vigiles. Cuisine internationale. Terrasse bâchée façon chapiteau. Rendez-vous des étudiants et on y nombreux expats. Fond musical actuel, clientèle détendue, portions plantureuses. Les soirs d'affluence, le service a du mal à suivre.

|●| **Le SISISI** *(plan I, B2, 56)* : 19, rue Moulay-Rachid. Déco jouant maladroitement sur un effet de grotte, espérons que cela ne nous dégringole pas dessus. Mais on n'est pas là pour ça, plutôt pour les pizzas, salades et autres petits plats. Accueil un peu froid.

Chic (100-250 Dh / 9,10-22,70 €)

|●| **Le Petit Beur** *(Dar Tajine ; plan I, B2, 58)* : 8, rue Dimachq (Damas). ☎ 037-73-13-22. Fermé dim. Résa conseillée le soir. Spécialités de *pastillas* et de taji-

nes. Vins marocains. Le soir, on y joue de la musique marocaine (*oûd* et *derbouka*)... sauf lorsque la fréquentation devient trop importante, alors les musiciens assurent le service (à moins que ce ne soit l'inverse !). Beaucoup d'Européens.

|●| *Zerda* (plan I, B1, *63*) : 7, rue Patrice-Lumumba. ☎ 037-73-09-12. Spécialité de cuisine juive-marocaine, servie dans une ambiance agréable. Et comme le dit la pub : « un régal sans égal ». Deux musiciens se relaient chaque soir et alternent *oûd,* guitare, violon et chanson française. Fréquenté par des familles et des amoureux. Très bon accueil.

|●| *L'Éperon* (plan I, C2, *61*) : 8, av. d'Alger (en arabe : Al-Jeza'ir). ☎ 037-72-59-01 ou 037-70-76-31. Impossible de louper la façade de néons flamboyants. Contrairement à l'extérieur, le cadre chaleureux et la lumière tamisée

sont propices au tête-à-tête. Ce resto, fréquenté par la jolie société de Rabat, propose une carte française avec plein de petits plats alléchants. Attention, le poisson est facturé au poids. Accueil inégal.

|●| *Le Koutoubia* (plan I, B3, *59*) : 10, rue Pierre-Parent. ☎ 037-70-10-75. Cadre marocain, au chromatisme pour le moins audacieux, dans un style qui fut moderne... dans les années 1950 ! Grand choix de bons tajines, *pastillas* et brochettes. Vins marocains. Accueil charmant.

|●| *La Mamma* (plan I, B2, *60*) : 6, rue Tanta. ☎ 037-70-73-29 ou 23-00. Ouv jusqu'à minuit. Ambiance vieille taverne avec d'inévitables gousses d'ail suspendues au plafond. Pizzas dans une bonne odeur de feu de bois. Toujours plein de monde. Fait également des pizzas à emporter.

Dans la médina

Très bon marché (moins de 50 Dh / 4,50 €)

|●| *Café de l'Afrique du Nord* (plan II, E5, *62*) : 276, av. Mohammed-V. Le nom est écrit sur la vitre d'une manière peu visible. Dans une grande salle un peu défraîchie et peu engageante de l'extérieur, ce restaurant propose de savou-

reux tajines. Côté grillades, nous n'avons pas été emballés. Quoi qu'il en soit, ça reste une bonne adresse pour déjeuner et partager le quotidien des boutiquiers de la *kasbah.*

Beaucoup plus chic (plus de 300 Dh / 27,30 €)

|●| *Riad Oudaya* (plan II, E5, *38*) : 46, rue Sidi-Fatah. ☎ 037-70-23-92. Sur résa slt. Menu unique 330 Dh (30 €) ou 250 Dh (22,70 €) pour les résidents. Sert de l'alcool. Un plantureux repas (hors-

d'œuvre, entrée, plat et 2 desserts) servi dans une ambiance magique. L'une des adresses les plus intimistes que l'on puisse trouver à Rabat.

À l'Agdal

Très bon marché (moins de 50 Dh / 4,50 €)

|●| *La Graille* (plan III, G6, *65*) : 66, av. Oqba. Un fast-food à la petite salle chaleureuse, où se pressent familles et groupes de copains autour de pizzas et de paninis. Qualité correcte.

|●| *Best Food* (plan III, H7, *66*) : 6, rue du Dadès. Fermé dim. Près du marché

de l'Agdal, tout plein de petits restos où l'on peut manger en terrasse. On a retenu celui-ci, qui nous a plu pour son service attentionné et pour l'audacieuse promesse de son nom ! Le niveau est celui d'une honorable cantine.

Prix moyens (moins de 150 Dh / 13,60 €)

l❚l *Chez El-Ouazzani (plan III, H6, 68) :* pl. Ibn-Yassine (connue des Rbatis sous le nom de pl. Bourgogne). ☎ 037-77-92-97. La base de l'offre est la brochette, mais on peut s'y faire servir quelques tajines et, bien sûr, le couscous du vendredi midi. Décor intérieur typiquement marocain. Mais c'est sous les auvents que vous vous installerez pour vous délecter de son animation. Haut lieu de rassemblement des étudiants gauchistes dans les années 1970-1980. De nombreux Rbatis continuent

d'en faire leur cantine. Le service s'arrête quand il n'y a plus rien à manger. Logique, non ? Sur la gauche de la rue, comptoir pour emporter des brochettes.

l❚l *Medersa (plan III, H6, 67) :* 5, rue Assou-Haili. ☎ 037-68-36-14. À deux pas de l'ambassade de France. Une petite adresse tranquille, bonne et pas chère. Idéal pour un déjeuner rapide, soit sur la terrasse, soit dans la salle du premier. Accueil aimable.

Chic (150-250 Dh / 13,60-22,70 €)

l❚l *Restaurant Le Margot (plan III, G8, 71) :* voir « Très chic ». Pour son menu (premier prix).

l❚l *Paul (plan III, G8, 70) :* 82, av. Al-Oumam-al-Mouttahida. ☎ 037-67-20-00. *Menus servis midi et soir à prix moyens ; plus cher à la carte.* Succursale du marchand de pain très connu, fréquenté par le Tout-Rabat. Cadre agréable et bon rapport qualité-prix. Service cordial, attentionné et stylé sans être guindé. Agréable terrasse couverte, ouvrant hélas sur l'avenue,

assez bruyante au déjeuner.

l❚l *Pizzeria Reggio (plan III, H6, 69) :* angle pl. Ibn-Yassine (ou pl. Bourgogne) et rue Al-Achari. ☎ 037-77-69-99. *Fermé dim.* Un excellent resto italien, bondé tous les soirs. Ses tables serrées les unes contre les autres ne le rendent pas vraiment propice aux discussions intimes, mais on s'en fiche : on est tous là pour ses bonnes pizzas, ses savoureux petits plats et, le soir, ses musiciens.

Très chic (plus de 250 Dh / 22,70 €)

l❚l *Restaurant Le Margot (plan III, G8, 71) :* 20, av. Ibn-Sina. ☎ 037-67-26-02. *Menu 150 Dh (13,60 €) ; repas à la carte env 250 Dh (22,70 €) sans le vin.* Chapeau bas et papilles hautes pour le premier menu. Cuisine raffinée et mitonnée avec passion par un patron qui court de la salle aux fourneaux. Et il a plus d'une saveur sous sa toque. Spécialité de loup en croûte de sel. Aouhh ! À faire rougir un chaperon. À notre avis, c'est « l'adresse » chic et gastronomique de Rabat. Dans une petite maison cernée

d'un mur de chaux blanche et d'un petit gazon. Service parfait. Carte des vins, bien sûr. Un bon rapport qualité-prix.

l❚l *L'Entrecôte (plan III, G7, 72) :* 74, rue Al-Amir-Fal-Ould-Omeir. ☎ 037-67-11-08. *À partir de 250 Dh (22,70 €) à la carte, taxes et couverts en sus. Sert de l'alcool.* L'une des adresses gastronomiques de Rabat qui propose une cuisine française d'inspiration méditerranéenne. Ambiance cosy-cossue. Vins français et marocains. Clientèle d'affaires le midi.

Beaucoup plus chic (plus de 300 Dh / 27,30 €)

l❚l *Al Dar Andalous (plan d'ensemble, 75) :* hôtel Hilton, *visible du carrefour des av. Ad-Doustour et Omar-ibn-al-Khattab.* ☎ 037-67-56-56. *Slt le soir. Fermé lun. Résa conseillée. Env 350 Dh*

(31,80 €) sans le vin. Au fond du hall à gauche. Cuisine marocaine haut de gamme, inventive et succulente. Déconseillé aux petites faims. Décoration en clair-obscur riche d'ambiance

orientale. Tout au long de la soirée se succèdent un ensemble traditionnel marocain (*oûd*, violons, *derbouka*, *tar* et – hélas ! – orgue électronique parfois sérieusement envahissant), une danseuse et plusieurs chanteurs.

Où manger une pâtisserie ?

|●| Pâtisserie La Française (*plan III, H6, 80*) **:** 4 pl. Ibn-Yassine (ou pl. Bourgogne). Tlj 8h-14h, 16h-22h. Pâtisserie d'excellente qualité, une des meilleures de Rabat. Une fois votre carton à gâteaux rempli, pourquoi ne pas aller le vider à la terrasse voisine en sirotant un thé à la menthe (c'est la même maison).

|●| Pâtisserie Dar-el-Qortbi (*plan II, E5, 81*) **:** 5, impasse Ben-Ameur. Dans la médina, dans une impasse à gauche de l'av. Mohammed-V en venant du bd Hassan-II. Tlj sf dim 9h30-19h. Pas d'enseigne mais un calicot en hauteur, la porte se situant juste en dessous à gauche. Attention, il s'agit vraiment de l'atelier : pas de vitrine, on choisit parmi la dizaine de sortes de pâtisseries à base d'amande, simplement rangées dans de petites caisses. On paie au poids (ayez de la monnaie). Elles sont vraiment très bonnes.

|●| Pâtisserie Majestic (*plan I, A-B1,* 82) **:** 14, av. Allal-ben-Abdellah. Tlj 6h-21h. Salon de thé chic à prix raisonnables. Pâtisseries marocaines de qualité. Personnel très sympa.

|●| Café-pâtisserie Shehrazade (*plan I, A1, 29*) **:** 119, bd Hassan-II. Vaste café-salon de thé moderne aux murs jaune et ocre servant de goûteuses pâtisseries et viennoiseries. Glaces en cornet. Très bonne adresse pour le petit déj ou le goûter, même si le brouhaha ambiant en fin d'après-midi est un peu assourdissant.

|●| Paul (*plan III, G8, 70*) **:** 82, av. Al-Oumam-al-Mouttahida. Boulangerie-pâtisserie-salon de thé où le Tout-Rabat vient chercher son pain et ses croissants. Resto à l'étage (voir « Où manger ? À l'Agdal »).

|●| Au début de l'avenue Ibn-Sina (*plan III, G8*), **pâtisseries européennes** qui rivalisent en qualité : *Le Calisson* et *Le Trianon*.

Où boire un thé, un jus ?

🍸 Café Maure (*zoom F4, 85*) **:** accès par le jardin andalou ou la rue Bazzo. Ferme au coucher du soleil. Prix indiqués à côté de la caisse. Halte incontournable lors d'un passage à Rabat. Le lieu est touristique, très fréquenté, bruyant mais un thé ici en vaut trois ailleurs. La vue sur Salé et l'océan est superbe. Pâtisseries maison pour les amateurs.

🍸 La Véranda (*café-resto de l'Institut français ; plan I, B2, 14*) **:** rue Ghafsa. Lun-sam 10h-23h30. Dans un agréable jardinet, le lieu idéal pour créer des liens tout en sirotant un bon thé à la menthe (voir « Où manger ? Dans le centre-ville »).

🍸 Cafétéria du 7ᵉ Art (*plan I, B2, 86*) **:** av. Allal-ben-Abdellah. C'est, à l'origine, la cafétéria du cinéma du même nom. Difficile de se croire au cœur de Rabat. Le cadre est surprenant (notez les maquettes de villages et de sites dans la verdure !) et très agréable ; pas étonnant que ce soit noir de monde dès les heures de bureau terminées. Si on ne parvient pas à lever le camp, on peut y manger bon marché. Service jeune et sympa.

Où boire un verre ? Où écouter de la musique ?

🍸 🎵 El Rancho (*plan III, G-H8, 89*) **:** 30, rue Mischliffen, à l'Agdal. Tlj jusqu'à 1h.

Les jeunes branchés s'y donnent rendez-vous pour manger tex-mex et y boire un verre avant d'aller en boîte. L'ambiance est électrique le w-e surtout quand saxo, djembé et DJ bœufent à l'unisson.

🍷 🎵 *Hamilton* (plan d'ensemble, *75*) : hôtel Hilton, *visible du carrefour des av. Ad-Doustour et Omar-ibn-al-Khattab. Ouv jusqu'à 1h (2h ven). Bar chic au rez-de-chaussée, avec vue sur les beaux jardins. Groupe* lift-lounge *(musique d'ascenseur). C'est un de ces lieux où se retrouvent la jeunesse dorée et la jet-set rbatie.*

🍷 🎵 *Le Puzzle* (plan III, *G8*, *90*) : 79, av. Ibn-Sina, à l'Agdal. Concerts tlj sf mer et dim, jours de karaoké. Un autre rendez-vous de la jet-set rbatie. Cadre très agréable. On s'y bouscule tous les soirs.

🍷 🎵 *Al-Yacout* (plan I, C2, *93*) : 6, rue Tindouf, à 10 mn à pied du centre. Musique live ts les soirs jusqu'à 1h. Au rez-de-chaussée, piano-bar intime au cadre agréable. La qualité musicale est inégale. Évitez le resto marocain à l'étage.

🍷 🎵 *La Péniche* (plan d'ensemble, *74*) : voir plus haut « Où manger ? » à Salé.

🍷 🎵 *Weimar Café* (plan I, A3, *55*) : 7, rue Sanaa, dans les locaux de l'Institut Goethe (voir « Où manger ? Dans le centre-ville »). Sert des boissons alcoolisées.

🍷 🎵 *Le Ve Avenue* (plan III, H6, *92*) : voir plus bas « Où danser ? ». Vivement déconseillé aux filles seules.

Où danser ?

Les discothèques n'ouvrent que vers minuit.

🎵 *Amnesia* (plan II, E5, *94*) : rue de Monastir. Ven et sam 150 Dh (13,60 €), dim-jeu 100 Dh (9,10 €), avec une conso. La boîte branchée de Rabat, tenue mode exigée. À l'entrée, physionomiste et fouille au corps. Musicalement, ça déménage. Déco seventies chic, avec des abat-jour à poil qui changent de couleur (on adore !).

🎵 *Le Ve Avenue* (plan III, H6, *92*) : 5, av. Bin-el-Ouidane. Entrée : 80 Dh (7,30 €) avec une conso ; consos suivantes 60 Dh (5,40 €). Une discothèque classique. Musique européenne et ambiance bon enfant. Pour commencer la soirée, pub et resto dans le même établissement.

À voir

🚶🚶 *Les murailles :* longues de plus de 5 km, érigées sur ordre du sultan almohade Yacoub el-Mansour à la fin du XIIe s et prolongées par moulay Al-Rachid, elles donnent à la ville un cachet particulier. L'idéal est de les suivre en voiture. Si vous n'êtes pas motorisé, une course en petit taxi ne vous coûtera pas plus de 35-40 Dh (3,20-3,60 €). Nous vous conseillons cette virée à la nuit tombante. Partir de la place Abraham-Lincoln *(plan d'ensemble)* en direction du sud, via le boulevard Moussa-ibn-Nossair qui passe entre les murailles ocre rouge du *mechouar* à droite et les murs crénelés de Chellah à gauche, tous brillamment éclairés. L'effet d'ensemble est magnifique. Lorsque le boulevard quitte les murailles qui continuent dans l'enceinte du palais royal (fermé à la circulation le soir), poursuivre jusqu'au *Hilton* et prendre à droite l'avenue Omar-ibn-al-Khattab puis l'avenue Al-Oumam-al-Mouttahida vers Bâb-er-Rouah, où l'on retrouve l'enceinte. Continuer tout droit en jetant des coups d'œil à travers les nombreuses portes qui ouvrent sur le centre-ville puis sur la médina. Pour faire bonne mesure, on peut terminer en tournant à droite sur l'avenue El-Alou ; et au bout, vue idéale sur les murs de la *kasbah* des Oudaïa.

🚶 *La ville moderne :* en 1912, Lyautey a chargé l'urbaniste Henri Prost de construire une ville moderne accolée à la médina. Ce dernier s'en est acquitté en intégrant les monuments anciens et en respectant les axes majeurs existants : le boulevard Hassan-II longe la muraille des Andalous et l'avenue Mohammed-V, qui lui est perpendiculaire, relie la médina au palais royal avec, sur toute sa longueur, les principaux commerces, les cinémas, la poste, la gare ferroviaire ; toute la vie, quoi ! Sur le vaste terre-plein central de cette dernière, planté de palmiers et agrémenté de fontaines, les soirs de fin de semaine, des familles entières se prélassent sur les pelouses pour jouir de la douceur de l'air. Côté muraille, le *parc du Triangle-de-Vue (plan I, B1)* constitue, dans l'ombre bienfaisante de ses grands arbres, une halte reposante au cœur de l'agitation. Dommage que l'on en soit chassé à coups de sifflet dès 18h !

≼ *Le musée de la Monnaie* *(plan I, B2)* **:** *rue du Caire, dans les locaux de la* Banque du Maroc. ☎ *037-70-26-26. Mar-sam 9h-12h (11h30 ven), 15h-18h ; dim 9h-13h. Entrée : 20 Dh (1,80 €) ; réduc enfants et étudiants.* Très beau musée moderne, dans un bâtiment à l'extérieur richement décoré, où les monnaies sont éclairées individuellement – excusez du peu – au moyen de fibres optiques. Une vision de l'histoire tumultueuse du Maroc servie à la monnaie pour fil rouge. Commentaire concis et érudit. Et surtout, pour les numismates, un remarquable ensemble issu d'une collection privée, dont quelques monnaies uniques (notamment un *aureus* de Juba II et une superbe pièce almohade de dix dinars). Accueil par un florilège de citations sur l'argent, de Vespasien à Smaïn !

≼≼ *La médina* *(plan II)* **:** construite au XVIIe s pour accueillir les réfugiés d'Andalousie. Beaucoup moins pittoresque que celles de Fès et de Marrakech, elle n'en est que plus authentique, les produits de ses échoppes s'adressant surtout à une clientèle locale. En partant de l'avenue Mohammed-V, allez flâner dans la rue Souika où s'entassent les commerces alimentaires, entrez dans le souk couvert *Es-Sebat* où sont groupés les marchands de chaussures. En sortant, devant et à droite, s'étend le mellah (ancien quartier juif), où se trouve aujourd'hui le marché aux puces. À gauche commence la rue des Consuls, qui fut jusqu'au début du XXe s la résidence des représentations étrangères (on reconnaît leurs maisons à leurs portes et fenêtres ouvrant sur la rue, contrairement aux maisons marocaines). Visitez ses boutiques de fringues, de tapis et d'objets artisanaux, et goûtez aux nougats aux amandes, au miel ou au chocolat vendus dans ses échoppes. Au n° 155, le plus beau *foundouk* (caravansérail) de la ville : par l'escalier à gauche, on peut monter aux étages, d'où l'on imagine mieux le soulagement qu'éprouvaient, à leur arrivée, les voyageurs fatigués au calme de cette hôtellerie. En continuant, de la place du *souk El-Ghezel* (souk de la laine), vous découvrez les remparts de la *kasbah* des Oudaïa. Sur cette place, voilà trois siècles, on présentait aux acheteurs éventuels (dont les consuls...) les captifs chrétiens saisis en mer par les pirates. Si vous êtes en forme, avant d'entrer dans la *kasbah,* vous pouvez remonter à gauche le boulevard Al-Alou, où vous trouverez les très pittoresques boutiques des vendeurs de laine. Nous vous indiquons le circuit de visite le plus typique, mais vous pouvez aller à l'aventure : sa petite taille et son plan géométrique facilitent l'orientation.

≼≼≼ *La kasbah des Oudaïa* *(plan II, E-F4 et zoom)* **:** notre coup de cœur à Rabat. C'est l'une des premières constructions arabes de la ville, bâtie au XIIe s sur un site occupé depuis l'époque romaine. Les Oudaïa, terrible tribu de pillards, se livraient à de telles exactions que le sultan moulay Abderrahmane fit arrêter leur caïd en 1832, provoquant une révolte massive durant laquelle ils se rendirent maîtres de Fès avant d'en être délogés manu militari. Ils furent aussitôt dispersés dans le royaume et, en 1844, l'un des groupes échoua à Rabat dans cette *kasbah* alors à l'abandon. Ils y restèrent bien sages, et furent même employés à surveiller les tribus zaers qui faisaient régner l'insécurité jusqu'aux remparts de Rabat.
Aujourd'hui, le site, préservé des constructions modernes, a gardé tout son charme. À la *Grande Porte des Oudaïa,* faux guides et autres racoleurs vous guettent. Vous pouvez également pénétrer dans la *kasbah* par la *Petite Porte (zoom E4),* située un peu plus bas. Là encore on guette votre arrivée, mais la porte s'ouvre sur la fraîcheur du *jardin andalou (zoom F4),* véritable oasis de tranquillité. Au printemps, c'est un éden de senteurs, où de suaves orangers et jasmins exhalent le parfum

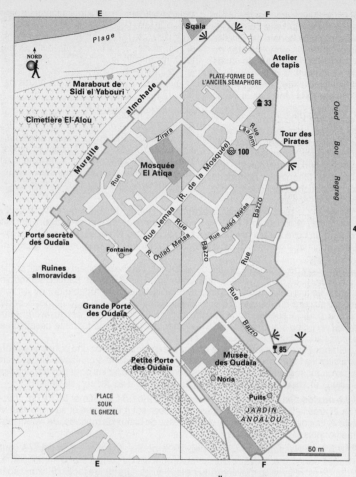

LA KASBAH DES OUDAÏA – ZOOM

- 🛏 **Où dormir ?**
  33 Riad Dar Baraka
- 🍷 **Où boire un thé, un jus ?**
  85 Café Maure

- ⚙ **Achats**
  100 Galerie d'art Miloudi Nouiga

---

délicat de leurs fleurs. Dans les massifs, le jardinier laisse libre cours aux herbes folles et à d'incroyables pavots ébouriffés. On comprend aisément que ce jardin soit le lieu de prédilection des amoureux en quête de romantisme. Il est surplombé par l'ancienne résidence d'été de moulay Ismaïl, qui abrite un musée (voir ci-après). On en sort par la poterne du fond, qui donne sur l'incontournable *Café Maure* (*zoom E4* ; voir « Où boire un verre ? »). Passé 18h, de même que les jours fériés, quand le jardin andalou est fermé, contournez le musée pour trouver une autre poterne donnant accès au *Café Maure*.

Gentiment encouragé et guidé par les habitants qui vous voient perplexe dans ce dédale de venelles bordées de maisons peintes de blanc symbolisant l'unité et de bleu évoquant la mer, gagnez la rue principale (rue Jemaa, c'est-à-dire « rue de la Mosquée »). À son extrémité, vous trouverez *Dar Baraka* (voir « Où dormir ? »).

Poursuivez jusqu'à la plate-forme de l'ancien sémaphore *(zoom F4)*, où se trouve un atelier de tapis *(ouv tlj sf sam ap-m et dim 9h-12h, 14h-18h)*. Magnifique panorama sur l'embouchure de l'oued, la ville de Salé et l'océan.

LA CHANCE SOURIT AU CHA-RITABLE

Avant de partir pour La Mecque, un pèlerin, conscient qu'il pourrait croiser sur sa route des brigands, décida de cacher toute sa fortune chez lui. Le temps passa et le pèlerin ne revint pas. Malgré la famine, les habitants de la maison recueillirent un misérable chat affamé. Un matin, le prodigieux matou gratta le sol et la famille trouva le trésor. La légende dit qu'Allah aurait voulu ainsi les récompenser... C'est ainsi que la maison acquit son nom de Dar Baraka (la « maison de la chance »).

Puis longez le pied des murailles almohades le long de la plage de Rabat et du *cimetière El-Alou (zoom E4)*. On y trouve le tombeau de Sidi el-Yabourì, qui fait l'objet d'un culte assidu des femmes en mal de mari. Notez avec quelle désinvolture l'urbaniste moderne a tracé une rocade éventrant l'impressionnant alignement de tombes...

Après l'angle de la muraille almohade, s'étend à gauche un terrain qui faisait partie du cimetière. La municipalité a voulu un temps y aménager un parking souterrain mais, suite à la découverte de ruines almoravides, le projet fut abandonné (on voit encore aujourd'hui les restes des fouilles). Remarquez aussi la toute petite porte dans la muraille, appelée *porte Secrète (zoom E4)*. Elle vous permet de revenir dans la *kasbah* jusqu'à la Grande Porte, en notant au passage la fontaine désaffectée depuis l'adduction d'eau courante.

La Grande Porte peut être ouverte pour une expo temporaire : une bonne occasion de visiter les trois salles de cet impressionnant monument organisé en chicane, en remarquant ses arcatures et sa décoration, en particulier les coquilles almohades en creux et, dans les écoinçons, le serpent, symbole de Yacoub el-Mansour.

🕯 *Le musée des Oudaïa* (zoom F4) **:** ☎ 037-72-61-64. Tlj sf mar 8h30-12h, 15h-18h. Entrée : 10 Dh (0,90 €) ; réducs. La maison est magnifique et sa visite vaut le détour. La collection du musée est composée de bijoux de mariage, de vêtements traditionnels et de poteries de Fès.

🕯🕯 *La tour Hassan* (plan I, D1) **:** près de la pl. Sidi-Makhlouf. Ses entrées sont gardées par quatre chevaux blancs remarquables de patience et d'immobilisme. La garde est relevée en moyenne toutes les heures. Les quatre faces de la tour sont différentes. Trois sont roses et la dernière est grise, car tannée par les brises marines. Ce minaret de la mosquée éponyme du XIIe s, à jamais inachevé, aurait dû culminer à 80 m alors qu'il n'atteint que 44 m. C'est tout ce qui reste d'un grandiose rêve du sultan Yacoub el-Mansour. Celui-ci, qui ne manquait pas d'ambition, avait projeté de bâtir la plus grande mosquée du monde, soutenue par 312 colonnes et 42 piliers de marbre. Les travaux furent arrêtés à sa mort, et, après moult pillages et le tremblement de terre de 1755 (celui-là même qui détruisit Lisbonne), il n'en reste aujourd'hui que ces soubassements impressionnants.

🕯🕯 *Le mausolée de Mohammed V* (plan I, D1) **:** juste à côté de la tour Hassan. Chef-d'œuvre de l'art marocain traditionnel. Tout est luxe et raffinement, dans un festival de matériaux nobles : le sarcophage royal d'onyx blanc pakistanais a été dressé sous une coupole d'acajou et de cèdre du Liban, dorée à la feuille. Une galerie fait le tour du mausolée où reposent aussi, dans un coin, Hassan II et son frère moulay Abdallah. Les drapeaux sont ceux de la « Marche verte ».

🕯 *Le Musée archéologique* (plan I, B3) **:** rue Al-Brihi. Tlj sf mar 8h45-16h30. Entrée : 10 Dh (0,90 €). Architecture des années 1930 selon les plans d'une villa romaine. Dans le hall, admirez la reproduction du carrelage d'une maison de Volubilis. Si ce musée et sa présentation sont très modestes, il vaut la visite car certaines pièces sont particulièrement belles et les explications des guides, que nous vous conseillons, que vous soyez ou non féru d'histoire, sont passionnantes et pédagogiques. Les amateurs de sculpture apprécieront la salle des marbres et des bronzes. Le *Chien de Volubilis* est prêt à bondir, et on s'attend à l'entendre aboyer. L'*Éphèbe versant à boire* (copie de Praxitèle) rivalise de grâce avec l'*Éphèbe couronné de lierre*. Notez le souci du détail : la poitrine du *Vieux Pêcheur* est marquée au fer rouge ! Très beaux bustes, dont celui de *Juba II*.

🏹 **Bâb-er-Rouah** *(plan I, A3) :* l'une des portes d'origine de la ville. Une galerie d'art y est installée : c'est une occasion de visiter l'intérieur, si vous n'êtes pas entré par la Grande Porte des Oudaïa, dont elle est contemporaine.

🏹 **Le palais royal** *(plan d'ensemble) :* le palais ne se visite pas, mais on peut y jeter un coup d'œil en traversant les grandes esplanades formant le *mechouar*. Une petite balade agréable, mais pas indispensable.

🏹 **Le parc Ibn-Sina** *(plan d'ensemble) :* les Rbatis l'appellent parc Hilton car son entrée principale se trouve au niveau de cet hôtel. Ouv dès 5h30 (6h pdt le ramadan). Ferme à la tombée de la nuit, mais attention : n'attendez pas un rabattage par des gardiens munis d'un sifflet, vous risqueriez de vous y faire enfermer ! Très belle plantation d'eucalyptus et de pins, le seul poumon vert de l'agglomération. Plaisant à toute heure de la journée. Fréquenté par les sportifs, les familles et des amoureux très pudiques.

🏹🏹🏹 **La nécropole de Chellah** *(plan d'ensemble) :* à la sortie de la ville. Tlj 8h30-18h. Entrée : 10 Dh (0,90 €) ; réducs. Hormis les jours d'affluence, un guide vous proposera ses services (env 80-120 Dh, soit 7,30-10,90 €) : ce n'est pas indispensable, sf en cas d'intérêt majeur pour les détails historiques et botaniques.
Bâtie en 1339 sur l'ancienne cité romaine de Sala Colonia pour abriter les tombeaux de la dynastie mérinide, ceinte de belles murailles crénelées, la nécropole tomba en déliquescence lorsqu'un des sultans choisit d'être inhumé à Fès, choix repris par ses successeurs. Autant que de l'outrage des siècles, Chellah eut à souffrir du tremblement de terre de 1755. La visite est incontournable pour les amoureux de vieilles pierres et les férus d'histoire, mais chacun trouvera son compte dans ce site enchanteur qui permet une balade bucolique et romantique.
Si les ruines romaines retiennent surtout l'attention des spécialistes, la nécropole mérinide mérite que l'on s'y attarde. Remarquez les vestiges d'une décoration d'un grand raffinement et les tombes de différentes tailles, regroupées par familles (dont celle du fondateur Abou el-Hassan), ainsi que le vénérable minaret colonisé par les cigognes. Plusieurs marabouts sont érigés un peu plus haut, dans un bosquet qui abrite, d'avril à juillet, une colonie de hérons garde-bœuf. Tout en bas, dans un bassin de pierre, évoluent poissons et anguilles sacrées. Il serait alimenté par une source miraculeuse où vivait, selon la légende, un poisson couvert d'or. Les femmes déposaient des « offrandes » aux anguilles, pour attirer à elles la fertilité. Une vieille femme jettera certainement, pour votre plaisir et dans l'espoir de quelques dirhams, des œufs dans l'eau pour faire sortir les habitants des trous de rocher où elles se cachent. Pour conclure la visite, montez sur les pentes au-dessus des ruines romaines ; la vue embrasse le site, les murailles ocrées, les marabouts, le bosquet aux oiseaux, le minaret aux cigognes, les collines avoisinantes où paissent quelques maigres troupeaux et l'oued Bou-Regreg, en un tableau parfaitement composé, riche de culture et de traditions. Comment imaginer que, à quelques centaines de mètres, bat le pouls de la capitale du royaume ?

Achats

⚙ Dans la médina, *rue des Consuls* (plan II, F4-5), nombreuses échoppes | de souvenirs. Attention, la plupart sont fermées le dimanche. Notons le bois (racine de thuya), le fer forgé, les poteries, les broderies aux motifs andalous et les tapis (avec un motif central et des bords très travaillés).

☸ *Galerie d'art Miloudi Nouiga* (zoom F4, **100**) **:** kasbah des Oudaïa, rue Jemaa. Créée par un photographe passionné qui propose des photos de bonne qualité.

☸ *Centre artisanal El-Oulja à Salé* (hors plan d'ensemble) **:** à env 5 km du centre de Rabat. Bus n° 35 à prendre av. Moulay-Hassan, à l'angle de la rue d'Ifni. Voir à Salé le moyen d'accès en voiture et la description complète.

☸ *Le souk de Karia* (hors plan d'ensemble) **:** bus n° 27 à prendre rue Melilia jusqu'à son terminus. Voir description à Salé.

Festivals

– *Festival Mawazine :* ● mawazine.ma ● Festival de musique se déroulant chaque année en mai. Sous-titré « Rythmes du monde », il programme les tendances les plus actuelles de la musique qu'elle soit africaine, sud-américaine asiatique ou européenne. Plusieurs scènes dispersées dans la ville. Notre préférence va à celle de Chellah. Beaucoup d'ambiance.

– *Jazz aux Oudaïa :* ☎ 037-57-98-59. ● jazzauchellah.com ● Festival de jazz annuel, dates variables (le plus souvent en juin), organisé par la délégation de la Commission européenne et les instituts culturels des États membres de l'Union en partenariat avec le ministère de la Culture et la wilaya de Rabat. Dans une tente en contrebas de la muraille de la kasbah et dans quelques autres lieux. Chaque soir, une rencontre entre jazzmen européens et musiciens marocains se termine par un bœuf souvent très créatif. Excellent niveau, avec de bonnes pointures. Ambiance très bon enfant.

– *Festival de Rabat :* ● maghrebarts.ma ● Fin juin-début juil. Rens et billets dans les tentes montées pour l'occasion, par exemple celle de l'av. Mohammed-V près de la gare. Festival international pluridisciplinaire (musique, cinéma, théâtre, photo) au cosmopolitisme avéré. Très fréquenté par la jeunesse qui y oublie la pauvreté culturelle habituelle de la capitale.

LES PAYS ZEMMOUR, ZAËR ET ZAÏANE

L'arrière-pays de Rabat est une région méconnue, qui réserve pourtant au voyageur curieux de bien beaux paysages. Elle est constituée des terres de trois tribus, les Zemmour, les Zaër et les Zaïane. Si vous rencontrez un autre touriste au cours de ces balades (hormis ceux qui ont les mêmes lectures que vous), on vous paie des pistaches ! Les enfants de ces régions ne tendent pas encore la main, alors surtout ne faites rien qui puisse les y encourager !

Arriver – Quitter

➢ *En grand taxi :* Oulmès-les-Thermes est un nœud routier. De là, nombreuses connexions avec *Tarmilate* et *Khénifra*.

Où dormir ? Où manger ?

🛏 ❙●❙ *Hôtel des Thermes :* à Tarmilate (Oulmès-les-Thermes). ☎ 037-52-31-73. D'Oulmès, suivre la route de Khemisset sur 4 km, puis tourner à gauche au panneau et continuer sur 8 km. Doubles 150-240 Dh (13,60-21,80 €) avec cabinet de toilette ou baignoire. Également des chambres familiales. Petit déj en sus. Menu 95 Dh (8,60 €). Établissement de cure des années 1930, où le temps a suspendu son vol. Cet hôtel, propriété de l'usine d'embouteillage des eaux *Oulmès*, héberge quelques rares touristes. Les chambres donnant sur la campagne sont les plus agréables. Bibliothèques dans les couloirs pour passer le temps. L'eau des lavabos coule brunâtre, pas de panique, c'est l'eau ferrugineuse de la source !

En revanche, les toilettes dans le couloir, pour les chambres sans salle de bains, sont vraiment peu ragoûtantes. Personnel gentil et attentionné. Cuisine européenne, copieuse et correcte.

●|● Il n'existe aucun autre resto dans la région. À Rommani, Moulay-Bouâzza et Mâaziz, les routards aguerris pourront apaiser leur faim à la *grillade* du village. Les autres apporteront leur pique-nique.

À voir. À faire

🐾🐾 **Les pays Zaër, Zaïane et Zemmour :** ce trajet d'un peu plus de 420 km permet de traverser une alternance de zones rurales et de zones montagneuses qui offrent une grande variété de beaux paysages. On peut faire étape pour la nuit à Tarmilate. Sortir de Rabat par la route de Rommani, puis suivre la direction d'Oued-Zem. À Ez-Zhiliga, prendre à gauche vers Moulay-Bouâzza et Khénifra. Une dizaine de kilomètres après Ez-Zhiliga, les paysages agricoles laissent place à une région de monts pierreux tantôt gris, tantôt ocre, parfois coiffés de falaises, à la végétation éparse. Les férus de géologie en déduiront l'origine éruptive du massif. La présence humaine se raréfie : quelques fermes de-ci de-là, quelques troupeaux. Aux alentours de Moulay-Bouâzza, où se trouve le mausolée d'un saint homme qui fait l'objet d'un *moussem* de printemps, le paysage s'adoucit et laisse de nouveau place à quelques plaines agricoles. À Moulay-Bouâzza, prendre la route goudronnée vers Oulmès. Encore de beaux paysages quand la route quitte les plateaux pour descendre dans la vallée de l'oued Aguennour, avant d'arriver à Oulmès après 230 km. Le retour se fait via Tiddas, dans une alternance de collines rouge brique, grises et ocre, avec une succession de vues plus ou moins montagneuses, de terres plus ou moins arides. On vous suggère, à 29 km d'Oulmès, de vous engager sur une piste précaire mais sans grande difficulté qui part sur la gauche. Elle est assez difficile à voir ; on peut prendre pour repère quelques constructions cubiques à droite, c'est juste en face. Suivez-la sur 1,5 km, jusqu'à une petite arête rocheuse où la vue embrasse un panorama semi-circulaire : on surplombe la vallée d'un oued au débit étique, entouré de collines moutonnant à perte de vue, saupoudrées de chênes-lièges et de chênes verts. Faites le plein de sérénité, en écoutant les grillons, quelques oiseaux, et peut-être un âne dans le lointain, avant de revenir sur la route principale que vous suivez jusqu'à Mâaziz. Là, vous pouvez gagner l'autoroute à Tiflet (vers Rabat) ou à Khemisset (vers Fès).

🐾🚶 **La source Lalla-Haya :** de l'hôtel des Thermes, *3 km à pied pour 500 m de dénivelée ou 5 km d'une piste déconseillée aux âmes sensibles et réservée à l'antique jeep de service, que vous pouvez emprunter moyennant 75 Dh (6,80 €).* Prévoir une serviette car il est possible de se baigner. L'hôtel est bâti près de l'extrémité d'un plateau planté de chênes-lièges et de chênes verts, entaillé par une faille inattendue qui se découvre à vos yeux pendant la descente. Au bas d'une impressionnante paroi de granite, le point de captage. La vapeur d'eau est poussée par le gaz carbonique et se condense au fur et à mesure qu'elle approche de la surface, où jaillit de l'eau à 42,8 °C. En descendant, remarquez les conduites d'eau et de gaz, sans négliger pour autant le très beau panorama sur la montagne alentour. En bas, le gardien vous accueille. Douche et bains thermaux possibles. En été, la température au fond est caniculaire, mais l'oued Aguennour permet de se rafraîchir. Évitez le dimanche, car l'endroit est le rendez-vous des jeunes d'Oulmès qui s'y retrouvent en bande avec force stéréos.

– **Les balades à dos de mulet :** *sur résa la veille, le gérant de l'hôtel des Thermes peut négocier pour vous une balade d'une journée dans la montagne avec un mule-*

tier du village. Compter 120-150 Dh (10,90-13,60 €) pour 2 pers. Points de vue magnifiques et sentiers escarpés, au pas lent et sûr de la bête.

LES PLAGES AU SUD DE RABAT

Au sud de Rabat s'étendent les plages préférées des Rbatis, surpeuplées en juillet et en août.

Comment y aller de Rabat ?

➢ **En train :** gares à Temara et à Skhirat.
➢ **En bus :** n° 33 à Bâb-el-Had.
➢ **En voiture :** quitter Rabat en direction de Casa. Prendre l'autoroute, la quitter à la 1re sortie (Temara) et prendre à droite jusqu'à la route côtière que l'on suit à gauche.

Où dormir ? Où manger ? Où boire un verre ?

🛏 |●| ⛾ **Hôtel La Felouque :** plage des Sables-d'Or. ☎ 037-74-43-88. ● dispot be@menara.ma ● *Double 480 Dh (43,60 €) avec petit déj. Env 170 Dh (15,50 €) le repas.* Certaines chambres donnent directement sur la plage, elles sont simples et correctement tenues. Le resto est agréable, avec ses deux terrasses, dont une ouverte, avec vue. Cuisine internationale, quelques plats marocains sur commande. L'été, piscine très fréquentée. Accueil convivial.

|●| **La Rose des Sables d'Or :** av. Abdellah. ☎ 037-74-40-96. *Sur la route principale juste avt d'arriver au chemin d'accès de la plage des Sables-d'Or.* Snack proposant brochettes, salades et jus de fruits frais à petits prix. Servis dans une grande salle kitsch et aérée, admirez les nuages du plafond. Une adresse simple, bonne et pas chère, que demander de plus ? Si... Une glace maison pour les enfants.

🛏 |●| ⛾ **La Kasbah :** à Skhirat, Rose-Marie-plage. ☎ 037-74-91-16 ou 33.

● contact@hotelkasbahclub.com ● *Double 790 Dh (71,80 €), petit déj compris. Menu 150 Dh (13,60 €).* Un hôtel chic au décor façon *kasbah,* en terre rouge. Avec une piscine dont les alentours bruissent du chant des merles. Les chambres, sobres et pas très grandes, sont agréables avec leur petite terrasse (même si cela ne justifie pas le prix élevé, selon nous). Préférez celles sur la mer. Discothèque, piscine, tennis, night-club. Resto avec cuisine internationale. Accueil aimable.

🍴 |●| **Restaurant Rose-Marie :** à Skhirat, Rose-Marie-plage, juste à droite de La Kasbah. ☎ 037-74-92-51. *Env 60 Dh (5,50 €) pour 2 pers avec tente. Resto à partir de 200 Dh (18,20 €).* Spécialités de fruits de mer. Table chic. Agréable salle à manger avec une cheminée et une terrasse donnant sur la plage. Accueil et service attentionnés. Terrain de camping style mouchoir de poche, partiellement ombragé, à l'équipement sommaire.

À voir. À faire

🎣 *La promenade de la Corniche :* à *Temara,* à partir de l'hôtel Saint-Germain-en-Laye *(fléché depuis la route côtière).* Agréable promenade en bord de mer.

⛰ *Les plages de Temara* (Harhoura, Gayville, Contrebandiers, Sables-d'Or, Val-d'Or) se succèdent le long de la route côtière, à une quinzaine de kilomètres de Rabat.

⚠ À Skhirat, à 22 km de Rabat, la belle **Rose-Marie-plage** est bien protégée des vagues par une barre rocheuse, ce qui la rend très prisée des baigneurs.

⚠ **La plage de Bouznika,** à 42 km de Rabat, est très appréciée des Marocains qui viennent y passer leurs vacances. La construction y est en pleine expansion. La plage est séparée de la route par une rangée d'immeubles ménageant de temps à autre un passage public fléché.

CASABLANCA

3 600 000 hab.

Attention, à partir de mars 2009, *Maroc Telecom* doit mettre en place une **nouvelle numérotation téléphonique.** Les numéros passeront ainsi à 10 chiffres (au lieu de 9 actuellement).

Voici les principaux changements prévus :

➢ **Pour tous les numéros fixes,** il faudra insérer « 5 » après le « 0 ». Exemple : 024-11-11-11 deviendra 05-24-11-11-11.

➢ **Pour les portables,** un « 6 » devra être placé après le « 0 ». Exemple : 068-11-11-11 deviendra 06-68-11-11-11.

➢ **Pour les numéros spéciaux,** se reporter en début de guide à la rubrique « Téléphone et télécoms » dans « Maroc utile ».

Véritable poumon économique du royaume, vitrine pour les stylistes à la pointe de la mode et les artistes branchés, Casablanca cultive la tradition comme une parure à sa modernité. D'aucuns diront qu'il n'y a rien à voir ou presque... Allons donc ! C'est oublier la grande mosquée, la médina, le port, la corniche, le quartier des Habous, le trépidant Maarif et ses tours jumelles, ou encore l'hypercentre et ses immeubles Art déco ; une mosaïque de cultures et d'influences qui ont fait de cet ancien repaire de pirates une ville résolument tournée vers l'avenir.

Casa mérite à bien des égards qu'on lui consacre un peu de temps. On y rencontre le Maroc d'aujourd'hui, sans fard et sans afféteries, la réalité d'un pays en mouvement. Loin des villes touristiques, vous découvrirez une ville dynamique, où les habitants vous accueilleront à bras ouverts. Les prix sont moins élevés qu'à Marrakech ou à Essaouira par exemple. On y trouve des petits hôtels et des restos bon marché. Et pour les oiseaux de nuit, c'est de la balle ! Casa regorge de bonnes adresses pour écluser un gorgeon en écoutant de la musique, pour danser et faire la fête. Casa c'est aussi des plages, des parcmètres, des mendiants, des mosquées et des bidonvilles qui poussent comme des champignons. Bref, le Maroc – le vrai –, pas celui des cartes postales !

UN PEU D'HISTOIRE

Fondé au VIIe s par les *Beghouatas,* une tribu berbère réfractaire à l'islam orthodoxe (les *Beghouatas* utilisaient un Coran en berbère et non en arabe), le hameau d'Anfa (qui signifie « la colline ») abritait un port florissant avant que les Portugais, excédés par les trafics, ne s'en emparent en 1468. Il faut attendre la fin du XVIIIe s pour que la ville connaisse une nouvelle jeunesse sous l'impulsion du sultan Mohammed ben Abdellah qui la nomme *Dar-el-Beïda,* « la maison Blanche », traduit ensuite par *Casa Blanca* en espagnol. Dès lors, la ville ne cesse de croître, mais elle ne connaît son véritable essor qu'au milieu du XIXe s, sous l'impulsion du commerce avec la France et l'Angleterre. En 1900, la petite Casa ne compte que 20 000 habitants, et c'est sous les directives de Lyautey, nommé résident général dans le cadre du protectorat exercé par la France sur le Maroc depuis 1912, que la ville enregistre un boum sans précédent.

Missionné par la France, l'architecte Henri Prost dresse un plan d'urbanisme visant à donner à Dar-el-Beïda l'allure d'une ville moderne à l'image de l'Europe. Le bourg d'Anfa grossit de larges avenues sur lesquelles se greffent des bâtiments Art déco. La cité tout entière devient un immense chantier. Les Français iront même jusqu'à réinventer une médina à leur image, aux rues larges et aux maisons proprettes (l'actuel quartier des Habous), avant que la fièvre de l'immobilier ne secoue à nouveau la ville à la veille de la Seconde Guerre mondiale, mêlant l'architecture hispano-mauresque à un allié de choix : le béton.

Aujourd'hui, Casa rêve encore de ses anciens murs, mais le quartier « historique », autour du marché central, ne vit plus. L'animation glisse inexorablement vers le quartier Gauthier et le Maarif, là où les grandes enseignes drapent les pignons des immeubles, dans les quartiers chic où les Casablancais se réinventent un centre-ville.

Arriver – Quitter

En avion

✈ *L'aéroport Mohammed-V* (hors plan par A6), le premier du pays par l'importance de son trafic, est moderne et fonctionnel. À 34 km du centre-ville. Vols intérieurs en provenance de la plupart des grandes villes du pays. ● royalairmaroc.com ●

■ *Office des aéroports :* ☎ 022-53-48-48 ou 90-40. ● onda.ma ●
■ *Royal Air Maroc* (zoom E3, *1*) : 44, av. de l'Armée-Royale. ☎ 022-31-11-22. Résa centrale : ☎ 022-31-41-41. ● roya lairmaroc.com ● À l'aéroport : ☎ 022-51-91-00. Tlj sf dim et j. fériés 8h30-12h, 14h30-19h.
■ *Air France* (zoom D3, *2*) : 15, av. de l'Armée-Royale. Résas : ☎ 022-43-18-18. À l'aéroport : ☎ 022-33-91-10.
■ *Iberia* (zoom D3) : 17, av. de l'Armée-

Royale. ☎ 022-43-95-42. À l'aéroport : ☎ 022-43-95-42.
■ *Swiss International Airlines* (plan D3) : tour des Habous. ☎ 022-31-37-10.
■ *Alitalia* (plan D3) : 50, av. de l'Armée-Royale. Tour des Habous, 17e étage. ☎ 022-31-41-81 ou 39-50.
– *Dans l'aérogare :* bureaux de change, distributeurs de billets, office de tourisme, poste, agences de location de voitures.

➤ *Pour rejoindre le centre-ville :*
– *Des trains* au départ de l'aéroport desservent les gares de Casa (Casa-voyageurs et Casa-port). ☎ 090-20-30-40. Départs ttes les heures 6h45-22h45, parfois plus tard. Prix du trajet : 30 Dh (2,70 €). C'est le plus simple et le plus économique : le train vous dépose au centre de la ville (en 45 mn) puis continue jusqu'à Rabat.
– *Les « grands taxis blancs »* assurent la liaison entre l'aéroport et Casa. Compter autour de 250 Dh (22,70 €). Tarifs fixes de l'aéroport. Le mieux est de trouver des personnes avec qui partager le taxi, et donc le prix. Dans la mesure du possible, éviter de chercher ces « covoituriers » devant les chauffeurs, qui n'aiment pas toujours ça.

➤ *Pour se rendre à l'aéroport :*
– *Train* au départ des gares de Casa-port et Casa-voyageurs. Départ, théoriquement, ttes les heures env 6h-22h, mais attention, il peut y avoir parfois jusqu'à 2h30 de battement entre deux trains ; il est donc impératif de se renseigner la veille, en fonction de l'heure de votre convocation à l'aéroport : ☎ 090-20-30-40. ● oncf. ma ●
– *Bus* ttes les heures 6h-22h (arriver 15 mn avt).
– *En voiture :* suivre la route d'El-Jadida, prendre la 1re sortie à droite, puis c'est indiqué.

En train

🚄 **Deux gares principales : Casa-voyageurs** (plan H5), pl. Pierre-Sémard, ☎ 022-24-38-18 ; et **Casa-port** (zoom E3), ☎ 022-27-18-37. Également un numéro national pour les rens : ☎ 090-20-30-40 ou se reporter au site internet de l'ONCF : ● oncf.ma ●

Il est préférable de descendre à Casa-port, plus proche du centre que Casa-voyageurs, située dans le quartier un peu excentré de Roche-Noire. ATTENTION, tous les trains ne desservent pas la gare maritime et la plupart des trains partent de Casa-voyageurs de toute façon. Liaisons avec :

➢ **Marrakech :** env 8 trains/j. dans les 2 sens. Trajet : env 3h.
➢ **Tanger :** 4 départs/j. Trajet : env 6h. Pas toujours direct.
➢ **Rabat :** 2 trains/h, 6h30-20h30. Trajet : 1h.
➢ **Fès et Meknès :** env 10 trains/j. dans les 2 sens.
➢ **El-Jadida :** 5 trains/j. dans les 2 sens. Trajet : 1h45.
➢ Également, liaisons avec **Essaouira** et **Kénitra**.

En bus

🚌 **Gare routière CTM** (plan E3) : 23, rue Léon-l'Africain. Rens : ☎ 022-54-10-10. Proche du bd de l'Armée-Royale et du Sheraton. Consigne. Agence Wasteels (billets BIJ). Pour toutes les destinations à travers le Maroc, et même vers les pays d'Europe. Pour quitter Casa, penser à réserver, au moins une journée à l'avance, surtout en été.

🚌 **Gare routière de Benjdia :** angle bd Lahcen-ou-Ider et rue de Libourne. On y trouve toutes les compagnies indépendantes. Moins de confort que la CTM, mais plus économiques et, surtout, beaucoup plus de départs.

🚌 **Gare routière des Oulad-Ziane** (plan H6) : route des Oulad-Ziane. Les bus nos 10 et 11 permettent d'aller dans le centre-ville, place Mohammed-V ; arrêt devant la statue du maréchal Lyautey.

Liaisons avec :
➢ **Marrakech :** env 10 bus/j. dans les 2 sens. Trajet : 3h.

■ **Adresses utiles**

🛈 1 Délégation régionale du tourisme
🛈 2 Kiosque d'information touristique
🛈 3 Syndicat d'initiative
✉ Poste principale
✈ Aéroport Mohammed-V
🚄 Gares ferroviaires
🚌 Gares routières
4 Institut français
6 Centre de remise en forme

🛏 **Où dormir ?**

22 East-West Hotel
23 Hôtel Idou Anfa

🍴 **Où manger ?**

35 Snack Es-Saada
37 Le Luigi
40 Paul
41 La Sqala
44 Frères Gourmets
46 Le Thaï Gardens
48 Le Basmane
49 La Maison du Gourmet

🍴🍰 **Où manger une pâtisserie ? Où déguster une glace ?**

40 Paul
51 Amoud
54 Oliveri
55 Venezia Ice

🍸 **Où boire un thé, un jus ?**

41 La Sqala
60 Milk Bar N° 6
61 Cup's Café

🍸 🎵 🎶 **Où sortir ?**

63 Rick's Café
64 Le Trica
65 Le Kazbar
66 Le Mystic Garden
67 Amstrong Legend
68 Le Pulp'

CASABLANCA

OCÉAN ATLANTIQUE

Mosquée
Hassan-II

Bd Sidi Mohammed Ben Abdallah

NORD

0   200   400 m

Bd de la Corniche

Av. de Tiznit

Bd

Sour Jdid

de Grenade

Bd

Bd

Mauran

J.

Rue Youssef

Rue Goulmina

Bd

Bd

de

R. Driss el Jay

Ziraoui

Bordeaux

35

Tahar

El

ANCIENNE

MÉDINA

Bab
Marrakech

Grande
Mosquée

Alaoui

Bd Houphouët-Boigny

l'Armée Royale

Av. de

PL. DES
NATIONS-UNIES

PLCE EL
MAKHAZINE

Boulevard d'Anfa

Mohammed

Boulevard

Boulevard

R. Mohammed

22

61 64

Moulay

Av. Moulay

Bd

Hassan 1er

de

II

Av. Houmane el

A.

Paris

Rachidi

PLACE
MOHAMMED V

2

Palais
de justice

Préfecture

Rue Taha

Ben Ali

Église du
Sacré-Cœur

Hassan

Avenue

65

49

Rue

Zerktouni

Rue M. Ben Houcine

PL. DE LA
LIGUE ARABE

Parc de

Mustapha

23

Roudani

Youssef

Al Massira al Khadra

Bd

51

55

Twin
Center

Brahim

Boulevard

la Ligue Arabe

Bd
A. Reitzer

RD-PT
MERS SULTAN

1

RD-PT
d'

Rue

de

Mers

Sultan

Bd

Avenue

El Maani

Mustapha

R. d'Agadir

Zerktouni

RD-PT DE
L'EUROPE

N.-D.-de-
Lourdes

R. de Ceuta

Av. du 2 Mars

54

4

Bd

Abdelmoumen

RD-PT
HASSAN II

Mohammed

Hôpitaux

Rue C. Lorrain

EL-JADIDA, P 8   A

B   6

C   MARRAKECH par BOUSKOURA   D

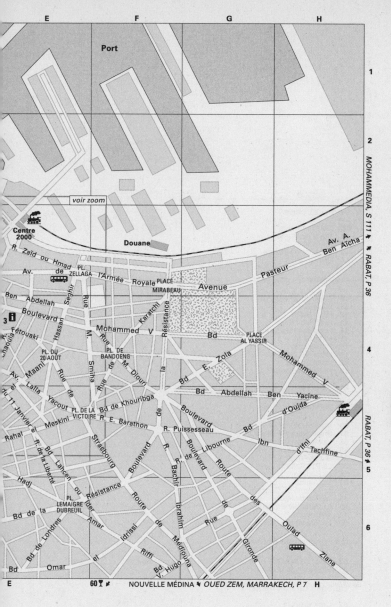

CASABLANCA – PLAN GÉNÉRAL

CASABLANCA

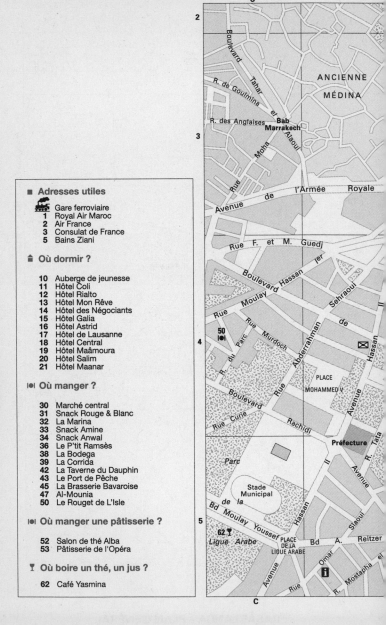

■ **Adresses utiles**

    Gare ferroviaire
  1 Royal Air Maroc
  2 Air France
  3 Consulat de France
  5 Bains Ziani

🛏 **Où dormir ?**

 10 Auberge de jeunesse
 11 Hôtel Coli
 12 Hôtel Rialto
 13 Hôtel Mon Rêve
 14 Hôtel des Négociants
 15 Hôtel Galia
 16 Hôtel Astrid
 17 Hôtel de Lausanne
 18 Hôtel Central
 19 Hôtel Maâmoura
 20 Hôtel Salim
 21 Hôtel Maanar

🍽 **Où manger ?**

 30 Marché central
 31 Snack Rouge & Blanc
 32 La Marina
 33 Snack Amine
 34 Snack Anwal
 36 Le P'tit Ramsès
 38 La Bodega
 39 La Corrida
 42 La Taverne du Dauphin
 43 Le Port de Pêche
 45 La Brasserie Bavaroise
 47 Al-Mounia
 50 Le Rouget de L'Isle

🍽 **Où manger une pâtisserie ?**

 52 Salon de thé Alba
 53 Pâtisserie de l'Opéra

🍷 **Où boire un thé, un jus ?**

 62 Café Yasmina

CASABLANCA

➤ **Tanger :** avec la *CTM*, 5 liaisons/j. en 6h. Très fréquents même la nuit avec les compagnies privées.

➤ **Rabat :** ttes les heures, voire ttes les 30 mn. Trajet : 1h15.

➤ **Fès :** 10 bus/j. Trajet : 4h.

➤ **Meknès :** 10 bus/j. Trajet : 4h.

➤ **Essaouira :** 2 bus/j. avec *CTM* (trajet : 6h). Presque 1 bus/h avec les compagnies privées (sf la nuit).

Attention, au départ de Casablanca, refuser catégoriquement toutes les propositions d'automobilistes « draguant » les voyageurs autour de la gare routière pour les conduire à leur lieu de destination, moyennant une petite participation inférieure au prix du billet de bus. Arnaque assurée au cours du trajet !

➤ **El-Jadida :** 1 bus ttes les 15 mn (6h30-19h).

➤ **Ouarzazate :** 1 bus/j. avec *CTM* et 2 bus privés. Trajet : 8h.

➤ **Er-Rachidia :** 1 bus/j. avec *CTM* et au moins 1 bus privé.

➤ **Tineghir :** 2 bus privés et 1 bus *CTM*/j.

➤ Également des liaisons fréquentes avec **Kénitra, Ceuta, Safi.**

➤ **Agadir :** 10 bus/j. Trajet : 8h.

En taxi

➤ **Pour Rabat :** *départ du bd Hassan-Seghir (plan E4), derrière la gare routière* CTM. Trajet : 1h15.

➤ Grands taxis en provenance de **Tanger, Fès, Meknès, Marrakech,** etc.

➤ Des taxis collectifs relient **El-Jadida.** Trajet : 1h15.

➤ Pour la plupart des autres villes, aller à la station de Benjdia, à l'angle du bd Lachcen-ou-Ider et de la rue de Lisbourne.

Adresses utiles

Infos touristiques et poste

🛈 **Délégation régionale du tourisme** *(plan D5) : 55, rue Omar-Slaoui.* ☎ 022-27-95-33. *Lun-ven 8h30-12h, 14h30-18h30.* Il s'agit en fait d'un petit bureau dans les locaux du ministère. Prospectus utiles. Demandez Mme Ben Kirane.

🛈 **Kiosque d'information touristique** *(plan D4) : pl. Mohammed-V, près de la fontaine lumineuse.* ● *visitcasablanca. ma* ● *Tlj sf dim 8h30-12h30, 14h30-18h30.* À disposition, plan et guide de la ville (quand il y en a), ainsi que des brochures thématiques sur les visites à faire.

🛈 **Syndicat d'initiative** *(plan E4) : 98, bd Mohammed-V.* ☎ 022-22-15-24. *Tlj sf sam ap-m et dim 8h30-16h30.* Ni plan ni le pratique journal *La Quinzaine du Maroc* (que vous dénicherez dans des restos ou des hôtels), mais peut fournir un guide et une voiture pour la visite de la ville.

✉ **Poste principale** *(plan D4) : pl. Mohammed-V. Lun-ven 8h30-16h.*

Argent, banques, change

■ **Banques et distributeurs automatiques :** *dans tte la ville, avec une* concentration autour des places Mohammed-V et des Nations-Unies.

Représentations diplomatiques

■ **Consulat de France** *(zoom D5, 3) : 1, rue du Prince-Moulay-Abdellah.* ☎ 022-48-93-00. *Lun-ven 8h45-11h45, 14h45-16h45.* Peut vous assister en cas de problème.

■ **Consulat de Belgique :** *7, rue Mikail-Nouaima.* ☎ 022-43-17-80. *Lun-ven 8h15-16h.*

Urgences, santé

■ **SOS médecins :** 82, rue Soumya. ☎ 022-82-82-82 (24h/24) ou 022-44-44-44.
■ **Samu :** ☎ 022-25-25-25 ou 022-98-98-98. Tlj 24h/24.
■ **Hôpitaux :**
– Clinique du Val d'Anfa : 19, bd Moulay-Rachid. ☎ 022-39-69-36 ou 37. Tlj 24h/24. Conventionnée CFE.
– Polyclinique Atlas : 27, rue Moham-med-ben-Ali (ex-Jean-Jaurès), quartier Gauthier. ☎ 022-27-40-39. Accueil tlj 24h/24. Service d'ambulances et d'urgences.
– Clinique des spécialités Al-Hakim : angle rues Dalton et Lavoisier, quartier des Hôpitaux. ☎ 022-86-22-86. Différents spécialistes, ainsi qu'un service d'urgences dentaires.

– Pour les **autres urgences** (pompiers, pharmacies de garde, etc.), reportez-vous à la rubrique « Urgences » dans « Maroc utile », en début de guide.

Internet

@ **Cybercafés :** on en trouve dans tte la ville, avec une concentration autour des places Mohammed-V et des Nations-Unies.

Transports

■ **Garage Renault** (plan F4) : 1, pl. de Bandoeng. ☎ 022-30-51-91 ou 05-91.
■ **Garage Citroën-Peugeot** (plan D5) : 320, rue Mustapha-el-Maani. ☎ 022-22-12-08 ou 022-27-53-62.
■ **Location de voitures :** ts les loueurs sont représentés à l'aéroport Mohammed-V, et la plupart disposent de bureaux av. de l'Armée-Royale. Avant toute chose, relisez nos conseils dans « Maroc utile » !
– President Car (plan E-F4) : 27, rue Ahmed-el-Ghali (ex-rue Berthelot), bd Mohammed-V. ☎ 022-26-07-90. ▪ 061-21-03-94. ● presidentcar@menara.ma ● Bureau ouv tlj sf dim 8h30-12h, 14h30-18h. Modèles récents. Prix corrects et personnel sérieux. Transfert aéroport gratuit, à condition de les prévenir à l'avance. Ne pas venir avec un intermédiaire, l'agence peut venir vous chercher n'importe où à Casablanca. Les voitures peuvent aussi être louées en ville et restituées à l'aéroport.
– Avis : 19, av. de l'Armée-Royale, au rez-de-chaussée du Méridien. ☎ 022-31-24-24. Fermé dim ap-m.
– Hertz : 25, rue El-Oraibi-Jilali (ex-rue Foucault). ☎ 022-48-47-10. Fermé dim ap-m.
– G. Renaissance Car : 3, rue El-Bakri (ex-rue Dumont-d'Urville). ☎ 022-30-03-01 ou 022-31-44-29. Fax : 022-31-44-02. Prix élevés mais réduc de 40 % sur présentation de ce guide. Accueil inégal.
■ Pour les coordonnées des **compagnies aériennes,** se reporter plus haut à la rubrique « Arriver – Quitter. En avion ».

Loisirs

■ **Institut français** (ex-Centre culturel ; plan C6, **4**) : 121, bd Mohammed-Zerktouni. ☎ 022-77-98-70. ● ambafrance-ma.org/institut/casablanca/ ● Mar-sam 9h-12h, 14h-19h (jeu slt mat). Projections, concerts, expositions, bibliothèque, vidéo. Le calendrier des activités du mois y est disponible.
■ **Librairie Gauthier** (plan B5) : 12, rue Moussa-ben-Noussair. ☎ 022-26-44-26. Fermé dim. Grand choix de livres neufs et d'occasion. On y trouve aussi le Guide du routard. C'est dire si elle est bien !
■ **Librairie de France :** 4, rue Chenier. ☎ 022-20-90-77. À deux pas de la pl. des Nations-Unies. Tlj 9h-21h. Une librairie bien approvisionnée.
■ **Cinémas :** pour les films en français, consultez le magazine gratuit La Quin-

zaine du Maroc. Les principales salles du centre-ville sont le **Dawliz-Habous,** av. de l'Armée-Royale ; le **Lux,** 49, bd de Paris, à côté de l'hôtel Majestic ; ainsi que le **Megarama** (hors plan par D2) au début du bd de la Corniche. ☎ 022-99-88-88. Parking payant. Prix : 40 Dh (3,60 €) la journée et 45 Dh (4,10 €) le soir. Cinéma multiplex très moderne avec toutes les sorties internationales.

■ **Piscines :** sur le bd de la Corniche. Propreté pas toujours au top ; si vous en avez les moyens, préférez les hôtels de luxe.

■ **Billard** (plan C4-5) **:** dans les cafés du parc de la Ligue-Arabe, et rue El-Hassar, à l'angle de l'av. Lalla-Yacout.

■ **Club alpin français** (zoom E3) **:** 50, bd Moulay-Abderrahman (ex-Grande-Ceinture). ☎ 022-98-75-19. ●cafmaroc. co.ma ● Différentes activités sont proposées toute l'année aux adhérents : randonnée pédestre, escalade, VTT, canoë-kayak, sports en eaux vives, canyoning, spéléologie, etc. Sorties d'une demi-journée à plusieurs jours. Participation aux frais en fonction des sports. Il faut retirer à l'avance un formulaire pour s'inscrire.

■ **Club hippique Le Barry :** route de Moulay-Thami, Dar Bouazza. ☎ 022-93-33-73. 🖩065-30-18-85. Prendre la route côtière d'Azemmour pdt 8 km, bifurquer à gauche à la station Total. Au panneau jaune, Le Barry, tourner à gauche, c'est à 2 km. Compter 120 Dh (10,90 €) l'heure. Club d'équitation qui s'étend sur 1,5 ha. Organisation de balades tous les jours.

■ **Ferme équestre Anfa :** route d'Azemmour, Aïn-Diab. 🖩063-50-06-43. Au resto À Ma Bretagne, prendre à gauche vers le Royal Club Équestre ; juste avt le portail de celui-ci, tourner à droite. Fermé lun. Compter 100 Dh (9,10 €) l'heure. Grands galops en bord de mer réservés aux initiés.

Hammams

■ **Bains Ziani** (hors zoom par E5, **5**) **:** 59, rue Abou-Rakrak (ex-rue de Verdun). ☎ 022-31-96-95. Tlj 7h-22h. Entrée : env 40 Dh (3,60 €). Trois salles : l'une pour les hommes, l'autre pour les femmes, et enfin des bains avec jacuzzi. Hammam de luxe à un prix raisonnable, avec salle de gym. La propreté est impeccable et il y a toujours une odeur d'eucalyptus dans l'air.

■ **Centre de remise en forme** (hors plan par B6, **6**) **:** 4, rue Chawqui, quartier Palmier. ☎ 022-99-23-94. Tlj sf lun 8h30-20h. Tenu par l'association Solidarité féminine, un hammam exclusivement réservé aux femmes. Pour 80 Dh (7,30 €), on se fait savonner (au savon noir, bien sûr) et gommer, en plus de l'accès au hammam. Possibilité aussi de massages, manucure, soins relaxants, etc.

Circuler en ville

Attention, il est parfois difficile de se repérer avec les noms de rues écrits en arabe. De plus, les habitants continuent d'appeler les rues par leur ancien nom (du temps du protectorat).

– **Bus :** le principal terminus se trouve place Maréchal, à l'angle de la place des Nations-Unies et de l'avenue Moulay-Hassan-Ier (plan C4). C'est là que vous obtiendrez des infos sur les différentes lignes. Pour aller au bord de la mer à Aïn-Diab, plage et piscine, prendre le n° 9. Dernier retour à 21h.

– **Voiture :** la circulation à Casa est dense, mais avec un bon plan, on arrive à s'y retrouver. Repérez les tours jumelles !

– **Stationner dans le centre :** aucun problème de stationnement dans le centre de Casa. La raison ? Tout est en zone bleue et le tarif est relativement élevé (environ 5 Dh, soit 0,50 €, pour 2h). Vous ne payez pas ? Vous avez trop tardé à faire vos emplettes ? Paf ! Un sabot ! Ensuite, il faut payer une amende auprès du gardien. Parfois même, il arrive que ledit gardien vous colle un sabot le temps que vous alliez récupérer le ticket à la borne s'il juge que vous avez trop tardé !

– *Taxis :* pour se déplacer la nuit à Casa, préférez le taxi. Plus que jamais, relisez nos conseils dans « Maroc utile ».

Où dormir ?

On peut à se loger sans problème dans le centre-ville. Les hôtels à bas prix se situent aux alentours du marché central. C'est vieillot, ça sent un peu le lino et la peinture glycéro bon marché, mais ça fait l'affaire ! En revanche, peu d'hôtels dignes de ce nom dans la médina. Dans les quartiers à la mode (le Maarif ou Gauthier), on trouve des hôtels plus haut de gamme.

Très bon marché

â *Auberge de jeunesse* (zoom D3, 10) : 6, pl. Ahmed-el-Bidaoui. ☎ 022-22-05-51. • frmaj1@menara.com • Dans la médina, sur la petite place face à Bâb-el-Marsa (porte de la Marine). Tlj 8h-10h, 12h-23h. Résa conseillée pour les chambres. Lit en dortoir 45 Dh (4,10 €), double 120 Dh (10,90 €) ; petit déj compris. Carte FUAJ non indispensable. Organisée autour d'un patio à la jolie déco, l'AJ donne sur une petite place. Propre et bien tenu.

â *Hôtel Coli* (zoom E4, 11) : 26, rue Abdellah-el-Médiouni. ☎ 022-27-13-60. Double 90 Dh (8,20 €), sans petit déj ; w-c sur le palier. Un hôtel d'une quinzaine de chambres très simples, situé dans une rue calme et qui fleure bon la laque glycéro et les meubles de nos grands-mères (ou arrière pour certains). Accueil discret.

Bon marché

â *Hôtel Rialto* (zoom E4, 12) : 9, rue Ben-Bouchaïb. En face du cinéma le Rialto. ☎ 022-27-51-22. Doubles 140-160 Dh (12,70-14,50 €) selon confort ; w-c sur le palier. Petit hôtel central et sans prétention. Chambres propres malgré tout. Salon et terrasse. Accueil décontracté.

â *Hôtel Mon Rêve* (zoom E4, 13) : 7, rue Chaouia. ☎ 022-31-14-39. Derrière le marché central. Double 180 Dh (16,40 €) avec douche et w-c, 130 Dh (11,80 €) sans. Petit hôtel d'une cinquantaine de chambres possédant le charme des vieilles bâtisses. Cham-

bres dans les tons bleus. Vraiment bien situé, mais un peu bruyant... Préférez les chambres qui font l'angle (vue sur le marché).

â *Hôtel des Négociants* (zoom E4, 14) : 116, rue Allal-ben-Abdellah. ☎ 022-31-40-23. À côté du marché central. Selon confort, doubles 150-210 Dh (13,60-19,10 €), sans petit déj ; négociable en basse saison ; quelques chambres pour routards fauchés. Un hôtel kitsch, tout en faïences et en mouchetis pâles. Déco minimaliste, mais l'ensemble est propre. Bon accueil de Mohamed, le gérant.

Prix moyens

â *Hôtel Galia* (zoom E4, 15) : 19, rue Ibn-Batouta. ☎ 022-48-16-94. Chambres 220-250 Dh (20-22,70 €), les plus chères avec bains. Petit déj en sus. Un hôtel qui sent la peinture, avec des chambres spacieuses et des douches impeccables. Préférez les chambres d'angle, avec leurs 3 grandes fenêtres.

â *Hôtel Astrid* (zoom D4, 16) : 12, rue du 6-Novembre. ☎ 022-27-78-03. • ho

telastrid@hotmail.com • Connection wi-fi. Internet à disposition. Double avec sdb 300 Dh (27,30 €), petit déj non compris. Une situation très centrale et pourtant calme. Les chambres sentent toutefois un peu le renfermé.

â *Hôtel de Lausanne* (zoom D4, 17) : 24, rue Tata. ☎ 022-26-86-90. En plein centre. Double 300 Dh (27,30 €). Pas de petit déj, mais on peut le prendre au café mitoyen. Un charme un peu désuet pour un hôtel pas désagréable. Les chambres sont grandes et propres, meublées avec table et chaises. Celles sur le boulevard disposent d'une terrasse et restent calmes car bien isolées.

Chic

🛏️ |🍴| **Hôtel Central** (zoom D3, **18**) : 20, pl. Ahmed-el-Bidaoui. ☎ 022-26-25-25. 📠 061-16-28-26. ● hotelcentralcasa. com ● Face à Bal-el-Marsa, dans la médina. Double 400 Dh (36,40 €) avec petit déj ; également des triples. CB acceptées. Réduc de 20 % sur les chambres sur présentation de ce guide. Une trentaine de chambres dont la moitié avec vue sur mer dans cet hôtel décoré avec goût dans un style un tantinet baba cool. Jamal, le sympathique gérant, a visiblement joué la carte de la séduction. Chambres lumineuses et tout en couleur réparties sur deux étages. Quelques défaillances côté entretien. Bar-lounge au rez-de-chaussée où l'on refait le monde autour d'un thé à la menthe en fumant le narguilé. Belle terrasse qui domine le port pour un agréable petit déj. Au sous-sol, cyber réservé aux résidents. Il se dégage de cet endroit chargé d'histoire une atmosphère agréable.

🛏️ |🍴| **Hôtel Maâmoura** (zoom E4, **19**) : 59, rue Ibn-Batouta. ☎ 022-45-29-67 ou 022-45-29-68. ● hotelmaamora@yahoo.fr ● Double 470 Dh (42,70 €) ; petit déj en sus. Menu 150 Dh (13,60 €). CB acceptées. Réduc de 25 % sur les chambres sur présentation de ce guide. Une cinquantaine de chambres et 5 suites dans cet hôtel rénové de belle fac-

ture situé à deux pas du marché central. Belles chambres aux tons neutres et meublées dans un style anglais. Ambiance agréable. Accueil pro. L'hôtel réserve des places de parking, ce qui est appréciable à Casa. Bon rapport qualité-prix.

🛏️ **Hôtel Salim** (zoom D5, **20**) : 37, rue El-Arrar. ☎ 022-20-44-41. À côté du resto La Corrida. Double 450 Dh (40,90 €) avec petit déj ; négociable jusqu'à 15 % de réduc. CB acceptées. Un petit hôtel central et bien tenu. Une cinquantaine de chambres proprettes, murs en enduit ciré, tableaux en bas-relief de cuivre, le tout conférant à cet hôtel calme un charme particulier.

🛏️ |🍴| **Hôtel Maanar** (zoom E3, **21**) : 3, rue Chaouia (ex-rue Colbert). ☎ 022-45-27-52 ou 51. Derrière le marché central. Double 400 Dh (36,40 €), sans petit déj. Un hôtel récent d'une cinquantaine de chambres réparties sur 7 étages. TV et chauffage central. Bien placé.

🛏️ |🍴| **East-West Hotel** (plan B4, **22**) : 10 av. Hassan-Souktani. ☎ 022-20-02-10. ● eastwest-hotel.com ● Quartier Gauthier. Double 530 Dh (48,20 €) avec petit déj. Une quarantaine de chambres dans cet hôtel 3 étoiles de construction récente donnant sur une rue calme et idéalement placé pour partir à la découverte de Casa. Bar. Resto.

Très chic

🛏️ |🍴| **Hôtel Idou Anfa** (plan A5, **23**) : 82, bd d'Anfa. ☎ 022-20-02-35. Dans le centre, à deux pas de la place de la Fraternité. Double 1 900 Dh (172,70 €) avec petit déj. Un hôtel de classe internationale, construit dans une tour de 16 étages. Beau panorama d'en haut. Chambres impeccables. Petit déj-buffet un peu léger vu le prix. Parking gardé. Bon accueil.

🛏️ **Hôtel Riad Salam** (hors plan par A2) : à 3 km au sud de Casablanca, sur le bd de la Corniche, face à la mer. ☎ 022-39-13-13. Double 2 330 Dh

(211,80 €), petit déj compris. Réduc tte l'année de 15 % sur le prix des chambres sur présentation de ce guide, mais négociable jusqu'à 50 % hors saison, tentez donc votre chance ! L'hôtel ondule autour d'un jardin enserrant la piscine à 3 bassins. Centre de thalassothérapie Le Lido. Les bungalows et les chambres sont très agréables, mais un peu cheap au regard de la classe à laquelle prétend cet établissement.

🛏️ **Dar Itrit** (hors plan par A6) : 9, rue de Restinga. ☎ 022-36-02-58. ● daritrit. ma ● Sur le bd Gandhi, prendre l'av. de l'Atlas et tourner à gauche à la station Shell. *Compter 1 080 Dh (98 €) pour une double, petit déj inclus.* Trois chambres, la *Marrakech*, la *Berbère* et la *Mogador*, décorées avec raffinement, dans une vraie maison d'hôtes. Accueil enjoué. Une adresse pour vous détendre, hors des sentiers battus.

â–² *Hôtel Kenzi Basma (zoom D4) : 35, rue Moulay-Hassan-Ier.* ☎ *022-22-33-23.* ● *kenzi-hotels.com* ● *Parking pour les clients. Double 1 600 Dh (145,50 €) ;*

petit déj en sus (négociable). CB acceptées. Réduc de 10 % sur le meilleur tarif disponible à l'hôtel sur présentation de ce guide.* Les chambres, rénovées, sont agréables et dotées de tout le confort (connexion Internet avec accès wi-fi, indispensable pour les hommes d'affaires qui plébiscitent l'établissement). Certaines possèdent une vue magnifique sur la vieille médina et la mosquée Hassan-II. Un resto et un lounge-bar.

Où manger ?

Très bon marché (moins de 50 Dh / 4,50 €)

– Les amateurs de fruits de mer et autres produits de la mer trouveront leur bonheur aux abords et dans le **marché central** *(zoom E4, 30)*. Pour la friture, achetez votre poisson vous-même et portez-le à un des nombreux petits restaurants situés à l'intérieur du marché pour qu'on vous le passe sur le gril ou le fasse frire pour 10 Dh/kg (0,90 €). En rajoutant 2 Dh pour le pain et 5 Dh pour une petite salade, vous vous empiffrerez pour moins de 25 Dh (2,30 €).

– Les huîtres de l'*Ostréa* de Oualidia (celle du parc contrôlé N° 7) sont en vente à l'entrée du marché central (juste en face du resto *La Bodega*). *Compter 5-7 Dh (0,50-0,60 €) la pièce ou 70 Dh (6,40 €) la douzaine.* À négocier évidemment. Elles sont excellentes. Commander une assiette à Naïma et faites-vous livrer dans un des nombreux petits restos du marché.

– Pour déguster des fruits de mer sur le pouce, amarrez-vous au *Parc Dar Kachon* (!), en plein milieu du marché central *(zoom E4, 30).* ☎ *061-96-42-76.* Zoubida, Zouzou pour les intimes, est une figure du marché. Elle vend des huîtres, des palourdes, des bigorneaux, des couteaux. Elle décortiquera du crabe ou de l'araignée de mer spécialement pour vous. Une adresse à ne pas manquer.

|●| *Snack Rouge et Blanc (zoom D4, 31) : 16-18, bd Lalla-Yacout. À deux pas de l'hôtel* Champlain. *Tlj 12h-2h.* Un petit resto très propre et bien placé qui

sert de véritables tajines et un poulet-frites pour trois fois rien. Excellent rapport qualité-prix. L'échoppe d'à côté sert de très bons jus.

|●| *La Marina (zoom D5, 32) : 73, rue El-Arrar (ex-rue Gay-Lussac). Fermé dim. Le soir sur résa. Délicieux tajines et couscous ven 22 Dh (2 €).* Propre, frais et agréable. On vous sert des petits plats comme à la maison. Accueil parfait.

|●| *Snack Amine (zoom E4, 33) : 22, rue Chaouia (ex-rue Colbert). En face du marché central. Tlj jusqu'à 22h. Annexe à côté du marché de Derb Ghallef au 9, bd El-Habacha (ex-35, rue Watteau).* Bonnes fritures, plateaux de fruits de mer et de poissons à partir de 2 personnes. Paellas pas chères. Un snack très propre, la jolie déco de mosaïques, où l'on mange bien et copieusement.

|●| *Snack Anwal (zoom E4, 34) : 115, rue Allal-ben-Abdallah. À côté de la* Bodega. Une adresse très prisée des locaux pour ses grillades. C'est propre et le service est efficace.

|●| *Snack Es-Saada (plan B3, 35) : 56, bd de Bordeaux.* Bon snack. Un peu plus loin dans la rue, excellents jus de fruits au *Jus Ouzoud* ou à son concurrent le *Jus Bordeaux.*

|●| *Le P'tit Ramsès (zoom D4, 36) : 10, pl. des Nations-Unies. Tlj 12h-23h.* Un fast-food à la sauce marocaine, propre et agréable, avec vue sur la place. Couscous le vendredi. Accueil sympathique de Mjid. Une adresse recommandée par nos lecteurs.

De bon marché à prix moyens (moins de 150 Dh / 13,60 €)

|●| *Le Luigi* (hors plan par A5, **37**) : angle rue de Normandie et bd Abou-Yaala-Al-Ifrani. ☎ 022-39-02-71 ou 74. Résa conseillée. Un des restos italiens tu plus coté de la ville. Pas pour la déco, mais pour ce qu'il y a dans l'assiette. Les meilleures pizzas de Casa, dit-on !

|●| ▼ *La Bodega* (zoom E4, **38**) : 129, rue Allal-ben-Abdellah. ● bodega.ma ● *Derrière le marché central. Fermé sam midi et dim. CB acceptées*. Intérieur typiquement espagnol. Salva, le gérant, est très actif. C'est encore un des derniers endroits branchés du centre historique. Très animé à l'heure du déjeuner, ce resto est le rendez-vous de tous les aficionados du quartier. Cuisine espagnole et bel assortiment de tapas. Le soir, on y vient savourer une bière ou écluser un *mojito*. Le tout en musique. Bar latino au sous-sol. Écran géant en surface. Un rade idéal pour vivre les matchs de foot !

|●| *La Corrida* (zoom D5, **39**) : 35, rue Al-Arrar. ☎ 022-27-81-55. *Fermé dim*. Fondé par l'ancien directeur des arènes de Casa, ce resto fonctionne depuis la fin des années 1940 ! Sur la scène, qui accueille de temps en temps quelques bœufs (musicaux) endiablés, il ne reste que les habits des matadors. Vous mangerez dans la salle sang et or ou dans le jardin. Élevée par les anciens propriétaires, Malika, qui a hérité de l'affaire, s'efforce d'en perpétuer la mémoire. Elle œuvre en salle et aux fourneaux et propose une excellente paella.

|●| *Paul* (hors plan par A5, **40**) : angle bd d'Anfa et bd Moulay-Rachid. ☎ 022-36-60-00. ● paul.ma ● Endroit très prisé de Casa, sans doute moins pour l'enseigne que pour le style Art déco de cet ensemble architectural classé Monument historique. Voir aussi « Où boire un thé, un jus ? ».

Chic (150-250 Dh / 13,60-22,70 €)

|●| *La Sqala* (plan D2, **41**) : *dans la sqala, bd des Almohades*. ☎ 022-26-09-60. *Face au port. Tlj le midi, le soir dès les beaux jours*. Les murs de cette ancienne forteresse, encore gardée par des canons, abritent le plus merveilleux secret de Casa. Au milieu des orangers, bougainvilliées et autres plantes exotiques, accompagné du murmure de la fontaine, on déguste de très bonnes recettes ancestrales et rurales, typiquement marocaines. Petites tables en mosaïques, grands parasols, service particulièrement attentionné. Voir également « Où boire un thé, un jus ? ».

|●| *La Taverne du Dauphin* (zoom D3, **42**) : *115, bd Houphouët-Boigny*. ☎ 022-22-12-00. *Fermé dim. Arriver tôt pour trouver une place. CB acceptées*. Une véritable affaire de famille, tenue par des Marseillais, spécialisée dans le poisson et les fruits de mer. Le resto est séparé du bar par la cuisine. Quelques tables dehors en été. Grand choix de vins et de bières étrangères.

|●| *Le Port de Pêche* (zoom D-E2, **43**) : *descendre jusqu'au port par l'av.* Houphouët-Boigny, puis prendre à gauche (avt la grille des douanes). ☎ 022-31-85-61. *Fermé l'ap-m. Résa conseillée*. L'atmosphère est simple, familiale et sympathique. On y déguste un poisson en feuilleté, en gratin, en tajine, en friture ou en salade. En face, c'est à *L'Ostréa* (☎ 022-44-13-90) que vous savourerez les fameuses huîtres N° 7 en provenance de Oualidia. Un peu plus cher mais cuisine plus élaborée.

|●| *Frères Gourmets* (hors plan par A5, **44**) : *9, rue Aïn-Harrouda (ex-rue Jeanne-d'Arc), quartier Racine*. ☎ 022-94-60-00. *Du centre-ville, une petite rue à droite, sur le bd d'Anfa*. Un repaire de bons vivants dans une rue de commerces chic. À la fois resto (petites entrées, assiettes gourmandes, salades et plats du jour) et épicerie fine (thé, foie gras et glaces). Le tout alliant avec brio terroirs français, italien et marocain.

|●| *La Brasserie Bavaroise* (zoom E4, **45**) : *133, rue Allal-ben-Abdellah*. ☎ 022-31-17-60. *En face du marché central. Repas env 250 Dh (22,70 €)*. Le patron a fait ses armes chez *Bocuse* et

Lenôtre, ce qui explique la qualité de sa cuisine. Tous les mois, spécialités allé-chantes de différentes régions de France. Les viandes sont grillées au charbon de bois. Dans les plats de brasserie : tripes, choucroute, ris de veau à l'armagnac. Poisson selon le marché du jour. Une adresse très réputée, et un joli cadre. Bon accueil.

IOI **Le Thaï Gardens** (hors plan par A2, **46**) : av. de la Côte-d'Émeraude, Aïn-Diab. ☎ 022-79-75-79. • thaigarden sgroup.com • Résa conseillée. Menu dégustation 220 Dh (20 €). CB acceptées. La déco lumineuse et le mobilier de bois sombre, appellent la végétation extérieure à travers un rideau de verre courant à la périphérie des salles. Une musique d'ambiance parachève ce petit voyage culinaire en terre de Siam. Service et cuisine soignés. Excellent accueil.

Très chic (plus de 250 Dh / 22,70 €)

IOI **Al-Mounia** (zoom D4, **47**) : 95, rue du Prince-Moulay-Abdellah. ☎ 022-22-26-69. Non loin du consulat de France. Fermé dim. Résa conseillée. Env 250 Dh (22,70 €). CB acceptées. Pavillon typiquement marocain tout en zelliges et plafond en bois sculpté ou peint. Beau patio dans lequel trône un légendaire poivrier d'Amérique. On y mange la meilleure cuisine marocaine du centre-ville, et ça se sait !

IOI **Le Basmane** (hors plan par A2, **48**) : angle de l'Océan-Atlantique et bd de la Corniche, Aïn-Diab. ☎ 022-79-70-70 ou 75-32. • basmane-restaurant.com • Tlj midi et soir. Résa conseillée. Compter 250-300 Dh (22,70-27,30 €) à la carte. CB acceptées. Lové au sous-sol de l'hôtel du Val d'Anfa, ce resto qui se veut le gardien de la tradition culinaire marocaine, propose une cuisine aux embruns du grand large. Le soir, on y mange en musique dans un cadre typiquement andalou, tables rondes mibasses, banquettes aux coussins vermillon, murs en zelliges, sols marmoréens et plafond de stuc ou de cèdre. L'ensemble est peut-être un peu classique, mais l'assiette est au rendez-vous. Spécialité de pageot royal à la fassia ou tride mellali au poulet beldi (sorte de crêpe fourrée). Cuisine très appréciée des locaux.

IOI **À Ma Bretagne** (hors plan par A2) : bd Sidi-Abderrahmane. ☎ 022-36-21-12. À env 5 km de la sortie de la ville, en suivant la route de la Corniche. Tlj sf dim. Résa conseillée. À la carte 300-400 Dh (27,30-36,40 €). CB acceptées. Dans une bâtisse ultramoderne, avec de grandes baies vitrées ouvertes sur l'Atlantique, André Halbert, maître cuisinier de France (normand et non pas breton !), vous concoctera un repas gastronomique avec des produits de toute première qualité. Parmi les spécialités : boudin de faisan au foie gras ou le croquant chocolat à la coriandre. Tout n'est que raffinement. Service stylé, éclairage feutré, belle carte des vins français et marocains.

IOI **La Maison du Gourmet** (plan A4, **49**) : 159, rue Taha-Houcine (ex-rue Galilée), quartier Maarif. ☎ 022-48-48-46. Fermé sam midi et dim. Résa conseillée. Compter 400-500 Dh (36,40-45,40 €) pour vous régaler. Dans un style salle à manger bourgeoise au décor de bois, Philippe Pesneau et Meryem Cherkaoui vous reçoivent chez eux. Ils ont été tous les deux à l'école des plus grands maîtres, c'est donc un grand moment de gourmandise qui vous attend. Ici, le chef, c'est Meryem ! Récemment de retour au pays, la jeune femme propose une cuisine française dans laquelle une petite note marocaine n'est jamais absente, à l'image de la pastilla au canard confit et foie gras. Les académistes opteront pour un irrésistible chausson aux cèpes et ris de veau... En tout cas, ces deux-là savent de quoi il en retourne en matière de cuisine ! Une adresse exceptionnelle, tout comme l'accueil.

IOI **Le Rouget de L'Isle** (zoom C4, **50**) : 16, rue Rouget-de-L'Isle. ☎ 022-29-47-40 ou 022-26-16-00. Derrière l'hôtel Ramada. Quartier Gauthier. Fermé sam midi et dim. Résa conseillée. Compter 300 Dh (27,30 €) pour un repas à la carte. CB acceptées. Aménagé dans une ancienne villa Art déco superbement meublée, ce restaurant propose une cuisine française élégante et raffinée. Que vous choisissiez la maison où la terrasse, Nadine vous accueillera et saura vous installer pour que vous passiez un moment agréable. Carte variée travaillée avec efficacité. Rognons braisés ou cailles rôties au jus de foie gras, poêlée de Saint-Jacques et autres fruits de mer, la cuisine est un art que Gérard Viaud maîtrise à l'évidence. Belle suggestion de vins français. Vu la taille des verres, oubliez les demi-bouteilles ! Une bonne adresse.

Où manger une pâtisserie ? Où déguster une glace ?

|●| *Pâtisserie Bennis* (hors plan par H5) : 2, rue Fkih-el-Gabbas. Dans le quartier des Habous, dans une ruelle proche de la pl. Moulay-Youssef. Env 120 Dh (10,90 €) le kilo, soit une cinquantaine de pâtisseries. La plus célèbre pâtisserie de Casablanca. On y mange des spécialités marocaines réputées dans tout le pays. Les gâteaux sont divins.

|●| *Amoud* (plan A5, *51*) : 26, bd Al-Massira al-Khadra. ☎ 022-39-07-09. La pâtisserie référence de la capitale économique du Maroc. Des petits gâteaux à vous laisser baba !

|●| *Salon de thé Alba* (zoom D4, *52*) : 59-61, rue Idriss-Lahrizi. ☎ 022-22-71-54. En plein centre-ville, près de la rue piétonne. Tlj 6h30-21h30. Grand salon de thé aménagé sur deux niveaux et meublé dans un style colonial moderne. Vous y dégusterez des crêpes, des glaces ou siroterez un thé à la menthe. Un des lieux de rencontre préférés des Casablancais.

|●| *Pâtisserie de l'Opéra* (zoom D4, *53*) : 50, rue du 11-Janvier. Agréable salon de thé. Grand choix de pâtisseries françaises et marocaines. Fait également boulangerie. Super pour le petit déj.

|●| *Paul* (hors plan par A5, *40*) : voir « Où manger ? De bon marché à prix moyens ». Si vous n'y déjeunez pas, allez prendre un thé et des petits gâteaux dans cet endroit très prisé de Casa.

♦ *Oliveri* (plan C6, *54*) : 132, av. Hassan-II. Annexe rue Kadi-Lass dans le Maarif. Repérez les tours jumelles ! Tlj jusqu'à 1h. On fait la queue dès l'ouverture pour cet établissement qui a gardé longtemps le monopole du cornet à Casa. Il faut avouer que ses glaces artisanales sont excellentes, même si le choix est restreint.

♦ *Venezia Ice* (plan A5, *55*) : bd Massira-al-Khadra. En face de Zara et Mango. Une annexe à Tahiti Beach, sur la corniche. Ouv tard le soir. Le glacier marocain par excellence et qui possède son propre laboratoire.

Où boire un thé, un jus ?

♟ *La Sqala* (plan D2, *41*) : dans la Sqala, bd des Almohades. Aménagé dans une ancienne forteresse, ce resto en plein air (voir « Où manger ? ») est aussi idéal dans la journée pour venir y déguster de succulents cocktails de fruits ou un thé avec la menthe de votre choix (il y en a 4 sortes différentes !). Un endroit canon !

♟ *Milk Bar N° 6* (hors plan par F6, *60*) : rue Ibn-Khaldoun, quartier des Habous. Un café sous les arcades où l'on sirote un excellent thé à la menthe ou un petit café, loin de l'effervescence du centre-ville.

♟ *Cup's Café* (plan B4, *61*) : 7, rue Hassan-Souktani, quartier Gauthier. Ambiance agréable, surtout en terrasse où il fait bon venir prendre un thé en journée ou le soir en écoutant une musique blues jazzie. Pour un petit creux, un minisnack se trouve juste à côté. Prix raisonnables.

♟ *Café Yasmina* (zoom C5, *62*) : dans le parc de la Ligue-Arabe. Très belle terrasse. Cadre agréable ; beaucoup d'étudiants qui viennent y réviser leurs cours.

♟ De nombreux *bars* sur la corniche, dont la terrasse donne sur l'océan...

Où sortir ?

Petite note pour les noctambules

Le Maroc avance : les femmes qui travaillent sont aujourd'hui de plus en plus indépendantes et à même de s'octroyer une « liberté de nuit », chose somme toute relativement récente. En conséquence, on reconnaît les lieux branchés fréquentables à l'exacte parité entre garçons et filles.

En revanche, certains endroits demeurent encore à dominante masculine, et le déficit de la gent féminine est compensé par des « gazelles à péage ». Il va sans dire que nous avons privilégié le premier type d'établissements. Par ailleurs, sachez qu'à l'instar de toutes les grandes villes du monde les endroits à la mode changent vite.

🍷 🎵 *Rick's Café* (plan D2, **63**) : *248, bd Sour-Jdid, pl. du Jardin-Public.* ☎ 022-27-42-07. • *rickscafe.ma* • Du nom du piano-bar mythique du film de Curtiz, *Casablanca,* ce lieu est devenu réalité grâce à une Américaine, 60 ans jour pour jour après que le film fut primé à Cannes. Décor très réussi. Un lieu parfait pour y boire un verre le soir. Jazz live le dimanche soir. Plus sympa, meilleur marché et beaucoup moins touristique que le bar du *Hyatt*.

🍷 *Le Trica* (plan B4, **64**) : *5, rue Al-Moutanabi, quartier Gauthier.* ☎ 022-22-07-06. • *tricamellis@hotmail.com* • *Tlj sf sam midi et dim 12h-1h. Résa conseillée. Carte 60-100 Dh (5,40-9,10 €).* Bar-*lounge* sur deux niveaux, l'endroit est idéal pour commencer une virée nocturne. Intérieur brique, ambiance sixties un chouïa destroy. Ils ont même réussi à garer la Dauphine à l'étage ! Dans une ambiance surchauffée, on rit, on mange des pâtes italiennes arrosées de *mojitos* ou de bière. Le soir, les ventilateurs brassent une musique techno qui bat comme le cœur de l'Afrique du Nord. C'est l'endroit où il faut se rendre pour prendre le pouls du nouveau Maroc. Le midi, c'est plus calme, on y apprécie une carte italienne et des salades servies dans des assiettes gigantissimes.

🍷 🎵 *Le Kazbar* (plan A4, **65**) : *7, pl. Ollier, quartier Gauthier.* ☎ 022-20-47-47. • *restaurantkazbar.com* • *Tlj sf dim 22h-1h. Conso 60 Dh (5,40 €). Menu spectacle 220 Dh (20 €). Tenue correcte et résa obligatoire 48h avt pour dîner.* Dans un important volume Art déco baroque en mezzanine, on assiste à un dîner-spectacle extraordinaire. Derrière une baie en verre dépoli, les mirlitons

s'activent à vous concocter une carte franco-italienne de choix. À table ou accoudé au bar, l'ambiance bat son plein, surtout en milieu de semaine quand Maxime, le chanteur oriental, atomise la salle avec son répertoire de classiques arabes. Ces jours-là, ça danse autour des tables dans une ambiance digne des mariages les plus festifs. Le reste de la semaine : *jam-session* le lundi, ambiance latino avec cours de salsa le mardi, et le week-end un chanteur de world music. L'un des endroits les plus animés de Casa.

🍷 🎵 *Le Mystic Garden* (hors plan par A2, **66**) : *33, bd de la Corniche, Aïn-Diab.* ☎ 022-79-88-77. *Tlj jusqu'à 2h. Compter 350 Dh (31,80 €) à la carte.* Un resto-bar tout en géométrie et en décibels sur deux niveaux. Le rez-de-chaussée est largement ouvert sur le jardin (qui n'a rien de mystique soit dit en passant) et l'étage sur le grand large. Mobilier contemporain, sobre et distribué pour profiter de la scène où se produisent des groupes en live. La cuisine, méditerranéenne, est correcte. Bar agréable. De son perchoir, le DJ envoie de la techno. Les amateurs de musique latino apprécieront le milieu de semaine. *Jam-session* le dimanche soir. Une valeur sûre, mais un peu cher.

🍷 🎵 🎵 *Amstrong Legend* (hors plan par A2, **67**) : *41, bd de la Corniche, Aïn-Diab.* ☎ 022-79-77-58/59. *Jusqu'à 4h. Y aller vers 1h. Conso 100 Dh (9,10 €).* Montrer patte blanche à l'entrée. Petite cave en pente douce du bar vers la scène où l'on sert avec force décibels un live des plus authentique à dominante rythm & blues aux accents funky. Le groupe change tous les deux mois. La clientèle 30-40 ans n'y vient pas pour la déco. Ici la musique fait tout. Archi plein, même en semaine. On boit et on danse dans la bonne humeur, et quand sur les coups de 2h30 Michel, le gérant, monte sur scène pour accompagner le groupe au derbouka, c'est toute la salle qui s'enflamme, et ça fait quelques années que ça dure ! Un endroit incontournable à Casa.

♚ Non loin de là, le **Balcon 33**, le dinosaure de la corniche, est également un resto-bar réputé de la capitale. Les Casaoui continuent d'y venir en couple

malgré la présence de « sauterelles tentatrices ». Dans l'ensemble cela reste bon enfant et on y mange très bien.

♫ **Le Pulp'** (hors plan par A2, **68**) : bd de la Corniche, Aïn-Diab. ☎ 061-25-84-60 ou 074-15-68-28. En face de la piscine de Tahiti Beach. Tlj à partir de 1h et jusqu'au bout de la nuit. Conso 100 Dh (9,10 €). L'un des endroits branchés pour s'éclater. Le Pulp', ça déménage ! Aândek les yeux ! Passé 30 ans, vous êtes déjà un vieux !

À voir. À faire

Dans le centre historique de Casa, les immeubles Art déco, qui firent la renommée de la ville, tombent jour après jour sous le joug du manque d'entretien. Visiblement il n'y a guère que les banques pour s'octroyer les crédits nécessaires à leur réhabilitation. La plupart des façades sombrent dans une inéluctable décrépitude, et l'animation, qui faisait le charme du quartier, glisse vers le Maarif, où les Casablancais, à grands coups d'enseignes internationales, se réinventent une modernité. Aujourd'hui, l'ex-centre se meurt lentement, à force de ruines aux étages et de cafés bruyants au ras de la rue. La nuit tombée, des hommes en perdition s'encanaillent d'une mauvaise mousse et de quelques baisers tarifés. La mode n'y est plus, mais c'est quand même l'endroit de la capitale – exception faite du marché de Derb Ghallef, spécialiste du hard discount – où vous trouverez les petites boutiques de fripes à bas prix.

♟ **Le centre-ville :** l'ancienne rue de Strasbourg (zoom E4-5), entre la place du 20-Août et celle de la Victoire, aux abords du marché central, est très animée le matin. On stationne, on charge, on décharge, on discute les prix, on fait ses comptes sur le capot d'une voiture. La rue déborde d'étoffes, d'articles de prêt-à porter, de passementerie. On est dans le quartier des tailleurs, le petit Sentier de Casa. Une fois midi sonné, il ne reste de ce spectacle qu'une rue sale, moribonde et sans charme, alors allez-y de bonne heure !
Rejoindre ensuite la rue du Prince-Moulay-Abdallah piétonne (zoom D4-5), de beaux spécimens de bananiers et de yuccas rappellent que Casa est bien une ville d'Afrique.

♟ **Le marché central** (zoom E4) : bd Mohammed-V. Côté opposé à la poste centrale. Tlj sf j. fériés 7h-14h. On peut y déjeuner 12h-14h30. Quelle bonne occasion de prendre ses distances avec la circulation automobile et la pollution que de flâner dans ce marché en partie couvert ! Fleurs, fruits, épices, viandes, poissons et crustacés sont tellement bien présentés qu'ils mettent en appétit.

♟ **L'ancienne médina** (plan D2-3) : avec son enchevêtrement de ruelles corsetées dans de sobres et robustes remparts datant du XVIe s, la médina offre un contraste frappant avec la ville nouvelle. Entrez-y par Bâb-Marrakech, puis laissez-vous porter par la foule. Surtout en fin de journée. Il est inutile d'y aller avant 10h car toutes les boutiques sont closes.
La médina de Casa a gardé l'authenticité de ses sœurs du royaume : le long de la rue Abderrahmane-el-M'Khamet, des hommes attendent, accroupis le long des bordures de trottoirs devant des assemblages hétéroclites de pommes de douche et de furets. Ce sont les plombiers, toujours prêts à vous donner un bon tuyau ! Au marché, on vend des légumes. C'est brut de décoffrage. Et puis on y trouve la

CASABLANCA

même bimbeloterie de Chine qu'ailleurs. De la *sqala* (le bastion), on découvre le port de pêche et les bateaux de plaisance.

🦵 *La préfecture (wilaya) :* construction des années 1930 flanquée d'une tour de 50 m qui permet d'avoir un beau coup d'œil sur la ville. Se renseigner, à l'entrée, sur les conditions d'admission. En principe, on peut pénétrer à l'intérieur du bâtiment (photos interdites), pour le jardin tropical et deux grandes peintures de Majorelle (voir le jardin Majorelle à Marrakech). Le consulat de France dissimule, derrière ses grilles, la *statue équestre de Lyautey,* qui se dressait auparavant au centre de la place. L'avenue Hassan-II conduit au parc de la Ligue-Arabe.

🦵 *Le parc de la Ligue-Arabe* (plan C4-5) : ce parc, que traverse une magnifique allée de palmiers, fut dessiné en 1918. C'est un agréable lieu de détente. On peut aussi méditer assis aux nombreuses terrasses de café qui incitent à prolonger la pause aux côtés des étudiants venus y réviser leurs cours en groupe.
À proximité, dans la rue d'Alger, se dresse la masse importante de l'*église du Sacré-Cœur,* construite en 1930 dans un style typiquement Art déco, mais qui malheureusement ne se visite pas.

🦵🦵 *La Villa des Arts* (plan C4-5) : 30, bd Brahim-Roudani. ☎ 022-29-50-87. ● maghrebarts.ma ● Mar-sam 11h-19h. Cette villa, datant de 1930, de style Art déco, abrite des expositions d'art contemporain et expose des artistes de renommée internationale.

🦵🦵 *La nouvelle médina ou le quartier des Habous* (hors plan par H5) : près du palais de justice et du palais royal. Pour y aller, bus n° 81 du bd de Paris. En voiture, prendre l'av. de Mers-Sultan puis l'av. du 2-Mars, en s'arrêtant au passage devant la puissante masse de béton de l'église Notre-Dame-de-Lourdes (plan général D6), construite par un Français en 1953. Ouv le mat et l'ap-m. À l'intérieur, série de vitraux exceptionnels couvrant plus de 800 m².
En montant le boulevard Victor-Hugo qui longe le parc Murdoch, on aperçoit, après le palais royal, l'ancienne *Mahakma du pacha,* autrefois tribunal musulman et salon de réception du pacha de Casablanca. Décoration assez étonnante. L'édifice, terminé dans les années 1950, est un beau témoignage du talent des artisans marocains. Plafonds de bois sculptés, murs de stucs ouvragés, parois tapissées de carreaux de faïence et belles grilles de fer forgé. Et tout cela se répète dans une soixantaine de salles et de cours réparties autour d'un jardin intérieur, entouré d'arcades. Visite possible l'après-midi (avec un guide assermenté).
Autour de la *place Moulay-Youssef,* plantée de ficus gigantesques, les arcades débordent d'objets d'artisanat. Ici point de harcèlement, nous sommes loin des souks de Marrakech. Allez faire quelques pas dans cette médina proprette aux murs chaulés d'un blanc aveuglant. Tout est clean, on est très près du palais royal ! Admirez le mariage de la tuile vernissée avec la pierre, le savant assemblage des poutres en bois de cèdre dans la *rue Haj-Lamfadel, la rue des antiquaires.* Dans la *kissaria rdima,* vous retrouverez les ambiances des bazars typiquement orientaux. Goûtez à toutes les sortes d'olives dans le petit marché situé dans un renfoncement rue du *souk Jdid.* Puis dirigez-vous vers le *derb Sultan* (le quartier du Sultan), de l'autre côté de la voie ferrée. C'est là que les Casablancais viennent se remplir la panse de grillades. Toutes les viandes sont là : chameau, bœuf, mouton. Une viande que vous choisirez vous-même, entre 60 et 100 Dh (5,40-9,10 €) le kilo, avant de la confier au grilleur pour 15 Dh (1,40 €) afin qu'il la saisisse à votre convenance. L'endroit est très animé le week-end.
Descendez la *rue Belghazi,* dissimulée sous un dais de parasols multicolores jusqu'au *souk aux épices.* Les Arabes furent en contact avec les régions de production des épices bien avant les Européens. La raison ? L'expansion rapide de l'Islam vers l'Asie puis vers l'Afrique. Grâce à leurs navigateurs émérites et à leurs commerçants qui sillonnaient l'Ancien Monde, les Marocains échangèrent, dès le VIIIe s, par voie maritime ou terrestre, les produits de l'Orient contre les leurs. Les épices

participèrent ainsi à l'émergence d'un art culinaire local, notamment en Andalousie musulmane, dont la cuisine marocaine est la principale héritière.

Des peaux de bêtes féroces, des bocaux de caméléons séchés, des préparations à base d'insectes, de plantes aromatiques, de graisses animales, sans oublier les tortues, les hérissons, les peaux de serpents, les lézards, la concrète de rose et les huiles essentielles : c'est ici que l'on vient trouver un cœur de hyène, imparable pour faire revenir son bonhomme à la maison, paraît-il ! Faites votre marché magique, vous êtes dans le Maroc millénaire, loin du marketing et de la circulation. Ici les voyantes ont pignon sur rue, portrait du roi et numéro de patente dans chaque boutique, toutes alignées comme des baraques à frites à la foire du Trône ! Offrez-vous le plaisir d'un doigt décoré par une hennayate. 5 Dh (0,45 €) le doigt, 30 Dh (2,70 €) la main, allez comprendre ! Ici on n'utilise que du henné naturel et le travail est soigné. Bref, offrez-vous un Casa différent, et tordez le cou définitivement aux idées reçues qui font de cette ville une escale sans grand intérêt.

🏃🏃 *La mosquée Hassan-II* (plan A-B1) : *la plus grande du Maghreb.* ☎ 022-22-25-63. *Visites guidées tlj sf ven (jour de la prière) à 9h, 10h, 11h et 14h. La visite dure 1h. Entrée : 120 Dh (10,90 €) ; réduc étudiants sur présentation de la carte. Les femmes qui pénètrent à l'intérieur doivent bien sûr se couvrir les épaules.*

D'accord, c'est très cher, mais c'est avec celle de Tin-Mel, dans le Haut Atlas, la seule accessible à la visite pour un non-musulman. Si vous ne voulez pas payer, jetez au moins un coup d'œil par les portes. Hassan II n'a pas fait dans la demi-mesure ! On dit, en terre d'Islam, que celui qui bâtit une mosquée de son vivant hérite d'une belle maison au paradis d'Allah... à condition de la construire sur ses fonds propres... *No comment !*

> **LA GRANDE MOSQUÉE EN CHIFFRES**
>
> *300 000 m³ de ciment, 40 000 t d'acier, 65 000 t de marbre, 40 000 m² d'ornements en bois de cèdre dans les mains de 15 000 ouvriers qui ont effectué 50 millions d'heures de travail. Au final, une salle de prière pouvant accueillir 25 000 fidèles, plus de 80 000 sur le parvis. Et en période de ramadan, un total de 105 000 paires de chaussures devant la porte d'entrée !*

Commencée en 1986, la mosquée Hassan-II a été inaugurée en août 1993. Ce petit bijou d'architecture islamique, désormais deuxième plus grande mosquée du monde après celle de La Mecque, a coûté une vraie fortune ! On avance une fourchette allant de un à deux milliards de dollars ! Le résultat est là, ou presque, car l'édifice donne déjà des signes de faiblesse. En effet, soumise à de très importantes contraintes climatiques, eu égard à son emplacement, la grande dame a le mal de mer. Seul problème : experts, avocats, chargés d'études, contre-experts, assureurs, ingénieurs se renvoient la balle pour savoir qui lui paiera son prochain lifting. Drôle de Jokari. En attendant, du haut de ses 850 printemps, la Koutoubia de Marrakech doit se tordre de rire devant cette mijaurée et ses états d'âme ! Allez la visiter ! C'est moins romantique que le Taj Mahal, mais ça vaut le détour quand même, car c'est un très bel endroit pour regarder la mer... justement !

➤ **Le tour de la corniche** : *bus n° 9 de la pl. de la Concorde (prolongement de l'av. de l'Armée-Royale). En voiture, partir de la pl. Mohammed-V, suivre le bd Houphouët-Boigny et tourner à gauche sur le bd Mohammed-ben-Abdellah ; le phare d'El-Hank est à 2 km.* À Aïn-Diab, un peu avant la fin du boulevard de la Corniche, ne pas manquer ce pittoresque petit village, accroché à un éperon rocheux qui devient un îlot à marée haute, sorte de petit Mont-Saint-Michel renfermant le tombeau d'un saint (demandez aux villageois si vous pouvez entrer dans le village, mais ne pénétrez surtout pas dans le tombeau).

La station d'*Aïn-Diab* est très fréquentée par les Casablancais, surtout le week-end : beaucoup de monde aux terrasses et dans les piscines l'après-midi, dans les bars et les discothèques en soirée.

🕯 *Le musée du Judaïsme marocain* (hors plan par A5) *:* 81, rue Chasseur-Jules-Gros, au coin de la rue Abou-Dhabi. ☎ 022-99-49-40. ● judaisme-marocain.org ● Quartier de l'Oasis, à gauche sur la route d'El-Jadida. Assez excentré, mieux vaut être motorisé. Lun-ven 10h-18h. Fermé pour les fêtes juives. Entrée : 20 Dh (1,80 €) ; visite guidée : 10 Dh (0,90 €). Le seul musée juif du monde arabo-musulman. En ces temps de tensions interreligieuses, ce musée vous éclairera sur le rôle important exercé par la communauté juive au Maroc. Plus de 1 500 objets de la vie religieuse ou profane, professionnelle et traditionnelle des juifs marocains, des bijoux, des tableaux, des outils, des photographies sont exposés avec des explications didactiques.

🕯 *Le quartier d'Anfa* (hors plan par A5) *:* on s'y rend par le boulevard d'Anfa, *of course.* Ce quartier résidentiel, avec toutes les villas entourées de jardins donnant sur de larges avenues, constitue une illustration de l'histoire de l'architecture de 1930 à nos jours. C'est dans l'hôtel d'*Anfa* que se déroula l'entrevue historique entre Roosevelt et Churchill en janvier 1943, à l'un des moments cruciaux de la Seconde Guerre mondiale. Les deux hommes fixèrent, au cours de ces entretiens, appelés « conférence de Casablanca », la date et les modalités de l'invasion de la Sicile et du nord de l'Italie. Cette rencontre devait aussi permettre la réconciliation, souhaitée par les Anglo-Saxons, entre de Gaulle et le pétainiste Giraud alors général en charge de l'Afrique du Nord à la solde du gouvernement de Vichy.

🕯 *Le quartier du Twin Center* (plan B5) *:* deux grandes tours s'élèvent dans ce quartier d'affaires et de commerces chic et mode où toutes les franchises internationales se bousculent. Partez à la découverte des boutiques qui entourent le marché couvert du Maarif. On trouve de tout (sauf de l'artisanat marocain). Le quartier est très animé. Il ravit depuis quelques années la palme de la fréquentation au centre historique. C'est ici que vous ferez les meilleures affaires !

Achats

🕯 *Artisanat marocain :* rendez-vous sous les arcades qui entourent la place Moulay-Youssef dans le quartier des Habous. C'est moins cher qu'à Marrakech et les bazaristes sont beaucoup moins « insistants ».

🕯 *Vita* (zoom E4) *:* 17, rue Chaouia (ex-rue Colbert). Le fleuriste le plus célèbre de Casa, connu pour ses orangers et ses petits palmiers. La meilleure époque pour acheter se situe entre décembre et mars.

🕯 *Le marché de Derb Ghallef* (hors plan par A6) *:* dans un quartier populaire au sud du centre-ville. Marché permanent en plein air, installé sur un terrain vague, où l'on trouve tout ce que la Chine produit comme gadgets, mais également beaucoup d'électronique, des chaussures, des vêtements, de l'électroménager, ainsi que toutes les contrefaçons imaginables. C'est, avec celui de Fnideq (à côté de Ceuta), le marché aux bonnes affaires le mieux approvisionné du pays. On y vient de tout le Maroc (et même d'ailleurs).

🕯 *Coopartim Casa* (hors plan par A3) *:* 195, bd de Bordeaux. Lun-sam 10h30-15h30. Coopérative de commercialisation des produits artisanaux marocains avec fabrication de luths, tissage, poteries, etc. On voit les artisans (à leur compte) à l'œuvre.

DANS LES ENVIRONS DE CASABLANCA

🕯 *Dar Bouazza :* à env 20 km au sud de Casa. En fin de semaine, les Casablancais optent pour les plages de Dar Bouazza, là où la mer a été domestiquée. On y trouve quelques plages privées avec bar et resto. L'ambiance bat son plein dès la nuit tombée. Les surfeurs apprécieront quelques beaux spots.

△ *Jack Beach :* une plage publique. Petits restos à proximité, avec vue sur la mer (pour l'instant !) pour prendre un agréable petit déj ou déguster une friture de poissons.

🛏 *Hôtel des Arts :* à Jack Beach. ☎ 022-96-54-50. ● goldentuliphotelde sarts.com ● Double 1 240 Dh (113 €) avec petit déj ; négociable hors saison. | Un hôtel à l'architecture contemporaine, tout en volumes cubiques et en couleur. Agréable jardin japonais. Grill en terrasse. Piano-bar.

△ *Tamaris I :* compter 50 Dh (4,50 €) pour la loc d'un relax qui vous permettra d'accéder à la plage. Un petit alignement de plages privées, avec musique, transat, bar et soirées DJ. Beaucoup d'animation le week-end dès les beaux jours, surtout au cœur de l'été ! La plage de *Tamaris II* présente beaucoup moins d'intérêt (sale).

🍴 *La Mrisa :* juste avt la bifurcation pour Dar Bouazza. Ce petit port de pêche offre un beau panorama sur la baie de l'oued Merzeque. On peut y acheter son poisson et le faire griller sur la plage, mais l'endroit n'est pas très propre.

AZEMMOUR

À environ 80 km au sud de Casablanca et 17 km au nord d'El-Jadida. Azemmour, petite ville blanche toute corsetée dans une muraille surplombant l'estuaire de l'Oum Er-Rbia, la « Loire » marocaine, est la ville des artistes, comme en témoignent ses nombreuses façades peintes. Connue depuis l'Antiquité (on avance même qu'en 425 av. J.-C. l'explorateur et navigateur carthaginois Hannon y aurait fait escale au cours de son fameux périple le long des côtes africaines), Azemmour doit sa physionomie actuelle au travail des Portugais.

En 1513, le duc de Bragance y débarqua avec pas moins de 500 caravelles, 2 000 cavaliers et plus de 13 000 hommes, et entreprit l'édification des remparts. Idéalement placée, la ville allait devenir la tête de pont commercial de la région pour expédier vers le Portugal les richesses de l'intérieur du pays. Il ne reste aujourd'hui de sa splendeur passée que quelques blasons et écussons aux armes des rois, et un chemin de ronde à moitié effondré, mais duquel la vue sur le fleuve situé en contrebas est magnifique.

Partez à la découverte de cette charmante *kasbah* actuellement en pleine réhabilitation, vous y découvrirez l'ambiance typique des médinas d'antan. Remarquez la petite boulangerie de Saïd (en face de la mosquée), la façade peinte du marabout de moulay Abdellah Ben Ahmed et quelques étoiles de David sculptées au-dessus des portes du mellah. Allez-y vite, c'est encore préservé du tourisme de masse !

Où dormir ? Où manger ?

🛏 |●| *Riad Azama :* 17, impasse Ben-Tahar. ☎ 023-34-75-16. ● riadazama. com ● À côté de Bâb-Makhzen. Résa conseillée. Doubles 550-750 Dh (50-68 €) selon confort, petit déj inclus. ½ pens proposée. Un *riad* tout blanc et tout propre avec ses chambres distribuées sur deux niveaux autour d'un patio planté de majestueux bananiers. | Les repas sont servis en terrasse ou dans la *douira* (petite maison traditionnelle attenant au *riad*). L'ensemble est harmonieusement décoré. L'extérieur en ton sur ton, l'intérieur en boiseries. Un bel endroit.
|●| Vous trouverez des petits restaurants dans la ville nouvelle à l'extérieur des remparts.

EL-JADIDA
145 000 hab.

En 1502, des marins portugais accostèrent sur la côte marocaine, où ils édifièrent en hâte un fortin, qui prit ensuite le nom de Mazagan. La place, jugée stratégique, fut dotée de puissantes fortifications inexpugnables jusqu'en 1769, date à laquelle le sultan Mohammed ben Abdellah s'en empara et la rebaptisa El-Jadida (« La nouvelle » en arabe). La ville a conservé de beaux vestiges du passé. Il ne faut pas manquer les remparts, flanqués de quatre bastions restaurés au XIXe s, la médina un peu baroque qu'ils renferment et la superbe citerne portugaise.

La station balnéaire, équipée d'un golf, de manèges équestres et d'hôtels-clubs, est très appréciée des Marocains. Et il y a fort à parier que dans quelques années, elle sera encore plus à la mode, lorsque les aménagements de la ville et de son front de mer seront terminés. D'ailleurs Lyautey ne la qualifiait-il pas déjà de « Deauville du Maroc » ?

– *Marché à la criée* au port le matin 10h-11h30.

Arriver – Quitter

En bus

🚌 **Gare routière** *(plan B3) :* av. Mohammed-V. ☎ 023-37-38-41. *Dans le centre, sur la route de Marrakech.* Bus pas toujours réguliers. *Bureau* CTM : *tlj 8h-12h45, 13h30-19h.* ☎ 023-34-26-62.

➢ **Casablanca :** env ttes les 20 mn (4h15-19h30). Trajet : env 2h.
➢ **Marrakech :** 12 bus/j. Trajet : env 3h.
➢ **Essaouira :** 5 bus/j. Trajet : env 4h.
➢ **Agadir :** 7 bus/j. Trajet : 7h.
➢ **Tanger :** 1 bus/j. Trajet : 5h.

En train

🚆 **Gare ferroviaire** *(hors plan par B3) :* à env 4 km du centre sur la route de Safi. ☎ 023-35-28-24. ● oncf.ma ●
➢ Les seuls trains qui arrivent directement à El-Jadida sont ceux de **Casablanca.** Compter 5 trains/j. À Casa, correspondance possible pour **Rabat** et **Agadir.**

En taxi collectif

🚕 Pour **Azemmour,** les taxis se trouvent au même endroit que la gare routière ; pour **Oualidia** et **Sidi-Bouzid,** ils attendent près du phare.

Adresses utiles

🛈 **Syndicat d'initiative** *(plan A2) :* pl. Mohammed-V. *Tlj sf mer 9h-12h30, 15h-18h30 (19h en été).* N'hésitez pas à passer : Hafida est compétente et vraiment motivée.

✉ **Poste** *(plan A2) :* pl. Mohammed-V. *Lun-ven 8h30-16h. Horaires réduits sam.*

■ **Distributeurs bancaires :** partout en ville.

■ **Pharmacie de nuit** *(plan A2,* **2***) :* derrière le théâtre. *Tlj 21h-8h.*

■ **Clinique Les Palmiers** *(Nakhil ; plan B3,* **3***) :* pl. Sintra, vers la route de Casablanca. ☎ 023-39-39-39. *Service d'urgence 24h/24.* Moderne.

■ **Gendarmerie royale :** ☎ 023-34-22-17 ou 23-17.

@ **Cybercafés :** un peu partout en ville, et notamment av. Mohammed-VI.

■ *Narjiss Car* (plan A2, *5*) *: 2, rue Le-Maigre-Dubreuil (au marché central).* ☎ 023-35-14-82. 🖥 061-17-07-15. • *narjisscarloc@menara.ma* • Une agence de location compétente. Assure également des prises en charge à l'aéroport de Casa.

■ *Hammam Chifaâ* (plan A1, *4*) *: dans une ruelle au début de l'av. Zerktouni, près de la pl. Moulay-Youssef. Authentique et propre. Deux entrées distinctes* hommes et femmes.

■ *Alliance franco-marocaine : 22, av. de la Marche-Verte.* ☎ 023-34-21-06. • *afm.eljadida@iam.net.ma* • Très active, elle propose, souvent gratuitement, des projections de films, des spectacles, des concerts, des expos, etc.

■ *Hypermarchés* (*Acima* et *Hyperocéan*) *: dans les nouveaux quartiers, route de Sidi Bouzid.*

Où dormir ?

Les hôtels, quoique nombreux, sont souvent complets, et il est recommandé d'arriver tôt.

Camping

⚙ *Camping-caravaning International* (hors plan par B3) *: à l'entrée d'El-Jadida en venant de Casablanca.* ☎ 023-34-27-55. À 20 mn à pied du centre-ville. Env 70 Dh (6,40 €) pour 2 pers avec tente et voiture. Douche chaude payante. Évitez les bungalows au très mauvais rapport qualité-prix. Sanitaires mal entretenus. Bon accueil.

Bon marché

🛏 *Hôtel de Bordeaux* (plan A1, *11*) *: 7, rue Moulay-Ahmed-Tahiri.* ☎ 023-37-39-21. À deux pas du Tchiquito. Double env 130 Dh (11,80 €) ; également des triples. Douche payante. CB refusées. Un petit hôtel d'une trentaine de chambres aménagées dans une maison traditionnelle sur 3 niveaux. Celles du premier possèdent w-c et télé. Attention, certaines n'ont pas de fenêtre. Un établissement bien tenu et d'un bon rapport qualité-prix.

🛏 *Hôtel Al Khansaa* (plan B3, *12*) *: à deux pas de la gare routière. C'est bien fléché.* ☎ 023-35-20-17. 🖥 061-87-75-20. Double 190 Dh (17,30 €). Petit déj en sus. Un hôtel modeste mais propre et bien situé (dans une impasse). Quelques chambres en terrasse pour les petits budgets. Bon accueil.

🛏 *Hôtel Moderne* (plan A2, *10*) *: 27, av. Hassan-II.* ☎ 023-34-31-33. Compter

---

■ **Adresses utiles**

🛈 Syndicat d'initiative
✉ Poste
🚌 Gare routière
🚃 Gare ferroviaire
2 Pharmacie de nuit
3 Clinique Les Palmiers
4 Hammam Chifaâ
5 Narjiss Car

🛏 **Où dormir ?**

10 Hôtel Moderne
11 Hôtel de Bordeaux
12 Hôtel Al Khansaa

13 Hôtel Royal
14 Hôtel Ibis Moussafir
15 El Morabitine
16 Dar Jdida

🍴 **Où manger ?**

20 Le Tchiquito
21 Snack Cousteau
22 Restaurant La Portugaise

🍸 **Où boire un verre ?**
Où manger une glace ?

30 L'Araucaria

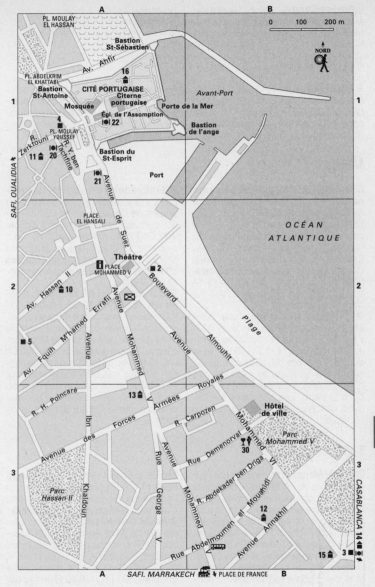

EL-JADIDA

90 Dh/pers (8,20 €). Douche (payante) et w-c sur le palier. Un petit hôtel sans prétention mais propre, tenu par de pieux propriétaires. Il y a même une petite mosquée.

Prix moyens

🛏 **Hôtel Royal** (plan A3, **13**) : 108, av. Mohammed-V. ☎ 023-34-28-39. *Doubles 140-250 Dh (12,70-22,70 €) selon confort.* L'hôtel est entièrement habillé de mosaïques et de frises de stuc.

À l'étage, des salons au mobilier marocain occupent les couloirs qui desservent les chambres de taille variable (visiter avant). Petite salle de douche. Petits salons en rotin. Jardinet intérieur.

Chic

🛏 ⓘ⦿ **Hôtel Ibis Moussafir** (hors plan par B3, **14**) : pl. Nour-el-Kamar. Route de Casablanca. ☎ 023-37-95-00. • *ibishotel.com* • *Double 440 Dh (40 €) sans petit déj.* Un hôtel très bien situé (face à la mer). Chambres nickel. Piscine. Excellentes viennoiseries au petit déj. Dommage que l'ambiance du bar soit si désagréable à cause des amateurs de bière locaux qui l'assiègent tous les soirs. Accueil moyen.

🛏 ⓨ **Palais Andalous** (hors plan par A1) : bd Docteur-de-Lanoe. ☎ 023-34-37-45. *Près de l'hôpital Mohammed-V. Compter 400 Dh (36,40 €) la double.* Le cadre de cet ancien palais reconverti en hôtel ne manque pas d'intérêt. Allez-y pour prendre un verre dans le patio. Les chambres mériteraient une rénovation. Reste l'ambiance générale.

🛏 **El Morabitine** (plan B3, **15**) : au rond-point à l'entrée de l'av. Mohamed-VI en venant de Casablanca. ☎ 023-37-94-30. • *elmorabitine-hotel.com* • *Double 400 Dh (36,40 €) avec petit déj.* Tout près de la plage, grand bâtiment moderne blanc et bleu qui propose des chambres spacieuses mais impersonnelles. Piscine.

🛏 **Dar Jdida** (plan A1, **16**) : rue Joseph-Nahon. ☎ 024-43-19-00. 📱 079-16-01-74. • *riadomaroc.com* • *Dans le mellah, derrière la citerne portugaise. Prendre la rue à gauche après la laiterie Mazagan, c'est à 200 m à gauche. Double 500 Dh (45,40 €) avec petit déj.* Une petite maison d'hôtes meublée sobrement, tout en couleurs vives sur plusieurs niveaux. Agréable terrasse avec vue sur mer pour prendre son repas. Bon accueil de Karima.

Très chic

🛏 **Dar Al Manar** (hors plan par B3) : *sur les hauteurs de la ville. Prendre la route de Casa, puis tourner à droite après l'hippodrome en direction du phare de Sidi M'Sbah ; c'est fléché.* ☎ 023-35-16-45. 📱 061-49-54-11. • *dar-al-manar.com* • *Chambres 700-900 Dh (64-82 €) pour 2 pers selon taille, petit déj inclus.* Dans sa maison qui domine El-Jadida et la mer, Fatima met un point d'honneur à bien accueillir ses hôtes. Ici, tout a été imaginé pour le confort des résidents. Chambres grandes et lumineuses grâce aux larges baies vitrées ouvertes sur le jardin. Intérieur en harmonie de bois anciens et sols peints. Mobilier traditionnel. Literie impecca-

ble. Les pièces à vivre sont agréables à l'œil et chaleureuses, conférant à l'ensemble élégance et raffinement, d'autant que le service est méticuleux.

🛏 **Royal Golf Hôtel Sofitel** (hors plan par B3) : *à 7 km, sur la route de Casablanca. À la sortie d'El-Jadida, suivre « plage Haouzia », ou « golf-club ».* ☎ 023-35-41-41 à 48. • *sofitel.com* • *Double 1 500 Dh (136,40 €) en hte saison.* Situé dans un environnement exceptionnel, cet hôtel mitoyen d'un parcours de golf est bordé d'un côté par une forêt d'eucalyptus, et de l'autre par l'océan Atlantique. Les chambres, confortables et climatisées, sont réparties dans 3 bâtiments autour d'une très belle piscine avec solarium. Rien ne manque au confort de celui qui souhaite faire halte ici : hammam, sauna (compris dans le prix), tennis, jardins, 3 restos, un bar. Buffet somptueux pour le petit déj (en sus). Une étape idéale pour se refaire une santé.

Où manger ?

Malgré la mer d'un côté et la région des *Doukkala* connue pour son excellente viande de bœuf de l'autre, El-Jadida pèche par le manque de restaurants dignes de ce nom. C'est le point faible de la ville. Voici néanmoins quelques restos populaires où vous mangerez une excellente friture. Mais pour un dîner en amoureux, mieux vaut aimer les toiles cirées et les néons blafards...

De très bon marché à bon marché (moins de 80 Dh / 7,30 €)

|●| *Le Tchiquito* (plan A1, **20**) : 4, rue Mohamed-Smiha. À deux pas de la place Sidi-Mohammed-ben-Adellah. Tlj 11h-minuit. Le resto de poisson incontournable d'El-Jadida. « On y vient de tout le Maroc ! » affirme Ahmed le sympathique gérant qui, de retour de Belgique, après des études de droit, a monté l'affaire. Dans un restaurant propre, haut de plafond et bien ventilé, tout en faïence et cimaise de sourates, on vous sert la pêche du jour, ni plus ni moins, et c'est excellent !

|●| *Snack Cousteau* (plan A1, **21**) : au bout de l'av. de Suez, sur la pl. Sidi-Mohamed-ben-Abdellah. ☎ 067-01-13-20. Un resto propre. Une cuisine fraîche. Goûteuse paella aux fruits de mer. Une bonne adresse.

|●| *Restaurant La Portugaise* (plan A1, **22**) : dans la cité portugaise, en face de la citerne. Petit resto propre avec ses tables et nappes à carreaux, tenu par un restaurateur retraité qui ne tenait pas à perdre la main. Cuisine sans prétention.

Prix moyens (moins de 150 Dh, soit 13,60 €)

|●| *Le Relais* : au km 26 sur la route de Safi (après Jorf Lasfar et juste avt Sidi Abed). ☎ 023-34-54-98. Fermé pdt le ramadan. Dans une rotonde à la déco style Laura Ashley, face au grand large ou dans la grande salle de style campagnard, on vous sert une cuisine océane et goûteuse. Huîtres de Oualidia nature ou gratinées, araignée de mer et poisson du jour. Service discret.

Où boire un verre ? Où manger une glace ?

Le soir, tout se passe sur l'avenue Mohammed-VI (face au parc Mohammed-V). C'est l'avenue *Chouf-ou-ni* d'El-Jadida (traduisez par m'as-tu-vu !). C'est là que la jeunesse se rassemble. L'été, on y voit le gratin *teenager* de la capitale se mêler à ses cousins-cousines, fils et filles d'émigrés. C'est à qui paradera avec le plus d'éclat ! On trouve le long de l'avenue des snacks, des glaciers, des pizzerias, des salles de jeux et des cybercafés.
Vous en trouverez également beaucoup dans les nouveaux quartiers (sur la route de Sidi Bouzid).

▼ ♀ *L'Araucaria* (plan B3, **30**) : 102, av. Mohammed-VI, face au parc Mohammed-V. Un café tranquille avec une petite terrasse ombragée où il fait bon boire un verre ou manger une glace.

LA PLAINE CÔTIÈRE

À voir

🏃🏃 ⓧ **Les remparts et la cité portugaise** *(plan A1)* **:** s'il n'y a plus de Portugais à El-Jadida, tout rappelle leur domination. La ville leur doit sa beauté. Allez vous balader dans la cité fortifiée et laissez-vous gagner par les esprits des luttes féodales de jadis en pensant aux sièges interminables et aux longues veilles des hommes d'armes collés aux meurtrières. Parcourez les chemins de ronde, l'accès est gratuit.

En 1541, les Portugais, affectés par la perte d'Agadir, de Safi et d'Azemmour, décidèrent de renforcer leur position sur le littoral en construisant de solides remparts autour du château qu'ils avaient édifié en 1514. Ainsi naquit l'île-forteresse de Mazagan (jadis la mer entourait la cité), qui permit aux Lusitaniens de résister pendant plus de deux siècles aux tribus Doukkala.

C'est en raison de ce blocus terrestre quasi permanent que les architectes transformèrent en citerne d'eau potable la salle d'armes initialement aménagée. Ainsi, les Portugais défièrent les Marocains jusqu'en 1769 avant qu'un ordre de Lisbonne ne leur intime l'ordre d'abandonner la partie et de faire route vers le Brésil où ils fondèrent une autre Mazagan.

🏃🏃🏃 **La citerne portugaise** *(plan A1)* : tlj 9h-13h, 15h-18h30. Entrée : 10 Dh (0,90 €). Le bâtiment faisait partie du château construit en 1514. Il a servi de dépôt d'armes avant d'être transformé en citerne, laquelle était alimentée par l'eau de pluie. La salle souterraine, dont l'épaisseur des murs dépasse les 3 m, occupe une superficie de près de 100 m^2 et pouvait contenir près de 2,7 millions de litres d'eau. Ce qui est surprenant, c'est l'éclairage sur les 25 piliers assemblés en clef de voûte que procure l'ouverture circulaire faite dans la voûte. Le reflet dans l'eau, maintenue en permanence pour le plus grand bonheur des photographes, crée, à certaines heures, une impression de vision fantastique. D'ailleurs, lors du tournage d'*Othello,* en 1949, Orson Welles, pour contourner un problème de costumes, décida de transformer la citerne en hammam. Et hop, tout le monde en caleçon ! Grand bien lui en prit, car la scène est devenue culte.

> ### SHADOCK MALGRÉ LUI
>
> *Après le départ des Portugais, la citerne souterraine fut abandonnée dans les décombres de la vieille ville, et plus personne n'en entendit parler... jusqu'au jour où, en 1916, le sieur Ben Attar, un petit épicier désireux d'agrandir son échoppe, perça malencontreusement une de ses parois. Fallait-il être vaillant compte tenu de l'épaisseur des murs ! C'est ainsi qu'il découvrit, émerveillé, cette vaste salle souterraine.*

– Il existe d'autres monuments dans la cité portugaise, notamment une **synagogue** et deux **églises,** mais ils sont fermés, et leur gardien est souvent introuvable. Si cela vous intéresse, adressez-vous au syndicat d'initiative.

À faire

– **Le golf royal :** ce superbe terrain de golf, sur la route de Casablanca, ravira sans doute les amateurs, ne serait-ce que par sa situation idyllique face à la mer. Compter 300 Dh (27,30 €) pour un parcours de 18 trous, un peu plus le week-end, sans la location du matériel. Cours dispensés.

Fête

– **Moussem** au village de pêcheurs de Moulay-Abdellah, au sud d'El-Jadida : en général la 1re sem d'août. L'un des plus beaux du Maroc.

➤ *DANS LES ENVIRONS D'EL-JADIDA*

⌐ *Plage Haouzia :* à env 12 km au nord d'El-Jadida. Une petite station balnéaire, plutôt calme hors saison, mais une grosse unité touristique actuellement en construction devrait changer la donne. Attention, la mer est ici assez agitée (beaucoup de vagues et de ressac). Quelques restos de poisson.

🍴 *Sidi-Bouzid :* à env 7 km au sud d'El-Jadida. Bus n° 2, à partir du centre-ville. Si le front de mer est agréable, même en hiver, la station, en revanche, ne s'anime qu'en été.

🛏 *Mziouka :* 384, rue My-Abdellah. ☎ 023-34-80-80. Chambre env 300 Dh (27,30 €). Maison d'hôtes moderne avec accès direct à la plage.

|●| *Le Requin Bleu :* resto avec une très belle terrasse et une salle panoramique. Bel emplacement... qui se paie. Sert de l'alcool.

🍴 *La kasbah de Boulâouane :* en dehors des grands axes, la *kasbah* de Boulâouane, à 75 km d'El-Jadida, offre de beaux paysages le long de la route avec des petits villages très typiques. 5 km après Boulâouane, c'est plus ou moins signalé par des panneaux bleus écrits à la main « K.B. », mais, à un moment ou à un autre, il faudra sûrement que vous demandiez votre chemin. Passé la forêt d'eucalyptus, on découvre une très belle vue sur la *kasbah* avant l'arrivée. Parking près de la porte monumentale qui date de 1710.
Malheureusement, il ne reste que les ruines des murs d'enceinte, et le reste de la visite ne présente aucun intérêt.

D'EL-JADIDA À SAFI, PAR LA CÔTE

Si vous partez d'El-Jadida, la route côtière passe par la plage de Sidi-Bouzid. Les deux routes se rejoignent près de *Jorf-el-Lasfar,* complexe industriel et énergétique sans aucun intérêt. Passé ce gros tas de béton et d'acier qui crache sa fumée vers la terre, la côte ne se découvre qu'à l'approche de la première petite lagune de Sidi Moussa (40 km avant Oualidia). Puis, quelques kilomètres en aval de Oualidia, se dessine la grande lagune, étirant ses bancs de sable entre terre et mer pour le plus grand bonheur des oiseaux migrateurs.

OUALIDIA

À 80 km d'El-Jadida, sur la route de Safi (66 km). Charmante station balnéaire très prisée en raison de sa situation topographique. En effet, la plage est séparée des brisants atlantiques par une lagune soumise au régime des marées. Mais attention au courant ! De plus, l'eau est glaciale, mieux vaut prévoir une combi ! En été, surveillance assurée par un maître nageur qui dispose d'un Zodiac. C'est l'endroit idéal pour débuter en surf. Une halte gastronomique pour les amateurs de fruits de mer, car les huîtres de Oualidia sont excellentes. – *Souk :* le sam. Important marché.

Où dormir ?

À l'instar des villes côtières, Oualidia est promise à un important développement touristique. En dépit des conditions climatiques qui ne sont pas toujours favorables (vent, vagues, eau de mer ne dépassant pas les 15 °C), la petite station s'équipe et propose désormais plusieurs types d'hébergement, du camping au très haut de gamme. L'été c'est la folie, la station est bondée et les restos sont pris d'assaut dès le coucher du soleil. Pensez à réserver.

Camping

⚓ **Camping Les Sables d'Or :** *au cœur de Oualidia, proche de la plage. Ouv mai-sept. Prévoir env 60 Dh (5,40 €) pour 2 pers avec tente et voiture ; ajouter 10 Dh (0,90 €) pour l'électricité.* Semble délabré au premier abord, mais reste correct. C'est même un peu fleuri, avec un minimum d'ombre. Sanitaires plutôt propres. À proscrire au cœur de l'été si l'on veut dormir.

Bon marché

🛏 **Motel Essakia El Hamra :** *à l'entrée de Oualidia en venant d'El-Jadida.* ☎ 023-36-61-51. *Double 130 Dh (11,80 €).* Une vingtaine de chambres et quelques appartements sommaires mais bien entretenus, tous avec douche et eau chaude. Un peu loin de la plage toutefois.

De prix moyens à chic

🛏 |◉| **Tennis Club Oualidia :** *en face de l'hôtel L'Initiale.* ☎ 023-36-62-62. ● *tennisoualidia.exolia.net* ● *Résa indispensable en été. Compter 250 Dh (22,70 €) le bungalow pour 2 pers avec petit déj.* Une demi-douzaine de bungalows et 3 courts en terre battue dans ce petit complexe tennistique situé à 20 m de la plage. Toutes les chambres sont propres et donnent sur le cours principal !

🛏 |◉| **Hôtel-restaurant L'Initiale :** *Oualidia-plage.* ☎ 023-36-62-46. *Double avec sdb 400 Dh (36,40 €), petit déj compris ; + 20 % en saison. Menu 100 Dh (7,10 €) et jusqu'à 280 Dh (25,40 €) pour du homard. CB acceptées (avec majoration).* Une demi-douzaine de chambres rénovées. La moitié bénéficie d'une vue sur la mer. La plage est à deux pas. Bon accueil.

🛏 **Thalassa :** *Oualidia-centre, dans la rue principale.* ☎ 023-36-60-50. *Double 200 Dh (18,20 €) ; studios 300-500 Dh (27,30-45,40 €) selon saison petit déj inclus.* Les chambres sont agréables, aux murs chaulés, propres et assez vastes, donnant sur une courette intérieure. Loin de la mer.

🛏 |◉| **Dar Zuina :** *Hay Pam, dans le centre-ville.* ☎ 023-36-63-85. 🗍 075-22-69-17. *Doubles 400-500 Dh (36,40-45,50 €) avec petit déj ; également une chambre plus petite et une autre pour 3 pers. Possibilité de louer à la sem le dar en entier (pour 14 pers).* Marie-Thérèse propose une demi-douzaine de chambres très simples, chacune dans des tons différents. La plus chère possède une terrasse privée. Sinon, tous les résidents ont accès à la petite terrasse pour prendre un agréable petit déjeuner. Accueil charmant.

Très chic

En dehors de **La Sultana,** LE palace de Oualidia (hors budget), voici deux adresses, dont un hôtel restauré depuis peu et idéalement placé.

🛏 |◉| **Hôtel L'Hippocampe :** *sur la plage.* ☎ 023-36-61-08 *ou* 64-99. *Ouvtte l'année. Résa obligatoire en saison. Compter env 1 500 Dh (136,40 €) la double en ½ pens ; réduc de 20 % hors saison. Carte env 200 Dh (18,20 €).* Un hôtel les pieds dans l'eau. Une vingtaine de chambres lumineuses distribuées autour d'un patio fleuri qui descend en cascade vers la plage. Les nez de marche en damier confèrent à l'ensemble un style « vasarélien ». C'est propre et bien entretenu. Fait également resto. Excellent accueil d'Aziza.

⚓ **Ostrea II :** *à droite à l'entrée de la ville en venant de Casa.* ☎ 023-36-64-51. *Ce resto propose aussi 5 mini-suites*

800-1 000 Dh (72,70-90,90 €). Très bien équipées, elles jouissent d'une vue sur la mer.

Où manger ?

|●| **Restaurant Ostrea II :** *voir « Où dormir ? ». Tlj jusqu'à 23h, même pdt le ramadan. Sert de l'alcool.* On y mange des huîtres bien sûr, mais aussi des moules, araignées de mer et poissons selon la pêche du jour. De la terrasse du resto, on admire un superbe panorama. Propose également des excursions en bateau sur la lagune.

|●| 𝖸 **La Rascasse :** *les jardins de la lagune. Menu du midi 70 Dh (6,40 €) ; le soir, 100-150 Dh (9,10-13,60 €).* Situé dans le complexe immobilier qui dégringole de la colline vers la mer, on mange

à l'abri des embruns ou en terrasse, sur les bords de la piscine (magnifique). Spécialités de poisson et fruits de mer. Vue imprenable.

|●| 𝖸 **Le Kalypsô :** *Oualidia-plage.* ☎ 023-36-60-91. 📱067-05-65-49. *Ouvtte l'année 8h-22h30. Petit déj complet 35 Dh (3,20 €). Menu du soir 100-150 Dh (9,10-13,60 €).* Dans un cadre sobre, au mobilier sombre, ce petit resto en demi sous-sol à deux pas de la plage propose une cuisine française à tendance océane. Excellents brownies au petit déj. Bon accueil de Cathy.

À faire

– **Surfland :** *continuer la route qui passe devant* L'Hippocampe *sur la droite.* ☎ 023-36-61-10. Installé à Oualidia pratiquement depuis le Néolithique, Laurent, surfeur émérite et pédagogue, anime toute l'année une école de surf pour les jeunes. Esprit communautaire, partage des tâches et plaisir pris en commun sur la vague. Bref, une belle école de la vie. Les adultes sont également les bienvenus.

– **Plancoët Canoë-Kayak :** *4, av. Hassan-II.* 📱068-97-21-56. ● http://canoekayak plancoet.free.fr ● *Sur la route principale à droite en arrivant de Casa. Ouv mars-oct. Compter 80-100 Dh (7,30-9,10 €) l'heure avec ou sans moniteur ; demi-journée 250-300 Dh (22,70-27,30 €).* Jérôme (diplômé d'État) et Yasmina, un couple de Bretons à moitié marocains, proposent de partir à la découverte de la lagune en kayaks de mer. Idéal pour observer les oiseaux.

VERS SAFI

La route continue vers Safi. Le paysage devient ensuite plus désertique, animé par des troupeaux de moutons et de dromadaires sur fond d'océan. À cause de l'importante différence de température et d'hygrométrie entre terre et mer en été, une brume tenace se lève tous les matins et finit par se dissiper vers midi. Si vous voulez admirer le paysage, faites la route en soirée. Le coucher de soleil sur le cap Beddouza est splendide.

◺ **Le cap Beddouza :** un bel endroit pour s'adonner au surf-casting, d'ailleurs les pêcheurs se sont passé le mot. Petit resto **La Daurade** (☎ 024-61-26-11), qui propose des spécialités de poisson et de fruits de mer. Il y a également une petite **auberge** dans le village.

◺ **La plage de Lalla-Fatna :** on y accède par une petite route goudronnée de moins de 2 km ; c'est indiqué.

SAFI

285 000 hab.

Safi, à l'instar de nombreuses cités de la côte marocaïne, fut occupée par les troupes portugaises au début du XVIe s. Elle était convoitée pour sa rade protégée qui en faisait un port très sûr pour les navires de commerce. Après le départ des Portugais en 1541, le port de Safi conserva un rôle prépondérant pendant la période saadienne, puisqu'il servait de débouché maritime à Marrakech. Il garda ce privilège jusqu'à la seconde moitié du XVIIe s, date à laquelle fut créé le port de Mogador (Essaouira). Au XIXe s, il devint la tête de pont du commerce avec les puissances occidentales. Aujourd'hui, Safi est un port industriel (phosphates), mais également un port sardinier.

La ville vaut surtout pour sa colline des potiers et sa médina très animée le soir. Fait notable à Safi (comme à Tanger) : les juifs n'ont jamais été cantonnés dans un mellah, contrairement aux autres villes du Maroc. Il a même existé un culte mixte judéo-musulman (les Ouled Ben Zmirou), ce qui témoigne de l'entente cordiale entre les deux communautés depuis des temps immémoriaux. Une petite escale s'impose donc dans cette ville du passé.

– **Souk :** *le dim mat.*

Arriver – Quitter

En bus

 Gare routière *(plan B2) : av. du Président-Kennedy, quartier Jnan Mestari (à côté de l'hôpital Mohamed-V).* CTM : *024-62-21-40.* Liaisons avec :
➢ **Casablanca :** 15 bus/j. Trajet : env 3h.
➢ **Marrakech :** 15 bus/j. Trajet : env 2h.
➢ **Essaouira :** 9 bus/j. Trajet : env 2h.
➢ **Agadir :** 15 bus/j. Trajet : env 6h.
➢ **El-Jadida :** 8 bus/j. Trajet : env 2h.

En taxi

La gare des grands taxis se trouve devant la gare routière. Pour vous y rendre, prendre la route qui monte à partir du marché couvert (route d'Essaouira).

En train

 Gare ferroviaire *(hors plan par A2) : au sud de la ville.* Principalement réservée au trafic des marchandises. Changement obligatoire à Benguerir pour **Casablanca** et **Marrakech.**

En voiture

Pour Essaouira, deux solutions, la route nationale qui passe à l'intérieur des terres, ou la route côtière. Mais, attention ! cette dernière est très dégradée dans la première moitié du trajet.

Adresses utiles

 Syndicat d'initiative *(plan B2) : av. de la Liberté. Lun-ven 8h30-12h, 14h30-18h30.* Accueil souriant de Rachid.

 Poste *(plan A1) : pl. de l'Indépendance. Lun-ven 8h30-16h.*
 Téléphone *(plan B2) : poste centrale, pl. Administrative, dans la vieille*

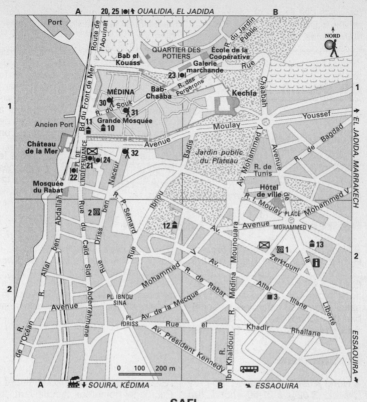

SAFI

■	**Adresses utiles**
ℹ	Syndicat d'initiative
✉	Poste
🚌	Gare routière
🚂	Gare ferroviaire
@ **1**	Club Lascala
@ **2**	Cyber Renaissance
3	Clinique Abda

🛏	**Où dormir ?**
10	Hôtel Essaouira
11	Hôtel Majestic
12	Hôtel Atlantide
13	Hôtel Assif

🍽	**Où manger ?**
20	Le village des grilleurs
21	Restaurant de Safi et Restaurant de la Poste
22	Café M'Zoughen
23	Chez Hosni
24	Gégène
25	Café-restaurant Ryad du Pêcheur

⚔	**À voir**
30	Musée de Safi
31	Chapelle portugaise
32	Galerie d'art La Safiote

ville. Tlj 8h-21h.

■ ***Banques*** *(plan A1) : distributeurs dans le quartier du Plateau (vers la pl. Mohammed-V).*

@ ***Internet : Club Lascala*** *(plan B2, 1), au fond d'une salle de jeux, av. Sidi-Mohammed-ben-Abdellah, en face de la poste principale.* ***Cyber Renaissance*** *(plan A2, 2), quartier Idriss Ben Naceur.*

■ ***Clinique Abda*** *(plan B2, 3) : angle rues Alla-Illane et Abdedelouhab-*

Derrak. ☎ 024-61-01-49. Clinique multidisciplinaire et moderne.
■ *Urgences :* le Dr Ben Abderrazzak s'occupe des urgences. 📱 063-63-63-36.

■ *Pharmacie de nuit : dépôt de médicaments en face de l'hôpital Mohammed-V.*
■ *Station-service : av. Moulay-Youssef.*

Où dormir ?

Camping

⊿ *Camping* (hors plan par A1) *: dans un quartier résidentiel à 3 km sur la route de Sidi-Bouzid. Suivre la pancarte « Restaurant Amun ».* ☎ 024-46-38-16. *Ouv tte l'année. Compter 70 Dh (6,40 €) pour 2 pers avec tente et voi-* ture. *Douche chaude payante. Le terrain est ombragé et calme, mais le sol est caillouteux. Un peu loin de la mer et du centre-ville. La piscine, ouverte en haute saison et accessible à tous, ferme à 17h.*

De très bon marché à bon marché

⌂ *Hôtel Essaouira* (plan A1, **10**) *: dans la médina, dans une ruelle pentue.* ☎ 024-46-48-09. *Double 70 Dh (6,40 €). Douche chaude payante. Petit hôtel typique organisé autour d'un patio, décoré de céramiques. Chambres très sommaires mais propres.*
⌂ *Hôtel Majestic* (plan A1, **11**) *: rue des* Remparts, *dans la médina.* ☎ 024-46-40-11. *Double 100 Dh (9,10 €). Douche chaude collective payante. Une vingtaine de chambres très simples mais propres dont près de la moitié avec vue sur mer. Un peu loin de son cousin de la croisette !*

Prix moyens

⌂ *Hôtel Atlantide* (plan A2, **12**) *: rue Chaouki.* ☎ 024-46-21-60. ● *hotel-atlantide-safi.ma* ● *À côté de l'hôtel Farah, dans le quartier résidentiel. Résa conseillée. Double 350 Dh (31,80 €), petit déj non compris. CB acceptées. Malgré son charme désuet, les chambres sont un peu impersonnelles et pas d'une propreté à toute épreuve. L'hôtel possède une salle de resto claire et confortable, flanquée d'une belle ter-* rasse avec vue sur mer. *Piscine. Tennis. Personnel nombreux, accueillant et compétent. Bon rapport qualité-prix.*
⌂ *Hôtel Assif* (plan B2, **13**) *: av. de la Liberté, quartier du Plateau.* ☎ 024-62-29-40. ● *hotel-assif.ma* ● *Chambres 280-330 Dh (25,40-30 €). Petit déj en sus. CB acceptées. Chambres spacieuses et confortables, salles de bains vieillottes mais proprettes.*

Où manger ?

Tous les restos ferment le dimanche soir. Pensez-y.

De très bon marché à bon marché (moins de 80 Dh / 7,30 €)

|●| *Le village des grilleurs* (hors plan par A1, **20**) *: une série de petits restos de poisson alignés à la sortie de la ville dans le virage qui monte vers la route* d'El-Jadida. *Tlj env 12h-15h30. C'est très propre et les produits de la mer sont bien frais (sauf les lendemains de tempêtes évidemment, renseignez-vous*

sur la météo de la veille !). On y goûte, entre autres, la fameuse sardine du pays. Les tables sont prises d'assaut par les familles le week-end. En semaine c'est un peu plus calme.

|●| *Restaurant de Safi (plan A1, 21) : 3, rue de la Marne. Près de la pl. de l'Indépendance. Service non-stop tte la journée.* Petite cantine populaire sur 2 étages, très bien et pas chère.

|●| *Café M'Zoughen (plan A1, 22) : pl. de l'Indépendance.* Agréable surtout pour ses pâtisseries. Nombreux jus de fruits.

|●| *Petite échoppe (plan A1)* : à Bâb-Chaâba, entrée dans la médina par la colline des potiers. Malika et Ghadia préparent d'excellentes *m'semmen* (sorte de crêpe marocaine dont le résultat fait penser au kouign aman breton, mais ici l'huile remplace le beurre). Bref, c'est gras mais c'est bon tellement ça croustille !

|●| *Chez Hosni (plan A-B1, 23) : 7 bis, rue des Forgerons, juste en face de la maison Serghini.* Un petit resto comme on les aime. Cuisine comme à la maison (*beldia*), tajine et couscous le vendredi.

De prix moyens à chic (moins de 250 Dh / 22,70 €)

|●| *Gégène (plan A1, 24) : 8, rue de la Marne.* ☎ 024-46-33-69. *À deux pas du poste de police.* Petit établissement tranquille aux murs saumon. *Gégène* accueille une clientèle d'habitués, essentiellement composée de cadres marocains détendus. Carte pour tous les goûts. Service efficace. Le resto référence à Safi.

|●| *Restaurant de la Poste (plan A1, 21) : 40, pl. de l'Indépendance.* ☎ 024-46-31-75. *Au 1er étage, au-dessus du Café de la Poste.* Cuisine française et

spécialités de fruits de mer de première fraîcheur.

|●| *Café-restaurant Ryad du Pêcheur (hors plan par A1, 25) : 1, rue de la Crète.* ☎ 024-61-02-91. Un beau patio fleuri avec même quelques cactus çà et là, des parasols en paille et une fontaine : ce *riad* vous dépaysera à coup sûr. En été, très bonne ambiance. En hiver, la salle intérieure est un peu tristounette. Ouvert toute la journée, vous pouvez aussi venir y siroter un verre au calme et au soleil.

À voir

🏃🏃 *Le Musée de Safi (plan A1, 30) : rue du Pressoir, en face de la grande mosquée.* ● *museesafi@yahoo.fr* ● *Tlj sf dim 9h-13h, 15h-19h (en principe). Si fermé (souvent) :* 🖥 *068-13-78-72.* Il s'agit d'un musée privé créé dans le but de valoriser le patrimoine artistique, économique et culturel de la cité. On y trouve, sous forme de petites saynètes reconstituées avec des mannequins, les principaux métiers, ainsi que les temps forts de la vie des Safiotes : mariages, réunions de famille, etc. Remarquer l'ingénieux système pour récupérer l'eau de pluie. Belles photos anciennes de Mazagan. Abdelaziz Moudden est un passionné, il connaît l'histoire de la région sur le bout des doigts. À ne pas manquer si vous passez par là.

🏃 *Le château de la Mer ou ksar El-Bahr (plan A1) : en face de la pl. Sidi-Boudhab. Accès par un escalier dans un petit passage souterrain ; en remontant, franchir la grande porte. Tlj 8h-12h, 14h30-18h30. Entrée :* 10 Dh (0,90 €). Des pièces d'artillerie, fondues en Europe, constituent la majorité des objets exposés. Belle vue panoramique sur la mer, où les bateaux attendent leur tour pour entrer dans le port.

🏃🏃 *La colline des Potiers (plan A-B1) : ttes les boutiques sont groupées dans le quartier de Bâb-Chaâba. Attention, activité réduite le dim.* Il existe deux sortes d'ateliers : pour les objets de forme (vases, plats à tajine, etc.) et pour les tuiles. Essayez de visiter les deux et d'assister à toute la chaîne du trempage, séchage, pétrissage de l'argile et de la peinture des objets. *Mohammed Ftis*, au 18 bis du souk de la Poterie, présente un ingénieux dispositif pour la fermeture de bonbonnières, permettant de savoir si les gamins ont chapardé ou non. Arrêtez-vous aussi au n° 7, et demandez à *Ahmed Serghini* de vous montrer sa caverne d'Ali Baba. Il existe aussi des fabriques où l'on produit de la faïence « vieux Rouen » et autres copies, vendues à des antiquaires...

🦃 Allez flâner dans la *médina (plan A1)*. Surtout en fin d'après-midi. Petit marché aux épices juste en face de la boutique de céramique Dar Sikar. Restos et cafés place de l'Indépendance, face au château de la Mer.

🦃 *La Kechla ou borj El-Dar (plan B1) : entrée : 10 Dh (0,90 €)*. Ancienne forteresse portugaise du XVIe s, qui abrite le *musée national de la Céramique,* grande spécialité de Safi *(tlj sf mar 8h30-12h, 14h-18h)*. Les céramiques de Fès, de Meknès et de Safi sont agréablement présentées, mais l'ensemble manque un peu d'explications.

🦃 *La chapelle portugaise (plan A1, 31) : dans la médina ; de la rue du Souk, prendre la venelle située juste après la porte principale de la mosquée. Entrée : 10 Dh (0,90 €)*. À défaut de chapelle, il s'agit du chœur de l'ancienne cathédrale de Safi construite par les Portugais en 1519 (apogée de l'extension lusitanienne au Maroc). Elle fut ensuite transformée en hammam, qui fonctionna jusqu'au début du XXe s. N'oubliez pas de lever la tête pour admirer le plafond, sans quoi vous serez venu pour rien !

🦃 *La galerie d'art La Safiote (plan A1, 32) : rue Driss-ben-Naceur.* 🖀 *064-68-9429. Tlj 10h-20h.* Nadia Khayali, peintre, travaille sur le langage des signes. Des hiéroglyphes aux signes berbères, tout se lie et se délie, se superpose et s'entremêle... l'essence même du Maroc. Intéressant.

🦃 *La vague de Safi (hors plan par A1) :* les jours de grande houle, les amateurs de vagues y observeront l'une des « droites » les plus belles d'Afrique. Descendre par la petite route située dans un virage avant l'hôtel *Atlantique-Panorama* (route d'El-Jadida).

LA RÉGION DES VILLES IMPÉRIALES DE FÈS ET MEKNÈS

Attention, à partir de mars 2009, *Maroc Telecom* doit mettre en place une nouvelle numérotation téléphonique. Les numéros passeront ainsi à 10 chiffres (au lieu de 9 actuellement).

Voici les principaux changements prévus :

– **Pour tous les numéros fixes,** il faudra insérer « 5 » après le « 0 ». Exemple : 024-11-11-11 deviendra 05-24-11-11-11.

– **Pour les portables,** un « 6 » devra être placé après le « 0 ». Exemple : 068-11-11-11 deviendra 06-68-11-11-11.

– **Pour les numéros spéciaux,** se reporter en début de guide à la rubrique « Téléphone et télécoms » dans « Maroc utile ».

Une grande partie de l'histoire du Maroc s'inscrit dans cet itinéraire prodigieux, au cœur du pays. Au long de ses douze siècles d'histoire, Fès a su conserver intactes les richesses léguées par les dynasties qui s'y sont succédé. La capitale des Idrissides, embellie par les Almoravides et les Almohades avant de redevenir capitale sous les Mérinides, reste l'une des plus belles villes cosmopolites de l'Islam.

Meknès, ancienne ville impériale, dotée d'un paysage merveilleusement bucolique, doit son essor à moulay Ismaïl qui entreprit, avec une ardeur inlassable, de la parer de monuments grandioses.

Volubilis, la ville au nom de fleur, constitue le site romain le plus important du Maroc. Sur ses ruines plane encore le souvenir de Juba II, roi de Maurétanie. Cette cité au pouvoir évocateur se dresse comme un défi au temps au pied du mont Zerhoun.

La ville sainte de Moulay-Idriss, la cité aux toits verts qui surplombe les ruines de Volubilis, abrite le descendant de Mahomet venu porter l'islam au cœur du Maroc. Son mausolée attire des milliers de pèlerins musulmans.

Sefrou, au pied du Moyen Atlas, dont on dit qu'elle a été fondée avant Fès, possède l'une des médinas les plus attrayantes du pays.

Mais tous ces hauts lieux de culture – où est gravée dans la pierre la mémoire du Maroc – ne doivent pas vous détourner d'une petite escapade vers Taza, point de départ pour le magnifique parc national de Tazzeka.

FÈS
1 000 000 hab.

Pour le plan d'ensemble de Fès, les plans de la Ville Nouvelle et de la Médina, se reporter au cahier couleur.

Fès, ville mémoire, cité impériale, héritière de la culture andalouse et berceau de l'ex-Empire chérifien, est un haut lieu béni des dieux, aussi fascinant que mystérieux. Cette ville a su maintenir ses traditions avec son université (l'une des plus anciennes du monde), son artisanat et ses petits métiers, tout en devenant une cité moderne active. Il faut voir, de la nécropole des Mérinides, le labyrinthe de sa médina pratiquement inchangée depuis le Moyen Âge (même si sa taille diminue avec le temps). Celle que l'on appelait « la Jérusalem de l'Occident par la diversité de ses communautés et de ses croyances » a gardé un pouvoir d'attraction amplement justifié.

Fès, c'est trois villes en une, ou trois escales dans la machine à remonter le temps : Fès la jeune (la ville nouvelle), sans autre intérêt que ses hôtels et ses restos, construite au temps du protectorat français ; Fès la demi-vieille (officiellement *Fès-el-Jédid*), édifiée au XIIIe s par les Mérinides ; et Fès la vieille, nommée *Fès-el-Bali,* dont la fondation remonte à la fin du VIIIe s.

Fès n'est pas une ville dans laquelle on passe mais où l'on s'arrête. Un ou deux jours ne vous suffiront sans doute pas pour apprivoiser son impressionnante médina, où les rabatteurs ne donneront qu'une envie à certains : fuir (ce que certains finissent par faire, d'ailleurs, en se réfugiant à Meknès, plus calme mais moins captivante). Rester un petit moment permet d'oublier ces désagréments et de s'imprégner de cette ville si attachante et si envoûtante.

UN PEU D'HISTOIRE

Dès 789, alors qu'une petite ville berbère s'élève sur la rive droite de l'oued, Idriss Ier (un descendant du gendre du Prophète) trace et délimite l'enceinte de la ville future. En 809, Idriss II fonde à son tour, de l'autre côté de la rivière, une vraie ville musulmane, avec son palais royal, sa mosquée, sa *kissaria* (marché couvert), ses canaux et ses murailles. Au cours des siècles suivants, des Espagnols, expulsés de Cordoue, forment le quartier des Andalous, tandis que des Kairouanais, menacés par les Aghlabides régnant sur la Tunisie, se réfugient à Fès et créent le quartier Qaraouiyine. Ces émigrés, d'origines multiples (juifs, musulmans et chrétiens islamisés), s'installent et enrichissent la ville de leurs coutumes et connaissances dans une atmosphère de tolérance. Ce brassage propice à l'épanouissement des arts et du savoir incite aux échanges culturels et commerciaux.

À partir du XIe s, c'est le début de l'âge d'or avec le prince almoravide Youssef ben Tachfine qui réunifie la ville dans la même enceinte. Au milieu du XIVe s, elle compte 200 000 habitants et se trouve à la tête d'un vaste empire. Partout dans la capitale, c'est une floraison de mosquées, de *foundouk* (auberges pour les commerçants avec chambres à l'étage et écuries, boutiques et entrepôts au rez-de-chaussée, répartis autour d'une cour), de fastueuses demeures et d'élégantes médersas (centres d'enseignement coranique) qui accueillent lettrés et théologiens, artistes andalous et artisans, ainsi que de nombreux étudiants étrangers, attirés par le renom de collèges prestigieux. La médersa Attarine est considérée comme le chef-d'œuvre de l'art mérinide à Fès, qui développe l'art hispano-mauresque jusqu'à un raffinement extrême. On situe généralement l'apogée de cet art vers 1350, à la fin du règne du sultan Abou Hassan. Dans toute la ville s'élèvent alors de luxueuses constructions décorées de marbre et de faïences précieuses, les fameux zelliges.

Si Fès-el-Bali est la plus vaste et la plus ancienne des médinas marocaines, c'est aussi la plus belle, car l'une des mieux conservées.

Quand les Mérinides s'emparent du pouvoir, au XIIIe s, ils construisent une ville nouvelle, hors les murs, pour leurs palais somptueux. C'est ainsi que naît Fès-el-Jédid, où se trouvent aujourd'hui le palais royal, le mellah (quartier juif) et le *méchouar.* La ville poursuit dès lors son ascension, qui semble irréversible.

UNE VILLE FOISONNANTE

Fès reste la capitale culturelle du Maroc, ainsi que l'un des centres religieux les plus importants du pays. Elle a toujours joué un rôle important dans la vie intellectuelle

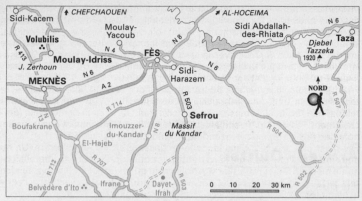

LA RÉGION DE FÈS ET MEKNÈS

du pays, et on a longtemps considéré cette « cité de la foi et du savoir » comme « l'Athènes de l'Afrique ». L'artisanat reste le moteur économique de la cité. Tous ces petits métiers épuisants et peu rentables permettent d'imaginer l'ambiance d'une ville au Moyen Âge, mais font aussi que la médina de Fès vit, et ce n'est pas là le moindre de ses atouts. À Fès, on est surpris par un contraste encore plus saisissant que dans les autres grandes villes du pays entre un lieu chargé d'histoire et une ville résolument tournée vers la modernité.

LA SAUVEGARDE DE LA MÉDINA

Dotée de 250 000 âmes dans les années 1970, Fès en compte aujourd'hui un million. Après l'indépendance principalement, 95 % des Fassis émigrent. Les hommes d'affaires partent à Casablanca, les hommes politiques et les intellectuels à Rabat. Bref, l'argent prend la tangente et les palais et les belles demeures de la médina se dégradent. Désertés, ils ne sont bien souvent entretenus ni par leurs propriétaires absents ni par les nouveaux citadins souvent fauchés. La plupart sont en effet des paysans du Rif, venus se réfugier ici dans l'espoir de profiter un peu de la manne de cette ville magique. La médina voit ainsi sa population tripler en l'espace de quelques années, mais cette progression, aujourd'hui, a pu être jugulée. Le rythme de dégradation de la ville est marqué par plusieurs phases : abandon, mauvaise restauration et occupation inadéquate des lieux, accentuées par une dégradation des infrastructures et des équipements socio-éducatifs et un artisanat de plus en plus polluant. Les dysfonctionnements et les carences du tissu de la médina sont multiples.

Heureusement, l'appel lancé en 1980 par l'un des directeurs de l'Unesco a été entendu. Une Agence pour la dédensification et la réhabilitation de la médina de Fès (Ader-Fes) est créée pour étudier et mettre en œuvre la sauvegarde de la médina avec le soutien de mécènes, d'investisseurs privés, de collectivités locales ou de fonds internationaux (le Fonds Arabe de développement économique et social, la Banque mondiale, etc.). Parmi les projets en cours, citons la restauration des monuments et des fontaines publiques, la dédensification et la réhabilitation des quartiers, l'assainissement, etc.

La question de l'artisanat est longtemps restée épineuse : devait-on laisser cette activité essentielle à la vie de la médina s'y épanouir, sachant que son caractère très polluant menaçait la vieille ville et ses habitants, ou devait-on la délocaliser hors les murs, au risque de priver la médina de son âme et de la transformer en ville-musée tournée uniquement vers le commerce et le tourisme ? On a finalement opté pour la création d'un quartier artisanal à l'extérieur de la médina censé accueillir les activités polluantes (les tanneries utilisant le chrome ou les entreprises de délainage, par exemple).

Même si Fès subit encore quelques consolidations aléatoires, on constate effectivement l'évolution et l'avancée des projets (monuments rénovés ou en cours de rénovation, circuits thématiques fléchés, etc.). Par ailleurs, cette magnifique médina étant une manne touristique, un nombre croissant de demeures traditionnelles est désormais racheté par des Fassis, de retour après être partis faire fortune, ou par des étrangers (Français, Anglais...) qui investissent ou ouvrent des maisons d'hôtes...

Pour plus d'infos sur la réhabilitation de la médina : ● aderfes.ma ●

Arriver – Quitter

En bus

🚌 **Gare routière CTM** (plan couleur I, B4) : Dhar Mahres. ☎ 022-43-82-82. ● ctm.co.ma ● Une gare routière organisée comme un petit aéroport (mais accueil moyen au guichet). Il est très recommandé de prendre ses billets à l'avance (la veille), surtout pour Marrakech, car les bus, peu nombreux, sont souvent complets. Consigne à bagages pour les voyageurs munis d'un titre de transport CTM. Liaisons avec :

➢ **Casablanca, via Meknès et Rabat :** env 8 bus/j. (dont 1 de nuit). Pour gagner du temps, 1 liaison directe avec Casa.

➢ **Marrakech, via Ifrane, Azrou, Khénifra, Beni-Mellal :** 2 bus/j., tôt le mat et en soirée.

➢ **Tanger :** 4 bus/j.

➢ **Agadir :** 1 bus/j., le soir.

➢ Et 3 bus/j. pour **Chefchaouen** et **Tétouan,** 3-4 bus/j. pour **Oujda** et **Taza,** 1 bus/j. pour **Erfoud** et **Errachidia** (en principe en soirée) et **Al-Hoceima** (de nuit).

🚌 À côté de Bâb-Mahrouk (plan couleur II, A2), **gare routière** pour les bus non CTM.

🚌 À Bâb-Ftouh (plan couleur II, D3), bus locaux vers **Sidi-Harazem** et **Moulay-Yacoub.**

En taxi collectif

🚕 **Taxis collectifs :** grands taxis blancs à la gare routière CTM (plan couleur I, B4) ou à la gare ONCF (plan couleur I, A1). Pour toutes les destinations ou presque.

En train

🚆 **Gare ferroviaire ONCF** (plan couleur I, A1) : pl. du Roi-Fayçal. ☎ 035-93-03-33 ou 090-20-30-40 (centre d'appel). ● oncf.ma ● Le bus n° 19 ou n° 3 relie la gare à la place R'cif, donc à la médina. Vente de tabac, journaux. Liaisons avec :

➢ **Marrakech :** 7 trains/j. La plupart des trains sont directs, sinon changement à Casablanca. Trajet : env 7h.

➢ **Casablanca et Rabat :** 1 dizaine de liaisons tlj. Compter 3h pour Rabat et 4h pour Casa.

➢ **Oujda :** 3 trains directs/j. Trajet : 6h.

➢ **Nador :** 1 train de nuit slt. Trajet : env 6h30.

➢ **Meknès :** env 10 trains directs/j. Trajet : env 45 mn. Plus pratique et plus rapide que le bus.

➢ **Tanger :** 5 trains/j. (dont 1 train de nuit) ; slt 1 direct et les autres avec changement à Sidi Kacem. Trajet : env 5h.

En avion

✈ *Aéroport de Fès Saïs* (hors plan d'ensemble) : *route d'Imouzzer, à 15 km. Standard :* ☎ 035-62-48-00. Desserte de l'aéroport ttes les heures (6h-20h) par le bus n° 16, à prendre en ville à la gare *ONCF* (arrêt presque à l'angle avec l'avenue des Almohades). En journée, course à 120 Dh (10,90 €) en grand taxi (blanc) à l'aéroport ou en taxi touristique (gris) en ville. À Fès, on les trouve à la gare ferroviaire *(plan couleur I, A1)*, place Mohammed-V *(plan couleur I, B3)* ou devant les grands hôtels (plus chers).
– Pour retirer de l'argent, un distributeur de billets dans le hall de l'aéroport et des bureaux de change.
➤ *Liaisons intérieures* avec des vols pour *Casablanca, Dakhla, Er-Rachidia, Laâyoune, Marrakech, Tanger* et *Tan-Tan.*
➤ *Liaisons internationales :* plusieurs vols hebdomadaires directs pour *Paris* avec la *Royal Air Maroc* et *Corsairfly.*

Comment se repérer ?

Fès est un ensemble complexe avec ses trois villes : la ville nouvelle, Fès-el-Jédid (le quartier du palais royal) et Fès-el-Bali (le quartier de la médina). Les choses se compliquent encore avec la toponymie des rues, qui possèdent quasiment toutes des doubles noms, le plus souvent inscrits en arabe. Ne vous affolez pas, l'indication des rues en bilingue se généralise dans la ville nouvelle. Pour Fès-el-Jédid et Fès-el-Bali, avec un peu de patience, le plan du guide et les Fassis toujours (trop, diront certains) prêts à vous aider, on arrive à s'en sortir. Courage !
Outre le nom de la rue, les adresses de la médina indiquent en principe le quartier (Batha, Ziat...), très utile pour situer ce qu'on cherche. Attention, plusieurs rues portent le même nom ; c'est le quartier qui permet de les différencier.
Par ailleurs, le système de circuits et de fléchage désormais mis en place dans Fès-el-Jédid et Fès-el-Bali facilite grandement l'orientation. Le livret *Fès, Guide des circuits touristiques thématiques* (en vente dans les librairies et les *riad*) complète ce système de circuits, rend la promenade encore plus aisée et vous donne des infos succinctes sur l'histoire et le patrimoine de Fès.
Il existe également un guide, *Fès de bâb en bâb, promenades dans la médina* (de Hammad Berrada ; PM Éditions ; en vente dans la librairie que nous indiquons dans les « Adresses utiles »). Son utilisation n'est pas toujours simple, mais il s'agit néanmoins d'un bel ouvrage complété d'une bonne carte que nous recommandons surtout à ceux qui, lors d'un séjour prolongé, souhaitent découvrir plus en profondeur la médina et ses trésors.

Circuler dans Fès

Si vous arrivez en voiture à Fès, il se peut que vous soyez « pris en charge » aux abords de la ville (au feu rouge, par exemple) par des motards qui vous proposeront leurs services pour vous guider, vous aider à trouver un hôtel, etc. Il s'agit, bien entendu, de faux guides, qui touchent des commissions sur toutes les prestations qu'ils vous proposent. Soyez très ferme.

Les petits taxis

Pour épargner votre essence, vos nerfs, et vous éviter de payer le parking habituel (5-10 Dh par jour et 10 Dh la nuit, soit 0,50-0,90 €), on vous conseille les petits taxis. Pratiques et pas chers. Une course entre la ville nouvelle et la médina coûte env 10 Dh (env 0,90 €). De nuit, prix majoré de 50 %. Autre avantage, vous pouvez entrer par une porte, vous balader, et sortir par une autre sans avoir de marche à faire pour retrouver votre voiture puisqu'il y a des stations de taxis à presque toutes les portes de la médina. Soulignons que, en général, les chauffeurs de Fès sont réglo et mettent automatiquement leur compteur en marche.

Les principales stations de la ville nouvelle sont près de la poste, de la place Florence et des gares, mais il suffit généralement de lever le bras.

Les bus

Service jusqu'à 21h. Ticket à env 3 Dh (0,30 €), qui varie selon la distance parcourue. Les principales lignes de bus (souvent bondés) sont les suivantes :

– *n° 1 :* place des Alaouites-Dar Batha, à proximité de Bâb-Boujloud (assure la liaison entre la médina et le quartier Fès-el-Jédid) ;
– *n° 3 jaune :* Bâb-Ftouh – place de la Résistance ;
– *n° 3 blanc :* Bâb-Ftouh – gare *ONCF* ;
– *n° 10 :* Bâb-Guissa – Bâb-Boujloud-gare *ONCF* ;
– *n° 12 :* Bâb-Boujloud – Bâb-Ftouh ;
– *n° 19 :* place R'cif – gare *ONCF.*

Adresses utiles

Infos touristiques

ℹ️ ***Délégation régionale du tourisme*** *(plan couleur I, B3) :* pl. Mohammed-V. ☎ 035-62-34-60. *Tlj sf w-e 8h30-16h30 (9h-15h pdt le ramadan).* Distribue *L'Agenda,* brochure qui liste les événements culturels de la ville et contient une petite carte (peu lisible) de la médina et de la ville nouvelle. Accueil très aimable.
– Également beaucoup d'infos sur la ville sur ● visitfes.org ●
ℹ️ ***Guides officiels :*** *guides nationaux 150 Dh (13,60 €) la ½ journée, 250 Dh (22,70 €) la journée ; guides locaux, env*

120 Dh (10,90 €) la ½ journée et 150 Dh (13,60 €) la journée ; repas en sus. On peut les contacter par l'intermédiaire de la délégation régionale du tourisme.
■ ***Agence Art et Culture Travel :*** *14, av. Mohammed-el-Keghat.* ☎ *035-93-21-19.* ● *artetculturetravel@menara. ma* ● *Par jour, compter 55-280 Dh (5-25,50 €)/pers selon nombre de pers et itinéraire.* Une agence sérieuse qui propose des visites de la médina ou l'organisation d'excursions dans les environs, avec des guides qualifiés et agréés.

Poste et téléphone

✉️ ***Poste :*** *poste restante dans le bureau principal, celui de l'av. Hassan-II dans la ville nouvelle (plan couleur I, B2). Bureaux de poste annexes pl. Allal-Al-*

Fassi (plan couleur I, B4) et, dans la médina, pl. Batha (plan couleur II, A2). Sem 8h-16h ; sam 8h-12h (sf pl. Allal-Al-Fassi, fermée le w-e).

Argent, banques, change

■ ***Change :*** *dans les banques et les postes et, en dehors des heures d'ouverture, dans la plupart des grands hôtels aux mêmes tarifs, comme le Grand Hôtel de Fès (plan couleur I, B3, 11)* ou l'hôtel *Les Mérinides (plan couleur I, A1).*
■ ***Banques :*** *la plupart s'alignent sur le*

bd Mohammed-V (plan couleur I, B2-3), sur la pl. de Florence (plan couleur I, B2) ou sur l'av. Hassan-II (plan couleur I, A-B2-3). Disposent de distributeurs automatiques et font souvent le change. Dans la médina, sur la pl. de Bâb-Boujloud (plan couleur II, A2).

Représentation diplomatique

■ **Consulat de France** (plan couleur I, A2) : av. Abou-Obeida-ben-el-Jerrah. ☎ 035-94-94-00. • consulfrance-fes. org • Lun-ven 8h15-11h, 14h-16h30. Pour certains services, slt sur rdv.

Urgences, santé

■ **Hôpitaux : clinique Ryad,** 2, rue Benzakou, Atlas, ☎ 035-65-65-65. **Centre hospitalier Hassan II** (ou hôpital Al Ghassani), Dhar-Mehraz, Bâb-El-Ghoul, ☎ 035-62-27-77. **Hôpital Ibn-al-Khatib,** kasbah Cherarda, Bâb-Mahrouk, ☎ 035-64-51-92 ou 93.
– Pour les autres urgences (pompiers, police, pharmacies de garde), reportez-vous à la rubrique « Urgences » dans « Maroc utile », en début de guide.

Loisirs

■ **Institut français** (plan couleur I, B2, **1**) : 33, rue Loukili. ☎ 035-62-39-21. Tlj sf dim 8h30-12h15, 14h30-18h30. Animation tlj. Leur demander le programme.
■ **Librairie et presse internationale : papeterie El-Fikr-el-Moaser** (plan couleur I, B3, **2**), rue Chefchawni. Bien fournie en guides touristiques sur le Maroc, dont le guide Fès de bâb en bâb, promenades dans la médina, et presse internationale. Vous la trouverez aussi au **kiosque Rami** (plan couleur I, B3, **3**), à l'angle du bd Mohammed-V et de la rue Abdel-Krim-el-Khattabi.
■ **Centre artisanal** (plan couleur I, A4, **4**) : av. Allal-ben-Abdallah, à côté de l'hôtel FRAM Volubilis. Tlj 9h-12h30, 14h30-18h30. Agréable et prix raisonnables affichés.
■ **Piscines :** celle de l'**hôtel Zallagh** (plan couleur I, B2, **113**), rue Mohammed-Diouri. Entrée : env 100 Dh (9,10 €). Piscine des **Trois Sources** sur la route d'Imouzzer, à 4 km de la ville en direction de l'aéroport. Entrée : 30-50 Dh (2,70-4,50 €) selon saison et moment de la sem. Un petit complexe avec piscine, snack et un resto agréable. On déconseille la piscine municipale, surpeuplée et sans hygiène.
■ **Cinéma : Rex** (plan couleur I, B3, **12**), angle av. Mohammed-Slaoui et bd Mohammed-V. Le meilleur (fermé en août).

Internet

@ **Cyber Batha** (plan couleur II, A2, **6**) : Derb Douh. Dans une ruelle de la médina, entre Talâa Sghira et le quartier Batha. Ouv jusqu'à 23h. Une grande pièce impersonnelle sans fenêtre, mais beaucoup d'ordinateurs et connexion rapide.
@ **Cyber Net** (plan couleur I, B3, **7**) : bd Mohammed-V. Ouv jusqu'à minuit. Espace blanc et impersonnel, mais connexion plutôt rapide.

Transports

■ **Royal Air Maroc** (plan couleur I, B2, **8**) : 52, av. Hassan-II. ☎ 035-62-55-16 ou 17. Ou à l'aéroport : ☎ 035-62-47-12. En été : lun-ven 8h15-12h30, 15h30-19h30 ; sam 8h30-12h, 15h-18h (ferme 1h plus tôt l'hiver). Comme il n'y a pas d'agence Air France à Fès, c'est là qu'il faut confirmer ses vols sur la compagnie française, généralement 72h avant le départ (n'oubliez pas d'apporter le billet).
■ **Corsairfly** (plan couleur I, B2) : av. Abdellah-Chefchaouni. ☎ 035-65-43-87.
■ **Budget :** 6, av. Lalla-Asmae. ☎ 035-94-00-92.
■ **Avis :** 50, av. Abdellah-Chefchaouni. ☎ 035-62-67-46.

■ *Hertz :* 1, rue Lalla-Meryem. ☎ 035-62-28-12.
■ *Europcar :* 45, av. Hassan-II. ☎ 035-62-65-45.
■ *Touring Car :* 36, bd Mohammed-V. ☎ 035-94-26-74. ● touringcar5@hot mail.com ●

■ *Stations-service :* Total, av. des FAR (plan couleur I, A3, **9**) ; en face de l'hôtel Royal Mirage Fès. Ouv 24h/24 et accepte (en principe) les cartes de paiement. D'autres stations sur la même avenue et un peu partout en ville.

Divers

■ *Service cartographique régional* (plan couleur I, B3, **10**) : av. Chefchaouni, Agdal-Fès. ☎ 035-94-03-17. Bâtiment imposant face au parc. En arrivant, prendre le 1er escalier sur la gauche. Lun-ven 9h-16h. Choix de toutes sortes de cartes (voir la rubrique « Sports et loisirs » dans « Hommes, culture et environnement »), mais il est plus prudent d'appeler avant pour vérifier que la carte désirée est bien disponible ou en stock.
■ *Pressing Mamounia* (plan couleur I, B3, **5**) : rue Ahmed-el-Hanssali. Tlj 8h30-13h, 15h-20h.
✺ *Supermarchés : Makro* sur la rocade périphérique n° 1, quartier Bensouda, dans la direction de Meknès. Également *Marjane,* toujours en direction de Meknès.

Où dormir ?

En saison, les meilleurs hôtels étant souvent pleins, on ne peut voir la chambre que vers 12h. Il est préférable de réserver, principalement lors des périodes de vacances scolaires et en été, même si les résas ne sont pas toujours prises en compte (notamment dans les petites adresses de la médina).

Campings

⋊ *Camping du Diamant Vert* (hors plan couleur I par A4, **20**) : sur la route d'Aïn-Chkeff. ☎ 035-60-83-67 ou 69. Fax : 035-60-83-68. À env 8 km de la ville moderne (avec comme repère la pl. de la Résistance ; plan couleur I, B2). Du centre, suivre la direction de l'autoroute pour Rabat. Sur l'autoroute (mais avt le péage), prendre la sortie vers Oujda (unique sortie avec pont enjambant la route qui se trouve sur cette portion d'autoroute) et traverser le pont. De Meknès et Rabat, en arrivant par l'autoroute, prendre la 1re sortie après le péage puis sur la droite ; dépasser la piscine du Diamant Vert et tourner à droite au rond-point. Desservi par le bus n° 17 (départ de la pl. Florence ; plan couleur I, B2). Compter 70 Dh (6,40 €) pour 2 pers avec tente et voiture, douche chaude comprise. Camping très ombragé, à l'orée d'un bois. Magasin d'alimentation et petit resto. Le camping est bondé en juillet-août, surtout le week-end, les piscines attirant pas mal de monde. Pas très calme ces jours-là non plus avec une sono poussée à fond. Il y a trois bassins (inclus dans le prix du camping) : un réservé aux femmes, un avec toboggan et un pour tous. Ils sont ouverts uniquement de mi-mai à fin septembre. En dehors de cette période, ils servent plutôt d'abris à grenouilles !
⋊ *Camping International* (hors plan couleur I par B4, **21**) : sur la route de Sefrou, à env 4 km de la ville nouvelle, juste à côté de l'imposant complexe sportif. ☎ 035-61-80-61. Fax : 035-61-81-73. Accès par le bus n° 38 au départ de la pl. Allal-Al-Fassi (plan couleur I, B4). Pour 2 pers avec tente et voiture env 130 Dh (11,80 €), douche chaude comprise. Dans un site plutôt agréable et assez ombragé, une infrastructure moderne avec piscine (incluse dans le prix), mais aussi musique et animations l'après-midi : adieu la sieste ! Accueil inégal. Rapport qualité-prix globalement peu satisfaisant.

FÈS

Dans la ville nouvelle

Très bon marché

▲ **Auberge de jeunesse** (plan couleur I, B2, **22**) : 18, rue Abdeslam-Serghini. ☎ 035-62-40-85. ● fesyouthhostel.com ● Ouv 8h-22h (prévenir en cas d'arrivée tardive). Résa obligatoire, min 3 nuits. Lit en dortoir 55 Dh (5 €) avec ou sans carte, double 65 Dh/pers (5,90 €), petit déj compris. Une belle petite AJ avec beaucoup de charme, dans une maison décorée de zelliges à dominante verte. Les chambres s'ouvrent sur des terrasses ombragées et des jardins, créant de nombreux espaces individualisés et reposants.

Sanitaires corrects. Une très belle adresse mais souvent complète, logique !

▲ **Hôtel Volubilis** (plan couleur I, B2, **23**) : 42, av. Abdellah-Chefchaouni. ☎ 035-62-04-63. Double 80 Dh (7,30 €) ; familiale 3-5 pers 120 Dh (10,90 €). Très simple, chambres propres, mais sanitaires communs peu attirants : douche froide uniquement, qui plus est située au-dessus des w-c à la turque. Les petites chambres ne vous ruineront pas, quoique le prix soit parfois établi à la tête du client.

Bon marché

▲ **Hôtel du Maghreb** (plan couleur I, B3, **24**) : 25, av. Mohammed-Slaoui. ☎ 035-62-15-67. Double 120 Dh (10,90 €). Dans le quartier très animé en journée de la place Mohammed-V, une façade Art déco d'un étage seulement. Des chambres simples et propres, carrelées de noir et de blanc. Literie un peu dure mais propre. Toilettes et salle de bains avec eau chaude dans le couloir. Pas le grand luxe, mais peut dépanner.

▲ **Hôtel Central** (plan couleur I, B3, **25**) : 50, rue Brahim-Roudani. ☎ 035-62-23-33. Doubles 150-190 Dh (13,60-17,30 €) avec ou sans sdb ; pas de petit déj. Sans déborder de charme, les murs blanc et bleu de ce petit hôtel donnent à l'ensemble une touche lumineuse. Chambres à la literie correcte, assez grandes, mais pas de toute première jeunesse. De plus, douche parfois capricieuse selon les heures de la journée.

De prix moyens à chic

▲ **Hôtel Errabie** (hors plan couleur I par B4, **21**) : av. Moulay-Rachid (ex-route de Sefrou). ☎ 035-64-01-00 ou 10-75. De la pl. Allal-Al-Fassi, suivre direction Sefrou et remonter la rue sur env 500 m ; l'hôtel est sur la gauche (avec entrée sur le côté), entre les stations-service. Double 230 Dh (20,90 €), sans petit déj. Également des chambres pour 4 personnes. Chambres avec salles de bains propres et agréables, même si l'ensemble n'est plus de toute première jeunesse. L'hôtel, légèrement excentré (mais les pieds courageux rejoindront sans difficulté le centre de la ville nouvelle) et au bord d'une route passante, bénéficie cependant d'un accueil fort sympathique.

▲ **Splendid Hôtel** (plan couleur I, B3, **28**) : 9, rue Abdelkrim-El-Khattabi. ☎ 035-62-21-48. Fax : 035-65-48-92.

Double 420 Dh (38,20 €), petit déj obligatoire. Hôtel très sobre et sans grande recherche dans la déco, impersonnel et froid, mais confortable et impeccable. Un atout non négligeable : la petite piscine et les terrasses communes sur l'arrière, au 1er étage, sans grand charme elles non plus, mais appréciables quand on se sent l'âme paresseuse et ramollie par un soleil ardent.

▲ **Hôtel de la Paix** (plan couleur I, B2, **29**) : 44, av. Hassan-II. ☎ 035-62-50-72. Doubles avec sdb 380-450 Dh (34,50-40,90 €) selon situation et taille, petit déj (peu copieux) compris. Un ancien très bel hôtel qui a vieilli. La réception tient néanmoins son rôle : elle impressionne par ses plafonds et beaux zelliges. Les chambres petites mais climatisées restent correctes car confortables et bien tenues dans l'ensemble. Celles donnant sur l'avenue Hassan-II sont bien sûr plus bruyantes, malgré le double vitrage dans certaines.

Très chic

▲ *Hôtel Mounia (plan couleur I, B3, 30) :* 60, bd Zerktouni. ☎ 035-62-48-38 ou 035-65-07-71 ou 72. ● *hotelmounia fes.ma* ● *Parking payant. Double climatisée 600 Dh (54,50 €), mais promotions pdt les saisons creuses. Petit déj en sus (frugal).* Joli hall typique dans un bâtiment sans cachet. Une centaine de chambres petites mais confortables, impeccables, au style fonctionnel et moderne classique mais réussi. Des teintes douces rendent l'ensemble très accueillant. Salles de bains nickel. Celles sur cour sont plus sombres, mais bien plus calmes, sauf quand la clim' fonctionne ! Accueil aimable.

▲ *Hôtel Fès Inn (hors plan couleur I par B4, 21) :* 47, rue Sidi-Brahim. ☎ 035-64-00-89. ● *hotelfesinn.com* ● *De la pl. Allal-Al-Fassi, suivre la direc-*

tion de Sefrou pdt env 500 m, tourner à gauche juste avt l'hôtel Errabie, *puis prendre à droite (en principe fléché). Double 550 Dh (50 €), petit déj compris.* Excentré dans un quartier sans charme, cet hôtel, moderne mais à la déco d'inspiration traditionnelle (on a bien dit d'inspiration !), a l'avantage d'être au calme et les plus courageux rejoindront sans difficulté la ville nouvelle à pied. Contrairement à l'intérieur un peu sombre et aux couloirs anonymes, les chambres sont plutôt élégantes, de bonne taille et confortables. Toutes sont agrémentées d'une petite terrasse, malheureusement protégée d'un muret plein très haut qui bouche la vue. Piscine et terrasses communes sous les arcades bien agréables. Également un bar à tapas et un resto.

Dans la médina

Très bon marché

▲ *Moulay Idriss (plan couleur II, D2, 32) :* à 100 m de Bâb-Ftouh. ☎ 035-76-36-42. *Parking payant. Double env 90 Dh (8,20 €), sans petit déj. Douche payante.* Assez excentré mais sympa. Les chambres sont réparties autour d'une petite terrasse.

▲ *Hôtel Erraha (plan couleur II, A2, 34) :* sur la place devant la Bâb-Boujloud, accès par la ruelle qui longe la mosquée. ☎ 035-63-32-26. *Double*

100 Dh (9,10 €) ; douche chaude commune payante. Chambres réparties autour de vastes patios carrés où trônent des lavabos. C'est rudimentaire et moyennement entretenu. L'adresse conviendra à ceux qui ne redoutent pas un cadre un peu gris et une literie plus très ferme (euphémisme !). Terrasse agréable pour s'échapper vers des cieux plus clairs.

De bon marché à prix moyens

▲ *Pension Kawtar (plan couleur II, A2, 33) :* 25, Talâa Sghira Taryana. ☎ 035-74-01-72. ● *pension_kaw@yahoo.fr* ● *Tte proche de la médersa Bou Inania, pension bien fléchée depuis la Talâa Sghira. À partir de 100 Dh/pers (9,10 €), petit déj compris, sdb communes avec eau chaude.* En plein cœur de la médina, une maison traditionnelle de 46 lits répartis dans des chambres de 2 à 7 personnes sur plusieurs niveaux.

Les chambres de plusieurs lits font un peu trop dortoirs surchargés, mais l'ensemble est très propre et bien tenu. Carrelage partout. La maison est ordonnée comme un *riad*, le faste en moins, un brin de charme malgré tout. En terrasse sur le toit, une toute petite chambre qui servait autrefois de pigeonnier. Accueil très gentil, cordial et affable. Plutôt une bonne surprise à petit prix dans la médina !

FÈS

≜ *Hôtel Cascade (plan couleur II, A2, 35) :* 26, Serrajine, Bâb-Boujloud. ☎ 035-63-84-42. *Double env 120 Dh (10,90 €), douche chaude comprise (dans le couloir). Possibilité de dormir sur la terrasse, env 50 Dh (4,50 €).* Deux terrasses panoramiques donnant sur la médina. Repaire inégalable pour observer l'agitation qui règne à toute heure à l'entrée de la porte. Des chambres de toutes les tailles, mais rudimentaires et d'une propreté très relative. Accueil inégal.

≜ *Pension Talâa (plan couleur II, A2, 36) :* 14, Talâa Sghira (indiqué par une pancarte et facile à trouver), Bâb-Boujloud. ☎ 035-63-33-59. *Double 150 Dh (13,60 €). Toilettes et douches chaudes sur le palier.* Chambres pimpantes, illuminées par des murs blanc et orange. On apprécie l'effort fait dans l'entretien de cette adresse qui – pour une fois dans la médina – assure le nettoyage des douches. Les chambres sur le toit sont les plus sympas, mais étouffantes quand il fait chaud.

≜ *Pension Hôtel Dalila (plan couleur II, C1, 38) :* 28, Bâb-oued-Zhoun. ☎ 035-74-06-57. *Double 200 Dh (18,20 €) avec douche et w-c.* Ensemble vivement coloré et propre. On note un véritable effort de déco, même si le résultat est plutôt kitsch et pas superbement entretenu. Les chambres ont des décos différentes, certaines disposant d'un balcon et toutes ont accès à la terrasse. Le quartier, qui peut être bruyant la nuit, se trouve à la limite de la médina, à quelques pas de la mosquée Qaraouiyine.

≜ *Pension Batha (plan couleur II, A3, 37) :* 8, Sidi-Lkhayat-Batha. ☎ 035-74-11-50. À ne pas confondre avec l'hôtel Batha. *Doubles sans sdb 150 Dh (13,60 €), avec sdb 200-250 Dh (18,20-22,80 €) selon taille ; eau chaude slt le mat et le soir (parfois juste le soir !). Petit déj compris.* Facile d'accès et bien

placé à l'entrée de la médina. Une dizaine de chambres à la déco hétéroclite, la plupart très classique et sans charme. Mais quelques-unes, plus sympathiques, ont un plafond en stuc, et une autre donne sur la terrasse (elle est souvent retenue pour de longs séjours). Literie pas toute jeune, mais propreté correcte. Pas de clim' ni de ventilo et les chambres donnent sur la rue (bruyant). Attention, les résas par téléphone ne sont pas toujours fiables.

≜ *Hôtel Lamrani (plan couleur II, A2, 39) :* au début de la rue Talâa Sghira, à gauche. ☎ 035-63-44-11. *Doubles 150-200 Dh (13,60-18,20 €) avec ou sans lavabo.* Sommaire mais bien situé (rue bruyante toutefois). Literie propre. Douche chaude payante et w-c sur le palier. Les chambres derrière sont plus calmes. Accueil un peu ours au premier abord mais plutôt sympathique au final.

≜ *Hôtel Mauritania (plan couleur II, A2, 35) :* 20, Serrajine. ☎ 035-63-35-18. *Juste après la Bâb-Boujloud, à droite. Doubles 160-200 Dh (14,50-18,20 €) ; douche chaude payante.* Petit établissement d'une dizaine de chambres sans prétention. L'ensemble n'est pas toujours très net. Rapport qualité-prix toutefois médiocre en haute saison.

≜ *Pension Campini (plan couleur II, A3, 40) :* rue Campini, à côté du poste de police, derrière le musée Dar-Batha. ☎ 035-63-73-42. *Doubles 250-300 Dh (22,70-27,30 €) avec ou sans sdb.* Dans un quartier calme. Quelques chambres claires, spacieuses, décorées de tapis et plutôt propres. Terrasse agréable, mais les chambres qui s'y trouvent sont moins bien entretenues. Belle vue sur la médina, la ville nouvelle et les collines environnantes. Pourrait être une très bonne adresse si l'accueil n'était pas aussi lunatique et si les prix ne grimpaient pas aussi généreusement ni régulièrement.

Chic

≜ *Hôtel Batha (plan couleur II, A3, 41) :* rue de l'Unesco, à côté du musée Dar-Batha. ☎ 035-63-48-60 ou 035-74-10-77. Fax : 035-74-10-78. *Double env 520 Dh (47,30 €) ; petit déj obligatoire en sus (réduc hors saison).* On essaiera

de vous imposer la demi-pension (repas moyen), et on vous regarde de travers si vous refusez. Un bel hôtel moderne d'une soixantaine de chambres, spacieuses et plutôt propres, habillées d'une déco typique du pays pour se

FÈS

donner des airs traditionnels. Patio agrémenté de fontaines. Bref, une adresse un peu pompeuse mais appréciable pour sa situation aux portes de la médina et des sites les plus courus. Gros avantage : la piscine bien agréable après une journée épuisante dans la vieille ville.

Très chic

🛏 *Le Palais Jamaï* (plan couleur II, B1, *42*) : ☎ 035-63-43-31. ● h2141@accor. com ● *Doubles 3 330-3 830 Dh (302,70-348,20 €) selon vue, petit déj inclus. Le Palais Jamaï* est l'ancien pavillon de plaisance d'une grande famille fassie, bâti au XVIIIᵉ s, auquel on a ajouté une nouvelle partie dans les années 1970. Chambres luxueuses tout confort mais sans le charme de celles d'un *riad*. Dans un magnifique jardin andalou sont disséminés des fontaines et des bassins aux motifs géométriques en zellige. Le plus chic quand même, c'est la piscine avec vue sur la médina, on ne fait pas mieux ! On peut déjeuner sur place dans le superbe resto marocain *Al-Fassia* (voir « Où manger ? »).

Les *riad*

Comme à Marrakech, la médina de Fès regorge de ces adresses de charme. On dénombrait officiellement près d'une quarantaine de *riad* lors de notre dernier passage, sans compter tous ceux qui n'étaient pas encore répertoriés, ou encore ceux en cours de réhabilitation, qui s'acheminaient vers une ouverture prochaine. Ces palais magnifiquement décorés réalisent à merveille nos fantasmes de princes et princesses des Mille et Une Nuits. Malgré tout, on comprend vite qu'ils sont tous plus ou moins semblables, époustouflants et souvent tape-à-l'œil. Ainsi avons-nous gardé les adresses plus charmantes que spectaculaires, là où un agréable accueil est privilégié. Certaines « maisons d'hôtes » s'agrandissent et deviennent de somptueux hôtels de luxe, négligeant alors l'essentiel : la qualité de l'accueil. Les prix pratiqués sont très élevés. Même Marrakech est devenue plus raisonnable ! Ne pas hésiter à négocier, surtout si vous restez plusieurs jours. Faute de quoi, on entretient cette hausse des prix sans fin !
Le petit déjeuner est compris dans les nuitées des adresses ci-dessous. En revanche, il faut ajouter une taxe touristique (environ 10 Dh, soit 0,90 €, par nuit et par personne), en vigueur depuis 2007.

🛏 *Riad Lune et Soleil* (plan couleur II, B3, *44*) : 3, derb Skallia, douh-batha. ☎ 035-63-45-23. ● *luneetsoleil.com* ● *Accès simple, possible en voiture. Résa fortement conseillée. Doubles 715-1 080 Dh (65-98,20 €) selon confort, un délicieux petit déj pour commencer la journée en beauté ! Repas à partir de 220 Dh (20 €).* Est-ce les citronniers veillant, tout en luxuriance, sur la fontaine du patio ? Les belles antiquités chinées au gré des souks, et semées ici et là ? Le sourire, l'entrain et la gentillesse de l'accueil ? Qui sait ? Ce petit *riad,* qui n'est ni le plus somptueux ni le plus époustouflant, nous a conquis, tout simplement. La belle atmosphère paisible et heureuse des lieux, la bonne chère que l'on y sert et l'enthousiasme que mettent les hôtes et leur adorable équipe pour vous aider à découvrir une ville fascinante pourraient bien vous donner l'envie de vous y attarder ou d'y revenir... mais alors soyez prévoyant, car la maison affiche souvent complet.

🛏 *Riad-al-Bartal* (plan couleur II, B3, *43*) : 21, derb Sournas, Ziat. ☎ 035-63-70-53. ● *riadalbartal.com* ● *Accès aisé par la Bâb-Ziat. Garage (payant). Résa conseillée, l'adresse est très courue. Doubles et suites 800-1 300 Dh (72,70-118,20 €) ; également une double suite pour 4 pers. Repas complet 200 Dh (18,20 €).* Mireille et Christian accueillent leurs hôtes avec beaucoup de gentillesse dans ce magnifique *riad* chaleureux, vivant et aux beaux volumes. Le patio est noyé sous la verdure, plantes et arbres en pot égayant le décor de mosaïques et zelliges. Des balustrades des galeries dégoulinent une jungle végétale s'écoulant en cascade vers le sol. Une demi-douzaine de chambres, avec poêle ou cheminée, dont une splendide aménagée avec une mezzanine. Également une vaste terrasse sur les toits offrant une jolie vue sur les environs. Une tente caïdale y est installée aux premières chaleurs estivales. Vraiment une adresse pleine de charme, petit nid à conseils et bons tuyaux.

🏠 **Riad Lalla Zoubida** (plan couleur II, A2, **45**) : 23, derb Salaj, Batha. ☎ 035-63-50-63. ● riadlallazoubida.com ● Doubles ou suites 800-1350 Dh (72,70-122,70 €). Une fois de plus, ce riad n'est pas de ceux qui vous en mettront plein la vue, mais il a gardé une âme. Celle de la maison de famille qu'il fut jusqu'au début du IIe millénaire avant que sa propriétaire ne le transforme doucement en maison d'hôtes. Il a conservé ses meubles et son agencement, ainsi qu'une agréable terrasse sur le toit. Une belle chambre parmi d'autres : la petite double au bout de la galerie du 1er étage, intime et douillette. Un beau lieu confortable à l'accueil tout en gentillesse et en chaleur. Attention toutefois aux réservations non honorées parfois. Bien reconfirmer votre venue.

🏠 **Riad Louna** (plan couleur II, A2, **46**) : 21, derb Serraj, Talâa Sghira, Bâb-Boujloud. ☎ 035-74-19-85. ● riadlouna. com ● À deux pas du musée Dar-Batha et de la Bâb-Boujloud, dans une impasse (sur la droite) de la derb Serraj. Doubles et suites 850-1 450 Dh (77,30-131,80 €). Repas possible sur résa. Deux riad réunis pour le prix d'un, avec une grande capacité d'accueil donc. L'ensemble fut restauré avec beaucoup de goût et d'amour. Très agréable terrasse et un patio qui, avec sa fontaine centrale et ses vasques aux motifs géométriques en zelliges plantées d'orangers, invite au repos et à la détente. D'élégantes chambres plutôt sobres, et des salles de bains assez petites néanmoins. Mais c'est surtout l'accueil de toute l'équipe qui finira de vous séduire.

🏠 **Riad Serghini** (plan couleur II, B2) : 23, derb Tikharbicht, quartier Laâyoun. Résa auprès de Marrakech Riads. ☎ 024-42-64-63 ou 024-39-16-09. ● marrakech-riads.info ● Prix selon nombre d'occupants : 1 650 Dh (150 €) pour 2 pers et jusqu'à 2 420 Dh (220 €) pour 8 pers, petit déj compris ; ajouter 20 % en hte saison. En plein cœur de la médina, ce petit riad du XVIIe s, minutieusement restauré, se loue toujours en entier. En couple ou entre amis, vous serez ici chez vous. La demeure abrite 2 chambres et 1 suite pour 4 personnes. Confortables salons aux lumières tamisées le soir, décoration sobre et élégante dans les chambres, lignes épurées. Tons clairs, sans profusion de zelliges ou de mosaïques (pour une fois !). Le résultat est surprenant, et fait joliment le lien entre le traditionnel et le design chic. Terrasse pour prendre son petit déj. L'agence Marrakech Riads devait ouvrir une autre maison (le Dar Skali) au printemps 2009 : 6 chambres et 3 suites entre 900 et 1 800 Dh (81,80-163,60 €) pour 2 personnes.

🏠 **Ryad Mabrouka** (plan couleur II, A2, **47**) : 25, derb El-Miter, Talaa K'bira, Aïn Azliten. ☎ 035-63-63-45. 🗎 061-10-25-21. ● ryadmabrouka.com ● Accès facile par la Bâb-Aïn-Zleten et parking juste à côté. Doubles et suites 1 150-1 600 Dh (104,50-145,50 €) en hte saison (réduc de 20 % en basse saison). Coup de cœur pour ce riad, mais comment résister ? Un magnifique patio autour duquel court une galerie illuminée par d'immenses portes-fenêtres ouvrant sur la médina. Un délicieux jardin arboré, où se cache une petite piscine, jouxte le patio animé par le gazouillis de sa fontaine centrale. Les suites, aux belles proportions, sont gardées par des portes aux immenses et magnifiques battants de cèdre. Le charme de la chambre double avec mezzanine est d'un romantisme absolu... et partout cette délicieuse odeur de bois.

🏠 **Riad Fès-Baraka** (plan couleur II, A3, **48**) : 16, derb Bennani, Douh-batha. ☎ 035-74-05-84. 🗎 072-76-56-56. ● riad fesbaraka.com ● Facile d'accès, car en bord de médina. Doubles 825-1 320 Dh (75-120 €), petit déj inclus. Riad intime s'organisant autour de son patio au centre duquel, ô surprise ! s'étend une grande piscine. Si le beau bassin réjouira les grands, on déconseille néanmoins l'adresse aux familles avec enfants en bas âge. Les chambres, ayant conservé leurs pavés d'origine, sont aménagées de meubles anciens et la « Essaouira » en surprendra plus d'un avec ses murs bleus. Ensemble lumineux et aéré. Accueil délicat et attentionné.

🏠 *Riad Souafine (plan couleur II, B2-3, 52) :* 2, oued Souafine, quartier Ziat. ☎ 035-63-86-86. 📱 065-74-94-72. • *riad souafine.com* • *Suites 120-190 €.* Un des *riad* les plus chic de Fès, mais le plus intime de tous. Seulement six grandes suites magnifiques. Bernard vit dans son *riad,* et quand il s'absente, le *riad* ferme. Il privilégie donc plus l'accueil que le business. Décor fabuleux inspiré d'un bel esprit design chic très épuré, intégré dans une architecture traditionnelle de palais merveilleux. Les chambres sont simples et élégantes, les salles de bains grandioses. Chaque suite est personnalisée avec raffinement. Belle terrasse panoramique qui offre une vue sur l'ensemble de la médina. La fontaine sur cette terrasse est un chef-d'œuvre d'artisanat local qui résume bien l'esprit du lieu : une

conception classique mais des couleurs et motifs géométriques introuvables ailleurs.

🏠 *Riad Norma (plan couleur II, B3, 49) :* 16, derb Sornas, Ziat. ☎ 035-63-47-81. • *riadnorma.com* • *Accès par la Bâb-Ziat. Doubles 1 500-2 000 Dh (136,40-181,80 €). Dîner 275 Dh (25 €).* Très beau *riad* au patio rafraîchi par des plantes vertes et, surtout, qui ouvre sur un superbe jardinet avec terrasse, et une petite piscine. La grande fontaine y est entourée d'orangers et de citronniers qui enivrent le nez en saison. Côté chambre et atmosphère, tout est dans la sobre élégance. On cultive ici une finesse presque désuète, un raffinement qui tient du maniérisme, avec une propriétaire attachée au moindre détail et chassant toute fausse note. Peu d'improvisation donc, et un chic maîtrisé. Des petites touches françaises, telle la cheminée dans le salon, rappellent l'origine de la propriétaire. Une bien belle adresse pour se relaxer dans le calme et la sérénité.

Pour une petite folie...

🏠 |●| *Maison Bleue « Le Riad » (plan couleur II, A2, 50) :* 33, derb el-Miter, Talaa K'bira, Aïn Zleten. ☎ 035-74-18-73 ou 39. • *maisonbleue.com* • *Accès aisé par la Bâb-Aïn-Zleten et parking juste à côté. Doubles 1 900-2 800 Dh (173-255 €). Resto ouv aux non-résidents, mais hors de prix : 500 Dh (45,50 €).* Il existe deux « Maisons bleues » à Fès, l'une près du musée Dar-Batha (la « maison mère », la plus ancienne) et celle-ci, l'annexe, que l'on préfère. On est tombé sous le charme de cette demeure du XIXᵉ e digne des Mille et Une Nuits. Malgré ses quatre maisons réunies pour composer ce *riad,* occupant tout un quartier et passant d'un côté à l'autre de la rue, ce petit « hôtel » de 12 suites a su garder charme et intimité. Dans son patio principal se tapit la piscine, bordée d'arbres dont les feuilles viennent caresser la surface. Du traditionnel tout confort, romantique mais sans luxe tapageur. Peut-être vous laisserez-vous tenter par les délices du hammam traditionnel et ses soins ? Les soucieux de leur forme

se défouleront dans la salle de sport et les aspirants à la quiétude se réfugieront sur l'une des trois terrasses joliment aménagées pour régaler leurs yeux de différentes vues. C'est également une très bonne table, installée dans un resto design extrêmement élégant.

🏠 |●| *Riad Fès (plan couleur II, B2, 51) :* 5, derb Benslimane, Zerbtana. ☎ 035-74-10-12 ou 12-06. • *riadfes.com* • Riad *bien fléché, mais entrée peu visible, dans une impasse. Doubles 1 700-2 000 Dh (155-182 €), suites 3 000-6 000 Dh (273-545,50 €). Riad* plus proche de l'hôtel de luxe par sa taille et sa structure que de la maison d'hôtes. Il s'agit de deux demeures accolées : le palais traditionnel, magnifique, chapeauté au sommet par une très belle terrasse (accessible par ascenseur !), ouvre sur un charmant jardin et sa petite piscine. Et le *riad* qui mêle avec élégance l'ancien et le design. Le patio bordé d'arcades finement ciselées abrite un resto, un salon marocain, un bar et, en son centre, un bassin tout en longueur agrémenté de petits jets d'eau. Belles chambres tout confort, un

hammam traditionnel, le jacuzzi... le luxe, quoi...

Où manger ?

Fès ne doit pas sa belle réputation à la restauration. Hormis quelques échoppes à l'hygiène souvent limite, on trouve surtout dans la médina des restos assez chic ou très chic. Ils sont un peu à la restauration ce que les *riad* sont à l'hôtellerie. Décor luxueux, service obséquieux en costume traditionnel, musiciens et, parfois, danseuses du ventre... Comme dans les *riad*, l'idée est de vous faire passer une soirée typiquement marocaine. Sauf que l'on tombe plus dans le folklorique que dans le typique ! La nourriture est toujours la même : un menu marocain avec une sélection d'entrées, un tajine ou un couscous, et des pâtisseries marocaines, le tout arrosé d'une bonne dose de thé à la menthe. Les plats servis ne sont jamais particulièrement raffinés mais jamais immangeables... Une fois encore, on s'agace de l'inflation galopante des prix pour des prestations vraiment inégales, tant au niveau de la cuisine que de l'accueil. Dernier bémol enfin, un nombre grandissant d'établissements vous facture, en plus, 10 % pour le service.
Quant aux petits restos sympas, ils sont rares et plutôt à chercher dans la ville nouvelle, pour s'attabler avec les locaux.

Dans la ville nouvelle

Très bon marché (moins de 50 Dh / 4,50 €)

|●| *Sicilia (plan couleur I, B3, 60)* : 4, av. Abdellah-Chefchaouni. Petit snack avec, au choix, salades, pizzas et excellents sandwichs avec un pain délicieux. Une petite salle à l'étage. Super accueil.
|●| *Al-Khozama (plan couleur I, B3, 61)* : 23, av. Mohammed-Slaoui. Tlj 8h-23h. Petits déj salés et menus fixes à des prix très raisonnables. Une sorte de snack où l'on prépare devant vous une cuisine copieuse et correcte. Bon accueil.
|●| *Restaurant-sandwicherie Bajelloul (plan couleur I, B2, 63)* : 2, rue d'Arabie-Saoudite. Pour un prix modique, on peut se restaurer rapidement de salades, tajines, grillades ou brochettes, dans la grande salle ou sur la terrasse. On peut aussi faire un repas correct à l'occidentale. Terrasse sur la rue.

Bon marché (moins de 80 Dh / 7,30 €)

|●| *Chez Ismaïl (plan couleur I, A2, 62)* : 25, rue Ahmed-Amine. Une bonne petite adresse de la ville nouvelle où manger du poisson frais, cuisiné simplement et toujours avec goût. Pas de menu mais un choix restreint de 3 plats, changés très régulièrement suivant ce que le gérant, poissonnier, a récupéré dans ses filets. La salle ne casse pas des briques et le porte-monnaie ne souffre pas.
|●| *Snack Marina (plan couleur I, B3, 65)* : angle, ou presque, rue Mohammed-el-Hayani et bd Mohammed-V. Entrée par une allée en face du café Marignan. Dans un cadre clair et très

frais, le patron accueille ses clients avec le sourire. Il propose une cuisine qui s'apparente à la restauration rapide, sans pour autant lésiner sur la qualité. Salades marocaines, tajines, pizzas... C'est bon et bien présenté.
|●| *La Mamia (plan couleur I, B2, 66)* : 53, pl. de Florence. Cuisine de restauration rapide avec une grande variété de pizzas (moyennes), pâtes et salades (fraîches et goûteuses), servies dans un cadre propre et plutôt agréable. Très copieux.
|●| *Café-restaurant Ten Years (plan couleur I, B3, 67)* : 59, bd Mohammed-V. Pas de panique, la moyenne

FÈS

d'âge est au-dessus de 10 ans ! Un petit resto au cadre sympathique et au service attentionné. Ne pas s'attendre cependant à une cuisine exception-nelle. Mais ceux qui en ont assez des tajines et couscous pourront se consoler avec des poissons, selon arrivage. Prix raisonnables.

Prix moyens (80-150 Dh / 7,30-13,60 €)

|●| *Restaurant Marrakech* (plan couleur I, B3, **68**) : 11, *rue Omar-el-Mokhtar.* La façade anonyme donne peu envie de pousser la porte, et pourtant... La déco intérieure est plutôt chic et intimiste avec ses murs de *tadelakt* ocre, ses chaises bien rembourrées et le coquet salon marocain au fond de la petite salle. Tajines parmi les meilleurs de la ville, couscous, *pastilla* ou grillades..., c'est bon et goûteux. Tenue des lieux soignée. Salle assez bruyante toutefois, mais accueil bienveillant. Demandez bien la carte, sinon on ne vous propose que des menus.
|●| *Vesuvio* (plan couleur I, A2, **69**) : *rue Abi-Hayane-Taouhidi.* En entrant dans ce resto italien légèrement excentré, on pénètre dans un autre Fès, beaucoup moins traditionnel. Fréquentation aisée, très féminine (tout comme le service) et ambiance occidentale. Déco classieuse, mezzanine, éclairage tamisé, atmosphère paisible et intime (si ce n'est la musique d'ascenseur quelque peu pénible !). Prix raisonnables pour d'honorables grandes pizzas cuites au feu de bois, des pâtes ou de la viande (mais pas d'alcool)... Cela n'a rien de bien marocain, mais votre estomac pourrait trouver cette plaisante diversion salutaire.
|●| *Café-restaurant Al Moussafir* (plan couleur I, B3, **71**) : 47, *bd Mohammed-V.* Dans un cadre très sympa, sont proposés des plats marocains classiques, plutôt bien préparés, et des boissons alcoolisées (assez chères). Attention, service non compris.

Chic (150-250 Dh / 13,60-22,70 €)

|●| *Le Majestic* (hors plan couleur I, par A2-3, **70**) : *Henri Leconte Academy, route de Zwagha.* ☎ 035-72-99-99. *Accès facile en voiture depuis l'av. des FAR (plan couleur I, A2). Aller jusqu'au bout ; arrivé à un croisement en T, suivre la route vers la droite ; passer les garages Citroën et Toyota et prendre la petite rue à gauche, c'est au fond. Menu le midi 200 Dh (18,20 €) ; plus cher le soir.* Pas trop loin du centre dans un complexe sportif, ce resto émerge dans un environnement quasi surnaturel, entouré de terrains de tennis, de jardins d'enfants, d'un parc superbe où se baladent des gamins de bonne famille bien élevés. Le resto est chic et branché, déco tendance design très réussie, mélange de béton peint et de parquet très foncé, contrastant avec de chic banquettes en cuir blanc, bar aux lignes épurées et éclairage rouge-rose soyeux. Très belle terrasse. Très bonnes viandes parfaitement tendres ou poissons très frais, desserts inventifs. Cuisine raffinée. C'est classe mais pas élitiste, et vraiment reposant...
|●| *Chez Vittorio* (plan couleur I, B3, **72**) : 21, *rue Brahim-Roudani, ou rue Nador.* ☎ 035-62-47-30. *CB acceptées.* Cuisine d'inspiration largement italienne servie dans une grande salle doucement éclairée par de nombreuses petites lanternes électriques. Belle carte des vins. Une bonne adresse à la bonne réputation, bien que le service ne soit pas toujours aimable.
|●| *Restaurant Zagora* (plan couleur I, B3-4, **73**) : 5, *bd Mohammed-V.* ☎ 035-94-06-86. *Au fond d'une allée. Alcool servi.* Une autre adresse de la ville nouvelle très réputée. Dans un cadre un peu dépassé, où des peintures, censées représenter le désert, ses *kasbah* et ses dromadaires, décorent de faux murs en pisé marron clair. Cuisine, marocaine et internationale, un peu inégale mais servie avec le sourire et en portions copieuses. Lieu très fréquenté à midi par les hommes d'affaires.

Dans la médina

De bon marché à prix moyens (moins de 150 Dh / 13,60 €)

Juste après Bâb-Boujloud dans Talâa Kbira, ou après Bâb-Ftouh (mais c'est loin !), on trouve des *échoppes de brochettes et petits plats* sur le pouce (soupes, etc.). Si vous tombez sur un *marchand de nougat,* il est souvent bon et pas cher. Sinon, les rabatteurs vous feront assez vite comprendre que vous approchez d'un resto. Certaines zones en deviennent assez pénibles (surtout quand vous n'avez pas faim et que vous ne cherchez pas de resto !).

|●| *La Kasbah (plan couleur II, A2, 74) : 18, Bâb-Boujloud. En face de la porte.* Deux terrasses avec vue sur la médina, la porte et le spectacle des passants. Le resto quasi passage obligé, vu son emplacement enviable, et reconnaissons-le, très joli et agréable ! Assez touristique donc, mais on y mange des tajines corrects, copieux (surtout pour les végétariens) et bon marché. On peut y boire un thé ou un café (plus cher sur la terrasse supérieure), mais pas d'alcool. Beau décor marocain, zelliges et balcon en fer forgé. Accueil inégal, et rabatteurs en bas, assez pressants. Malgré tout, l'adresse incontournable pour une première approche de la médina.

|●| *Café Clock (plan couleur II, A2, 64) : 7, derb el-Magana, Talâa Kbira.* ☎ 035-63-78-55. *Voir plus loin « Où boire un verre ? ».* Un joli café réussi, animé par le très cordial et amical Michael, un Britannique qui s'installe facilement à votre table pour discuter sympathiquement. L'adresse est plus intéressante pour y boire un verre, mais on peut également s'attabler pour y manger un morceau, des burgers nourrissants ou un repas correct plus couleur locale. Ambiance décontractée et déco vraiment chaleureuse. Service non inclus.

|●| *Chez Thami (plan couleur II, A2, 80) : au départ de Talâa Sghira, tt proche de Bâb-Boujloud.* Coincé dans l'angle droit de la ruelle, une gargote sans enseigne, avec seulement deux tables, trois les grands jours ! Un peu bancal et pas tape-à-l'œil ni chasse-touristes, bonne surprise dans cette zone. Thami prépare dans son petit réduit de très honorables tajines de poisson accompagnés de tomates fondantes, des couscous et autres, à tout petit prix. Une petite adresse encore recommandable dans cette rue, sans manière ni chichis.

|●| *Médina Café (plan couleur II, A2, 75) : 6, derb Mernissi, Bâb-Boujloud.* ☎ 035-63-34-30. *Juste avt d'entrer dans la médina par Bâb-Boujloud.* Café-resto simple et convivial, aménagé avec une déco moderne accueillante : d'un côté le café, tout petit, et de l'autre une salle de resto, type salon, avec seulement 6 tables basses entourées de leur banquette. Plats marocains à la carte, fort honnêtement préparés. Sert aussi le petit déj.

|●| *Café de la Noria (plan couleur III, B1, 76) : pas dans la médina, mais dans Jnan-Sbil (les Jardins de la Marche Verte), de l'autre côté des murailles (voir « Où boire un verre ? »). Pas d'alcool.* Une adresse au cadre très agréable : une délicieuse terrasse au calme plantée de bigaradiers ou, à l'intérieur, un salon marocain où l'on peut manger une honorable cuisine locale. Pourboire quasi exigé... Peu plaisant.

Chic (150-250 Dh / 13,60-22,70 €)

|●| *Restaurant Asmae (plan couleur II, C1, 77) : 4, derb Jeniara, Blida.* ☎ 035-74-12-10. *Ferme vers 20h hors saison, 22h30 en été. Pas d'alcool.* Cuisine traditionnelle bonne et généreuse servie sur deux étages. Le rez-de-chaussée est plus raffiné, mais il est souvent envahi par les groupes. Service un peu irrégulier, dommage.

|●| *Dar Jamaï ou Dar Masmoudi (plan*

couleur II, B1, *78*) : 3, derb el-Miter, Zen-jfor. ☎ 035-63-56-85. *Près du palais Jamaï. Résa conseillée. Sert de l'alcool.* Ils viennent vous chercher à la porte du palais. Encore une maison fassie (également maison d'hôtes) qui sert de cadre à une cuisine honorable.

|●| *Restaurant Tijani (plan couleur II,*

C1, *79*) : 51-53, derb Ben-Chekroune, Blida. ☎ 035-74-11-28 ou 10-71. *Alcool servi mais très cher.* Un accueil très convenable, un cadre agréable mais envahi de touristes à l'heure du déjeuner ; préférer le soir. Plats corrects, sans faire grimper aux rideaux.

Très chic (plus de 250 Dh / 22,70 €)

|●| *Restaurant marocain Al-Fassia,* *Palais Jamaï (plan couleur II, B1, 42)* : Bâb-Guissa. ☎ 035-63-43-31. *Voir « Où dormir ? Dans la médina ». Compter 430 Dh (39,10 €) à la carte.* Là aussi, étonnant décor où l'on peut tout à loisir admirer les plafonds peints et les décorations de stuc. Ou alors on déjeune sur la grande terrasse devant la piscine, avec vue sur la médina, ce qui a une certaine classe ! Dîner-spectacle avec musiciens et danseuses, plutôt meilleur qu'ailleurs. Cadre intéressant. Cher, bien sûr, mais cuisine de qualité. Service et taxe non compris. Supplément pour le spectacle.

|●| *Riad Fès (plan couleur II, B2, 51)* : 5, derb Benslimane, Zerbtana. ☎ 035-94-76-10. *Voir « Où dormir ? Dans la médina ». Compter 400-500 Dh (36,30-45,45 €) à la carte.* Dans le décor somptueux du *Riad Fès,* un bar en longueur, très cosy, chic et design, à la modernité soulignée par le tranchant d'un bassin et les reflets métalliques de l'eau ; et une grande salle de resto, sobre, très contemporaine et raffinée. Une cuisine excellente et très fine, partagée entre les

volailles, les viandes préparées avec toutes les épices du pays et les poissons simplement présentés. Une étape gastronomique, chic et sensuelle.

|●| *Le Palais de Fès (plan couleur II, C2-3, 81)* : 15, rue Makhfia. ☎ 035-76-15-90. *À côté du cinéma* El Amal, *dans le quartier de la Bâb-R'cif. Résa obligatoire le soir. Menus 240-350 Dh (21,80-31,80 €), carte env 250 Dh (22,70 €) ; sans les boissons.* Ce resto, sur plusieurs étages et avec de nombreuses terrasses, domine joliment la médina. La vue est tellement belle que des groupes viennent se poster là pour admirer la vieille ville, au risque de vous marcher dans l'assiette. Malgré ces petits désagréments, on y mange bien, notamment des tajines de pigeons, ou des couscous meilleurs qu'ailleurs. Mais c'est quand même cher ; de plus, ils présentent des danseuses du ventre, n'hésitent pas à surcharger la note et tentent de vous refourguer leurs tapis... Service souriant. Le *Palais* dispose aussi de chambres qui donnent en plein dans le resto.

Où boire un verre ? Où manger une pâtisserie ? Où déguster une glace ?

FÈS

Nombreux **salons de thé** ou **pâtisseries** et **terrasses** de café tout le long de l'*avenue Hassan-II* et autour de la *place Mohammed-V.*
Pour boire une petite bière, il faudra, la plupart du temps, se rendre dans la ville nouvelle. Reste la possibilité d'acheter de l'alcool dans les supermarchés ou dans des boutiques autour du marché couvert sur le *boulevard Mohammed-V (plan couleur I, B3),* même si ces dernières n'exposent pas leurs trésors.

Dans la ville nouvelle

▼ *Café Cristal (plan couleur I, B3, 90)* : angle av. Mohammed-Slaoui et pl.

Mohammed-V. Un café qui se donne une allure chic, avec des serveurs en nœud pap' et veston. Vaste terrasse sur la rue, fauteuils confortables en osier et spacieuse salle claire éclaboussée par les reflets de grands miroirs. Plutôt sympa sur le café de l'après-midi, un journal à la main pour y lire les dernières nouvelles de la journée du roi.

I●I ▼ *Crémerie de Lausanne (plan couleur I, B2, 91) :* av. Hassan-II. On reconnaît l'adresse à ses régimes de bananes suspendus à l'entrée. Petit « barlaiterie » proposant un grand choix de jus de fruits frais. Si vous n'avez pas encore testé le jus d'avocat, c'est le moment ! Salle plutôt agréable ou terrasse sur l'avenue.

I●I ▼ *La Noblesse Fassie (plan couleur I, B3-4, 73) :* 34, bd Mohammed-V. Vaste café-salon de thé à la déco se voulant chic et élégante mais pas avare en étonnantes kitscheries : plafond de plâtre à l'effet drapé, tableaux classiques aux murs, deux aquariums (un vrai à l'entrée et un faux au fond de la salle) et... un grand écran plat pour suivre les matchs de foot ! Mais on aime bien son bar imposant, ses pâtisseries, l'espace et sa fréquentation très variée (mixte et de tout âge).

I●I *Crémerie Skali ou « Chez Youssef » (plan couleur I, B3, 92) :* 55, bd Mohammed-V. Bonnes pâtisseries vendues au poids, bon choix de jus de fruits frais, petit déj marocain ou plus continental (un peu inégal). Le tout à déguster sur une terrasse le long du boulevard Mohammed-V, mais attention aux gaz d'échappement. On peut également se ravitailler en pâtisseries dans les échoppes attenantes.

I●I ▼ ꙮ *Pâtisserie Assouan (plan couleur I, A3, 93) :* 4, av. Allal-ben-Abdallah. Assez de prendre des petits déjeuners insipides dans les grands hôtels de la ville nouvelle ? Cette pâtisserie est à tester ! Viennoiseries accompagnant le café et même des glaces, installé sur la terrasse protégée de la rue par une heureuse rangée de plantes. Grand choix de gâteaux à emporter.

I●I ▼ *Blue Babel (plan couleur I, A3, 94) :* 22, av. des FAR. Très grand café avec baies vitrées et une immense terrasse. Un chouïa excentré dans les quartiers peu fréquentés par les touristes (si ce n'est ceux des quelques grands hôtels de l'avenue). L'endroit est un peu chic et froid, en raison des miroirs reflétant la lumière bleutée ambiante, un rien plus onéreux que d'habitude, mais il est parfait pour les rendez-vous d'affaires ou pour bouquiner tranquillement ; même les femmes seules s'y sentiront relativement à l'aise. Choix de viennoiseries réduit mais de qualité.

▼ *Le Club WAF (plan couleur I, B4, 95) :* dans le quartier Moulay-Raddi. C'est l'endroit pour descendre une p'tite mousse (bon marché, en plus !) ! Une excellente adresse pour routards avertis – l'ambiance peut vite dégénérer. C'est, en fait, le bar officiel des supporters d'un important club de foot de Fès, mais il n'en a pas du tout l'air. Agréable petite cour ombragée.

I●I ▼ *Café-snack Walima (plan couleur I, B3, 97) :* 61, rue Abdel-Krim-el-Khattabi. Dans le quartier agréable de la place Mohammed-V, un café à la déco contemporaine soft et fraîche, murs jaunes et mobilier moderne et confortable. Une mezzanine, ou alors la terrasse sur la rue piétonne. Très bien pour de bons petits déjeuners.

À Fès-el-Jédid et Fès-el-Bali

▼ *Café Clock (plan couleur II, A2, 64) :* 7, derb el Magana, Talâa Kbira. ☎ 035-63-78-55. *Voir aussi « Où manger ? ». Concert dim soir.* Le café moderne jeune et branché qui manquait dans la médina. Emplacement privilégié à gauche de la médersa Bou Inania. Dans un vieux palais revisité par Michael, un chaleureux et cordial Britannique qui maîtrise l'hospitalité, voici un café inclassable et accueillant. Patio intérieur décoré de stucs anciens, plafonds de cèdre, mosaïques et dallage marocain, mais aussi des touches de modernité déstabilisantes fort bien venues. Comme ces fresques récentes habillant les murs, ce confortable mobilier contemporain, les salons intimes des derniers étages aux étagères remplies de bouquins. On navigue entre tradition et contemporain sans problème. La clientèle, des jeunes locaux, des touristes de passage ou des expats, s'est vite appropriée ces vieux murs sortis de leur ronronnement, au risque de dérouter les vieux fassis... Terrasse superbe avec vue sur le minaret voisin.

Y Fès et Gestes *(plan couleur II, B3, 98) : 39, Arsat-el-Hamoumi, quartier Ziat.* ☎ *035-63-85-32. Tlj sf mer 9h-19h.* Cécile s'est installée dans une splendide demeure de 1910, exceptionnelle et originale car en contraste avec l'architecture classique. Elle est précédée par un jardin à la manière d'une maison coloniale. Le bâtisseur du proche palais Mokri avait construit cette maison pour la louer, les revenus lui permettant d'entretenir son palais. Pas bête... Beau balcon soutenu par des colonnes recouvertes de zelliges. On prend son thé, ou autre, dans le petit jardin, assis sur de jolies chaises en fer forgé, ou dans une bibliothèque. Tout est paisible et harmonieux. Grande gentillesse de la maîtresse des lieux.

Y Café de la Noria *(plan couleur III, B1, 76) : dans Jnan-Sbil (les Jardins de la Marche Verte), de l'autre côté des murailles.* Ne sert pas d'alcool. Fait aussi resto (voir « Où manger ? ») et sert le petit déj. Très agréable, autour d'une fontaine, calme et en retrait, au bord d'un petit oued dont l'ancienne noria rappelle le temps où les étudiants se retrouvaient là pour couper les roseaux (appelés aussi « calames ») destinés à leurs exercices de calligraphie.

|●| Y Café Allah *(plan couleur II, C2, 96) : dans la médina, Bâb R'cif, face au cinéma El Amal.* Grand café doté d'une terrasse couverte, idéale pour observer l'animation de la rue. Bel intérieur avec plafond peint, profusion de mosaïques et stucs généreusement appliqués sur tous les murs. Étonnant, ce cadre plutôt chic et traditionnel mais pas du tout folklorique, à la fréquentation populaire et exclusivement masculine. Ambiance assurée par les bruyantes télés. Également un beau choix de pâtisseries.

Où sortir ?

Les discothèques à peu près fréquentables sont bien souvent dans les grands hôtels. Pas d'ambiance avant minuit. Entrée 60-100 Dh (5,50-9,10 €), une conso comprise.

♫ **Le Volubilis** *(plan couleur I, A3, 110) : boîte de nuit de l'hôtel FRAM Volubilis.* C'est l'une des moins chères et c'est là que se retrouvent tous les jeunes. Musique essentiellement internationale. Bondé la samedi soir.

♫ **Le Palace** *(plan couleur I, A4, 111) : boîte de l'hôtel Jnan Palace, l'un des plus chic de la ville.* Ambiance agréable et musique très variée (orientale, pop anglo-saxonne ou variété française). Le rendez-vous de la jeunesse dorée.

♫ **Le Wassim** *(plan couleur I, A3, 112) :* rue du Liban. La boîte de l'hôtel du même nom. Discothèque typiquement marocaine : musiques arabe, raï, rock. Déco quelconque.

♫ **Le Menzeh Zallagh** *(plan couleur I, B2, 113) : 10, rue Mohammed-Diouri.* La boîte de l'hôtel du même nom. Fréquentation un peu plus âgée. Spectacles orientaux tous les soirs sauf le dimanche dans cette discothèque qui se veut être un cabaret. Appréciée d'une partie de la population fassie.

Vue d'ensemble

À ceux qui sont motorisés, nous conseillons, pour mieux comprendre la ville, d'en faire le tour après être allé la contempler d'en haut. C'est la meilleure façon de l'appréhender.

➢ Il existe deux excellents points de vue sur la médina, l'un payant et l'autre gratuit : la terrasse de l'hôtel *Les Mérinides (plan couleur II, A1),* où le thé coûte 5 fois plus cher qu'« en bas », et le site des tombeaux mérinides lui-même *(plan couleur II, A-B1)*. Il en reste peu de chose, mais la vue demeure imprenable. Accès en taxi ou à pied depuis la médina en sortant par Bâb-Guissa et en grimpant la colline.

➤ Il y a également de très beaux points de vue depuis l'esplanade du musée d'Armes *(plan couleur II, A1)* au *borj* Nord ou sur les terrasses, juste au-dessus de l'hôtel *Les Mérinides (plan couleur II, A1)*.

➤ Quoique très différent de nos jours, le tour de la ville a conservé beaucoup de son charme. L'idéal serait de le faire à deux reprises : une fois très tôt le matin, et une seconde fois au coucher du soleil. Compter 15 km de circuit. Partir de l'*av. Hassan-II*. Se munir d'un plan de ville et le suivre « au tracé », car il est facile de se tromper de route. Possibilité, bien sûr, de le faire en petit taxi (mais peut-être pas à un rythme de vacanciers !).

À voir

DANS LA MÉDINA

🎥🎥🎥 ⊙ C'est par l'une des quatorze portes d'accès que l'on pénètre dans la médina. Un petit conseil pour commencer, la médina étant orientée suivant deux axes principaux est-ouest et nord-sud, se munir d'une boussole permet, quand on se perd, de retrouver plus facilement ces grands axes. Quelle que soit la porte d'entrée de la médina, chacune ouvre sur un enchevêtrement de passages, de couloirs, d'escaliers, de petites cours où la lumière a parfois bien du mal à pénétrer. Tout cet univers fantasti-

> ### LA MÉDINA COMME ON L'AIME
>
> *La médina de Fès cache quelques places secrètes où se jouent des scènes de vie passionnantes. À chaque quartier sa fontaine, sa mosquée et sa médersa. Mais aussi son hammam et... ses toilettes publiques ! Lieux d'aisance, mais aussi « vitrine » architecturale de la ville puisque souvent situés dans des bâtiments très anciens et traditionnels. Ces équipements avaient pour but de rappeler aux visiteurs l'importance de l'eau dans la ville.*

que s'est développé autour de la mosquée Qaraouiyine, qui peut accueillir jusqu'à 20 000 croyants. Autre élément primordial de chaque quartier, le four collectif, puisque encore aujourd'hui les habitants viennent y cuire leur pain. Et puis, en prêtant un peu l'oreille, vous percevrez derrière certaines portes, des cris d'enfants. Les tout-petits ont en effet leur école maternelle dans de minuscules pièces.

Ne craignez surtout pas de vous égarer dans ce labyrinthe, d'abord parce qu'un parcours fléché a été mis en place et puis parce que chaque pas sera l'occasion d'une découverte passionnante. Il est par ailleurs difficile de résister à ce gigantesque bazar même si l'activité artisanale, quoique toujours présente, disparaît peu à peu. Les boutiques sont de plus en plus souvent de simples points de vente, comme à Marrakech.

Le vendredi, jour de la prière, la médina est quasiment déserte, la plupart des boutiques sont fermées. Le contraste avec les autres jours est saisissant.

Parmi tous les projets concernant la mise en valeur et la sauvegarde de la vieille ville de Fès, nous applaudissons celui du fléchage de six parcours thématiques. Selon un système de couleur, chaque itinéraire relie une *bâb* (c'est-à-dire une porte) ou une place importante à une autre. À différents endroits stratégiques, un plan reprend ces circuits et indique votre position.

Mieux vaut commencer par le circuit « Monuments et souks » pour découvrir les rues et sites principaux et avoir quelques repères. S'ajoutent à ce fléchage des panneaux explicatifs sur les centres d'intérêt ainsi que la publication d'un petit guide succinct mais pratique pour une première approche (« Fès, guide des circuits touristiques thématiques », à se procurer dans certains kiosques).

Pour sortir des sentiers battus, il suffit de s'écarter des grands axes et monuments, puisque eux seuls sont fléchés. D'ailleurs le livre *Fès de bâb en bâb, promenades dans la médina* (voir « Comment se repérer ? »), apportera aux trekkeurs urbains un autre regard culturel pour s'immerger dans le dédale des ruelles.

– *Quelques conseils :* malgré la mise en place d'une « police touristique » en civil, il reste encore des guides non officiels et des rabatteurs. Vous pouvez faire appel à un guide officiel pour visiter tranquillement la médina ; si celui-ci est bon et ne se contente pas de vous conduire de commerce en commerce, c'est une façon plus humaine de découvrir en profondeur la médina.

Comme d'habitude, surtout pour les femmes, veillez à éviter les tenues considérées ici comme provocantes (shorts et épaules nues) qui risqueraient de choquer les habitants.

Autour de Bâb Boujloud

🚶 *Bâb Boujloud (plan couleur II, A2) :* la porte d'accès la plus simple pour pénétrer dans la médina. C'est de là que partent les deux principales artères : *Talâa Kbira* et *Talâa Sghira*. Et puis de ce côté, les ruelles sont en pente douce...

🚶🚶 *Le musée Dar-Batha (plan couleur II, A2-3) :* ☎ 035-63-41-16. Tlj sf mar 8h-12h, 14h30-18h ; fermé pour la prière du ven. Ramadan : tlj sf mar 9h-15h. Entrée : 10 Dh (0,90 €). Cette construction hispano-mauresque du XIXe s abrite un beau musée d'Art populaire : tapis aux points noués, bijoux berbères, dinanderies, poteries (les célèbres bleus de Fès) et panneaux de plâtre sculpté dans le plus beau style marocain. De jolies boîtes en bois incrustées de nacre servaient à enfermer le Coran pour le protéger lors d'un voyage. On trouve aussi des instruments d'astronomie datant du XVIIe s. Dans la section consacrée à la vie quotidienne rurale, notez la méthode radicale pour sevrer le veau : une peau de hérisson était placée sous la vache. Qui y tète s'y pique ! Le musée accueille également des expos temporaires, auquel cas la collection permanente disparaît.

Si les prouesses artisanales vous laissent froid, vous apprécierez au moins ce havre de calme et de verdure que constitue le beau jardin intérieur. Un des plus vieux chênes verts de la région s'y épanouit. Plusieurs essences dont un arbre à huîtres (de là à dire que c'est la perle du jardin !), qu'on trouve à l'origine au Brésil. Ce sont ses fruits de formes oblongues qui lui ont valu cette appellation.

🚶 *Talâa Kbira et Talâa Sghira (plan couleur II, A-B2) :* littéralement « la grande pente » et la « petite pente ». Elles relient *Bâb-Boujloud* à la *place Nejjarine,* au cœur de la médina. La première est bordée de boucheries devant lesquelles salivent les nombreux chats sauvages de la médina attendant la chute d'un morceau de viande. Des boutiques d'alimentation s'alignent dans la succession des petites pièces ouvertes sur la rue, ainsi que de nombreuses échoppes artisanales (vanniers, fabricants de sandales ou de bâbouches, etc.). Talâa Kbira est en partie recouverte d'une treille, procurant ombre et fraîcheur. Le spectacle de cette rue, venant de *Bâb-Boujloud,* est à toute heure saisissant, quand les fins rayons de soleil filtrés par la treille rencontrent les fumées des gargotes où cuisent des brochettes de viandes, nimbant l'atmosphère d'un mystère hors du temps. On préfère donc légèrement Talâa Kbira à Talâa Sghira, plus étroite, mais aussi (surtout dans sa première partie) moins authentique et plus touristique.

🚶 *L'horloge hydraulique (plan couleur II, A2) :* Talâa Kbira. Sur la façade opposée à l'entrée de la médersa Bou-Inania, remarquez les poutres de bois qui s'échappent du mur à l'étage. Ce sont les restes d'une horloge hydraulique datant du XIVe s, la *Magana Bou-Inania.* Sous les douze fenêtres marquant les heures, treize poutres de bois en porte-à-faux soutenaient treize boules. Un mécanisme dans le bâtiment derrière actionné par une circulation d'eau, permettait de savoir l'heure par l'ouverture successive des fenêtres. Pour la petite histoire : à l'entrée de la ruelle couverte qui mène au *Café Clock*, une discrète plaque en marbre accrochée au mur marque l'emplacement de la plus ancienne maison juive de la médina. Nombreux sont les Fassis que vous verrez passer par là et caresser de la paume de la main cette plaque, avec émotion et respect.

🚶🚶 *La médersa Bou-Inania* (plan couleur II, A2) : accès par Talâa Kbira. Tlj 8h-17h30 (ferme pdt la grande prière du ven). Entrée : 10 Dh (0,90 €).

> ### LE TEMPS DES MALHEURS !
> *Une femme juive, enceinte, remontant Talâa Kbira avec son mari, fut soudain effrayée par le bruit du mécanisme de l'horloge hydraulique. Chamboulée par cette émotion, elle perdit l'enfant qu'elle portait. La légende veut que sitôt après, l'horloge s'arrêtât pour ne plus jamais fonctionner... Ça fait cinq siècles qu'elle n'a pas donné l'heure.*

Les médersas, très nombreuses à Fès, étaient des internats religieux construits à l'initiative des Mérinides. L'apprentissage du Coran, texte érudit, préparait les étudiants à apprendre toutes les autres sciences et disciplines connues. Dans la médersa étaient aussi enseignés les mathématiques, l'astronomie ou le droit... Elles abritaient des chambres, un oratoire, des salles d'étude et une superbe cour, souvent pavée de marbre et d'onyx, équivalent de nos cloîtres, destinée à élever l'esprit. Celle-ci (datant du XIVe s) n'échappe pas à la règle. C'est même la plus grande et la plus belle médersa de la ville : son minaret est le plus haut de toutes les médersas de la ville, prodigieuse richesse intérieure tout en bois de cèdre et stuc ; dans la mosquée, colonnes en marbre de Carrare. C'est aussi la seule dotée d'une chaire à prêcher, un *minbar*, qu'on ne trouve en principe que dans les mosquées. À l'étage se trouvent les 56 chambres (plutôt des cellules), qui accueillaient chacune deux étudiants. Pendant les vingt jours que durait la préparation des examens, les élèves étaient confinés dans cette pièce (ils n'en sortaient que pour aller aux toilettes et prier). Et parce que la nourriture devait être aussi terrestre, on leur passait de l'eau par une ouverture dans la porte, du pain et des olives par les fentes situées sur le côté. Dur !

À gauche de l'entrée principale, une porte plus modeste, dite « des va-nu-pieds », permettait à ceux-ci, grâce à une canalisation d'eau courante, de ne pas souiller le lieu saint.

🚶 *Le palais Mnebhi* (plan couleur II, B2) : aujourd'hui resto de luxe, mais on peut le visiter (on donne ce qu'on veut). Ce fut en 1912 la résidence de Lyautey lors de son arrivée ; banquettes, tapis, stucs et zelliges décorent un vaste patio. Vue imprenable sur la médina depuis la terrasse. La capacité du resto est de 1 000 personnes.

Autour de la place Nejjarine

La place Nejjarine, avec sa fontaine protégée d'un auvent de cèdre sculpté, regroupe les artisans du bois. Son nom vient de *Nejj* qui signifie « sciure » en arabe. Un petit café avec terrasse permet de se reposer les gambettes.

🚶 *Le musée Dar-Belghazi* (plan couleur II, B2) : fléché mais pas facile à trouver ; quelqu'un est là pour vous escorter quand vous en approchez. Tlj 9h-18h. Entrée : 20-40 Dh (1,80-3,60 € ; la fluctuation du prix semble malheureusement inexpliquée !). Ce musée est une « annexe » du très beau musée Dar-Belghazi près de Rabat (voir « Dans les environs de Sidi-Bouknadel »), une collection privée consacrée aux arts traditionnels. Cette collection, bien que présentée dans un beau palais un peu décati au patio planté d'orangers, est cependant beaucoup moins riche. Les belles pièces exposées souffrent de l'absence totale de scénographie, du manque d'éclairage et de l'entretien moyen, laissant le visiteur sur sa faim. Vraiment dommage...

🏃🏃🏃 *Le musée Nejjarine des Arts et Métiers du bois* *(plan couleur II, B2) :* pl. Nejjarine. ☎ 035-74-05-80. Tlj 10h-17h. Entrée : 20 Dh (1,80 €).* Le musée mérite vraiment la visite, aussi bien pour les objets exposés que pour le lieu même, un magnifique caravansérail du XVIIIe s soutenu par des pilastres recouverts de stuc et de bois et orné de deux galeries en bois bien restaurées. Les objets en bois, exposés sur trois niveaux, sont élégamment répartis par thèmes dans différentes pièces (outils, objets domestiques, coffres, éléments d'architecture sculptés, instruments de musique, objets liturgiques, etc.). On peut accéder à la terrasse offrant une vue partielle sur les toits de la médina. S'y trouvent quelques sièges pour prendre un thé, à commander en bas. Et enfin, petite info pratique mais non négligeable : le musée dispose de toilettes nickel à chaque étage !

🏃🏃 *Les tanneries Guerniz* *(plan couleur II, B2) : quitter la place Nejjarine vers l'est, tourner à droite par la rue qui monte, continuer tt droit, puis toujours à droite. Prendre alors un passage à droite, étroit, où se trouve une fontaine ; c'est au fond.* Ces « petites » tanneries sont tout aussi impressionnantes que les grandes tanneries Chouara, mais plus paisibles car moins touristiques. Des rabatteurs insistants vous proposeront de vous emmener sur des terrasses, mais sans avoir à grimper et en restant discret, on peut s'approcher des bassins et voir travailler les hommes dans les grandes cuves. Particularité ici, peu de bassins colorés, mais de belles terrasses avec des peaux séchant sur des montants de bois, et des murs dégoulinant de laine. La fontaine à l'entrée, en plus d'être esthétique, sert aux tanneurs qui viennent s'y nettoyer.

🏃 *Le mausolée de moulay Idriss II* *(plan couleur II, B2) :* complètement inséré dans l'enchevêtrement des ruelles, on a du mal à imaginer la taille de ce mausolée, à la mesure de son hôte, moulay Idriss II, fils du fondateur et saint patron de la ville. Idriss II poursuivit l'œuvre de son père en étendant la ville sur la rive ouest de l'oued. Les poutres de bois placées à hauteur de la tête en travers des ruelles qui y aboutissent obligent le pèlerin à baisser humblement la tête, en signe de vénération. Pas moins de sept portes permettent d'y accéder (pas une seule pour les non-musulmans). On peut en faire le tour et apercevoir de la porte principale (proche du souk Attarine) le plafond sculpté en bois de cèdre. Beaucoup de monde, surtout la frange la plus pauvre de la population, vient ici en pèlerinage et pour faire des offrandes. En faisant le tour du mausolée, on trouve côté sud, sur le mur de l'enceinte, un *moucharabieh* en cèdre, et en son milieu, une étoile et une fente permettant de faire une offrande tout en passant dans la rue. Pratique !

🏃 *Le souk Henna* *(souk du henné ; plan II, B2) :* il s'agit d'un des plus vieux souks de la médina. On y vend non seulement des plantes servant à teindre les cheveux et les mains, mais aussi divers colorants naturels utilisés pour le maquillage, tels que le khôl, du *rhassoul* (terre savonneuse employée pour se laver les cheveux) ou encore des plantes et des produits à usage pharmaceutique. Le bâtiment du fond du

LES PORTES DU PARADIS

Était-ce pour préserver le henné, dite plante du paradis, que les deux portes qui délimitent le souk étaient autrefois fermées quotidiennement par un gardien ? La vérité est moins poétique, puisqu'il s'agissait en effet de protéger et garder les malades de l'hôpital psychiatrique. Chaque soir, le quartier était ainsi bouclé...

souk, datant de 1286, était un hôpital psychiatrique. Il servait à l'origine d'hôpital et d'école de médecine et fut le premier exemple d'hôpital psychiatrique dans le monde, dont s'inspirèrent beaucoup d'autres.

Le quartier de la Qaraouiyine

🏃🏃 *La médersa Attarine* *(plan couleur II, B-C1) : réouverture annoncée après plusieurs années de travaux, mais toujours rien à l'heure où nous bouclons ce guide. Tlj*

8h-17h, sf ven pause 12h-14h. Entrée : 10 Dh (0,90 €). Elle date du XIVᵉ s. C'est la plus intime, avec sa vasque de marbre blanc. Zelliges, stucs ornés de motifs végétaux et de versets du Coran. Bel auvent et arcades en bois de cèdre. Chapiteaux, pilastres et colonnes en marbre de Carrare sculptés. À l'époque on échangeait 1 kg de marbre contre 1 kg de sucre ! Au rez-de-chaussée, au fond, salle de prière à l'architecture hispano-mauresque.

🕌🕌 *La mosquée Qaraouiyine (plan couleur II, B-C2) :* c'est la mosquée des Kairouanais, fondée au IXᵉ s par une femme, Fatima Bint al-Fihria, d'une famille de réfugiés de l'actuelle Tunisie. Avec ses 270 colonnes et ses 14 portes, ce fut l'une des plus grandes universités de l'Islam avec El-Azhar, au Caire, et la Zitouna, à Tunis. Sa taille gigantesque lui permet d'abriter jusqu'à 20 000 fidèles. Son minaret est le plus ancien du monde musulman. Il est malheureusement impossible pour les non-musulmans de visiter la Qaraouiyine ; toutefois, par les vantaux ouverts, on peut voir les vasques cerclées de mosaïques, les cours dallées de marbre et les deux kiosques, construits aux XVIᵉ et XVIIᵉ s, fidèles répliques de ceux de la cour des Lions de l'Alhambra de Grenade. De l'autre côté de la mosquée, une vieille porte en bois aux peintures effacées marque l'entrée réservée aux femmes.

– En contournant la mosquée à main droite, on arrive sur son flanc est à un des *foundouk* les mieux conservés. À l'intérieur, se trouve toujours une énorme balance pour peser les marchandises. Ces *foundouk* constituent avec les médersas, les mosquées, les hammams et les fontaines, un des lieux essentiels à chaque quartier. Les marchands abritaient les animaux dans la cour, autour de laquelle se trouvaient des boutiques. Les hommes dormaient dans les étages. Remarquez l'imposante porte d'entrée, et derrière, son système de fermeture, une massive poutre en bois qui, quand la porte est ouverte, disparaît totalement dans le mur.

🕌 *La bibliothèque Qaraouiyine (plan couleur II, C2) : sur la place Seffarine. Malheureusement, ne se visite pas. Si la porte est ouverte, on peut jeter un coup d'œil rapide. Toilettes accessibles.* Impressionnante salle de lecture où règne une ambiance studieuse, plafond en bois peint et sculpté. Elle abrite 30 000 écrits, dont certains très précieux. Autrefois prêter un livre à un étudiant relevait d'un véritable cérémonial. Les livres étaient enfermés dans une pièce munie de 4 serrures, dont les clés étaient détenues par 4 personnes de confiance. Elles devaient être présentes et attester de la délivrance du livre à tel étudiant.

🕌🕌 *Les tanneries chouara (plan couleur II, C1) :* en approchant de la médersa Attarine, des rabatteurs vous proposeront (avec insistance) de vous y conduire. Même si l'endroit est désormais indiqué, si vous en voulez une vue d'ensemble, vous n'y couperez pas : il vous faudra monter (et donc payer 10 Dh, soit 0,90 €) sur les terrasses surplombant les tanneries que possèdent quelques magasins de cuir. Malgré l'odeur difficilement supportable, du moins au début, le spectacle est fabuleux. Les peaux sont successivement débarrassées de leurs poils, trempées dans des cuves remplies d'excréments de pigeons, puis dans des cuves de chaux, ensuite lavées et enfin teintes grâce à des colorants, naturels pour la plupart. Elles seront alors tannées puis séchées.

De Bâb-R'Cif à la Qaraouiyine

Voici un itinéraire complètement subjectif, à suivre le nez en l'air, sans hésiter à s'en écarter, au cours duquel on découvre les artisans pratiquant encore de petits métiers. Au nord de la place R'Cif, prendre la 1ʳᵉ parallèle de droite, pour y voir des teinturiers. La parallèle de gauche était à l'origine le lieu des fabricants de couteaux. On surprend encore dans leurs minuscules boutiques les rémouleurs, tournant leurs meules à la main. On arrive sur la place Seffarine *(plan couleur II, C2)*. Les dinandiers et les chaudronniers sont regroupés autour de cette place et dans les rues adjacentes. Ça martèle, ça brille, ça marchande... la vie, quoi ! Le nom de la place vient de la couleur jaune, « asfar » en arabe, couleur du cuivre utilisé par les chaudronniers du quartier. À l'est de la place part une rue où se fabriquent encore à la main des peignes en corne de bœuf.

La place Seffarine ouvre bien sûr sur le quartier de la mosquée Qaraouiyine.

¶ Le souk R'Cif (plan couleur II, C2) : passer sous la Bâb-R'Cif, à l'ouest du parking sur la grande place, puis emprunter la ruelle vers la droite pour remonter vers le quartier de la mosquée Qaraouiyine. On plonge dans le marché d'alimentation le plus haut en couleur et typique de la médina. Étalages des fruits et légumes de saison que les commerçants vous feront gentiment goûter, des poissons dégoulinant et autres têtes de moutons coupées qui font de l'œil aux poulets s'ébattant dans leurs cages. Des herboristes, des crémiers, et des épices à bon prix à rapporter à la maison. Beaucoup de cachet dans cette petite ruelle.

La rive andalouse

Moins touristique que le reste de la médina, c'est le berceau historique de Fès (plan couleur II, C2). Ainsi appelée depuis que 8 000 familles, chassées d'Andalousie par le calife de Cordoue au IXe s, s'y installèrent. Avec les Kairouanais fuyant la Tunisie et les juifs regroupés au XIVe s dans le mellah, elles représentaient l'élite intellectuelle de la ville. À côté de la mosquée des Andalous, la fontaine Najjasine, brillante et colorée, comme sur les cartes postales.

¶ La mosquée des Andalous (plan couleur II, C2) : elle a un fort lien de parenté avec la mosquée Qaraouiyine, puisqu'elles furent fondées par deux sœurs. La Qaraouiyine par Fatima et la mosquée des Andalous par Mariam. Cet édifice, construit par une réfugiée de Tunisie en plein dans le quartier des Andalous, montre le brassage culturel qui pouvait alors exister à Fès. La mosquée, dans laquelle les non-musulmans ne peuvent entrer, est intéressante pour l'auvent de bois sculpté et peint qui surmonte sa grande porte.

¶ La médersa Sahrij (plan couleur II, C2) : à côté de la mosquée. Entrée : 10 Dh (0,90 €). La médersa Sahrij fut bâtie entre 1321 et 1323 par les Mérinides, tout comme la médersa Bou Inania. Elle abritait les étudiants de la mosquée Qaraouiyine. « Sahrij » en arabe signifie « bassin ». Celui-ci est tout à fait intéressant, et à y regarder rapidement, on croirait presque qu'il n'a pas la même profondeur partout. C'est évidemment une illusion d'optique très réussie, et pas totalement fortuite. On pense qu'il s'agissait d'une sorte d'horloge optique, les reflets du soleil dans le bassin donnant une idée des heures de la journée. Dans une vie rythmée par la prière, c'est important ! L'architecture est d'inspiration largement andalouse. Les inscriptions sur les poteaux, cursives en arabe, présentent une calligraphie qu'on retrouve en Andalousie. Dans le patio, en hauteur, sur les façades de cèdre, on aperçoit des épis de maïs, symbole de l'abondance du savoir. Au fond de la médersa, se trouve la mosquée. On voit d'ailleurs que le mihrab a été creusé, amplifiant ainsi la prière de l'imam qui résonnait auprès de tous les fidèles.

À l'étage, une partie des anciennes chambres-cellules accueille toujours des étudiants de la médersa Seffarine, encore en activité.

Le quartier des palais Glaoui et Mokri

Glaoui et Mokri, c'est l'histoire du bon et du méchant. Le premier pourrait incarner le personnage rêvé du traître parfait. S'alliant aux Français, il précipita l'exil de Mohammed V en 1953, alors qu'il l'avait nommé pacha de Marrakech quelque temps plus tôt. Par ailleurs, sa dureté avec ses ouvriers était légendaire.

Au contraire, Tayeb el Mokri, un autre grand bâtisseur de palais, vibrait d'une plus grande humanité, puisqu'il offrait à ses ouvriers les plus méritants le pèlerinage à La Mecque. Le palais Mokri, édifié à la fin du XIXe s, n'est pas accessible (il sert parfois à des expos chic pour des entreprises privées). Seul le *Riad Mokri (plan couleur II, B2)*, dans le même quartier, qui abrite l'Institut des métiers traditionnels du bâtiment, se visite, si un gardien est présent à l'entrée (on donne une pièce à la sortie). Nombreux patios traditionnels communiquant entre eux, et superbe jardin en terrasse à la végétation luxuriante.

🍴 *Le palais Glaoui (plan couleur II, B3) : se visite sur rdv slt, en contactant Abdou,* ☎ *067-36-68-28.* C'est le gardien des lieux, peintre durant son temps libre, et surtout personnage haut en couleur ! À l'origine (fin XIXᵉ s, début XXᵉ s), 17 pavillons et 2 jardins, des écuries, des moulins, des bains et une école coranique. Le palais est malheureusement un peu délabré. On déambule dans un ensemble de patios, de salles richement décorées de zelliges et coiffées de plafonds de cèdre peints et sculptés. L'influence de toutes les religions présentes au Maroc se retrouve : l'étoile de

PRISONNIERS DANS LEUR PALAIS
Les bâtisseurs du palais Glaoui n'eurent pas la vie facile. Thami el Glaoui les enfermait pendant toute la durée des travaux qu'il leur commandait. Enfin libérés, ils devaient se soumettre à la règle absolue qui leur interdisait de reproduire ailleurs les motifs des splendides mosaïques du palais, figures géométriques uniques et marque de reconnaissance de la famille en quelque sorte. L'artiste qui se risquait à reproduire ailleurs ces réalisations encourait tout simplement... la peine de mort.

David sculptée sur une boiserie, des croix sur les murs dans les décos de mosaïque... Le deuxième patio est cerné par une inquiétante galerie de bois extraordinairement décorée mais qui manque de s'écrouler. C'était la partie des femmes, le harem. À voir, les époustouflantes mosaïques d'angle, des ronds parfaits incrustés dans les angles des pièces, sans le moindre défaut ni la moindre irrégularité.

À L'EXTÉRIEUR DES REMPARTS

🍴 *Le borj Nord (le musée d'Armes ; plan couleur II, A1) : tlj sf lun 8h30-18h (17h l'hiver). Entrée : 10 Dh (0,90 €).*
Sur les hauteurs de Fès-el-Bali, la forteresse, en vis-à-vis du *borj* Sud (logique), fut édifiée au XVIᵉ s par le sultan saadien El-Mansour Eddahbi pour protéger la ville contre les invasions extérieures, notamment ottomanes. Sous le protectorat, le bâtiment servit à la résistance nationale, avant que les Français ne le transforment en prison. Outre sa situation stratégique offrant un beau point de vue sur la médina, le *borj* mérite une visite pour son musée des Armes.
La visite commence par une (lassante) vidéo expliquant les travaux de rénovation du musée. On s'en passe aisément. On pénètre alors dans le corps du bâtiment, à l'abri des très épais murs d'enceinte. Dans sa majeure partie, le musée présente d'impressionnantes collections d'armes de prestige et d'apparat, plus proche d'œuvres d'art que de classiques armes de guerre. Elles viennent d'Europe, d'Afrique et d'Asie. Petit florilège de ce qu'on y trouve : des armes de chasse préhistoriques aux armes du palais réservées à la garde personnelle d'Hassan II en passant par la panoplie du parfait poseur de bombes, les premiers pistolets marocains des XVIIIᵉ et XIXᵉ s, des colts américains du XIXᵉ s, une mitrailleuse belge de 1871. Beaucoup de finesse dans la salle des armures avec des boucliers et armures minutieusement décorés et sculptés ; plus de brutalité dans la salle des canons.

– Pourtant très éloignés l'un de l'autre, chacun posté sur une colline dominant la vieille ville, les deux *borj* nord et sud étaient, semble-t-il, reliés jadis par un tunnel passant sous la médina. Des travaux ont déjà commencé au *borj* sud pour en dégager l'entrée...

🍴 *Le borj sud (plan couleur d'ensemble, ou plan couleur II, C3) : tlj sf lun 8h30-18h (17h l'hiver). Entrée : 10 Dh (0,90 €).* Construit à la même époque que le *borj* nord, au XVIᵉ s. Entièrement réhabilité comme musée, le *borj* sud offre une visite quand même moins intéressante que son vis-à-vis du nord. L'habitat traditionnel y est mis à l'honneur, avec des maquettes et des pièces de maçonnerie ou boiserie, venant de tous les coins du royaume, et représentant tous les types d'architecture défensive.

DANS FÈS-EL-JEDID

ೕೕ **Le mellah** *(plan couleur III, B2) :* construit au XIIIᵉ s et principal quartier de Fès-el-Jédid, il devient le premier quartier juif du Maroc au XIVᵉ s (mais ne compte plus que sept familles aujourd'hui). Ainsi accolé au palais royal, il se trouvait sous la protection directe du souverain. On y apprécie sa large rue principale (la rue des Mérinides ou derb el-Mellah) et son activité commerçante. Nombreux bijoutiers. Remarquez les balcons et larges ouvertures sur la rue, tellement inhabituels dans le pays (souvenir de l'architecture andalouse).

ೕ **Le cimetière juif** *(plan couleur III, A-B2) : sur le parking précédant le début de la rue des Mérinides, prendre la petite rue sur la droite. Entrée : 20 Dh (1,80 €)... mais il semblerait que les prix connaissent des hauts et des bas !...* Dans ce cimetière bien entretenu, adossé au mellah, les nombreuses tombes blanches éblouissent le visiteur. Lieu émouvant et paisible. Tout au fond, s'il est ouvert, visiter le **musée d'Edmond Gabay,** un passionné qui récupère toutes sortes d'objets relatant le passé du judaïsme marocain. Étonnant.

ೕ **La synagogue Danan** *(plan couleur III, B2) : dans la rue des Mérinides, prendre sur la droite, dans une impasse (elle est indiquée). En principe, tlj sf sam 9h-18h. Entrée : 20 Dh (1,80 €).* Sympathique petite synagogue datant du XVIIᵉ s et restaurée en 1999. En passant par le balcon réservé aux femmes, on accède à la terrasse offrant une vue sur une partie du cimetière.

ೕ **Bâb Semmarine** *(plan couleur III, B2) :* au bout des rues des Mérinides et Sekkakine, cette porte donne accès à la grande rue Fès-Jdid. Nombreux souks très animés et moins fréquentés par les touristes que la médina. Balade très agréable où l'on est peu importuné.

Festivals

– **Jazz Riad :** *env 1 sem en mars.* Festival durant lequel des concerts de jazz sont donnés dans les *riad* de la médina.
– **Le Festival des musiques sacrées du monde :** *fin mai-début juin. ● fesfestival. com ● Prix assez élevés (240 € le pass pour les concerts, billets à l'unité 10-50 €) et il est très difficile de se loger à cette période.* Rassemble les musiciens du monde entier et jouit d'une excellente réputation. Durant une semaine, un bouquet de musiques spirituelles est proposé ; des films, des conférences et expositions s'ajoutent au programme culturel. Un dialogue des cultures et des religions, une façon de réconcilier les hommes... en musique.

Achats

Fès est la capitale de l'artisanat, ne l'oubliez pas. Sachez aussi que ses souks sont en général un peu moins chers que ceux de Marrakech.
Une petite visite au centre artisanal *(plan couleur I, A4, 4)* peut vous donner une idée des prix. *Tlj 9h-12h30, 14h30-18h30.*
– Les *poteries bleu et blanc* sont l'une des spécialités de Fès. Le quartier des potiers est à la sortie de la ville, sur la route de Taza, repérable d'assez loin grâce à la fumée

de ses fours. On y accède par une mauvaise route (150 m seulement) sur la gauche. Grand choix, mais les prix y sont plus élevés qu'au centre artisanal...

– Les *plateaux en bronze,* les *poufs,* les *vases en terre cuite recouverts de cuir,* etc. abondent. On rappelle qu'on paie moins cher et qu'on a de bons renseignements sur les différentes qualités en allant de préférence dans les magasins où travaillent les artisans.

– Les *essences de parfums* s'achètent près du mausolée de moulay Idriss, du côté opposé à celui du souk du henné.

– Nombreux magasins dans *Talâa Kbira* (« la grande pente »...) et *Talâa Sghira* (« la petite pente ») et les rues qui les prolongent jusqu'à la mosquée Qaraouiyine. Cela dit, mieux vaut s'éloigner un peu de ce piège à touristes et voir les boutiques près de la *place Nejjarine,* ou bien en remontant de la Qaraouiyine vers le *Palais Jamaï,* ou encore dans le quartier proche de celui des tanneurs. Les gamins vous y indiqueront des coopératives de tissage de couvertures. N'achetez pas avec eux, bien sûr, revenez plus tard.

– Certains artisans travaillant le bronze et le cuivre prétendent avoir participé à l'élaboration des portes du palais royal, s'autorisant ainsi à demander des prix injustifiés.

➤ *DANS LES ENVIRONS DE FÈS*

🍗 **Sidi-Harazem :** *à 15 km à l'est de Fès. Départ des bus à la gare routière de Bâb-Ftouh (plan couleur II, D3).* Oasis avec source d'eau minérale, déjà connue du temps de Léon l'Africain (géographe arabe du XVIe s). Allez y piquer une tête. Pour quelques dirhams, on peut nager dans une piscine d'eau thermale. Hideux complexe très touristique. Souk le mardi. Site peu attrayant mais, après vous être rafraîchi, allez faire une balade dans les montagnes alentour.

🍗 **Moulay-Yacoub :** *à 15 km au nord-ouest de Fès. Départ des bus à la gare routière de Bâb-Ftouh (plan couleur II, D3).* Une petite station thermale très prisée des Marocains, mais sans grand intérêt. C'est un petit village posé à flanc de montagne dans un paysage magnifique, à la hauteur de celui que l'on traverse pour s'y rendre. Source thermale en bas du village, où beaucoup de Marocains se rendent pour soigner leurs rhumatismes. On se baigne dans la piscine publique ou dans un centre chic et très cher. Attention, l'hygiène peut laisser à désirer. Ne mérite pas vraiment le déplacement.

🍗🍗 Ne pas manquer, à environ 80 km de Fès, le circuit du *parc national de Tazzeka* et le *gouffre de Friouato.* Une excursion de toute beauté que nous indiquons au départ de Taza, car plus proche, mais tout à fait faisable dans la journée depuis Fès (pour plus de détails, voir plus loin « Dans les environs de Taza »).

TAZA   140 000 hab.

Véritable porte entre le Maroc occidental et le Maroc oriental, cette ville joua un rôle stratégique important dans le passé. Les Almoravides, fin Xe s, furent les premiers à doter la cité de solides murailles. Au fil des siècles, les différents maîtres de Taza s'employèrent à renforcer les défenses de la citadelle. Bou Hamara, prétendant au trône du Maroc, en fit sa capitale au début du XXe s, alors qu'il luttait âprement contre les armées du sultan. Aujourd'hui, malgré ses 140 000 habitants, ce n'est qu'une grande cité administrative répartie en deux quartiers distincts : la vieille ville, sur une colline, et à 3 km, la ville nouvelle, sans intérêt.

Taza est surtout une ville étape pour la visite du *parc national de Tazzeka,* circuit de 90 km environ, qui demande une journée complète (voir plus bas « Dans les environs de Taza »).

Arriver – Quitter

Taza est à 120 km de Fès, en direction d'Oujda.

🚆 *Gare ferroviaire :* à l'entrée de la ville, le long de la route principale qui relie Fès. Liaisons avec :
➤ *Fès :* 4 trains/j. dans les 2 sens. Trajet : min 2h.
➤ *Meknès, Rabat et Casablanca :* 2 trains/j. dans les 2 sens. Trajet : respectivement 3h, 6h et 7h.
➤ *Oujda :* 3 trains/j. dans les 2 sens. Trajet : min 3h.

En bus

🚌 *Gare routière :* à côté de la pl. de l'Indépendance.
➤ Bus *CTM* entre Taza et *Fès, Oujda* et *Meknès.*

Adresses utiles

✉ *Poste :* rue de Fès, dans la ville nouvelle.
■ *Banques :* banques un peu partout dans la ville nouvelle, notamment à proximité de la pl. de l'Indépendance.

@ *Internet :* vous trouverez des cybercafés un peu partout dans la ville nouvelle.
■ *Pressing :* av. Mohammed-V, dans la ville nouvelle.

Où dormir ? Où manger ?

🏠 *Hôtel de l'Étoile :* 39, av. Moulay-Hassan. ☎ 035-27-01-79. Dans la partie haute de la ville, sur l'avenue qui pénètre dans la médina, presque en face de la poste. Double 80 Dh (7,30 €). Petit hôtel tout pimpant avec son patio aux murs rose bonbon. Chambres plutôt propres et agréables avec lavabo. Pas de douche à l'hôtel, il vous faudra aller dans un hammam de la médina.
🏠 ◖● *Hôtel du Dauphiné :* pl. de l'Indépendance, dans la ville nouvelle. ☎ 035-67-35-67. Double avec sdb 170 Dh (15,40 €). Dans un immeuble tout en longueur. Vastes chambres avec des salles de bains fort correctes. Hôtel étonnamment spacieux. Ensemble moderne, froid, mais propre et lumineux. Fait aussi resto (un bar servant de l'alcool également, mais pas vraiment agréable).
◖● *Laiterie Malouya :* 40, av. Mohammed-V. Yaourts nature ou aux fruits. Un délice ! Bon, on peut à peine s'asseoir et ce n'est pas nickel, mais c'est vraiment bon et l'accueil est très sympa.

À voir

Uniquement la *médina.* Pour s'y rendre de la ville nouvelle, prendre le bus (place de l'Indépendance) ou une petite demi-heure de marche à pied (ça monte un peu). Dans l'ordre, on verra :

🚶 *Le bastion :* au bout du bd de la Résistance. Édifice appartenant aux remparts de l'ancienne *kasbah* du XVIe s. Ses murs en brique ont 3 m d'épaisseur et sont, à certains endroits, couverts de graffitis de bateaux.

🚶 *La mosquée des Andalous :* construite au XIIe s, elle a conservé son minaret d'époque.

🐾 Juste à côté, sur la gauche, *maison de Bou Hamara,* avec quelques vestiges de son ancien décor en plâtre sculpté. Son propriétaire se proclama, en 1902, sultan de Taza. Il fut chassé par les armées chérifiennes, emprisonné à Fès et mis en cage comme un fauve avant de leur être donné en pâture, en 1908 (aïe !).

🐾 *Les souks :* autour de la mosquée du marché. Noter que le minaret de cette mosquée est plus large au sommet qu'à sa base. Ces souks ont l'avantage d'être assez peu fréquentés par les touristes.

🐾 *La grande mosquée :* tt au bout de la médina. Réputée pour sa magnifique coupole mais, à moins d'être musulman, pas question d'y pénétrer.

Festival

– *Foire de Taza :* fête locale qui se tient pdt une dizaine de jours, en principe fin juil et parfois à cheval sur le mois d'août.

➤ *DANS LES ENVIRONS DE TAZA*

🐾🐾 *Le circuit du parc national de Tazzeka :* excursion de 90 km qui demande une bonne journée. Si vous faites cette excursion au départ de Taza, il faut quitter la ville par ses hauteurs et poursuivre la route qui mène jusqu'à la médina. Les paysages de la R507 entre Sidi-Abdallah des Rhiata et Taza sont splendides. La route étroite, sinueuse et asphaltée, peut être coupée entre décembre et mai (le village de Bâb-bou-Idir est quand même à quelque 1 500 m d'altitude, d'où la neige en hiver et des températures qui restent souvent fraîches). Vous trouverez sur votre route quelques aires de pique-nique dans de très beaux endroits (pensez cependant à préparer votre panier au départ de Fès ou de Taza, car les boutiques et les petits restos sont ensuite rares, voire inexistants).
Ce parcours étonnant permet de voir le *gouffre de Friouato,* découvert par Norbert Casteret. Prévoir 5 Dh (4,50 €) l'entrée. Visite guidée obligatoire (200 Dh, soit 18,20 €). Impressionnant : il faut descendre 520 marches et les remonter ! De bonnes chaussures de marche et une lampe torche (ou mieux, frontale) sont indispensables pour cette excursion sportive. Le sol est glissant. Des concrétions tapissent les parois de ce gouffre exploré sur 750 m de longueur et jusqu'à une profondeur de 245 m.
Les *grottes du Chiker,* voisines, explorées, elles aussi, par Norbert Casteret, ne peuvent être visitées. On a recensé plus de 200 grottes dans cette très belle région.
– *Centre d'information du parc national de Tazzeka :* à la sortie du village Bâb-bou-Idir, en venant du gouffre de Friouato. Si le centre est fermé, essayez de trouver le gardien pour qu'il vous ouvre. Vous pourrez ainsi voir une expo toute petite, mais très informative, sur la région, le parc, son climat, sa faune et les dangers qui le menacent. Près du parc, un grand panneau propose des itinéraires de randos.
⛺ En été, un camping est en principe ouvert au cœur du village.

SEFROU
64 000 hab.

Ville située au pied du Moyen Atlas, à plus de 800 m d'altitude, sur le Dir (« poitrail » en berbère) qui domine le grand couloir sud-rifain. Elle servit très tôt de refuge aux groupes humains qui, sous la pression des prosélytes musulmans, cherchaient avant tout à conserver leur liberté de culte et d'opinion. C'est le cas notamment des juifs, dont l'histoire est intimement liée à celle de la ville, comme en témoigne l'ancien quartier du mellah. La tradition orale rapporte que Sefrou vit le jour avant Fès. El-Bekri, géographe arabe du XIe s, décrit la

LA RÉGION DE FÈS ET MEKNÈS

ville comme une plaque tournante du commerce entre le Nord et la plaine du Tafilalet. C'est encore aujourd'hui un centre agricole important. Chaque année, au début du mois de juin, on y célèbre une importante fête des Cerises (l'occasion d'assister à des danses folkloriques) et, au mois d'août, le *moussem* de Sidi Lahcen Lyoussi (un sage local).

Sefrou se compose de deux parties : la ville moderne et la médina, ceinte de remparts et flanquée à l'origine de quatre tours magistrales. Cette médina est traversée par l'oued Aggay, qui coule dans une étroite gorge et sort régulièrement de son lit. C'est une ville où il fait bon flâner, car elle est encore épargnée par le tourisme de masse. Ici, pas de bazaristes, pas de chasse-touristes. Ne pas hésiter à s'aventurer dans les ruelles et dans les souks, très animés.

– *Souk :* le jeu.

Arriver – Quitter

En taxi

➢ À 28 km au sud de Fès, sur la route R503 en direction de Boulemane. De *Fès,* prendre un grand taxi à Bâb-Ftouh, derrière le *McDo.*

En voiture

➢ *D'Ifrane,* par Imouzzer du Kandar et Bhalil, ou par le circuit des dayets (voir plus loin « Dans les environs d'Ifrane »).

Adresses et info utiles

■ *Distributeurs automatiques :* dans la ville nouvelle, sous les arcades, dans les environs de la poste, et à la Banque Populaire, à côté de la station Shell à l'entrée de la ville en venant de Midelt.

@ *Cybercafé :* à côté du café Al Akha-wayn à la sortie de la ville, sur la route de Midelt.

■ *Hammam :* dans la médina, quartier de la grande mosquée. Bonne hygiène.

– *Joutiya (brocante) :* le ven mat dans le quartier M'kassem, à l'extérieur de la médina.

Où dormir ? Où manger ?

⚊ *Camping municipal :* à 2 km du centre. ☎ 035-67-33-40. Accès par la rue Sidi-Ali-Boussarghine qui monte en zigzaguant jusqu'au camping. Fléché depuis la rue principale qui traverse Sefrou en venant de Fès. Pour 2 pers avec tente et voiture 100 Dh (9,10 €). Camping bien placé au calme sur les hauteurs de la ville, belle vue. Emplacements à l'ombre sur des terrasses en herbe. Sanitaires remis en état, propres (douches chaudes), cafétéria avec terrasse et une petite piscine.

⌂ *Dar Attamani :* en plein cœur de la médina. ☎ 035-96-91-74. ▤ 060-49-24-42. ● darattamani.com ● Entrée par Bâb El-Maqam, la porte principale située sur la grande place. Descendre le cours de la rivière jusqu'à la grande mosquée ; se faire guider à partir de là. Cinq doubles dont deux avec sdb 250-350 Dh (22,70-31,80 €) selon taille. En terrasse sur un matelas, 80 Dh/pers (7,30 €). Petit déj compris. Possibilité de ½ pens. Cette très vieille maison d'un rabbin fut construite à l'extérieur du mellah dans une jolie architecture arabo-andalouse que le propriétaire français a conservée dans son jus. Des patios intérieurs à chaque étage ouvrent sur des chambres agréablement décorées. Mosaïques au sol et au mur, fenêtres fermées par des grilles en fer forgé tournées vers l'intérieur de la maison. Un style un peu rustique pour une très belle sobriété. Terrasse avec vue sur un caravansérail. En sous-sol, une chambre monacale sous une voûte, ravissante. Un hammam. Certaines doubles sont suffisamment grandes pour accueillir jusqu'à 6 personnes (prix plus élevés en conséquence, mais excellent rapport qualité-prix). Accueil très gentil.

⌂ Hôtel Sidi Lahcen Lyoussi : *route de Sidi-Ali-Boussarghine. Suivre depuis la rue principale la direction du camping, c'est dans un des 1ers virages un peu après l'hôtel de police.* ☎ 035-68-34-28. ● *hotel-lyoussi.ma* ● *Parking clos et gardé. Une petite vingtaine de chambres ; double 200 Dh (18,20 €), petit déj*

en sus. Dans un parc ombragé, cet établissement vieillot propose des chambres avec douche et w-c, avec l'eau chaude seulement le matin. Ça sent un peu le renfermé. Bar au sous-sol peu fréquentable.

|●| Café-restaurant Oumnia : *bd Mohammed-V.* ☎ 035-66-06-79. *Dans la ville moderne, face au palais de justice. Prendre la direction du camping, le resto est une des 1res maisons de la rue qui monte, sur la gauche.* Décor marocain agréable et cuisine très correcte à prix moyens. Préférer le salon à l'étage. Service souriant.

|●| De nombreux petits **restos** aux abords de la grande mosquée située au cœur de la médina.

À voir

Dans la médina

Sefrou possède l'une des médinas les plus séduisantes du Maroc, entièrement entourée de murailles, et coupée en deux par l'oued Aggay. Boudée par les tour-opérateurs en raison de sa situation géographique (trop près de Fès), elle est totalement vierge de visiteurs, et c'est tant mieux ! C'est le Maroc authentique comme on l'aime. Un grand plongeon dans la vie quotidienne d'une ville arabe, avec ses échoppes colorées, ses petits métiers et ses habitants d'une extrême gentillesse. Une vie rythmée par les appels à la prière.

On entre dans la médina par la porte **Bâb-Ben-Oumar** (à côté de la bibliothèque située en contrebas du jardin public), ensuite, il faut se laisser guider par les façades des maisons jusqu'à la grande mosquée, puis se perdre dans le lacis de ruelles jalonné d'échoppes, souvent à peine plus grandes qu'un mouchoir de poche.

🏃‍♂️ **Le marché aux fruits et légumes :** *à côté de la mosquée* (masjid *en arabe*) *Al Adam.* En mai, c'est ici que vous trouverez la production des vergers de la région : nèfles, cerises, fraises, pêches, brugnons, nectarines et abricots. De quoi faire une cure de vitamines.

🏃 **Le quartier El-Haddadine :** *juste derrière le souk aux légumes.* Bien pour casser une petite croûte. Dans les années 1920, le quartier était très animé. Les juifs de Sefrou y possédaient une boutique ou un atelier. La plupart d'entre eux étaient cordonniers. Le *foundouk* (hôtel-entrepôt) *El-Haddadine* est le plus important de la ville. Il est aussi le mieux conservé. Le rez-de-chaussée est consacré au travail du bois ancien, à l'étage les hommes filent la laine et cousent les robes de mariée.

🏃 **Le quartier des orfèvres :** *à côté de la mosquée (*masjid*) Es-Smarine (à deux pas du mellah).* Plusieurs boutiques présentent des bijoux en or, en plaqué ou tout simplement des dorures. Pour le plaisir des yeux !

🏃 **Le mellah :** *l'entrée du mellah se fait au niveau du petit pont El-Kantra qui enjambe l'oued Aggay.* Autrefois la ville comptait sept synagogues. À la fin du XIXe s, sur les 3 000 habitants qui vivaient à Sefrou, un tiers étaient juifs. Dans ce quartier, autrefois surpeuplé, remarquez les maisons à encorbellement. Cette particularité architecturale permet à la lumière d'entrer dans les maisons dont l'intérieur est exigu et sombre.

🍴 *Le quartier El-Bestna :* *derrière le quartier El-Haddadine.* Il présente d'élégantes demeures de style maroco-andalou, dans la grande tradition fassie. *Dar Attamani* est la plus ancienne (plus de 500 ans). C'est une résidence privée transformée en belle maison d'hôtes (voir plus haut).

🍴🍴 *Le quartier Takassabt et les bobineurs :* *à côté du mellah (grandes échelles plaquées le long du mur).* Admirez les machines d'une autre époque qui bobinent le fil à coudre. Nombreuses merceries dans la rue attenante. Sefrou doit en effet sa réputation à la qualité de ses tissages, de ses broderies, et surtout à la confection des boutons de soie *(la'aqad),* fruits du travail des femmes juives du mellah. Dans le domaine du textile, la main-d'œuvre sefrouie a toujours été appréciée des tailleurs fassis, qui leur sous-traitaient le travail.

🍴 *La cascade de Sefrou :* *sur la route principale qui traverse Sefrou en venant de Fès, un panneau indique les cascades ; monter env 200 m, puis tourner à droite et continuer pdt 200 m en laissant le vieux quartier fortifié El Kelâa à sa gauche. Au croisement avt d'arriver à une piste, prendre à droite, les cascades sont 700 m plus loin au pied d'un petit parking.* Une des curiosités de la ville. Chutes d'eau assez petites mais qui valent le coup d'œil si on est dans le coin, on peut s'approcher au plus près. Rafraîchissant.

MEKNÈS

570 000 hab.

> **Attention, à partir de mars 2009,** *Maroc Telecom* **doit mettre en place une nouvelle numérotation téléphonique.** Les numéros passeront ainsi à 10 chiffres (au lieu de 9 actuellement).
>
> Voici les principaux changements prévus :
>
> ➤ **Pour tous les numéros fixes,** il faudra insérer « 5 » après le « 0 ». Exemple : 024-11-11-11 deviendra 05-24-11-11-11.
>
> ➤ **Pour les portables,** un « 6 » devra être placé après le « 0 ».
>
> Exemple : 068-11-11-11 deviendra 06-68-11-11-11.
>
> ➤ **Pour les numéros spéciaux,** se reporter en début de guide à la rubrique « Téléphone et télécoms » dans « Maroc utile ».

Meknès, dont les quartiers historiques sont inscrits au patrimoine mondial de l'Unesco, est la cinquième ville du Maroc par sa taille et l'une des quatre villes impériales comme l'indiquent ses minarets verts et les portes monumentales de Bâb-Jema-en-Nouar et Bâb-Mansour.
Son origine et le nom de la ville remontent au Xᵉ s, quand des Berbères de la tribu des Meknassa s'installent sur les rives fertiles de l'oued, charmés par toute cette eau disponible. Comme toutes les villes anciennes du Maroc, la parcourir revient à jouer avec le temps et remonter le courant des dynasties. Au nord de la place El-Hedim, la plus ancienne médina date du XIᵉ s.
Mais plus au sud se trouve une partie souvent ignorée par les touristes, le quartier Dar Kbira (« la grande maison »), premières pierres de la ville impériale bâtie par le souverain moulay Ismaïl (qui régna de 1672 à 1727) avant qu'il ne l'étende encore plus au sud.

Autour de la ville impériale, 25 km de remparts un peu monotones mais très impressionnants. Ses murs font parfois jusqu'à 4 m d'épaisseur. Puis enfin la ville nouvelle, édifiée par les Français au XXᵉ s, ville moderne et grise, sans grand charme. Malgré tout, quelques rues à découvrir surtout le soir, entre la place de Mauritanie, l'*Hôtel de Nice* et la place Lahri, où règne beaucoup d'animation, avec ses glaciers, cafés et pâtissiers très alléchants.

UN PEU D'HISTOIRE

Ancienne capitale chérifienne, et aujourd'hui grande ville de rassemblement des Berbères, Meknès est la ville d'un seul homme : moulay Ismaïl, aussi tyrannique que génial. Après avoir mis au pas tous ses opposants dans sa propre famille et unifié par la force et les batailles le royaume, il put se consacrer à Meknès, sa capitale. Avec une volonté inébranlable, ce souverain, contemporain de Louis XIV et dont le règne dura 55 ans, voulut faire une ville à son image et marquer son époque par une œuvre grandiose : il rasa l'ancienne *kasbah* mérinide et tout ce qui appartenait au passé. Des milliers de personnes participèrent à la construction de la ville impériale, parmi lesquels

LA GARDE NOIRE DU SULTAN

Soucieux de pacifier le pays et de soumettre les peuples rebelles, moulay Ismaïl se dota d'une immense armée, sur mesure et... héréditaire. Il fit venir 16 000 esclaves d'Afrique noire, qu'il transforma en combattants d'élite et intégra dans son armée. Planificateur hors du commun, il leur donna des femmes, et les innocents agneaux nés de ces unions tactiques étaient élevés comme de petits soldats, qui à leur tour rejoignaient la « garde noire » du sultan. Malin, il se constituait ainsi son armée pour garantir son indépendance face aux tribus. De 16 000 hommes au début de son règne, cette armée comptait 150 000 membres à sa mort, 55 ans plus tard.

des esclaves, prisonniers de guerre et captifs chrétiens. Pendant un demi-siècle, palais, jardins, fontaines, terrasses surgirent du vaste périmètre des murailles. Malgré les attaques du temps, il reste du règne du sultan moulay Ismaïl encore des kilomètres de murailles ocre jaune, des portes monumentales aux faïences vertes, des écuries d'une taille démesurée, des arsenaux et des palais pour le harem.
Tyrannique guerrier et grand bâtisseur, il organisa piètrement sa succession. La légende, généreuse et virile, raconte qu'il aurait eu jusqu'à 700 enfants de sexe masculin. S'épuisant dans des luttes de pouvoir, ses successeurs abandonnèrent Meknès à son sort, et stoppèrent cette fastueuse période d'embellissement de la ville. Ajouté à cela le tremblement de terre qui détruisit Lisbonne en 1755 et fit vaciller toute l'Afrique du Nord, endommageant les monuments de Meknès, la ville ne retrouva jamais sa gloire passée.

MEKNÈS AUJOURD'HUI

Meknès étant plantée au cœur d'un bel environnement, le visiteur pourra aussi apprécier les paysages qui entourent la ville. Elle est un excellent camp de base pour explorer la région de Volubilis et de Moulay-Idriss. Sans doute en son avantage, elle est restée dans l'ombre de Fès sur le plan touristique. Beaucoup de nos lecteurs trouvent d'ailleurs Meknès plus accueillante (et moins chère !) que Fès, qui n'est qu'à 65 km. Tout de même moins fascinante que sa touristique voisine, elle se découvre en revanche plus facilement. Meknès demeure un important centre commercial et un centre économique actif. Dans cette région agricole, fruitière (agrumes, oliviers, vignobles, céréales) et forestière (chênes-lièges) se mêlent les activités les plus variées : artisanat diversifié (cuir, poterie...) et tourisme.

Arriver – Quitter

En train

🚃 *Deux gares ferroviaires* desservent la ville : *la gare principale (hors plan général par D2), av. de la Gare, est à env 1 km à l'est du centre de la ville nouvelle (peu après la gare routière CTM, elle est indiquée).* Mais arrêtez-vous plutôt dans la seconde, *la gare Abdelkader (zoom I, B1), dans la ville nouvelle.* Tous les trains qui desservent les villes indiquées y passent. Distributeur automatique de billet. Pas de consigne à bagages. *Rens :* ☎ *090-20-30-40 ou ● oncf.ma ●* Liaisons avec :
➢ *Fès :* env 10 trains directs/j. Trajet : env 40 mn. Plus pratique et rapide que le bus.
➢ *Tanger :* 5 trains/j., dont 1 direct slt (sinon changement à Sidi Kacem). Trajet : 4h30-5h.
➢ *Casablanca et Rabat :* 8 liaisons directes env ttes les 2h (5h30-19h30) ; également 1 ou 2 trains de nuit. Trajet : 3h pour Casablanca et 2h pour Rabat.
➢ *Oujda :* env 3 trains directs/j. Trajet : env 7h.
➢ *Marrakech :* env 8 trains directs/j. Trajet : env 6h30.

En bus

🚌 *Gare CTM (plan général D1) : av. des FAR.* ☎ *035-51-46-18 ou 022-43-82-82 (centre d'appel).* Une gare très propre située à env 15 mn à pied du cœur de la ville nouvelle. Consigne 24h/24 (pour les passagers munis d'un titre de transport *CTM*), café agréable et salle d'attente. Liaisons avec :
➢ *Casablanca et Rabat :* 5 bus/j., 3h-19h. Trajet : 4h.
➢ *Fès :* 4 bus/j. (tôt le mat, et en soirée slt), mais on vous conseille plutôt le train. Trajet : env 1h.
➢ *Chefchaouen :* pas de bus direct, il faut passer par Fès (env 3 bus/j. Fès-Chefchaouen).
➢ *Ifrane :* 1 bus/j. le midi. Trajet : 1h.
➢ *Tanger :* 2 bus/j. Dans le sens Meknès-Tanger départs de nuit slt ; dans le sens Tanger-Meknès départs dans l'ap-m et dans la soirée. Trajet : 5h.
➢ *Marrakech :* 1 bus/j., le soir.

🚌 *Gare routière (plan général A2) : près de la porte Bâb-el-Khemis (un grand bâtiment bien indiqué « Gare routière »).* ☎ *035-53-26-49.* Gare dont partent les compagnies locales.
➢ Des départs ttes les heures pour *Fès,* et plusieurs liaisons tlj avec *Casablanca, Rabat, Tanger, Marrakech* et *Kénitra.* Préférez néanmoins les bus *CTM* (plus rapides, plus sûrs, plus confortables... et plus chers, certes).
➢ Pour *Volubilis,* aller à *Moulay-Idriss* ; continuer en stop, en grand taxi ou à pied. Le bus s'arrête également à Meknès dans la ville nouvelle, près de *l'Institut français,* en face de l'entrée du palais de la Foire *(zoom I, A1).*

En grand taxi

🚕 *Pour Moulay-Idriss,* station de grands taxis près du square de la rue Ounam-el-Moutahide (zoom I, A1) ; compter 10 Dh (0,90 €)/pers l'aller. Avec un taxi privé, à prendre de n'importe quelle station de grands taxis (près des gares ferroviaire et routière, par exemple), possibilité de se rendre directement à Volubilis ; compter env 300 Dh (27,30 €) l'aller-retour (tarifs non fixes à négocier).

Adresses utiles

Infos touristiques

🏛 *Délégation régionale de tourisme (zoom I, B1) : pl. Batha-l'Istiqlal.* ☎ *035-* | *52-44-26 ou 035-51-60-22.* ● dtmek nes@menara.ma ● *Lun-ven 8h30-*

16h30 ; été 8h-18h.
🛈 *Conseil régional de tourisme*
(zoom II, B2) : pl El-Hedim. ☎ *035-53-17-33. Mêmes horaires que la déléga-*

tion régionale, mais emplacement plus pratique, dans un petit kiosque au cœur de la médina. Donne des plans de la ville.

Poste

✉ *Poste : sur la place de l'hôtel de ville (zoom I, B1) ou rue Rouamazin dans la médina (zoom II, B2). Lun-ven*

8h-16h15, sam 8h-12h. Assure aussi le change.

Argent

■ *Distributeurs : dans la ville nouvelle, nombreuses banques avec distributeur dans l'av. Mohammed-V, dont le* Crédit

*du Maroc (zoom I, B1, **1**), ainsi que dans l'av. Hassan-II (zoom I, A-B1).*

Urgences, santé

■ *Pharmacie centrale (zoom I, B1, **2**) : 15, av. Mohammed-V.* ☎ *035-52-11-81. Tlj sf sam ap-m et dim 9h-12h30, 15h-18h (sam 9h-13h).*
■ *Hôpitaux : hôpital militaire Moulay-Ismaïl, av. des FAR (zoom I, B2).* ☎ *035-52-28-05 ou 06. Polyclinique Cornette-de-Saint-Cyr (plan général C1, **3**), 22, esplanade du Docteur-Giguet.*

☎ *035-52-02-62 ou 63.*
■ *Dentiste : Dr Mostafa Haffou, 5, rue de Taroudannt (2ᵉ étage).* ☎ *035-52-78-20.*
– Pour les autres urgences (pompiers, police, pharmacies de garde, reportez-vous à la rubrique « Urgences » dans « Maroc utile », en début de guide).

Transports

■ *Royal Air Maroc (zoom I, B1, **4**) : 7, av. Mohammed-V.* ☎ *035-52-09-63 ou 64. Lun-ven 8h30-12h15, 14h30-19h ; sam 8h30-12h, 15h-18h.*
■ *Garage Renault : 212, av. des FAR.* ☎ *035-52-26-11. À 2 km après la gare CTM.*
■ *Garage Peugeot Citroën : av. des FAR.* ☎ *035-51-35-94. Env 400 m après*

le garage Renault *(sur la gauche). Fermé le w-e. Garage de réparation automobile dans le même bâtiment que le concessionnaire, mais entrée dans la petite rue sur la gauche.*
■ *Carburant : vous n'aurez aucun souci pour trouver une station-service, notamment sur l'avenue des FAR (route nationale de Fès).*

■ **Adresses utiles**

🚂 Gare ferroviaire principale
🚌 Gare CTM
🚌 Gare routière
🚕 Stations de taxis
3 Polyclinique Cornette-de-Saint-Cyr

⚐ 🏠 **Où dormir ?**

20 Camping Agdal
21 Auberge de jeunesse
28 Hôtel Akouas
29 Hôtel Bâb-Mansour
33 Hôtel Transatlantique

34 Hôtel Zaki

🍴 **Où manger ?**

51 Rôtisserie La Boveda

🍷🍴 **Où boire un jus ?**
Où manger une pâtisserie ?

28 Crémerie La Liberté

🎵 **Où sortir ?**

28 Night-Club de l'hôtel Akouas
29 Night-club de l'hôtel Bâb-Mansour

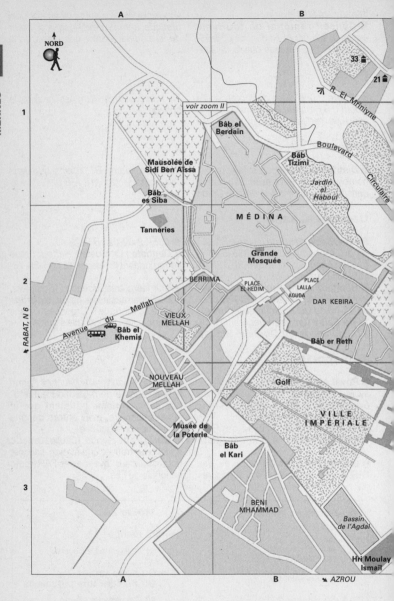

NORD

A

B

1

voir zoom II

Bâb el
Berdaïn

33

21

R. El Mriniyne

Boulevard

Bâb
Tizimi

Circulaire

Mausolée de
Sidi Ben Aïssa

Jardin
el
Haboul

Bâb
es Siba

M É D I N A

Tanneries

Grande
Mosquée

2

BERRIMA

PLACE
EL HEDIM

PLACE
LALLA
AOUDA

DAR KEBIRA

Mellah

VIEUX
MELLAH

Avenue   du

RABAT, N 6

Bâb el
Khemis

Bâb er Reth

NOUVEAU
MELLAH

Golf

V I L L E
I M P É R I A L E

Musée de
la Poterie

Bâb
el Kari

3

BENI
MHAMMAD

Bassin
de l'Agdal

Hri Moulay
Ismaïl

A

B

AZROU

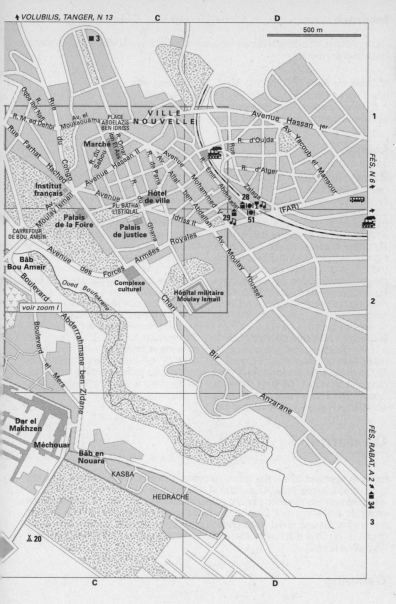

Internet

Ce ne sont pas les cybercafés qui manquent dans cette ville ! Deux adresses parmi beaucoup d'autres :

⧉ *Cyber de Paris* (zoom I, B1, **5**) **:** 8, rue d'Accra (en sous-sol). Tlj 9h-1h. À chaque ordinateur son petit espace cloisonné pour pianoter à peu près tranquillement.

⧉ *Cyber Jdid* (zoom II, B2, **6**) **:** 42-44, rue Rouamazin. Dans la « galerie commerçante », tt au fond. Ouv 24h/24.

Loisirs

■ *Presse étrangère :* nombreux points de vente de journaux et magazines dans la ville nouvelle, dont ce kiosque (zoom I, B1, **7**) vendant les journaux français de la veille (*Le Monde*, *Libération* et *L'Équipe*) ou du jour (*Le Figaro*).
■ *Institut français* (zoom I, A1) **:** rue Farhat-Hachad. ☎ 035-52-40-71 ou 035-51-58-51. Entrée de l'institut un peu plus haut dans la rue Farhat-Hachad. Fermé de mi-juil à début sept. Programme mensuel des manifestations (concerts, ciné-club, théâtre, conférences, etc.).
■ *Cinémas : Cinéma Dawlitz* (zoom I, A1), av. Moulay-Ismaïl, dans le complexe entre le palais de la Foire et le McDo. Belle salle confortable et programmation variée. *Cinéma Caméra* (zoom I, B1) à l'angle des av. Allal-ben-Abdallah et Hassan-II. Vu le confort des fauteuils, on peut espérer que le film ne dure pas 3h (à l'affiche, films d'action américains ou films glamour de série B), mais la salle quasiment inchangée depuis 1938 mérite le coup d'œil.
■ *Piscines :* les 2 piscines publiques manquent d'hygiène. Celles des hôtels sont généralement accessibles moyennant un droit d'entrée le plus souvent très élevé (env 100 Dh/adulte et 50 Dh/enfant, soit 9,10 et 4,50 €). Voir, par exemple, celle de l'*hôtel Transatlantique* (plan général B1, **33**), excentré mais dans un bel environnement.
■ *Hammam* (zoom II, B2, **8**) **:** pour les hommes et les femmes (entrées séparées). Tlj 7h-21h env. Dans un des quartiers les plus authentiques de la médina, un bâtiment récent à l'hygiène irréprochable.

Où dormir ?

Excepté quelques très rares belles surprises, l'offre hôtelière de Meknès n'est guère réjouissante, aussi bien dans la ville nouvelle que dans la médina : les adresses bon marché sont souvent peu attirantes et beaucoup d'établissements plus chic vieillissent mal. De plus, en haute saison, la capacité d'hébergement s'avère insuffisante, il est donc préférable d'arriver le matin pour chercher une chambre, ou de la réserver (sachant que les petites adresses prennent rarement les réservations...).

Camping

⛺ *Camping Agdal* (plan général C3, **20**) **:** entre le palais royal et les greniers de moulay Ismaïl. ▤ 065-21-79-07. Dans le site privilégié de la ville impériale mais sans vue particulière pour autant. Bus n° 2 ou 3. Env 60 Dh (5,50 €) pour 2 pers avec tente et voiture. Pas d'eau chaude dans les douches. Camping partiellement ombragé par ses eucalyptus (quand ces derniers ne sont pas taillés !). Peu entretenu et accueil très inégal. Sanitaires rudimentaires.

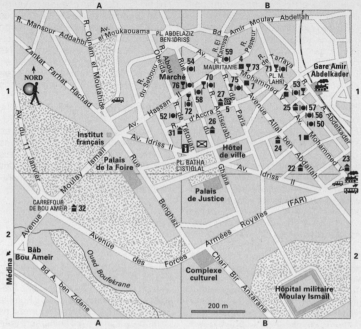

MEKNÈS – LA VILLE NOUVELLE (ZOOM I)

■ **Adresses utiles**		32 Hôtel Ibis Moussafir

🛈 Délégation régionale
de tourisme
✉ Poste
🚋 Gare Abdelkader
🚐 Stations de taxis
1 Crédit du Maroc
2 Pharmacie centrale
4 Royal Air Maroc
🖥 **5** Cyber de Paris
7 Presse étrangère

🛏 **Où dormir ?**

22 Hôtel Ouislane
23 Hôtel Toubkal
24 Touring Hôtel
25 Hôtel Majestic
26 Hôtel Palace
27 Hôtel de Nice
31 Hôtel Rif

|●| **Où manger ?**

50 Marhaba
52 Palais du Poulet
53 Restaurant La Grotte
54 Restaurant Gambrinus
56 Restaurant Montana
57 Pizzeria Le Four
58 La Coupole
59 Le Dauphin

🍸 |●| **Où boire un jus ?**
Où manger une pâtisserie ?

53 Restaurant La Grotte
70 Pâtisserie Agadir
71 Café La Tulipe
72 Boule de Neige
73 Café L'Opéra
75 White Forest
76 Moosberger

Dans la ville nouvelle

De très bon marché à bon marché

🛏 **Auberge de jeunesse** (plan général B1, **21**) : av. Oqba-ibn-Nafi. ☎ 035-

52-46-98. Près du stade municipal, sur
la gauche juste avt l'Hôtel Transatlanti-

que, *et à côté du centre régional d'investissement. Réception 8h-22h (minuit en été), dim et j. fériés fermé 10h-18h. Avec le petit déj, compter 40 Dh (3,60 €)/pers en dortoir de 6 ou 8 lits et 65 Dh (5,90 €)/pers en chambre double. Douche chaude payante. Priorité, l'été, aux détenteurs de la carte des AJ.* Dommage que ce soit un peu loin du centre, car cette petite AJ organisée autour d'un patio est une bonne surprise. Ensemble lumineux, agréable et propre, même si les lits sont un peu fatigués.

🛏 *Hôtel Toubkal (zoom I, B1, 23) : 49, av. Mohammed-V. ☎ 035-52-22-18.* Porte d'entrée coincée entre 2 commerces. *Double avec lavabo 120 Dh (10,90 €) ; douche chaude payante.* Chambres spacieuses et lumineuses plutôt propres et agréables. Grande salle de bains à l'étage, pas très reluisante. Ensemble très bruyant. Ne jamais payer plusieurs nuits d'avance : vous perdriez de l'argent si vous choisissiez de dormir ailleurs le cas échéant.

🛏 *Touring Hôtel (zoom I, B1, 24) : 34, av. Allal-ben-Abdallah. ☎ 035-52-23-51. Doubles 120 Dh (10,90 €) avec douche et lavabo, 130 Dh (11,80 €) avec douche et w-c.* Chambres claires mais propreté limite, et la literie a connu des jours meilleurs. Ensemble bruyant, préférez les chambres sur cour.

Prix moyens

🛏 *Hôtel Majestic (zoom I, B1, 25) : 19, av. Mohammed-V. ☎ 035-52-20-35 ou 03-07. Fax : 035-52-74-27. Doubles 230-315 Dh (20,90-28,60 €) avec ou sans sdb, petit déj (moyen) compris. CB refusées.* Le gérant continue avec un certain succès à redonner vie à ce qui fut l'un des très bons hôtels de Meknès. Il date des années 1930, sa façade d'inspiration Art déco contraste avec l'intérieur décoré de mosaïques. L'ensemble ne manque pas de cachet. La déco dans les chambres est plus conventionnelle, parfois tristounette, mais celles avec douche sont tout à fait convenables. Les chambres sur cour, plus petites et moins agréables, ont l'avantage d'être bien plus calmes. Chauffage défaillant en hiver. On aime beaucoup le patio à l'étage, reposant et à l'abri du chahut extérieur. Consigne.

🛏 *Hôtel Ouislane (zoom I, B1, 22) : 54, av. Allal-ben-Abdallah. ☎ 035-52-48-28 ou 17-43. Double avec sdb 280 Dh (25,50 €). Pas de petit déj.* Préférer les chambres sur cour. L'hôtel le mieux tenu de cette catégorie. Les chambres, toutes avec bains, sont petites, sans confort particulier et à la literie un peu dure. Une bonne adresse quand même car tout est très propre, et les salles de bains impeccables.

🛏 *Hôtel Palace (zoom I, B1, 26) : 11, rue du Ghana. ☎ 035-40-04-68 ou 035-52-04-07. Fax : 035-40-14-31. Double 230 Dh (20,90 €). Pas de petit déj.* Palace, palace, faut pas pousser quand même ! D'autant qu'il vieillit mal, mais les chambres couleur crème aux meubles verts sont grandes et plutôt propres, et disposent toutes de salles de bains. Eau chaude (ou un peu tiède parfois) 19h-12h. Accueil sympathique. Parking payant.

Chic

🛏 *Hôtel de Nice (zoom I, B1, 27) : angle rues d'Accra et Antiserabi. ☎ 035-52-03-18 ou 40. ● hoteldenice-meknes. com ● Double env 490 Dh (44,50 €), petit déj en sus.* Hôtel moderne qui sent le propre. Chambres avec bains lumineuses, vastes, fonctionnelles et confortables (AC et chauffage). Certaines disposent même d'un petit balcon. Ensemble un peu impersonnel et froid, car toutes les chambres sont identiques, mais une fois installé, on apprécie le confort, et c'est impeccable. Accueil professionnel et agréable.

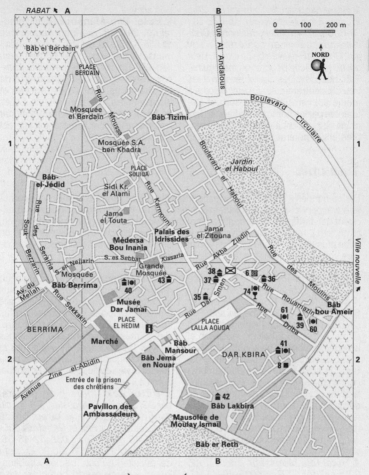

MEKNÈS – LA MÉDINA (ZOOM II)

■ **Adresses utiles**

ℹ Conseil régional de tourisme
✉ Poste
@ 6 Cyber Jdid
8 Hammam

🏠 **Où dormir ?**

35 Hôtel Nouveau
36 Hôtel de Paris
37 Hôtel Regina
38 Hôtel Agadir
39 Hôtel Maroc
40 Chambres d'hôtes Sweet
Sultana et Ryad Bahia
41 Maison d'hôtes Le Riad
42 Palais Didi
43 Riad d'Or

🍴 **Où manger ?**

40 Ryad Bahia
41 Restaurant Le Riad
60 Restaurant Oumnia
61 Le Collier de la Colombe

🍷🍴 **Où boire un jus ?**
Où manger une pâtisserie ?

74 Pâtisserie-Laiterie

🛏 *Hôtel Akouas (plan général D1, 28) :* 27, rue Emir-Abdelkader. ☎ 035-51-59-67 ou 68. ● *hotelakouas.com* ● *Double impeccable et confortable env 430 Dh (39,10 €) avec bains et AC ; petit déj en sus.* Belle décoration marocaine. Petit bar cosy. Des chambres carrelées très bien entretenues. En été, piscine à moitié couverte. Adresse surtout fréquentée par les hommes d'affaires. Seul point noir : le bruit. Choisir les chambres aux derniers étages pour l'éviter.

Bon accueil.

🛏 *Hôtel Bâb-Mansour (plan général D2, 29) :* 38, rue Emir-Abdelkader. ☎ 035-52-52-39 ou 40. ● *hotel_bâb-mansour@menara.ma* ● *Double avec sdb 490 Dh (44,50 €), petit déj compris ; certaines avec AC.* Grand hôtel de 80 chambres, modernes, sobres et fonctionnelles. Très bonne literie. Salles de bains agréables. Très fréquenté par les groupes. Éviter le resto, qui leur est plutôt destiné.

Très chic

Les catégories « Très chic » correspondent plus à une gamme de prix qu'au caractère vraiment chic des établissements cités. Ainsi, les adresses ci-dessous pratiquent des tarifs élevés, offrent souvent des prestations en conséquence (piscine, resto, etc.), mais ne présentent pas véritablement de charme. Les *riad* dont on parle plus loin se révèlent parfois moins chers et bien plus accueillants... Avant de faire votre choix, prenez le temps de bien comparer.

🛏 *Hôtel Rif (zoom I, A-B1, 31) :* rue d'Accra. ☎ 035-52-25-91 à 94. ● *hotel_rif@menara.ma* ● *Double confortable 530 Dh (48,20 €) ; petit déj en sus. Prix négociables.* Hôtel à l'extérieur massif et peu élégant. Le hall de réception et les couloirs sont en revanche agréablement décorés de meubles anciens. Bref, un hôtel très rétro aux chambres confortables, avec des salles de bains propres et agréables. Les chambres du dernier étage sont les plus belles, car rénovées. Bon accueil. En été, belle terrasse avec piscine, même pour boire un verre. Travaille beaucoup avec les groupes.

🛏 *Hôtel Ibis Moussafir (zoom I, A2, 32) :* av. des FAR. ☎ 035-40-41-41. Fax : 035-40-42-42. *Double 560 Dh (50,90 €), petit déj compris.* Chambres et couloirs aseptisés et impersonnels. Bar ouvert à tous, assez bruyant. Confort et prestations standard et sans surprise. L'hôtel est propre, bien entretenu et dispose d'une belle piscine avec terrasse sur l'arrière. Et surtout, il est très bien placé : entre la ville nouvelle et la médina, et... juste à côté du *McDo* ! Les fins gastronomes s'en réjouissent déjà !

🛏 *Hôtel Transatlantique (plan général B1, 33) :* rue El-Mriniyne. ☎ 035-52-50-50 ou 51. ● *transat@iam.net.ma* ● *Double 1 000 Dh (90,90 €), petit déj en*

sus. L'hôtel comprend une aile à la déco marocaine et une aile d'inspiration plus moderne. Chacun son style, mais l'aile moderne dispose de chambres plus spacieuses. L'ensemble est propre. Cette adresse chic et célèbre dans les années 1920 possède deux piscines et d'agréables jardins offrant une très belle vue sur la vieille ville. Service très classe, comme il se doit.

🛏 *Hôtel Zaki (hors plan général par D3, 34) :* bd El-Massira ; à 3 km du centre-ville, suivre la direction de l'autoroute pour Fès et Rabat. ☎ 035-51-41-46 à 49. Fax : 035-52-48-36. *Double env 1 000 Dh (90,90 €), petit déj (à éviter) en sus.* Le hall « sublimi-kitsch » de ce grand complexe vise sans doute à impressionner le visiteur novice. Lustres, mosaïques dégoulinant de partout, salon marocain très coloré. Bref, un établissement de luxe accueillant beaucoup de groupes. Mais surprise, les chambres de cet univers merveilleux sont vraiment séduisantes, spacieuses, agréablement décorées, bien insonorisées et climatisées. Elles donnent sur de grandes terrasses. Jardin, piscine et night-club (ouverts à tous, mais payants). Le resto, dans un cadre sombre, n'est vraiment pas à la hauteur du standing que vise l'établissement.

Dans la médina

Deux types d'hébergements dans la médina : des hôtels très sommaires et peu attrayants, mais à des prix abordables pour les routards, ou des *riad* très chic et chers. Pour les petits déjeuners, se rendre à l'hôtel *Maroc*, par exemple.

Très bon marché

🛏 *Hôtel Agadir (zoom II, B2, 38) : 9, rue Dar-Smen.* ☎ *035-53-01-41. Double env 70 Dh (6,40 €).* Le petit hôtel du quartier le mieux entretenu, dans un bâtiment tout biscornu qui a le mérite d'être plutôt original. Les chambres, dont certaines monacales, sont relativement confortables. Salle de bains commune carrelée, en bon état et propre (ce qui est aussi une forme d'originalité dans ce quartier), avec eau chaude.

🛏 *Hôtel Nouveau (zoom II, B2, 35) : 65, rue Dar-Smen.* 📱 *067-30-93-17. Double 60 Dh (5,50 €) ; douche payante.* Hôtel tout en céramique. Les chambres sont calmes, ce qui n'est pas du luxe ici, toutes avec un petit lavabo et disposées sur plusieurs étages autour d'un patio qui sert de séchoir à linge. Malheureusement, l'entretien général laisse à désirer. Terrasse avec une belle vue. Accueil sympathique.

🛏 *Hôtel de Paris (zoom II, B2, 36) : 58, rue Rouamazin ; entrée par une ruelle perpendiculaire à la rue principale. Double 70 Dh (6,40 €).* Un petit hôtel sans prétention et doté d'un certain charme. Attention, souvent complet. Un peu bruyant. Pas de douche, mais des bains publics dans la rue derrière. Accueil un peu froid.

🛏 *Hôtel Regina (zoom II, B2, 37) : 19, rue Dar-Smen.* ☎ *035-53-02-80. Dans le renfoncement de la rue, au-dessus du petit parking. Double 100 Dh (9,10 €) ; douche chaude payante.* Un large patio intérieur aéré. Des chambres sommaires, literie dure et poussiéreuse (prendre ses draps). Au cas où tout serait complet ailleurs.

Prix moyens

🛏 *Hôtel Maroc (zoom II, B2, 39) : au niveau du 7, rue Rouamazin, dans une impasse sur la gauche en montant la rue ; c'est indiqué.* ☎ *035-53-00-75. Double 200 Dh (18,20 €), petit déj en sus. L'été, on peut dormir pour 40 Dh (3,60 €) sur la terrasse. Toilettes et dou-* che chaude (comprise) sur le palier. Ensemble propre mais rudimentaire. Demander une chambre à l'étage donnant sur le petit jardin intérieur planté d'orangers, car les chambres du rez-de-chaussée sont vraiment bruyantes.

Chic

🛏 |●| *Chambres d'hôtes Sweet Sultana (zoom II, B2, 40) : 4, derb Sekkaya, Tiberbarine ancienne médina.* ☎ *035-53-57-20.* ● *info@dar-sultana.com* ● *Dans la médina, juste à côté du* Ryad Bahia, *indiqué par des panneaux dans la rue. Doubles 350-550 Dh (31,80-50 €) selon taille et saison, petit déj inclus.* Une maison toute biscornue étagée autour d'un patio, qui aurait presque sa place dans les *riad,* si ce n'était ce petit côté négligé, mais qui nous la rend d'autant plus sympathique. Des murs intérieurs en pisé peints dans des tons chaleureux rouges et ocre, décorés de figures et motifs en tout genre au henné. Une maison d'hôtes toute simple, sobre et pas tape à l'œil. Cinq chambres seulement. Notre préférée est la plus petite, avec son lit en mezzanine et le petit salon en dessous. C'est la seule avec une salle de bains privée, les autres doivent partager ! Deux autres chambres ont un petit salon marocain confortable. Et les dernières sont exilées au fond d'un couloirgalerie. Une maison cependant un peu sombre mais conviviale, à des prix démocratiques. Fait aussi resto, sur résa à l'avance.

Les *riad*

À son tour Meknès est gagnée par le phénomène « *riad* ». Il s'en ouvre tous les ans un petit nombre, mais ils restent encore relativement peu nombreux, et surtout bien moins chers qu'à Fès.

🏠 |●| *Maison d'hôtes Le Riad* (zoom II, B2, **41**) : 79, ksar Chaacha-Dar-Lakbira. ☎ 035-53-05-42. ● riadmeknes.com ● De jour, suivre le fléchage à partir du début de la rue Rouamazin ; la nuit, téléphoner pour se faire guider. Doubles et suites 500-750 Dh (45-68,20 €). Une oasis de calme, inattendue au cœur de ce quartier populaire, dans une partie méconnue de la médina. Cette « maison » est une antiquité historique, puisqu'elle n'était rien d'autre qu'un des 12 palais de la première ville impériale édifiée par moulay Ismaïl à la fin du XVIIe s. C'est aujourd'hui l'un des plus beaux *riad* de Meknès. À l'entrée, un jardin avec piscine, surplombé d'une reposante galerie. Les chambres, toutes avec leur personnalité et leur caractère propre, sont spacieuses, et disposées autour d'un superbe patio vert et abondamment fleuri. Une décoration recherchée, beaucoup de goût, chambres meublées d'objets de collection et d'antiquités : poteries, coffres en bois sculpté et armes anciennes. Accueil aimable d'un propriétaire très présent dans sa maison, et faisant partager son amour pour ville.

🏠 *Ryad Bahia* (zoom II, B2, **40**) : Tiberbarine, dans la médina. ☎ 035-55-45-41. 📱 061-81-52-37 ou 062-08-28-64. ● ryad-bahia.com ● Derrière le musée Dar Jamaï, c'est indiqué. Doubles ou suites 660-990 Dh (60-90 €), petit déj marocain compris. Une dizaine de chambres réparties entre 2 *riad*. L'ensemble est assez sobre et les espaces communs sont fort joliment aménagés et doux à vivre. L'une des deux maisons, très ancienne, est celle de la famille, qui habite à l'étage et héberge ses hôtes au rez-de-chaussée... Également de belles chambres sur le toit avec terrasse privative. Agréables terrasses étagées sur plusieurs niveaux. Bon accueil. Fait également table d'hôtes, mais de préférence sur résa.

🏠 *Palais Didi* (zoom II, B2, **42**) : 7, Dar El-Kbira. ☎ 035-55-85-90. ● palaisdidi. com ● À côté du mausolée de moulay Ismaïl (indiqué). Doubles 120-150 € selon la taille. Cadre somptueux pour un coup de folie dans cet ancien palais du XVIIe s, à l'origine une des 12 maisons du sultan moulay Ismaïl. Les vieilles portes traditionnelles en bois ouvrent sur de superbes chambres aménagées dans la tradition des maisons anciennes, chacune avec une petite estrade confortable orientée vers le patio central où gazouille une petite fontaine. Les chambres dans les étages, tout aussi élégantes et aux teintes chaudes, sont de véritables nids d'intimité. L'une d'elles, accolée aux remparts, se trouve même dans la tour défensive qui entoure la porte de la médina Bâb Hakbira. Sur la terrasse, une piscine, et une vue magnifique qui embrasse la ville (notamment le golf, les remparts et le mausolée voisin). C'est le même proprio que *Le Riad*, qui a notre avis est un brin plus chaleureux que *Didi*, en raison de son jardin, sans doute...

🏠 *Riad D'Or* (zoom II, B2, **43**) : 17, derb Ain el Anboub et derb Lalla Aïcha Adouia. ☎ 041-07-86-25. ● riaddor. com ● Doubles ou suites 55-120 €, avec petit déj. Clim' et chauffage. Une vingtaine de chambres dans ce *riad* qui est en fait la réunion de trois splendides palais de la fin du XVIIIe s. Résultat, un labyrinthe inextricable de couloirs, et de patios intérieurs à trois étages différents, et une alternative plutôt sympa aux gros hôtels de la ville nouvelle, avec accueil chaleureux en prime. Décoration grandiose de mosaïques, zelliges traditionnels, murs et colonnes en stuc et surtout des plafonds de bois sculptés d'une extrême finesse. Fenêtres en fer forgé. Les chambres très chic sont malgré tout d'une plaisante sobriété. On a préféré ici mettre en valeur l'architecture qu'en mettre plein la vue par une déco trop chargée. Belle terrasse sur les toits avec vaste vue, et bassin niché tout là-haut. Les chambres les plus chères ont accès gratuitement au hammam de la maison.

Où manger ?

Dans la ville nouvelle

Très bon marché (moins de 50 Dh / 4,50 €)

|●| *Marhaba* (zoom I, B1, **50**) : 23, av. Mohammed-V. Pour le dîner, ferme à 21h en hiver, 23h en été. Fermé pdt le ramadan. Ambiance très marocaine (céramiques, plafonds, lustres, musique couverte par le bruit ambiant...). Ventilos. Bon petit resto qui ne chasse pas particulièrement le touriste ; on vous recommande spécialement la soupe et les brochettes de viande. Service rapide. On est prié de laisser la place au suivant.

|●| *Rôtisserie La Boveda* (plan général D2, **51**) : 35, rue Émir-Abdelkader. On y mange sur le pouce salades variées, sandwichs et surtout de la viande (brochettes, poulets rôtis au feu de bois) pour 3 fois rien. Salle propre, avec un certain charme, mais un peu froide. Accueil prévenant.

|●| *Palais du Poulet* (zoom I, A1, **52**) : 4, rue de Tétouan. Une terrasse couverte sur la rue où viennent s'installer les familles et les gens du coin pour un honnête repas simple et frais. À la carte, devinez quoi ? Du poulet, bien vu, mais aussi des plats plus traditionnels marocains : brochettes, couscous... À l'intérieur, une salle méchamment climatisée, moins rigolote que la terrasse.

De bon marché à prix moyens (moins de 150 Dh / 13,60 €)

|●| *Restaurant La Grotte* (zoom I, B1, **53**) : 11, rue de la Voûte. Ouv tte la journée, le soir jusqu'à 23h30 (voir plus loin « Où boire un jus ?... »). Pas l'adresse gastronomique du coin, mais un petit resto au cadre charmant et très reposant qu'on aime beaucoup. Une bouffée de verdure dans la ville nouvelle où on profite avec plaisir de l'agréable terrasse sur le toit, ombragée par une dense végétation. Au rez-de-chaussée, de petites pièces meublées de mosaïques de Fès et de chaises en métal. On y mange des petits plats honnêtes (que ce soit l'omelette, la salade niçoise ou le traditionnel tajine). Le service est lent, mais aimable, ce qui fait oublier la lenteur, quoique... Bon marché.

|●| *Restaurant Gambrinus* (zoom I, B1, **54**) : rue Charif-Idrissi. Pas d'alcool. Réjouissante adresse rétro. Le bar, qui garde un certain cachet avec ses vieux frigos en bois, date d'1914 et le resto a ouvert ses portes dans les années 1950. La salle s'avère encore plus surprenante que le bar. Très soignée (tables dressées, nappes immaculées), elle est surtout égayée par d'étonnantes fresques (des années 1950, elles aussi) réalisées par un fidèle de l'époque. Entre deux bouchées de tajine, l'œil découvre avec amusement les détails incongrus et même un peu grivois (quel bonheur !) dans cette caricature des romans de cape et d'épée. Une ambiance vraiment particulière se dégage de ce lieu. Service impeccable et gentil, cuisine honnête.

|●| *Restaurant Montana* (zoom I, B1, **56**) : 4, rue de l'Atlas. ☎ 035-52-68-43. Ouv jusqu'à 1h30. Sert de l'alcool. La carte de cuisine internationale est très variée, mais il manque la plupart des plats ! La viande est bonne et les portions sont copieuses. Accueil inégal mais service rapide.

Chic (150-250 Dh / 13,60-22,70 €)

|●| *Pizzeria Le Four* (zoom I, B1, **57**) : 1, rue de l'Atlas. ☎ 035-52-08-57. *Ne pas arriver trop tard, car c'est souvent plein. Sert de l'alcool.* Cadre agréable dans une petite salle exigüe aux murs peints à la chaux. Également quelques tables à l'étage. Spécialités de pizzas rectangulaires, servies sur une planche en bois. Mais il y a aussi des plats de pâtes, de viande, etc. Prix un peu trop élevés pour la quantité et la qualité (qui n'est pas constante).

|●| *La Coupole* (zoom I, B1, **58**) : angle av. Hassan-II et rue du Ghana. ☎ 035-52-24-83. *Sert de l'alcool.* Cadre rétro, chic et raffiné, agrémenté d'un piano-bar. Carte européenne et quelques plats marocains. Bon rapport qualité-prix. Idéal pour les dîners en amoureux. Dommage que l'accueil ne soit pas toujours terrible.

|●| *Le Dauphin* (zoom I, B1, **59**) : 5, av. Mohammed-V. ☎ 035-52-34-23. *L'entrée du resto se fait sur le côté, par la rue El-Kanissa.* Une carte riche. L'un des seuls restos de Meknès qui proposent un grand choix de poisson. L'endroit, frais et au cadre soigné, n'est pas bien grand, il se remplit donc très facilement (surtout si un groupe passe par là). Cuisine plutôt fine, toutefois inégale. Service professionnel. Musique de fond un peu trop sonore... pas assez en fond, quoi !

Dans la médina

Nombreuses *gargotes* très bon marché *dans la rue Dar-Smen, qui donne sur la porte Bâb-Mansour (zoom II, B2).* Toutes se valent, mais on mange très bien au n° 123, au *Restaurant Économique* (compter 30 Dh, soit 2,70 € pour un tagine).

Bon marché (moins de 80 Dh / 7,30 €)

|●| *Restaurant Oumnia* (zoom II, B2, **60**) : 8, rue Aïn-el-Fouki. 🖪 063-15-43-24. *Dans une petite rue perpendiculaire à la rue Rouamazin, juste au début à gauche.* Derrière une façade banale se cache, dans une maison typiquement marocaine, une adresse à la réputation bien établie. Son cadre change agréablement de ces salons trop bien léchés destinés à des groupes ; c'est au contraire un endroit plein de vie où les bibelots prennent autant de place que les plats de cuisine (certes, tout n'est pas toujours nickel, mais bon...). Corrects tajines maison, mais revers de la médaille, la qualité a un peu baissé avec la renommée grandissante. L'adresse reste bien sympathique quand même. Également vente à emporter. Accueil profondément gentil et attentif de la famille qui s'en occupe.

De prix moyens à chic (moins de 250 Dh / 22,70 €)

|●| *Restaurant Le Riad* (zoom II, B2, **41**) : voir « Où dormir ? ». *Ouv midi et soir.* Le meilleur restaurant de Meknès, dans un authentique *riad*. Les tables sont disposées autour d'un fabuleux petit jardin, miniature merveilleuse d'un jardin tropical. Les lumières du soir ajoutent le romantisme. À table : assortiment de salades marocaines, mélanges de saveurs épicées ou plutôt sucrées, pastillas croquantes et craquantes, tajines et couscous qui ont du goût, tout ça à la carte ou dans des menus à prix très raisonnables. Une occasion géniale de découvrir la majesté d'un *riad* si on n'a pas les moyens d'y dormir.

|●| *Le Collier de la Colombe* (zoom II, B2, **61**) : 67, rue Driba. ☎ 035-55-50-41. *Menu à prix moyens ; plus cher à la carte. Sert de l'alcool.* Carte très variée de poissons et de spécialités marocaines, plutôt raffinés. Les *pastillas*, notamment, sont tout à fait recommandables. Les deux grandes salles ont une déco un brin tape-à-l'œil, chargées de

mosaïques, zelliges et stucs. On aime tout de même cette adresse pour sa terrasse et la superbe vue sur la vallée derrière les baies vitrées. Service sympathique et délicat.

|●| *Ryad Bahia (zoom II, B2, 40) :* voir « Où dormir ? ». *Sur résa slt.* Bonne cui-sine traditionnelle dans l'ensemble, que l'on déguste dans le patio de ce *riad* accueillant. Bonnes entrées, comme l'assortiment de salades marocaines pleines de saveurs et d'une finesse que l'on goûte trop rarement à Meknès. Service efficace, généreux et souriant.

Où dormir ? Où manger dans les environs ?

🏠 |●| *Ranch Tijania :* commune d'Aït Bourzouine. ☎ 063-74-57-97. À env 15 km de Meknès. Suivre la direction de l'autoroute de Fès, puis celle d'Ifrane (ne pas entrer sur l'autoroute donc) ; bien surveiller le petit panneau indiquant le ranch sur la droite et continuer tt droit pdt 8 km. Accès par un petit chemin sur la droite (indiqué). Double 250 Dh (22,70 €) ; familiale 300 Dh (27,30 €) ; petit déj en sus. Ferme-auberge dans un ranch où les chambres simples, propres et agréables, aménagées dans un bâtiment légèrement à l'écart, entourent une petite piscine. Les familiales disposent de deux pièces, l'une avec un grand lit et l'autre avec trois petits lits. Bref, c'est l'idéal pour une famille motorisée avec des bambins, qui seront peut-être plus sensibles à cette adresse en pleine nature (un peu au milieu de nulle part, disons-le) et à la présence des chevaux qu'à la splendeur du mausolée de moulay Ismaïl. Également un petit café tout vitré sur place et un non moins sympathique resto.

Où boire un jus ? Où manger une pâtisserie ?

|●| 🍸 *Pâtisserie Agadir (zoom I, B1, 70) :* av. Hassan-II. Toute petite pâtisserie qui fait l'angle, dont on sent les délices avant même de les voir. On peut également y boire un jus de fruits frais (debout) tout en grignotant une petite douceur. Les gens du coin ne s'y trompent pas, la petite pièce est toujours bondée.

|●| 🍸 *Café La Tulipe (zoom I, B1, 71) :* rue Marraket-el-Heri. Agréable café en retrait de l'avenue Mohammed-V, au calme et loin du bruit. La salle surprend par son décor balourd, avec notamment de faux rideaux en pierre d'une élégance... contestable, mais la grande et large terrasse ombragée a un grand pouvoir d'attractivité sur les âmes oisives. Café, thé, jus de fruits frais, et on peut aussi y déguster de très bonnes pâtisseries.

|●| 🍸 *Boule de Neige (zoom I, B1, 72) :* 3, av. Hassan-II. Café-pâtisserie spacieux et très propre. Même s'il se cache derrière des vitres fumées, son cadre élégant est plutôt lumineux. Belle terrasse sur la rue, aux chaises disposées de manière à ardemment contempler les passants et les voitures au feu rouge.

Au cœur de la frénésie de la ville nouvelle, pas désagréable ! Service pro et efficace, heureusement car l'endroit ne désemplit guère. Café bien costaud pour réveiller les esprits embrumés, bon thé à la menthe pour se désaltérer, quant aux pâtisseries... la seule contemplation de la vitrine provoque des montées de salive !

|●| 🍸 *Crémerie La Liberté (plan général D1, 28) :* rue Émir-Abdelkader. Juste à côté de l'hôtel Akouas. Une adorable crémerie aux délicieux jus de fruits frais et yaourts joliment présentés. Minuscule terrasse sur le trottoir, et mezzanine toute aussi riquiqui.

|●| 🍸 *Pâtisserie-Laiterie (zoom II, B2, 74) :* rue Rouamazin. En face de l'Hôtel de Paris, une vitrine sans nom qui ne paie pas de mine mais qui propose des jus de fruits frais et variés, des yaourts, et de délicieuses pâtisseries que l'on peut déguster à l'étage, attablé sur la mezzanine pour nains de jardin, toute carrelée.

|●| 🍸 *Moosberger (zoom I, B1, 76) :* av. Hassan-II. On aime bien ce salon de thé où règne un charme un peu désuet. Également un petit choix de pâtisseries.

🍸 Café L'Opéra *(zoom I, B1, 73)* : 7, av. Mohammed-V. Le café chic de la ville. Beaucoup de classe, de confort, une recherche de mobilier tendance, des serveurs très dignes et sérieux. Aussi une petite terrasse en plein air (même si elle est au bord d'une bruyante avenue) pour déguster de bonnes pâtisseries.

🍸 Restaurant La Grotte *(zoom I, B1, 53)* : *voir « Où manger ? ».* Les Marocains viennent y boire un thé ou un café dans la journée. Très sympathique aussi le soir, notamment sur la terrasse du toit plongée dans la verdure. Le cadre est vraiment agréable et l'endroit calme.

🍽 🍸 White Forest *(zoom I, B1, 75)* : 3, rue de Paris. Pâtisserie-glacier avec un grand choix, moderne et appréciée par la jeunesse dynamique de la ville nouvelle. Jus de fruits, petit déj, et quelques tables sur ce morceau bienvenu de rue piétonne. Beaucoup d'animation en soirée.

Où sortir ?

Comme souvent au Maroc, les rares endroits « fréquentables » où se trémousser sont les discothèques des grands hôtels.

♫ Night-club de l'hôtel Bâb-Mansour *(plan général D2, 29)* **:** on y fait la fête dans une ambiance chaleureuse, au rythme d'un orchestre de musique arabe. Ambiance jeune et décontractée.

♫ Night-club de l'hôtel Akouas *(plan général D1, 28)* **:** accolé à l'hôtel Akouas. Même ambiance qu'au *Bâb-Mansour* et tout aussi sympathique.

À voir

La vieille ville, bâtie sur un plateau, est protégée par de gigantesques remparts. Si vous êtes motorisé, pour visiter la médina, garez votre voiture sur la place Lalla-Aouda, près de Bâb-Mansour, ou bien près du mausolée de moulay Ismaïl *(zoom II, B2)*.

⊚ Dans la médina

> ### LE COULOIR DE LA MORT
>
> *Venant de Bâb-Mansour, et en se dirigeant vers la ville impériale par la route, le voyageur passe entre deux rangées de remparts. Franchissant le premier rideau, les envahisseurs se trouvaient piégés entre les deux hautes murailles. Ne restait plus qu'à fermer les portes des extrémités, et les assaillants étaient « faits comme des rats ». Non sans frémir, les habitants surnommèrent désormais cet espace le « couloir de la mort ».*

À l'origine bâtie par les Almoravides au XIe s, c'était une médina fortifiée, une kasbah qui accueillait des militaires. Elle poussa à l'ombre des oliviers qui s'épanouissaient dans les jardins voisins. On y construisit mosquées et médersas dans les siècles suivants.

🍽🍽 Le marché de la médina *(zoom II, B2)* **:** derrière les arcades de potiers se trouve l'un des plus animés et des plus beaux marchés couverts du Maroc. Vous y trouverez de nombreux étals d'épices, d'olives, de fruits secs, de pâtisseries, puis l'allée aux poules et aux moutons : le spectacle vaut le détour, mais les odeurs vous prennent à la gorge.

🍽🍽 Le musée Dar Jamaï *(zoom II, B2)* **:** tlj sf mar et certains j. fériés 9h-12h, 15h-18h30 (ven 8h30-11h30, 15h-18h). Entrée : 10 Dh (0,90 €). Attention, la collection permanente peut être remplacée par des expos temporaires. Dans une splendide demeure construite par le grand vizir Jamaï en 1882. Les différentes salles du palais (cuisine, mosquée, chambres...) servent de salles d'exposition : *minbar* et coffres en bois d'olivier sculptés, céramiques, tapis, costumes, caftans, bijoux, métiers à tisser, armes. Magnifique salle du harem avec une fontaine. Elle est abondamment décorée de stucs et de zelliges. Au 1er étage, la *koubba* est une très belle salle de réception, avec un plafond à coupole en cèdre finement travaillé. Elle repose sur une base carrée. Pas un centimètre carré n'a été oublié. Beau jardin andalou avec des cyprès.

🍴 *Les souks :* au cours de votre balade dans les souks, essayez de voir les anciennes *kissaria* (marchés couverts), mieux conservées que celles de Marrakech, car elles n'ont jamais été remaniées. On y vend des tissus. Elles sont dans le coin situé entre la Dar Jamaï et Bou-Inania, autour de la grande mosquée *(zoom II, B2)*. Des ventes aux enchères ont lieu vers 14h.

🍴 *Bâb-el-Jédid (zoom II, A1) :* vous y trouverez le marché aux puces. Ce sont des particuliers qui vendent leurs affaires. Possibilité de marchandage ou de troc. Également, le souk des instruments de musique, où l'on peut acheter des instruments traditionnels à prix défiant toute concurrence, fabriqués de manière artisanale (tambourins, luths, derbouka, *nafar*...).

🍴 *La médersa Bou-Inania (zoom II, B1) :* tlj sf j. fériés 9h-12h, 15h-18h30. Entrée : 10 Dh (0,90 €). Elle fut fondée au XIVe s par un souverain de la dynastie des Mérinides. On retrouve l'architecture traditionnelle des médersas : une cour centrale bordée de galeries et d'une salle de prière. La place de l'imam a été creusée dans le mur. Bel auvent en bois d'olivier sculpté d'arabesques extrêmement minutieuses, stucs et mosaïques de faïence. Au-dessus, les petites cellules fermées par des portes en bois servaient à loger les étudiants de l'école coranique ; certaines sont aveugles. Un escalier au fond du couloir mène à une terrasse à hauteur des toits de la médina (on ne jouit donc pas d'une vue d'ensemble sur la vieille ville).

🍴 *Les tanneries (plan général A2) :* juste à l'extérieur de la médina, à l'ouest de Bâb-el-Jédid. Accès en voiture par le bd circulaire, se garer à la Bâb-es-Siba. Dans un marché pas du tout touristique, où règne une ambiance très différente de la médina voisine. Beaucoup moins impressionnantes mais tout aussi authentiques que celles de Fès, les tanneries ont ici peu de bassins colorés. On regarde les touristes un peu de travers, car n'oublions pas que les gens travaillent ici. Un peu de discrétion, ce n'est pas le zoo de l'humain, que diable ! Les ruelles autour sont amusantes, on y vend de tout, paires de skis en plein été, vieux appareils photo et transistors pas super récents... De l'autre côté du boulevard, le marché au blé.

⊚ *Dans la ville impériale*

Elle est l'œuvre de moulay Ismaïl, passionné de construction. Sans relâche pendant tout son règne, il y édifia palais, jardins, écuries et greniers. Sur les places défilaient les troupes tout acquises à sa soif de conquête, et des visiteurs étrangers éblouis par la beauté des portes et palais.

🍴 *La place El-Hedim (zoom II, B2) :* c'est la grande place que l'on traverse pour entrer dans la médina au nord. Elle fait la jonction avec la ville impériale de moulay Ismaïl qui s'étend au sud. La place est l'émanation des rêves de grandeur du puissant souverain

LE ROI-SOLEIL MAROCAIN

Autre ambition de moulay Ismaïl : rivaliser avec Louis XIV. Celui-ci lui refusa la main d'une de ses filles, peut-être un peu inquiet quand il apprit que moulay Ismaïl entretenait déjà un harem de 500 concubines. Vexé ou orgueilleux, le sultan entreprit la construction de son « Versailles », le palais royal qu'il para des plus belles œuvres et objets. Il fit venir de Damas les meilleurs artisans juifs, important l'art de la damasquinerie à Meknès. Les motifs en forme de soleil qu'on retrouve dans les palais rappellent ses relations avec le roi de France. Mélange de fascination et de rivalité.

moulay Ismaïl. Pour commencer son œuvre, il rase la kasbah mérinide, ce qui dégage un espace conséquent plein de débris, transformé en place. Ainsi naissait la place El-Hedim, ou place des « décombres ». Prenez le temps d'y boire un thé en fin d'après-midi ou en début de soirée pour observer la belle animation qui y règne alors. Terrain de foot parfois, étalage de stands à boissons qui lui donne un faux air de la place Jemaa-el-Fna de Marrakech, en miniature. On peut aussi y flinguer à vue... dans des stands de tir, style fête foraine, qui fleurissent en plein milieu. Mais difficile de décrocher le gros lot, car les carabines sont vrillées pour tirer en dehors de la cible ! Ne pas manquer l'ambiance du soir, super.

🚶🚶 **Bâb-Mansour** (zoom II, B2) : la plus importante et la plus remarquable des portes de Meknès. Elle fut achevée en 1732, sous le règne du fils de moulay Ismaïl. On dit qu'elle serait l'œuvre d'un chrétien converti à l'islam, ce qui lui vaut son surnom « la porte du Renégat ». Elle symbolise la toute-puissance du sultan. Des expositions y sont parfois organisées.

🚶 **Le pavillon des Ambassadeurs et la prison des Chrétiens** (zoom II, B2) : tlj 9h-12h, 15h-18h. Entrée : 10 Dh (0,90 €). Un guide propose parfois ses services (payant).
Un ancien pavillon où les sultans avaient l'habitude de recevoir les ambassadeurs étrangers (d'où le nom). Ils essayaient souvent sans succès de monnayer la libération des prisonniers chrétiens. C'est sans doute ces échecs qui contribuèrent à forger l'image de tyran sanguinaire qui a collé à moulay Ismaïl, les ambassadeurs buttant sur son intransigeance. On visite une grande pièce toute nue, au joli décor, mais à l'intérêt limité. Peut servir de lieu d'exposition, auquel cas le droit d'entrée est plus cher.
En revanche, dehors, contre la muraille, on aperçoit un escalier (aux marches très hautes). Il mène sous la place, à la fameuse prison des Chrétiens. Fantasme étayé par le récit des ambassadeurs, justement, ou réalité ? Les avis sont partagés. Ce qui est sûr, c'est que les prisonniers devaient participer aux travaux de construction de la ville. Ils étaient aussi bien des Marocains musulmans que des milliers d'Européens chrétiens capturés lors des batailles navales, ou faits prisonniers quand moulay Ismaïl récupéra les ports du royaume aux Espagnols et aux Anglais. Tous égaux chez les captifs, en quelque sorte ! Étaient-ils réellement enfermés dans ces profondes salles ? Rien ne le prouve. D'autant que l'architecture de cette « prison » en fait la sœur jumelle des greniers à grain qu'on trouve plus loin dans la ville impériale. Cette prison n'est alors peut-être qu'un autre silo.
Reste que cette « prison souterraine », selon certaines sources, pourrait s'étendre sous toute la cité impériale... mais bon, on a bien dit « pourrait » ! Ces grandes salles voûtées, aux piliers et murs d'une épaisseur colossale, sont néanmoins très impressionnantes. Il y fait sombre et toujours frais.

🚶🚶 **Le mausolée de moulay Ismaïl** (zoom II, B2) : entrée par Bâb-Moulay Ismaïl. Tlj sf ven mat (réservé aux musulmans) 9h-12h, 15h-18h. Entrée gratuite (pourboire à discrétion). Tenue correcte exigée. Les photos sont autorisées, mais les vidéos interdites.
C'est l'un des rares mausolées du Maroc que les non-musulmans peuvent visiter, car, au cours d'une visite officielle, le maréchal Lyautey refusa de rester à l'entrée, alors que le sultan y pénétrait pour prier. Seul l'accès à la tombe du souverain est réservé aux musulmans. L'édifice fut construit en 1703. Il y a trois fontaines aux ablutions dans deux cours et, ce qui est plus rare, dans la salle de prière. Le rôle de cette dernière est purement décoratif, mais elle peut servir les jours d'affluence. La troisième cour, carrelée d'une belle faïence verte, possède une fontaine et des colonnes en marbre d'Italie supportant des arcs décorés de stucs, ainsi qu'un cadran solaire datant du XVIIe s.
Ensuite, pour pénétrer véritablement dans la mosquée, déchaussez-vous. Magnifique plafond en cèdre peint, et mosaïques sur lesquelles figurent des écritures coraniques. On retrouve les quatre couleurs des villes impériales dans les orne-

mentations du mihrab : le bleu de Fès, le vert de Meknès, le rouge de Marrakech et le jaune de Rabat. Le *mihrab* est creusé dans la paroi du fond, pour amplifier la prière de l'imam.

À droite en entrant, les tombeaux de moulay Ismaïl, de sa femme et de deux de ses descendants. Vous pourrez voir deux horloges comtoises offertes par Louis XIV (vision assez surréaliste !) ; il y en a en fait quatre mais les deux autres, contre le mur d'en face, ne sont pas visibles. Moulay Ismaïl reçut ce cadeau lorsque le roi refusa de lui accorder la main de sa fille. La frise en arabe décrit l'arbre généalogique de la famille royale. Mohammed VI est un descendant de la dixième génération de moulay Ismaïl.

🕯 **Le musée de la Poterie du Rif et du Pré-Rif** *(plan général A-B3)* : borj Bel Kari, bd Zin-El-Abidin. Tlj 9h-17h. Entrée : 10 Dh (0,90 €). Joliment installé dans le *borj* Bel Kari restauré, ce petit musée consacré à la poterie est plutôt bien conçu (panneaux explicatifs concis en français, cartes, etc.). La première partie expose l'évolution historique de la poterie dans les régions du Rif et du pré-Rif et la seconde présente les différents types de poteries de cette zone (pas tant d'objets exposés que ça, mais de très belles pièces). Terrasse sur le toit dont les ouvertures permettent d'apercevoir différentes parties de la médina et de la Meknès impériale.

🕯🕯 **Hri moulay Ismaïl** *(les greniers de moulay Ismaïl ; plan général C3)* : tlj 9h-12h, 15h-18h (19h en été). Entrée : 10 Dh (0,90 €).
Ce grenier à grain est le monument le plus remarquable de la ville impériale. Construit par moulay Ismaïl, il possède des murs en pisé de 4 m d'épaisseur qui préservent une température fraîche en été et tempérée en hiver. Notez les puits dans certaines des petites pièces latérales, on les appelle des *Dar el Ma* (« maison de l'Eau »). Les pièces dépourvues de puits servaient, elles, de greniers à grain, prélevé comme impôt par le sultan. Ce réseau de greniers est aujourd'hui un lieu pittoresque de concerts occasionnels.
Tout au fond de l'entrepôt (sur la droite en allant vers les soi-disant écuries), on peut voir une noria, sorte de grande roue actionnée par des ânes et des chevaux, qui permettait de puiser l'eau. En sortant, après avoir traversé le grenier, on parvient à ce qu'on appelle souvent les « anciennes écuries », qui auraient accueilli jusqu'à 12 000 chevaux (mais, à priori, les fameuses écuries se seraient en fait trouvées dans le Hri Mansour, un grenier situé un peu plus loin et aujourd'hui en ruine). Un tiers de ces « fausses » écuries furent détruites lors du tremblement de terre de 1755 et il ne reste plus aujourd'hui qu'une impressionnante enfilade d'arcades, plus ou moins envahies par les herbes folles (excepté dans l'allée centrale).
Au pied de la terrasse se trouve le bassin de l'Agdal. Il servait à abreuver la grande cavalerie du moulay, et de réservoir d'eau potable. Ce bassin était alimenté par 20 km de canalisations souterraines provenant directement de la montagne. En cas de siège, le moulay pouvait tenir bien longtemps, au grand dam des assiégeants. Malin, le moulay !

🕯 **Dar Kbira** *(zoom II, B2)* : partie méconnue de la ville impériale construite par moulay Ismaïl dès le début de son règne (1672). Cette « grande maison » composée de 12 palais avec autant de jardins était le lieu où vivait le sultan, quand il n'était pas en guerre. De ces 12 palais, on ne visite rien (à moins de loger dans la maison d'hôtes *Le Riad* ou dans le *Pakis Didi*, voir « Où dormir ? », ou d'y manger, voir plus haut le *Restaurant Le Riad*). Transformés en habitations par les occupants actuels ou en *riad*, ils sont cachés derrière d'épais murs qui ne laissent rien deviner. Pourtant la promenade dans les ruelles de cette petite médina vaut le coup pour comprendre l'architecture défensive de la ville. On peut y entrer par *Bâb Lakbira*, très belle porte aux mosaïques bleues. Comme sur toutes les *bâb,* les écritures en haut retracent l'histoire du quartier et décrivent ce qu'on découvre derrière. Ici, « la maison du roi, avec ses pavillons, fontaines, *riad* et bains... édifiée grâce au roi moulay Ismaïl ». Grignotées par les constructions autour, deux tours crénelées, postes de surveillance, encadrent la porte, à l'origine pour garder l'entrée de la médina. Derrière, une entrée en chicane ; au cas où les assaillants enfonceraient la porte, ils se retrouveraient bloqués. À voir encore, quand on avance dans les ruelles, des traces ici et là de la ville impériale d'origine : les galeries sous voûte par exemple, ou encore les épais murs anciens, ceux qui délimitaient les 12 palais, en pierres usées par le temps, et d'une couleur terreuse, qui font partie du patrimoine de la ville. Un avantage de ce quartier, pas de boutiques de souvenirs, et une promenade vraiment tranquille.

À voir encore

🏃 **Les haras de Meknès** (hors plan général par B3) : sur la route d'Azrou, après l'Académie royale (et près de l'Académie des lettres) ; assez loin du centre. Tlj sf w-e 15h-17h. Gratuit. Vous pouvez vous balader presque partout. Les employés sont très gentils. Les étalons sont dans les bâtiments à gauche de l'entrée. Les juments sont évidemment plus loin, à presque 1 km par un chemin qui part du bâtiment des étalons. Cadre champêtre alors que l'on se trouve en pleine ville.

Fête

– **Mouloud de Meknès :** rassemblement gigantesque avec de nombreuses fantasias, devant les remparts de pisé de la ville. Séances de transes et cérémonies religieuses de la secte des Aïssaoua. L'une des fêtes les plus grandioses et les plus vraies. Elle commémore la naissance du Prophète suivant le calendrier lunaire, donc pas à date fixe.

MOULAY-IDRISS

Merveilleuse ville sainte, à 22 km de Meknès. C'est ici qu'est enterré moulay Idriss, le fondateur de Fès, et surtout l'arrière-petit-fils de Mahomet, qui a réussi à convertir à l'islam les Berbères de la région. Il est aussi le fondateur de la première dynastie musulmane du Maghreb : les Idrissides.

> **UN MINARET SINGULIER**
>
> *Avez-vous remarqué ? Le minaret de Moulay-Idriss est de forme cylindrique. Si cette caractéristique n'est pas rare dans le monde musulman (omniprésente en Turquie par exemple), c'est unique au Maroc. Pourquoi ? Eh bien, on n'en sait rien !*

Aujourd'hui, Moulay-Idriss est LA ville sainte du Maroc, et le pèlerinage jusqu'à ce village équivaut, chez les musulmans de condition modeste, au voyage à La Mecque. D'ailleurs, depuis plusieurs générations, c'est la première ville où se rend le nouveau roi après son accession au trône.

Les non-musulmans n'ont pas accès au tombeau proprement dit, mais les ruelles de la médina sont particulièrement attrayantes pour une promenade le soir, de préférence. La petite place à l'entrée de la médina est très reposante, et change agréablement de sa voisine Meknès. Le soleil couchant sur les collines de Volubilis offre un spectacle étincelant, car la ville de Moulay-Idriss est située dans un très beau coin de nature. On ne peut qu'être touché par cette grâce impalpable qui semble régner sur la ville.

– **Souk :** le sam mat.

Arriver – Quitter

➤ **De Meknès,** grands taxis à prendre près du square de la rue Ounam-el-Moutahide *(plan Meknès, zoom I, A1)*, face à l'Institut français (compter 10 Dh, soit 0,90 €, par tête en taxi collectif et prévoir env 300 Dh, soit 27,30 €, prix non fixes, l'aller-retour en taxi individuel).

🚌 *Gare routière : dans la rue principale de Moulay-Idriss, en montant sur la droite, une place encombrée de petits taxis et bus.* Liaisons avec :
➤ **Meknès :** env 10 bus/j., dernier départ de Moulay-Idriss vers 18h.
➤ **Fès :** des bus ttes les heures depuis la gare routière de Fès près de Bâb-Mahrouk *(plan II de Fès, A2)*.

Infos utiles

– Les parkings de Moulay-Idriss sont totalement anarchiques. En montant, dépasser la gare routière. Plus loin, au niveau d'un virage, commence sur la droite une rue piétonne qui entre dans la médina. On peut se garer ici, un placier en gilet fluo surveille. Se méfier des autres qui font de grands gestes de sémaphore.

Où dormir ?

Jusqu'à récemment, ville sainte oblige, il était interdit aux non-musulmans de dormir ici. Mais le roi a bien compris l'intérêt touristique de développer cette petite et charmante ville. Il a donné le droit à quelques familles d'accueillir des visiteurs. Outre un hôtel quelconque à côté de la gare routière, on trouve de sympathiques maisons d'hôtes.

De prix moyens à chic

🏠 *Maison d'hôtes Hannaoui Zakia :* 5, rue Ben-Yazghara. ☎ et fax : 035-54-41-06. 📱 060-63-46-26. ● *zakia_hannaoui_5@hotmail.com ● Dans la montée de la rue principale du village, dépasser la gare routière, puis prendre sur la droite la rue piétonne vers la médina. Arrivé sur la place, c'est fléché. Pas super simple à trouver, mais, petite consolation, tt le monde connaît. Deux doubles et 2 suites 250-400 Dh (22,70-36,40 €), petit déj inclus. Adorable maison d'hôtes pimpante et colorée, la plus ancienne du village. La maison de Zakia s'ordonne autour d'un patio au rez-de-chaussée, vivement décoré d'un chaleureux fouillis. Les chambres doubles sont d'une belle sobriété alors que les suites, véritables petits palais avec salon très décoré, présente un style Mille et Une Nuits chargé mais fort accueillant. Elles peuvent héberger des* familles. En haut, terrasse avec une superbe vue sur la montagne et une estrade habillée de coussins pour se détendre l'esprit avant, pourquoi pas, une séance de hammam avec l'hôte des lieux. Fait aussi table d'hôtes, délicieuse.

🏠 *La Colombe Blanche :* 21, derb Zouak Tazgha. ☎ 035-54-45-96. 📱 060-04-02-83. ● *maisondhote-zerhoune.ma ● Pour y aller, pas 36 solutions, téléphoner avt ou se faire guider. Double 230 Dh (20,90 €), avec petit déj. Des chambres simples, confortables, dans une maison impeccable couverte de mosaïque, avec un patio intérieur qui aère l'ensemble, et un accueil d'une gentillesse extrême. La terrasse jouit de la plus belle vue sur la plaine de la ville. Si sa maison est complète, le propriétaire vous aidera à trouver votre bonheur ailleurs.*

Où manger ?

Les restos ne servent pas d'alcool car il s'agit d'une ville sainte.

Prix moyens

I●I *Café-restaurant Les Trois Boules d'Or : dans la médina, derrière le mausolée de Sidi Abdellah el-Hajjam.* Petit resto-caféteria agréable. Situé sur les hauteurs, il offre avant tout une vue unique sur le tombeau de moulay Idriss.

I●I *Restaurant La Baraka : tourner à gauche en haut à la sortie de Moulay-Idriss.* ☎ 035-54-40-34. *Menu (très complet) 120 Dh (10,90 €).* Rare resto à vocation touristique du village. Cadre certes froid (mais au frais !), sans grand charme, la terrasse est toutefois agréable même si la vue est partiellement bouchée. Le resto accueille beaucoup de groupes, mais propose une cuisine de qualité (comme quoi, ça n'est pas toujours incompatible !). De plus, accueil sympathique et très professionnel.

À voir

¶¶¶ Le village de Moulay-Idriss est vraiment beau vu de loin. Pour avoir une vision d'ensemble et apercevoir le tombeau, il faut se perdre dans les petites ruelles jusqu'au sommet de la colline (très beau point de vue du resto *Les Trois Boules d'Or,* voir « Où manger ? ») puisque son accès est interdit aux non-musulmans. La fort jolie route passant par le resto *La Baraka* (voir « Où manger ? ») offre également un très beau panorama sur la ville et ses environs.

Enfin, vu de Volubilis, le village ressemble à un chameau blanc sur fond vert, avec une grosse bosse représentée par le centre-ville, et la tête par la seconde partie du village.

Fête

– Un grand *moussem* national se déroule chaque année fin août-début septembre, à la mémoire du saint descendant du Prophète. Il dure près d'un mois. Beaucoup d'ambiance : cortèges, danses...

VOLUBILIS

Une ville au nom de fleur. Les ruines romaines les plus importantes du Maroc, sur lesquelles plane encore le souvenir de Juba II, roi de Maurétanie, se dressent comme un défi au temps, au milieu de la plaine. Un « Éphèse marocain » au pouvoir évocateur avec son capitole, son arc de triomphe de Caracalla, ses thermes, sa basilique et son artère principale bordée de villas aux précieuses mosaïques. Une visite magnifique, à ne pas manquer. Et deux moments magiques : le lever et le coucher du soleil sur le site...

Volubilis figure sur la liste du patrimoine mondial de l'Unesco.

UN PEU D'HISTOIRE

Volubilis est sans conteste l'un des sites les plus intéressants du Maroc sur les plans culturel et historique. La date de sa fondation est imprécise, mais certains pensent que le site était déjà habité au Néolithique. La ville fut l'une des capitales

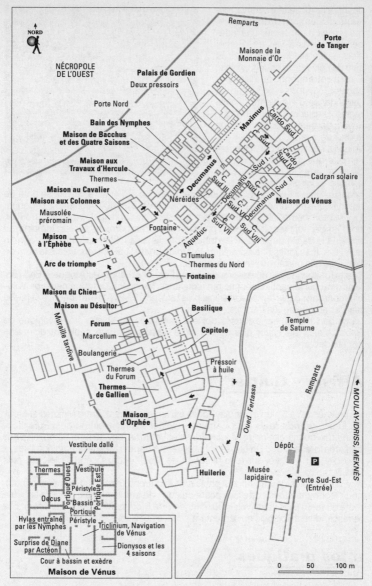

VOLUBILIS

de Juba II, roi de Maurétanie vers les premières années de notre ère, qui réussit à conserver une indépendance vis-à-vis de Rome, alors qu'il était lui-même élevé au sein de l'élite de la cour impériale. C'est à cette époque que le site fut appelé « Volubilis » en raison de l'abondance de la plante dans la région. D'ailleurs, Walili, ou Walila, le nom berbère de la ville, désigne la fleur de liseron. Volubilis n'intégrera officiellement l'empire que dans les années 40 de notre ère. Caligula, empereur célèbre pour sa cruauté et sa

UN ARBRE EN OR

Un des arbres qu'on voit dans la partie basse de la ville romaine, le caroubier, possédait une valeur inestimable. Ses fèves (appelées keratia *en grec, puis* qirât *en arabe,) qu'on trouve dans le fruit (sorte de gros haricot) servaient depuis l'époque romaine à peser l'or, en raison de leur poids constant. Elles donnèrent leur nom aux célèbres « carats » qui définissent le pourcentage en or d'un bijou et donc sa valeur. Aujourd'hui un bijou de 24 carats est considéré comme étant en or pur.*

tyrannie, y aurait séjourné à plusieurs reprises. Aux IIe et IIIe s, la ville se dota de magnifiques monuments. On estime sa population à 20 000 habitants à l'époque. La ville était même l'aboutissement de l'une des voies principales du réseau routier, dont Tanger était le cœur. C'est la pression des tribus berbères sur les Romains qui entraîna le déclin de la cité. Ces tribus, christianisées, l'occupèrent jusqu'à la fin du VIIIe s. Puis Idriss Ier fut proclamé imam de la ville. La ville reprit alors le nom de Walili, qu'elle portait au temps de Juba II.

Le site fut abandonné après la fondation de Fès, « l'Athènes de l'Afrique ». En 1755, le séisme qui anéantit Lisbonne renversa aussi les quelques monuments de Volubilis épargnés par le temps. Un siècle plus tard, en 1874, le site fut identifié et fouillé par des archéologues français.

La plupart des objets exhumés ont été transférés au Musée archéologique de Rabat. Mais il faut savoir que, sur les 40 ha supposés du site, seuls une quinzaine ont été déblayés.

Arriver – Quitter

➢ Meknès est à 31 km et Moulay-Idriss à 5 km seulement. Entre Meknès et Moulay Idriss, *grands taxis* (voir « Arriver – Quitter » à Meknès) ou bus. Puis stop, grand taxi ou marche entre Moulay-Idriss et Volubilis (env 50 mn). Sinon, en *petit taxi,* compter env 300 Dh (27,30 €) l'aller-retour depuis Meknès (tarifs non fixés, à négocier). En voiture, suivre la direction de Moulay-Idriss depuis Meknès, puis Oualili.

➢ Pour les plus courageux qui choisiront la marche (s'il ne fait pas trop chaud), nous recommandons cette jolie petite balade : de Moulay-Idriss, prendre la petite route du resto *La Baraka* (voir « Où manger ? » à Moulay-Idriss) et la continuer. Elle redescend vers Volubilis en serpentant entre les oliviers.

Infos pratiques

Le site de Volubilis est accessible tous les jours du lever au coucher du soleil (mais à partir de 7h en juillet-août). Entrée : 10 Dh (0,90 €). Vaste parking devant l'entrée. Il est conseillé de prendre un guide, mais c'est cher : 120 Dh (10,90 €). Il est conseillé de se cotiser à plusieurs. On pourra sinon se contenter de suivre l'itinéraire fléché que nous vous conseillons et qui permet de voir les monuments essentiels. En été, penser à prendre un chapeau et une réserve d'eau : pas d'ombre, et le soleil tape dur.

Où manger ?

La Corbeille Fleurie : *à l'entrée du site.* Les tajines sont très corrects. Également des sandwichs bien consistants à la mortadelle, au poulet ou à l'omelette au fromage ! Service rapide et souriant. Un endroit idéal pour se rafraîchir d'un excellent jus d'orange pressée après avoir visité le site sous le cagnard. En revanche, toutes les bouteilles sont vendues au format mini, dommage.

À voir

La visite commence par le quartier sud de la ville. Une *huilerie* sur la gauche rappelle que Volubilis tira une grande partie de sa richesse des oliveraies qui l'entourent. Les fouilles ont d'ailleurs révélé plus de 35 huileries sur le site. Ne pas manquer à cet égard, dans une petite maison en pierre un peu avant d'arriver au forum, une reconstitution de pressoir du IVe s. On y apprend comment les olives étaient pressées, et leur jus recueilli dans une rigole circulaire avant d'aboutir dans de grands bassins de décantation.

– **La maison d'Orphée** est la plus riche de ce quartier. Elle doit son nom à une mosaïque dans la salle de réception illustrant son mythe. À gauche de l'entrée, dans ce qui était la salle à manger *(triclinium),* neuf dauphins s'ébattent dans les vagues. On peut aussi voir la mosaïque d'une fleur de Volubilis. Remarquez, au pied de la porte à droite, le gond en bronze.

– **Les thermes de Gallien** étaient chauffés avec des chaudières en bronze. Il reste encore quelques salles chaudes *(caldarium)* et la piscine, ainsi que la salle de gymnastique.

– Sur la droite s'élevait le **capitole,** où était rendu le culte civique. Quelques colonnes ont été relevées et reconstituées en partie.

– **Le forum,** relativement petit, était le centre de la cité, mais il n'en reste plus grand-chose. La **basilique,** qui jouxte le capitole, lieu de promenade couvert en cas de mauvais temps, servait de tribunal et de salle de réunion pour la curie, c'est-à-dire le conseil municipal. C'est de la forme rectangulaire de ce bâtiment, d'origine purement romaine et laïque, que les premiers chrétiens s'inspireront pour élever leurs édifices religieux. Cette basilique a comme particularité de se terminer par deux absides.

– **La maison au Désultor** abrite une fresque représentant un *désultor,* un athlète se livrant à des acrobaties au cours d'une compétition. La règle du jeu consistait à sauter d'un char ou d'un cheval pendant la course et à remonter aussitôt. L'athlète représenté exhibe la coupe de la victoire et chevauche un âne, à l'envers. Également des scènes de chasse et de pêche.

– C'est dans la **maison du Chien** voisine que les archéologues découvrirent la fameuse statue en bronze que l'on peut admirer au musée de Rabat.

– En passant de la maison du Chien à l'arc de triomphe, on aperçoit la **fontaine publique.** Les trous dans le sol laissent apparaître les égouts, communément utilisés par les Romains.

– **L'arc de triomphe** s'élève sur l'avenue principale, le Decumanus Maximus, qui traversait toute la ville depuis la porte de Tanger. Le chemin était d'ailleurs celui qui était emprunté pour se rendre de Tingis (actuelle Tanger) à Sala Colonia (le site de Chellah, près de Rabat). Élevé en l'honneur de l'empereur Caracalla en 217, il nous rappelle que les empereurs étaient considérés comme des demi-dieux vivants. Ici se trouvaient les plus belles demeures et le palais du procurateur. En témoignent de très belles mosaïques.

– *La maison à l'Éphèbe* est surnommée ainsi car on y découvrit la très belle statue d'un adolescent. Celle-ci est exposée aujourd'hui, elle aussi, au musée de Rabat. Consolons-nous en admirant le pavement de la salle à manger, aussi somptueux qu'un tapis orné de motifs berbères et dont la partie centrale représente une déesse chevauchant un curieux animal marin. On reconnaît également une cour intérieure autour de laquelle s'organise la maison romaine. Au centre s'y trouve un petit bassin appelé *impluvium,* chargé de recueillir les précieuses eaux de pluie.

– Passons ensuite dans la *maison aux Colonnes,* qui fait partie des grandes demeures de la ville, avec ses 1 700 m², et qui était consacrée aux fêtes. Ensuite, dans la *maison au Cavalier,* on voit Bacchus, guidé par l'amour, découvrant Ariane endormie sur la plage de Naxos. Tout un programme.

– *La maison aux Travaux d'Hercule* présente une décoration très recherchée. Dix des douze travaux sont encore bien conservés. Admirez le décor floral et le beau portrait du héros dans le médaillon carré central. Les plus érudits tenteront de se remémorer les douze travaux, mais on n'est pas ici à « Questions pour un champion ».

– D'autres mosaïques intéressantes décorent les *maisons de Bacchus et des Quatre Saisons,* ainsi que celle *du Bain des nymphes.*

– Ce que l'on appelle le *palais de Gordien* devait être la résidence du procurateur romain, le gouverneur de la région. La demeure était vaste (4 700 m²) et somptueuse, mais il n'en reste pas grand-chose.

– Traversons le Decumanus Maximus, en jetant un œil sur la *porte de Tanger* à gauche et l'arc de triomphe à droite, et passons à la *maison de Vénus,* la plus riche de tout le site. On y trouva non seulement de magnifiques pavements de mosaïques, mais aussi de véritables trésors comme les bustes en bronze de Caton d'Utique et de Juba II, œuvres maîtresses du musée de Rabat (encore lui). Tous les pavements sont remarquables, principalement ceux représentant une course de chars attelés d'oies, de canards et de paons, une autre avec Bacchus et les quatre saisons, enfin Diane surprise au bain. Mais l'œuvre la plus intéressante, la *Navigation de Vénus,* a été transportée au musée de... eh non ! perdu : de Tanger.
Enfin, sachez que la ville était entourée de remparts hauts de 6 m qui s'étiraient sur près de 3 km. Au cours de la promenade, remarquez, dans les rues, les traces des roues des chars et celles des plaques d'égouts.

– Un *musée* se trouve à l'entrée sud du site. Certaines pièces qui se trouvaient avant au musée de Rabat devraient petit à petit être rapatriées ici. Une visite pour mieux comprendre le site et voir le résultat des fouilles archéologiques.

Rappelons que les fouilles sont loin d'être terminées. Il serait de toute façon fastidieux et sans intérêt de tout vouloir dégager, mais de nouvelles fouilles permettront peut-être de mettre au jour, dans les années à venir, d'autres quartiers. Pour cela, les archéologues marocains attendent des aides de l'Unesco.

LE MOYEN ATLAS ET LE HAUT ATLAS CENTRAL

Attention, à partir de mars 2009, *Maroc Telecom* doit mettre en place une nouvelle numérotation téléphonique. Les numéros passeront ainsi à 10 chiffres (au lieu de 9 actuellement).

Voici les principaux changements prévus :

➤ **Pour tous les numéros fixes,** il faudra insérer « 5 » après le « 0 ». Exemple : 024-11-11-11 deviendra 05-24-11-11-11.

➤ **Pour les portables,** un « 6 » devra être placé après le « 0 ». Exemple : 068-11-11-11 deviendra 06-68-11-11-11.

➤ **Pour les numéros spéciaux,** se reporter en début de guide à la rubrique « Téléphone et télécoms » dans « Maroc utile ».

Parce qu'un voyage au Maroc ne se résume pas aux seules visites des villes impériales, à Essaouira ou au versant méridional du Grand Atlas, ce chapitre intéressera en premier lieu les randonneurs, et tous ceux qui souhaitent découvrir le Maroc encore préservé des forêts de cèdres du Moyen Atlas et des hautes vallées d'altitude du Haut Atlas central. Facilement accessible depuis Casablanca, Fès ou Marrakech, les régions décrites ci-dessous – dont la grande majorité est inscrite au patrimoine naturel du royaume en raison de la diversité de son écosystème – présentent aujourd'hui une offre conséquente en matière d'hébergement et d'accès aux activités de pleine nature : observation de l'avifaune, randonnées pédestres, circuits à VTT. Une manière de découvrir le Maroc hors des sentiers battus.

Adresses et infos utiles

■ **Association nationale des guides et accompagnateurs en montagne du Maroc :** BP 47, Asni par Marrakech. ☎ 044-44-49-79. ● angam45@hotmail.com ●
■ **Fédération royale marocaine de ski et montagne :** BP 15899, Casablanca. ☎ et fax : 022-47-49-79.
■ **Club alpin français :** BP 6178, Casablanca. ☎ 022-98-75-19. ● caf-maroc.com ●
■ **Celtic Trekking Adventure :** représentée par Aziz Maadani, centre de Tabant, Azilal, Aït-Bouguemez. ● celtic trekmaroc@wanadoo.fr ● celtictrekking.com ● Cette agence française, spécialisée dans la randonnée en montagne et dans le désert, dotée d'une expérience de plusieurs années au Népal et au Tibet (et que nous recommandons depuis longtemps dans ces pays), s'est implantée au Maroc. Elle ne possède pas encore de bureau mais répond à vos e-mails sous 48h. Voyages à la carte et petits groupes, à pied, en 4x4, organisés par Olivier et Aziz. Le tout dans le respect de l'environnement et des habitants.

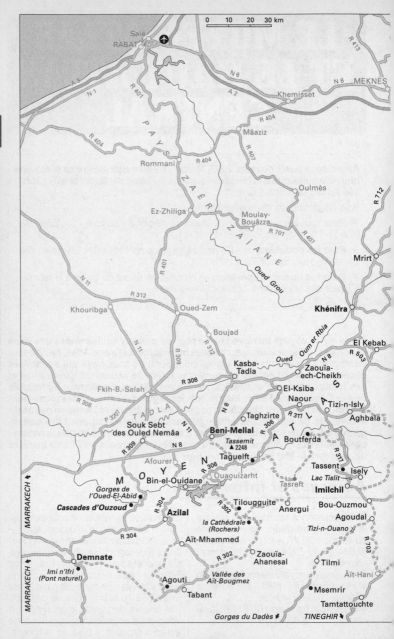

LE MOYEN ATLAS ET LE HAUT ATLAS CENTRAL

IMOUZZER-DU-KANDAR

12 000 hab.

Créée, comme Ifrane, à l'initiative des Français, au début du XXe s, la petite ville d'Imouzzer, perchée à 1 345 m d'altitude, est un véritable havre de tranquillité. D'ailleurs les Marocains ne s'y trompent pas, tous les fonctionnaires des administrations du royaume y envoient leur progéniture en colonie de vacances ! Dans la ville, pas grand-chose à voir, à part la *kasbah* des Aït-Seghrouchen et ses habitations troglodytiques. Les proches environs, en revanche, invitent à de très belles excursions. Avis aux amateurs de pêche à la truite et aux ramasseurs de champignons !

Arriver – Quitter

En bus

➤ *Fès :* 2 bus/j. Un départ tôt le mat et l'autre en soirée.
➤ *Marrakech* (arrêts à *Beni-Mellal, Khénifra, Azrou* et *Ifrane*) *:* 2 bus/j.

En voiture

Imouzzer est située à 25 km au nord d'Ifrane par la P24 en direction de Fès.

Adresses utiles

@ *Cyber Imouzzer-net :* derrière l'hôtel Chahrazed. Une dizaine de postes en très bon état avec connexion haut débit.

■ *Distributeur automatique :* à côté de l'hôtel La Chambotte.

Où dormir ? Où manger ?

Prix moyens

≜ |●| *Hôtel Les Truites :* à la sortie de la ville en direction de Fès, sur la droite. ☎ 035-66-30-02. Double env 200 Dh (18,20 €), petit déj en sus. Menu complet 110 Dh (10 €). Un hôtel-resto délicieusement rétro. On rentre par une belle véranda ouverte sur la vallée, puis vient la petite salle à manger joliment décorée de vieilles affiches de Meknès et d'anciennes publicités peintes à la main. Le petit hôtel campagnard au-dessus compte une vingtaine de chambres (pas de première fraîcheur mais propres). Sept d'entre elles, situées au fond du jardin, sont dotées de douche et w-c mais ne sont ouvertes qu'en saison ou sur demande. Carte des excursions possibles affichée dans la salle à manger. Ambiance familiale.

≜ *Hôtel La Chambotte :* dans la rue principale, en face de l'hôtel Royal. ☎ 035-66-33-74. Double 200 Dh (18,20 €) avec sdb ; un duplex 300 Dh (27,30 €). Sept chambres en tout, dont deux seulement avec bains. Un hôtel de campagne à la propreté moyenne mais au charme pourtant présent. Quelques efforts de déco comme les portes peintes, un mobilier en bois dans le style marocain, et les salles de bains des deux chambres, carrelées en noir et blanc, donnent à l'ensemble une touche rétro pas désagréable. On remarquera la photo surannée de la dernière panthère de l'Atlas, tuée à Ifrane au début du XXe s. Agréable café avec terrasse au rez-de-chaussée.

Chic

⬆ **Hôtel Royal :** *dans la rue principale.*
☎ *035-66-30-80. Double 320 Dh (29,10 €).* Une trentaine de chambres

assez propres avec tout le confort. Un hôtel correct mais sans charme. Accueil moyen.

À voir. À faire

🍴 **La kasbah d'Imouzzer** et les maisons troglodytiques des Aït-Seghrouchen. Cette forme d'habitation dominait dans toute la région jusqu'au VIIe s, époque à partir de laquelle les Berbères troglodytes commencèrent à se familiariser avec les techniques de la maçonnerie.

➤ **Plusieurs randonnées pédestres ou à VTT** à partir d'Imouzzer : vers le cirque de Tafrant, la forêt d'Aïn Soltane, le djebel Abad, et les sources d'Aïn Chifa. *Rens à prendre à votre hôtel.*

🍴🍴 **Le panorama du djebel Abad** *(alt : 1 768 m) :* point culminant du massif du Kandar, le djebel Abad offre un panorama qui embrasse toute la plaine du Saïs. Superbe vue sur Fès et Meknès, avec en fond les montagnes rifaines. Très belle vue également sur la ville d'Imouzzer et sa *kasbah.* Pour y aller, prendre la route qui part au niveau de la station *Mobil* en direction d'Annoceur, et suivre le fléchage.

IFRANE
11 000 hab.

Site naturel d'exception situé à 1 650 m d'altitude, Ifrane est peuplée depuis la préhistoire, comme en attestent les nombreux vestiges néolithiques retrouvés dans les grottes de la région (*ifrane* signifie « les grottes » en berbère). Les Marocains prétendent qu'elle fut la plus ancienne colonie juive du Maroc, avant que les grandes tribus nomades ne s'y fixent définitivement au XVe s.

> **IFRANE-SUR-GSTAAD !**
>
> *Placée au cœur d'un parc naturel de 53 000 ha qui s'étend sur un causse bordé de forêts de cèdres et de chênes verts, Ifrane a été construite dans un style architectural typiquement montagnard qui lui vaut l'appellation de « Suisse marocaine ». Il y a même des cigognes sur les toits ! Une étape helvético-berbère en quelque sorte.*

L'Ifrane d'aujourd'hui est un centre d'estivage créé de toutes pièces par les Français en 1928. Il y règne un faux air de banlieue à l'européenne, moitié ronronnante, moitié chic. La ville abrite désormais l'une des plus grandes universités du Maroc. Ses quartiers résidentiels attirent en saison la bourgeoisie de Casa ou de Fès, qui vient s'y mettre au vert. Le roi y a son palais d'été. Quand tombe la neige, c'est l'une des stations de sports d'hiver les plus prisées du royaume. Si la région autour de la ville se drape d'une belle cascade de collines boisées, le centre d'Ifrane ne présente que peu d'intérêt.

Arriver – Quitter

En bus

🚌 **Gare routière :** *en ville, sur la route de Meknès, fléchée depuis le centre-ville.* Le guichet *CTM* se trouve dans le marché attenant, au fond de l'allée des viandes.

– Avec la *CTM* :
➢ **Fès** *(arrêt à **Imouzzer-du-Kandar**) :* 1 bus/j., l'ap-m.
➢ **Marrakech** *(arrêts à **Beni-Mellal**, **Khénifra** et **Azrou**) :* 2 bus/j., mat et soir.
➢ **Meknès, Casa et Rabat :** 1 bus/j.
– D'autres compagnies proposent des départs plusieurs fois par jour pour *Fès* (au moins 10 bus/j.), et *Marrakech* (6 bus/j.).

En grand taxi

➢ **D'Azrou :** *à prendre aux abords de la mosquée d'Azrou, face à l'entrée du marché aux légumes.*
➢ **D'Ifrane :** *à prendre à la gare routière, dans le parking où stationnent les bus.*

Orientation

Ifrane possède deux pôles d'activité principaux :
– **Le centre-ville :** on y trouve la poste, une station-service, des marchands de journaux, quelques supérettes et glaciers, et bien sûr plusieurs hôtels. Ici, les restos ne sont pas particulièrement bon marché.
– **Le marché municipal :** à 500 m du centre-ville en direction de Meknès. Cherchez la gare routière (fléchée depuis le centre-ville), car le marché est à côté. Quartier populaire et animé, bien qu'un peu morose le soir. Sur les étals du marché, on vend (en saison) tous les fruits cultivés dans la région : cerises, pêches, abricots, nèfles, fraises. Attenante au marché, une brochette de petits restos tous plus appétissants les uns que les autres. Tous services : pharmacie, librairie, photographe, cybercafés.

Adresses et infos utiles

⊞ Délégation provinciale du tourisme : bd Mohammed-V. ☎ 035-56-68-21. Fax : 035-56-68-22. Lun-ven 8h30-12h, 14h30-18h30. On pourra vous conseiller et vous mettre en contact avec des accompagnateurs de montagne compétents.
✉ Poste : rue des Lilas, dans le centre-ville, en face du Café de la Paix.
■ Pharmacie de nuit des Iris : dans le marché municipal. ☎ 035-56-75-76.

Toujours ouverte.
■ Distributeur automatique : dans le centre-ville, en face de la poste.
◉ Meditel : à la gare routière, côté extérieur de la galerie, dans la partie opposée à l'aile du marché consacrée à la nourriture. Dans la boutique du réseau téléphonique Meditel. Tlj 7h-22h.
■ Centre de météorologie : ☎ 035-56-62-47.

Où dormir ?

Ifrane n'est pas idéale pour les petits budgets, qui lui préféreront Azrou. Il y a bien un camping en périphérie du centre-ville, mais très mal entretenu. Pour ceux qui tiennent vraiment à camper dans la région, on conseille de pousser jusqu'au *camping Amazigh* proche d'Azrou (voir plus loin), étonnant lieu plein de charme. Sinon, possibilité de louer un appartement à plusieurs (renseignez-vous auprès de la délégation provinciale du tourisme).
– **Avertissement :** comme les citadins viennent s'y détendre le week-end, certains hôtels possèdent un bar ou une discothèque. Les nuits sont donc souvent animées en fin de semaine. Nous avons sélectionné les hôtels les plus tranquilles.

Prix moyens

⌂ Motel Relais Ras El Ma : *au niveau de la station Shell, à la sortie de la ville* | *sur la route d'Azrou.* ☎ 035-56-76-38. *Fax : 035-56-76-46. Doubles ou suites*

340-430 Dh (30,90-39,10 €), sans le petit déj (fréquentes promos avec prix réduits). Une quarantaine de chambres tout confort, grandes, lumineuses, impeccablement tenues, au mobilier moderne et carrelée. Malgré son emplacement au-dessus de la station-

service, c'est le seul hôtel convenable de sa catégorie. La carte du resto affiche des prix corrects, mais la nourriture est plutôt quelconque. Des tables en terrasse sont installées dans un petit bout de jardin, pas désagréable.

De chic à très chic

🏠 I●I **Hôtel Perce-neige** : bd Mohammed-VI (dans le centre-ville, mais isolé), à 100 m du grand boulevard ; c'est fléché. ☎ 035-56-62-10 ou 63-50. Fax : 035-56-71-16. Double env 500 Dh (45,40 €) avec le petit déj ; suite 700 Dh (63,60 €). Réduc pour la ½ pens en cas de long séjour. Menu 120 Dh (10,90 €). CB acceptées. Une vingtaine de chambres et 5 suites. Cet ancien hôtel de luxe est devenu plutôt tristoune, les changements de mode dans la décoration sont sans pitié ! Un mobilier classique et des chambres toutes identiques, mais tout à fait confortables. Un projet d'agrandissement est en cours, qui devrait doubler la capacité d'hébergement et amener les joies d'une piscine et d'un hammam. Grand avantage, cet établissement possède la meilleure table d'Ifrane. Malheureusement, accueil indifférent.

🏠 **Grand Hôtel** : dans le centre-ville. ☎ 035-56-75-31. ● grandhotelspaifrane@menara.ma ● Doubles ou duplex env 700-1 200 Dh (63,60-109,10 €), avec ou sans petit déj et selon les promos aux différentes saisons. Très bel hôtel de charme d'une vingtaine de chambres, presque autant de suites et même 2 appartements tout confort. Style grand chalet suisse à la déco raffinée, murs en pierre, sols marmoréens. Quitte à faire dans le chic, autant s'accommoder carrément du luxe ! Cet hôtel dispose de belles chambres sous les combles avec poutres apparentes et boiseries, mezzanines, très classes et tendances. Les doubles plus « simples » ont beaucoup de style. Mobilier moderne sobre et élégant. Piscine chauffée hiver comme été. Centre de soins et de remise en forme. Une référence à Ifrane.

Où manger ?

De très bon marché à bon marché (moins de 80 Dh / 7,30 €)

– **Aux abords du marché municipal** (juste à côté de la gare routière) **:** l'endroit regorge de petits restos, citons entre autres : *Ouzoud, Diafa* et *le Café Vittel,* qui, lui, possède une terrasse extérieure abritée sous les parasols et une salle au mobilier confortable et moelleux. Les prix se valent. Au choix : le sandwich-brochettes, le quart de poulet avec garniture ou la *harira.* Bien pour le midi.

I●I **Le restaurant du complexe touristique Aguelmam** : dans le centre-ville, de l'autre côté du grand boulevard, au pied du palais royal. Carte complète, essentiellement de la cuisine italienne

mais aussi marocaine. Pour déjeuner en terrasse, face à l'ancien golf d'Hassan-II, aujourd'hui une belle prairie. En contrebas, un lac. Le parking est payant.

Chic (150-250 Dh / 13,60-22,70 €)

I●I **Le restaurant de l'hôtel Perce-neige :** voir « Où dormir ? ». La cuisine

ferme à 22h. On y sert du vin. Le cadre est agréable. Carte variée avec des plats gastronomiques occidentaux. Un peu d'attente toutefois. Le chef a fait ses armes dans les plus prestigieux hôtels du Maroc, dont *La Mamounia* à Marrakech. Une adresse appréciée des Marocains.

Où dormir ? Où manger dans les environs ?

🏠 *Gîte de charme Ras El Ma :* à 8 km d'Ifrane sur la route d'Azrou, prendre à gauche la route de Ras-el-Ma au niveau du belvédère (marchands de minéraux). Au 1er croisement, suivre les panneaux de la pisciculture ; c'est fléché peu après. ☎ 035-56-00-08. ● giterasalma@yahoo.fr ● Double avec sdb 480 Dh (43,60 €), petit déj compris. Également des chambres familiales (un peu chères). Dîner sur commande, en hiver slt. Grand chalet en pierre, isolé, et dominant la vallée au-dessus du centre national d'élevage de la truite (que l'on peut visiter). Intérieur en *tadelakt* et tapis berbère. Grandes chambres avec jolie vue sur la campagne alentour. Cheminées. Aziza, la propriétaire, et son mari vous accueillent avec sincérité et gentillesse dans leur gîte d'une propreté exemplaire. Renseignements sur les randos possibles dans la région. Bonne adresse.

🏠 ●|● *Auberge du Lac :* à 20 km d'Ifrane en direction d'Imouzzer par la N8, suivre l'indication pour la dayet Aoua. Prendre la route contournant le lac par la gauche, l'auberge est le 1er bâtiment de droite. ☎ 035-66-31-97. Ouv slt ven-dim et j. fériés ; tte la sem en juil-août. Double 380 Dh (34,50 €). ½ pens 640 Dh (58,20 €) pour 2 pers. Au resto, menu à près de 200 Dh (18,20 €). Une vingtaine de chambres avec lavabo et bidet. Douche et w-c à l'étage. Construit dans les années 1950 et géré de mère en fille depuis trois générations par la famille Beccari, cet hôtel, un poil défraîchi,

fleure bon l'après-guerre ; d'ailleurs, rien n'a changé depuis cette époque. Ici, on fait encore le café dans des boules « Cona » et, en prêtant l'oreille, on entendrait presque grésiller la TSF. Le resto, situé dans une véranda fleurie, donne sur le lac. Au menu : truite de l'Atlas et escargots de Bourgogne (de Fès en fait). Carte des vins. Admirez la caisse enregistreuse, elle a plus de 100 ans ! Pour les nostalgiques.

🏠 ●|● *Le Gîte Dayet Aoua :* près de la dayet Aoua, sur la route en direction de la dayet Ifrah ; fléché avt le petit pont sur la droite. ☎ 035-60-48-80. Fax : 035-60-48-52. ● gite-dayetaoua.com ● Cinq doubles 300 Dh (27,30 €) et une suite tt confort bien pour les familles 400 Dh (36,40 €), petit déj inclus. Resto accessible au non-résidents, mieux vaut réserver à l'avance. Prévoir 120 Dh (10,90 €) le repas. Alcool servi. Une adresse de charme située au cœur d'un verger. Les murs chaulés en blanc et une belle déco confèrent au lieu l'atmosphère d'une auberge espagnole. Dans les chambres, des meubles peints ou des coffres anciens sculptés et de belles tentures accrochées aux murs. Coq, lapin, cailles et gibier figurent sur la carte, à moins que vous ne préfériez un poulet « maison » en direct du poulailler. Bonne base pour des randonnées (activités proposées), mais on peut préférer la lecture, car la bibliothèque du gîte est bien fournie. Pas de vue sur le lac cependant, car on est un peu en retrait de la route.

Où manger une pâtisserie ?
Où boire un verre ?

●|● *Boulangerie Le Croustillant :* à l'arrière de l'hôtel Le Chamonix. La meilleure de la région, à condition de se contenter des pâtisseries marocaines. Certains coopérants viennent de Meknès pour y déguster ses excellents

gâteaux et son pain... croustillant ! À ne pas manquer pour le petit déj. Cadre agréable.

🍷 *Café de la Paix :* dans le centre-ville, face à la poste. Une originale et grande salle contemporaine mouchetée de jolies chaises en métal à la frontière du design. De grandes baies vitrées ouvrent sur la ville et aèrent agréable-ment l'endroit. Grand choix de jus de fruits, un lieu très apprécié pour les petits déjeuners.

➤ DANS LES ENVIRONS D'IFRANE

On oubliera toutes les visites aux abords de la ville : cascades de la Vierge, sources Vittel et toutes les propositions « clé en main » répertoriées un peu partout. Il y a bien plus intéressant à faire dans la région (à pied, à dos de mulet ou en voiture). Non seulement ces sites sont sales, mais ils sont très fréquentés en haute saison, et par conséquent beaucoup trop animés pour un promeneur en quête de tranquillité.

Vers le nord

🚶 **Le circuit des dayets :** *d'Ifrane, partir en direction de Mischliffen, puis suivre l'indication « Circuit des dayets ».* Si cet itinéraire pouvait avoir un quelconque intérêt dans les années 1950, comme le prouvent quelques panneaux indicateurs datant de l'époque, il ne se résume aujourd'hui qu'à une visite d'exploitations agricoles hérissées de pylônes électriques. En revanche, suivre cet itinéraire jusqu'à **Imouzzer,** puis **Sefrou** pour revenir à Ifrane en une journée s'avère être un bon programme. La route chemine tantôt sur un causse aux rochers ruiniformes caractéristiques des reliefs karstiques, puis vers Imouzzer à travers une forêt. On peut aussi combiner ce parcours aux excursions à faire à partir d'Imouzzer (voir plus haut).

Vers le sud

🚶🚶 **Le lac d'Afenourir :** *site protégé, classé RAMSAR (protection de l'avifaune des milieux humides).* De nombreux oiseaux migrateurs viennent y faire escale. L'endroit est calme (sauf la nuit à cause des grenouilles !). Quelques habitations sommaires recouvertes de film plastique. C'est ici que les bergers de la région viennent puiser l'eau potable et remplir leur citerne tractée par une mule.
Deux façons de s'y rendre :
➤ *Directement pour un aller-retour :* dans ce cas, aller jusqu'à Azrou et prendre la P21 en direction de Midelt, puis tourner à droite en suivant l'indication « Circuit touristique des cèdres ». De là, compter 17 km de goudron et 3,5 km de bonne piste (accessible en voiture de tourisme).
➤ *En faisant une boucle par Aïn-Leuh :* un des itinéraires les plus beaux du Moyen Atlas. Compter une journée. D'Azrou, prendre la P21 en direction de Midelt puis, 1 km après la station *Afriqia,* bifurquer à droite vers Aïn-Leuh. Route en corniche traversant une forêt de chênes verts jusqu'à Aïn-Leuh. Beaux panoramas sur la plaine. Sortir d'Aïn-Leuh en direction des sources de l'Oum-er-Rbia puis, après Ajaabou, prendre à gauche la route 3390. Magnifique itinéraire où alternent les forêts de cèdres et les plaines désertes biffées par les drailles où pâturent à l'infini les moutons des bergers Beni-M'guild. Après 25 km, prendre à gauche une petite piste conduisant au lac (indiqué en arabe). Revenir sur la route et continuer vers Azrou.

🚶 **La station de Mischliffen et le djebel Hebri :** *à Ifrane, continuer le grand boulevard en direction du sud.* La station de Mischliffen est fléchée. Elle ne présente de réel intérêt qu'en hiver. Beaux cèdres dans les environs, mais il y en a tant dans la région !

🚶 **Le cèdre Gouraud :** *prendre la direction d'Azrou ; au niveau du village d'Ougmez, à gauche ; c'est fléché.* Ce cèdre est mort depuis quelques années. On dirait aujourd'hui un immense portemanteau. Il sert de faire-valoir à un grand parking entouré de petites échoppes pour touristes et de vendeurs de cacahuètes pour singes. À l'orée d'une forêt, le site n'est pourtant pas particulièrement charmant car vraiment dénaturé. Mais c'est ici que vous approcherez les singes magots de plus près (il y en a 200 000 dans les forêts de la région). Laissez-les tranquilles, ne leur donnez jamais à manger en pleine nature. Continuez la piste pour retomber sur la P21. Belles clairières ourlées de cèdres magnifiques.

🥾🚴 *Circuit VTT dans les cédraies :* compter une pleine journée pour effectuer un des plus beaux circuits de l'Atlas. Du cèdre Gouraud, une piste conduit au col (1 800 m), puis au plateau d'Essahb. Continuation vers Tagounit (beau panorama), puis retour par les forêts de chênes verts, Aïcha M'Barak et Kherzouza. Un circuit de toute beauté. Renseignements à l'auberge de charme *Ras El Ma.*

🥾 *L'aguelmame de Sidi Ali :* à 20 km au sud de Timahdite (avt le col du Zad) sur la route de Midelt. Très belle retenue d'eau occupant la cuvette d'un barrage de lave. Plages de sable blanc. Bel endroit pour pique-niquer.

AZROU
48 000 hab.

Petite bourgade à 1 200 m d'altitude, d'origine berbère, qui doit son nom à un gros piton rocheux (*azrou* signifie « rocher »). En bordure d'une belle forêt de cèdres peuplée de singes, elle se différencie par ses toits de tuiles vertes aux cheminées coiffées de nids de cigognes. La ville est connue pour avoir abrité le premier lycée marocain dès 1920, ainsi que pour la qualité de ses fruits. Les ruelles de sa petite médina ont gardé un caractère authentique et calme. Azrou est une excellente base de départ pour randonner dans le Moyen Atlas. À la différence d'Ifrane, elle offre des hébergements accessibles aux petits budgets.

Arriver – Quitter

En bus ou en grand taxi

➤ *Fès* (arrêts à *Imouzzer-du-Kandar* et *Ifrane*) *:* de nombreuses compagnies avec des départs ttes les heures. Trajet : 80 km.
➤ *Marrakech* (arrêts à *Beni-Mellal* et *Khénifra*) *:* 2 bus/j.
➤ *Meknès :* bus ttes les heures de la gare routière privée de Bâb-el-Khemis à Meknès. De là partent aussi les grands taxis.
➤ *Ifrane :* grands taxis aux abords de la grande mosquée d'Azrou. Trajet : 17 km.

Adresse utile

@ *Cybercafé La Brise :* route de Meknès, entre le café Le Sapin et la station-service sur la gauche en sortant d'Azrou. ☎ 035-56-32-44. Nicolas et Abdelkader se sont associés pour créer cet endroit à mi-chemin entre un centre de documentation et un cybercafé. Également une bibliothèque bien fournie attenant à un petit salon. Un passage obligé pour les routards en quête d'infos sur la région. Connexion très haut débit. Possibilité de transfert de photos numériques tout format. Gravure de CD. Impression noir et blanc et couleur.

Où dormir ?

Très bon marché

⚜ 🏠 *Camping-caravaning Amazigh :* *à Ougmez (à 5 km d'Azrou sur la route d'Ifrane). Compter 50 Dh (4,50 €) pour 2 pers avec tente ; double dans la maison à l'entrée 150 Dh (13,60 €).* On est tombé sous le charme de ce petit camping. Un accueil vraiment gentil et chaleureux, une situation sur un terrain tranquille, à l'ombre des cerisiers. Des sanitaires très propres dans une croquignolette maisonnette en pierre. Électricité. Douches chaudes. Camp de base des motards qui parcourent les pistes de la région, et des camping-cars posés sous les cerisiers, dans une ambiance bon enfant où chacun raconte le périple du jour. Et puis le propriétaire a eu la super idée d'aménager quatre chambres doubles au-dessus de sa maison,

dans un décor simple de murs en crépi et sol en béton peint, le tout impeccable et frais, avec terrasse et vue sur les étoiles. Une excellente alternative aux hôtels du coin, dans un cadre bucolique. Arrivés tard ? Le proprio pourra vous préparer à manger des poissons, pêchés dans les rivières toutes proches.

🏠 *Auberge de jeunesse :* *à gauche en montant sur la route d'Ifrane (à côté de la caserne de la gendarmerie, c'est fléché).* ☎ 035-56-37-33. *Prévoir 20 Dh (1,80 €)/pers en dortoir (env 40 lits). Attention, couvre-feu à 23h !* Ambiance de chalet alpin (à condition d'avoir une carte de la FUAJ, sinon négocier). Propreté pas toujours au rendez-vous. Accueil sympa. Belle vue.

Bon marché

🏠 *École hôtelière Riad Azrou :* *pl. My-Hachem-ben-Saleh. Sur la placette dans la vieille ville, accès par la ruelle des bazaristes.* ☎ 035-56-43-94. 📱 061-06-42-42. ● epaig@menara.ma ● *Double 150 Dh (13,60 €) ; petit déj en sus.* Ce *riad* de la vieille ville est l'endroit le plus original du coin : c'est une école dans laquelle des étudiants en tourisme prennent des cours pendant la journée. On les croise, les regarde faire des séances de repassage ; en laissant traîner ses oreilles on surprend la leçon du jour et on espionne les professeurs... Au milieu de tout ça un beau patio et une déco de mosaïques, zelliges, portes en bois, dans 3 à 6 chambres très sobres et d'une belle fraîcheur. Peu de fioritures et de bibelots, une atmosphère très paisible. Les étudiants quittent les lieux vers 17h, rendant le *riad* à ses occupants d'un soir.

🏠 *Hôtel Salam :* *pl. Mohammed-V (centre-ville). Entrée à l'arrière du bâtiment.* ☎ 035-56-25-62. *Double 120 Dh (10,90 €), douche chaude comprise. Négociable à partir de la 2ᵉ nuit.* Ne pas se fier à l'allure délabrée de la façade,

ce petit hôtel à l'architecture typique a un charme indéniable, non négligeable à ce prix. De jolies frises en stuc habillent les murs et les chambres sont fermées par des fenêtres en fer forgé. En tout une douzaine de chambres simples (certaines monacales mais mignonnes) qui donnent sur un patio, dotées juste d'un lavabo (eau chaude – capricieuse – dans la chambre). Douche et w-c communs. Attention, pas de chauffage, et en hiver, il peut faire très froid, les chambres deviennent alors humides. Terrasse avec vue imprenable sur la vieille ville. Bon accueil.

🏠 *Hôtel Beauséjour :* *pl. My-Hachem-ben-Saleh. Sur la placette dans la vieille ville, accès par la ruelle des bazaristes.* ☎ 035-56-06-92. *Double 120 Dh (10,90 €), douche chaude payante.* Une quinzaine de chambres rénovées dans des tons blancs et marron, avec salles de bains communes impeccables. Ce n'est pas une adresse à se rouler par terre d'extase, mais c'est propre et bien entretenu. Bonne literie. Régler d'avance.

Prix moyens

🛏 *Auberge du Dernier Lion de l'Atlas :* à la sortie d'Azrou, à droite sur la route de Meknès. ☎ 035-56-18-68. ● a.elkhaldi@menara.ma ● *Double env 300 Dh (27,30 €) et lit en dortoir 120 Dh (10,90 €) ; petit déj inclus ; ½ pens possible. Réduc pour les familles dans des chambres triples ou familiales.* Gérée par Aziz et sa famille, cette auberge propre et soignée est agréable et lumineuse. Deux ailes : à droite, des chambres à la déco marocaine avec mosaïque et petits salons communs plutôt agréables, cheminées ; à gauche, des chambres plus classiques mais tout aussi propres. Toutes les chambres n'ont pas de salle de bains. Accès Internet. Un lieu convivial. Un peu loin du centre.

🛏 ▮●▮ *Hôtel Panorama :* à 500 m du centre, sur une hauteur (fléché depuis le centre-ville). ☎ 035-56-20-10. *Fax :* 035-56-18-04. *Une quarantaine de doubles : 350 Dh (31,80 €) avec sdb, mais sans petit déj. Menu 100 Dh (9,10 €). CB acceptées.* Établissement situé au calme qui a belle allure, dans un style plus montagnard que marocain. Les chambres sont grandes, toutes identiques dans leur déco sobre, mais propres et claires. Certaines ont des salles de bains rénovées et plus engageantes, demandez donc à en voir plusieurs avant de choisir ! Salle de resto grande et très lumineuse. Un bar américain sous l'hôtel a été aménagé spécialement pour les résidents. Le petit jardin avec ses quelques tables au pied de l'hôtel est très paisible.

Où dormir dans les environs ?

🛏 *Auberge Berbère :* village d'Ougmez. ☎ 035-56-20-31. ● contact@aubergeberbere.com ● À 5 km d'Azrou sur la route d'Ifrane. C'est fléché. Double 400 Dh (36,40 €) ou 100 Dh (9,10 €)/nuit sous tente, sans petit déj (matelas, draps et couvertures fournis). ½ pens proposée. Bâtisse moderne, lumineuse grâce à ses larges baies vitrées dominant les environs au cœur d'une cerisaie. Cinq chambres avec douche et w-c. Annexe isolée comprenant 3 chambres et un grand salon (proposée aux familles), mais à l'entretien plus défaillant. *Khaïma* plantée dans le jardin pour se relaxer et attendre sagement le coucher de soleil. Organise des randos à cheval dans la région, de une à plusieurs heures.

🛏 *Gîte Takchmirte :* à 1,5 km d'Azrou sur la route d'Ifrane. C'est fléché. ☎ 035-56-49-05. ▮ 064-11-81-13. *Prévoir 45 Dh (4,10 €)/pers. ½ pens possible.* Bâti sur une hauteur à l'écart de la route, ce gîte modeste, entouré d'arbres fruitiers, propose une dizaine de chambres simples dans de jolies petites pièces colorées en ocre, rose ou bleu, avec sanitaires à l'extérieur (préférez celles du gîte plus récent), ainsi qu'une cuisine familiale. Aziz el-Mamouni organise des randos.

Où manger ?

Nombreux restos route de Meknès ou aux abords de la grande mosquée.

▮●▮ *Restaurant Nador :* dans la rue au-dessus de la mosquée qui sert de parking et où s'alignent de nombreux restos. *Repas 50 Dh (4,50 €).* Une adresse typique où les tajines fort appétissants mijotent sagement sur la terrasse en attendant preneur. Propre et très fréquenté. Accueil gentil.

▮●▮ *Rôtisserie Echaab :* sur la grand-rue, en face de la mosquée principale aux toits de tuiles vertes. Cantine populaire qui propose des brochettes ou du poulet grillé accompagnés de salade et de frites. Bon rapport qualité-prix.

▮●▮ *Restaurant des Cèdres :* pl. Mohammed-V. ☎ 035-56-23-26. *Venant de Meknès, arriver à la mosquée, la contourner en la laissant à gau-*

che, puis continuer en direction de l'hôtel Panorama, c'est sur la place suivante avec le parking. Menu 90 Dh (8,20 €), plats 50-60 Dh (4,50-5,40 €). Le resto de l'hôtel du même nom. Un bel effort de présentation avec des tables dressées de nappes blanches que le patron sort sur la petite terrasse sous les arcades pour profiter du soleil et de l'animation. On s'y sent bien et au calme. Brochettes, tajines et couscous, soupe, parfois des cailles au menu. Service en veste blanche, avec un brin de désuétude et de chic suranné. Une petite table plaisante, nourriture tout à fait correcte.

|●| **Restaurant Tit Hsen** : route de Meknès, bd Hassan-II. À l'entrée de la ville venant de Meknès, sur la droite, collé à la station-service. Un resto inclassable qui laisse pantois et sceptique : on se demande encore si on a aimé, en tout cas tout le monde ne sera pas convaincu. Il faut dire que l'adresse a une forte personnalité. L'Amérique des années 1950 a débarqué dans la salle très stylisée. Carrelage noir et blanc, bar arrondi très rétro. On s'attend à voir débouler Fonzy dans un remake marocain kitsch de *Happy Days*. Une grosse fontaine dégoulinant de sucreries (fausses algues, faux rochers, fausses jarres et vraies tortues apathiques glissant dans l'eau) décore la terrasse. Pizzas, hamburgers et très bons jus de fruits frais. Clientèle familiale.

Où déguster une pâtisserie ?

|●| **Boulangerie L'Artisan** : bd Hassan-II (route de Meknès). Établissement propre et bien approvisionné. Très bons gâteaux à la crème. Marchand de légumes juste en face.

|●| **L'Escalade pâtisserie** : aux abords de la pl. Mohammed-V, en face du café-pâtisserie d'Azrou. Grand choix de pâtisseries (repérez la vitrine réfrigérée).

À voir. À faire

Azrou n'est pas réputée pour son animation, néanmoins le centre-ville, aux abords de la place Mohammed-V, possède quelques **échoppes** où vous pouvez tester votre aptitude à marchander. Sur la placette située derrière l'hôtel *Salam* a lieu tous les soirs la **souikha,** un petit souk très prisé par les Azraoui. Plus loin se trouve le **hammam** pour se détendre après une randonnée.

Achats

⊛ **Dar Neghrassi** : 22, rue des Tapis. ▤ 070-36-09-98. Depuis la pl. My-Hachem-ben-Saleh, derrière l'hôtel Salam, prendre la rue qui descend. Une jolie porte verte sculptée ouvre sur un splendide *riad*. Autour du patio intérieur aux superbes colonnes sculptées de stuc, les pièces croulent sous les kilomètres de tapis. Le tisserand qui tient boutique sait parler de son art comme personne, sans brusquer les visiteurs. Une adresse fréquentée par les habitants de Fès qui veulent acheter de belles pièces.

➤ *DANS LES ENVIRONS D'AZROU*

➤ Certains itinéraires décrits à partir d'Ifrane, comme le **cèdre Gouraud** ou le *circuit VTT* dans les cédraies, peuvent se faire depuis Azrou. Pour plus de détails, voir plus haut « Dans les environs d'Ifrane ».

🐾🐾 **D'Azrou à Khénifra par la montagne :** sortir d'Azrou par la route de Khénifra et tourner à gauche à Tiouririne en suivant l'indication « Route touristique des Cèdres » jusqu'à l'arrivée à Aïn-Leuh. Là, prendre vers le sud jusqu'à Khénifra par une route de 87 km, offrant des points de vue saisissants sur les forêts de cèdres peuplées de singes et les vallées du Moyen Atlas. Cet itinéraire passe par les sources de l'oued Oum-er-Rbia, l'aguelmame Azigza (possibilité d'aller jusqu'au lac Ouiouane). Une fois à Khénifra, revenir vers Azrou par la route directe qui traverse Mrirt.

👣👣 *Zaouïa-d'Ifrane* : *d'Azrou, prendre la route de Khénifra ; 39 km plus loin, soit 12 km avt d'arriver à Mrirt, prendre à gauche. C'est fléché.* Village isolé, au bout de la route, donc encore peu fréquenté par les touristes, Zaouïa-d'Ifrane est l'endroit idéal pour profiter de la nature. Une végétation remarquable et de nombreuses occasions de se baigner dans la rivière en font un endroit de rêve. Le jeudi matin, pousser jusqu'à Mrirt pour voir un des souks les plus animés de la région. Très beaux tapis zaïanes.

👣👣 *L'aguelmame Azigza* : *à env 20 km des sources de l'Oum-er-Rbia par la 3211. C'est fléché.* « Le lac Vert », en berbère, occupe un creux dans la chape calcaire qui recouvre la région. Sa couleur turquoise est due à sa grande profondeur. Ourlé d'une forêt de chênes verts, c'est l'endroit idéal pour un pique-nique. Restauration possible sur place. À éviter les week-ends de grosse chaleur et pendant l'été.

👣👣 De l'aguelmame Azigza, redescendre sur Khénifra ou rejoindre la P21 (route Azrou-Midelt) en traversant les forêts de cèdres jusqu'à Itzèr ou Aït-Oufella. Paysage d'une grande beauté.

👣 *Le belvédère d'Ito* : *à 15 km sur la route de Meknès.* Beau point de vue sur les montagnes aux tons ocre jaune. Meilleur moment : le matin, quand on a le soleil dans le dos. Vendeurs de fossiles et de minéraux.

👣 *Les sources de l'oued Oum-er-Rbia* : *d'Azrou, se rendre à Aïn-Leuh, puis suivre le fléchage.* Il s'agit ici d'une des plus spectaculaires résurgences du système hydraulique souterrain de la région : pas moins de quarante sources d'eau douce, et sept d'eau salée, dont la plus grande se déverse en cascade dans un vacarme assourdissant. Du parking, compter 10 mn de marche pour atteindre la chute d'eau. Sur place, beaucoup de petites gargotes pratiquement « les pieds dans l'eau ». Quelques chasse-touristes aussi, car le site est très fréquenté par les Marocains. Oum-er-Rbia signifie « la Mère du Printemps ». C'est le fleuve le plus long du Maroc. Dommage que le site soit si mal entretenu.

AÏN-LEUH

Le village d'Aïn-Leuh présente quelques belles façades à encorbellement qui rappellent un peu l'architecture andalouse. Des épiceries, mais pas grand-chose à voir au village, à part quelques habitations troglodytiques. La campagne environnante, en revanche, est d'une extrême beauté. Demandez un guide sur le parking central.

LES PRINCESSES D'AÏN-LEUH

Aïn-Leuh est réputée dans le monde berbère pour la beauté de ses habitantes. Qu'un routier tombe en panne à Aïn-Leuh, il repartira chez lui la bague au doigt affirme-t-on ici !

Où dormir dans les environs ?

Il y a quelques possibilités d'hébergement dans la région d'Aïn-Leuh, dans des gîtes et auberges, mais malheureusement très peu entretenus ou sans grand charme. Nous n'en avons sélectionné qu'un, qui se démarque très joliment. Sobre, très simple, mais vraiment reposant et charmant.

▲ **Gîte Nerrahte :** d'Azrou, prendre la route de Khénifra ; à Tiouririne, tourner à gauche vers Aïn-Leuh ; plus loin, gîte fléché, vers la droite, par une piste en bon état sur 2 km. ☎ 066-36-61-32. En gîte suivant confort, prévoir 50-90 Dh (4,50-8,20 €)/pers. ½ pens possible. Isolé dans la campagne, le bâtiment ne paie pas de mine de l'extérieur, mais l'intérieur est propre. Trois chambres et un salon marocain où on peut aussi dormir. Murs en pisé recouverts de mosaïque en bas. Un lieu extrêmement paisible et doux, idéal pour une retraite au calme loin de tout, avec les collines et quelques moutons pour seuls compagnons. Une maison très appréciée par les expats français de Fès qui viennent y passer le week-end. Sur le toit de la maison, une super petite tente berbère où attendre l'apéro. Possibilité de cuisiner, ou de demander à la femme qui tient les lieux de préparer à manger. Hassan, qui propose des randonnées dans la région, vend également de très beaux tapis du coin. À découvrir.

AU SUD D'AZROU

MIDELT   45 000 hab.

À 125 km d'Azrou et à 141 km d'Errachidia.
Perchée à 1 488 m, au pied du djebel Ayachi (3 737 m), point culminant du Grand Atlas oriental, Midelt n'a rien d'une ville de villégiature. Elle peut cependant servir de base pour partir à la découverte de cette région particulièrement riche d'un point de vue géologique. Ici, les amateurs de minéraux seront ravis : azurite, malachite, vanadinite, aragonite, barytine, calcédoine... Un florilège de cristallisations aussi surprenantes que colorées. Mais ne vous y trompez pas, ces joyaux de la nature ne remontent pas tout seuls des entrailles de la terre. Des hommes peu scrupuleux, dont l'attrait pour le beau ne cède en rien à leur sens inné des affaires, utilisent le plus souvent des enfants, en raison de leur petite taille, pour descendre au fond des galeries des mines de plomb abandonnées. Ainsi, nombre de gosses de condition modeste prennent des risques insensés pour quelques dirhams dérisoires, défiant à chaque instant l'effondrement des galeries. Pensez-y quand vous achetez une pierre !

Cela dit, les sites naturels où se trouve l'entrée des mines sont remarquables. Il y règne encore une étrange ambiance de villes fantômes, un peu comme dans les romans de Jack London.
– **Souk :** le dim mat.

> **LES CAILLOUX VOYAGEURS !**
> *La plupart des belles cristallisations proposées dans les échoppes sont extraites dans des carrières... sud-africaines ou brésiliennes. Autant le savoir !*

Arriver – Quitter

En bus

Attention aux nombreux chasse-touristes à la sortie des bus.

🚌 **La gare routière** est en plein centre. ☎ 035-58-31-06.
La CTM dessert :
➢ **Azrou et Meknès :** 1 bus/h. Trajet : env 2h et 4h.
➢ **Beni-Mellal :** 6 bus/j. Trajet : env 6h.

➢ **Casablanca :** 3 bus/j. Trajet : env 7h.
➢ **Rabat :** 7 bus/j. Trajet : env 6h.
➢ **Rissani :** 4 bus/j. Trajet : env 4h.
➢ **Er-Rachidia :** 1 bus/h. Trajet : env 3h.
➢ **Fès par Azrou :** 5 bus/j. Trajet : env 5h.

En voiture

➢ **Vers Marrakech via Beni-Mellal :** prévoir env 430 km de route et 4h jusqu'à Beni-Mellal (reste ensuite près de 200 km jusqu'à Marrakech par une bonne route). Quitter la N 13 à **Zeïda** pour prendre la R 503.
Nombreux cafés-restos à Zeïda, où l'on peut manger des *kefta* en achetant la viande chez le boucher pour la confier à un « grilleur ». Après Zeïda, le paysage change complètement : sur le grand plateau, l'habitat est dispersé. Des villages de maisons basses émergent les minarets des mosquées. Le paysage redevient plus riant après le col de Tanout-ou-Filali (2 070 m) : on débouche alors sur la N 8 pour rejoindre la grande plaine du Tadla au niveau de Kasba-Tadla, et poursuivre sur Beni-Mellal et enfin Marrakech.
➢ **Vers Azrou :** à 140 km au nord de Midelt, par la N13. La route part à l'assaut du **col du Zad** (2 178 m), qui marque la limite des bassins versants atlantique et méditerranéen. Au sud les eaux des oueds viennent gonfler celles de la Moulouya qui se jettent dans la Méditerranée, alors qu'au nord les oueds finissent leur course dans l'Atlantique. C'est un point stratégique de la géographie du pays. Il est souvent fermé en hiver. Au nord de celui-ci commencent les forêts de cèdres du Moyen Atlas où se niche Azrou.
➢ **Vers Er-Rachidia :** à 126 km au sud de Midelt. Quelques kilomètres après Midelt, la route franchit le col de **Tizi n'Talrhemt** (le « col de la Chamelle »), qui fut longtemps le passage obligé pour les caravanes en provenance du désert et se rendant à Fès. Passé le col, les essences méditerranéennes disparaissent progressivement pour faire place à une végétation saharienne. La route s'enfonce ensuite dans les gorges du Ziz, offrant de majestueuses échappées sur la palmeraie avant d'atteindre Er-Rachidia.

Adresses utiles

✉ **Poste :** en retrait de la rue principale, au-dessus du complexe Le Pin.
@ **Via-Net :** dans le centre-ville à côté de l'hôtel Roi de la Bière. *Tlj 9h-minuit.* Connexion à peu près performante.
@ **Cybercafé Ibrahim.com :** quartier Ikhramjioune, à côté de la mosquée (fléché à la sortie de Midelt vers l'hôtel Safari-Atlas). Impression noir et blanc. Gravure de CD.

■ **Banques :** distributeurs automatiques à la Banque Populaire (*à l'entrée de la ville en venant d'Azrou*) et à la BMCI, *en face de l'hôtel* Roi de la Bière *dans le centre-ville.*
■ **Garage El-Ayachi :** route de Fès, en face de la station Shell. ☎ 035-58-22-14. En cas de pépin, un des garages les plus sérieux et prix honnêtes.

Où dormir ? Où manger ?

Nombreuses gargotes à côté de la gare routière. Mais les chasse-touristes sont vraiment trop enquinquinants. Pour plus de tranquillité, rendez-vous aux restos d'hôtels.

De très bon marché à bon marché

🛏 |◎| **Hôtel Bougafer :** 7, bd Mohammed-V. ☎ 035-58-30-99. Dans le centre, au-dessus de la gare routière. Doubles 80-200 Dh (7,30-18,20 €) avec ou sans sdb. Petit déj en sus. Menu complet 45 Dh (4,10 €). Les chambres sont propres et réparties autour d'un salon à chaque étage. Pour le rapport qualité-prix, préférez celles du 3e étage. Belle vue sur la ville. On y mange bien. Bon accueil.

🛏 |●| *Hôtel Atlas :* 3, rue Mohammed-Amraoui. ☎ 035-58-29-38. *Dans le centre. Double 80 Dh (7,30 €), petit déj en sus ; douche commune payante.*

Plats env 40 Dh (3,60 €). Les chambres sont rudimentaires et correctement tenues. Celle sur le toit bénéficie d'une belle vue sur la ville : étuve ou réfrigérateur, c'est fonction du moment de la journée et de la saison. L'hôtel est très bas de plafond et les grands vont s'amuser ! Resto populaire minuscule proposant une cuisine simple et traditionnelle d'un bon rapport qualité-prix. Un bon plan routard.

Prix moyens

🛏 *Hôtel-restaurant Safari Atlas :* 118, bd Palestine. ☎ 035-58-00-69. ● safa riatlas_hotel@yahoo.fr ● *Dans un quartier tranquille à la sortie de Midelt, sur la route d'Er-Rachidia, c'est fléché. Double avec sdb 230 Dh (20,90 €).* Les chambres sont spacieuses et propres. Hôtel sans charme particulier mais l'accueil est courtois et la prestation de bonne qualité.

🛏 *Hôtel Roi de la Bière :* av. des FAR.

☎ 035-58-26-75. *En plein centre-ville. Double 200 Dh (18,20 €).* Ne vous fiez pas à ce nom un tantinet racoleur, ici on ne vend pas d'alcool. Un des plus anciens hôtels de la ville, construit en 1938 et qui a gardé son nom ! L'hôtel ne possède pas de charme particulier, mais il est propre et bien poli. Préférez les chambres du 1er étage. Chauffage central. Accueil sans conviction.

Chic

🛏 |●| *Hôtel Kasbah Asmaa :* km 3, route d'Er-Rachidia. ☎ 035-58-39-45. ● kasbah-asmaa-midelt.com ● *En dehors de la ville, à 3 km vers Er-Rachidia. Double 420 Dh (38,20 €), petit déj inclus. Suite pour 5 pers 700 Dh (63,60 €), petit déj en sus. Menu 125 Dh (11,40 €). Réduc de 15 % sur présentation de ce guide.* La plupart des cham-

bres offrent de beaux panoramas sur les alentours. L'ambiance générale est chaleureuse et calme. Le décor est chatoyant et les tapis sont magnifiques. Petite piscine dans un agréable jardin fleuri. Le restaurant propose une bonne cuisine. Fréquenté par des familles et des petits groupes. Accueil avenant.

Où dormir ? Où manger dans les environs ?

🛏 |●| *Auberge Jaaffar :* à 6,5 km de Midelt, par la piste qui conduit au cirque de Jaffar. ☎ 035-36-02-02. ● auberge jaafar@yahoo.fr ● *Accessible sans trop de difficulté aux voitures de tourisme. Doubles 260-300 Dh (23,60-27,30 €) selon saison. ½ pens proposée.* Situé dans un environnement naturel exceptionnel. Les chambres sont confortables et fonctionnelles. Très fréquenté par des groupes mais qu'importe, l'ambiance reste conviviale. Piscine « bio » (sans produit chimique et plein de phytoplancton). Accueil inégal, dommage.

⚕ 🛏 |●| *Camping-auberge de Timnay :* à 20 km de Midelt sur la route d'Azrou N13. ☎ et fax : 035-36-01-88. ● timnay@menara.ma ● *Emplacement 66 Dh (6 €) pour 2 pers avec tente. Double 240 Dh (21,80 €), petit déj compris. Plat env 50 Dh (4,50 €).* Petit complexe touristique avec une piscine à partir de juin. Pour le camping, prévoir un bon tapis de sol. Les chambres sont bien tenues. Grand resto très fréquenté par des groupes. Propose des virées en 4x4 à la journée. Accueil tranquille.

🛏 |●| *Parc animalier de Nzala :* à une bonne quarantaine de km sur la route *d'Er-Rachidia.* ☎ *055-58-96-26.* 🖶 *061-13-24-12. Double 150 Dh (13,60 €). Compter 75 Dh (6,80 €) pour un repas.* Situé sur le bord d'une route passante et au beau milieu de nulle part, ce petit gîte est pour le moins surprenant. Les chambres sont simples et propres. Dou-ches et w-c à l'extérieur. Et l'ambiance est pour ainsi dire fantôme... Hormis une autruche, deux mouflons, un addax et trois gazelles qui s'ennuient à mourir ! Pas beaucoup d'animation. Accueil quasi inexistant.

À voir

À Midelt, il est inutile de s'attarder autour du souk central (à côté de la gare routière). La pression des chasse-touristes y est vraiment trop forte. Le soir avant le dîner, préférez le quartier du souk Jamaa, beaucoup moins touristique. En particulier le début de la route de Mibladen (juste après la *Banque Populaire*). On plonge dans le Maroc d'une ville de province. Très animée, cette rue est jalonnée de boutiques : marchands de légumes et de volailles vivantes, herboristeries traditionnelles, boutiques de mode, vendeurs de cassettes.

🎨 ***L'atelier de tissage des sœurs franciscaines :*** kasbah *Myriem, sur la route 3418.* 🖶 *064-44-73-75.* ● *debono@menara.ma* ● *En venant d'Azrou, à droite en arrivant à Midelt, en direction de Jaffar et Tattiouine. Ouv tlj, mais repos des brodeuses ven et dim.* Dans les souks, de nombreux commerçants prétendent vendre le travail issu de l'atelier des sœurs, eh bien, c'est faux ! La production ne se trouve qu'ici. Les brodeuses sont formées par les sœurs et accomplissent un ouvrage remarquable. Les connaisseurs apprécieront la qualité du travail. Les nappes brodées sont à faire pâlir de jalousie les tables les plus chic. Le prix est à la hauteur de la qualité et tout le monde n'aura pas les moyens de s'offrir de si belles choses.

– ***Retraite au monastère Notre-Dame de l'Atlas :*** *la porte à côté de l'atelier des sœurs.* ☎ *035-58-08-58.* Les moines trappistes ouvrent leur porte à qui veut se retirer du monde. Motif spirituel indispensable. Hébergement en dortoir et chambres individuelles.

➤ *DANS LES ENVIRONS DE MIDELT*

🎨🎨 ***Le cirque de Jaffar :*** *4x4 indispensable. Piste pour Tattiouine, puis direction la maison forestière de Tagouilet. Avt de partir, renseignez-vous impérativement sur l'état de la piste. La meilleure période pour faire la visite est mai-juin. Les véhicules de tourisme tenteront d'approcher du cimetière des cèdres par la piste carrossable qui passe devant l'Auberge* Jaaffar *(voir « Où dormir ? Où manger dans les environs ? », plus haut), puis rebrousseront chemin.* Beau panorama. C'est un site naturel de toute beauté, où les Aït Ayache, tribu semi-nomade, vivent à la belle saison.

🎨🎨 ***Les mines d'Aouli :*** *à 25 km au nord-est de Midelt. Départ de la route au niveau de la* Banque Populaire *dans le centre-ville.* Les friches industrielles des anciennes mines confèrent au lieu un puissant sentiment d'abandon. Sur place, un chemin descend vers un cirque ceint de falaises multicolores d'une grande beauté. Au pied du vieux village d'Aouli coule l'oued Moulouya. Un endroit envoûtant.

RICH   20 000 hab.

Ville étape sur la N13, Rich est le carrefour obligé des voyageurs entre Midelt et Er-Rachidia ou vers Imilchil. Cette petite ville n'a rien de touristique et garde toute son authenticité. Le souk du dimanche est très animé car c'est le point de rendez-vous de nombreux bergers et cultivateurs qui viennent des vallées voisines pour vendre leurs productions.

– Distributeur de billets, pharmacie et cybercafé dans le centre non loin de nos adresses. Également une station-service.

Arriver – Quitter

En bus

🚌 *Gare routière :* dans le centre-ville.
➢ *Midelt et Fès :* 2 bus/j.
➢ *Er-Rachidia :* 2 bus/j.

En grand taxi

🚖 *À côté de la gare routière.* Les grands taxis assurent la liaison avec *Imilchil* et *Er-Rachidia.* Toutefois, certains jours, il faut faire preuve de patience car les voitures ne se remplissent pas très vite.

En voiture

➢ *Vers Imilchil :* faire impérativement le plein avant de partir, car là-haut il n'y a que des dépôts de carburant !
Une route goudronnée, superbe, conduit à Imilchil en 3h30 env. Le parcours étant peu fréquenté, il faut rester vigilant, car on n'est jamais à l'abri d'une mule à la sortie d'un virage.

Où dormir ? Où manger ?

🛏 *Hôtel El Massira :* 1, rue du Souk. ☎ 035-58-93-40. À l'entrée du souk des légumes. Double 60 Dh (5,50 €) ; moins cher pour celles sur le toit (fournaise le jour, frigo la nuit ; consolation : la vue est belle). Les chambres sont très simples et correctes, de quoi satisfaire un routard de passage. Sanitaires sur le toit. Bon accueil.

🛏 ⭑ *Hôtel Isly :* 24, av. El-Massira. ☎ 035-36-81-91. Dans la rue centrale. Doubles 100-150 Dh (9,10-13,60 €), avec ou sans douche et w-c. Petit déj en sus. Hôtel typique d'une petite ville de province. Assez propre, mais un peu cher au regard de la prestation. Caféresto à l'étage. Bon accueil.

⭑ *Zarouj :* devant la gare routière. Plat env 40 Dh (3,60 €). Cuisine honnête, servie à l'extérieur ou en salle. Service sympa.

⭑ Tout autour de la gare routière, plein de gargotes proposent brochettes et tajines.

➢ DANS LES ENVIRONS DE RICH

🧍 *Le souk d'Outerbate :* sur la route d'Imilchil, ts les dim mat. C'est un événement à ne pas manquer. C'est l'occasion d'un contact avec la population Aït-Moghrad vivant dans les villages isolés des montagnes et qui descend dans la vallée à l'occasion du souk hebdomadaire.

🧍🧍 *Les gorges du Ziz :* entre Rich et Er-Rachidia, au sud. La route qui traverse les gorges est de toute beauté. Elle surplombe par endroits la faille que l'*oued Ziz* a creusée dans le plateau calcaire. Tout au long du parcours, des belvédères aménagés offrent de magnifiques panoramas sur la palmeraie. Pour tout savoir sur Er-Rachidia, rendez-vous en fin de guide, dans la partie intitulée « À l'est de Ouarzazate ».

Où dormir ? Où manger dans les gorges du Ziz ?

▲ *Kasba Dounia :* 1 km après la source de Moulay Hachem et 5 km avt celle de Moulay Ali Cherif. ☎ 035-36-86-88. Une demi-douzaine de chambres triples avec douche et w-c 250 Dh (22,70 €)/pers en ½ pens. Également 2 suites. Kasbah typique en bordure de la route. Agréable déco marocaine. Belles chambres propres donnant sur un patio. Dans les salons, on apprécie les étranges tableaux réalisés avec des os par un artiste local. Beaucoup de groupes d'Italiens et d'Espagnols. Pour les amateurs de bière et de soirées arrosées. Tranquillité non garantie.

X ▲ |●| *Hôtel-Kasbah Jurassique :* après la source Moulay Ali Cherif. Au bord de l'oued en contrebas de la route. ▤ 061-09-92-84. ● *kasbahjurassique. com* ● Double 220 Dh (20 €), sans le petit déj. Pour le camping, compter 50 Dh (4,50 €) pour 2 pers avec voiture. Repas 80 Dh (7,30 €). Pas d'alcool. Ensemble très spacieux et très propre d'une quinzaine de chambres, toutes avec douche et w-c, dont six très tranquilles en terrasse. Ici, rien d'ostenta-toire, tout est aménagé sobrement mais avec goût. Petite salle de resto agréable. Tables dressées avec attention. Pour une nuit au calme. Bon rapport qualité-prix.

▲ |●| *Auberge Palma Ziz :* au niveau du pont traversant l'oued Ziz, juste avt le barrage de Hassan-Adakhil en venant de Midelt. ☎ 035-57-61-60. ● *palmaziz. com* ● Double 300 Dh (27,30 €) ; petit déj en sus. ½ pens sur demande. Dès la réception, l'ambiance est donnée. Nous sommes ici dans un établissement soigné. Les fenêtres en verre coloré d'Irak confèrent au salon-bar (où l'on sert de l'alcool) une atmosphère intimiste. La quinzaine de chambres doubles et triples, propres, avec douche et w-c, est répartie dans de beaux espaces carrelés aux couleurs pourpres. Elles donnent toutes sur de petits patios rafraîchis par une ombrière. Grande salle de restauration possédant de beaux plafonds. Musique d'ambiance. Belle terrasse dominant la palmeraie. Certainement le meilleur hôtel de la région. Bon accueil de la famille Aït-Hajji.

IMILCHIL

8 200 hab.

À Imilchil, le climat est rude, car le plateau situé à plus de 2 200 m d'altitude est constamment balayé par les vents. Certains hivers, la température flirte avec les - 20 °C. Autant dire que, même en plein été, mieux vaut prévoir sa p'tite laine ! D'ailleurs les femmes Aït-Haddidou ne s'y trompent pas, admirez leurs superbes *handiras* rayées noir et blanc ! La fibre de laine est tissée si serré qu'il est impossible au vent de la traverser. Aujourd'hui, quelques paysans des vallées d'altitude se sont reconvertis dans le tourisme rural. Nombreuses possibilités d'hébergement. De même, ce sont des guides diplômés de l'école de Tabant qui proposent des randonnées. La région s'y prête à merveille.

– *Souk :* le sam.

LE *MOUSSEM*

La fête se déroule fin août, à Aït Amer, à 25 km au sud d'Imilchil, au carrefour des routes de Rich et de Tineghir.
C'est une tradition des Aït Haddidou qui se perpétue pendant ce *moussem*. Elle permet aux tribus de la région de tisser des liens, autrefois en vue de fiançailles. C'est aujourd'hui essentiellement une fête touristique.

– Le *moussem* commence un vendredi, jour de la vente du bétail. Le samedi est réservé à la vente des produits de première nécessité. Le dimanche est le jour des chants et des danses folkloriques.

Revers de la médaille, le *moussem* génère une activité commerciale considérable : de nombreux commerçants affluent de tout le pays, certains n'hésitant pas à se travestir en Touareg avec chèche et robe bleue, histoire d'amadouer le touriste et d'écouler leur stock de souvenirs en tout genre.

– Pendant la fête des Fiancés, de grandes tentes sont dressées pour pouvoir accueillir chacune

> **UN *MOUSSEM* BIEN ARROSÉ**
>
> *Une très jolie légende s'est tissée autour de ce* moussem. *À l'origine, deux jeunes, dont les tribus respectives étaient en guerre l'une contre l'autre, s'aimaient. Bien entendu, les parents n'étaient pas d'accord et firent tout pour empêcher leur union. De chagrin, l'un et l'autre se mirent à pleurer, tant et si bien que leurs larmes donnèrent naissance au lac de Tislit pour la jeune femme, et Isely pour le jeune homme. Devant tant d'amour, les deux clans consentirent au mariage. Depuis, chaque année le* moussem *commémore cette union et permet aux jeunes de se choisir librement.*

15 personnes dans de vrais lits... Tout est organisé par des hôteliers qui transportent leur matériel sur place. Prévoir des vêtements bien chauds et un duvet car les nuits sont très fraîches. Inconditionnels du confort, s'abstenir : il n'y a pas d'eau courante et on se lave avec des seaux d'eau froide (payante) livrée chaque matin par camion.

Arriver – Quitter

La plupart des itinéraires sont décrits au départ d'Imilchil, mais on peut bien sûr les lire dans les deux sens.

En grand taxi

➢ Vers **Rich** et **El-Ksiba.**

En voiture de tourisme

➢ *De Rich et El-Ksiba :* compter env 4h de route pour Imilchil, (Imilchil étant à mi-chemin entre Rich et El-Ksiba). Cette belle route goudronnée mérite à elle seule le voyage. Les paysages sont simplement magnifiques. De Rich, la crête des montagnes se détache comme une calligraphie sur le ciel d'azur : c'est l'Atlas dans toute sa splendeur.

En venant de Rich, quelques passages à gué sont à prévoir. Pour éviter les mauvaises surprises, évaluez la profondeur avant de traverser, ou attendez que des habitués passent pour voir le chemin à suivre.

En 4x4

Ceux qui ont loué un 4x4 pourront faire de très belles pistes dans la région, notamment :

➢ *De et vers Tineghir :* une partie de l'itinéraire est goudronné (entre Tineghir et Aït Hani), le tronçon de piste entre Aït Hani et Agoudal était en voie de goudronnage. Bien se renseigner sur l'état des travaux avant le départ. Partir à 2 véhicules au minimum, en raison des risques de crevaison importants sur la partie non asphaltée ; 5h de trajet sont nécessaires.

➢ *Vers Boumalne-du-Dadès,* se reporter plus loin à « La vallée des gorges du Dadès », rubrique « À voir. Dans les gorges du Dadès ».

➢ *Vers Midelt,* parcours de toute beauté au pied du djebel Masker. Très beaux villages de montagne, paysages sauvages de pins et de cèdres. Du grand Maroc !

AU SUD D'AZROU

➤ *Vers Zaouïa-Ahanesal,* à mille lieues des itinéraires touristiques.
Pour tous ces itinéraires, renseignez-vous auprès d'une agence.

Où dormir ? Où manger ?

Attention ! pendant la période du *moussem,* les hôtels sont pris d'assaut et les prix flambent ! Il est prudent de réserver à l'avance, quitte à verser des arrhes et à ne pas arriver trop tard, sinon votre chambre sera relouée. Bien s'assurer de la description de l'hôtel et des commodités lors de la réservation.
D'autre part, certains hôtels facturent comme des gîtes, c'est-à-dire qu'ils vendent la nuitée par personne et en demi-pension.

Très bon marché

▴ *Gîte d'étape Chez Zaïd Ouchaoua :* sur la gauche à la sortie du bourg en direction des lacs. ☎ 023-44-27-24. Prévoir 35 Dh (3,20 €)/pers ; petit déj en sus. ½ pens 130 Dh (11,80 €)/pers. Gîte avec deux dortoirs comprenant matelas, draps et couvertures. Le propriétaire est diplômé de l'école de Tabant, et reçoit ici chez lui en toute simplicité. De bons conseils pour organiser une balade. Cuisine familiale et accueil vraiment sympathique.

▴ |●| *Hôtel-restaurant de l'Avenir :* à la sortie du bourg en direction des lacs. ☎ 023-44-27-11. ▪ 068-63-84-51. Double 80 Dh (7,30 €). Compter 130 Dh (11,80 €)/pers en ½ pens. Petit hôtel bien entretenu. Douche et w-c à l'étage. L'ensemble est assez rudimentaire mais propre. Au rez-de-chaussée, un petit resto et une épicerie intégrée à la cuisine. Bon accueil.

De bon marché à prix moyens

▴ |●| *Hôtel-restaurant Chez Bassou :* grande maison à étage à la sortie du bourg en direction des lacs. ☎ 023-44-24-02. ▪ 068-56-44-75. Compter 170 Dh (15,50 €)/pers en ½ pens. Repas 40 Dh (3,60 €). Les chambres proposent tout le confort que peut souhaiter un randonneur de retour de marche. Douches chaudes, bonne literie et couvertures moelleuses. La cuisine est correcte. Le propriétaire connaît bien la montagne et pourra vous aiguiller pour organiser une balade. Diplômé de l'école de Tabant, il a également reçu une formation à Briançon. Accueil souriant et disponible.

▴ |●| *Hôtel Izlane :* à la sortie du bourg en direction des lacs, en retrait de la route principale. ☎ 023-44-28-06. Double 140 Dh (12,70 €) ; petit déj en sus. Repas 60 Dh (5,50 €). Le plus vieil hôtel d'Imichil, d'extérieur peu avenant mais les chambres sont correctes. Bonne ambiance et accueil agréable. Beaucoup de groupes en 4x4.

Où dormir ? Où manger dans les environs ?

▴ |●| *Auberge Ibrahim :* à Agoudal. ☎ 035-88-46-28. ● aubergeibrahim.ht. st ● Quitter le goudron vers Bou-Ouzmou en direction d'Agoudal. Compter 50 mn de piste et demander la route au fur et à mesure des villages ; dans ces derniers, rouler avec un max de prudence, car le jeu des gamins consiste à vous faire peur en s'accrochant aux voitures. En véhicule de tourisme, passer impérativement un coup de fil pour connaître l'état de la piste. ½ pens 130 Dh (11,80 €)/pers. Ne pas confondre avec une autre auberge du même nom, à l'entrée du village en venant du sud. La petite auberge est perchée à 2 300 m d'altitude, dans un site somptueux. Une adresse loin du monde qui propose un hébergement simple. Un petit bout de paradis pour amateurs de nature. Balades fabuleuses à faire aux alentours.

🏠 🍴 *Auberge Tislite :* face au lac Tislit. Sur résa au ☎ et fax : 035-52-70-39 *(à Meknès) ou tenter sa chance à l'improviste. ½ pens 220 Dh (20 €)/pers en chambre et 200 Dh (18,20 €) sous tente caïdale.* L'auberge, qui a les pieds dans l'eau, est certainement l'endroit le plus magique de la région pour prendre son petit déj. Chambres propres mais douche chaude capricieuse. Toilettes pas au top de la forme, dommage pour le prix. Bel endroit et accueil gentil.

🏠 🍴 *Auberge chez Mustapha Kebiri :*

à Tassent, env 12 km avt le plateau des lacs en venant de Tizi n'Isly. Dans une ambiance familiale et avec peu de moyens, Mustapha fait de son mieux pour recevoir ses hôtes dans les 3 chambres de son gîte. Bonne cuisine traditionnelle.

🏠 *Auberge Tafilalt :* à Bou-Ouzmou, avt d'arriver à Imilchil en venant de Rich. Matelas 30 Dh (2,70 €)/pers. En dépannage. Vraiment pas nickel. Pour celles et ceux qui, arrivant à pied du sud, auraient la flemme de pousser jusqu'à Imilchil.

À voir. À faire

🏃 *Le souk d'Imilchil,* qui se déroule tous les samedis, vaut le détour, et plus particulièrement le marché aux bestiaux.

🏃🏃 Belles balades au *plateau des lacs Tislit et Isely.* Entre Tislit (le plus près de la route goudronnée) et Isely, une piste traverse un agoudal *(prairie dont la mise en pâture est réglementée).* Le lac Isely est superbe au soleil couchant. Il est cependant déconseillé de s'y baigner et même de s'approcher des rives boueuses, qui sont dangereuses.

➢ *Nombreuses excursions* à la journée ou sur plusieurs jours à faire à pied ou à VTT à partir d'Imilchil.

AU SUD-OUEST D'AZROU

Attention, à partir de mars 2009, *Maroc Telecom* **doit mettre en place une nouvelle numérotation téléphonique.** Les numéros passeront ainsi à 10 chiffres (au lieu de 9 actuellement).

Voici les principaux changements prévus :

➢ **Pour tous les numéros fixes,** il faudra insérer « 5 » après le « 0 ». Exemple : 024-11-11-11 deviendra 05-24-11-11-11.

➢ **Pour les portables,** un « 6 » devra être placé après le « 0 ».

Exemple : 068-11-11-11 deviendra 06-68-11-11-11.

➢ **Pour les numéros spéciaux,** se reporter en début de guide à la rubrique « Téléphone et télécoms » dans « Maroc utile ».

KHÉNIFRA

73 000 hab.

Cette ville berbère du Moyen Atlas est édifiée sur les rives de l'Oum-er-Rbia. On l'appelle « la ville rouge » en raison de la couleur carmin de ses constructions et de sa terre.

Elle constitue une étape pratique sur l'axe Fès-Marrakech : la rue principale de la médina est très animée en fin de journée, et son souk aux tapis, le samedi soir près du pont, est pittoresque.
Elle permet aussi de belles excursions.

Arriver – Quitter

En bus

🚌 *Gare routière :* *à la sortie de la ville, sur le bd Zerktouni.*
Attention, Khénifra n'est pas un terminus. Les bus s'arrêtent mais sont souvent pleins. Liaisons avec :
➢ *Meknès :* 7 bus/j. Trajet : env 3h30.
➢ *Beni-Mellal :* 4 bus/j. Trajet : env 2h45.
➢ *Fès* (arrêts à *Azrou, Ifrane, Imouzzer-du-Kandar) :* 2 bus/j. Trajet : env 3h30 pour Fès.
➢ *Marrakech* (arrêt à *Beni-Mellal) :* 2 bus/j. Trajet : env 6h.

En grand taxi

🚕 *Les grands taxis se garent à côté de la gare routière sur le bd Zerktouni.* Voitures pour *Marrakech, Beni-Mellal* et *Oulmès.*

En voiture

➢ Très bel itinéraire à travers les forêts de cèdres du Moyen Atlas entre Khénifra et *Azrou* ou *Midelt* (via Itzèr).
➢ Route touristique pour *Imilchil,* via Aghbala et Tizi n'Isly.

Adresses utiles

On trouve tous les services : pharmacie, poste et guichets automatiques, après le pont avenue Mohammed-V (perpendiculaire au boulevard Zerktouni, qui est l'artère principale traversant la ville d'un bout à l'autre).

Où dormir ? Où manger ?

De bon marché à prix moyens

🛏 *Hôtel El Kamar :* av. Mohammed-V, à 200 m à droite après le pont. ☎ 035-58-87-00. Fax : 035-58-83-92. Près du marché aux légumes. Doubles 100-200 Dh (9,10-18,20 €) avec ou sans douche, TV ou AC, w-c toujours sur le palier ; pas de petit déj. En plein centre-ville, un hôtel très bien tenu, pour toutes les bourses. Salon marocain agréable, et le toit peut être sympa pour bouquiner. Le meilleur rapport qualité-prix de la ville. Accueil d'une grande gentillesse.

🛏 *Hôtel Aregou :* bd Zerktouni. ☎ 035-58-64-87. Près du pont. Double 100 Dh (9,10 €). Établissement très modeste

pour routards avertis. Sanitaires (sur le palier) en péril. En dépannage.

🛏 ⦿ *Hôtel-restaurant de France :* quartier des FAR ouest. ☎ 035-58-61-14. Fléché à partir du rond-point nord de la ville, route de Fès. Double 250 Dh (22,70 €) ; petit déj en sus. Menu 90 Dh (8,20 €). Chambres avec douche et w-c. Certaines manquent de lumière. L'ensemble a un petit air vieillot que l'on peut trouver sympathique, même si un bon coup de peinture serait bienvenu. Accueil nonchalant.

⦿ *Chez Aziz :* 42, rue Amgala. Plats env 40 Dh (3,60 €). Entrée dans le souk par l'artère principale (marchands de *vêtements), puis 1re à droite et tt de suite à gauche, le resto est au fond de la ruelle.* C'est une petite cantine où les tajines sont bons. Les néons diffusent une lumière un peu blafarde, mais l'ambiance est sympathique.

Chic

🏠 *Atlas Zayane : cité Al-Amal.* ☎ *035-58-60-20. Monter tt droit dans le prolongement de l'av. Mohammed-V, après le bd Zerktouni. Double 370 Dh (33,60 €) ; petit déj en sus.* Un faux air de résidence universitaire. Les chambres sont modernes et confortables. Préférer celles des derniers étages, car plus éloignées des activités nocturnes du bar. Piscine, quand elle est remplie.

Où prendre le petit déjeuner ? Où manger une pâtisserie ?

|●| *Pâtisserie Enakhil : av. Mohammed-V ; juste au niveau du pont.* De quoi prendre un bon petit déj à 200 m de l'hôtel *El Kamar.*

|●| *Café-boulangerie La Fontaine de l'Atlas : bd Al-Massira. Route de l'aguelmame Azigza.* Grand choix de pâtisseries. Endroit nickel et climatisé.

À voir

Pas grand-chose à voir ou à faire, si ce n'est de goûter au quotidien d'une agréable ville de province.

🏃 *Le marché aux légumes : av. Mohammed-V ; de l'autre côté du pont.* L'endroit est très animé le soir, l'occasion d'une promenade digestive.

🏃 *Le souk central des tapis : av. Mohammed-V ; en contrebas du pont, rive droite. Le sam soir.* Un regroupement de boutiques privées présente l'artisanat de tissage en provenance de tout le Maroc (ou presque) : tapis noués, *glaouis, hanbels, handiras,* couvertures, couvre-lits et coussins. On apprécie les très beaux tapis zaïanes de la région de Mrirt. Ici pas d'usine. Les femmes travaillent à la maison sur des métiers rudimentaires pour produire de véritables œuvres d'art.

À faire dans les environs

Toutes les excursions décrites à partir d'Ifrane ou d'Azrou peuvent aussi être réalisées au départ de Khénifra (voir plus haut).

BENI-MELLAL   165 000 hab.

Beni-Mellal est nichée au cœur d'un immense verger au pied de l'Atlas. Grâce à l'eau contenue par le barrage de Bin-el-Ouidane et à d'importants travaux d'irrigation, la ville et sa région ont développé de vastes zones arboricoles. On y cultive les abricots et les olives, tandis que les oranges sont réputées pour être parmi les meilleures du Maroc. Beni-Mellal est une bonne étape entre Fès et Marrakech. Mais aussi une porte d'entrée vers l'Atlas. L'été, il y fait une chaleur accablante et les marchands de glaces y sont légion.

Arriver – Quitter

En bus

🚌 *Gare routière :* au bout de l'av. des FAR. Liaisons avec :
➢ *Fès via Azrou, Ifrane et Imouzzer-du-Kandar :* 10 bus/j. Durée : env 7h jusqu'à Fès.
➢ *Marrakech :* 20 bus/j. Trajet : env 4h30.
➢ *Casablanca :* 20 bus/j. Trajet : env 5h.
➢ *Rabat :* 10 bus/j. Trajet : env 6h.

En grand taxi

🚐 Derrière la gare routière. Liaisons avec **Ouzoud, Afourer et Azizal.** Pour **Imilchil,** transiter par **El-Ksiba.**

En voiture

Beni-Mellal est un excellent point de départ pour explorer le versant nord du Haut Atlas par de petites routes tranquilles et superbes.
➢ Vers **Imilchil,** par **Taguelft, Naour** et **Tizi n'Isly** (retour sur **Midelt** ou **Er-Rachidia** par **Rich**).
➢ Vers **Aghbala** (plaque tournante du commerce des campagnes), par **El-Ksiba, Naour** et **Tizi n'Isly** (prolongement sur **Khénifra** par **El-Kebab**).

Comment s'orienter ?

Comme la plupart des villes marocaines, Beni-Mellal possède une ville nouvelle et une médina *(kasbah).* La ville nouvelle est traversée d'est en ouest par le boulevard Mohammed-V. Deux grands axes lui sont perpendiculaires : à l'est, l'avenue des FAR prend sur la droite à hauteur de la vieille ville et **descend jusqu'à la gare routière.** À l'ouest, l'avenue Hassan-II devient ensuite route de Fquih-ben-Salah.
La médina se situe à l'extrémité du boulevard Mohammed-V en direction de Kasbah-Tadla. Le soir, c'est dans la médina que la ville est la plus animée.

Adresses et info utiles

Beni-Mellal est dynamique. Un **grand centre commercial** au standard européen est implanté à l'entrée de la ville quand on vient de Marrakech. Toutes les **banques** possèdent un distributeur automatique, et, comme **la poste, les cybercafés et les pharmacies,** elles sont concentrées sur le boulevard Mohammed-V.

🛈 *Délégation régionale du tourisme :* 12, av. Hassan-II, immeuble Chichaoui. ☎ 023-48-78-29 ou 86-63. Fax : 023-48-87-27. Lun-ven 8h30-16h30.

■ *Clinique des Oliviers :* 21, av. Hassan-II. ☎ 023-48-36-29.
– *Souk :* le mar.

Où dormir ?

Les hôtels dans le quartier de la gare routière sont assez bruyants. À utiliser en dépannage. Préférer la médina ou l'extérieur de la ville.

De très bon marché à bon marché

🛏 *Hôtel Saada :* 129, rue Tarik-Ben-Ziad. ☎ 023-48-29-91. En venant du | centre par l'av. Mohammed-V, prendre juste avt le snack Ben Souda l'av.

Ahmed-el-Hansali, puis à gauche tte, c'est derrière le salon de thé. *Double env 80 Dh (7,30 €) ; douches publiques (payantes) au pied de l'hôtel.* Les chambres sont simples et à peu près bien tenues. Accueil aimable.

🛏 *Hôtel El-Fath : 15, pl. de la liberté.* 🖳 066-07-27-17. *Sous les arcades de la place centrale du souk. Double 60 Dh (5,50 €), douche payante.* Au cœur de l'animation nocturne. Les chambres sont ultra-spartiates et la tenue générale médiocre. Pas cher, pour routards avertis. Accueil souriant.

🛏 Hôtel Tasmmet : *bd Ahmed-el-Hansali.* ☎ et fax : 023-42-13-13. *Doubles 80-150 Dh (7,30-13,60 €) avec ou sans douche et w.-c.* Chambres modestes, dans un ensemble un peu vétuste. Petite odeur de renfermé en prime. Bon accueil quand même.

🛏 *Hôtel Charaf :* en face de la gare routière (angle bd des FAR et av. du 20-Août). ☎ 023-48-12-21. *Doubles 100-150 Dh (9,90-13,60 €) avec ou sans douche.* Chambres simples. Accueil nonchalant.

Prix moyens

🛏 *Hôtel de Paris : rue Ibn-Sina, nouvelle médina.* ☎ 023-48-22-45. *Vers la sortie de la ville en direction de Kasbah-Tadla, non loin du garage Citroën. Double 230 Dh (20,90 €), sans petit déj.* Une adresse qui a le mérite d'être au calme et bien tenue. Les chambres sont correctes, tout de même un peu tristounes. Accueil à l'image du lieu.

🛏 *Hôtel Aïn Asserdoun 2 : bd Mohammed-V, au niveau de la médina (en face de la station Mobil).* ☎ 023-48-33-61. *Double 200 Dh (18,20 €) avec douche, AC et w.-c.* Aux abords d'une rue passante, en plus de compter les moutons, on est bercé par le ronronnement des voitures, paraît que ça aide à s'endormir ! Accueil grise mine.

De chic à très chic

🛏 🍽 *Hôtel Al-Bassatine :* à la sortie de la ville, sur la route de Fqih-ben-Salah (ou de Casa). ☎ 023-48-22-47. *Fax : 023-48-68-06. Double env 470 Dh (42,70 €), petit déj inclus. Menu 140 Dh (12,70 €). CB acceptées.* Établissement aménagé en rez-de-chaussée. Entretien inégal. Préférer l'ancienne aile qui donne sur la piscine. Beaucoup de groupes. Accueil moyen.

🛏 🍽 *Hôtel Chems :* à la sortie de la ville sur la route de Marrakech. ☎ 023-48-34-60. ● chems-hotel.com ● *Double 850 Dh (77,30 €), petit déj inclus. Repas env 150 Dh (13,60 €).* Chambres tout confort. Piscine dans un beau jardin soigné. Court de tennis en terre battue. Un établissement sans surprise. Accueil moyen.

Où dormir dans les environs ?

À Afourèr

Pour info, les tubes descendant à flanc de montagne servent à alimenter en eau la centrale électrique.

🛏 🍽 *Hôtel Tazarkount :* à la sortie de la ville d'Afourèr en direction de Beni-Mellal. ☎ 023-44-01-01 ou 02-01. ● ta zarkount.com ● ♿ *Double 1 050 Dh (95,50 €), petit déj inclus. Menu 170 Dh (15,50 €).* Structure touristique au cœur d'une oliveraie. Belle piscine dans un jardin fleuri de jasmins. Chambres spacieuses et tout confort (dont quatre aménagées pour les personnes handicapées). Centre de remise en forme. Bonne étape en période de grosses chaleurs.

AU SUD-OUEST D'AZROU

Où manger ?

Le soir, cantines ambulantes aux abords du souk. Grillades, escargots, fruits...

|●| **Snack Bensouda :** *bd Mohammed-V, à la sortie de la ville, aux abords de la médina, à côté de la station* CMH. Un endroit propre et sympathique. C'est pas de la grande cuisine, mais les portions sont copieuses et les prix raisonnables. Fréquenté par les familles et par les étudiants.

|●| **Sydney Snack :** *bd Hassan-II, à deux pas du croisement avec le bd Mohammed-V.* Bon et pas cher. Brochettes et burgers. Terrasse sous des arcades. Accueil avenant.

|●| **Restaurant de l'hôtel de Paris :** *rue Ibn-Sina, Nouvelle Médina. Vers la sortie de la ville en direction de Kasbah-Tadla, non loin du garage Citroën. Repas env 120 Dh (10,90 €).* Bonne cuisine, soit en buffet servi dans la salle principale (beaucoup de groupes), soit dans une autre salle, agrémentée d'une fontaine. Spécialités de poisson.

Où manger une glace ? Où boire un jus ?

Ⓣ♈ **Galaxy :** *355, av. Mohammed-V. Au niveau du croisement avec l'av. Hassan-II.* Salle fraîche et terrasse ombragée dans le fond. Idéal pour boire un expresso et manger une glace au calme.

Ⓣ **Cafés** de la place Massira... pour se dorer au soleil !

À voir. À faire

🗡 **Aïn Asserdoun** (« *la source du Mulet* » en berbère) : *au-dessus de Beni-Mellal, à 3,5 km du centre. Prendre un petit taxi à l'aller et redescendre à pied. On peut aussi s'y rendre en bus. Demander « la source ».* Jaillissant au pied du *djebel Tassemite* (2 248 m), elle alimente une partie de la ville en eau potable. Un jardin public a été aménagé. De là, une petite route en lacet de 1 km monte au *borj* de **Râs-el-Aïn**, d'où l'on a une magnifique vue sur toute la plaine du Tadla. Champs d'oliviers et vergers se succèdent jusqu'à l'horizon.

🗡 **La kasbah :** *elle a été construite lors du règne de moulay Ismaïl, à la fin du XVIIᵉ s.* Depuis, elle a été restaurée de nombreuses fois. Non loin de la place du Marché, on trouve des échoppes très colorées et accueillantes. Quelques herboristeries traditionnelles derrière l'hôtel *Aïn Asserdoun 2* (rien à voir avec les pièges à touristes de Marrakech). Souk intéressant le mardi et le dimanche soir. On peut y acheter de grandes couvertures berbères aux teintes vives *(henbel)*.

➤ DANS LES ENVIRONS DE BENI-MELLAL

🗡🗡 **Les gorges de Taghzirte :** *sortir de Beni-Mellal par la route 1674 ; Taghzirte se trouve à env 12 km au nord-est de la ville.* Du village, une boucle de 5h (à pied) permet de gagner le hameau d'Aqqa n'Ahanesal, puis de revenir par la vallée de l'oued Derna. Forêts de chênes verts peuplées de singes, nombreuses grottes et abris sous roches. Trouver un guide sur place dans le village.

🗡 **Le souk Sebt des Ouled Nemâa :** *suivre la direction de Marrakech et, à 20 km env, bifurquer à droite ; les panneaux indiquent « Souk Sebt ». Service régulier de bus.* Si vous êtes à Beni-Mellal un samedi, ne manquez pas ce souk important et très intéressant.

KASBA-TADLA

Cette petite ville de province tire son revenu de la récolte de blé. Les rues du centre-ville, bordées de maisons jaunes et plantées d'élégants palmiers, confèrent à cette bourgade un charme typiquement nord-africain. Comme toutes les villes ancien-nes, Kasba-Tadla possède sa médina. Vous serez très certainement les seuls et uniques touristes à la visiter.

Où dormir ? Où manger ?

ⓘ *Hôtel des Alliés :* av. Mohammed-V *(en plein centre).* ☎ 023-41-85-87. *Pensez à arriver tôt car c'est souvent complet le soir venu. Double 60 Dh (5,50 €). Douche et w-c sur le palier.* Un hôtel pour petit budget, réservé à ceux qui privilégient l'exotisme à la propreté (mais on a vu pire !). Sols carrelés noir et blanc, bar à l'atmosphère désuète et murs couleur nicotine. Un voyage dans les années 1950.

ⓘⓞⓘ Plusieurs *gargotes et terrasses* ensoleillées pour se restaurer dans le centre-ville à deux pas de l'hôtel.

EL-KSIBA

El-Ksiba est un excellent point de départ pour les randonneurs (à pied, à dos de mulet ou en 4x4). Il n'y a pas grand-chose à voir en ville, mais la région regorge de curiosités naturelles. C'est le paradis des spéléologues, la région offrant plusieurs grottes et avens encore en cours d'exploration.

Où dormir ? Où manger dans les environs ?

ⓘ ⓞⓘ *Gîte chez Mustapha Lan-nouch :* village d'Imhiwach. ☎ 023-51-52-77. ⓙ 062-24-05-55. *Sur la route d'Aghbala, rejoindre la piste qui passe devant l'*Auberge des Artistes, *rouler sur 2,5 km, puis bifurquer à gauche vers une petite piste qui descend sur 100 m (suivre les fils électriques jusqu'à la maison ocre en bas du chemin). Accessible aux véhicules de tourisme. ½ pens 150 Dh* (13,60 €)/pers. *Sanitaires communs.* Lové dans une oliveraie en contrebas du petit village d'Imhiwach, cet établisse-ment est un véritable havre de paix. Géré par un jeune couple originaire du bled, le gîte est propre et d'un bon rap-port qualité-prix. Sur le toit terrasse, de petites chambres dominent la vallée. Pain maison et lait issu des vaches du patron. Accueil familial et chaleureux.

À voir. À faire dans la région

🎋 *Le souk d'Aghbala :* le mer. Un souk très animé et un grand plongeon dans la Berbérie. Vers Aghbala convergent tous les paysans de la région, cultivateurs ou éleveurs. On y trouve un bric-à-brac incroyable.

🎋🎋 La région d'Aghbala, accessible en voiture de tourisme, est absolument superbe et totalement inexploitée d'un point de vue touristique. On y trouve, entre autres, les fameux greniers suspendus de *Tiwina-n-Aoujgal,* auxquels on accède par une vire (chemin très étroit à flanc de montagne) surplombant le vide de plus de 400 m (impressionnant !). Prendre la R317 (route El-Ksiba – Tizi n'Isly), puis la P3218 jusqu'à la maison forestière de Boutferda. C'est là qu'on découvre les *gorges de l'oued El-Attaach,* superbes. Les forêts de la région offrent de multiples possibilités de randonnées aux amateurs de pleine nature. Le Maroc dans toute sa majesté.

🔫 *Les cascades de Tit in Ziza :* une randonnée pédestre à effectuer au départ d'El-Ksiba ou d'Imhiwach. Elle permet de découvrir la flore de la région. Pour s'y rendre, voir plus haut les explications données pour le gîte de Mustapha Lannouch. Attention, les paysans du coin détournent quelquefois la cascade pour irriguer leurs cultures. Il faut s'attendre à la trouver à sec. Le parcours pour y accéder n'en demeure pas moins intéressant.

🔫 *Ifri n'Majghoul* (la grotte de la Hyène) : compter 2 j. à partir d'El-Ksiba pour l'aller-retour à pied. La grotte se divise en deux galeries. Fragments de poteries et ossements attestent de son occupation par l'homme depuis des temps immémoriaux. Ne pas y aller seul, se renseigner au gîte de Mustapha Lannouch (voir plus haut).

🔫🔫🔫 *Randonnée vers Imilchil* en 6 j. en passant par les gorges d'Anine. L'occasion de voir des souks de montagne et de se détendre dans les hammams de campagne (Tizi n'Isly). Une balade à ne pas manquer. Retour au point de départ en grand taxi.

ZAOUÏA-ECH-CHEIKH

Le Maroc comme on l'aime quand on fait la route : des gens accueillants et des prix corrects. La ville abritait jadis une des *zaouïas* les plus influentes du royaume.

Où dormir ? Où manger ?

Zaouïa-ech-Cheikh est réputée dans tout le Maroc pour la qualité de ses grillades. On peut également y loger. Il est cependant inutile d'y chercher une boîte de nuit...

🏠 *Hôtel Imilchil :* à l'entrée de la ville à droite en venant de Beni-Mellal ; c'est fléché. ☎ 023-51-91-11. Doubles 80-250 Dh (7,30-22,70 €) selon confort. Propreté exemplaire quelle que soit la chambre. Quartier résidentiel, calme. Parking gardé. Bon accueil.

🏠 *Hôtel-restaurant Assarag :* RN8, en face de la mosquée, dans le centre-ville. ☎ 023-41-91-44. Double 100 Dh (9,10 €). Sanitaires sur le palier. En dépannage.

🍴 *3 Restos-Grilleurs :* côte à côte sur la RN8, dans le centre-ville, en face de la mosquée. Plats env 35 Dh (3,20 €). Grillades excellentes. Un faux air de routier. Bonne ambiance.

AZILAL

28 000 hab.

Située à 1 360 m d'altitude, Azilal est un point de départ vers des contrées plus isolées. C'est la région de prédilection des randonneurs, à pied et à skis, des grimpeurs et de tous ceux qui aiment la montagne. Toutefois, depuis que la route goudronnée a désenclavé la vallée des Aït-Bougmez, séjourner à Azilal présente moins d'intérêt.
– *Souk :* le jeu.

Arriver – Quitter

En bus

🚌 *Gare routière :* derrière la mosquée, dans le centre-ville.
➤ *Marrakech :* 3 bus/j. Trajet : env 4h30.
➤ *Beni-Mellal :* 5 bus/j. Trajet : env 3h.

➢ **Demnate :** 3 bus/j. Trajet : env 2h.
➢ **Casablanca :** 3 bus/j. Trajet : env 7h30.

En grand taxi

🚕 *Les grands taxis sont stationnés à côté de la mosquée du centre-ville.* Ils assurent des liaisons avec : **Ouzoud, la vallée de Aït-Bougmez (Tabant), Beni-Mellal** et **Demnate.**

En voiture

➢ Pour la vallée des Aït-Bougmez, compter 2h pour faire les 70 km qui séparent Azilal de la vallée (route goudronnée). Et 2h30 en prenant son temps, car les paysages sont splendides. Faire impérativement le plein avant de partir. Pas de station-service sur place.

Adresse et infos utiles

Azilal est une ville étudiante. On y trouve plusieurs cybercafés, des librairies. Distributeur de billets à la *Banque Populaire*. Quelques pharmacies.

🅸 **Délégation provinciale du tourisme :** *av. Mohammed-V.* ☎ 023-45-87-22. ● *dtazilal@menara.ma* ● *Discrète entrée à droite d'une fresque en couleurs. Lun-jeu 8h30-16h30. Bonnes* infos générales. Habilitée à recommander des guides de montagne. Bon accueil.
■ **Centre de météorologie :** ☎ 023-45-82-36.

Où dormir ? Où manger ?

🛏 **Hôtel Dadès :** *av. Hassan-II, à l'entrée de la ville, à droite en venant de Demnate.* ☎ 023-45-82-45. *Double env 80 Dh (7,30 €) ; petit déj en sus. Sanitaires communs.* Une adresse routarde à la déco colorée. Chambres à l'entretien et au confort très inégaux. Cuisine sur commande. Accueil agréable.

🛏 |●| **Hôtel-restaurant Tanout :** *à la sortie de la ville, route de Beni-Mellal, à côté de la station Shell.* ☎ 023-45-93-23. *Double 180 Dh (16,40 €) ; petit déj en sus.* Chambres simples avec douche et w.-c. Vérifier la robinetterie, le goutte-à-goutte des robinets peut être foncièrement agaçant pendant la nuit. Bon accueil.

🛏 **Hôtel Assoufou :** *bd Hassan-II.* ☎ 023-45-85-82. *Double 220 Dh (20 €), avec petit déj.* Établissement sans caractère mais propre et climatisé. Plomberie parfois défaillante. Bon accueil néanmoins.

|●| **Ibnou Ziad :** *bd Hassan-II, non loin de la mosquée.* Grillades pas chères le midi.

➢ DANS LES ENVIRONS D'AZILAL

🎣 **Le barrage et le lac de Bin-el-Ouidane :** *à une trentaine de km au nord d'Azilal en direction de Beni-Mellal.* Paysage étonnant. La couleur de l'eau de ce lac de retenue de 3 735 ha sort tout droit d'une carte postale. Ce barrage ambitieux, le plus grand du Maroc, achevé en 1955, a permis de développer considérablement les cultures dans la région. Il fournit aussi en énergie une grande partie du centre du Maroc.

LA VALLÉE DES AÏT-BOUGMEZ

Aït-Bougmez... son nom se murmure de bouche à oreille. On la surnomme « la Vallée heureuse ». Lovée à près de 2 000 m, au pied de l'ighil M'goun, deuxième sommet du Maroc (4 071 m), cette vallée, longue d'une trentaine de kilomètres, fut longtemps enclavée. Les paysages y sont magnifiques, les habitants accueillants. Elle a tout pour plaire. Les villages aux toits de terre, étagés sur les versants, dominent les cultures et forment un contraste saisissant. L'agriculture y rythme encore la vie quotidienne. Greniers fortifiés parmi les plus remarquables de l'Atlas.

Longtemps réservée au seul tourisme de randonnée, la vallée s'ouvre aujourd'hui au plus grand nombre. Ici, pas encore de bazars, de chasse-touristes et leur flot d'embrouilles. Les amateurs de pleine nature y trouveront un théâtre d'activités riche et varié. Les dilettantes apprécieront la sérénité des lieux et le contact avec les habitants. La Berbérie dans toute sa majesté.

Pratiquement tous les gîtes et auberges proposent des randonnées et excursions. Exigez la carte officielle du guide qui vous accompagne. C'est dans la vallée, à Tabant, que sont formés tous les accompagnateurs de montagne du royaume.

Arriver – Quitter

En grand taxi

➤ *Départ dans les environs de la grande mosquée d'Azilal.* Liaison entre Azilal et *Tabant,* chef-lieu de la vallée.

En voiture

➤ D'Azilal, compter env 2h de trajet sur une magnifique route goudronnée. Faire impérativement le plein avant de partir. Pas de station-service sur place.

Circuler dans la vallée

➤ Un grand taxi fait la navette dans la vallée, de Tabant à Agouti. Il suffit de l'arrêter sur la route. De Tabant, départ au niveau du dépôt de médicaments.

TABANT

Petit village niché au fond de la vallée. Au bout de la route goudronnée, prendre la piste à droite pendant 500 m.
– *Souk :* le dim. À ne pas manquer.

Adresses utiles

✉ *Poste :* à l'entrée du village. Guichet Western Union *en cas de pépin.*
■ *Dépôt de médicaments :* un peu après la poste, sur la droite. Fermé sam.

■ *Quelques échoppes :* pour se ravitailler en produits de première nécessité : conserves, fruits et légumes. De quoi préparer un pique-nique ou une balade.

Où manger ?

I●I *Le Carrefour des Randonneurs :* en contrebas à droite, derrière le dépôt de médicaments ; ne pas confondre avec celui dans l'escalier. Petite terrasse ombragée pour grignoter à bon prix. Carte restreinte : omelette, thé à la menthe et jus d'orange. Cadre bucolique et accueil sympa.

I●I *Le Café des Amis :* sur la droite, dans la rue principale. Env 40 Dh (3,60 €) pour un repas. Pensez à réserver votre tajine une ½ journée à l'avance. Salle très simple. L'accueil, un peu bourru, se déride rapidement.

LE RESTE DE LA VALLÉE

Où dormir ? Où manger dans la vallée ?

En matière d'hébergement, c'est deux poids, deux mesures. D'un côté, des gîtes, bon marché, rudimentaires mais confortables. De l'autre, des auberges nettement plus chic.

Gîtes

🏠 *Gîte d'étape GTAM (Grande Traversée des Atlas marocains) chez Mohamed Boukhayou :* dans le village de Taselnant (après Agouti en allant vers Tabant). 070-41-25-54. Ouv tte l'année. ½ pens 120-150 Dh (10,90-13,60 €)/pers selon confort. Préférez les chambres à l'étage avec douche et w-c. Gîte agréable et très propre. Repas bon et copieux. Petit déj sur la terrasse, un vrai bonheur. Les propriétaires sont montagnards de père en fils et seront du meilleur conseil pour vous aider à organiser des randos. Accueil disponible.

🏠 I●I *Gîte d'étape chez Brahim Jellou :* à la sortie d'Agouti, à droite dans un virage. 061-60-11-92. Compter 120 Dh (10,90 €)/pers en ½ pens. Douche payante. Préférez les dortoirs du 1er étage. Belle terrasse face à la montagne, idéal pour observer les étoiles la nuit. Jardin planté de noyers centenaires. Le gîte est propre et l'accueil chaleureux. Au resto, bons tajines.

🏠 *La Maison Imazighen :* à Timit, entre Tabant et Agouti, au pied du grenier-sanctuaire de Sidi Moussa. 073-26-04-38. ½ pens 80 Dh (7,30 €)/pers. Douche payante. Une des adresses les moins chères de la vallée. Aménagé de bric et de broc, pas toujours très propre, l'ensemble est néanmoins chaleureux et convivial. Pour routards avertis.

🏠 *Gîte d'étape Chez Mohamed Ben Ali :* sur la droite dans le village d'Agouti. ☎ 023-45-87-26. 061-21-10-93. Nuitée env 80 Dh (7,30 €)/pers, avec petit déj. Chambres avec lavabo, douche et w-c communs.

Auberges

🏠 I●I *Auberge Flilou (le coquelicot) :* c'est la 1re auberge en entrant dans la vallée des Aït-Bougmez par le village d'Agouti. ☎ 024-34-37-98. 072-70-99-57. Ouv tte l'année. Gîte 50 Dh (4,50 €)/pers ; chambre 120-150 Dh (10,90-13,60 €)/pers, avec ou sans douche. Petit déj en sus. Repas env 50 Dh (4,50 €). Auberge à la tenue impeccable. Nourriture correcte. Chambres chauffées très confortables. Le patron sera de bon conseil pour vous aider à organiser une balade. Accueil un peu froid néanmoins.

🏠 I●I *Ecolodge Dar Itrane :* dans le village d'Imelghas. ☎ 023-45-93-12. 010-08-69-30. Résas depuis la France : ☎ 04-72-53-72-19. ● dar-itrane.com ● À la fin du goudron, tt droit par la piste sur 600 m vers le village d'Imelghas, puis à gauche sur 200 m (ça passe sans problème en voiture de tourisme).

Résa fortement conseillée. ½ pens 350-550 Dh (32-50 €)/pers selon confort et saison. Pension complète possible. Belle demeure berbère à l'architecture remarquable. Construite avec les pierres de la montagne et des briques géantes (appelées *tabout*) qui sont un agglomérat de terre et de cailloux. Une adresse coquette. Chambres fraîches et agréables, salles de bains en *tadelakt.*

On apprécie de se retrouver pour palabrer autour de la cheminée du salon après avoir goûté au plaisir d'un hammam (payant). Magnifiques terrasses dominant les cultures de la vallée. Pour les balades demandez les *road book,* des itinéraires très bien faits. Une adresse de charme et de caractère. Cher cependant.

À voir à partir de la vallée

🏃🏃 **Les gorges d'Ikkis :** *par la vallée d'Arrous. Compter 10h de marche aller-retour.* Suivre le chemin qui passe en bas de l'auberge *Dar Itrane.* Après avoir traversé une quinzaine de villages on découvre un lac asséché. Renseignez-vous avant de partir, il existe des gîtes sur place.

🏃🏃 **Les greniers fortifiés (Tighremt) d'Agar n'Ouzrou :** *à partir de Tabant. Compter une bonne demi-journée pour l'aller-retour.*

🏃 **Les empreintes de dinosaures :** *dans le village d'Ibakalloune. C'est le village après Tabant, à l'est.* Les traces sont grandes comme un petit plat à couscous, et on peut les suivre sur une vingtaine de mètres. C'est le Hollywood Boulevard des spinausaures et des diplodocus.

🏃🏃 **La vallée des Aït-Bouelli :** *à partir d'Agouti, compter 4 j. de marche aller-retour.* Les traditions y sont encore très vives. La vallée est plus escarpée que celle des Aït Bougmez, à tel point que les cultures y sont en escaliers. Gravures rupestres au col de Tizi n'Tighrist.

🏃🏃 **Rando pour Imilchil :** *10 j. de marche. Rens dans les gîtes et auberges.* Alternance de crêtes et de vallées, une rando de toute beauté.

🏃🏃 **La cathédrale :** *à 6 j. de marche aller-retour. À env 80 km d'Agouti.* Parmi les pins d'Alep et les essences méditerranéennes. *Amesfrane* (la cathédrale) est un bloc de conglomérat qui s'élève, abrupt, à plus de 600 m au-dessus des eaux turquoise de l'oued Ahanesal.

LES CASCADES D'OUZOUD

Situées à 38 km à l'ouest d'Azilal ou à 150 km au nord-est de Marrakech. Ces étonnantes chutes d'eau de 110 m de hauteur, classées parmi les plus beaux sites du Maroc, constituent l'une des attractions naturelles les plus remarquables de l'Atlas marocain. Ouzoud est un site à visiter l'après-midi de préférence, le must étant de dormir sur place afin de profiter de la beauté du site après le départ des groupes. Plus de monde le week-end. Inutile de prendre un guide pour effectuer le chemin des cascades, il n'aura qu'une idée en tête : vous conduire chez un bazariste !
– *Petit souk de campagne le mar.*

Arriver – Quitter

En bus

Pas de bus direct, il faut transiter par Azilal.

En grand taxi

Grands taxis depuis Azilal et Beni-Mellal.

En voiture

➤ *D'Azilal :* prendre la R304 en direction de Marrakech sur 22 km, puis tourner à droite. Il reste 16 km.

➤ *De Beni-Mellal :* suivre la route N8 direction Marrakech pendant 45 km et la quitter sur la gauche pour Khemis-des-Oulad-Ayad. On passe 25 km plus loin à Aït-Attab, puis la route grimpe avec les magnifiques gorges de l'oued El-Abid en contrebas à droite.

Où dormir ?

Les meilleures adresses se situent au pied de la cascade. Un peu spartiates, elles bénéficient d'un décor naturel de rêve. On vous affirmera parfois que c'est fermé... Continuez votre route, compter 10 mn de marche. Pour y accéder, prendre le chemin des bazars jusqu'en bas. Une fois à la cascade, traverser le pont (attention où vous mettez les pieds, il est un peu pourri, mais lui non plus n'est pas fermé contrairement à ce que vous annonceront certains) ou emprunter une barque (prix modique), puis continuer sur le sentier escarpé. Nos adresses sont à environ 400 m.

Bon marché

⚔ 🏠 *Camping Imouzzer :* en bas, près des chutes d'eau. ☎ 071-97-31-96. Sous tente berbère 80 Dh (7,30 €)/pers. Pour un matelas en terrasse : 35 Dh (3,20 €). Repas env 120 Dh (10,90 €). Hébergement spartiate et charmant. Vue sur les cascades. Le soir éclairage à la bougie. Un petit bout de paradis pour qui n'est pas trop regardant sur le confort. Ambiance et cuisine familiales.

⚔ 🏠 *Le Panard :* à 100 m du camping Imouzzer. ☎ 068-61-56-97. Double en dur 120 Dh (10,90 €). Sous tente berbère 80 Dh (7,30 €)/pers. Matelas à la belle étoile 20 Dh (1,80 €). Repas env 80 Dh (7,30 €). Ensemble rudimentaire, avec le ciel pour toiture et les oliviers pour ombrage. La belle vie, quoi ! Douche et w-c propres. À deux pas, un torrent pour faire trempette. Accueil souriant et chaleureux.

Prix moyens

🏠 |●| *Hôtel Chellal Ouzoud* (hôtel des Cascades) : s'engouffrer sur le chemin des bazaristes (en direction des cascades), c'est à 200 m sur la gauche. ☎ 023-42-91-80. Fax : 023-45-96-60. Double 190 Dh (17,30 €) ; petit déj en sus. Repas env 70 Dh (6,40 €). Chambres très simples sans douche ni w-c et literie un peu défoncée. Préférez celles du deuxième étage, car plus éloignées du bruit de la salle à manger. Hormis une petite défaillance côté sanitaires,

l'ensemble est correct. Accueil sympa.

🏠 *Hôtel de France :* prendre la piste à l'opposé du chemin de la cascade (env 700 m). ☎ 023-42-91-76. Doubles 150-350 Dh (13,60-31,80 €) avec ou sans sdb et clim'. Propre mais sans charme. Plomberie un peu défaillante. Attention, certaines chambres ont des fenêtres qui donnent sur... le couloir. Piscine aux beaux jours et animations autour, jusque tard dans la soirée. Accueil courtois.

Très chic

🏠 |●| *Riad Cascades d'Ouzoud :* à deux pas du parking principal. ☎ 023- 42-91-73. 🖥 062-14-38-04. ● ouzoud. com ● Résa indispensable. Doubles

710-810 Dh (64,50-73,60 €). *Repas env 130 Dh (11,80 €).* Préférez nettement les chambres du dernier étage donnant directement sur la belle terrasse avec vue, dignes d'un magazine de déco. Sobriété et harmonie des couleurs. Bonne cuisine. Accueil courtois et disponible.

Où manger ? Où boire un thé ?

Un nombre incalculable de gargotes s'alignent tout au long du chemin qui descend aux chutes. Les plus sympas sont installées en bas, au niveau des cascades.

Bon marché (moins de 80 Dh / 7,30 €)

I●I *Le Havre de Paix* : ☎ 070-40-22-57. *Pas évident à trouver. Une fois en bas des cascades, traverser le pont, suivre le sentier. Puis au niveau du camping Imouzzer, s'engager dans l'oliveraie jusqu'au bord de l'oued ; longer la rive dans le sens du courant ; l'endroit est situé sur la rive gauche de la rivière. On peut aussi dormir sur place :* 60 Dh (5,50 €) *pour 2 pers la loc d'une tente avec matelas et couverture. On se trouve au bord d'un bassin profond, tranquille et propre. Les patrons, dont un* rasta, *veillent à la propreté du site. Un petit air de Jamaïque et de tranquil-*lité. Baignade possible.

I●I *Le Relais de Titrite* : *sur le parking.* Deux tables en terrasse ou petite salle au frais, derrière. Idéal en famille. Accueil courtois, mais cuisine moyenne.

I●I *Restaurant de l'hôtel Chellal Ouzoud* : *cuisine correcte dans une ambiance baba cool comme on les aime.*

Ⴛ *Snack La Rivière des Cascades* : *à 50 m du* Riad Cascades d'Ouzoud, *accès par le chemin en contrebas.* Panorama fabuleux du sommet de la chute d'eau. Thé ou jus d'orange.

Prix moyens (moins de 150 Dh / 13,60 €)

I●I *Restaurant du Riad Cascades d'Ouzoud* : *voir « Où dormir ? ». On* déjeune dans le patio ou en terrasse. Bonne cuisine.

À voir. À faire

Ouzoud est une bonne base pour découvrir la région. La géographie s'y prête à merveille : une végétation luxuriante aux abords des points d'eau, une flore désertique sur les plateaux, des reliefs escarpés, des canyons, des vasques turquoise pour se baigner, et de pittoresques villages berbères.

ⴲⴲⴲ ⵝⵝⵝ *Les cascades* : *pour accéder aux cascades, suivre jusqu'en bas le chemin des bazaristes (à gauche du parking).* Attention, ne rien donner aux singes magots croisés en route : notre goûter n'est pas vraiment adapté à leur régime alimentaire. Le site est tout simplement fabuleux. L'oued Ouzoud s'élance à plus de 100 m de haut, pour finir sa course dans un gouffre luxuriant de végétation. Bien évidemment, il est très fréquenté aux beaux jours, surtout le week-end, par les Marocains qui viennent ici en famille ou entre amis. L'ambiance est festive, c'est un éclatement de joie et de couleurs, on chante, on danse. De nombreux passeurs effectuent des allers-retours au ras des chutes d'eau dans des nuages de bruine, à bord de barques multicolores. Clameurs des passagers garanties. La baignade est interdite, ah oui ! Des concours improvisés de plongeons sont organisés du pont (attention quasi pas de fond). C'est une cascade comme on les imagine un peu en rêve, mais vous l'aurez compris, ce rêve est bien peuplé. Alors pour profiter au mieux du site, venez plutôt en semaine, c'est beaucoup plus serein !

🏃🏃 *Piquer une tête :* en aval des cascades, les vasques sont plus belles et surtout moins fréquentées. Un bon plan : aller au *Havre de Paix* (voir, plus haut, « Où manger ? »).

🏃 *Le Moulin des Cascades :* à deux pas du snack La Rivière des Cascades. *Voir « Où manger ? Où boire un thé ? ».* Sur le bord des chutes d'eau, un vieux moulin toujours en activité. La meule est actionnée par la force motrice de l'eau. Le minotier se fera un plaisir, contre quelques dirhams, de déclencher l'astucieux mécanisme.

➤ DANS LES ENVIRONS DES CASCADES D'OUZOUD

Pour les randonnées, se renseigner auprès du *Riad des Cascades d'Ouzoud.*

🏃🏃 *Le village de Tanagmelt :* compter 3h l'aller-retour à pied. Très bel itinéraire. Le village possède une mosquée du IXe s ainsi qu'un hammam de campagne. Son architecture en pisé et l'atmosphère qui s'en dégage valent à Tanagmelt l'appellation de « village mexicain ».

🏃🏃 *Les grottes de Jamaa Qaraouiyyîne :* compter 3h l'aller-retour à pied. On longe l'oued jusqu'à son confluent avec l'oued El-Abid. Le retour se fait par la forêt des oliviers. De belles possibilités de baignade. Beaucoup de singes magots.

🏃 *Les gorges de l'oued El-Abid :* l'oued El-Abid serpente au fond des gorges dont les parois font plus de 400 m de hauteur. À pied, même itinéraire que celui des grottes. En voiture, prendre la route d'Aït-Attab, puis descendre dans l'oued au niveau du pont métallique.

🏃 *Les sources de l'oued Ouzoud :* du parking d'Ouzoud, prendre la route d'Azilal sur 2 km, puis une piste à gauche qui descend vers l'oued. Laisser la voiture et continuer à pied en remontant la rivière. Très beaux endroits de pique-nique.

DEMNATE   23 500 hab.

Ville rurale de l'Atlas, Demnate ne présente pas d'intérêt touristique. Sa région, en revanche, réserve de beaux parcours aux amateurs de randonnées. Séjourner en ville est donc inutile, mieux vaut pousser jusqu'au site naturel d'Imi n'Ifri, à partir duquel plusieurs excursions sont envisageables.
– *Souk :* le dim.

Arriver – Quitter

En grand taxi

🚕 *Les grands taxis sont parqués à l'entrée de la ville, au niveau de la porte.*
➤ Liaisons avec **Marrakech, Azilal, Beni-Mellal** et **Imi n'Ifri.**

En voiture

➤ *De Marrakech,* emprunter la N8 puis la R210 pour Demnate.
➤ *D'Azilal,* suivre la R304, puis bifurquer vers Demnate.

Où dormir ? Où manger en ville ?

🛏 *Café-Hôtel Ouzoud :* en face de la station Mobil, *200 m avt les portes d'entrée de la ville. Double env 100 Dh* (9,10 €). *Toilettes sur le palier.* Établissement le plus correct de la ville, mais en cas de nécessité seulement.

– Plusieurs autres petits hôtels, gargotes et rôtisseries dans le centre.

Où dormir ? Où manger dans les environs d'Imi n'Ifri ?

🛏 |○| *Gîte d'étape Kasbah Imi n'Ifri :* à 500 m après le pont naturel d'Imi n'Ifri en direction d'Aït-Tamlil. C'est indiqué. ☎ 023-50-64-73. *Lit en dortoir 60 Dh (5,40 €). Double 240 Dh (21,80 €) ; petit déj en sus.* Nous recommandons cet établissement pour son dortoir. Gîte au confort simple. Jardinet agréable avec citronniers et amandiers. Possibilité de repas. Quelques groupes.

🛏 |○| *Riad Aghbalou :* sur le pont, prendre à gauche et faire 500 m. ☎ 023-50-74-98. 📱 *06-09-66-42-00 (en France).* ● iminifri-riad.com ● *Fermé déc-fév. Doubles 250-450 Dh (22,70-40,90 €)* avec ou sans douche et w-c. Petit déj inclus. Les chambres premier prix sont intéressantes, nickel, comme les douches communes. En prime, belle terrasse avec vue sur la piscine. Jardin tranquille. Possibilité de prendre ses repas. Accueil gentil.

🛏 |○| *Café-restaurant d'Imi n'Ifri :* au niveau du pont. 📱 *066-95-49-91. Double 100 Dh (9,10 €). Menu env 70 Dh (6,40 €).* Le patron propose un hébergement chez lui dans un village voisin. Chambres et sanitaires simples. Accueil un peu triste.

➤ *DANS LES ENVIRONS DE DEMNATE*

La région d'Imi n'Ifri se prête à merveille à la randonnée pédestre. Parcourant les vallonnements rugueux phagocytés par les tapis d'euphorbes (une plante, mais vous le saviez déjà !), les sentiers escarpés offrent de superbes points de vue sur les vallées plantées d'oliviers que surplombent les villages de pierres. Un pays à parcourir en prenant son temps.

🥾 *Le pont naturel d'Imi n'Ifri :* qui signifie « entrée de la grotte » en berbère. À 6 km de Demnate sur la route d'Aït-Tamlil. Un chemin facile permet de descendre jusqu'au lit du ruisseau et d'admirer les concrétions et stalactites. Impressionnant.

🥾 *Les empreintes de dinosaures :* en continuant, sur 6 km, la route goudronnée qui part à gauche dès le pont d'Imi n'Ifri, on arrive sur le site d'Iwareden. Allez-y sans guide, les gamins vous arrêteront à temps !

🥾 *Le village des potiers de Boughrart :* à la sortie de Demnate sur la route d'Azilal, prendre à droite (indiqué à 2 km, mais en réalité il y a 3,5 km). Les gestes ancestraux des potiers perdurent ici. Sur des tours, leurs mains habiles font monter des plats à tajine, des tasses et des vases. Un spectacle fascinant de précision et de dextérité. Avant d'être cuite et vernissée la production sèche au soleil. Une visite pour les passionnés d'artisanat et de savoir-faire. Les ateliers proposent une production quasi identique.

MARRAKECH ET LES MONTAGNES DU HAUT ATLAS OCCIDENTAL

Attention, à partir de mars 2009, *Maroc Telecom* doit mettre en place une nouvelle numérotation téléphonique. Les numéros passeront ainsi à 10 chiffres (au lieu de 9 actuellement).

Voici les principaux changements prévus :

➢ **Pour tous les numéros fixes,** il faudra insérer « 5 » après le « 0 ». Exemple : 024-11-11-11 deviendra 05-24-11-11-11.

➢ **Pour les portables,** un « 6 » devra être placé après le « 0 ». Exemple : 068-11-11-11 deviendra 06-68-11-11-11.

➢ **Pour les numéros spéciaux,** se reporter en début de guide à la rubrique « Télephone et télécoms » dans « Maroc utile ».

On ne peut concevoir un séjour au Maroc sans visiter cette ville impériale surnommée « la Perle du Sud ».

Marrakech ne peut laisser indifférent, mais il faut savoir l'aborder et s'imprégner de son atmosphère.

Séjournez-y un peu. Alors cette ville impériale apparaît comme un joyau serti dans l'écrin naturel que forment autour d'elle les montagnes du Haut Atlas. À moins d'une heure de la capitale des Almoravides, lorsque les chaleurs de l'été rendent toute visite insupportable, il est possible de goûter aux joies de la montagne sur les pentes de l'Oukaïmeden et de profiter de la fraîcheur des vallées du Haut Atlas. (Voir plus loin le chapitre « Les montagnes du Haut Atlas ».)

MARRAKECH
1 250 000 hab.

Pour le plan d'ensemble de Marrakech et les plans « Médina », « Jemaa-el-Fna » et « Guéliz », se reporter au cahier couleur.

Des dizaines de cars déversant leurs flots quotidiens de touristes (et autant d'hôtels et de restos pour les caresser dans le sens du poil !), des échoppes vendant quelques babioles de piètre qualité ; des abords en pleine mutation avec la construction de dizaines d'hôtels ; la création d'une ville nouvelle sur la route de Safi, à 7 km de là... Autant d'aspects qui tendraient à faire de Marrakech une ville défigurée par le tourisme si l'on s'en tenait au premier regard. Mais, routards, ouvrez les yeux, car nombreux sont les charmes que dévoile cette cité fascinante !

UN PEU D'HISTOIRE

Marrakech, c'est d'abord, avec Fès, sa rivale fondée deux siècles et demi plus tôt, le cœur historique du Maroc. Marrakech (*Marrakush* en arabe), Marocco, le nom du pays vient de là. Son emplacement est idéal, puisqu'elle se trouve à égale distance de la côte atlantique et des premières dunes du Sahara, au pied des montagnes de l'Atlas qui lui fournissent

> ### ÇA NE DATTE PAS D'HIER
>
> *Selon la légende, l'origine de Marrakech est due à un homme bleu, du nom de Youssef ben Tachfine, qui avait planté sa tente ici pour un court séjour ; mais ce nomade mangea tant de dattes qu'il fit surgir une palmeraie autour de son campement. C'était en 1062 ou en 1070, selon les sources.*

son eau potable. Cette situation stratégique explique la domination de la ville pendant plusieurs siècles et son statut historique de capitale méridionale du Maghreb. Rappelons qu'elle était, du XIe au XIIIe s, la capitale berbère d'un empire qui englobait l'Espagne musulmane, d'abord sous les Almoravides (fin du XIe s, début du XIIe s), puis sous les Almohades. En s'emparant de la ville en 1147, ces derniers n'étaient pas loin, pour des raisons religieuses, de la détruire totalement afin d'éliminer toute trace des Almoravides, mauvais musulmans selon eux. Ils se sont contentés de raser les mosquées et les palais almoravides pour reconstruire, sur les ruines, des édifices comme la Koutoubia. Par la suite, Marrakech a connu des hauts et des bas : une brève renaissance au XVIe s avec les Saadiens qui l'ont érigée en capitale avant que les Alaouites (la dynastie régnante actuelle) ne l'abandonnent pour Meknès au XVIIe s. Devenue capitale secondaire au XVIIIe s, elle a retrouvé une nouvelle jeunesse au XXe s grâce au développement du tourisme.

LA PORTE DU HAUT ATLAS ET DU SUD

Marrakech, c'est aussi la porte du Sud marocain. Son ambiance, ses couleurs et son climat rappellent que le désert n'est pas loin. Une légende dit que, lorsqu'on a planté la Koutoubia au cœur de la ville, celle-ci a tellement saigné que tous les murs des maisons en ont gardé cette couleur rouge, omniprésente, qui constitue le fond du drapeau marocain. Malgré tout, la végétation y abonde ; en effet, les parcs publics, les jardins et les arbres fruitiers le long des grandes artères ont toujours été perçus par les Marocains comme autant de défis à l'aridité.

Marrakech, c'est enfin un ensemble architectural fascinant. La grand-place Jemaa-el-Fna (piétonne) et son agitation (de jour comme de nuit !) valent à elles seules le déplacement. Mais ce sont surtout ses souks colorés et bruyants que l'on vient arpenter ici, sans doute les plus riches, les plus divers, les plus fascinants que l'on connaisse. Mille petits métiers s'y côtoient dans une atmosphère étonnante. Et le tourisme, souvent décrié, a grandement favorisé la redécouverte d'un artisanat aujourd'hui florissant. L'architecture marrakchie, de plus en plus réhabilitée dans la médina, avec ses superbes mosquées et ses palais remarquables, offre au voyageur la griserie d'un envoûtement inoubliable.

Comment y aller ?

En avion

✈ **Aéroport** *(hors plan couleur d'ensemble par C6) : à 6 km au sud de Marrakech.* ☎ 024-36-85-12.

– Il existe 3 terminaux. Bureaux de change (ouvert en principe du premier au dernier vol), distributeurs de billets (souvent vide le w-e), centre de téléphone et tous les grands loueurs de voitures *(Hertz, Avis, Budget, Europcar...)*. Attention, en haute saison, le bureau de change et le distributeur peuvent être momentanément en rupture de stock !

➢ *Pour rejoindre le centre-ville :*
– *Une navette Alsa City* relie le centre-ville. Arrêts notamment au square Foucauld, près de la pl. Jemaa-el-Fna et le long de l'av. Mohammed-V. À la sortie de l'aéroport, dirigez-vous vers la droite. Vous tomberez alors sur l'arrêt en haut des marches. Ttes les 30 mn, 7h-minuit. Aller simple : 20 Dh (1,80 €), aller-retour : 30 Dh (2,70 €). Pour ceux qui n'ont pas pris le transfert via leur hébergement, c'est de loin la meilleure solution.
– *En taxi*, les tarifs depuis l'aéroport devraient être les suivants. Ils émanent directement de *La Wilaya* (préfecture ; ☎ 024-33-27-39 ou 42). De 1 à 4 pers : grands taxis à 50 Dh (4,50 €) vers le centre-ville, 100 Dh (9,10 €) vers la palmeraie (eh oui, elle se mérite !). Pour les petits taxis, c'est simple, il faut multiplier par 2 le prix final affiché au compteur. On vous rappelle que le compteur est obligatoire, il n'y a absolument rien à « négocier » !
Pour tous les taxis (petits et grands), les tarifs sont majorés de 50 % entre 20h et 6h du mat.
Éviter de tomber entre les mains d'un rabatteur qui prendra une commission.

Topographie des lieux

– *La médina :* la vieille ville, entourée de remparts. Cette enceinte à l'andalouse, qui avait une fonction défensive à l'origine, fut construite à l'époque des Almoravides (1re moitié du XIIe s) pour contenir les assauts des Almohades. Restaurée en grande partie, elle symbolise Marrakech. Elle est classée dans son ensemble au patrimoine mondial de l'UNESCO. Au centre bat son cœur ; la place Jemaa-el-Fna. Les souks bordent la partie nord de cette place. Tous les pôles d'intérêt d'ordre historique ou culturel se trouvent répartis en son sein ou à proximité.
– *Guéliz :* la « nouvelle » ville. Hors des remparts et créée sous le protectorat, elle s'étend autour d'un axe principal : l'av. Mohammed-V, longue de plusieurs kilomètres et qui relie la Koutoubia au djebel Guéliz, une petite montagne sèche. C'est là que se trouvent regroupés les grands hôtels, les loueurs de voitures, les commerces et les grands cafés.
– *Quartier de l'Agdal :* rattaché encore à Guéliz, il s'ordonne autour du bd Mohammed-VI, une artère de plus de 8 km de long (on l'aperçoit très bien quand on arrive de nuit en avion). À terme, et au regard des projets hôteliers colossaux qui sont en construction, bon nombre de vacanciers vont se retrouver dans cette partie de la ville.
– Citons également l'*Hivernage* : un petit quartier également rattaché à Guéliz. Un secteur au calme, particulièrement résidentiel, bordé de belles demeures.
– Enfin, la *palmeraie* : à l'exact opposé de l'Hivernage (nord-est, donc), sorte d'Hollywood marrakchi aux magnifiques villas avec piscine.

Attention, arnaques

– « Bonjour, vous êtes français ? Voulez-vous participer à un jeu gratuit ? » C'est ainsi que vous aborderont des jeunes gens bien propres sur eux, qui « cruisent » en voiture dans tout Guéliz et vous proposeront des cartes à gratter où l'on gagne curieusement très souvent. Et quoi ? Une semaine prétendument gratuite dans un hôtel de luxe, moyennant l'achat d'une chambre en multipropriété *(time sharing)*. Si vous ne refusez pas, alors bienvenue au royaume de l'arnaque ! Et surtout ne laissez pas votre adresse, car vous seriez alors harcelé de courriers. Suite aux très nombreuses plaintes de touristes et dans l'attente d'une prochaine loi encadrant ce type d'activité, le ministère du Tourisme a demandé aux différentes sociétés de répondre à un code de déontologie qui instaure, entre autres, un délai de réflexion de trois jours après la signature du contrat et interdit le démarchage sur la voie publique. Celui-ci a en effet considérablement diminué, mais il s'effectue encore parfois... en voiture ! Ceux qui se font « accrocher » se retrouvent en général invités à boire un verre dans un des grands hôtels de Guéliz. Refusez ! En tout cas, nous, on vous aura prévenus ! **Voir aussi le site du ministère des Affaires étrangères**, remis à jour régulièrement : ● diplomatie.gouv.fr ● et cliquez sur « Conseils aux voyageurs » ou encore celui du consulat de France à Marrakech ● consulfrance-ma.org ●

– Les arnaques liées à Internet sont proportionnelles au développement de cet outil au Maroc : CON-SI-DÉ-RA-BLES ! On ne compte plus les propositions de tours, expéditions et autres excursions proposées sur la toile par des agences « virtuelles ». Il n'y a qu'à surfer sur n'importe quel moteur de recherche pour s'en rendre compte ! Ce sont très souvent des « associations » ou des « structures », et les prix sont naturellement imbattables. Un bon test pour flairer l'entourloupe : demandez-leur une adresse postale, leurs numéros de téléphone fixe et de fax. Si elles ne peuvent pas vous le fournir... c'est une arnaque ! Ou mieux, demandez-leur **leur numéro d'autorisation d'exercer.** Il suffit ensuite de vérifier l'authenticité de ce numéro auprès du **ministère du Tourisme à Rabat** (☎ 037-57-78-83 ; en général, les services du ministère répondent rapidement). Et ces pseudo-agences n'acceptent que des sommes en liquide (naturellement). Le plus grave, c'est qu'en cas d'accident au cours d'un de ces tours vendus virtuellement, aucune aide n'est apportée et on vous laisse dans la panade... Vous n'avez plus alors aucun recours. Fin de partie.

– Enfin, sachez que si vous êtes manifestement victime d'une grosse arnaque de la part d'un guide, d'un chauffeur de taxi, d'un vendeur qui aurait abusé de votre crédulité, etc., vous pouvez **contacter la brigade touristique.** Elle est particulièrement vigilante et les sanctions peuvent être très, très lourdes. Arrestations et emprisonnements se sont multipliés ces dernières années. On n'y va pas par quatre chemins ! Bien sûr, n'en abusez pas, et on en appelle à votre bon sens. Mais toujours est-il que la simple évocation de son nom suffit souvent à trouver un terrain d'entente...

■ *Brigade touristique* (plan couleur Médina, D4, **4**) : Sidi Mimoun. ☎ 024-38-46-01.

Circuler dans Marrakech

En bus

Les tickets se prennent à bord des bus et leur prix est de 3,50 Dh (0,30 €) pour un trajet en centre-ville. Ils sont confortables et climatisés. Il existe *une trentaine de lignes* en tout. Pour les adeptes des transports en commun (à condition de rester au moins 5 jours pour que cela soit rentable), il existe une carte magnétique à 25 Dh (2,30 €) « vierge » qu'il faut ensuite charger avec le nombre de trajets qu'on veut. Le ticket revient alors à 2,50 Dh. La carte s'achète dans tous les bus. À noter que, si vous êtes trois, un petit taxi revient environ au même prix. Voici les 7 lignes principales :

– *N° 1* : de la pl. Jemaa-el-Fna à l'entrée de la palmeraie. Elle suit l'av. Mohammed-V et relie la ville ancienne à la ville nouvelle (Guéliz). C'est la plus utile pour les touristes.

– *N°s 2 et 10* : de la pl. Jemaa à la gare routière.

– *N° 4* : passe par le terminus de bus Sidi-Mimoun (près de la pl. Jemaa-el-Fna, bus qui dessert la ville), la Koutoubia, l'hôtel de ville, Bâb-Doukkala et Daoudiate.

– *N*os *3 et 8 :* de la pl. Jemaa-el-Fna, elle suit l'av. Mohammed-V, dessert Bâb-Doukkala, l'av. Hassan-II et la gare ferroviaire.

– *N*° *11 :* à 200 m de la pl. Jemaa-el-Fna (tout près du centre artisanal), conduit aux jardins de la Ménara. Le bus passe par l'av. Mohammed-V jusqu'à la poste centrale de Guéliz, suit l'av. Hassan-II puis le bd Mohammed-VI en longeant l'Hivernage.

– Il existe aussi un *bus touristique* rouge à toit ouvert : *Marrakech Tour*, ☎ 025-06-00-06. ● info@marrakech-tour.com ● *Tarif de 130 Dh (soit 11,80 €, pour le circuit « Marrakech Monumental » ; ticket valable 24h) à 200 Dh (soit 18,20 €, pour le « Marrakech Romantique » ; ticket valable 48h) ; réduc enfants. Audioguide compris. Compter 1h15 env pour le tour complet.* Départs en face de l'office de tourisme, mais possibilité de prendre la balade en cours de route et de descendre à n'importe quel arrêt.

En taxi

On les trouve un peu partout, principalement à proximité de la place Jemaa-el-Fna, le long du square Foucauld, à la gare routière et sur l'av. Mohammed-V. Attention : la circulation est interdite sur la place Jemaa-el-Fna dès 13h. Les véhicules les plus nombreux sont les « petits taxis » (pour la plupart des *Fiat Uno* ou des *205*). Ils sont facilement reconnaissables à leur indication « petit taxi ». Ceux-ci ne peuvent se rendre à la périphérie de Marrakech (au-delà de 15 km), mais ils conviendront pour la plupart des adresses indiquées dans le guide.

Tarif de nuit (majoration de 50 %) de 20h à 6h du 1er octobre au 30 avril, de 21h à 5h du 1er mai au 30 septembre.

Mode d'emploi : tout ce que vous avez toujours voulu savoir sur les (petits) taxis de Marrakech ! Sachez avant tout que la prise en charge s'élève à 1,60 Dh le jour et 2,40 Dh la nuit. Important : le tarif minimum d'une course est de 6 Dh (0,50 €), même si vous faites 100 m. En gros, une course standard de jour n'excède pas 10-15 Dh (0,90-1,40 €). Plusieurs pratiques se répandent actuellement. Voici les deux principales :

– *Le travail au forfait* à grand coup de « si je vous mets le compteur, ce sera plus cher ». Là c'est simple, c'est « niet », ne montez pas.

– *La sélection des meilleures courses* avec le « vous allez où, Sidi ? ». Souvent à la clé un refus de prise en charge si la course ne les « arrange » pas.

– *Quelques conseils :* au moment de monter, repérez le numéro du taxi (inscrit sur les portières avant) et souvenez-vous-en. Ensuite deux cas de figure :

Premier cas : vous êtes seul(e) à l'intérieur. Ne négociez pas (valable seulement pour les grands taxis, voir plus bas) et montez directement dans le véhicule. Donnez votre destination, ayez l'air sûr de vous (genre, vous êtes du coin). Vérifiez que le chauffeur met bien le compteur en route. Il ne le fait pas ? Demandez-lui gentiment. S'il refuse, faites-le s'arrêter et descendez. C'est tout simple. L'idéal est d'avoir une idée des tarifs pratiqués (voir plus haut). Quant aux chauffeurs malhonnêtes, il conviendrait d'aller saisir leurs numéros à la police touristique qui prendra les mesures adéquates. Peu de gens le font, on le comprend, même si la démarche contribuerait à réguler la situation.

Le deuxième cas de figure, c'est quand le taxi est déjà occupé et qu'il vous prend « à la volée ». Là, c'est plus facile, car normalement le compteur est en route. Encore faut-il que dès votre montée vous regardiez le prix qui est affiché et qui sera votre repère 0 au moment de payer.

– Les grands taxis (de vieilles *Mercedes* bien souvent) sont nettement plus chers quand ils ne circulent qu'en ville (sauf si on le partage sur des axes fréquents, comme de la gare routière à la gare ferroviaire). Ils se distinguent des petits taxis car ils sont autorisés à quitter l'agglomération. Ils n'ont pas de compteur. Négociez donc la course AVANT qu'il ne démarre. Prix des grands taxis : pour une course dans un rayon de 15-20 km du centre-ville, compter un forfait minimum de 50 Dh (4,50 €).

En calèche

Pour les nostalgiques, une autre façon de se déplacer en ville (on peut monter à 4 personnes), à condition de bien débattre du prix et d'en fixer le montant avant le départ.

– *Prix :* il existe un tarif officiel parfois affiché (toujours discrètement) dans les calèches : aux dernières nouvelles, près de 100 Dh (9,10 €) l'heure. Bien entendu, les cochers semblent l'ignorer. Il peut être préférable de discuter un forfait pour tel ou tel circuit plutôt que de payer à l'heure. En effet, dans ce dernier cas, on se retrouve parfois avec un cheval fatigué ou rhumatisant, qui avance lentement ou qui, comme par hasard, s'arrête devant un magasin où vous êtes attendu... **Bien préciser que vous ne voulez pas d'arrêts-boutiques.** Il est d'usage d'ajouter un pourboire au prix de la course.

– *Station principale :* face au Club Med, *au niveau du square Foucauld (plan couleur Jemaa-el-Fna, E4), ou pl. de la Liberté, à la jonction des quartiers de l'Hivernage et de Guéliz (plan couleur d'ensemble, C3).*

– Nombreuses autres stations à proximité des grands hôtels. À signaler que Marrakech est l'une des rares villes du Maroc à avoir pu conserver ce mode de transport, plein de charme.

À deux-roues

– *Location de vélos :* vous trouverez des loueurs av. du Président-Kennedy, dans le quartier de l'Hivernage, notamment devant l'hôtel Andalous, l'hôtel Golden Tulip Farah ou l'hôtel Siaha Safir. Compter en moyenne 100 Dh (9,10 €) la journée. Les Marrakchis en sont de fervents utilisateurs. Des pistes cyclables (les seules de la ville !) conduisent aux jardins de la Ménara, traversent un bout de Palmeraie et font le tour des remparts. **Hors de cette zone, la circulation est dangereuse.** De plus, à deux, la location d'une voiture à la journée ne revient pas plus chère ! Nous vous déconseillons donc ce moyen de transport.

– *Location de scooters et motos :* moyen de transport sympa pour partir à la découverte des environs de Marrakech. Mais attention, s'adresser à un loueur qui a pignon sur rue, car la plupart d'entre eux n'ont pas d'assurance. Enfin, sachez, là encore, que ça ne revient pas beaucoup moins cher qu'une location de voiture de catégorie A à la journée (400 à 600 Dh, soit de 36 à 54 €). Voici une agence sérieuse, avec du matériel en bon état :

■ *Loc2roues (plan couleur Guéliz, B2, 5) : 212, av. Mohammed-V, au 1ᵉʳ étage de la galerie Élite.* ☎ *024-43-02-94.* 🖥 *065-13-04-53. • loc2roues.com • Tlj 9h-20h. Pour un scooter, compter 200 Dh (18,20 €) la ½ journée et 350 Dh* *(31,80 €) pour 24h, assurance comprise (pour 2 pers) et casques fournis. Moto à partir de 500 Dh (45,50 €) la journée. Âge min 18 ans. Pièce d'identité à laisser en guise de caution. Permis de conduire demandé pour les motos.*

En voiture

La circulation à Marrakech est anarchique. Il y a souvent des embouteillages les vendredi et samedi soir, surtout depuis la mise en service de l'autoroute de Casablanca. Sachez que, malgré certaines améliorations notables, le code de la route est rarement respecté. Il faut donc souvent s'armer de patience et redoubler d'attention. Évitez absolument de pénétrer dans la médina, où les ruelles sont étroites : sinon bonjour la galère !

– *Parkings :* très problématique. Un gardien peut s'avérer utile pour effectuer la surveillance. De toute façon, ils ne vous demandent pas votre avis et viennent systématiquement vous voir dès que vous repartez. Prix : compter 2-5 Dh (0,20-0,50 €) pour la journée ; 5-10 Dh (0,50-0,90 €) la nuit. Les gardiens dépendent de la municipalité mais ne touchent aucune rémunération d'elle.

Il y en a dans toutes les rues, mais les tronçons les plus lucratifs sont attribués aux enchères par la municipalité. Les gardiens acquittent alors un « droit de surveillance » et ce qui est versé par les automobilistes leur tient lieu de salaire. Sinon, il existe plusieurs parkings :

– *Parking Plaza (plan couleur Guéliz, B2)* : av. Mohammed-V, à Guéliz. Ouv 24h/24. *Payant.*

– *À proximité de la médina* : il existe un grand parking gardé près de la Koutoubia *(plan couleur Médina, D4)*, ainsi que près de Bâb-Doukkala, en face du tribunal *(plan couleur d'ensemble et plan couleur Médina, C2)*. Malheureusement, souvent complets. *Sinon, deux autres petits parkings, l'un près du Mellah (plan couleur Médina, E4-5), l'autre à deux pas de la brigade touristique (plan couleur Médina, D4, 4). Compter env 5 Dh (0,50 €)/j. ; le double pour la nuit.*

– *La fourrière* (oui, elle existe et elle est très active !)... Il vous en coûtera une vraie amende (autour de 500 Dh, soit 45,50 €) et une journée, le temps de récupérer votre voiture. Se munir de tous les papiers du véhicule (y compris le contrat de location), du passeport, et faire une photocopie de chaque document. Se rendre ensuite au *commissariat central,* remettre les photocopies et le règlement de l'amende. On vous donnera en échange un « bon de sortie ». Ensuite, direction la fourrière. Donner le bon et régler les frais de remorquage, plus une taxe communale.

– *Location de voitures* : méfiance ! Certaines agences se prétendent recommandées par le *Guide du routard.* Il en existe plusieurs centaines, et la plupart traitent en sous-location. Ne conclure aucun contrat sans avoir vu et examiné le véhicule (état des pneus, présence d'une roue de secours, du cric et d'une manivelle, fermeture du coffre, fonctionnement des feux, etc.).

N'attendez pas la dernière minute pour louer votre véhicule, si vous ne l'avez pas fait par l'intermédiaire de votre voyagiste avant le départ. Pendant les périodes de pointe (vacances de Noël, de Pâques et de la Toussaint), comme pour les chambres d'hôtel d'ailleurs, la demande est largement supérieure à l'offre. Les loueurs n'hésitent pas alors à faire venir, de Casablanca, de Rabat ou de toute autre ville, des véhicules en état douteux et à les louer à des tarifs astronomiques.

Voici les agences de location qui donnent actuellement le plus de satisfaction à nos lecteurs tout en offrant les meilleures garanties, ce qui ne veut pas dire les prix les plus bas (il est préférable d'avoir un véhicule en bon état à quelques dizaines de dirhams de plus et d'accepter, si on vous le propose, le surcoût, parfois prohibitif, d'une assurance). À propos d'assurance, de plus en plus de compagnies prévoient une franchise (2 500-3 000 Dh, soit 227,30-272,70 €, pour une voiture de catégorie A). Pour info, la location d'un petit véhicule (catégorie A) doit coûter **en haute saison 300-350 Dh (27,30-31,80 €)/j., pour une location d'une semaine, avec les assurances.** En dessous, ça cache forcément une entourloupe !

■ *Pampa Voyage Maroc (plan couleur Guéliz, B2, 6)* : 219, av. Mohammed-V, galerie Jassim. ☎ 024-43-10-52. • pampa@menara.ma • pampa. ma • *Dans l'immeuble Jassim, au rez-de-chaussée, au fond sur la droite. CB acceptées.* Loueur très sérieux offrant des conditions intéressantes et tous les services touristiques classiques. Bon accueil. Les véhicules sont bien entretenus. Louent aussi des voitures avec chauffeur. Résa possible de l'étranger.

■ *Concorde Car (plan couleur Guéliz, B2, 7)* : 154, av. Mohammed-V, 1er étage, n° 4. ☎ 024-43-11-16 (24h/24) ou 99-73. ☎ 024-44-61-29. ▤ 061-13-42- 85 ou 061-34-15-77. • concordecar@me nara.ma • *Tlj 8h-19h. CB acceptées. Réduc de 15 % sur le plein tarif sur présentation de ce guide.* Excellente réputation et accueil chaleureux pour ce loueur qui possède un parc de véhicules récents, bien entretenus et révisés régulièrement. Il loue des 4x4 *Pajero,* indispensables quand on veut faire de la piste, et assure un véritable service auprès de la clientèle (disponibilité 24h/24, assistance réelle en cas de pépin, dépannage rapide, transferts, etc.). Il propose enfin de bonnes conditions d'assurance (tous risques), sans franchise. Pas de caution. À vérifier tout de même, le plein d'essence qui doit être fait au moment du départ et que vous devez effectuer au retour.

■ **Najm Car** (plan couleur Guéliz, A2, 8) : galerie Jakar, magasin n° 9, angle av. Mohammed-V et rue Mohammed-el-Beqal. ☎ 024-43-79-09. ▯ 061-15-61-12. ● najmcar.com ● CB acceptées. Encore une adresse sérieuse qui donne entière satisfaction à nos lecteurs avec son assistance réelle 24h/24, ses transferts gratuits vers l'aéroport ou l'hôtel, son accueil chaleureux, ses forfaits intéressants à la semaine et ses véhicules en bon état (ils ont leur propre garage pour l'entretien de leur parc automobile). Assurance tous risques sans franchise. Location de 4x4 climatisés avec ou sans chauffeur. Pour plus de 6 jours de location, livraison et reprise dans un rayon de 300 km autour de Marrakech.

■ **Lune Car** (plan couleur Guéliz, B2, 9) : 111, rue de Yougoslavie. ☎ 024-44-77-43. ▯ 061-51-41-29. ● lunecar@iam. ma ● Téléphoner pour les horaires d'ouverture. Demander Rachid. Loue aussi des 4x4. Agence très sérieuse qui assure un excellent service. Nos lecteurs en sont satisfaits depuis des années.

■ **Magdaz Car** (plan couleur Médina, E4, 26) : rue Bani-Marîn, à l'angle de la rue Lalla Rkia. ☎ 024-38-57-47. ▯ 066-07-50-60. ● magdazcar-marrakech. com ● À deux pas de la Koutoubia, Hassan Nait Ouahmane peut aussi conseiller sur les destinations et venir vous chercher à l'hôtel. Le tout avec une extrême gentillesse.

Adresses utiles

Infos touristiques

🛈 *Office national de tourisme marocain – Délégation régionale de tourisme* (plan couleur Guéliz, A2) : angle av. Mohammed-V et rue de Yougoslavie. ☎ 024-43-61-31 ou 79. Fax : 024-43-60-57. Bus n° 1 depuis la pl. Jemaa-el-Fna. Lun-ven 8h30-16h30 ; fermé sam (en principe) et dim ; ramadan et été : 9h-15h. Pas de guide officiel pour la visite de la ville, mais on pourra vous donner des contacts pour en trouver un. Tarifs : selon le guide (local ou national), compter 120-150 Dh (10,90-13,60 €) la ½ journée et 150-250 Dh (13,60-22,70 €) la journée ; 200-300 Dh (18,20-27,30 €) pour une journée dans les environs de Marrakech. Repas en sus.
– On peut aussi consulter le site ● ilovemarrakech.com ● Donne plein d'adresses d'hôtels, de riad et de restos.

Poste et télécommunications

✉ **Poste centrale** (plan couleur Guéliz, B2) : pl. du 16-Novembre, à Guéliz ; et bureau de la médina, pl. Jemaa-el-Fna (plan couleur Jemaa-el-Fna, E4). Lun-ven 8h-16h15, sam jusqu'à 11h45. Service Western Union et change.

■ **Téléphone :** nombreuses cabines publiques, à cartes pour la plupart. Les cartes sont vendues partout. On trouve aussi là presque tous les coins de rue des « **téléboutiques** », ouvertes tous les jours jusqu'à 22h en principe. Elles abritent des téléphones à pièces au même tarif, en théorie du moins, car comme elles sont indépendantes, elles pratiquent les prix qu'elles veulent. Elles assurent la vente des timbres et font parfois aussi fax (cher) et photocopies.

■ **Portable :** si vous avez au moins 6 mois d'ancienneté, on vous recommande vivement de faire « débloquer » depuis la France votre appareil (contacter votre opérateur, c'est gratuit). Vous pourrez ainsi vous raccorder à n'importe quel réseau dans le monde. Ensuite, et pour une somme modique (environ 30 Dh, soit 2,70 €) vous achèterez une carte SIM marocaine (Maroc Telecom, Meditel...) et disposerez ainsi d'un numéro qui vous permettra de faire de réelles économies. De plus, vous éviterez les (très !) mauvaises surprises à votre retour. Car à l'étranger, répondre à un appel coûte aussi de l'argent...

🖳 *Internet :*
– *Dans la médina : nombreuses **cyberboutiques** dont la plupart se situent dans les rues Bâb-Agnaou et Bani-*

Marîn (plan couleur Jemaa-el-Fna, E4). Fermeture tardive. Un truc : passé 17h, oubliez le surf et sortez les rames ! Tous les lycéens sont sortis, ça chatte dur, mais la bande passante reste la même.
– Dans Guéliz : plusieurs boutiques dans le passage El-Ghandouri (plan couleur Guéliz, A2), au début de la rue de Yougoslavie. Tarifs quasi identiques. Quelques-unes aussi autour du carrefour de la Renaissance, à savoir aux angles de l'av. Mohammed-V et du bd Mohammed-Zerktouni (plan couleur

*Guéliz, A2). Également le **Cyber Parc Arsat Moulay Abdeslam** (plan couleur Médina, C-D3), à l'angle des bd Mohammed-V et Abou-el-Abbes-Sebti. Lun-sam 9h30-19h. Connexion bon marché. Ce vaste et beau jardin réhabilité dans le respect de l'environnement entend offrir aussi une large place aux nouvelles technologies. Il est ainsi arrosé avec du... wi-fi gratuit ! Il accueille aussi un cybercafé très moderne, et des bornes Internet disséminées en libre-service.*

Argent, banques, change

– Nombreuses banques à Guéliz et dans la médina. La plupart ouv lun-ven 8h15-16h (avec parfois une pause plus ou moins prolongée ven, au moment de la grande prière). Le change et le retrait s'effectuent dans toutes les banques. Elles disposent en général de distributeurs automatiques, mais, attention, ceux-ci sont parfois vides le week-end en haute saison. Certaines sont également pourvues d'un guichet de change, ouvert un peu plus longtemps que les banques elles-mêmes. Enfin, les services de Western Union (transfert rapide d'argent) sont proposés la plupart du temps.
*– Dans la médina : la majorité des banques se trouvent au sud de la pl. Jemaa-el-Fna, dans la rue Bâb-Agnaou et la rue Moulay-Ismaïl. Guichet automatique 24h/24 pour le change à la **Société Générale,** rue Bâb-Agnaou (plan couleur Jemaa-el-Fna, E4).*
*– Dans Guéliz : une dizaine de banques sur l'av. Mohammed-V, entre la pl. du 16-Novembre et la pl. A.-Moumen-Ben-Ali (plan couleur Guéliz, B2). À noter que la **Banque Populaire** (plan couleur Guéliz, C3, **11**), juste à côté de Pizza Hut, dispose d'un guichet automatique 24h/24 pour le change. Pas de commission (mais un taux de change légèrement inférieur à la normale, y a pas de miracle !) et pratique.*

Représentations diplomatiques

■ **Consulat de France** *(plan couleur Guéliz, A3, **12**) : rue Camille-Cabana, angle des rues El-Jahed et El-Adarissa, quartier de l'Hivernage.* ☎ *024-38-82-00.* • *consulatfrancemrk@menara.ma* • *Lun-ven 8h30-11h45. Le consulat peut, en cas de difficultés financières, vous indiquer la meilleure solution pour que des proches vous fassent parvenir de l'argent, vous assister juridiquement en cas de problème, ou encore vous délivrer une autorisation de retour sur le territoire si vous avez perdu vos papiers. Mais bien sûr, vous avez fait les photo-*

copies et les avez gardées dans un endroit séparé, hein ? !
■ **Consulat honoraire de Belgique** *(plan couleur Guéliz C3, **10**) : pl. de la Liberté, immeuble Bardaï N° C 20, 5e étage. Hivernage.* ☎ *024-42-23-32.* • *consul-rak@menara.ma* • *Lun, mer et ven 9h-12h.*
■ **Consulats de Suisse et du Canada :** *pas de représentation. S'adresser à Rabat.* ☎ *037-70-69-74 (ambassade de Suisse),* ☎ *037-68-74-00 (ambassade du Canada).*

Santé, urgences

■ **Pharmacies :** *elles sont assez nombreuses à Guéliz, le long de l'av. Mohammed-V. La plus importante : **Pharmacie Centrale** (plan couleur*

*Guéliz, B2, **14**), angle av. Mohammed-V et rue El-Houria. Lun-ven 8h30-12h30, 15h30-19h30 ; sam 8h30-12h. Quelques-unes également près de la* pl. Jemaa-el-Fna. Elles assurent une garde à tour de rôle, tous les jours jusqu'à 23h (y compris le week-end). Chaque pharmacie affiche en devanture la liste des officines de garde (avec adresse et téléphone).

Sinon, à partir de 23h, on trouve des médicaments :

– *À la Pharmacie de nuit (plan couleur Jemaa-el-Fna, E4, 34) :* pl. Jemaa-el-Fna (en face de la poste).

– *Chez les pompiers (plan couleur Guéliz, C2, 15) :* rue Khalid-ben-el-Walid, perpendiculaire à l'av. des Nations-Unies qui relie la poste centrale à Bâb-Doukkala. ☎ 024-43-04-15.

■ *Médecins généralistes :*

– *Dr Haraki el-Mehdi :* lotissement Saadia-IV, quartier de M'Hamid. ☎ 024-36-05-29 (cabinet). ▤ 061-16-84-93. Excellent professionnel, pratiquant des tarifs raisonnables. Se déplace.

– *Dr Frédéric Reitzer :* angle av. Mohammed-V et Moulay-Hassan, immeuble Berdaî, entrée B, Guéliz. ☎ 024-43-95-62. ▤ 061-17-38-03. Médecin agréé par le consulat, se déplace également en cas de besoin.

– *Dr Samir Belmezouar :* 66, rue Fatima-Zohra, immeuble Benkirane. ☎ 024-38-33-56. ▤ 061-24-32-27. Tra-vaille avec la *Polyclinique du Sud*. Excellente réputation.

■ *Dentiste (plan couleur Guéliz, B2, 16) :* Dr El-Qabli-Hicham, 213, av. Mohammed-V, appart 13, 2ᵉ étage. ☎ 024-44-86-04.

■ *Polyclinique du Sud (plan couleur Guéliz, A2, 17) :* 2, rue de Yougoslavie (angle rue Ibn-Aïcha). ☎ 024-44-79-99 ou 83-29. Fax : 024-43-24-24. Urgences 24h/24. Conventionnée avec la plupart des assistances médicales européennes et avec la caisse des Français de l'étranger.

■ *Clinique Ibn-Tofail (plan couleur Guéliz, B1, 18) :* rue Ibn-Abdelmalik. À ne pas confondre avec l'hôpital du même nom, situé à proximité. ☎ 024-43-63-53. ▤ 061-18-13-70. Urgences 24h/24. Équipe de médecins très compétents. Consultations spécialisées en pédiatrie, urologie et chirurgie générale. Clinique recommandée par beaucoup de résidents.

■ *Polyclinique de la Koutoubia (plan couleur Médina, C3, 35) :* rue de Paris, quartier de l'Hivernage. ☎ 024-43-85-85. Très bonne clinique qui travaille avec de plus en plus de compagnies d'assurances européennes.

■ *S.O.S. Médecins :* ☎ 024-40-40-40.

Compagnies aériennes

■ *Royal Air Maroc (plan couleur Guéliz, B2, 16) :* 197, av. Mohammed-V. ☎ 024-42-55-01 (résas) ou 090-000-800 (résas et confirmations de vol ; 24h/24). ● royalairmaroc.com ● Lun-ven 8h30-12h15, 14h30-19h ; sam 9h-12h, 15h-18h. Fermé dim. À l'aéroport : ☎ 024-36-85-16 ou 18. La seule agence officielle de la *RAM*, incontour-nable pour la confirmation de vos billets retour.

■ *Corsairfly (plan couleur Guéliz, B3, 19) :* représenté par Holidays Services, Kawkab Center. ☎ 024-44-68-44. ● corsairfly.com ● Lun-ven 8h30-12h, 14h30-18h30 ; sam 9h-12h. Fermé dim.

■ *Atlas Blue :* ☎ 024-42-42-00.

Garages, réparations

■ *Sud Transmission (hors plan couleur d'ensemble par A3) :* rue Abou-Bahr-Seddiq, quartier industriel. ☎ 024-43-17-52. À env 5 km du centre de Guéliz. Pièces détachées et accessoires auto (sauf pneus et chambres à air). Sérieux.

■ *Garage Renault (hors plan couleur d'ensemble par A1) :* route de Casablanca, après le carrefour de Safi. ☎ 024-30-10-08. À env 4 km de Guéliz. Fait aussi *Land Rover*. Demander un devis et bien vérifier sa facture.

■ *Garage de Rachid Filali (plan couleur Guéliz, A2, 20) :* av. Moulay-Rachid, en face de l'hôtel Imperial Holidays. ▤ 061-69-55-10. Fermé 12h30-14h30 et dim. Un p'tit garage compétent qui pourra peut-être faire beaucoup en cas de p'tit pépin mécanique.

■ **Gemo Cars** (hors plan couleur d'ensemble par A1) : route de Casa-blanca. ☎ 024-30-04-51. À env 100 m du garage Renault.

Agences de voyages

Elles sont très nombreuses, mais spécialisées pour la plupart dans les voyages de groupe. Nous en avons sélectionné quelques-unes :

■ **Pampa Voyage Maroc** (plan couleur Guéliz, B2, **6**) : 219, av. Mohammed-V, galerie Jassim. ☎ 024-43-10-52. ● pampa@menara.ma ● pampa.ma ● Dans l'immeuble Jassim, au rez-de-chaussée, au fond de la galerie. Cette agence, dirigée par une équipe belgo-marocaine, offre une découverte du pays en profondeur et personnalisée. Des voyages à la carte organisés par des professionnels expérimentés qui aiment le Maroc et veulent faire partager leur passion. Toutes prestations, en voiture de location avec ou sans chauffeur, en 4x4, à pied, avec des mulets ou des chameaux pour partir à la découverte du pays et de ses habitants. Chambres d'hôtel et de riad dans tout le pays à des tarifs attrayants. Ils assurent le transport depuis l'aéroport, les visites guidées et travaillent avec des guides de confiance. Ils effectuent également les réservations des billets d'avion sur tous les vols réguliers. Sachez enfin que leurs prestations sont en vente UNIQUEMENT dans leur agence. N'hésitez pas à les contacter avant le départ.

■ **Erg Tours** (plan couleur Guéliz, B2, **13**) : 220, av. Mohammed-V. ☎ 024-43-84-71. ● ergtours.com ● Réduc de 20 % sur présentation de ce guide. Saïd Aït Sidi Brahim (secondé par Hamid) vous ouvre les bras. Fort de son équipe de 50 chauffeurs (parlant tous français) et d'autant de véhicules bien entretenus, Erg Tours propose des excursions à la journée, des escapades de 4 jours et des circuits de 8 jours dans le Grand Sud (le patron est natif de Merzouga) avec 4x4, bivouac « itout-itout ». Accueil chaleureux.

■ **Mountain Safari Tours** (hors plan couleur d'ensemble par A1) : 64, lot Laksour. ☎ 024-30-87-77. ● mountainsafaritours.com ● À la sortie de Marrakech, sur la route de Casa à droite. Comme l'agence n'est pas facile à trouver, il suffit de téléphoner et ils vous apportent la documentation à votre hôtel. Prestations sérieuses et de qualité. Circuits hors des sentiers battus à pied, à cheval, en 4x4, à VTT ou à moto. Prix étudiés selon votre budget. De préférence à partir de 2 personnes. Équipe passionnée et sympathique.

■ **Atlas Sahara Trek** (plan couleur d'ensemble, C1, **115**) : 6 bis, rue Houdhoud. ☎ 024-31-39-01 ou 03. ● atlas-sahara-trek.com ● Situé derrière le jardin Majorelle. Agence spécialisée dans les randonnées en montagne, dans le désert et raid 4x4. Voyages sur mesure. Une agence très sérieuse dont la réputation n'est plus à faire.

■ **Destination Évasion** (plan couleur Guéliz, C2, **21**) : villa El Borj, rue Khalid-Ben-Oualid. ☎ 024-44-73-75. ● destination-evasion.com ● Lun-ven 8h30-12h30, 14h30-19h ; sam mat. Propose des excursions d'une journée autour de Marrakech, des mini-treks dans l'Atlas et des circuits à la carte dans le Sud marocain, hors des sentiers battus. Logement en bivouac ou dans des adresses de charme. Les prix sont élevés, mais la qualité des prestations est au rendez-vous. Reste un effort à faire sur l'accueil.

■ **Agence de voyages et de trekking Cobratours** (plan couleur Guéliz, A2, **22**) : 43, bd Mohammed-Zerktouni. ☎ 024-42-13-08. ● cobratours-maroc.com ● Agence destinée, avant tout, aux individuels et aux petits groupes. Elle propose des circuits sportifs. Également des itinéraires à thème, surtout consacrés à la découverte du patrimoine culturel de l'ensemble du Maroc, avec une préférence pour le Sud marocain : art rupestre, architecture traditionnelle. En 4x4, à VTT, à moto ou à pied, que ce soit pour un jour ou plusieurs semaines, ils peuvent vous proposer un circuit sur mesure. Dispose également d'une agence de location de voitures Cobracars (mêmes locaux).

■ **VDM Maroc** (plan couleur Guéliz, B3,

23) : 43 bis, Kawkab Center. ☎ 024-43-48-08. Fax : 024-43-47-61. Propose, entre autres, des excursions dans les environs de Marrakech.

■ *Atlas Voyages (plan couleur Guéliz, B2, 24)* : 131, bd Mohammed-V. ☎ 024-33-72-00. ● *atlasvoyages.com* ● Une grosse agence, correspondant du voyagiste français *Étapes Nouvelles*. Peut vous fournir, sur place, toutes prestations : réservations d'hôtels, méharée, trekking, location de voitures, etc. Possibilité, pour ceux qui n'ont pas de véhi-

cule, de se joindre à des groupes conséquents pour certaines excursions.

■ *Celtic Trekking Adventure* : représenté par Aziz Maadani, *centre de Tabant, Azilal, Aït-Bouguemez.* ● *celtictrekking.com* ● Cette agence, que nous recommandons depuis des années au Népal, s'est implantée au Maroc, mais ne possède pas de bureau. N'hésitez pas à les contacter par e-mail. On en parle plus en détail dans le chapitre consacré au Moyen Atlas et au Haut Atlas central (voir plus haut).

Loisirs et culture

■ *Institut français de Marrakech (hors plan couleur Guéliz par A1)* : route de Targa, djebel Guéliz ; juste après le lycée Victor-Hugo et l'école Renoir, dans une rue à droite (fléché). ☎ 024-44-69-30. ● *ifm.ma* ● Mar-sam 9h-12h, 14h30-18h30. Fermé dim-lun et en août. Se renseigner sur les programmes édités chaque mois : expositions, théâtre, cinéma. Bibliothèque (nombreux ouvrages sur le Maroc et la

France), salles de conférences, théâtre, cinéma, un amphithéâtre pour les représentations de plein air et un grand jardin pour se rafraîchir. Toute proportion gardée, sorte de Centre Pompidou, avec des activités ouvertes à tous. La **cafétéria** (où l'on peut manger un morceau le midi et avant les spectacles) est un lieu idéal pour rencontrer des Marocains qui s'intéressent à notre culture.

Galeries d'art

Marrakech s'imposant de plus en plus sur le marché de l'Art dans le pays, voici quelques adresses.

■ *Matisse Art Gallery* : 61, *rue de Yougoslavie, passage El-Ghandouri n° 43.* ☎ 024-44-83-26. ● *matisse-art-gallery. com* ● Lun-sam 9h30-13h, 15h30-19h30. Exposition de peintres marocains contemporains et d'œuvres d'orientalistes du début du XX{{e}} s.

■ *Galerie Lawrence-Arnott* : *imm. El Khalil, av. Hassan-II (face à la gendarmerie royale).* ☎ 024-43-04-99. Lun-ven 10h-12h30, 17h-19h ; sam 10h-12h30. Grosses expos de notoriété nationale.

■ *Light Gallery* : 2, *derb Chtouka, Kasbah.* ☎ 024-38-45-65. Mer-dim 11h-13h, 15h-20h. Belle expo permanente d'art contemporain.

■ *Galerie Noir sur Blanc* : 48, *rue de*

Yougoslavie, imm. Adam Plaza, Guéliz. ☎ 024-42-24-16. Lun-ven 15h-19h, sam 10h-19h. Tenue par Sakina Rharib (ancienne directrice du Musée de Marrakech), une référence dans le domaine.

■ *Galerie Tindouf* : 22, *bd Mohammed-VI.* ☎ 024-43-09-08. Lun-sam 9h30-13h, 15h30-20h.

■ *Galerie Rê* : *rés. Al Andalous III, angle rue de la mosquée et Ibn-Toumert n° 1, Guéliz.* ☎ 024-43-22-58. Mar-sam 9h30-13h, 15h-20h ; dim 11h-18h. Très avant-gardiste.

■ *Marrakech Arts Gallery* : 60, *bd El-Mansour-Eddahbi n° 5, Guéliz.* ☎ 024-43-93-41. ● *marrakech-arts-gallery. com* ●

Cafés culturels

■ *Dar Chérifa (plan couleur Médina, E3, 27)* : 8, *derb Cherfa-Lakbir, dans le quartier Mouassine.* ☎ 024-42-64-63 ou 024-39-16-09. ● *marrakech-riads. net* ● De la fontaine Mouassine, en allant

vers la pl. Jemaa-el-Fna, prendre la 1{{re}} ruelle à droite. Tlj 9h-19h (20h printemps et été). Ne quittez pas la médina sans visiter ce *dar* (sonner ; accès gratuit), fidèlement restauré par Abdellatif

MARRAKECH

Aït ben Abdallah, un amoureux de l'architecture marrakchie. Vous pourrez voir une exposition temporaire (photos, peintures, textiles, immobilier...) et, surtout, admirer l'architecture de cette ancienne médersa de l'époque saadienne. Une halte reposante et enrichissante au cœur de la médina. Voir aussi « Où boire un verre en journée ? Où boire un thé à la menthe ? Où prendre le petit déjeuner ? ». Consultation possible de beaux livres sur le Maroc.

■ *Le NaoKazo* (plan couleur Médina D3, **117**) : 45, rue Jbel-Lakhdar, quartier de R'mila. ☎ 024-38-56-78. 🖷 014-25-56-61. • naokazo.com • Recette originale venant de l'espagnol « neo-casa ». À moins que ce ne soit l'inverse. Dans un mixer, mélanger une laverie, un mini-cybercafé revenu avec un zeste de wi-fi, et des chichas sur une agréable terrasse. Prenez ensuite une guitare, quelques jouets coupés en dés, une bourse aux livres pas trop épaisse. Faites des lamelles avec quelques expos de peinture et ajoutez-y les cours de langues à faire déglacer au préalable. Ajoutez-y une pincée de centre d'info pour routards, et une autre de covoiturage. Coupez les projections de films marinés la veille dans une sauce de petits concerts live. Attendez 15 mn dans un coin snack sympa, gratinez au four en nappant de rendez-vous mamans-enfants. Saupoudrez le tout de quelques épices designer-Caroline et DJ-Jean-Baptiste ! À savourer sans modération.

Cinémas et théâtre

■ *Colisée* (plan couleur Guéliz, A2) : bd Mohammed-Zerktouni. ☎ 024-44-88-93. Non loin de l'intersection avec la rue Mohammed-el-Beqal. Équipement technique excellent et programme de films récents.

■ *Mégarama :* quartier de l'Agdal. ☎ 090-10-20-20. • megarama.info • Suivre l'av. Mohammed-VI, c'est derrière la boîte Le Pacha (hors plan couleur d'ensemble par C6, **185**). Un complexe cinématographique dernier cri (son dolby stéréo) avec une dizaine de salles.

– Sinon, *l'Eden* (plan couleur Jemaa-el-Fna, E4) : rue Riad-ez-Zitoun el-Jédid, à proximité de la pl. Jemaa-el-Fna. Un vieux cinéma populaire qui fait de la résistance ! Programmation de films arabe et hindi. Uniquement pour l'ambiance. Attention à votre porte-feuille.

■ *Théâtre Royal* (plan couleur Guéliz, A3) : angle av. Mohammed-VI et Hassan-II. ☎ 024-43-14-77. Théâtre, concerts et expos.

Presse et livres

■ *Presse :* nombreux kiosques dans la médina (face à l'hôtel CTM) et à Guéliz, le long de l'av. Mohammed-V, principalement à proximité de l'office de tourisme.

■ *Librairie Chatr Ahmed* (plan couleur Guéliz, A2, **36**) : 19, av. Mohammed-V. ☎ 024-44-79-97. Lun-jeu et sam 8h30-13h, 15h-20h ; ven 8h30-12h30. Un choix complet d'ouvrages sur le Maroc. Si vous avez oublié ou égaré votre Guide du routard, ils pourront vous dépanner.

■ *Librairie ACR* (Arts-Création-Réalisation ; plan couleur Guéliz, B2) :

55, bd Mohammed-Zerktouni. ☎ 024-44-67-92. Au fond de l'impasse, à droite du resto Al Fassia (plan couleur Guéliz, B2, **147**). Lun-sam 9h-12h30, 15h-19h. Grand choix de beaux livres sur le Maroc et l'orientalisme.

■ *Librairie Ghazali* (plan couleur Jemaa-el-Fna, E4, **37**) : 51, rue Bâb-Agnaou, au bord de la pl. Jemaa-el-Fna. ☎ 024-44-23-43. Tlj 9h-13h, 15h30-21h. Une boutique toute petite mais bien approvisionnée. Pas mal d'ouvrages de poche d'auteurs marocains traduits en français. Également votre guide préféré.

Sports

■ *Piscine :* au *Pacha* (hors plan couleur d'ensemble par C6, **185**), bd Mohammed-VI. ☎ 024-38-84-09. Ouvre dès qu'il fait beau 12h-19h.

MARRAKECH

Entrée : 150 Dh (13,60 €). Peu de monde sauf qu'à l'intérieur de la boîte la plus célèbre du Maroc se trouve une piscine donnant sur un beau jardin andalou. Snack proposant quelques plats simples.

🎿 **Oasiria** *(hors plan couleur d'ensemble par C6, 118), route du barrage de Lalla Takerkoust km 4.* ☎ *024-38-04-38.* • *ilove-marrakesh.com/oasiria* • *De début avr à mi-nov, tlj 10h-18h. Fermé le reste de l'année. La journée 170 Dh (15,50 €) ou 130 Dh (11,80 €) à partir de 14h ; réduc enfants ; entrée libre pour les moins de 80 cm. Réduc de 10 % sur présentation de ce guide. Navettes gratuites 15 juin-31 août, 9h30-15h. Départ du parking de la Koutoubia ou pl. du Harti (Guéliz). Retour 17h-19h15.* Le premier parc aquatique au Maroc. Réunis sur une dizaine d'hectares, des toboggans, une immense piscine à vagues et une piscine calme. Aussi un rio tranquille de 500 m, des lagons et un bateau pirate pour les enfants, un terrain de beach-volley pour les plus grands. Restaurants. Animations avec remise de prix les mardi, mercredi et jeudi. Consigne, chaises longues (avec supplément).

■ **Ski** *(pourquoi pas ?) : sur les pistes de l'Oukaïmeden, à 80 km de Marrakech.* Beaucoup de monde le week-end (surtout le dimanche) de janvier à avril. Bon, ne pas s'attendre à de super descentes.

■ **Équitation : Djbel Atlas, club Boulahrir,** *route de Meknès, km 8, La Palmeraie.* ☎ *024-32-94-51 ou 52. Fax : 024-32-94-54.* Pour les débutants ou les cavaliers confirmés. **Atlas à cheval :** *932, résidence Al Massar, route de Safi.* 📱 *061-22-22-72 ou 063-61-53-39.* • *atlasacheval-marrakech.net* • Excellente adresse. Organise également des sorties de plusieurs jours (environ 50 € par personne la ½ journée).

■ **Vol en montgolfière : Ciel d'Afrique** *(plan couleur Guéliz B2), 15, rue Mauritania (2ᵉ étage).* ☎ *024-43-28-43.* 📱 *061-13-70-51.* • *cieldafrique.info* • *Résa conseillée le plus tôt possible en saison. Pas de vol en été. Compter près de 200 €/pers.* Comme le dit leur pub : « Ce n'est pas du plaisir, mais du bonheur. » On ajoutera que c'est très cher, mais effectivement inoubliable ! Départ de votre hébergement tôt le matin et transfert en 4x4 jusqu'au lieu de décollage. Vol de 1h environ au nord de la palmeraie (une petite dizaine de personnes maximum) suivi d'une collation chez l'habitant. Retour à 12h environ.

Hammams

Dans ce domaine, les choses évoluent vite à Marrakech. De nombreux hammams ouvrent régulièrement, fonctionnent 2 ou 3 mois, puis ferment leurs portes. N'hésitez pas à demander à des gens de confiance, à votre hôtel ou à votre *riad,* les adresses qu'ils peuvent vous conseiller. Sachez qu'il existe trois types de hammams.

– Il y a d'abord les hammams populaires de la médina. Entrée : 8-10 Dh (0,70-0,90 €) ; massage en supplément : au moins 20 Dh (1,80 €). Apporter tout le nécessaire (serviettes, savon, gants de crin, huile de massage, etc.), sous peine de voir doubler l'addition ! Ils présentent en général une architecture traditionnelle, souvent de caractère, mais la propreté n'est pas toujours irréprochable, et puis mieux vaut être accompagné par quelqu'un qui connaît et qui vous expliquera ainsi comment ça fonctionne. Éviter le vendredi et les week-ends, jours d'affluence, où les soins sont bien vite expédiés.

– Deuxième catégorie : les hammams de Guéliz fréquentés par la bourgeoisie marocaine. Entrée : env 30 Dh (2,70 €). En règle générale, l'architecture est moins traditionnelle, mais on y rencontre aussi moins de soucis d'hygiène.

– Enfin, les hammams de luxe. Entrée : 150-300 Dh (13,60-27,30 €). On les trouve dans certains *riad,* au sein de la médina, ou dans les hôtels. Très bien tenus, ils sont souvent pleins de charme, mais fréquentés par les touristes et, du coup, perdent en authenticité.

■ **Hammam Dar El Bacha** *(plan couleur Médina, D3, 28) : rue Fatima-* Zohra. *Hommes : 6h-12h, 19h-23h ; femmes : 12h-19h.* L'un des meilleurs hammams traditionnels de la médina.

■ *Les Bains de Kabira* (plan couleur Médina, F3, **38**) : Arest loghzail, 3 derb Warda. ☎ 068-41-88-63. ● lesbainsde-kabira.com ● Depuis Jemaa-el-Fna, prendre la rue Dabachi, c'est la 7ᵉ rue à droite, au niveau de l'unique poteau téléphonique. Tlj 9h-20h. Compter 250 Dh (22,70 €) l'heure de massage. Réduc de 10 % sur les différentes formules de « hammam-gommage » sur présentation de ce guide. On quitte les turbulences de la médina pour pénétrer dans une ambiance feutrée aux couleurs chaudes sur fond de musique zen. M. Naciri qui a étudié le shiatsu (« pression des doigts » en japonais) saura vous « prendre en main » avec une belle panoplie de massages d'1 h.

■ *Les Bains de* ... leur Médina, E... Bâb-Agnaou. ... bainsdemarrake... dans la médina p... dre la 1ʳᵉ ruelle à... des méandres. Tlj... sur résa. Prévoir 3... 1 h de massage. E...... mam de luxe, tenu par Céline, une Française, au cadre oriental voluptueux, soigne le corps à travers différentes méthodes : du gommage traditionnel à l'algothérapie en passant par le shiatsu et le massage relaxant. Plusieurs cabines de soin, hommes et femmes y ont donc accès en même temps. Très cher car clientèle essentiellement touristique.

MARRAKECH /
MARRAKECH
420
y trouve de...
● Hype...
déso...
ro...

Achats

⊛ *Atika* (plan couleur Guéliz, B2, **14**) : 34, rue El-Houria (ex-rue de la Liberté). ☎ 024-43-64-09. Tlj sf dim et j. fériés 8h30-12h30, 15h-19h30. CB acceptées. La boutique de chaussures pour hommes et pour femmes la plus courue des expats et des touristes en goguette. Beaux modèles d'inspiration française ou italienne. La carte de paiement va avoir un coup de chaud !

⊛ *Place Vendôme* (plan couleur Guéliz, B2, **29**) : 141, bd Mohammed-V, angle rue El-Houria (ex-rue de la Liberté). ☎ 024-43-52-63. Tlj sf dim ap-m 9h-12h30, 15h-19h. Réduc de 10 % sur présentation de ce guide. Boutique spécialisée non dans les bijoux, mais dans les cuirs de qualité : portefeuilles, sacs de voyage, sacs à main, vestes, etc.

⊛ *Scènes de Lin* (plan couleur Guéliz, B2, **30**) : 70, rue El-Houria (ex-rue de la Liberté). ☎ 024-43-61-08. Tlj sf dim, j. fériés et en août 9h30-12h30, 15h30-19h30. Ligne orientale de linge de maison : serviettes de hammam, peignoirs, linge de table, etc. Haut de gamme et très cher.

⊛ *Naturelle d'Argan* (plan couleur Guéliz, B2, **39**) : 5, rue Sourya. ☎ 024-44-87-61. ● sawira.com ● Lun-sam 9h-13h, 15h-19h. Vente en ligne. Réduc de 10 % sur présentation de ce guide. Dans cette boutique, tout est naturel. Le produit : cette huile d'argan qu'on ne

trouve que dans le « triangle de l'or vert » (zone Essaouira-Agadir-Tafraoute), labélisé « bio ». Tous les ans au mois d'août, on la sélectionne comme un cépage pour un vin. Alain-Claude Kerrien a également créé une coopérative à Takoucht (entre Essaouira et Agadir) procurant ainsi du travail à plus de 50 femmes selon les principes du commerce équitable. Son credo : « il n'est de vraie richesse sans partage ».

⊛ *L'Orientaliste* (plan couleur Guéliz, B2, **119**) : 11 et 15, rue El-Houria (ex-rue de la Liberté). ☎ 024-43-40-74. ● orientaliste@menara.ma ● Réduc de 10 % sur présentation de ce guide. Sur plus de 300 m², un loft abritant d'anciens meubles marocains, peintures, tissages et tapis. Également de belles reproductions de meubles de Bugatti et d'autres « esprit 1930 » en noyer massif. Dans l'autre boutique (plus petite), expo d'antiquités orientales mais surtout les créations artisanales (poteries, verrerie émaillée) d'Emmanuelle, la proprio, sans oublier sa ligne de parfums aux senteurs envoûtantes (Fleur d'oranger, Rose de l'Atlas, Musc, Ambre...). Une adresse pour ceux qui ont du flair !

⊛ *ACIMA* (plan couleur Guéliz, A2, **31**) : av. Mohammed-Abdelkarim-el-Khattabi, presque à l'angle de l'av. Mohammed-V. En face de la station-service Shell. Tlj 8h30-22h. CB acceptées. Bien placé, prix intéressants et on

...tout.

...marchés Marjane : il y en a ...mais trois. Le plus ancien, sur la ...te de Casa, à 4 km de Guéliz (hors plan couleur d'ensemble par A1), un deuxième sur la route d'Agadir, à 10 km de Guéliz (hors plan couleur d'ensemble par A1), et le « petit » nouveau, route d'Essaouira (hors plan d'ensemble couleur par A3). Tlj 9h-22h. Tous sont très bien approvisionnés. Le nombre impressionnant de camping-cars s'y arrêtant pour faire le plein de marchandises en témoigne !

❧ **Supermarché Aswak Assalam** (plan couleur d'ensemble, C2) : en face de la gare routière. Pas d'alcool, ni de charcuterie porcine.

❧ **Alcools** (plan couleur Guéliz, A2, 116) : on en trouve assez facilement dans des magasins « dédiés » à Guéliz, mais on vous en cite deux au cas où : au niveau du 23, rue Ibn-Aïcha. Ils sont collés côte à côte. Tlj 8h30-20h. Fermé le ven pdt la grande prière 12h-15h. À consommer avec modération et discrétion.

Aux deux zones d'achats traditionnelles de la ville que sont les souks de la *médina* et les commerces de *Guéliz*, il convient d'en ajouter une troisième. Il s'agit de la zone industrielle de **Sidi Ghanem**, route de Safi à quelques kilomètres du centre (bus n° 15 au départ de la pl. Jemaa-el-fna). Véritable centre d'activités dédié à la jeune création, c'est ici désormais que ça se passe ! Petit tour d'horizon au travers de quelques choix hautement subjectifs :

❧ **Akkal** (« la terre » en berbère) : stand n° 322. ☎ 024-33-59-38. ● akkal.net ● Lun-sam 9h-18h, dim 9h-17h. Céramiques et objets de décoration supertendance.

❧ **Amira Bougies** : stand n° 277, en face de la pharmacie. ☎ 024-33-62-47. ● amirabougies.com ● Tlj 9h-13h, 14h30-18h. Fabrication de bougies artisanales de toutes les couleurs et de toutes les tailles.

❧ **Carré Déco** : stand n° 136. ☎ 024-33-66-30. Lun-sam 9h-19h. Ameublement, très original.

❧ **Fan Wa Noor** : stand n° 16 bis. ☎ 024-33-69-60. ● fanwanoor.com ● Mar-sam 9h-18h. Du design contemporain très épuré, on adore...

❧ **L'Atelier** : stand n° 294. ☎ 024-35-62-16. Voilages, linge et mobilier design.

❧ **Les Glaces de Marie** : stand n° 175. ☎ 024-33-66-82. Mmmm, les bonnes glaces artisanales que voilà ! Le glacier fournit d'ailleurs bon nombre de restaurateurs en ville. Il devait prochainement ouvrir un salon en ville, demandez-lui.

❧ **Les Sens de Marrakech** : sans numéro, près du n° 20. Huiles pour le corps et le bien-être.

❧ **Léon L'Africain** : stand n° 24. ☎ 024-33-61-32. Tlj 9h-18h. ● leonlafricain.info ● Un artisan spécialiste du verre, du cuir et du fer forgé.

❧ **Nour Bougie** : stand n° 231. ☎ 024-33-57-18. ● nourbougie.com ● Bougies d'art.

❧ **Peau d'Âne** : stand n° 297. ☎ 024-33-65-50. ● peaudane.ma ● Luminaires et objets d'intérieur.

❧ **Via Notti** : stand n° 322. ☎ 024-35-60-24. Sophie accorde 10 % de réduc sur présentation de ce guide. Superbes draps, housses de couette, taies d'oreiller, serviettes de bain et peignoirs, brodés avec goût et finesse.

– Et puisque toutes ces émotions vous auront certainement creusé, nous vous avons prévu une pause au *Café Cosaque* : stand n° 280. ☎ 024-33-63-33. Lun-ven 8h30-17h. Ouf !

Où dormir ?

ATTENTION : en haute saison, en période de vacances scolaires européennes (grosso modo, de 15 jours avant à 15 jours après Pâques, d'une semaine avant à une semaine après la Toussaint, et du week-end avant Noël au week-end après le Jour de l'an) ainsi que tous les week-ends de l'année, ne jamais arriver à Marrakech sans avoir réservé, tous les hébergements risquant d'être

complets. La capacité d'accueil s'avère très nettement insuffisante en période de pointe. Par ailleurs, les réservations par téléphone, dans les hôtels qui ne disposent pas d'un fax ni d'une adresse mail, ne sont pas très fiables et quelques problèmes sont à déplorer régulièrement. Et même après avoir envoyé un e-mail de réservation, un petit coup de téléphone pour prévenir de l'heure d'arrivée ne peut pas faire de mal, et est carrément indispensable pour les arrivées tardives.

Pour les campeurs, trois adresses sont mentionnées, assez loin de la ville toutefois (mieux vaut être motorisé).

Nous avons divisé cette rubrique en deux zones géographiques : le quartier de Guéliz, puis la médina avec une sous-rubrique consacrée aux *riad*, ces maisons traditionnelles de la vieille ville transformées en chambres d'hôtes ou en hôtels. Bien lire tous nos textes sur les différents modes d'hébergement avant de vous décider. Chacun a ses avantages et ses inconvénients. Votre choix ne sera bien sûr pas le même si vous êtes en couple, en famille ou entre copains.

Campings

⚇ *Jnane Baroud* (hors plan d'ensemble couleur par E6, **59**) : km 13, route de l'Ourika. ☎ 024-48-57-11. ⊟ 072-61-87-79. • jardinsissil.com • Pour l'accès, se reporter plus loin aux « Jardins d'Issil » dans la rubrique « Où dormir dans les environs ? ». Prévoir 88 Dh (8 €)/pers l'emplacement avec sa propre tente. Petit déj 55 Dh (5 €). Deux autres niveaux de confort (petit déj inclus) : tente berbère 440 Dh (40 €) pour 2 pers ou maison abritant 2 vraies chambres doubles 550 Dh (50 €). Une petite quinzaine d'emplacements électrifiés avec 3 tentes nomades mises à dispo pour le briefing du matin et la restauration. En parlant de briefing, et sur simple demande, vous pourrez bénéficier des précieux conseils de Patrick, une vraie mine d'infos. Sanitaires nickel. Tenu par des gens de Lorient installés... à l'Ouest.

⚇ *Camping-caravaning Ferdaous* (hors plan couleur d'ensemble par A1) : à 11 km sur la route de Casablanca, à gauche, 200 m avt la station-service CMH. ☎ 024-30-40-90. ⊟ 061-55-28-43. Fax : 024-30-23-11. Pas de bus. Possibilité de s'y rendre en petit ou en grand taxi ; sinon, dispose d'un minibus qui fait la liaison, sur demande, avec la pl. Jemaa-el-Fna (prévoir 80 Dh, soit 7,30 €, l'aller-retour pour 4 pers). Ouv tte l'année. Compter env 55 Dh (5 €) pour 2 pers avec tente et voiture, électricité en sus. Resto sur place. En bordure d'une 2-voies qui mène à l'autoroute de Casablanca. Très bruyant donc, du moins pour les emplacements situés à proximité de l'entrée du camping. Mais le terrain est étendu et les emplacements au fond sont beaucoup plus calmes et ombragés ! Sanitaires assez propres et douches chaudes. Petite épicerie pour le pain matinal. Terrain très dur mais accueil très tendre.

⚇ *Camping Le Relais de Marrakech* (hors plan couleur d'ensemble par A1) : à 10 km env sur la route de Casablanca. À 5 mn en voiture de l'hypermarché Marjane. Au 1er rond-point après l'oued Tansift, prendre à gauche puis fléché. Sinon, à la gare routière, prendre un bus pour Douar Bellaaguid ; demander au chauffeur de s'arrêter 700 m après avoir quitté la route de Casa, juste devant la piste caillouteuse (côté droit de la route) ; le camping est à 500 m au bout. En grand taxi, compter près de 60 Dh (5,50 €). ☎ 024-30-21-03. ⊟ 064-71-73-28. • lerelaisdemarrakech.com • Compter 77 Dh (7 €) pour 2 pers avec tente et voiture, électricité en sus ; prévoir le double en juil-août. Possibilité de loger sous des tentes nomades standard 230 Dh (20,90 €) pour 2 pers. Également des chambres « Kasbah » avec sdb, 430 Dh (39,10 €) pour 2 pers. Resto à la déco agréable à partir de 90 Dh (8,20 €). Un camping récent tenu par un couple de Français. Des parterres de plantes et de fleurs ont été agréablement conçus, nombreux palmiers et oliviers aussi. Beaucoup de camping-cars : logique, tout est prévu pour eux (vidanges, pleins d'eau...). Piscine. Parmi les services proposés : machines à laver, salon de coiffure, Internet wi-fi... Gardé jour et nuit.

À *Guéliz* (ville nouvelle)

On trouve ici de très bons rapports qualité-prix et une piscine dans certains établissements. Avantage : c'est plus aéré, on se sent moins confiné. Gros inconvénient : il faut à chaque fois prendre un taxi pour se rendre dans la médina, ou le bus n° 1 sur l'avenue Mohammed-V.

Auberge de jeunesse

🏠 *Auberge de jeunesse* (IYHF ; plan couleur Guéliz, A3, **40**) : rue El-Jahid. ☎ 024-44-77-13. Depuis le centre, bus n°s 3 et 8, c'est à 200 m de la nouvelle gare ferroviaire. Ouv 24h/24. Compter 60 Dh (5,50 €)/pers, petit déj compris. Petit supplément pour la douche chaude (douche froide gratuite). Carte de membre indispensable. Pas de restauration sur place. Capacité d'accueil de 60 places se répartissant ainsi : 3 chambres de 3 pers ; 6 chambres de 4 pers et des dortoirs de 8-10 lits. Les garçons au rez-de-chaussée, les filles à l'étage. Le quartier est calme, très calme ; le lieu propre, très propre. Cour intérieure et terrasse. Seul inconvénient : on est un peu à l'écart de tout. Coffre à la réception.

De bon marché à prix moyens

🏠 *Hôtel Franco-Belge* (plan couleur Guéliz, B2, **41**) : 62, bd Mohammed-Zerktouni. ☎ 024-44-84-72. Double avec sdb env 200 Dh (18,20 €) ; sinon, doubles 130-160 Dh (11,80-14,50 €), avec slt douche privée (eau chaude le mat) ou sanitaires communs (douche payante dans ce cas). Pas de petit déj. À ce prix-là, ne pas demander la lune, bien entendu. Les chambres, sans prétention et dépouillées, mais correctement entretenues grâce à quelques coups de pinceau, donnent sur un patio tranquille où l'on peut se reposer à l'ombre des orangers. Quelques problèmes de plomberie, parfois, et literie inégale.

🏠 *Hôtel Toulousain* (plan couleur Guéliz, B2, **43**) : 44, rue Tarik-ibn-Ziad. ☎ 024-43-00-33. • hotel-toulousain@yahoo.fr • Doubles 190-230 Dh (17,30-20,90 €) selon confort (sanitaires collectifs ou privés), petit déj inclus. Résa vivement conseillée (souvent complet, même en basse saison). Un hôtel un peu vieillot mais idéalement situé en centre-ville. Une trentaine de chambres calmes, avec vue sur les palmiers et les orangers. Propre. L'ensemble mériterait d'urgence une bonne rénovation, c'est vraiment dommage. Attention : le petit déj (copieux et très bon) étant servi dans la cour, cela vous évitera l'usage de votre réveil... Accueil lunatique.

Chic

🏠 *Hôtel Akabar* (plan couleur Guéliz, C3, **44**) : 24, rue Echouhada. ☎ 024-43-77-99. • hotelakabar.ma • Compter 500 Dh (45,50 €) pour 2 pers tte l'année. Petit déj 50 Dh (4,50 €). Tout beau, un hôtel moderne et impeccable, très fonctionnel et rassurant. Une cinquantaine de chambres climatisées avec ou sans balcon. Déco joliment passe-partout et agréable à la fois. Sans bonne ni mauvaise surprise. Resto, piscine, quelques salons. Un excellent rapport qualité-prix.

🏠 *Hôtel Majorelle* (plan couleur d'ensemble, C1, **47**) : 25, av. Allal-el-Fassi. ☎ 024-30-99-40 ou 024-31-07-78. Fax : 024-31-12-77. Parking privé. Près de 460 Dh (41,80 €) pour 2 pers ; petit déj 30 Dh (2,70 €). Un peu excentré, mais pas de problème pour trouver un taxi dans le coin. Cet hôtel récent propose une quarantaine de chambres confortables (bonne literie, téléphone, AC, TV satellite), à la déco standard. Également quelques suites. On pourra préférer l'arrière qui est plus calme mais avec aussi une vue plus limitée. Dilemme ! Quelques chambres familiales. Propreté impeccable et accueil sympathique. Agréable cafèt' ouvrant sur le jardin au rez-de-chaussée.

▪ *Hôtel Jnane El Harti (plan couleur Guéliz, B3, 45) :* 30, rue El-Qadi-Ayad. ☎ 024-44-80-00. *Fax :* 024-44-93-29. *Derrière la poste. Double env 450 Dh (40,90 €), petit déj compris. ½ pens obligatoire en hte saison : 700 Dh (63,60 €) pour 2 pers.* Un hôtel d'une cinquantaine de chambres climatisées dont le principal avantage est l'emplacement. Depuis la terrasse au dernier étage, belle vue sur le jardin El Harti (juste en face) et sur l'Atlas. En revanche, certaines chambres sont assez petites. À chaque étage, les n°s 7 (107, 207, 307, etc.) sont plus vastes. Éviter celles qui donnent sur la petite rue, préférer celles avec vue sur le jardin. Propreté inégale. L'accueil n'est pas toujours des plus sympathique. Le reste du personnel compense...

▪ *Hôtel Ibis Moussafir Centre-Gare (plan couleur Guéliz, A3, 46) :* av. Hassan-II, pl. de la Gare. ☎ 024-43-59-29 à 32. *Fax :* 024-43-59-36. *Double env 600 Dh (54,50 €) tte l'année, petit déj compris. CB acceptées.* Une centaine de chambres, toutes climatisées. L'agréable jardin bien entretenu, avec sa belle piscine (non chauffée en hiver et ouverte aux non-résidents, moyennant 80 Dh, soit 7,30 €) constitue un atout majeur. D'ailleurs, demander une chambre sur le jardin, si possible éloignée de l'ascenseur. La décoration des parties communes est réussie. En revanche, celle des chambres, sans charme, s'avère bien formatée... Un établissement fonctionnel avant tout (bar, resto, parking fermé) avec deux points faibles : mauvaise insonorisation et accueil très inégal.

Très chic

▪ *Hôtel Diwane (plan couleur Guéliz, A2, 48) :* 24, rue de Yougoslavie. ☎ 024-43-22-16. ● *diwane-hotel.com* ● *Double env 1 100 Dh (100 €) tte l'année, petit déj compris. Propose parfois des promos intéressantes. CB acceptées.* Joli spa avec 3 formules au choix autour de 500 Dh (45,50 €). Un 4-étoiles de 5 étages, composé d'une centaine de chambres au confort classique inhérent à ce type d'établissement (AC, téléphone, coffre, TV satellite...). Déco à la marocaine dans les parties communes, qui possèdent un certain cachet grâce aux matériaux et aux techniques traditionnelles utilisés (*tadelakt,* zelliges...). Pour le même prix, préférer les chambres avec balcon donnant sur le bout de jardin et la piscine, à l'arrière. Très bon accueil. Animation musicale au bar, tous les soirs autour de 19h30.

▪ *Hôtel Kenzi Semiramis (hors plan couleur d'ensemble par A1) :* sur la route de Casablanca, quartier Semlalia. ☎ 024-43-13-77. ● *kenzi-hotels.com* ● *Double 189 €, sans le petit déj. Sur présentation de ce guide, réduc de 10 % accordée sur le meilleur tarif disponible à l'hôtel.* Les 180 chambres et les suites sont vastes et luxueuses. Air conditionné, TV satellite, minibar, téléphone, coffre-fort, spa... Terrasse donnant sur les jardins. Patios intérieurs. Piscine hollywoodienne au milieu de la verdure (chauffée en hiver). Trois restaurants, et un bar au bord de la piscine. Aire de sport avec tennis, tir à l'arc et pétanque. Discothèque.

▪ *Hôtel Kenzi Farah (plan couleur d'ensemble, B4, 114) :* av. du Président-Kennedy, quartier de l'Hivernage. ☎ 024-44-74-00. ● *kenzi-hotels.com* ● *Double 195 € sans le petit déj. Sur présentation de ce guide, réduc de 10 % accordée sur le meilleur tarif disponible à l'hôtel.* Près de 400 chambres, spacieuses et dotées de tout le confort, sont réparties dans 4 bâtiments au cœur d'un vaste parc de 3 ha. Piscine (couverte et chauffée), spa merveilleux, hammam, sauna, tennis, cyberespace. Et, bien sûr, plusieurs restaurants.

– Du même groupe, deux nouveaux palaces devaient ouvrir fin 2008 sur la désormais incontournable av. Mohammed-VI. Il s'agit du *Kenzi Club Medina,* résidence Hivernage, bloc B. Tendance écologique. Et le *Kenzi Menara Palace, resort & spa,* dans la zone de l'Agdal.

MARRAKECH

MARRAKECH

Résidences

Si vous devez séjourner un certain temps à Marrakech, cette formule de location offre de nombreux avantages : autonomie et liberté de prendre ses repas sans avoir à fréquenter quotidiennement le resto. L'office de tourisme possède la liste des résidences de la ville. Nous en avons sélectionné deux :

🛏 *Résidence Gomassine (plan couleur Guéliz, B2, 51) :* 71, bd Mohammed-Zerktouni. ☎ 024-43-30-86 ou 84-54. ● *residencegomassine.ma* ● *Parking souterrain en face. Une vingtaine de petits apparts pour 4 pers env 800 Dh (72,70 €) ; tarifs très avantageux pour les longs séjours. Également 5 grands apparts pour 6 pers ou 5 studios pour 2 pers. Bien située au cœur de Guéliz, cette résidence de 5 étages est une affaire intéressante en famille. Tous les appartements sont différents, essayez donc d'en visiter plusieurs ; certains possèdent un balcon. Clim', TV satellite et cuisine équipée. Déco sans charme particulier, mais propreté assurée. Un peu bruyant toutefois selon la situation et accueil inégal. Petite piscine et resto-snack.*

🛏 *Résidence Hôtel Zahia (plan couleur Guéliz, A1, 50) :* av. Mohammed-Abdelkrim-el-Khattabi (à mi-chemin entre le bd Mohammed-VI et la route de Casa). ☎ 024-44-62-44 ou 54. Fax : 024-43-00-28. Double 550 Dh (50 €), petit déj compris ; appart pour 2 pers 750 Dh (68,20 €). Suites env 1 000 Dh (90,90 €) pour 4 pers. Réduc de 25 % en basse saison (sept-fév et mai-juin). CB acceptées. Fait aussi resto.* Une vingtaine d'appartements bien équipés (avec cuisine), plus une trentaine de chambres répartis sur les 4 étages de ce bâtiment, desservis par ascenseur. Tous les logements sont climatisés et disposent d'une télé satellite ainsi que d'une très bonne literie ; malheureusement, ils ne possèdent aucun charme. Le ménage est fait chaque jour et la propreté est irréprochable. Piscine sympathique à l'arrière. L'environnement n'est pas folichon et les studios donnant sur l'avenue sont assez bruyants malgré le double vitrage.

Dans la médina

De très bon marché à bon marché

Tous les hôtels de cette catégorie sont regroupés dans le *secteur du derb Sidi-Bouloukate (plan couleur Jemaa-el-Fna, E4).* On a retenu ici ceux qui offrent le meilleur rapport qualité-prix, mais sachez qu'il en existe beaucoup d'autres dans le coin. La plupart affichent des tarifs similaires à ceux que nous vous proposons, mais l'entretien et l'accueil ne suivent pas toujours... Essayez d'arriver assez tôt (avant 10h), car, après, vous n'aurez certainement pas le choix de la chambre. Pour s'y rendre, de la pl. Jemaa-el-Fna, longer l'hôtel *CTM,* franchir la voûte, suivre la rue riad Zitoun-el-Kédim et tourner dans la première ruelle à droite, à 100 m environ. On arrive directement aux *hôtels Médina et Essaouira.* On peut aussi accéder à ce quartier, de l'autre côté, en empruntant la rue piétonne de Bâb-Agnaou, qui part de la place Jemaa-el-Fna, sur le côté droit de la banque *Al Maghrib.*

🛏 *Hôtel Essaouira (plan couleur Jemaa-el-Fna, E4, 53) :* 3, derb Sidi-Bouloukate. ☎ et fax : 024-44-38-05. ● *essaouira@jnanemogador.com* ● *Double 100 Dh (9,10 €) ; petit déj en sus. Possibilité de dormir sur la terrasse pour env 30 Dh (2,70 €).* Une trentaine de chambres de 2 à 5 personnes avec lavabo, réparties autour d'un patio avec fontaine assez spacieux et très agréable (beaux plafonds sculptés, portes, vérandas abondamment décorés). Douches chaudes communes comprises dans le prix, et bonne literie. Grande terrasse pour bronzer, prendre un verre ou contempler la Koutoubia. Nickel. Une institution des années 1960, qui a gardé son bon rapport qualité-prix. Une de nos meilleures adresses dans cette catégorie.

≜ *Hôtel Médina (plan couleur Jemaa-el-Fna, E4, 54) :* 1, derb Sidi-Bouloukate. ☎ 024-44-29-97. *Ne pas confondre avec l'*Hôtel Médina & Spa, *c'est un 5-étoiles ! Env 50 Dh (4,50 €)/ pers ; près de 30 Dh (2,70 €) sur la terrasse, à la belle étoile ; petit déj en sus.* Établissement qui ressemble plus à une habitation marocaine qu'à un hôtel. Une quinzaine de chambres avec lavabo et douche froide (gratuite) ou chaude (payante) sur le palier. Patio recouvert de céramique, portes et vérandas joliment décorées. Éviter toutefois la chambre n° 5, sans fenêtre. Là encore, une bonne adresse pour petits budgets.

≜ *Hôtel Aday (plan couleur Jemaa-el-Fna, E4, 55) :* 111, derb Sidi-Bouloukate. ☎ 024-44-19-20. *En face de l'hôtel* Essaouira *et* Jnane-Mogador, *appartient à la même famille. Compter 50 Dh (4,50 €)/pers. Possibilité de dormir sur la terrasse (env 30 Dh, soit 2,70 €). Même genre que l'hôtel* Médina (chambres avec lavabo, sanitaires communs propres, douche chaude gratuite mais parfois défaillante), en plus petit. Céramiques et portes peintes. En

revanche, éviter les chambres du rez-de-chaussée vraiment sombres et qui donnent directement sur la réception (plus bruyantes). Pas de petit déj, mais on peut aller le prendre en face ou au *Médina* (voir plus haut).

≜ *Hôtel El Amal (plan couleur Jemaa-el-Fna, E4, 56) :* 93, derb Sidi-Bouloukate. ☎ et fax : 024-44-50-43. *Compter 50-60 Dh (4,50-5,50 €)/pers selon saison, douche chaude comprise ; petit déj en sus. Possibilité de dormir sous une tente sur la terrasse pour 30 Dh (2,70 €)/pers.* Une vingtaine de chambres avec lavabo, réparties sur 3 étages. Sanitaires communs propres. Patio carrelé de céramique et terrasse agréable pour le petit déj.

≜ *Hôtel Imouzzer (plan couleur Jemaa-el-Fna, E4, 52) :* 74, derb Sidi-Bouloukate. ☎ 024-44-53-36. ● hotel-imouzzer.com ● *Compter 66-77 Dh (6-7 €)/pers selon saison ; petit déj en sus 20 Dh (1,80 €).* Petites chambres simples, dotées d'un lavabo, donnant sur un joli patio central avec fontaine et petit bassin. Sanitaires communs propres (douche gratuite). Grande terrasse panoramique où l'on peut prendre son petit déj.

Bon marché

≜ *Hôtel Mimosa (plan couleur Jeemal-el-Fna, E3, 57) :* 16, rue des Banques. ☎ 024-42-63-85. *Doubles 100-300 Dh (9,10-27,30 €) selon confort, douche chaude comprise, petit déj en sus. Possibilité de dormir sur la terrasse pour 30 Dh (2,70 €).* Établissement qui propose une vingtaine de chambres, plutôt propres, certaines avec plafond en stuc. Seules 2 chambres (pour 4 personnes) disposent d'une douche privée. Carrelage partout. La propreté des sanitaires est décevante. Accueil souriant de Moktar, le patron. Belle terrasse d'où l'on aperçoit la place Jemaa-el-Fna

≜ *Hôtel La Gazelle (plan couleur Jemaa-el-Fna, E4, 58) :* 12, rue Bani-Marîn. ☎ 024-44-11-12. Fax : 024-44-55-37. *À deux pas de la pl. Jemaa-el-Fna. Doubles 120-150 Dh (10,90-13,60 €) selon saison. Pas de petit déj.* Une trentaine de chambres aux portes rose bonbon et aux murs verts, avec

lavabo, agencées autour d'un patio. Sanitaires communs à la propreté correcte et douches chaudes gratuites. L'établissement est tenu par des Berbères sympas. Petite terrasse avec vue sur la Koutoubia. Choisir de préférence les chambres au dernier étage, elles sont plus calmes et un peu plus lumineuses. Bon rapport qualité-prix.

≜ *Hôtel Afriquia (plan couleur Jemaa-el-Fna, E4, 60) :* 45, derb Sidi-Bouloukate. ☎ 070-96-05-90. *Doubles 130-200 Dh (11,80-18,20 €) avec ou sans douche, petit déj en sus ; compter 30 Dh (2,70 €) pour dormir sur la terrasse.* Quelques chambres, toutes abondamment carrelées, toutes avec douche et la grande majorité avec lavabo, réparties autour d'un patio sur deux étages. Certaines au rez-de-chaussée ne disposent que de minuscules fenêtres. Deux douches chaudes communes gratuites. Belle terrasse « à la Gaudí » sur le toit, pour bronzer et prendre son petit déj. Une adresse où l'on croise des routards du monde entier.

🛏 **Hôtel Nissam** (plan couleur Jemaa-el-Fna, E4, **49**) : 76, derb Sidi-Bouloukate. ☎ 024-38-60-81. Doubles 120-150 Dh (10,90-14,50 €) selon saison ; petit déj en sus. Un hôtel récent d'une dizaine de chambres avec sanitaires communs (une douche par étage). La déco est sommaire et il se dégage des chambres une atmosphère assez dépouillée. Terrasse qui manque un peu de verdure. Mais l'ensemble est très propre et l'accueil charmant.

Prix moyens

🛏 **Hôtel Central Palace** (plan couleur Jemaa-el-Fna, E4, **63**) : 59, derb Sidi-Boulakate. ☎ 024-44-02-35. • lecentralpalace.com • Doubles 160-305 Dh (14,50-27,70 €) selon confort et saison ; petit déj en sus. Un hôtel aux parties communes carrelées avec un joli patio calme et reposant au décor mauresque agrémenté d'une fontaine. L'ensemble est mignon et de bonne tenue. Trois types de chambres (sanitaires privés ou communs, clim' pour les plus chères). Elles sont petites mais nickel et la plupart donnent sur le patio. Bon resto avec de bonnes spécialités de poisson et fruits de mer. Agréables terrasses. Propose des excursions. Une adresse de qualité constante.

🛏 |●| **Hôtel Ali** (plan couleur Jemaa-el-Fna, E4, **42**) : rue Moulay-Ismail, au niveau du square Foucauld, collé à la pâtisserie Mik-Mak. ☎ 024-44-49-79. • hotel-ali.com • Double avec sdb env 300 Dh (27,30 €). Repas 60-80 Dh (5,50-7,30 €), accessible aux non-résidents. Fait du change à taux intéressant. L'hôtel Ali nous a laissés baba ! C'est

🛏 **Hôtel Ichbilia** (plan couleur Jemaa-el-Fna, E4, **61**) : 1, rue Bani-Marîn. ☎ 024-39-04-86. Réception au 1er étage. Compter 120-160 Dh (10,90-14,50 €) pour 2 pers selon saison ; petit déj en sus. Tout près de la place Jemaa-el-Fna, un hôtel d'une trentaine de chambres simples et propres avec lavabo. Sanitaires communs bien tenus et douche gratuite. Pas de charme particulier mais fonctionnel et pas cher. Éviter les chambres au niveau de la réception, à cause de la télé. Cyber-espace juste à côté, appartenant au même patron (ouvert tous les jours de 9h à 23h).

une véritable ruche. Mais on vous trouvera toujours une place dans l'une des 25 alvéoles se répartissant sur 3 niveaux. Au rez-de-chaussée, décor surchargé de vraies-fausses *guernizas* et de faux-vrais zelliges, peu importe... Des tables disséminées, autour desquelles les abeilles se posent et plongent leurs antennes dans des thés trop sucrés. Pour se restaurer, on butine le midi tandis que le soir on se sert à l'excellent buffet servi en terrasse, à portée d'ailes de la Koutoubia. À moins que vous ne fassiez votre miel des délicieuses pizzas préparées dans un vrai four à bois jouxtant l'entrée. Une vraie adresse de routards, allez-y dard-dard !

🛏 **Hôtel Sherazade** (plan couleur Jemaa-el-Fna, E4, **64**) : 3, derb Djama, riad Zitoun-el-Kédim. ☎ 024-42-93-05. • hotelsherazade.com • Intéressant pour ses 4 chambres doubles sur la terrasse, 230-330 Dh (20,90-30 €) selon saison, avec sanitaires communs. Petit déj 50 Dh (4,50 €). Pour plus de détails, voir la catégorie « Chic », juste après.

Chic

🛏 **Hôtel Jnane Mogador** (« Jardins de Mogador » ; plan couleur Jemaa-el-Fna, E4, **65**) : 116, derb Sidi-Bouloukate, riad Zitoun-el-Kédim. ☎ 024-42-63-23. • jnanemogador.com • En hte saison, compter 480 Dh (43,60 €) la double 650 Dh (59,10 €) pour 4 pers.

Une suite climatisée 880 Dh (80 €) pour 2 pers. Petit déj 40 Dh (3,60 €). En basse saison, remise d'env 25 %. CB acceptées. Dans ce quartier d'hôtels bon marché de Marrakech, celui-ci fait presque classe. Même direction que l'hôtel *Essaouira*, et mêmes excellentes prestations. Une vingtaine de chambres avec sanitaires et douches privés, réparties autour du patio. Lits en fer forgé et douches en *tadelakt*. Hôtel respectant vraiment l'architecture traditionnelle et utilisant l'artisanat marocain pour la déco (portes et meubles en bois sculpté). Terrasse fort plaisante avec plein de plantes vertes. Beau salon avec cheminée. Hammam, massages (payants). Personnel sympa, professionnel et discret. Consigne (gratuite) pour les bagages. Espace Internet. Un hôtel de charme certain et notre adresse préférée dans cette catégorie, comme pour nos lecteurs, c'est dit !

▪ *Hôtel Gallia (plan couleur Jemaa-el-Fna, E4, 66) : 30, rue de la Recette.* ☎ 024-44-59-13 ou 024-39-08-57. *Fax : 024-44-48-53. Possibilité de se garer à proximité. Double avec douche et w-c 500 Dh (45,50 €) ; 2 chambres avec douche collective 300 Dh (27,30 €). Petit déj compris.* Souvent complet, succès depuis les années 1930 oblige ! Une vingtaine de chambres avec chauffage et AC. On a un petit faible pour celles qui donnent sur la terrasse. Toutes ne sont pas aussi agréables, certaines sont même assez quelconques, voire plutôt sombres quand elles sont au rez-de-chaussée. Très beau double patio central avec des murs de céramique rose, un splendide palmier et tout un environnement de plantes vertes autour d'une petite fontaine. Salon marocain. Bon accueil. Un 2-étoiles d'une belle régularité.

▪ *Hôtel CTM (plan couleur Jemaa-el-Fna, E4, 62) : pl. Jemaa-el-Fna.* ☎ 024-39-19-70. ▪ *063-86-39-62. ● hotelctm. com ● Double 500 Dh (45,50 €), petit déj compris.* Ainsi nommé en souvenir de la gare des bus qui se trouvait à côté. Depuis son ouverture à la fin des années 1920, c'était un hôtel bon mar-

ché. Changement radical d'orientation (et de clientèle !), la vingtaine de chambres du premier patio ayant été rénovées et possédant toutes désormais des sanitaires privés. Elles sont confortables et agréables. En revanche, refusez systématiquement un logement dans le deuxième patio (beaucoup moins cher), non conforme aux normes de sécurité (en principe ils n'y logent personne avant les travaux). Si la partie rénovée est complète, passez votre chemin. Pour profiter du spectacle, immense terrasse dominant toute la place. Le patron possède aussi le restaurant *Les Prémices* (voir « Où manger dans la médina ? Bon marché »).

▪ *Hôtel Sherazade (plan couleur Jemaa-el-Fna, E4, 64) : 3, derb Djama, riad Zitoun-el-Kédim.* ☎ 024-42-93-05. ● *hotelsherazade.com ● Double avec douche et w-c env 500 Dh (45,50 €) ; ajouter 100 Dh (9,10 €) à Pâques et à Noël. Petit déj 50 Dh (4,50 €).* Charmant hôtel installé dans un *riad* bien restauré et ordonné autour de deux très beaux patios bleu et blanc. Décoration intérieure riche et soignée. Terrasse particulièrement agréable, avec profusion de plantes et vue panoramique, un salon de thé typique. 25 chambres, dont 15 possèdent une douche individuelle (quelques-unes en *tadelakt*), les autres avec douche commune. Préférez celles du 1er étage, plus lumineuses. La n° 21, plus chère que les autres, recèle un charme particulier. Attention cependant aux chambres situées au niveau de la terrasse supérieure. Elles cohabitent sévèrement avec les haut-parleurs de la mosquée toute proche (réveil assuré à 5h !). Excursions dans les environs avec guides diplômés, transfert aéroport, location de voitures.

Beaucoup plus chic

▪ *Les Jardins de la Médina (plan couleur d'ensemble, E6, 67) : 21, Derb-Chtouka, quartier de la Kasbah.* ☎ 024-38-18-51. ● *lesjardinsdelamedina.com ● Au sud des tombeaux saadiens. Parking couvert et gardé, change, wi-fi gratuit et même nounou, tt est inclus ! En moyenne saison et selon*

confort, compter 2 500 Dh (227,30 €) la double « supérieure », petit déj compris (+10 % env en hte saison et -15 % en basse saison). À ne pas confondre avec *Les Jardins de la Koutoubia,* du même acabit. Près d'une quarantaine de chambres donnant sur un vaste jardin verdoyant et merveilleux. Architecture rappelant une sorte de mini-médina. Passages, terrasses multiples, escaliers dérobés, salons, pavillons de repos avec canapés. Déco soignée à l'extrême, service hôtelier excellent. Resto mêlant les cuisines européenne et marocaine. Superbe piscine au cœur du jardin, chauffée l'hiver. Belle adresse de luxe mais qui évite le côté snobinard des autres établissements. Le directeur tient même une permanence tous les lundis ! En option, différents degrés d'accueil payants (fleurs, cocktails de bienvenue, fruits, pâtisseries), curieux tout de même.

▲ **Hôtel La Mamounia** (plan couleur Médina, D4) : av. Bâb-el-Jedid. ☎ 044-38-86-00. ● mamounia.com ● L'hôtel le plus chargé d'histoire de la ville (et aussi le plus cher !) était en rénovation. Sa réouverture est prévue pour le printemps 2009. Rappelons que ce mythe marrakchi fut construit pour les chemins de fer entre 1925 et 1929. Les jardins (centenaires) méritent à eux seuls d'y aller boire un verre, même si vous ne pouvez vous offrir le luxe de ce palace... Le casino, lui, fonctionne toujours pendant les travaux. Voir la rubrique « Où sortir ? ».

RIAD

Au cœur de la médina, il est possible de loger dans des *riad,* des maisons traditionnelles qui répondent à des critères architecturaux bien précis (voir les rubriques « Habitat » et « Hébergement » en début de guide). Certaines se sont converties à l'hôtellerie et proposent des chambres avec le petit déjeuner. Dans l'immense majorité des cas, vous pouvez aussi dîner sur place en commandant votre repas 24h à l'avance.

Un art de vivre...

Loger dans un *riad* constitue une excellente façon de découvrir la ville de l'intérieur, hors des circuits balisés, et de savourer à l'ombre des orangers cet art de vivre qui fait encore la réputation de Marrakech. En flânant dans les ruelles de la médina, vous passerez peut-être à côté de l'un de ces *riad* que rien ne distingue à l'extérieur, sans vous douter que, derrière des murs sans grâce, au fond de quelque étroit passage, se cache une merveille.

... qui ne convient pas à tout le monde

Toutefois, sachez que ce style d'hébergement peut aussi vous apporter quelques surprises pas toujours agréables.
– Les claustrophobes se sentiront un peu mal à l'aise car ces maisons entourées de hauts murs ne bénéficient pas d'ouvertures extérieures (sauf la porte, bien sûr ! c'est le principe même du *riad*) et par grosses chaleurs, l'été, l'absence fréquente de clim' peut rendre l'atmosphère étouffante.
– Sachez aussi que les chambres du rez-de-chaussée sont souvent sombres et parfois humides. Et qu'il n'y a souvent pas de chauffage l'hiver, hormis dans certaines demeures où une cheminée peut être présente.
– En outre, si vous avez de jeunes enfants qui courent et grimpent partout, on déconseille ce terrain de jeu. En effet, nombre de ces maisons, pour respecter leur intégrité architecturale, ne possèdent pas toujours de garde-fous sur leur terrasse, ni de rampes dans les escaliers. De plus, vos chérubins, aussi adorables soient-ils, risquent d'être trahis par l'amplificateur de sons qu'est un patio. Les gens venus se reposer (et ils sont légion !) risquent fort de faire « une mine pas tibulaire mais presque ».
– Par ailleurs, les escaliers menant aux terrasses sont parfois très pentus et peuvent s'avérer problématiques pour les personnes à mobilité réduite.
– Sachez enfin que ce n'est pas un mode d'hébergement bon marché (euphémisme !). Si vous êtes en famille, optez plutôt pour les adresses qui proposent des suites pour quatre (2 adultes et 2 enfants) à prix intéressants. ATTENTION : les

catégories de prix de notre bonne vieille rubrique « Budget » n'ont plus cours ici et correspondent à une échelle de prix supérieure. D'ailleurs, la valeur de référence est plus fréquemment l'euro que le dirham, les propriétaires étant bien souvent européens. Selon les adresses, nous indiquons donc les prix dans l'une ou l'autre monnaie, en fonction de ce qui est affiché dans les *riad*.

Réservations

Pour réserver, deux possibilités : passer par une agence ou contacter une adresse directement. De toute façon, n'accepter qu'une confirmation écrite sur papier à en-tête avec cachet commercial, et numéro de téléphone fixe (que vous appellerez pour vérifier, bien sûr). Si vous en choisissez un hors notre sélection, et s'il n'y a qu'un numéro de portable, laissez tomber ! N'hésitez pas à en contacter plusieurs et comparer les tarifs et les prestations en précisant bien la période (grosse variation de prix).

D'ailleurs, à ce sujet, on note en général trois périodes : la basse saison (de janvier à début février, juillet-août et la 1re quinzaine de décembre), la haute saison (les vacances de Noël, celles de Pâques et, au choix du proprio, celles de février ou de la Toussaint). Le reste de l'année, c'est la moyenne saison. IMPORTANT : les fourchettes de prix que nous indiquons correspondent à une chambre double en basse saison. Ajouter 40 % environ pour obtenir les prix de la haute saison, mais souvent on vous met des mentions plus précises.

Notez qu'il est toujours possible de louer l'ensemble de la demeure. Cette formule convient particulièrement à ceux qui comptent séjourner en famille ou avec des copains dans un cadre traditionnel.

Les agences et leurs principaux *riad*

En passant par une agence, vous bénéficierez de réelles garanties : contrôle régulier des prestations et entretien de la maison. La plupart des *riad* proposés sont leur propriété, ou gérés par eux en exclusivité, ce qui limite les mauvaises surprises. En cas de litige, vous aurez donc une possibilité de recours et vous aurez toujours un interlocuteur à qui vous adresser. Ces agences, en général anciennes sur le marché, n'ont pas envie de ternir leur réputation. Elles sont donc très attentionnées auprès de leurs clients et réalisent de fait un très bon travail.

■ *Marrakech Riads* (plan couleur Médina, E3, **27**) : 8, derb Cherfa-Lakbir, dar Chérifa. ☎ 024-42-64-63 ou 024-39-16-09. ●marrakech-riads.com ●marrakech-riads. net ●Dans le quartier Mouassine. Réduc de 10 % sur présentation de ce guide. Et encore un petit plus, rien que pour vous : transfert aéroport gratuit à l'arrivée ou au départ à partir de 3 nuits. Abdelatif Aït ben Abdallah, qui a une longue pratique de la réhabilitation du patrimoine bâti, restaure, vend et loue de superbes demeures. Il propose à la location 5 *riad* très différents, tous admirablement restaurés dans le respect de la tradition et chacun avec un charme très particulier. Tarifs vraiment raisonnables compte tenu de la qualité des lieux et des prestations. Ils sont gradués de 1 à 5 lanternes. Ainsi, pour un *riad* en exclusivité, prévoir 1 815-3 630 Dh la nuit (165-330 €) selon le confort. Pour ces adresses, le personnel cuisine, s'occupe du ménage et du gardiennage. Tous ont un accès wi-fi. Service parfait à tous points de vue.

▲ *Dar Sara* (plan couleur Médina, D3, **68**) : Arset Awsel, quartier Bâb-Doukkala. 5 lanternes. Doubles 700-1 200 Dh (63,60-109,10 €). Sept chambres avec salle de bains, toutes climatisées, en rez-de-chaussée et en étage, disposées autour d'un patio avec fontaine. Agréable salon. Grand bassin pour se rafraîchir. L'ambiance y est résolument familiale et décontractée. Espace bien-être avec hammam. Communiquant avec le premier, le *Dar Sara Srira*, un adorable petit *riad* 3 lanternes de 3 chambres avec salle de bains et un beau hammam en *tadelakt* rouge feu. Double 700 Dh (63,60 €). À noter que si le *Dar Sara* est réservé par ailleurs en entier, vous n'aurez pas d'accès terre-ensemble donc. À vérifier donc.

♦ *Dar Baraka (plan couleur Médina, D2-3, 69)* : 11, derb El-Halfaoui, près de Bâb-Doukkala. Double 700 Dh (63,60 €). Votre « baraka », c'est d'abord celle d'être ici, dans ce 4-lanternes fort bien situé dans le quartier de Dar-el-Bacha. Cinq chambres dotées de salle de bains. Salon avec cheminée et plafond en bois peint, adorable *b'hou* (salon-alcôve) donnant sur le patio, différents niveaux de terrasses et hammam. Là encore, communicant avec le *Dar Baraka*, un 5 lanternes, le **Dar Karam,** avec 4 doubles et une simple. Ensemble plus spacieux, à la déco plus épurée, plus raffinée. Prévoir 800 Dh

(72,70 €) pour 2 personnes.

■ *Riad Al Jazira (plan couleur d'ensemble, D2, **70**)* : 7, derb Myiara, quartier Sidi-ben-Slimane. Double 970 Dh (88,20 €) avec sdb. Quinze chambres réparties sur 3 patios admirables de luminosité, de simplicité et de classe. Atmosphère épurée et apaisante, comme sur une île... Le premier avec une salle à manger donnant sur un beau bassin islamique dans lequel on peut se baigner (c'est assez rare pour le mentionner) et un hammam. Le plus grand datant du XVIIIe s, avec 4 galeries bordées de moucharabiehs et le troisième avec 2 galeries, un *b'hou* et un grand salon avec cheminée. Plusieurs niveaux de terrasses. Sans nul doute, un très beau 5-lanternes.

■ **Riads au Maroc** (plan couleur Médina, C3, **32**) : 1, rue Mahjoub-Rmiza, Marrakech-Ménara, Guéliz. En taxi, demandez Bâb n' Kob. ☎ 024-43-19-00. ● riadoma roc.com ● Compter entre 350 Dh (31,80 €) pour une chambre double 1 lanterne et 3 000 Dh (272,70 €) pour une suite 5 lanternes, avec ttes les offres intermédiaires ; tarifs identiques tte l'année. Possibilité de résa en ligne. Sur notre sélection, réduc de 10 % sur présentation de ce guide. Possibilité de transfert (payant) depuis l'aéroport. Cette agence, tenue par Serge Meadow, est une de nos valeurs sûres. Très attentionnée, et joignable 24h/24, son équipe propose pour l'ensemble du Maroc (Tanger, Rabat, Fès, Essaouira, Ouarzazate et le désert) un choix de *riad* (près de 90 à Marrakech), de chambres d'hôtes ou de villas à louer à la nuit ou à la semaine. Dans l'ensemble, d'excellents rapports qualité-prix. Voici une petite sélection :

♦ *Dar Bahia (plan les Palais, F4 ; 1 lanterne)* : à 5 mn à pied de la pl. Jemaa-el-Fna, dans une charmante maison traditionnelle, voisine du palais de la Bahia. Compter 350 Dh (31,80 €) la double, 450 Dh (40,90 €) la mini-suite. La maison, qui bénéficie d'un petit patio avec ses deux palmiers la tête tournée vers les étoiles, accueille jusqu'à 10 personnes avec ses 2 chambres (salle de bains commune) et ses 2 suites. Un *riad* au charme simple.

♦ *Dar Mchicha (plan couleur Médina, E2 ; 2 lanternes)* : dans le quartier populaire de Riad Laârouss. Trois chambres pour 2 pers 450-550 Dh (40,90-50 €) et une bien plus grande pour 4 pers 900 Dh (81,80 €). Au fond d'un *derb*, un *dar* simple, à la déco marocaine, de grands voilages qui rythment les espaces, des lits en alcôve, de hauts plafonds, terrasse. Salles de bains privées mais extérieures. *Mchicha* veut dire « chaton », et chaque chambre porte le nom d'une race de chat. Lanternes, fer forgé et pro-

fusion de plantes.

♦ *Riad Moulay (plan couleur Médina, E4 ; 3 lanternes)* : dans le quartier de Riad ez-Zitoun el-Jédid, à deux pas de la pl. Jemaa-el-Fna. Double 660 Dh (60 €), suite 880 Dh (80 €) ; possibilité de louer le riad en entier (10 pers). Une maison restaurée avec des techniques et matériaux traditionnels (*tadelakt*, zelliges, bois de cèdre, stuc, etc.) où l'on vous reçoit à la marocaine et pour cause, les proprios sont marocains ! L'accueil de Moulay, un ancien guide, est adorable. Chaque chambre fait honneur au savoir-faire des artisans locaux et le confort est au rendez-vous (toutes sont climatisées). Sans oublier la terrasse pour les heures de farniente...

♦ **Riad Ennafoura** *(plan couleur Médina, E3 ; 4 lanternes)* : en plein quartier historique Kaat Benahid. Doubles 1 100-1 450 Dh (100-132 €). Trois chambres et une suite familiale. La maison possède de nombreux éléments architecturaux d'origine : double galerie en étage, des plafonds peints (*zouakés*), des décors en plâtre sculpté d'origine... pour une alliance du confort et de l'authenticité.

⌂ *Riad Laïla* (*plan couleur d'ensemble, D2 ; 5 lanternes*) **:** près de Bâb El-Arset Ben Brahim, à 15 mn de la pl. Jemaa-el-Fna. Chambre 1 100 Dh (100 €) et suite 1 350 Dh (122,70 €). Une oasis de quiétude et de rêve plantée d'orangers, de mandariniers et de palmiers que se disputent les oiseaux. Un beau bassin dans lequel on peut se rafraîchir, un grand salon avec cheminée sous des arcades majestueuses. Deux suites merveilleusement aménagées et, en annexe, une *douirya* (petite maison) de 4 chambres. Luxe, confort et bien-être définissent cette magnifique demeure. C'est Kamel qui s'occupe des hôtes.

■ *Marrakech Médina* (*plan couleur Médina, E3, 33*) **:** 102, rue Dar-el-Bacha. ☎ 024-44-24-48 (24h/24 en cas de besoin). ● marrakech-medina.com ● Lun-sam 8h30-18h, dim 9h-13h. Gamme de tarifs très large : la nuit à partir de 550 Dh (50 €) la chambre double et de 1 320 Dh (120 €) pour un riad entier. On vient vous chercher à l'aéroport (transfert gratuit pour la loc du riad entier). Réduc de 10 % sur présentation de ce guide, mais slt pour la loc d'un riad en entier ; à préciser dès la résa. Cette agence tenue par Denis Sire propose une quinzaine de *dar* et *riad*. Ils sont classés de 1 à 4 palmiers. Location à la semaine également.

⌂ *Dar Jeeling* (*plan couleur Jemaa-el-Fna, E3, 169 ; 2 palmiers*) **:** 7 derb Boukili, Laksour. Véritable maison familiale, *Dar Jeeling* est caché au fond d'un *derb* « privatif ». Vous serez surpris, en pénétrant dans son patio, par les bambous géants qui ornent les jardins traditionnels. Simple mais confortable, vous savourerez la douceur de vivre de sa terrasse avec une vue exceptionnelle. Les portes et les boiseries anciennes sont le véritable livre d'histoire de cette maison.

⌂ *Riad Baya* (*plan couleur d'ensemble, F4, 150 ; 3 palmiers*) **:** 53 derb Reguragui, riad ez-Zitoun el-Jédid. Un *riad* bien rénové et décoré avec beaucoup de goût dans les tons chauds (sable, ocre et brun). Cette belle maison a gardé ses volumes d'origine, offrant un excellent confort. Petite fontaine qui rafraîchit agréablement le patio. Sur les terrasses, vue plongeante sur les jardins du palais de la Bahia.

⌂ *Dar Rassam* (*plan couleur d'ensemble, F3, 151 ; 4 palmiers*) **:** 103 derb el-Qadi, Azbezt. Tt au fond d'un long derb, face à la mosquée Ben Salih. Compter 65-160 € pour 2 pers suivant saison et type de chambre. Un majestueux bananier vous accueille dans ce *riad* très pictural à l'image de son nom (« la maison du peintre »). Beau salon au rez-de-chaussée avec coin télé et... cheminée pour les nuits d'hiver ! Cinq chambres dont la Sienne, notre préférée... L'appartement du maître de maison (qu'on peut voir), la *douaria,* est ornée d'un extraordinaire plafond-lanternon en bois de cèdre sculpté du XIXᵉ s. Petit bassin pour se rafraîchir. Accueil attentionné.

⌂ *Riad Serail* (*plan couleur Médina D3, 170 ; 4 palmiers*) **:** là encore, une magnifique décoration dans la plus pure tradition des artisans marrakchis. Au cœur du patio planté, bassin pour se rafraîchir. La terrasse permet de prolonger le plaisir au soleil ou au salon, sous la tente.

MARRAKECH

Riad proposés par des particuliers

La mode des *riad* bat son plein à Marrakech, même si on observe un très net ralentissement ces dernières années. Vous vous apercevrez vite qu'une écrasante majorité des établissements d'un genre particulier appartiennent à des Français, même si les Anglo-Saxons arrivent aussi en bonne position. Il y a encore quelque temps, habiter la médina pour un Marocain était presque une honte. Insalubrité, vétusté des demeures, inaccessibilité, manque de place... Bref, le fin du fin, c'était de résider dans le quartier de Guéliz (grandes artères modernes et aérées, impression de standing...).

C'est finalement assez récemment que la médina fut redécouverte et que certains ont compris les possibilités immobilières qui se cachaient là, et la potentialité touristique des *riad.* Peu de Marocains (ils n'avaient pas les fonds) et quelques Français sentirent venir le phénomène et ont très intelligemment participé à la résurrection architecturale et artistique de la médina et de son habitat. C'est aussi en partie grâce à eux que les techniques presque oubliées, comme le *tadelakt,* ont repris de la vigueur et que l'art des zelliges a refleuri partout. Résultat, de beaux articles dans la presse déco et une renaissance formidable pour ce quartier. Tant mieux pour tout le monde, et bravo aux initiateurs.

Coup de gueule sur les abus !

En revanche, ceux qui n'ont fait que suivre le mouvement ont fait passer les prix de raisonnables à élevés, voire très élevés. Ainsi trouve-t-on, parmi les proprios de *riad,* des gens bien différents : les pionniers, souvent de vrais amoureux du Maroc, vivant sur place, ayant épousé le mode de vie marocain et essayant de tenir leurs prix et de maintenir la qualité sur la durée. Et puis une deuxième vague, beaucoup plus récente celle-ci, où l'on trouve pas mal de profiteurs, ne cherchant ici qu'à faire une juteuse opération immobilière en s'improvisant « maison d'hôtes », sans aucun souci d'intégration culturelle, et n'attendant qu'une chose : revendre leur bien au moment le plus opportun à la... troisième vague qui, elle, n'aura pas d'autre choix que de faire exploser les prix pour financer son achat.

Maison d'hôtes ou hôtel ?

Sachez faire la différence : une « maison d'hôtes » doit être habitée par les proprios, sinon il s'agit d'un abus de langage (et de confiance). En l'absence des proprios, il s'agit tout simplement d'un hôtel situé dans un *riad* (une maison traditionnelle). Contrairement à de vraies maisons d'hôtes, les proprios laissent leur affaire en « gérance » à un personnel local qui, souvent fort sympathique, parle peu le français et se trouve très vite dépassé. Tout cela n'est rien et parfaitement acceptable quand le tarif est doux et équilibré. Ça devient scandaleux quand les prix sont élevés et le service, nul. Il ne suffit pas de posséder un *riad* pour s'improviser hôtelier !

Les dérapages vécus

Certains, dans le microcosme franco-français de Marrakech, perdent un peu le sens des réalités, oubliant que les clients, leurs « hôtes » justement, ne sont pas tous milliardaires.
Voici quelques dérapages constatés. Outre l'amateurisme, quelques-uns ne sont pas assurés et vous n'aurez donc aucun recours possible en cas d'accident ou même de différend.
On ne compte plus le nombre de touristes mécontents qui ont vu leurs vacances gâchées par les agissements de certains propriétaires dénués de scrupules : chambres ne correspondant nullement à ce qui avait été promis lors du versement de l'acompte, pas de facture ou, quand il y en a une, facturation des extras à des tarifs qui frisent l'arnaque, accueil déplorable ; on en passe et des meilleures, notre courrier l'atteste.
Ah oui, un dernier point : quelques propriétaires ont eu l'idée saugrenue d'aménager une piscine sur la terrasse. Ils sont systématiquement écartés de nos choix. Les premières victimes sont les femmes marrakchies observées par les touristes en maillot. Du coup, elles désertent leurs propres terrasses, véritables espaces de vie et d'échanges dans la société. Sans compter qu'une piscine demande une structure complexe de béton armé qui déstabilise les constructions traditionnelles.

Plusieurs classifications, une même volonté de clarification

Déterminants pour nous : la propreté, bien sûr, mais aussi le charme, l'originalité, la qualité de l'accueil et surtout le rapport qualité-prix le plus intéressant. Ajoutons la conformité aux lois marocaines, notamment en terme de bien-traitance du personnel. En effet, les autorités cherchent à clarifier une situation devenue particulièrement anarchique et sont en passe d'y arriver. Vérification de la légalité des constructions et des aménagements intérieurs, conditions de sécurité, déclaration des personnes employées, respect du salaire minimum légal, hygiène...

Plusieurs classifications « officieusement officielles » existent, définissant en général cinq types de *riad*, reposant sur une liste de critères précis. Néanmoins, la fermeture de l'intégralité des fameux « *riad* noirs » (sans numéro d'agrément du ministère du Tourisme) qui seraient aussi nombreux que les officiels (!) n'est pas prévue pour demain...

Par ailleurs, plus d'une centaine de propriétaires de *riad*, regroupés au sein de l'association des maisons d'hôtes de Marrakech et du Sud (AMHMS), ont mis en place une charte de qualité, qui fonde son classement sur des « catégories ». On peut consulter la liste des adhérents à l'association sur le site ● amhms-maroc. com ● Une autre bonne initiative qui devrait contribuer (on l'espère) à éclaircir le marché et à limiter les abus.

Enfin, malgré la rigueur de notre sélection, des dérapages peuvent se produire. N'hésitez pas à nous signaler toute anomalie rencontrée lors de votre séjour.

Les taxes

Appliquées aux hôtels, les taxes sont bien souvent incluses dans le tarif (à lire dans la rubrique « Hébergement » de la partie « Maroc utile » pour plus de détails). Le client ne les voit pas. Toutefois, dans les chambres d'hôtes et *riad*, elles sont la plupart du temps payées en plus. Comme elles diffèrent d'une ville à l'autre, voici ce qui est pratiqué à Marrakech : compter 8 Dh (0,70 €) par personne et par jour de taxes régionales pour les maisons d'hôtes de 2e catégorie et 11 Dh (1 €) pour celles de 1re catégorie. La municipalité, prélève de son côté une taxe de 15 Dh (1,40 €) par personne et par jour.

De prix moyens à un peu plus chic

C'est dans cette rubrique que l'on trouvera les meilleurs rapports qualité-prix. Entre les tarifs en basse saison, les premiers prix de certaines chambres et la réduction parfois accordée à nos lecteurs **(à demander de préférence au moment de la réservation, pour éviter tout malentendu)**, il y a vraiment de très bons plans à dénicher. Tant mieux !

🛌 **Riad Chamali** (*plan couleur d'ensemble, F5, 90*) *: 49, derb Zemrane, quartier Berrima. À proximité du palais El-Badi. C'est la porte au fond, à gauche, dans la petite impasse.* 🖥 *068-24-77-13.* ● *riad-chamali.com* ● *Doubles 30-90 € selon confort et saison (prix excessifs en hte saison).* Un *riad* de 6 chambres avec un vaste patio couvert de zelliges et planté d'orangers où gazouillent les oiseaux. Les chambres offrent un confort simple (3 douches communes en tout), mais la déco est agréable et l'ensemble plutôt mignon. Très agréable terrasse sur le toit avec banquette et coussins. Une adresse honnête pour s'offrir un bout de rêve marocain à prix serrés.

🛌 **Riad Badra** (*plan couleur Médina, D3, 93*) *: 203, derb Arset-Aouzat, Bâb-Doukkala.* 🕿 *024-38-27-13.* 🖥 *067-05-*

27-27. En France : 🕿 *03-21-87-08-84.* 🖥 *06-80-31-11-17.* ● *riadbadra.com* ● *Double 55 € en moyenne saison, suite 4 pers 95 € ; prix dégressifs pour la sem ; + 35 % à Noël.* À deux pas des souks, le *riad* propose 7 chambres et une suite, toutes avec salle de bains, et joliment colorées. Déco marocaine un rien chargée (panneaux de stuc, portes peintes, alcôves, petit bassin zen dans le patio...) mais qui fait oublier le caractère récent du bâtiment. Grande terrasse pour lézarder. Personnel discret et attentionné.

🛌 **Riad Essaoussan** (*plan couleur Médina, D3, 72*) *: 25, derb El-Ganayez, El-Mouassine.* 🕿 *024-44-49-12.* 🖥 *066-25-40-22.* ● *moroccotrek.com/riad* ● Rien à voir avec le Ksar Essaoussan de la rubrique « Où manger ? ». *Résa impérative, car le riad peut être occupé par* *des petits groupes de randonneurs. Doubles 50-60 € selon taille. Deux chambres 4-6 pers 65 € pour deux (10 €/pers supplémentaire à partir de la 3e pers) ; en général, prix dégressifs à partir de 2 nuits. Prendre rdv pour se faire guider dans la médina.* Une vraie affaire à 5 mn de la place Jemaa-el-Fna, au cœur d'un vieux quartier. *Riad* familial de 6 chambres d'un certain charme, toutes avec salle de bains privée. Décor marocain chaleureux. Éviter les 2 chambres au rez-de-chaussée, plus sombres et plus humides. Belle terrasse avec vue sur le vieux quartier. Youssef Hamiza, le gérant, est également guide officiel de montagne et peut, à ce titre, vous proposer pas mal d'excursions dans la région via sa société *Moroccotrek.* Accueil sympa.

🏠 *Dar El Qadi (plan couleur Médina, F3, 73) : 79, derb El-Qadi, quartier Azbest (non loin de la pl. Ben-Salah). Résas à Marrakech :* ☎ 024-37-80-61. *À Paris :* ☎ 01-43-25-98-77 *(Silvana) ou* 📱 06-86-56-20-00. *À Bruxelles :* ☎ 02-227-57-83 *(Eole) ou* 📱 0497-72-25-10 *(Mounia).* ● *darelqadi.com* ● *4 chambres 60-80 €, beau petit déj compris. Également 2* douaria *120 €, pouvant accueillir 4 pers chacune, ce qui en fait un exceptionnel rapport qualité-prix ; tarifs minorés de 20 % en juil-août et majorés de 15 % en hte saison ! Réduc de 10 % (sf juil-août) sur présentation de ce guide.* Une adresse hors normes, parce qu'elle fut la demeure d'un juge astronome, le Qadi, celui qui rendait la justice, et qu'elle reste dans l'esprit qui a prévalu lors de sa restauration. Ce *dar* a en effet été restauré par Quentin Wilbaux, un architecte belge de talent. Si l'on cite son nom, c'est qu'il fut l'un des tout premiers à entreprendre cet important travail de mise en valeur et de réhabilitation de la médina. Ici, rien de standard, rien de sophistiqué, ni de faux. L'histoire a tout simplement été respectée. Les décors (stucs ciselés, arches outrepassées, admirables plafonds polychromes...) n'ont pas été artificiellement reconstitués, mais simplement conservés, tels que le temps qui passe nous les a livrés. Reposant patio entouré de galeries d'arcades, de moucharabiehs et de bougainvillées. Jolies chambres sobres, agréables, avec plein

de petites trouvailles (lampes de chevet coulissantes), et fermées par de lourdes portes de bois d'origine sur lesquelles subsistent les verrous traditionnels. L'ameublement reste lui aussi fidèle aux traditions (les coussins ont été préférés aux chaises, par exemple). Hammam chauffé à l'énergie solaire (payant). N'hésitez pas à grimper dans la tour du Qadi, minuscule, mais d'où le point de vue est exceptionnel sur la médina. Une magnifique adresse.

🏠 *Riad Berbère (plan couleur Médina, F3, 74) : 23, derb Sidi-Ahmed-ben-Nasser. Même proprio et même n° de résa que le Dar El Qadi ci-dessus.* ● *da relqadi.com* ● *Compter 80 € la chambre, très beau petit déj compris ; tarifs minorés de 20 % en juil-août et majorés en hte saison (+ 15 %). Réduc de 10 % (sf juil-août) sur présentation de ce guide.* Quatre jolies chambres et une petite suite distribuées autour du patio débordant d'orangers et de bananiers, entourant un petit bassin d'eau claire où l'on peut barboter. Un *riad* chic, dont le charme plein de sobriété envahit les chambres, les arcades et le salon au plafond en forme de carène de bateau renversée (comme dans le palais de la Bahia !). Si elle est libre, demander la suite avec le petit balcon donnant sur la terrasse à deux niveaux. Un lieu vraiment adorable.

🏠 *Riad Julia (plan couleur Médina, D2, 75) : 14, derb El-Halfaoui.* ☎ 024-37-60-22. 📱 071-73-11-44. ● *riadjulia. com* ● *Doubles 40-65 € selon taille et saison (+ 10 € à Noël).* Préférer celles à l'étage, avec AC. Élégant et assez original, avec son bassin-piscine (chauffé) qui permet de faire trempette. Beaucoup d'attention dans la déco : l'une privilégie le bois peint, l'autre le fer forgé, une 3e façon Mille et Une Nuits... Du goût qu'on retrouve sur la terrasse, chaleureusement aménagée, avec une large tente berbère sous laquelle on peut se faire masser. Excellent accueil. Un très bon rapport qualité-prix.

🏠 *Dar Choumissa (plan couleur Médina, E4, 76) : 14, derb Labzioui.* ☎ 024-38-11-91. ● *riad-marrakech-choumissa.com* ● *Sur présentation de ce guide, doubles 45-65 € selon taille, avec douche ou bains (+ 10 € à Noël). Également une chambre familiale 85-100 €*

pour 3 ou 4 pers. Petit déj compris. Repas sur commande 15 € (pas cher). À 5 mn à pied de la place Jemaa-el-Fna, 6 chambres plutôt lumineuses (normal, c'est littéralement « le riad du soleil » !) et à la déco marocaine soignée (tapis, voilages, bois peint). Les plus chères disposent d'une vaste salle de bains avec une immense baignoire et de la clim'. L'accueil de Wadie (qui est aussi le président de l'Association des maisons d'hôtes) et de Rita, les jeunes propriétaires, est charmant. Salon berbère sur la terrasse. Une adresse remarquablement tenue où l'on se sent bien.

🏠 **Riad Chouia Chouia** (plan couleur Jemaa-el-Fna, E3, **77**) : 40, rue Fahel-Zefriti, El-Ksour. ☎ 024-42-66-34. 📱 062-09-36-29. ● riad-chouiachouia. com ● À deux pas de la Koutoubia et de la pl. Jemaa-el-Fna. Doubles 37-102 € selon confort (avec ou sans sdb), tte l'année. Petit déj 40 Dh (3,60 €). Les chambres 4 et 5 sont communicantes et peuvent être ouvertes. Difficile de décrire le lieu tant la personnalité de son proprio y est étroitement imbriquée. Certes, il y a ses 6 chambres (la plupart climatisées) et sa mini-suite donnant sur la terrasse. Et il y a Olivier, complètement intégré à la vie marrakchie et avec qui on devient vite pote. Et enfin le riad, dont on connaît les (menus !) défauts par cœur : la déco too much (patio...) et la piscine « plus-grande-j'ai-essayé-mais-c'était-pas-possible ». Au final, on a fini par trouver : l'un et l'autre sont indissociables et c'est ce qui rend l'endroit si attachant. Petit riad intime juste en face (3 chambres à la déco plus sobre, un peu plus chères).

🏠 **Riad Villa Harmonie** (plan couleur Médina, E5, **94**) : 23, derb Touareg. ☎ 024-37-79-75. ● riad-harmonie. com ● Selon confort, doubles 65-100 €, et suite 180 € (très chère) ; + 20 % pour les fêtes de fin d'année. Possibilité de louer le riad en entier (14 pers). Repas sur commande. Charmant riad de 7 chambres et 1 suite avec cheminée et clim'. Déco marocaine soignée et sans excès (ameublement des chambres en fer forgé). Ravissante terrasse colorée par des boqueteaux de bougainvillées où l'on peut prendre le petit déj. Possibilité de visites avec Jamal, guide officiel. Repas délicieux, signés Halima !

Un riad familial où l'on se sent bien. Accueil souriant de Khadija et Abdou.

🏠 **Riad Al Nour** (plan couleur Médina, D3, **78**) : 7, derb Haj Housseine, à Bâb-Doukkala. ☎ 024-38-72-38. ● riad-al nour.com ● Facile d'accès en taxi. Doubles 60-105 € selon confort et saison. Possibilité de louer le riad en totalité (14 pers). Transfert aéroport gratuit (aller-retour). La lumière du lieu, c'est celle distillée par Maurice et Kathy, un sympathique couple de Lyonnais installées à Marrakech sur un coup de foudre. Depuis, les quatre orangers du patio ont donné de bonnes récoltes de... clients heureux ! Salon en tadelakt bleu majorelle, à la déco marocanisante inspirée et authentique. Cinq chambres dont une avec balcon (« encens », notre préférée) et une autre directement en terrasse (« ambre »). TV dans les chambres (fonctionnant uniquement en mode DVD, bien vu !) pour regarder plein de films à la demande. Mais le plus beau spectacle reste selon nous cette fontaine où poussent des roses en permanence... Excursions proposées à la journée en grand taxi.

🏠 **Riad Lena** (plan couleur Médina, E2, **71**) : 8, derb el-Hammam, quartier de Riad Laârouss. ☎ 024-38-96-85. 📱 061-28-02-79. ● riadlena.com ● Doubles 100-115 € selon confort en hte saison. Une spécificité tout de même puisque la hte saison dure 7 mois (!). Prévoir - 20 % le reste de l'année. Également une suite pour 4 pers. À partir de 3 pers, transfert aéroport possible (payant). Ici tout n'est que volupté, calme et sérénité. D'emblée, on se sent comme chez soi. Sont-ce les papyrus qui inclinent pensivement leurs têtes vers le splendide bassin rond à ailettes joliment carrelé ? Les gourmandes dominantes jaune vanille du lieu ? Les bonnes ondes distillées par Steph, Sofia et Phil ? Le mystère reste entier. Chambres climatisées, salles de bains en tadelakt, belle cheminée trônant au milieu du salon, petits canapés dans le patio pour rêvasser. Accès wi-fi dans le patio et en terrasse. Le « plus » solidaire : vente de tissus réalisés par une école d'orphelins, ainsi que de l'huile d'argan alimentaire en provenance d'une coopérative de femmes seules (à voir sur la terrasse). Les bénéfices leur sont reversés intégralement.

🏠 **Dar Touyir** *(plan couleur Médina, D3,* **79***) :* 132, derb Dekkak, à Bâb-Doukkala. ☎ 024-38-73-52. 📠 070-96-59-70. *Résas en Belgique :* ☎ 02-374-37-79. • riad-t.com • *Double 68 € (– 15 % en basse saison ; + 15 % en hte saison). Réduc de 10 % sur présentation de ce guide.* Il s'agit en fait de deux beaux *riad* communicants, avec 6 chambres et une terrasse pour prendre le frais. Ravissant patio avec petits salons dans le premier. Le second est agencé de manière originale avec une chambre au rez-de-chaussée et deux chambres à l'étage dont une suite, idéale avec des enfants. Déco simple (murs blancs, *tadelakt*) et agréable, véritablement typique de l'habitat marrakchi. Tenu par Robert, un sympathique Belge et un vrai amoureux de la montagne qui a traversé la totalité de la chaîne de l'Atlas (soit 800 km en 5 ans !). Possède également une ferme d'hôtes près du lac de Lalla Takerkoust *Jnane Tihihit*, à 35 km au sud de Marrakech (voir plus loin le chapitre « Les montagnes du Haut Atlas occidental », « Où dormir sur la route d'Amizmiz ? »).

🏠 **Dar El Calame** *(plan couleur d'ensemble, F3,* **80***) :* 15, derb Hidada, quartier Ben Salah. *Résas en Belgique :* 📠 0477-76-86-72 (Marie-Jo) ou 0475-83-63-85 (Marc). • darelcalame.com • *Doubles 50-75 € selon confort et saison ; suites 80-95 €. Résa possible en ligne. Calame* signifie la plume, la calligraphie et, par extension, la poésie. Un nom qui sied parfaitement à la douce atmosphère de cette ancienne maison restaurée de manière sobre et dans le respect de l'architecture traditionnelle. Quatre chambres avec salle de bains et une superbe suite baignée de lumière en fin d'après-midi. Déco apaisante, teintée de bordeaux et de beige. Au sein du patio, figuier et bananier apportent un peu de fraîcheur. Deux chambres communiquant par une terrasse, idéales en famille. Accueil discret et charmant de Hasfa qui prépare petits déjeuners et repas. Terrasse avec vue sur la médina.

🏠 **Maison Tamkast** *(plan couleur Médina, E2,* **101***) :* 10-12, derb Sidi-Bou-Amar, Zaouiat Lahdar. ☎ 024-38-

48-60. 📠 063-44-57-95 ou 060-48-80-75. • tamkast.com • *Selon saison et confort, doubles 55-80 € ; 2 chambres se partageant une sdb 25-55 €, bien en famille ou en petit groupe d'amis. Possibilité de louer le riad en entier (8 pers). Repas sur commande : 15 €. CB acceptées à partir de 150 €.* Dans l'un des quartiers les plus anciens de Marrakech, sillonnés de *derb* particulièrement étroits, Pascal, un amoureux de la « Perle du Sud » et de l'Atlas depuis près de vingt ans, propose 4 chambres. Au rez-de-chaussée, une chambre avec sa courette privée très agréable et sa salle de bains aménagée dans un ancien hammam. Les autres sont alignées le long d'une galerie au 1er étage. La demeure présente une architecture traditionnelle : patio avec ses quatre parterres et une fontaine (un vrai *riad* donc !), plafonds en bois et stuc. Thé et petits gâteaux offerts en collation l'après-midi. Petit déj très complet servi sur la terrasse.

🏠 **Angel's Riad** *(plan couleur d'ensemble, F5,* **81***) :* 6, derb Houara-Berrima. ☎ 024-38-02-52. 📠 065-17-07-07 ou 064-74-58-61. • http://riadangel.com • *En moyenne saison, doubles 70 €, ttes avec sdb et AC. Également une suite pour 4 pers (2 adultes et 2 enfants) à 110-150 € selon saison, avec terrasse privée ; réduc à partir de 4 j. et en juil-août.* En plein quartier des palais, ce charmant *riad* (4 chambres et 1 suite) a été réhabilité avec amour, ça se sent. Claudia, la propriétaire qui parle 8 langues (!) et habite sur place, a dédié son lieu aux anges ; d'ailleurs, il y a des angelots partout. Harmonie de blanc, de rose bonbon, de parme et de bleu grec ; on pénètre dans un univers un brin féerique, calme et serein. Chaque chambre a sa couleur et son style. Adorable petit patio couvert d'étoiles et jolie salle à manger. Du charme et un style tout particulier. Accueil vraiment gentil de Hassan et Sanaa. Et, de plus, plein de petites attentions particulières.

🏠 **Riad Aguerzame** *(plan couleur d'ensemble, F3-4,* **82***) :* 66, derb Jdid. ☎ 024-38-11-84. 📠 077-16-97-05. *En France :* 📠 06-74-42-62-06. • riad-aguerzame.com • *Facile d'accès en taxi. Offre spéciale pour nos lecteurs : double 770 Dh (70 €) ; + 20 % pdt les vac* scol. Quatre chambres assez spacieuses (lits enfants possibles) et fort bien tenues par Antoine, Mathilde et Ambre, qui résident sur place. Esprit classique : deux vieux orangers dans le patio entourés par une déco soignée : zelliges, voilages, boiseries, moucharabiehs, *tadelakt...* Salles de bains et clim' réversible. Agréable terrasse équipée d'une tente caïdale. TV satellite dans le salon. Hammam avec massage et soins par une personne diplômée. Sur place, on vous donnera plein d'idées d'excursions. De la même famille, dans la même rue et dans la même lignée, un autre *riad* simplement baptisé **« Riad 107 ».** Mêmes coordonnées et tarifs que le *riad Aguerzame.* ● riad107.com ● Quatre chambres, dont une familiale pour 4 personnes, tout confort avec clim', chauffage basse température au sol (si !), salle de bains privative. Bassin chauffé, bibliothèque avec cheminée, vrai hammam *beldi* (gommage et massage proposés), et nombreux salons avec de jolies *b'hous* (même pas peur !).

🏠 **Riad Nomades** *(plan couleur Médina, E2, 83)* : 56, derb Chentouf, quartier Riad Laârouss. ☎ 024-38-47-23. 📱 069-53-25-79. ● riad-nomades. com ● Doubles 55-75 € (+ 25-30 € de mi-déc à mi-janv) ; suite « Bédouin » 90-110 €. Possibilité de louer le riad en entier (12 pers). Repas sur commande 15 €. Un *riad* tenu par Pierre-Alain et Pascal, qui vivent sur place. Six chambres (dont 1 suite), toutes différentes, avec AC réversible. La déco est un peu tous azimuts, sans véritable dominante. La moins chère (Oasis) dispose d'une salle de bains extérieure. Terrasse sur le toit. Très bon accueil et les jeunes propriétaires sont de bon conseil.

🏠 **Riad Opera** *(plan couleur Médina, E3, 108)* : 1, derb Bouceta Sghir. Résa en France : 📱 06-14-48-47-48. ● riad-opera.com ● 🍽 À 200 m du musée de Marrakech. Trois doubles 50-80 € selon confort et saison, ainsi qu'une superbe suite (1-4 pers) 80-100 € (+ 20 € en hte saison). Dîner sur commande 15 €. Disposées autour d'un large patio avec de superbes bananiers et un bassin chauffé utilisable toute l'année, les chambres sont équipées de salles de bains. Au 1er étage, la suite Najma et la

chambre *Kamar* sont climatisées. Chose rare : le rez-de-chaussée et la chambre *Jihane* sont accessibles aux handicapés. Une maison très chaleureuse, décorée sobrement et avec goût où l'on se sent tout de suite à son aise, idéale à louer en entier pour un petit groupe (8-10 personnes). Large sélection de CD, DVD et une belle bibliothèque. Le personnel, Rachida et Kamal, est aux petits soins. Généreux petit déj servi sur la terrasse ou dans le grand salon. Un très bon rapport qualité-prix.

🏠 **Dar Soukaina** *(plan couleur Médina, E2, 84)* : 19, derb El-Ferrane, dans le quartier de Riad Laârouss. ☎ 024-37-60-55. 📱 061-24-52-38. ● darsoukaina. com ● Clim'. Doubles 80-115 € selon confort, tte l'année. Menu 20 € préparé sur commande par Fatiha. Cocktail de bienvenue (ça change du thé à la menthe !). Réduc de 10 % sur présentation de ce guide à partir de 3 nuits. Voici deux *dar* en un, composé de 9 chambres doubles élégantes qui, malgré leurs petits volumes, dégagent un charme très oriental. Elles sont tout en longueur, chacune avec un coin canapé adorable, et dotée de salle de bains particulièrement soignée. On joue ici avec le *tadelakt* de couleur. De bien jolies couleurs en vérité. Au rez-de-chaussée, agréable salon avec coin cheminée pour l'hiver. Joli patio orné de bananiers et d'un oranger. Tente sur la terrasse. Excellent petit déj pris au bord du bassin, où il fait bon se rafraîchir l'été. Ajoutez à cela l'accueil aux p'tits oignons d'Omar et vous obtiendrez un vrai bout de rêve, aux douces senteurs épicées comme le nom des chambres...

🏠 **Riad de l'Orientale** *(plan couleur Jeema-el-Fna, E3, 85)* : 8, derb Ahmar, dans le quartier Laksour, à 150 m de la pl. Jemaa-el-Fna. ☎ 024-42-66-42. 📱 061-14-21-03. riadorientale.com ● Accès gratuit wi-fi intégral. Doubles 68-85 € et 93 € pour la suite de 4 pers (2 chambres séparées et petite terrasse privée, ce qui est un bon rapport qualité-prix). + 25 % pour les fêtes de fin d'année. CB acceptées. À l'arrivée, transfert gratuit depuis l'aéroport. Réduc de 10 % sur présentation de ce guide. Ce *riad* propose 6 chambres décorées dans le style mauresque tendance chargée et une suite. Certaines sont tout de même assez exiguës. Mais la générosité de Zachariah et Latifa (la directrice) comblent cet inconvénient. Joli salon avec cheminée, idéal pour une soirée cocooning en hiver. Même si l'équipe sur place n'a pas changé (tant mieux !), l'ensemble des prestations se révèle toutefois en légère baisse depuis sa reprise par de nouveaux proprios. On reste attentifs...

🏠 *Riyad Nora (plan couleur d'ensemble, F4, 86) :* 112, derb Sidi-Moussa, riad ez-Zitoun el-Jédid. ☎ et fax : 024-38-03-48. 📱 070-01-98-78. ● chez.com/riyadnora ● *Doubles 60-108 € selon saison (tarif disproportionné en hte saison, période à éviter ici donc !). Repas sur commande 15 €. Réduc de 10 % sur présentation de ce guide. Transfert aller gratuit depuis l'aéroport.* Un patio aux tons ocre, des bougainvillées, 4 chambres spacieuses au rez-de-chaussée comme à l'étage (préférer ces dernières), salon cosy, des salles de bains en *tadelakt.* Cheminée dans les chambres au rez-de-chaussée, appréciable en hiver. Deux terrasses et un solarium. La déco est sobre et l'ensemble ne manque pas d'élégance. Tout pour faire de ce lieu une adresse très agréable.

🏠 *Riad Dalia (plan couleur Médina, E2, 87) :* 40, derb Tizeguarine, rue Dar-el-Bacha, quartier Riad Laârouss. ☎ 024-44-21-96. 📱 061-26-77-50. ● riaddalia. com ● *Accès wi-fi. Doubles 50-70 € selon taille ; + 30-40 % en hte saison. Réduc de 10 % sur présentation de ce guide. CB acceptées.* Ah, le *riad* de la vigne, on le boit comme du petit lait ! Mohammed, l'adorable propriétaire et peintre miniaturiste dont les œuvres ornent les murs de cette demeure de charme, propose 4 chambres et une suite, le tout climatisé. Déco typiquement marocaine, très colorée (nombreux tissus), mais par trop chargée à notre goût. L'ensemble reste néanmoins soigné. Les murs du patio ainsi que ceux de certaines chambres sont recouverts de belles faïences. Petit déj servi sur la terrasse.

🏠 *Riad Bayti (plan couleur Médina, F4, 88) :* 35, derb Saka, Bâb-Mellah, quartier Hay-Salam. ☎ 024-38-01-80. 📱 066-25-46-54. ● riad-bayti.com ● *Accès wi-fi. Double 70 € ; suite 85 €*

(+ 25-30 % en hte saison). CB acceptées. Réduc de 10 % sur présentation de ce guide.* Toutes les chambres et suites ont la clim' réversible et une salle de bains complète. Un *riad* appartenant à Marylen et Diego, un jeune couple franco-chilien, plein de dynamisme. Ils habitent sur place et donc « vivent » leur maison (*bayt* en arabe). Pas mal d'espace, beaucoup de couleur et de chaleur, un petit bassin judicieusement aménagé pour faire trempette, un salon-bibliothèque avec télé satellite et une belle terrasse pour les petits déj. Un métissage décoratif rigolo et élégant à la fois. Thé à la menthe et petits gâteaux offerts l'après-midi.

🏠 *Riad Chraïbi (plan couleur Médina, E3, 89) :* 9, derb Azzoua, quartier Mouassine. ☎ 024-42-68-72. 📱 062-29-93-15. ● riadchraibi.com ● 🧺 *Doubles 60-80 € selon taille. Suites 80-140 € suivant confort. Tarifs quasi identiques tte l'année. Transfert aéroport (aller-retour) gratuit au-delà de 5 nuits. CB acceptées.* Au cœur de la médina, Vincent et Catherine ont aménagé ce ravissant *riad,* qui est également leur maison, où ils proposent 4 suites et 3 chambres climatisées (ou chauffées), réparties sur 2 niveaux. Le lieu a été aménagé avec amour : plafonds à caissons, portes anciennes, mobilier de qualité, tuiles vernissées, salle de bains en *tadelakt,* peintures modernes (monsieur est artiste peintre), fontaine très originale... Jolie ambiance autour de la cheminée du salon et bien bon accueil. Accès wi-fi. Terrasse avec vue sur la Koutoubia. Pour nos lecteurs sourds ou malentendants, sachez que Vincent parle la langue des signes puisqu'il est enseignant spécialisé, notamment auprès de ce public. Organise également des stages d'art plastique.

🏠 *Dar Lalla Anne (plan couleur d'ensemble, E2, 91) :* 41, derb Sidi-Messaoud, Sidi-ben-Slimane. ☎ 024-37-85-34. 📱 067-23-89-89. *En France :* 📱 06-85-72-75-08. ● darlalla.com ● *Doubles 65-75 € selon confort et suite 95 € (+ 20 % à Noël). Repas sur commande (cuisine française ou marocaine).* Petit *riad* à la décoration épurée, d'un charme très particulier et à l'atmosphère intime. Deux chambres et deux suites avec cheminées, salle de bains en *tadelakt* et clim'. Beau patio doté d'un vaste bassin surmonté d'une coupole. Terrasse avec vue sur l'Atlas. Cosy petits salons. Accueil bretonnant d'Anne, bien secondée par Mouna.

🛏 *Riad Chorfa (plan couleur Médina, E3, 92) :* 6, derb Chorfa, El-Kebir, quartier Mouassine. ☎ 024-44-30-05. 📠 048-91-73-53. • *riadchorfa.com* • *Doubles 40-100 € selon confort (+ 20 % à Noël). Dîner sur commande (spécialités de poisson). Riad coloré et restauré dans un style arabo-moderne, avec des espaces décalés, des coursives, des escaliers intérieurs, qui concourt à lui donner une atmosphère de maison d'architecte... Une dizaine de chambres, très différentes les unes des autres mais toujours intelligemment agencées. Sans nul doute, ce riad détient la palme des noms de chambres originaux (on ne vous en dit pas plus !). Che-*

minée dans certaines, clim' dans toutes, et belles salles de bains en *tadelakt*. Agréable terrasse. Petit bassin pour se rafraîchir. Bon accueil de Jean-Bernard, Montpellierain en exil.

🛏 *Maison Belbaraka (plan couleur Médina, D2, 109) :* 242, derb Aasafrou-Sidi-Bouamer, quartier de Riad Laârouss. 📠 061-30-65-91. En France : 📠 06-80-31-69-49 (Frantz). • *maisonbel baraka.com* • *Doubles 70-80 € (95 € à Noël). Dans ce quartier tranquille, un joli riad avec 5 chambres confortables distribuées autour d'un patio aux arches arabo-andalouses et d'une fontaine glouglouttante. Terrasse avec un agréable coin salon ombragé et accueil charmant de Rachid. Atmosphère d'opulence, un rien dépouillée dans le patio et théâtralisée dans les chambres à la très belle déco marocaine. Rapport qualité-prix intéressant.*

De chic à très chic

Plusieurs belles adresses ici, mais pas données !

🛏 *Riad Mabrouka (plan couleur d'ensemble, F4, 110) :* 56, derb el-Bahia, riad ez-Zitoun el-Jédid. ☎ 024-37-75-79. 📠 061-08-20-42. • *riad-mabrou ka.com* • *À proximité du palais de la Bahia et à 5 mn à pied de la pl. Jemaa-el-Fna. Doubles 140-160 €, suites 160-180 € (+ 20 % en hte saison et séjour de 3 nuits min). Repas sur commande. De mi-juin à mi-sept et du 10 janv au 10 fév, réduc de 10 % sur présentation de ce guide. Un riad superbement restauré dans la sobriété (ce qui n'est pas toujours le cas !). La rénovation a été effectuée d'une main de maître dans le respect des traditions. Son patio, très calme, dispose d'une mini-piscine très agréable lors des grosses chaleurs. Toutes les salles de bains sont en tadelakt. Mariage très réussi entre tradition et confort (clim' dans toutes les chambres, un peu bruyantes). Pergola sur la terrasse où l'on prend le petit déj et le repas. Adil supervise l'ensemble avec brio.*

🛏 *Dar Al-Kounouz (plan couleur Médina, E3, 152) :* 54, derb Snane, quartier Mouassine. ☎ 024-39-07-73.

📠 061-42-43-64. • *riad-alkounouz. com* • *Doubles 70-120 € selon confort. En juil-août, ttes les chambres sont à 49 € ; intéressant. Possibilité de louer le riad en entier (15 pers). Hammam gratuit pour les séjours de 4 j. min. Réduc de 10 % sur présentation de ce guide. Fatigué du « made in medina » ? Essayez donc le « made in Granada » ! Pour les amateurs d'envolée architecturale arabo-andalouse (mais pas seulement), 6 chambres et une suite, le tout en classe affaires (clim', salle de bains privatives, téléphone, TV satellite sur demande, accès wi-fi...). Notre chambre préférée est au rez-de-chaussée pour une fois, la chambre « Ivoire » avec son lit à baldaquin en 160 cm. Dominique, ancien proprio du riad de l'Orientale, est en osmose avec son personnel et ça se sent. Terrasse avec vue imprenable sur Dar-el-Bacha. Ambiance nocturne travaillée. Et si à cela on ajoute Yamna au fourneau et son « tajine de poulet aux abricots », ben là on s'approche d'une adresse hautement recommandable...*

🛏 *Dar Mouassine (plan couleur*

Médina, E3, 95) : 148, derb Snane, quartier Mouassine. ☎ 024-44-52-87. 📠 061-34-17-84. ● *darmouassine. com ● À deux pas de la célèbre fontaine Mouassine. Doubles 75-90 € selon taille ; suite 115 € ; + 40 % à Noël. Possibilité de louer le* riad *en entier (12 pers). Réduc de 10 % sur présentation de ce guide.* Une magnifique maison du XIX⁵ s, tenue par Éric et Carole, les propriétaires, rénovée dans un harmonieux mélange oriental et colonial, mais qui a conservé le charme de la patine. Trois suites et autant de chambres au doux confort, certaines avec cheminée et toutes avec bains. Jolis plafonds peints dans certaines. Alliance réussie de l'architecture marocaine et d'une déco d'inspiration indienne. Minuscule patio-bassin. Vidéothèque et bibliothèque. Terrasse aux multiples recoins pour se poser en toute intimité.

🛏 **Dar Zelda** *(plan couleur Médina, E-F3, 96) : 7, derb Laâkar-Kaât-Bennahid, El-Mokef.* ☎ 024-42-91-22. 📠 061-43-42-21. ● *darzelda.com ● Doubles 69-89 €, suite 120 € (+ 50 % en hte saison). Repas sur commande.* Deux riad en un, avec 4 chambres, 3 mini-suites et une grande suite *(4 pers 190 €).* La déco est résolument moderne : une chambre dispose par exemple de murs en *tadelakt* gris (très design). Grande suite très spacieuse avec un remarquable plafond peint du XIXᵉ s et 2 *douaya* (lanterneau traditionnel). Côté confort, pas de souci (clim' partout). Terrasse immense d'où l'on peut presque toucher le minaret de la mosquée voisine. Mais le matin, c'est une tout autre histoire... Bon accueil de Michel, qui réside sur place.

🛏 **Riad Camilia** *(plan couleur Médina E3, 153) : derb El-Ouali n° 9, quartier de Kaat Benahid.* 📠 069-28-34-92. *Ou résas en France :* ☎ 01-47-66-25-20. 📠 06-11-70-34-38. ● *riadcamilia.com ● Doubles 120-150 € selon confort.* Le riad cocooning par excellence. Trois chambres doubles ingénieusement conçues avec, par exemple, une douche éclairée en lumière naturelle par un puits de jour derrière la cloison de la vasque. L'architecte a sacrément gambergé quand même ! Les deux suites sont superbes, surtout la grande qui est tout simplement... la plus grande suite

qu'on ait jamais vue dans un *riad.* C'est un appartement ! Décor un tantinet british, finement ciselé tel une arabesque et respirant la sérénité. Joli patio planté des classiques orangers et fontaine-bassin avec miroir. Belle terrasse remplie de plantes et d'arbres en pot.

🛏 **Riad Zina** *(plan couleur Médina, E2, 97) : 38, derb Assabane, quartier Riad Laârouss.* ☎ 024-38-52-42. 📠 061-24-91-97. ● *riadzina-marrakech.com ● Doubles 1 100-1 540 Dh (100-140 €) ; + 30 % en hte saison. Également une superbe suite (pers) avec clim' et 2 cheminée : 2 420 Dh (220 €). Boissons non alcoolisées incluses.* Ici, la déco aux touches design, le confort moderne et les cactus dans le patio se marient parfaitement avec le style ancien. Le plafond en bois peint de la suite mérite à lui seul la visite ! Vaste terrasse bien aménagée. Beaucoup d'idées originales et un grand souci du détail dans la déco. Accès wi-fi. En prime, un très bon accueil.

🛏 **Riad Les Bougainvilliers** *(plan couleur Jemaa-el-Fna, E4, 111) : 5, derb Amrane, riad Zitoun-el-Kédim, à 5 mn à pied de la pl. Jemaa-el-Fna.* ☎ 024-39-17-17. ● *riadlesbougainvilliers.com ● Doubles 102-127 € et suites 142-164 € selon confort ; en hte saison, les prix s'envolent avec + 50-60 % : éviter donc. Transfert aéroport inclus pour 3 nuits consécutives. Repas sur commande. CB acceptées (mais 5 % de frais). Réduc de 10 % sur présentation de ce guide.* Un beau riad d'une dizaine de chambres dont 3 suites réparties autour de 2 patios, l'un avec piscine. Le large emploi de matériaux traditionnels (cèdre, sol en *bejmat,* zelliges, murs en *tadelakt*) fait oublier qu'il s'agit d'une demeure familiale construite récemment. Les chambres sont très spacieuses et la déco sobre. Agréable salon aux murs en *tadelakt* rougeoyant. Terrasse donnant sur la médina. Mention spéciale pour l'accueil de Sophie, la sympathique propriétaire qui est née au Maroc et qui connaît Marrakech comme sa poche. Sans oublier toute l'équipe, souriante, attentionnée et d'une grande discrétion.

🛏 **Riad Alma** *(plan couleur d'ensemble, E5, 112) : 77, derb Kbala, quartier de la Kasbah.* ☎ 024-37-71-62. ● *riadal* ma.com • *Doubles 100-160 € ; en hte saison, + 20 % et 4 nuits min.* Un riad atypique où l'on ne retrouve pas l'agencement traditionnel d'une demeure marocaine. Ici, de larges ouvertures pour des volumes et une luminosité privilégiés. Mais les matériaux traditionnels n'ont pas été oubliés pour autant (*tadelakt* bien sûr, portes en bois sculptées, *dess* au sol). Résultat : une atmosphère moderne et raffinée, beaucoup de confort, de charme et de douceur. En tout, 7 chambres, dont une avec cheminée. Toutes ont des murs blancs, quelques touches de couleur, la clim', un coffre-fort et une mini-chaîne. Plusieurs salons avec cheminée, écran plasma. Hammam et massages. Accès wi-fi. Piscine.

🛏 *Riad L'Orangeraie (plan couleur Médina, E3, 98) :* 61, rue Sidi-El-Yamani, quartier Mouassine, à 300 m de la pl. Jemaa-el-Fna. Résas depuis la France : 📱 06-23-92-40-05. • *riadoran geraie.com* • *De Bâb-el-Sour, continuer sur 300 m dans la médina, le riad est en face de la pharmacie. Possibilité d'accéder en taxi jusqu'à la porte du* riad. *Doubles 130-140 €, suite 170 €. Repas sur demande. Réduc de 10 % sur présentation de ce guide de mi-juin à fin août et 10-31 janv.* Ravissant patio-jardin et piscine de poche. Trois suites et 4 chambres à la déco sobre et élégante. Superbe salon avec cheminée. Mais le joyau de cette maison est sans doute la terrasse, offrant une vue imprenable sur l'Atlas. Accueil plein de chaleur.

🛏 *Riad Tchaikana (plan couleur Médina, F3, 99) :* 25, derb El-Ferrane. ☎ 024-38-51-50. • *tchaikana.com* • *Tarifs quasi identiques tte l'année. Doubles 90-100 €, suites 150-160 € pouvant accueillir jusqu'à 4 pers. Boissons non alcoolisées à volonté* (normal le nom signifie « la maison où l'on boit le thé » en afghan !). Là encore, un riad bien agréable et reposant. Déco élégante avec quelques touches marocaines et d'Afrique noire (bogolans, batiks). Les deux suites sont vraiment spacieuses, dont une qui dispose d'une cheminée. Accueil très simple et sympa de Delphine et Jean-François, un couple de jeunes Belges.

🛏 *Dar El-Assafir (plan couleur Médina,* D3, *105) :* 24 bis, Arset-el-Hamed, quartier Bâb-Doukkala. ☎ 024-38-73-77. • *riadelassafir.com* • *Très bien situé (parking facile d'accès, ce qui est rare). Double 130 € ; suite 160 € ; bel appart en duplex 300 € (+ 30 % en hte saison). Séjour de 2 nuits min. Réduc de 10 % sur présentation de ce guide.* Un riad vraiment différent, de style résolument mauresque et au cadre très intime. Une dizaine de chambres et de suites luxueuses, de superbes arcades ornées de bougainvillées multicolores, un jardin luxuriant embaumant la maison, une grande piscine, rien ne manque, pas même les oiseaux qui sont ici dans leur maison, et qui viennent bercer une douce torpeur...

🛏 *Riad Aladdin (plan couleur Médina, E4-5, 100) :* 6-7, derb Touareg-Berrima. Résa depuis la France : Comptoir du Maroc, ☎ 0892-23-77-37 (0,34 €/mn), • *comptoir.fr* • et Voyageurs du Monde, ☎ 0892-23-73-73 (0,34 €/mn), • *vdm. com* • *Sur place,* ☎ 024-38-64-25. • *ria daladdin@menara.ma* • *Accès facile en taxi. Doubles 100-200 € selon saison et suites 180-380 €.* Pour sûr, le génie de la lampe a fait surgir 3 *riad* en enfilade adossés au palais El-Badi et joliment restaurés avec des matériaux traditionnels. Une bonne quinzaine de chambres climatisées, de très bon confort. Toutes différentes, mais elles ont en commun une belle déco marocaine. Plein de petits espaces pour respecter l'intimité de chacun. Accueil souriant. La cerise, c'est la terrasse panoramique d'où l'on pourrait presque chatouiller les nids de cigogne !

🛏 *Riad Tinmel (plan couleur d'ensemble, E1, 102) :* 1-4, derb Khettara, Kâa El-Mechrâa. ☎ 024-38-93-71. 📱 061-08-20-42. • *riad-tinmel-marrakech. com* • *Au nord de Bâb-el-Khémis, dans l'ancien quartier du caïd El-Cayadi ; mieux vaut téléphoner pour se faire expliquer le chemin. Double 90 €, suites 110-150 € selon taille. Compter + 50 % en hte saison.* La suite double peut accueillir 4 personnes. Un ancien *riad* restauré dans le style hispano-mauresque, composé de deux grands patios ombragés de palmiers et d'orangers, avec fontaine et piscine. Chambres avec bains et chauffage. Hammam, terrasses fleuries.

≜ **Les Clefs du Sud** (plan couleur d'ensemble D1-2, **154**) : 49, Diour-Jdad, zaouïa El Abbasia. ☎ 024-38-63-54. • cledusud.com • ♿ Non loin de la mosquée Sidi bel Abbès, accès facile en voiture. Tarif moyenne saison 100 € pour les chambres, à partir de 140 € pour les suites selon taille. Trop cher à Noël, mais - 30 % de début juin à mi-sep. Réduc de 10 % sur présentation de ce guide. Accès un brin cérémonial par un long couloir (on aime !) débouchant dans ce magnifique riad, originellement une médersa du XVIIe s restaurée avec un soin extrême par Frédérique et Marie-Ange : guernizas sculptées à la gouge, anciennes portes conservées,

splendide tadelakt gris aux murs... Même dans les parties plus récentes en bois de cèdre sculpté a été respectée la charge historique du lieu. À l'intérieur, les salles de classe ont fait place à sept suites (dont une tente caïdale sur la terrasse) et deux chambres doubles, toutes avec salle de bains. Déco sobre et raffinée. Au rez-de-chaussée, belle salle de restaurant et agréable coin détente autour d'un bar ondulant et d'un canapé chamarré de coussins pastel multicolores. Le personnel est sympathique au possible. Tous les ingrédients semblent donc réunis pour que ces Clefs du Sud s'ouvrent aussi sur les portes du paradis...

Beaucoup plus chic

Dans cette catégorie, des adresses superbes encore, mais évidement très chères. À réserver pour des occasions spéciales (mariage, conquête, réconciliation...).

≜ **La Villa Nomade** (plan couleur d'ensemble, D-E2, **103**) : 7, derb El-Marstane, à proximité de la pl. Bâb-Taghzout. Résas depuis la France : Comptoir du Maroc, ☎ 0892-23-77-37 (0,34 €/mn), • comptoir.fr • et Voyageurs du Monde, ☎ 0892-23-73-73 (0,34 €/mn), • vdm.com • Sur place, ☎ 024-38-50-10. • lavillanomade. com • Doubles 160-320 € selon saison, petit déj et tea-time compris (thé avec petits gâteaux 16h-17h30). Plus cher pour les suites. Superbe riad comprenant 12 chambres, dont 3 suites, dédiées à des explorateurs célèbres (Marco Polo, Théodore Monod, Saint-Ex...), réparties sur 2 niveaux autour d'un vaste patio arboré aux grandes arcades ouvragées. Déco d'ailleurs inspirée des pays qu'ils ont traversés, avec des objets rappelant la vie des personnages en question. Chambres climatisées, avec chauffage central, téléphone direct, TV satellite et belles salles de bains aux murs rehaussés de tadelakt. Vaste terrasse pour profiter du soleil et de la vue. Petite piscine ornée de zelliges, genre bains romains et un hammam ont été construits dans la douyria contiguë. Également un resto accessible aux non-résidents (voir plus loin « Où manger ? Dans la médina »).
≜ **Riad Noga** (plan couleur d'ensem-

ble, F3, **104**) : 78, derb Jdid, Douar-Graoua. ☎ 024-37-76-70. • riadnoga. com • Prévoir 150-258 € pour 2 pers selon confort et saison (+ 20 % à Noël, Pâques et de mi-mai à début juin). Ce qui n'est pas donné, donné ! Repas sur commande. Une belle maison, mais qui n'a plus grand-chose à voir avec un riad traditionnel. On a résolument choisi un style très nouveau. Volumes modifiés et confort poussé jusqu'à la prise Internet et la TV dans chaque chambre. Zelliges et bois se marient avec des couleurs vives et des matériaux plus modernes en un savant équilibre. Premier patio plein de charme avec orangers et oliviers. Les chambres, très confortables et désignées par des couleurs, possèdent bains, chauffage et/ou clim', mini-chaîne, etc. Certaines ouvrent sur une terrasse privée ou directement sur le patio. Une ambiance particulière, plus proche de l'hôtel que du riad. Le clou du lieu, une jolie piscine au cœur du second patio.
≜ **Riad Les Yeux Bleus** (plan couleur Médina, D3, **107**) : 7, derb Ferrane, Bâb-Doukkala. ☎ 024-37-81-61. • riadle syeuxbleus.com • Double 190 € (+ 20 % en hte saison). Réduc de 10 % sur présentation de ce guide. Superbe riad, dans un quartier tranquille, non loin des souks. Tenu par Ilham, charmante

directrice (la proprio vit à Casa) à l'accueil discret. L'ensemble a été restauré dans un grand respect de l'architecture traditionnelle. Patio arboré avec piscine. Cinq chambres toutes différentes (deux possèdent une cheminée), avec salle de bains en *tadelakt* dans les tons ocre rosé. Clim'. Dans le *riad* mitoyen (et communicant), patio agrémenté d'une cheminée et trois autres chambres à la déco plus intimiste. La n° 7 et la n° 8 sont nos préférées. Belle terrasse avec hammam et solarium. Le genre d'adresse souvent sollicitée par les magazines de déco.

🏨 *La Maison Arabe (plan couleur Médina, D3, 113)* : 1, derb Assehbe, Bâb-Doukkala. ☎ 024-38-70-10. ● lamai sonarabe.com ● *Doubles à partir de 190 €. Compter 30-50 € pour un repas. Réduc de 10 % sur le prix de la cham-* bre sur présentation de ce guide. Le propriétaire, un prince italien, a aménagé ce somptueux hôtel de charme d'une quinzaine de chambres dans un lieu de légende qui abrita un restaurant célèbre fréquenté par Hemingway et Churchill. L'âme est restée. Chaque chambre dispose d'une terrasse. Les artisans ont donné toute la mesure de leur talent : plafonds en coffrage de cèdre, stuc, coupoles laissant filtrer la lumière. L'hôtel s'articule autour de deux patios fleuris. Le hammam traditionnel est d'un chic inégalé. Le bar d'inspiration 1930 n'est pas sans rappeler *Out of Africa*. Le resto a une telle réputation que ses cuisinières enseignent leur savoir-faire dans des stages gourmands. Piscine dans le jardin potager à 10 mn en navette de l'hôtel.

Où dormir dans les environs ?

🏨 *Maison Boughdira (hors plan couleur d'ensemble par C6)* : route d'Amizmiz, km 4. ▤ 061-17-36-23 et 061-07-06-77. ● www.maisonboughdira.com ● À l'intersection Taroudannt-Amizmiz, prendre cette dernière ; 4 km après la station Mobil à gauche, repérez la borne « Oued N'Fis 25 km » ; juste là débute la petite piste que vous emprunterez sur env 400 m. Autour de 79 € pour 2 pers. Également 3 suites 115-150 €. Petit déj compris. Réduc de 10 % sur présentation de ce guide. Repas sur demande (16 €). Au cœur d'une oliveraie aux arbres centenaires se niche ce havre de paix. Architecture traditionnelle en pisé et décoration de très bonne facture. Cheminée, petit salon et une superbe salle de bains pour chaque chambre. Pergola agréable et verger qui alimente les confitures maison, plans d'eau, pigeonnier et une vraie grande piscine. Balançoire, ping-pong, nombreux animaux. La maison a été reprise depuis peu par un nouveau gérant. À suivre.

🏨 *Dar Zarraba (hors plan couleur d'ensemble par E6)* : douar Akarra, km 13 route de l'Ourika. ▤ 068-99-92-35. ● zarraba.com ● Au km 13, prendre à gauche (depuis Marrakech), juste après avoir passé le pont au-dessus du canal de rocade. Le longer, puis, au 2e pont, bifurquer à gauche et suivre les panneaux (discrets !) sur 1 km. Prévoir 55 € pour 2 pers ; petit déj en sus. Forfait famille (min 5 pers), à partir de 100 €. Dîner sur commande 10 €, préparé par les femmes berbères du village. Au cœur d'une oliveraie, Michel a quitté son Sud-Ouest natal pour concevoir une agréable et confortable maison entièrement bâtie en pisé (naturellement climatisée donc), qui offre une dizaine de chambres spacieuses, à la déco dépouillée. Elles disposent toutes de belles salles de bains en *tadelakt*. De plus, une nouvelle annexe, sorte de *riad*, peut idéalement accueillir une famille. Agréables abords de piscine (avec transats). Copieux petits déj. Salon de massage. Nombreuses possibilités de balades à faire dans les environs.

🏨 *Villa Tata Marie (hors plan couleur d'ensemble par E6)* : au km 17 route de l'Ourika, fléché sur la gauche ; continuer 400 m sur la piste. ☎ 024-37-50-37. ▤ 062-49-36-02. ● villa-tata-marie. com ● *Doubles 49-55 € selon taille, petit déj compris. Chambre 4 pers 85 €. Suites 2-5 pers 60-115 €. Dîner sur demande 17 €.* Elle n'a pas perdu la tête Marie-Antoinette en venant s'installer ici ! Jugez par vous-même : une superbe piscine (avec jacuzzi) qu'enjambe un petit pont, des chambres nickel de toutes les tailles aux tonalités différentes et délicatement parfumées... Toutes climatisées. Superbe suite en étage occupant une petite maison, idéale pour une famille. Belle déco marocaine. Salon avec cheminée pour les soirées plus fraîches. Et l'hiver, vous aurez peut-être la chance d'avoir une partie raclette préparée par Christian (qui a habité longtemps en Suisse). Petit déj très copieux.

🏠 *Dar Safia* (hors plan d'ensemble couleur par E6) : à 6 km de Marrakech, juste après la bifurcation de la route d'Amizmiz ; c'est fléché. ☎ 024-38-01-18. 🖥 077-78-57-38. ● darsafia.com ● Doubles 950-1 600 Dh (86-145 €) selon taille, petit déj inclus. Repas 200 Dh (18,20 €), sur commande slt. Une vraie maison d'hôtes à un jet de pierre de Marrakech. Dans leur villa superbement décorée et lovée dans un parc de 5 000 m², les époux Ribot prennent soin de leurs hôtes. Accueil personnalisé, peignoir, mignardise au caramel et rose pour les dames. Tout a été conçu avec élégance et raffinement pour passer un moment inoubliable. Il y a même une salle de fitness dans une tente caïdale au fond du jardin au cas où vous forciez un peu trop sur le tajine ! Jolie piscine.

🏠 *Les Jardins d'Issil* (hors plan d'ensemble couleur par E6, **59**) : km 13 route de l'Ourika. ☎ 024-48-57-11. 🖥 072-61-87-79. ● jardinsissil.com ● Après le pont qui enjambe le canal de rocade, partir sur la gauche et le longer sur 4,7 km (précis !), puis à droite sur 1,9 km. Compter 880 Dh (80 €) pour 2 pers, petit déj compris. Réduc de 10 % sur présentation de ce guide.

Après 3 ans de dur labeur, Patrick et Ghislaine (des Bretons !) ont entièrement aménagé cet endroit « multipolaire ». Tout s'articule autour d'un *riad* central avec salle de resto (Fatima est au fourneau) et salon-cheminée, le tout surmonté d'une belle terrasse à la vue imprenable sur l'Atlas. La tente de réception peut accueillir 80 personnes, puis viennent les luxueuses tentes caïdales de 30 m² (coin salon, salle de bains, dressing, clim' réversible), une tente nuptiale (50 % plus cher, mais elle les vaut !), quelques tentes familiales et enfin plusieurs tentes nomades pour se poser (avec de jolies salons berbères intérieurs) qui entourent une piscine immense en pente douce, comme les saisons qui s'écoulent ici. Également minigolf, boulodrome, espace détente avec hammam. Et en préparation : un terrain de tennis et un apéro-bar de plein air musical (la clientèle est assez jeune). Bref, des jardins immenses mais qui ont su rester, comme leurs propriétaires, très humbles... Aussi pour nos lecteurs baroudeurs, *Jnane Baroud* (voir plus haut les « Campings »).

🏠 *Sangho Privilège Marrakech* (hors plan couleur d'ensemble par G1) : au cœur de la palmeraie, à 12 km de la ville. ☎ 024-30-48-50. ● sangho.fr ● Navettes gratuites 9h-19h40 (dernier retour) entre l'hôtel et la pl. Jemaa-el-Fna. Un hôtel-club de grande qualité. Il y a bien sûr l'architecture et les jardins au cœur des 11 ha de terrain, mais il y a surtout de belles chambres et le professionnalisme de l'accueil. Sans oublier une cuisine excellente. Piscines intérieure et extérieure, minigolf, terrain de tennis, etc.

Où manger ?

Dans la médina

Très bon marché (moins de 50 Dh / 4,50 €)

Tous les soirs, à partir de 18h, la place Jemaa-el-Fna (plan couleur Jemaa-el-Fna, E3-4) devient un vaste resto de plein air où de nombreuses **gargotes** proposent à des prix très bas des salades, des brochettes et des poissons cuits devant vous. Pour environ 40 Dh (3,60 €), on a un repas complet. Les prix affichés ne tiennent pas toujours compte des sauces, des épices et du pain servis d'office dès que l'on s'assoit. De plus, bien recompter son addition.

Une bonne cinquantaine de restaurateurs ambulants, regroupés par « spécialité » (les escargots dans un coin, les grillades, brochettes, merguez, *kefta*... dans un autre, les desserts au gingembre un peu plus loin), forment un grand rectangle bien ordonné au-dessus duquel flotte la fumée des braseros. On s'installe sur de petits bancs et on déguste. Attention tout de même, les règles d'hygiène ne sont pas toujours bien respectées, bien que les services sanitaires effectuent désormais des contrôles réguliers. Dans certains, c'est vraiment infect. D'autres font de vrais efforts. **En règle générale, préférer ce qui est cuit, genre soupes et grillades.** En tout cas, vu l'affluence, ça n'a pas l'air d'effrayer grand monde. En été, la chaleur n'arrange pas les choses. Souvent, on vous sert de la brebis pour du mouton. C'est moins cher, mais quelle « turista » ! On ne vous recommande pas de gargote en particulier, ça peut changer vite. Allez-y au feeling et installez-vous là où il y a le plus de Marocains, c'est toujours bon signe.

I●I *Snack Toubkal (plan couleur Jemaa-el-Fna, E4, 120)* **:** en face de l'hôtel CTM, *juste avt la rue Riad-Zitoun-el-Kédim.* Soupes, brochettes, cous-cous, tajines et des yaourts excellents. Bon petit déj également. Terrasse agréable pour observer l'animation de la place, même si on est parfois un peu entassé. Ça tourne, ça vire mais on peut manger vite et bien. Salle au 1er étage, mais on est mieux en terrasse.

I●I *Café N'Zaha (plan couleur Jemaa-el-Fna, E4, 120)* **:** *à gauche du* Toubkal. *Mêmes tarifs que son voisin.* Le lait d'amande (fait sur place) est un pur délice. Pas de prétention gastronomique, mais ici on mange vite et correctement. En revanche, pas toujours nickel.

I●I *Café-restaurant Tiznit (plan couleur Jemaa-el-Fna, E3, 121)* **:** *Kassabine n° 28, sur la pl. Jemaa-el-Fna.* Vers l'entrée du souk des chaussures, dans une sorte de renfoncement. Au 1er étage d'un immeuble. Un minuscule resto de 4 tables, allez, 5... où l'on mange de délicieux tajines et couscous. Devenu assez touristique (on n'y est peut-être pas pour rien...) mais la qualité de la cuisine est toujours au rendez-vous.

I●I *Chez Haj Brik (plan couleur Jemaa-el-Fna, E4, 122)* **:** *rue Bani-Marîn, juste à côté de l'hôtel* La Gazelle. *Fermé ven.* Uniquement des grillades, brochettes, méchoui et merguez. Clientèle marocaine. Belles portions et serveurs sympathiques.

I●I *Snack La Lune d'Or (plan couleur Jemaa-el-Fna, E4, 123)* **:** *rue Bâb-Agnaou, à côté de la librairie* Ghazali. Dans ce café-resto, on peut manger sur le pouce des sandwichs, des brochettes, des salades, des *kefta.* Terrasse avec une poignée de tables prises d'assaut qui donne sur cette rue piétonne.

Bon marché (moins de 80 Dh / 7,30 €)

Tout près de la place Jemaa-el-Fna, on peut manger pour pas cher. Le repas classique se compose de grillades de mouton avec un morceau de pain et une sauce aux oignons, le tout accompagné d'un verre de thé à la menthe. C'est une aubaine pour les fauchés qui ont bon appétit. Les prix sont toujours affichés. Allez rue Bani-Marîn *(plan couleur Jemaa-el-Fna, E4),* qui commence sous une arcade entre la poste et la banque *Al-Maghrib.* Les deux premières proposent des menus complets autour de 80 Dh (7,30 €), mais on peut aussi s'en sortir pour deux fois moins cher en ne prenant qu'un plat.

I●I *El Bahja, chez Ahmed (plan couleur Jemaa-el-Fna, E4, 122)* **:** *rue Bani-Marîn, juste à côté de l'hôtel* La Gazelle, *au n° 41. Ouv tte la journée.* Cinq menus *à prix intéressants.* Intérieur carrelé propre. On y sert non-stop toutes les spécialités marocaines. Bonnes grillades.

I●I *Restaurant du Progrès (plan couleur Jemaa-el-Fna, E4, 122)* **:** *même* style et *mêmes prix que* Chez Ahmed. *Ouv tte la journée.* Propre (la salle est vraiment nickel), et cuisine pas trop grasse. Un bon mélange de touristes et de locaux en fin de semaine.

I●I *Le Café des Épices (plan couleur Médina, E3, 126)* **:** *75, pl. Rahba-Kedima (ou pl. des Épices), au beau milieu des souks.* ☎ 024-39-17-70. *Tlj* *jusqu'à 20h* env. Sur 3 étages, avec une terrasse surplombant la place, un resto-café aux dominantes ocre et marron. Ambiance décontractée dans ce café idéalement situé pour faire une pause. Tables basses, banquettes marocaines, murs en *tadelakt*, expos photos. Pour caler sa faim, cuisine sans prétention, genre sandwichs et salades. Tajines ou couscous le week-end. Bons jus de fruits frais également. Accueil jeune et sympathique. Accès wi-fi.

|●| *Chez Chegrouni* (plan couleur Jemaa-el-Fna, E3, *125*) : *en bordure de la pl. Jemaa-el-Fna. Tlj jusqu'à 23h. Prix majorés de 10 Dh (0,90 €) en terrasse.* Tajines, couscous et grillades, correct, sans plus. Quelques salades également. Une adresse très prisée des nombreux touristes. Petit effort en matière de déco et terrasse agréable à l'étage avec vue stratégique sur la place (souvent prise d'assaut à l'heure du déjeuner, mieux vaut arriver tôt). Ça débite,

les serveurs ne chôment pas et le service s'en ressent un peu !

|●| *Les Prémices* (plan couleur Jemaa-el-Fna, E4, *131*) : *au bord de la pl. Jemaa-el-Fna. Tlj 8h-22h30.* Un resto au cadre marocain bien léché. Sans oublier les terrasses avec vue stratégique sur la place. Clientèle quasi exclusivement touristique. Mais cuisine marocaine et internationale variée, correcte et à des prix qui n'ont rien d'abusif.

|●| *Café Palais El-Badi* (plan couleur Médina, E4, *127*) : *4, rue Touareg-Berrima, Bâb-Mellah. Tt près du palais El-Badi.* Menus avec entrée, plat, fruits de saison, pâtisseries, thé ou café. Un petit resto avec sa terrasse perchée au 2e étage et sa vue plongeante sur la place des Ferblantiers. La cuisine est correcte et copieuse (le menu offre un rapport qualité-prix honnête) et situation idéale. Pas mal de touristes le midi, plus calme le soir.

Prix moyens (80-150 Dh, soit 7,30-13,60 €)

|●| *Dar Chérifa* (plan couleur Médina, E3, *27*) : *8, derb Cherfa-Lakbir.* ☎ 024-42-64-63 *ou* 024-39-16-09. *Service tlj 12h-16h30.* Ce café littéraire-salon de thé (voir aussi « Où boire un verre en journée ?... »), sis dans un superbe *riad* réhabilité avec finesse, sert une petite restauration légère genre salades traditionnelles, couscous le vendredi. Calme et tranquillité.

|●| *Café Les Bougainvilliers* (plan couleur Médina, E3, *106*) : *33, rue El-Mouassine.* ☎ 024-44-11-11. *À deux pas de la fontaine et du Mouassine, angle rues Sidi-el-Yamani et El-Mouassine.* Une dizaine de tables souvent bondées réunies dans un patio à ciel ouvert, orné de... bougainvilliers. Excellentes pizzas maison cuites au four à bois, salades et autres sandwichs à prix acceptables compte tenu de la centralité du lieu. Attenant, un salon aux canapés mous pour ceux que les souks auront éreintés. À l'étage, terrasse surplombant l'ensemble ainsi que deux salons ayant

conservé leurs *sakf lakhcheb* (plafonds traditionnels en bois de roseau), que l'on se réservera pour la digestion.

|●| *La Terrasse des Épices* (plan couleur Médina, E3, *155*) : *15, souk Cherifia, quartier de Sidi-Abdelaziz.* ☎ 024-37-59-04. *Accès wi-fi. Dans les souks, à 150 m de Dar-el-Bacha.* Même proprio que le *Café des Épices* (voir plus haut), dont *La Terrasse* prolonge le concept mais sur 300 m² à l'air libre. Spécialité de grillades, salades et brochettes, très bons yaourts. Et la mousse au chocolat ? Là, on ne voit vraiment pas de quoi vous voulez parler, hum ! Choix entre plusieurs espaces pour déjeuner, dîner ou tout simplement prendre un cocktail (juste de fruits pour le moment) en fin de journée. Les papyrus apportent la petite touche de fraîcheur nécessaire. Ouverte sur les toits de la médina et les montagnes de l'Atlas, une pergola abrite, elle aussi, tables et banquettes. Joli « bar de plage » avec de grands parasols en rotin.

Très chic (plus de 250 Dh / 22,70 €)

|●| *Resto de La Villa Nomade* (plan couleur d'ensemble, D-E2, *103*) : *au*

cœur de la médina, ce resto jouxte le très beau *riad* du même nom (voir « Où *dormir ? »).* ☎ 024-38-50-10. *Résa très conseillée. Menus 350-700 Dh (31,80-63,60 €) ; à la carte, compter 450 Dh (40,90 €).* Le resto de la *Villa Nomade* propose une cuisine marocaine « haut de gamme », à la fois créative et traditionnelle, orchestrée par Miriem. Les tables sont distribuées sur deux niveaux répartis autour d'un atrium d'où s'élève une cheminée monumentale. Ambiance intimiste et bon accueil.

I●I *Le Dar Zellij (plan couleur d'ensemble, E2, 132) : 1, Kaasour Sidi-ben-Slimane.* ☎ 024-38-26-27. *Ouv slt le soir (sf mar) et le w-e pour le brunch (sam et dim 10h30-15h). Au choix, 3 menus 350-450 Dh (31,80-40,90 €) ; brunch 180 Dh (16,40 €). CB acceptées.* Un très beau *riad* du XVIIe s, superbement restauré, dont le cadre vaut à lui seul le détour : petits salons aux remarquables plafonds sculptés, patio intime délicatement éclairé par quelques bougies, effets de perspective, terrasses surplombant la médina. Mini-spectacle les mercredi, jeudi et vendredi soir. Sinon musique arabo-andalouse chaque soir. La cuisine marocaine est délicate et savoureuse. Une adresse idéale pour une douce soirée en amoureux, avec une ambiance beaucoup plus magique qu'en journée. Et le brunch le week-end ? Une excellente idée !

I●I *Dar Yacout (plan couleur d'ensemble E2) : 79, derb Sidi-Ahmed-Soussi, quartier de Bâb-Doukkala.* ☎ 024-38-29-29. *Téléphonez pour qu'on vous indique le chemin. Le soir slt. Fermé lun. Résa obligatoire. Compter 730 Dh (66,40 €) le repas ; eau, vin, café, digestif inclus. CB acceptées.* Une adresse incontournable de la Perle du Sud, toujours tenue par le même proprio. Dans ce beau palais de la médina, on débute la soirée en prenant un verre en terrasse (panorama grandiose sur la Koutoubia) ou dans les salons du 1er étage. On dîne au rez-de-chaussée ou dans le patio en été, tandis qu'un duo accompagne le repas de musique gnaoua et andalouse. Très belle piscine entourée de bambous. Une adresse pour une ambiance Mille et Une Nuits... Parmi les restos les plus chers de la ville.

I●I *Le Tanjia (plan couleur Médina, F4, 129) : 14, derb Jdid, Hay Essalam, quar-* tier du Mellah. ☎ 024-38-38-36 ou 42-42. *Entre le palais de la Bahia et le palais El-Badi. Fermé dim soir. Compter 275 Dh (25 €).* Spectacle de danseuses orientales les vendredi et samedi à 21h30. Noureddine, le patron, a trouvé son foundouk... reconverti en brasserie à l'orientale très bien fréquentée (de nombreuses stars y sont passées). Spécialité de méchoui servi dans le patio, en salon, au carré « VIP » ou, royal, sur la terrasse avec la Koutoubia en toile de fond.

I●I *Le Foundouk (plan couleur Médina, E2-3, 124) : 55, souk Hal Fassi, quartier de Kaat Benahid.* ☎ 024-37-81-90. *Juste derrière le musée de Marrakech. En taxi, demander la place du Mokef. Fermé lun. Résa obligatoire. Y aller de préférence le soir, en demandant une table à l'étage. Compter 300-350 Dh (27,30-31,80 €). CB acceptées. Sert de l'alcool (carte des vins très chère).* Cette auberge des marchands (« foundouk » en arabe) ne désemplit plus ! Réhabilité sans emphase sur 2 étages (dont la terrasse), l'endroit fait la joie d'une clientèle étrangère, majoritairement anglo-saxonne. Dans l'assiette, une cuisine française et marocaine, mélangeant des classiques avec du plus original. Malgré ses 180 couverts, l'endroit arrive à préserver une certaine intimité en utilisant les coins, recoins et autres salles ouvertes. Après le repas, des portiers vous raccompagneront jusqu'à la place des taxis. Extension prévue en 2009.

I●I *Les Jardins de Bala (plan couleur Médina, D3-4, 128) : 26, rue de la Koutoubia.* ☎ 024-38-88-00. *Accès par l'hôtel des Jardins de la Koutoubia. En entrant dans le hall, prendre l'ascenseur à droite, c'est au 3e étage. La cuisine ferme à 23h. Compter 300-350 Dh (27,30-31,80 €).* Niché sur la terrasse de ce superbe *riad*-hôtel 5 étoiles, le restaurant sert une excellente cuisine indienne. Les *lassi* ne sont pas lassants, on dit oui au *naan*, tandis que le *tandoor* vous réveille de ses fines saveurs ! Personnel très attentionné. Le tout dans un cadre idyllique avec vue sur une piscine grandiose et bien sûr, la Koutoubia.

I●I *Narwama (plan couleur Médina, D3, 133) : 30, Hay Zefriti, rue de la Koutoubia.* ▤ 072-50-87-00. *Le soir slt, à partir de 19h30. Portier en attente. Compter*

300 Dh (27,30 €) à la carte. CB acceptées. Réduc de 10 % sur présentation de ce guide. L'eau et le feu qui dansent dans la fontaine centrale sur fond de musique *lounge,* la rencontre du palmier et du bambou, de l'Afrique et de l'Asie... vieux mythe et pari (presque !) réussi. Cette ancienne demeure caïdale du XIXe s, classée à l'inventaire des monuments nationaux, est stupéfiante de beauté et nous a laissé b'hou... che bée ! Question bouche justement, la cuisine est thaïe mais sans grande surprise – hélas – au regard de la philosophie sous-jacente du lieu. Les portions auraient pu être plus copieuses... Bref, il manque juste un doigt d'audace, culinaire notamment, pour que ce lieu, encore en gestation, n'atteigne toutes ces promesses.

|●| **Le Pavillon** *(plan couleur Médina, D3, 156) : 47, derb Zaouïa, Bâb-*

Doukkala. ☎ *024-38-70-40. Juste en face de la mosquée, au fond d'un derb. Slt le soir, à partir de 19h. Résa vivement conseillée. Carte env 500 Dh (45,50 €). Le Pavillon peut s'enorgueillir d'avoir été le premier resto français de Marrakech. Le cadre est propice à l'exaltation des papilles : petit patio habité par quatre figuiers, salons aux ravissantes* guernizas *colorées du XIXe s. À la lueur des chandelles, sur un discret fond de musique* lounge *(eh oui, là aussi), on découvre une carte soignée (aux noms à rallonge), intitulée « Mer & Terre » rehaussée de la carte des vins « qui-vont-bien-avec » (de 28 à... 850 € la bouteille !). Dommage que les portions ne soient pas aussi généreuses. Allez ensuite finir en beauté à l'étage vous choisir un bon cigare, en méditant sur le temps qui passe...*

Tables d'hôtes

Des adresses exceptionnelles, mais faites vos réservations vous-même. ÉVITEZ LES INTERMÉDIAIRES de tout genre, tels que les concierges ou employés d'hôtel, guides, calèches, taxis. Lors de votre réservation téléphonique, on vous dira comment venir. Les chauffeurs de taxi à qui vous demanderez de vous conduire au resto X ont toujours quantité d'arguments pour vous conduire chez Y même si vous avez réservé chez X. De cette façon, ils touchent une commission chez Y, qui ne figure pas dans nos adresses recommandées ! Dernière remarque : les tables d'hôtes ne sont pas conseillées pour les familles ayant des enfants en bas âge. Pas de menu les concernant et, surtout, ce sont des espaces feutrés, inadaptés pour les jeux et encore moins pour les cris ! Par ailleurs, évitez les tenues débraillées ou les shorts.

|●| **Ksar Essaoussan** *(plan couleur Médina, D-E3, 134) :* ☎ *024-44-06-32. Accès facile par l'av. Mohammed-V : à la hauteur du feu après l'ensemble artisanal tournez à gauche si vous venez de Guéliz, puis tt droit ; passez un stop et sous une voûte, 100 m plus loin, à droite, un portier vêtu de rouge vous attendra à l'entrée de la rue des Ksour (pluriel de* ksar). *Slt le soir, à partir de 19h30. Fermé dim et en août (parfois dès la dernière sem de juil). Rien à voir avec le* Riad Essaoussan *de la rubrique « Où dormir ? ». Trois menus d'importance croissante, selon votre appétit, 350-550 Dh (31,80-50 €) ; tous comprennent l'apéritif, une demi-bouteille de vin, l'eau minérale et le thé à la menthe. CB acceptées. Les 3 menus sont super-*

bes, mais le premier suffit largement et offre le choix entre pastilla, *tajine ou couscous. Les dîners sont servis soit dans le patio où glougloute une fontaine, soit dans les petits salons qui ont retrouvé leur splendeur d'antan. Cuisine marocaine de grande qualité. L'ambiance est d'une élégante simplicité. Fond musical classique.*

|●| **Le Tobsil** *(plan couleur Médina, D3, 135) : 22, derb Moulay-Abdallah, quartier de Ben Hessaien Ksour.* ☎ *024-44-40-52, 15-23 ou 45-35. De Bâb-Laksour, en allant vers la fontaine Mouassine, prendre la 1re à droite. Slt le soir, sf mar. Résa indispensable. Forfait soirée 600 Dh (54,50 €), apéritif et vin compris. CB acceptées. Un joli petit* riad *où tous les ingrédients sont réunis pour*

épater votre belle (ou votre beau) : chandelles, musique traditionnelle, une cuisine marocaine raffinée à l'image du cadre et de l'atmosphère. Le menu, qui change tous les jours, est uniquement à base de produits du marché. Il n'y a plus qu'à vous lover dans une alcôve, dans le salon privé ou même dans le patio et votre charme naturel fera le reste...

À Guéliz (ville nouvelle)

Très bon marché (moins de 50 Dh / 4,50 €)

I●I **Snack-bar de l'Escale** (plan couleur Guéliz, B2, **136**) : rue Mauritania. Tlj jusqu'à 23h, mais plutôt une adresse du midi. Très bon poulet grillé et grillades accompagnées de bonnes frites. Déconseillé aux non-fumeurs et aux fervents défenseurs de la ligue antialcoolique. On y sert de la bière et du vin. Et pas qu'un peu (hic !). Atmosphère très masculine. Possibilité de manger sur la petite terrasse en bord de rue. Ne s'attendre ni à un accueil particulièrement chaleureux ni à un service rapide !
I●I **Restaurants populaires** (plan couleur Guéliz, A1-2, **137**) : rue Ibn-Aïcha, en haut de l'av. Mohammed-V. Pas d'alcool. Une série de petits restos avec des petites salles et des tables sous les arbres. Principalement des grillades à prix très doux. Assez bruyant à cause de la circulation. Pour choisir, c'est facile, il n'y a qu'à observer : certains sont plus fréquentés que d'autres ! Sinon, vous pouvez essayer **Chez Bej Gueni,** tout le monde connaît. Ou **Chez Ouazzani,** au 12 bis. Même style. Excellentes grillades et salades de première fraîcheur. Ambiance très décontractée, mais qui ne doit pas vous empêcher de vérifier votre addition.
I●I **La Gourmandise** (plan couleur Guéliz, A2, **138**) : 151, rue Mohammed-el-Beqal. Tlj jusqu'à 23h. Un p'tit snack qui vous donnera la frite le restant de l'après-midi ! Burgers, salades, quart ou demi-poulet grillé, quelques tajines et couscous. Copieux. Terrasse en bord de rue.

Bon marché (moins de 80 Dh / 7,30 €)

I●I **Top Ladid** (plan couleur Guéliz, B2, **136**) : 86 bis, bd El-Mansour-Eddahbi. Tlj 11h30-22h30. Un petit snack de quartier assez top pour manger sans se ruiner : paninis, sandwichs, pizzas, etc. Terrasse ombragée en bord de rue sans trop de circulation pour se poser. Propre. Beaucoup de Marocains, toutes classes confondues, et notamment des cols blancs mangeant sur le pouce le midi. Accueil sympa.
I●I **La Marjolaine** (plan couleur Guéliz, C3, **139**) : immeuble Zahir, av. Mohammed-V. Tlj jusqu'à 23h. Pas d'alcool. Cadre propre, ouvert et aéré : salle avec murs en tadelakt ou terrasse prise d'assaut. Bonne cuisine de snack : grillades, brochettes, salades, pizzas, pâtes et quelques tajines... Bien recompter l'addition.
I●I **Aladdin Space** (plan couleur Guéliz, B3, **140**) : 9, rue Imam-Chafii, Kawkab Center. Tlj 7h-23h. Une cafétéria pas du tout typique, qui propose salades, sandwichs et quelques plats qu'on peut manger sur la grande terrasse abritée et située... au ras des pâquerettes du stade de foot. Heures stratégiques : 15h-18h. Gare aux ballons perdus ! Bonnes glaces.

Prix moyens (80-160 Dh / 7,30-14,50 €)

I●I **Les Jardins de Guéliz** (plan couleur Guéliz, B3, **157**) : rue Ouadi-El-Makhazine, jardins du Harti. ☎ 024-42-21-22. Au niveau de la pl. du 16-Novem- bre. Fermé dim. Réduc de 10 % sur présentation du guide. Voici LA cantine officielle des expats de la ville rouge, grâce à une carte sans chichis basée sur des produits de qualité à prix hyper-respectables. Jean-Baptiste propose des grillades succulentes (c'est pas un enfant du Sud-Ouest pour rien !), un buffet de crudités gargantuesque le midi, et plein de petits classiques bien servis. Le tout arrosé de vin pas cher. Belle terrasse intérieure à 2 mn du plus important rond-point de Guéliz, le tout dans un silence assourdissant. Le pain est fait maison.

|●| *Le Niagara (plan couleur d'ensemble, A1, 142)* : 31-32, Petit-Marché de Guéliz, route de Targa. Prendre l'av. Mohammed-V et dépasser le croisement avec le bd Mohammed-Abdelkrim-Khattabi ; c'est env 200 m plus loin, sur la droite. Fermé lun. Ne prend pas de résa (les premiers arrivés sont les premiers servis !) : le soir, y aller dès 19h15 et prendre l'apéro en attendant qu'ouvre la cuisine. Plat env 80 Dh (7,30 €). Un p'tit cadre bien léché, assez intimiste le soir, terrasse couverte, et un accueil impeccable. Bonne cuisine d'inspiration française et italienne (principalement des salades, pizzas, pâtes et des grillades). Très fréquenté par les Marrakchis (ce qui est de bon augure). Un très bon rapport qualité-prix.

|●| *La Grillardière (plan couleur Guéliz, B3, 158)* : 15, rue Ibn-Hanbal. ☎ 024-43-29-43. Résa conseillée le midi, impérative le w-e. Le premier café grill-boucher au Maroc en fait une chaîne nationale. Les employés du quartier s'y sont laissé facilement « enchaîner » car depuis son ouverture, les places sont chères ! Le soir et le week-end, place aux familles. Nourriture copieuse à base de salades imposantes, de belles pièces de boucher, de sandwichs bien garnis et même... des crêpes issues d'un petit stand intérieur. Le tout à prix très raisonnables. Belle terrasse couverte enrobant la façade. Dans le genre, une véritable réussite.

|●| *La Crêperie de Marrakech (plan couleur d'ensemble, A1, 142)* : 14, Petit-Marché-de-Guéliz, route de Targa (à 150 m du lycée français). ☎ 024-43-22-08. Convivial lieu de rencontre entre les résidents français et les Marocains, tous amoureux de la Bretagne et des vraies galettes de sarrasin au sel de Guérande. Accueil affable et atmosphère familiale. Terrasse pour déguster d'excellentes crêpes au froment, les fameuses galettes à l'andouille de Guéméné (ou aux champignons frais) ou une belle salade composée. On a un faible pour la « Marocaine » (galette à la viande *kefta* en tartare poêlée aux épices) et la « Suzette royale » (crêpe à l'orange flambée au Grand Marnier).

|●| *Kechmara (plan couleur Guéliz, B2, 144)* : 1 bis et 3, rue El-Houria (ex-rue de la Liberté). ☎ 024-42-25-32. Tlj 7h-23h30. Formules et menus 90-150 Dh (8,20-13,60 €). « Marrakech » en verlan, vous y êtes ? Un cadre résolument mode et design, mais qui ne tombe pas dans les excès de la branchitude : murs blancs, quelques lumières feutrées rouges, et hop le tour est joué ! Bon petit déjeuner, snack « En-K » jusqu'à 19h, plats du jour ou menu pour un vrai repas salon de thé l'après-midi... Le midi, la cuisine d'Ajdir (en légère baisse cependant) est toujours largement plébiscitée par une clientèle majoritairement expat du coin. Terrasse à l'étage qui remporte un franc succès (ouverte jusqu'à 18h l'hiver).

|●| *Le Chat qui Rit (plan couleur Guéliz, B2-3, 146)* : 92, rue de Yougoslavie. ☎ 024-43-43-11. Fermé dim et lun midi. Pâtes et pizzas env 55 Dh (5 €) ; carte env 160 Dh (14,60 €). Un resto dont le cadre ose les contrastes, sans l'once d'un complexe (contrastes des couleurs, meubles dépareillés). C'est indiscutablement un des lieux de rendez-vous des Occidentaux. Bernard, le patron corse, veille en permanence sur le bon déroulement des choses. Ambiance néanmoins m'as-tu-vu et c'est un peu dommage, rapport à l'originalité du concept de base. Cuisine d'inspiration très franco-française.

De chic à très chic (plus de 150 Dh / 13,60 €)

|●| *Al Fassia (plan couleur Guéliz, B2, 147)* : 55, bd Mohammed-Zerktouni, résidence Taïeb Ier. ☎ 024-43-40-60. Fermé en juil (en principe). Résa indispensable (2 j. avt en hte saison !), car c'est l'une des tables les plus courues

de la ville. Menu touristique env 150 Dh (13,60 €) le midi, plus 10 % de taxes. Le soir, à la carte slt, compter min 200-300 Dh (18,20-27,30 €) pour un repas complet (taxes en sus). CB acceptées. Le soir, la carte offre un joli tour d'horizon de la cuisine marocaine : *pastilla* au pigeonneau, tajines (dont un d'agneau au coulis de tomate sucrée), sans oublier l'épaule d'agneau dorée aux amandes, etc. Certains plats sont à commander 24h à l'avance. Tout est parfaitement réussi, du cadre contemporain et élégant à la cuisine savoureuse et délicate, en passant par le service féminin d'une grande efficacité. Possibilité également de commander une *pastilla* à emporter. Terrasse ombragée.

|●| *Al Fassia Agdal* (hors plan couleur d'ensemble par C6, **159**) : à côté du ciné Mégarama. ☎ 024-38-38-39. Même équipe que l'*Al Fassia* « historique », celui-ci nous a paru au moins aussi intéressant. La déco est d'une sobriété remarquable. Le personnel, très serviable, est rempli de petites attentions (l'eau de fleur d'oranger en fin de repas, la serviette parfumée pour se rafraîchir, l'appel du petit taxi pour rentrer...). Nourriture exquise et copieuse : en prenant un tajine par exemple (accompagné de semoule comme dans la tradition !), on a du mal à placer un dessert. Le thé à la menthe est un divin nectar. À noter que l'établissement fait aussi hôtel de luxe d'une quarantaine de chambres.

|●| *Catanzaro* (plan couleur Guéliz, B2, **148**) : rue Tarik-ibn-Ziad ; derrière l'ancien marché central de Guéliz. ☎ 024-43-37-31. Fermé dim et en août. Résa indispensable si l'on ne veut pas faire la queue ou attendre le 2e service ! Pizzas env 55 Dh (5 €) ; compter 150-210 Dh (13,60-19,10 €) pour un repas complet. CB acceptées. Les propriétaires, un couple de Français, dirigent un personnel discret et efficace. Grand choix de pâtes maison, dont les excellentes tagliatelles aux crevettes et calamars, ainsi que des lasagnes. Sinon, quelques poissons, grillades au feu de bois, de belles et bonnes viandes, etc. Très bon café qui ravira les amateurs. Vins et bières. Le resto ne désemplit pas. Logique, tout est impeccable !

|●| *Puerto Banus* (plan couleur Guéliz, B3, **141**) : rue Ibn-Hanbal. ☎ 024-24-65-34. À l'angle de la rue Oued el-Makhazine, en face du commissariat central. Le midi, menu avantageux 95 Dh (8,60 €) ; le soir à la carte, compter 200-280 Dh (18,20-25,50 €). Un resto installé de longue date à Marrakech, aménagé autour d'un patio et dans une salle aux allures de taverne andalouse tendance rustique. Atmosphère d'un chic décontracté. Quelques plats marocains genre tajines, mais on vient surtout pour ses poissons préparés à la française et à l'andalouse d'un bon rapport qualité-prix.

|●| *Le Sud* (plan couleur d'ensemble A2, **165**) : 13, rue du Capitaine-Arrigui. ☎ 024-42-21-30. ▯ 075-39-14-48. Formules déj 105 et 120 Dh (9,50 € et 10,90 €) ; le soir à la carte, env 200 Dh (18,20 €) avec plat, dessert et verre de vin. L'ancienne « Villa blanche » reprend des couleurs. Nathalie (qui a fait les belles heures de la *Casa Lila* d'Essaouira) y a mis tout son cœur, et ça se voit. Agréable espace arboré entourant la bâtisse, idéal pour les chaudes soirées estivales. L'eau y tient d'ailleurs une place prépondérante. La carte est bicéphale avec un côté marocain et l'autre européen, mais le goût est... unique ! À l'intérieur, de jolies tables disposées avec élégance : on est dans ses petits chaussons. Finissez (ou commencez, au choix) par monter au bar-*lounge*, sous un toit caïdale l'hiver et à l'air libre en été. Vous y verrez peut-être l'étoile du Sud.

|●| *Le Crystal* (hors plan couleur d'ensemble par C6, **185**) : bd Mohammed-VI. ☎ 024-38-84-09. Tlj, le soir slt. Résa obligatoire. Près de 45 € le repas. Réduc de 10 % sur le dîner hors saison sur présentation de ce guide. À l'intérieur de la célèbre boîte *Le Pacha*, se cache l'une des meilleures tables de la ville. D'inspiration à la fois italienne et française, la cuisine vient tout droit de l'école Ducasse. Le pâtissier, lui, est manifestement un petit génie. Le resto donne sur un jardin aménagé, magnifiquement éclairé le soir avec un joli plan d'eau. Dîner au resto donne l'accès gratuit à la boîte. Un bon plan plus abordable : prendre un plat le midi et profiter de la piscine l'après-midi.

Où manger dans les environs ?

|●| *Le Touggana* *(hors plan couleur d'ensemble par E6) : km 9, route de l'Ourika.* ☎ 024-37-62-76. *Fermé mar. Résa conseillée. À la carte, env 400 Dh (36,40 €). CB acceptées.* Si vous voulez manger français et créatif, c'est ici que ça se passe. Dans un décor épuré à dominante rouge, tout a été conçu pour créer une ambiance sereine. Bar-*lounge* aux bougies vacillantes et colorées, salles aux tableaux lumineux, petite terrasse fermée, chacun trouvera une table pour passer un moment agréable. Bien rôdés après avoir exercé plus de 15 ans à Casa, Ahmed et Manu ont élaboré une cuisine française inventive rehaussée de quelques saveurs du monde. Exemple : noix de Saint-Jacques à l'huile d'argan, avec roquette et glace à l'amelou. Et toque (du chef) ! Également un large choix de pâtes, sans oublier les desserts dont il a le secret.

|●| *Le Beldi Country Club* *(hors plan couleur d'ensemble par C6) : à 6 km de Marrakech sur la route d'Amizmiz, prendre la piste à droite. C'est indiqué.* ☎ 024-38-39-50 ou 29-38. *Compter 320 Dh (29,10 €)/pers pour déjeuner et profiter de la piscine (transat fourni).* Un décor de rêve : sols carrelés, tommettes, arcades, boiseries, voilages, etc.,

pour une assemblée de cols blancs ou un mariage en grande pompe. Ici tout se paie, du chameau-décor au cracheur de feu. N'empêche que l'endroit vaut son pesant de pétales de roses, aussi pour son spa ! Les salles de restaurant ouvertes sur la roseraie sont superbes avec le sentiment, peut-être, d'être un peu perdu quand on vient à deux, car l'endroit attire pas mal de groupes.

|●| *Resto de la station-service Afriquia* *(hors plan couleur d'ensemble par A3, 145) : km 7, route d'Essaouira, sur la gauche. Grand tajine de 1 kg 60 Dh (5,50 €).* Il s'agit bien d'une station-service ! Petit topo : d'une manière générale, les grosses stations *Afriquia* de Marrakech avec restos (route de Casa, route de Fès...) ont une bonne réputation. Celle-ci a cela de particulier qu'elle possède un jardin retiré derrière la station. Les familles marocaines y viennent d'ailleurs nombreuses le week-end. Au menu, grands tajines et grillades. Le boucher se fera un plaisir de sélectionner les viandes, tandis qu'un grilleur finalisera votre affaire. Le tajine de légumes est un des meilleurs que nous ayons mangés. Surprenant ! Mérite une halte, si vous passez devant.

Où manger une pâtisserie ? Où déguster une glace ?

Dans la médina

|●| ♥ *Pâtisserie des Princes* *(plan couleur Jemaa-el-Fna, E4, 160) : 32, rue Bâb-Agnaou.* ☎ 024-44-30-33. *À deux pas de la pl. Jemaa-el-Fna. Tlj du mat tôt jusqu'à 23h.* Vaste choix de pâtisseries marocaines, absolument exquises et fraîches, et de petits-fours. Rien qu'en regardant la vitrine on prend 2 kg ! Une boîte de 500 g ? Un cadeau sympa pour les copains ! Excellentes glaces et délicieux lait d'amande. Salon de dégustation au fond. Un peu plus cher que les autres adresses de cette rubrique.

|●| *Pâtisserie Mik-Mak* *(plan couleur Jemaa-el-Fna, E4, 161) : rue Moulay-Ismaïl. À quelques pas de la pl. Jemaa-*

el-Fna. Ouv tlj jusqu'à 22h env. Grand assortiment de gâteaux orientaux et européens. Une adresse qui a perdu un peu de son lustre avec les années, mais pas mal quand même. Possibilité de déguster à l'étage ou en terrasse.

♥ *Café-restaurant Argana* *(plan couleur Jemaa-el-Fna, E3, 162) : pl. Jemaa-el-Fna.* Les yaourts, sorbets et glaces (servis uniquement l'après-midi) sont un régal, tout comme les excellents milk-shakes. Parfums variés. Très touristique tout de même (il faut dire que la terrasse du dernier étage offre une vue sympathique sur la place). En revanche, resto moyen mais toujours plein à

craquer, allez donc savoir pourquoi...
♥ *Venezia Ice* (plan couleur Médina, D4, **163**) : 279, av. Mohammed-V. Très

grande variété d'excellentes glaces à emporter. Très bonne hygiène. Beaucoup, beaucoup de monde l'été.

À Guéliz (ville nouvelle)

I●I *Al Jawda, chez Mme Alami Hakima* (plan couleur Guéliz, B2, **144**) : 11, rue El-Houria (ex-rue de la Liberté). ☎ 024-43-38-97. Tlj 8h-20h30. Excellentes pâtisseries marocaines (uniquement) à emporter. Assez chères, mais parmi les meilleures de Marrakech ! Spécialité de *feqqa* à la crème fraîche. *Pastilla* de pigeon également. Un petit salon de thé s'est ouvert non loin au 84, bd Mohammed-V. On peut ainsi déguster tranquillement ces divines douceurs.

I●I *Season's* (plan couleur Guéliz, B2, **166**) : 36, rue Tarik-ibn-Ziad. Petit local sans prétention avec deux tables et une mini-terrasse. Très bons jus de fruits frais, des yaourts délicieux, quelques pâtisseries, le tout à des prix correctissimes. Petite salle à l'étage. Pas mal de

mères de famille s'y retrouvent à la sortie des classes.

♥ *Le 16-Café* (plan couleur Guéliz, B2, **167**) : pl. du 16- Novembre. ☎ 024-33-96-70. Un vrai bon glacier aux produits haut de gamme, surfant sur la vague bio. Design moderne de bon aloi avec de grandes fenêtres ornées de persiennes en bois, le tout éclairé par de belles couleurs chatoyantes vert pomme et orange cannelle. Pour se sustenter, de délicieuses crèmes glacées donc, des sorbets, des jus de fruits et de légumes, des pâtisseries « à la française ». Mélange de clientèle européenne et de locaux qui discutent immobilier et bourse. Salle vitrée au 1er étage, le *lounge*, non-fumeur. Fait aussi resto, mais le menu nous a paru un peu cher. Accès wi-fi.

Où prendre le petit déjeuner ?

À Guéliz (ville nouvelle)

☞ *La Table du Marché* (plan couleur Médina, C4, **175**) : 4, rue du Temple, quartier de l'Hivernage. Tlj à partir de 7h. Près de 50 Dh (4,50 €) pour un petit déj (assez cher donc). Fait resto mais on vient plutôt ici le matin pour déguster des brioches aux amandes, pains au chocolat et autres madeleines à la cannelle. Quelques pâtisseries marocaines également. Terrasse ombragée où l'on croise le dimanche, en fin de matinée, une bonne partie de la jeunesse dorée de Marrakech.

☞ *Adamo* (plan couleur Guéliz, B2, **148**) : 44 bis, rue Tarik-ibn-Ziad. ☎ 024-43-94-19. Tlj sf dim 7h30-13h, 15h-20h. Une pâtisserie qui fait aussi salon

de thé. Excellentes viennoiseries et pâtisseries marocaines. Là encore, l'une des meilleures de Marrakech ! De plus, la terrasse ombragée en bord de rue calme n'est pas mal du tout pour déguster ces douceurs en toute tranquillité.

☞ *Amandine* (plan couleur Guéliz, A2, **164**) : 97, rue Mohammed-el-Beqal. ☎ 024-44-95-88. Tlj 7h-21h. Salon de thé et glacier juste à côté. Vente à emporter également. Bonnes viennoiseries, et des chocolats comme vous n'en trouverez nulle part ailleurs. Prix plus élevés que la moyenne, mais toute la marchandise, le chocolat notamment, est importée.

Où boire un verre en journée ?

Dans la médina

Nombreuses terrasses de café qui dominent la place Jemaa-el-Fna. Spectacle permanent. Citons celles de l'*Hôtel de France* ou de l'*Argana*. Celle du *Café Glacier* (au sud de la place Jemaa-el-Fna) offre certainement l'une des plus belles vues. Petite consigne pour toutes celles et ceux qui aiment les jus d'orange de la place Jemaa (on les comprend !) et qui veulent éviter les désagréments de transit. Les oranges doivent être pressées devant vous et sans glaçons. Refusez le jus s'il est déjà en bouteille, car les trois quarts du temps, il est complété par de l'eau du robinet. Turista garantie !

🍷 **Dar Chérifa – Café Littéraire** (plan couleur Médina, E3, **27**) : 8, derb Cherfa-Lakbir, quartier Mouassine. ☎ 024-42-64-63 ou 024-39-16-09. Tlj 9h-19h (20h printemps-été). Un superbe *riad*, réhabilité dans la tradition. Au cœur de la médina, on ne s'attend pas à une telle quiétude. Calme total pour prendre un thé dans le patio aux canapés bas, consulter des beaux livres sur le Maroc ou simplement ne rien faire. Expos de photos et de peintures régulièrement. Également des soirées culturelles, petits concerts de musique, rencontres culturelles, etc. Propose une petite restauration dans la journée (voir « Où manger ? Dans la médina »).

🍷 **KosyBar** (plan couleur Médina, E-F4, **171**) : 47, pl. des Ferblantiers. Tlj 12h-1h du mat. Fait aussi resto midi et soir, mais cher (surtout le soir !). Entre le palais El-Badi et le palais de la Bahia, un barresto aménagé dans un ancien *riad* à la déco mode et branchée (banquettes en moleskine, murs en *tadelakt* noir qui donnent un côté très contemporain). Surtout sympa pour sa terrasse avec vue plongeante sur la place des Ferblantiers, le palais El-Badi et les cigognes. Musique et atmosphère tranquilles. Bien à l'heure de l'apéro. *Live music* à partir de 21h.

🍷 **Le Café des Épices** (plan couleur Médina, E3, **126**) : pl. Rahba-Kedima. Voir « Où manger ? Dans la médina ».

À Guéliz (ville nouvelle)

Ce ne sont pas les endroits qui manquent, à commencer par la place de la Liberté (plan couleur Guéliz, C3).
Les angles du carrefour de l'avenue Mohammed-V et du boulevard Mohammed-Zerktouni (plan couleur Guéliz, A2) sont également occupés par des **cafés.** Vous pouvez choisir votre terrasse à l'ombre ou au soleil. Autre secteur, plus calme, car moins de circulation : les angles des rues de la Liberté et Tarik-ibn-Ziad (plan couleur Guéliz, B2). Des classiques où se retrouvent les Marocains (comme le **Zouhour**).

🍽️🍷 **Le Café du Livre** (plan couleur Guéliz, B2, **43**) : 44, rue Tarik-ibn-Ziad, dans la cour de l'Hôtel Toulousain. ☎ 024-43-21-49. Tlj sf dim 9h30-21h. Loin du gotha mondain marrakchi, il existe un espace, une bulle d'air : ce café-littéraire à la fois simple et douillet. On s'y blottit avec plaisir pour lire la presse (nationale et internationale) en sirotant une petite pression ou un cocktail de fruits frais ou encore pour acheter un livre d'occasion. Possibilité de restauration avec quelques petits plats du jour bien sentis (ah, le camembert au four avec les frites maison...). Quelques soirées « vin et rencontres autour d'un livre » sont prévues. Musique pop-cool pour les ouïes fines et wi-fi pour les autres.

🍽️🍷 **Solaris** (plan couleur Guéliz, B2, **172**) : 170, av. Mohammed-V. Tlj de 6h jusque tard. Petit déj servi jusqu'à 11h (12h le w-e). Plusieurs formules env 25 Dh (2,30 €). Ne vaut que pour sa terrasse en angle, à l'ombre et au bord de l'avenue, très prisée des Marrakchis à la tombée du jour. Accès Internet (un peu plus cher que la moyenne).

🍽️🍷 **Café Les Négociants** (plan couleur Guéliz, A2, **173**) : à l'angle des bd Mohammed-V et Mohammed-Zerktouni. Tlj 6h-23h. Petits déj env 30-40 Dh (2,70-3,60 €). Grand café à la parisienne avec chaises en osier. Terrasse sous les arcades, mais il y a pas mal de circulation.

🍽️🍷 **Trois cafés-brasseries** (plan couleur Guéliz, B3, **174**) : bd Mohammed-VI, face aux Palais des Congrès. Zone wi-fi. Les Marrakchis raffolent de leurs terrasses en soirée. Il s'agit du **Millénium** : café-glacier avec une petite pizzeria, un *fast-food*, et un stand de crêpes (à emporter). Fait aussi tabac-journaux (presse internationale). Ensuite **L'Hivernage** : pour sa pizzeria et son café-snack. Un peu bleu-vert flashy, mais bon... Et enfin **L'Opéra** : café-glacier, en angle. Plus intime.

|●| ♟ **Le Grand Café de la Poste** *(plan couleur Guéliz, B2, 176)* : *pl. du 16-Novembre, angle av. Mohammed-V et bd El-Mansour-Eddahbi.* ☎ 024-43-30-38. *Tlj 8h-1h du mat. Fait aussi resto midi et soir. Compter 230 Dh (20,90 €) pour un plat-dessert à la carte.* Construit dans les années 1920, sous le protectorat français, le lieu fut tour à tour café, hôtel, relais postal, puis restaurant. Cette institution est devenue aujourd'hui un bistrot-brasserie chic, dans un style d'inspiration mauresque et néocoloniale du plus bel effet : tables en marbre de Carrare, chaises en rotin, abat-jour en rabane, cotonnades rayées, persiennes couleur ébène, sans oublier le remarquable escalier à double volée qui mène au salon-bar. Bon resto de cuisine française sous la houlette d'un jeune chef qui monte. Assez cher tout de même et clientèle qui se « pipolise » rapidement, même proprio que le *Bô-Zin* oblige... Carte des alcools fleuve, nombreux cocktails et jus de fruits à siroter en mezzanine ou en terrasse sous la pergola, tout en lisant la presse du jour.

Où sortir ?

Bars et discothèques

Peu de bars, au sens européen du terme. Quant aux boîtes, elles sont relativement vides en début de semaine et pendant le ramadan. Elles peuvent fermer plusieurs jours à l'occasion de fêtes religieuses. En revanche, beaucoup de monde le week-end. Marrakech est en effet devenue une destination tendance auprès de la jeunesse aisée de Rabat et de Casablanca qui n'hésite pas à venir passer ses week-ends dans la Perle du Sud pour se montrer et s'adonner à l'insouciance des nuits festives. Sachez enfin, que dans la plupart des lieux nocturnes de Marrakech, les rencontres peuvent être tarifées.

♟ ♪ **Comptoir Paris-Marrakech** *(plan couleur Guéliz, C4, 180)* : *rue Echchouhada.* ☎ 024-43-77-02. *Tlj 19h-2h. Entrée libre.* Fait resto mais c'est pour boire un verre qu'on vient ici, dans une ambiance show-show à paillettes, prisée par la jeunesse dorée de Marrakech. À partir de 21h, l'ambiance devient dansante à l'étage, style musique orientale. Du luxe et de la frime, pas mal de bruit aussi. Quand on en a assez de se hurler dans les oreilles pour communiquer, on peut se relaxer dans le patio intime très calme. Allez, on est mauvaise langue, c'est sympa de croire quelques instants qu'on fait partie des *happy few*. Superbe déco marocaine.

♟ **Bô-Zin** *(hors plan couleur d'ensemble par C6, 183)* : *km 3,5 route de l'Ourika, sur la droite de la chaussée.* ☎ 024-38-80-12. *Tlj 20h-1h. Carte min 300 Dh (27,30 €) avec plat-dessert.* *Entrée libre.* L'un des endroits les plus branchés de Marrakech, lieu de passage incontournable des stars de tous bords. À la base, c'est un resto de type « fooding », tenu par Emmanuel Roux. Grande véranda avec jardin exotique, bassins, salons d'été plus intimes. En fin de soirée, changement de décor (par un jeu subtil d'éclairage), et l'ambiance bascule. On y boit, on y écoute de la musique, on y danse à l'occase ou on savoure tranquillement la soirée entre gens de bonne compagnie. DJ tous les soirs.

♪ **Le Paradise** *(plan couleur Guéliz A3, 168)* : *bd Mohammed-VI, non loin du Palais des Congrès. Night-club de l'hôtel 5 étoiles Kempinski Mansour Eddhabbi.* ☎ 024-44-82-22. *Entrée : 150 Dh (13,60 €).* La première boîte de nuit de Marrakech. Pas mal de concerts live, danseuses pros... Bon, il ne reste plus grand-chose de ce qui fût la plus célèbre disco du Maghreb si ce n'est, justement, le charme de la désuétude.

▮ ♪ *Palais Jad Mahal* (plan couleur Médina, C4, *181*) : fontaine de la Mamounia, Bâb-Jdid. ☎ 024-43-69-84. Tlj 19h30-3h du mat. Entrée gratuite. Là encore, un classique des nuits festives de Marrakech pour *happy few*. L'endroit, aux allures de palais classieux, est immense. En première partie de soirée, c'est un resto (on y mange très bien mais pour très, très cher !). Vers 22h, la jeunesse branchée vient y prendre un verre avant de poursuivre la longue nuit qui s'annonce en boîte ou ailleurs. Tous les soirs, spectacles de danseuses à partir de 22h30, mais surtout, concerts à partir de 23h30, curieusement à tonalité souvent rock !

♪ *Le Théâtro* (plan couleur d'ensemble, C4, *184*) : hôtel Es-Saadi, av. Qadissia, quartier de l'Hivernage. ☎ 024-44-88-11. Minuit-6h du mat. Entrée 250 Dh (22,70 €) avec une conso. Aménagée dans un ancien théâtre. Techno, house, soirées DJs et ambiance très festive.

▮ ♪ *Le Pacha* (hors plan couleur d'ensemble par C6, *185*) : bd Mohammed-VI. ☎ 024-38-84-00. ● pachamarrakech.com ● À env 2 km au sud de Marrakech. Y aller en taxi. Tlj à partir de 23h30. Dim et lun : entrée libre ; mar-jeu : 120 Dh (10,90 €) ; ven et sam : 150 Dh (13,60 €). Parfois plus cher si concerts ou soirées avec DJs internationaux. Réduc de 10 % sur le ticket d'entrée sur présentation de ce guide. La plus grande boîte d'Afrique, rien que ça, façon Ibiza. Le gigantisme du lieu et la mise en scène en jettent carrément (entrée éclairée par d'impressionnants flambeaux, jets d'eau). À l'intérieur, c'est plus minimaliste. Du monde uniquement le week-end. Superbe jardin pour profiter du ciel étoilé. Piscine.

Casinos

■ *Deux casinos :* « *l'historique* » situé dans le parc adossé au palace Es-Saadi (plan couleur Médina, C4), rue El-Qadissia, angle rue Ibrahim-El-Mazini, dans le quartier de l'Hivernage. ☎ 024-44-88-11. ● essaadi.com ● Tlj 20h-4h, 5h le w-e. Il fut le premier casino au Maroc, ouvert en 1952 !

Entièrement rénové fin 2005. L'incontournable et très chic *La Mamounia* situé dans le palace du même nom (plan couleur Médina, D4). Pour les coordonnées de l'hôtel, se reporter plus haut à la rubrique « Où dormir ? À Guéliz. Beaucoup plus chic ».

À voir

Nous vous présentons les principaux centres d'intérêt dans l'ordre duquel il est logique de les découvrir. Mais si vous ne devez rester à Marrakech qu'une seule journée (ce qui, soit dit entre nous, serait un crime), il ne faut manquer sous aucun prétexte les deux hauts lieux que sont la place Jemaa-el-Fna et les souks. Marrakech n'est pas une ville qui séduit toujours au premier abord ; il faut savoir la mériter un peu, surmonter ses premières impressions et oublier les sollicitations diverses qui ne sont d'ailleurs jamais très insistantes depuis la création de « brigades touristiques » aux méthodes musclées. Vous pouvez désormais vous balader tranquille sur la place Jemaa-el-Fna et dans les souks. Si vous avez pris un guide officiel (voir « Infos touristiques » dans « Adresses utiles »), définissez bien le programme avant le départ et exigez qu'il soit respecté pendant la visite.

LA MÉDINA

◎ La médina de Marrakech a été inscrite par l'Unesco sur la liste du patrimoine mondial de l'humanité en 1985. Avec plus de 600 ha, c'est la plus étendue du Maghreb. Elle abrite environ 230 000 habitants, soit 20 % de la population de la ville et compte près de 28 000 maisons.

C'est dans son dédale que bat le vrai cœur de Marra[kech]
ses, autour de ses patios, de ses fontaines, de ses
ses maisons dont le calme offre le plus rafraîchiss[ant]
désordre des souks, ainsi que dans les anciens [...]
compte près de 135 dans la médina. Dans le c[adre ?]
nationale pour le développement humain (INDH[...]
taurés (ou sont en cours de restauration). Le [...]
habitants mais, bien au contraire, d'améliore[...]
dien. On jettera par exemple un coup d'œil a[...]
le *Café Arabe*, 184, rue Mouassine, en direction [...]
foundouk Al Mizan et *Al Amri*, rue Bâb-Doukkala, pres[...]
(*plan couleur Médina, E3*). Dans certains d'entre eux, on voi[t]
balance qui servait à peser les marchandises.

Lors de votre balade, n'hésitez pas à passer la tête sous les grandes portes a[...]
des qui bordent certaines rues, à vous engager dans les ruelles... À Marrakech, il
faut oser se perdre un peu. De toute façon, vous vous perdrez !

Dernier point : la médina se visite à pied ! Bien que ce soit possible, il est déconseillé d'y pénétrer en voiture. Vous trouverez difficilement une place de parking
dans le coin. Ce ne sont pas les soi-disant gardiens qui empêcheront que l'on
conduise votre véhicule à la fourrière ni qu'on lui pose un sabot. Pour les parkings,
se reporter à la rubrique « Circuler dans Marrakech – En voiture », plus haut.

Le minaret de la Koutoubia (*plan couleur Médina, D4*) : ne se visite pas,
mais on peut se balader dans le jardin autour, joliment réaménagé. Tout le monde le
connaît et il sert de point de repère dans toute la ville.

Il date du XIIe s et servit de modèle
à la Giralda de Séville et à la tour
Hassan de Rabat. Lorsque les
Almohades s'emparèrent de Marrakech en 1147, ils détruisirent les
palais almoravides, ainsi que la
mosquée centrale parce qu'ils
jugeaient son orientation incor-
recte. Pourtant, cette mosquée
représentait sans doute ce qui
s'était fait de mieux en matière
d'orientation. Est-ce à dire que les
savants almohades avaient des

LES SPHÈRES CÉLESTES

*Cette tour (69 m jusqu'au sommet du
lanternon, 77 m jusqu'au sommet de la
flèche), aussi haute que celles de Notre-
Dame de Paris, est couronnée d'un lanternon surmonté de quatre boules
dorées. La légende, qui embellit tout,
voudrait nous faire croire qu'elles sont
d'or pur et que l'influence des planètes
leur permet de tenir en équilibre !*

lacunes ? Sans doute pas plus que les autres ! La question devait être plus politique que scientifique. Dans les régions du Maghreb, les prières avaient été dirigées
vers le sud depuis l'arrivée des premiers Arabes. Changer d'orientation revenait à
invalider les prières de plusieurs générations. L'orientation choisie par l'Almoravide
Ali ben Youssef avait provoqué à l'époque un grand mécontentement populaire, dont
les Almohades avaient su tirer parti pour rassembler autour d'eux les populations berbères.

C'est donc sur l'emplacement d'un palais almoravide que Abd el-Moumen, le nouveau maître de l'empire, fit édifier la Koutoubia. Tournant le dos au luxe de l'art
andalou, il opta pour la simplicité.

Après sa restauration, le minaret apparaît plus que jamais dans toute sa splendeur.
Il faut le voir aussi illuminé, le soir. Le décor extérieur en est différent sur chaque
face : réseaux d'entrelacs sculptés dans le stuc, ornements floraux, bandeaux de
céramique, arcs et décor épigraphique. Par la simplicité de ses formes, l'équilibre
de ses proportions, la Koutoubia est considérée comme l'un des plus beaux monuments d'Afrique du Nord. Une rampe permettait autrefois d'accéder à six salles
superposées, avant d'atteindre la plate-forme. La mosquée de la Koutoubia ou
« des Libraires » doit son nom aux bouquinistes (il y en aurait eu 200 !) qui se
tenaient autour au XIIe s. Plus large que profonde, avec 17 nefs perpendiculaires à
la *qibla* (le mur vers lequel les fidèles se dirigent pour la prière), elle ne se visite pas

[...] 0, des fouilles effectuées dans les ruines de la première mos-[...] savant mécanisme qui servait à faire apparaître, puis à escamo-[...] des parois qui créaient un espace réservé pour le sultan en face du [...] aces des tranchées sont encore bien visibles.

[...]*lace Jemaa-el-Fna (plan couleur Jemaa-el-Fna, E3-4) :* son nom signifie [...] « assemblée des Morts », en mémoire de l'époque où les criminels y étaient [...]tés et leur tête exposée pour servir d'exemple. D'autres proposent comme [...]ification « place du Néant » ou encore « place de la Mosquée-Anéantie », en réfé-[...]ce à une mosquée de l'époque saadienne. C'est aujourd'hui le quartier le plus [...]vant de toute la ville. Tout tourne autour d'elle : premier centre d'intérêt touristique, proche des souks, point de repère essentiel d'où partent les promenades qu'on effec-tue dans la ville. N'hésitez pas à fréquenter les terrasses du *café de France* et de l'*Argana,* qui permettent d'avoir le meilleur point de vue sur l'ensemble de cette place.

La place Jemaa-el-Fna, devenue piétonne, est un immense théâtre de plein air. Dans la journée, seuls quelques vendeurs de jus d'orange et de fruits secs sont à leur poste et il ne s'y passe pas grand-chose. Il faut vous y rendre à partir de 17h en hiver et 18h en été, car c'est le soir que la fête com-mence. Tous les acteurs se mettent alors en place sur cette scène gigantesque. On peut commencer la soirée en prenant un verre sur une des terrasses en regardant les marchands s'installer, avant de plonger dans ce magma humain, cette animation riche, chaleureuse et toujours amicale. Attention toutefois aux pickpockets.

MARRAKECH

UN CHEF-D'ŒUVRE DU PATRIMOINE ORAL DE L'HUMANITÉ

Depuis mai 2001, grâce au travail de Juan Goytisolo, écrivain espagnol vivant à Marrakech, et au soutien de l'association Les Amis de la place Jemaa-el-Fna, *elle a été déclarée par l'Unesco « chef-d'œuvre du patrimoine oral de l'humanité ». Ce n'est donc pas son architecture, mais les conteurs et l'ambiance qui confèrent à la place toute sa dimension.*

Jusqu'au début des années 1980, c'était à la fois la gare routière et un marché aux puces permanent, installé dans des baraques de bois qui faisaient de cet endroit une véritable extension des souks. Un incendie très opportun, suivi d'un décret, chassa tous ces marchands du Temple. Mais ce lieu a vite retrouvé son animation avec des « ambulants » qui assurent la permanence du spectacle, attirant nombre de badauds. On y trouve en vrac des diseuses de bonne aventure, des montreurs de serpents (lire à ce sujet la rubrique « Faune » en début de guide), des petits groupes de musique, des porteurs d'eau berbères, des femmes qui proposent des tatouages au henné (soyez très vigilant : lire le texte consacré au henné dans la rubrique « Santé » dans « Maroc utile ») et, au centre, le soir, des dizaines de restos ambulants avec, autour, des tables étroites et des bancs pour un repas sur le pouce (voir « Où manger ? Dans la médina »).

Pour certains qui ont connu la glorieuse époque de la gare routière (que l'on voit d'ailleurs dans le film de Hitchcock *L'homme qui en savait trop*), la place d'aujour-d'hui est devenue trop occidentalisée, avec ses vendeurs de jus d'orange bien ali-gnés et ses restos numérotés qui délimitent la place. Autre sujet d'irritation pour les « anciens » : certains cafés (comme le *café du Glacier,* au coin de Bâb-Agnaou) font désormais commander obligatoirement la boisson avant d'accéder à la ter-rasse. Pour les autres, on citera cette phrase de Paul Bowles : « Sans la place Jemaa-el-Fna, Marrakech ne serait qu'une ville comme les autres. »

Malgré un côté désormais quasiment institutionnel, la place Jemaa-el-Fna conserve indéniablement un grand pouvoir de séduction. D'ailleurs, elle n'a jamais été aussi joyeuse et vivante. Elle continue d'être fréquentée par les autochtones et, la plupart du temps, les contacts avec les touristes demeurent toujours ouverts et chaleu-reux. La magie opère plus que jamais au moment du soleil couchant.

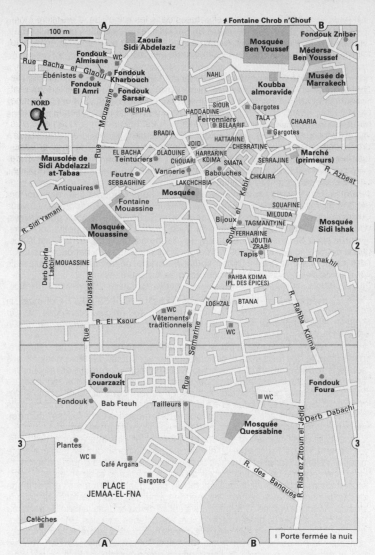

MARRAKECH – LES SOUKS

MARRAKECH

🏃🏃🏃 *Les souks* (plan des Souks) : la plupart des magasins sont fermés ven 11h-16h pour la grande prière. Pas (ou peu) d'activité à l'occasion de certaines fêtes (Aïd el-Kebir et fête du Trône).

Pénétrer seul dans les souks relevait, il y a encore peu, de l'exploit (avant la mise en place d'une brigade touristique). Désormais, les choses ont bien changé. Faites toujours vos achats seul, car la présence d'un accompagnateur a le pouvoir singulier de muscler les prix, puisque le marchand devra lui verser une commission. Juste une précision : dans chacune des rues principales qui mènent à la zone centrale des souks, il existe de grandes portes (une dizaine en tout) que l'on ferme vers 22h-22h30, lorsque les derniers artisans rentrent chez eux. Ce dispositif permet de protéger les boutiques du cœur des souks pendant la nuit. Pas de panique : il n'y a pas de risque de se faire enfermer à l'intérieur ! En revanche, ça peut devenir problématique si vous vous êtes familiarisé avec un itinéraire (pour rejoindre votre hébergement par exemple) qui emprunte l'une de ces rues. Si vous vous retrouvez face à une porte close, bon courage alors pour trouver un nouvel itinéraire dans ce véritable labyrinthe qu'est la médina !

Le **souk des teinturiers** est accessible par la fontaine Mouassine : il se trouve à l'intersection de deux ruelles ; au niveau de la fontaine, en venant de la place Jemaa-el-Fna, prendre la ruelle de droite. Ce souk a perdu une grande partie de son activité avec les teintures industrielles. Du coup, il est bien moins intéressant que celui de Fès, par exemple. Les habitants de ce quartier vivent ici dans une grande pauvreté. En continuant vers la gauche, on atteint le **souk Chouari,** celui des vanniers et des tourneurs sur bois. Toujours sur la gauche, le **souk Haddadine,** où vous serez guidé par le martèlement des ferronniers. Sur la droite, le **souk des cuivres,** où les dinandiers cisèlent, à coups de burin, plateaux et autres petits souvenirs. Dans le **souk Smata** (des babouches), règne une odeur de cuir frais. C'est là que, dans de minuscules échoppes, les cordonniers cousent leurs babouches suivant des méthodes ancestrales. Dans le **souk Cherratine,** on travaille aussi le cuir, mais ici les modèles ont changé et se sont adaptés aux touristes.

%%% **La médersa Ben-Youssef** (plan des Souks) : ☎ 024-39-09-11. Oct-mars : tlj 9h-18h ; avr-sept : tlj 9h-19h. Fermé 1er mai et fêtes religieuses. Accès : 45 Dh (4,50 €). Billet combiné avec le musée de Marrakech et la koubba almoravide : 60 Dh (5,50 €) ; réduc ; gratuit jusqu'à 8 ans.

Pour s'y rendre, à partir de la place Jemaa-el-Fna, le plus simple est de rejoindre, par le marché des fruits secs et des grilleurs de cacahuètes, l'artère principale des souks, le **souk Semmarine.** L'ancien souk des maréchaux-ferrants est aujourd'hui une rue couverte, la plus large des souks, où se trouvent les grandes échoppes de tissus et quelques grands bazars de tapis. En suivant cette direction, c'est-à-dire plein nord, on traverse le **souk El-Kebir** et on finit par arriver au centre même de la médina, près de la médersa, de la koubba et de la mosquée Ben-Youssef, qui ne se visite pas. On se contentera donc d'admirer sa toiture de tuiles vertes.

La médersa Ben-Youssef est l'un des monuments les plus intéressants de la ville. Édifiée en 1570 par la dynastie saâdienne, cette école coranique (en fait l'université traditionnelle de Marrakech) pouvait contenir jusqu'à 900 élèves, que l'on entassait dans une centaine de cellules visibles au rez-de-chaussée et au 1er étage. C'était tout simplement la plus vaste du Maghreb. Ils partageaient leur temps entre l'étude des textes sacrés et la prière. Une grande partie des cours se tenaient dans la grande mosquée voisine. D'autres pouvaient se dérouler dans la salle de prière ou dans la cour, autour du bassin, ou à l'ombre des galeries latérales. Une riche bibliothèque se trouvait entre la médersa et la grande mosquée. Les précieux manuscrits sont aujourd'hui conservés par le ministère de la Culture. La médersa Ben-Youssef est un merveilleux exemple de l'architecture arabo-andalouse telle qu'elle s'est développée au Maroc dans toute sa maturité. Le plan est simple, ainsi que les volumes, le décor précieux et raffiné. Tout se trouve dans la justesse des proportions et dans l'harmonie entre les surfaces et le décor. En visitant la médersa, il faut regarder partout, sols, plafonds, détails des arcs, et débusquer les jeux de la lumière dans les couloirs et les chambrettes. La grande cour : équilibre parfait et bassin central rafraîchissant. Colonnes massives et courtes, soubassements carrelés en mosaïque de zelliges, linteaux de cèdre, stucs très ouvragés au-dessus. Au fond de cette cour, la salle de prière avec ses colonnes de marbre supportant les chapiteaux décorés et surmontés de murs de stuc là encore. Au fond, le mirhab à l'arche outrepassée. Partout le stuc ciselé anime les murs.

On déambule ensuite dans les étroits couloirs autour de la cour, au rez-de-chaussée et surtout à l'étage, qui ouvrent sur des dizaines de cellules d'étudiants, minuscules, aux lourdes portes de bois. À l'étage encore, superbes poutres et balustrades ciselées, autour de véritables puits de lumière. Admirez dans certains petits patios le travail du bois sculpté, sur lequel subsistent encore des traces de la peinture d'origine. Au rez-de-chaussée, faire un tour aux toilettes, elles se trouvent au bout du couloir qui fait face à l'entrée. C'est l'ancien bassin aux ablutions. La coupole est très élégante et montre tout le soin des maîtres d'œuvre et des artisans traditionnels jusque dans des espaces que nous pourrions juger secondaires.

🏃🏃 *Le musée de Marrakech* (plan des Souks) : à côté de la médersa Ben-Youssef. ☎ 024-44-18-93. Oct-mars : tlj 9h30-18h30 ; avr-sept : tlj 9h-19h. Fermé 1er mai et fêtes religieuses. Entrée : 50 Dh (4,50 €), billet valable pour l'entrée de la koubba almoravide. Sinon, billet combiné avec la koubba almoravide et la médersa Ben-Youssef : 60 Dh (5,50 €) ; réducs ; gratuit jusqu'à 8 ans. Petit café avec terrasse très agréable. *Le palais Dar M'Nebhi,* l'un des plus beaux de la fin du XIXe s (demeure du ministre de la Défense du sultan de l'époque puis, à l'indépendance, première école de filles de la ville), a été transformé en musée et en lieu d'accueil pour des activités culturelles. Expos d'art contemporain en alternance (environ chaque trimestre) avec de l'art plus traditionnel (bijoux berbères, tapis, etc.). Grande cour agrémentée de trois petites fontaines, rythmée par des niches, des alcôves et des arches, couverte par une toile en forme de dôme géant (qui n'est pas du meilleur effet, d'ailleurs), colonnes aux beaux chapiteaux ajourés, lustre en cuivre immense au milieu, sol en mosaïque de marbre blanc et en petits carreaux de céramique polychrome (zelliges), belles portes en bois peint... Le hammam du palais (au fond de la grande cour) offre de petites salles d'exposition supplémentaires. Superbes murs en *tadelakt,* zelliges et coupoles décorées de plâtre sculpté et peint. Une occasion de découvrir ce qu'était un palais d'une superficie de 2 000 m², niché au cœur de la médina et comme il en reste peu. Une visite à ne pas manquer.

🏃 *La koubba almoravide* (plan des Souks) : à côté du musée. Oct-mars : tlj 9h30-18h ; avr-sept : tlj 9h30-19h. Fermé 1er mai et fêtes religieuses. Entrée : 50 Dh (4,50 €), billet valable pour l'entrée du musée de Marrakech ; billet combiné avec le musée de Marrakech et la médersa Ben-Youssef : 60 Dh (5,50 €) ; réducs ; gratuit jusqu'à 8 ans. Cette *koubba* (sorte de kiosque), entièrement réhabilitée, semble bien modeste. Malgré sa petite taille, elle est d'une architecture assez complexe. Édifié au XIIe s, ce bâtiment pourrait être le bassin aux ablutions d'une mosquée primitive, que le sultan fit détruire pour en édifier une un peu plus au nord, plus belle, plus grande. La *koubba* est considérée, pour l'extraordinaire décor de sa coupole, comme l'un des sommets de l'art musulman. C'est aussi le seul témoignage de l'art des Almoravides dans leur capitale, Marrakech. Observer sa forme et sa structure très raffinée malgré la simplicité du décor extérieur. C'est l'intérieur de la coupole qui présente l'intérêt majeur de ce petit édifice. Bien restauré, il fait partie d'un ensemble tout aussi ancien, comprenant également des latrines, une fontaine et une citerne, dont on peut voir les fouilles à l'arrière de la *koubba.* Noter que ce complexe était à demi enterré. L'eau était drainée par des canalisations de terre cuite, enfouies sous terre. À l'époque, le niveau de la rue était inférieur de 5 m environ par rapport à son niveau actuel.

🏃 *Le musée du Dar el-Bacha* (plan couleur Medina, D3) : 1, rue Dar el-Bacha. Entrée par la rue Sar el-Batha, près de Bâb-Doukkala. La date d'ouverture du musée n'est pas encore fixée. L'ancien palais de Thami El Glaoui, pacha de Marrakech et chef du Sud marocain pendant la période du protectorat français, a été entièrement restauré par le ministère de la Culture marocain pour abriter un nouveau musée. On devait y admirer notamment la riche collection d'art islamique léguée par une mécène américaine, Patti Birch, à qui Marrakech doit également la rénovation du *minbar* de la Koutoubia. Mais suite au décès de Patti Birch, l'ouverture du musée a été suspendue. Cet immense palais, pour lequel le Glaoui mobilisa les meilleurs artisans du Maroc, présente un curieux mélange de styles, mêlant les arts traditionnels, les influences classiques européennes à des recherches formelles de la période Art déco.

🎭🎭🎭 *Retour aux souks (plan des Souks) :* revenir à la place Jemaa-el-Fna par le **souk El-Kebir,** où les maroquiniers tiennent boutique. À droite s'ouvrent les **kissaria,** réservées au commerce des étoffes. Ce sont les mieux conservées de tout le Maroc avec celles, plus petites, de Meknès. Certains plafonds ont encore leur charpente en bois de cèdre. Nos chères lectrices pourront s'attarder dans le souk suivant, le **souk des bijoutiers.** Mais il faut savoir distinguer l'argent de ses imitations, sinon on a de fortes chances de se faire rouler.

En obliquant sur la gauche, on débouche sur la **place de Rahba-Kedima (ou place des Épices),** ancien marché au grain et... aux esclaves. Ce dernier ne cessa son horrible commerce qu'en 1920. On y négocie maintenant des poules, des légumes, des peaux de chèvre, des fripes et des ustensiles de cuisine. Sur le côté droit, plusieurs boutiques, avec dans leurs bocaux des plantes médicinales. On vous fournira des explications sur les propriétés de chacune. Si vous perdez vos cheveux, essayez le *rhassoul* qui, dilué dans de l'eau tiède, forme une boue à placer sur la tête pendant 5 mn. Vous pouvez aussi remplacer votre dentifrice habituel par des bâtonnets d'écorce de noyer avec lesquels vous frotterez vos petites canines. Le *zoac,* récipient de terre cuite enduit de poudre de coquelicot, tiendra lieu aux coquettes de fard et de rouge à lèvres. N'oublions pas les aphrodisiaques, comme la *cantharide-coléoptère,* dont la poudre se dilue dans une tasse de café, ou encore des thés propices à réveiller certains membres paresseux. Les plus circonspects se contenteront de quelques mélanges d'herbes pour barbecue, comme celui appelé « tête de l'étagère » (*ras el hanout* en arabe). Avant de quitter la place, vous pouvez faire une halte et prendre un verre à l'agréable **Café des Épices** (voir aussi « Où manger ? Dans la médina. Bon marché »).

Sur le côté gauche de cette place très animée, un immeuble couvert de tapis indique l'entrée du **souk Zrabia,** dit **la Criée berbère** (*tlj sf ven ap-m, entre la 3e et la 4e prière*). Il n'est pas nécessaire d'être accompagné, mais si vous êtes avec un ami arabe (pas un guide), vous pourrez acheter des cuirs, des caftans et des tapis deux à trois fois moins cher que dans les boutiques. Votre parcours se terminera au **souk Semmarine,** qui aboutit au marché des fruits secs et à celui des potiers, avant de revenir sur la place Jemaa-el-Fna.

Cet itinéraire n'est qu'une proposition, et nous espérons que vous vous serez perdu maintes fois pour faire des découvertes personnelles.

Les autres monuments de la médina

Partir de la porte Bâb-Agnaou (*plan des Palais, E5*), l'une des plus belles des remparts de la ville, avec sa pierre d'un séduisant gris bleuté. Son nom signifierait « porte du Bélier sans corne », et viendrait du fait qu'elle a perdu les deux tours qui l'encadraient auparavant. Selon d'autres, l'étymologie renverrait à la traduction de « Guinéen » (*agnaw*).

🎭🎭 **La mosquée d'El-Mansour** (*plan des Palais, E5*) : dite aussi « mosquée de la Kasbah ». Elle se repère aisément à son minaret aux entrelacs de couleur turquoise, qui se détache du ciel. Vous ne pourrez rien voir d'autre puisque la mosquée, dont la salle de prière ne comprend pas moins de 11 nefs, est réservée aux musulmans.

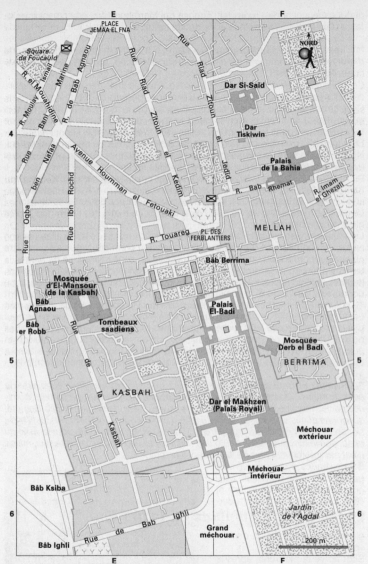

MARRAKECH – LES PALAIS

Cette construction paraît toute neuve, mais elle est, en fait, aussi ancienne que la Koutoubia. Yacoub el-Mansour la fit édifier de 1185 à 1190 sur un plan peu habituel puisqu'elle est presque carrée et dispose de 5 cours intérieures. Elle fut reconstruite après une explosion en 1569. On lui donna alors aussi le nom de mosquée « aux pommes d'or », car les boules de sa lanterne auraient été réalisées avec l'or des bijoux de l'épouse de Yacoub el-Mansour pour expier sa faute d'avoir rompu trop tôt le jeûne du ramadan...

🍴🍴 **Les tombeaux saadiens** (plan des Palais, E5) : quartier de la Kasbah. La porte d'entrée est au fond d'une petite impasse sur la gauche, après le mur de la mosquée. Tlj 8h30-11h45, 14h30-17h45. Entrée : 10 Dh (0,90 €).

Ce jardin fait partie de la mosquée El-Mansour, située juste derrière. Il fut récupéré au XVIe s par les Saadiens pour abriter les tombes de leurs rois et de leurs familles. Comme ces tombeaux n'étaient accessibles que par la mosquée (et donc interdits aux visiteurs), ils furent préservés jusqu'en 1917, date à laquelle on eut l'idée de faire percer une porte favorisant leur accès sans avoir à traverser l'enceinte sacrée. Bien joué ! L'ensemble comporte trois koubbas au cœur de ce jardin-cimetière. Noter l'architecture de ces koubbas : en bas les colonnes de marbre, au-dessus les stucs, puis des panneaux de cèdre travaillés, et enfin des tuiles vernissées. Il faut savoir que sous les tombes de marbre et les coupoles dorées, c'est toute l'histoire d'une famille qui repose, une dynastie loin d'être paisible. Assassinats, empoisonnements, luttes fratricides, les Saadiens n'étaient pas des enfants de chœur ! Le jardin, en revanche, est un petit havre de paix (le matin dès l'ouverture, après c'est la foule bien sûr).

Le premier mausolée, autrefois salle de prière, est composé de trois salles, mais on ne peut en admirer que deux, depuis l'extérieur. La première, reposant sur quatre colonnes et proposant un riche décor, possède un riche mihrab. La deuxième, la salle centrale, abrite la tombe de moulay Ahmed el-Mansour el-Bedi (le Victorieux, le Doré), mort de la peste à Fès en 1603, et qui repose, entouré de ses fils, sous une coupole de cèdre doré, ornementée de stucs travaillés et que supportent 12 colonnes de marbre de Carrare. Il faut dire qu'à l'époque 1 kg de marbre était échangé contre 1 kg de canne à sucre ! La troisième salle (pour info, car on ne peut pas la voir), dite « des Trois Niches », abrite des tombes d'enfants et des femmes de rois. Dans le second mausolée, au milieu du jardin, avec sa coupole à stalactites peintes, se trouve la tombe très vénérée de la mère de moulay Ahmed el-Mansour et des femmes royales. Les mosaïques au sol indiquent la présence de tombes.

🍴 **Le palais El-Badi** (plan des Palais, E-F5) : suivre l'itinéraire fléché et traverser le souk du mellah, l'ancien quartier juif, pour atteindre la place des Ferblantiers, dominée par les tours de pisé entre lesquelles s'ouvre une porte étroite, la Bâb-Berrima, qui donne accès au palais El-Badi. Tlj (sf Aïd el-Kebir) 8h30-11h45, 14h30-17h45 ; slt l'ap-m pour l'Aïd es-Seghir. Entrée : 10 Dh (0,90 €), plus 10 Dh pour la visite du minbar de la mosquée de la Koutoubia. On peut aisément faire la visite seul, mais il n'est pas interdit non plus de faire appel à un guide.

Soyons francs, il ne reste vraiment pas grand-chose du palais. Malgré tout, l'endroit a de l'allure et ceux qui ont de l'imagination pourront essayer de faire revivre les fastes du passé. Sinon, le véritable intérêt du site réside dans la visite du minbar.

Sitôt arrivé sur le trône, après la bataille des Trois Rois (1578), le Saadien Ahmed el-Mansour aurait lancé la construction d'un palais de réception gigantesque. À sa mort, en 1603, les travaux n'étaient pas encore tout à fait terminés ; pourtant, des fêtes somptueuses y avaient déjà été organisées.

> ### LE BOUFFON BADIN D'EL-BADI
>
> *L'histoire raconte que le jour de l'inauguration du palais, le sultan, se retournant vers son bouffon, lui aurait demandé : « Et toi, que penses-tu de ce palais ? » « Quand il sera démoli, il fera un gros tas de pierres », lui aurait répondu le fou. Trois quarts de siècle plus tard, la destruction du palais fut ordonnée par le sultan moulay Ismaïl, qui récupéra les marbres et autres matériaux précieux. Avec ce gros tas de pierres, il se fit construire un autre palais, à Meknès.*

El-Badi signifie « l'Incomparable ». C'est un des 99 épithètes de Dieu, utilisé ici pour décrire une œuvre bien terrestre.

Deux pavillons, couverts de coupoles et supportés de colonnes de marbre, s'y élevaient. Le sol décoré de mosaïques était creusé de petits bassins d'eau vive. L'un portait le nom de « pavillon d'or », l'autre « pavillon de cristal ». Les matériaux les plus précieux avaient été achetés jusqu'en Chine. De nombreux visiteurs ont conté les plafonds incrustés, les chapiteaux recouverts d'or, la profusion de marbres noirs et blancs, des onyx de toutes les couleurs.

Sur la droite de la cour, on accède aux terrasses : vue superbe sur la ville... et sur les cigognes en saison. C'est dans une salle du palais en ruine (au fond, de l'autre côté de la cour) qu'est conservé le clou de la visite, un chef-d'œuvre de menuiserie et de marqueterie : le minbar de la mosquée-cathédrale. Cette chaire à prêcher a longtemps servi dans la mosquée de la Koutoubia. Elle est l'œuvre de maîtres ébénistes de Cordoue. Impressionnant par ses dimensions (plus de 3 m de hauteur et de profondeur), ce meuble vénérable est composé de bois précieux et d'ivoire finement ouvragés en de savantes arabesques. Il a fait l'objet d'une minutieuse rénovation.

🎭🎭 **Le palais de la Bahia** (« de la Belle », surnom de la favorite ; plan des Palais, F4) : rue Riad ez-Zitoun el-Jédid, près de la pl. des Ferblantiers. ☎ 024-38-95-64. Tlj (sf Aïd el-Kebir) 8h45-11h45, 14h45-17h45 (fermé ven 11h30-15h) ; ouv slt l'ap-m pour l'Aïd es-Seghir. Entrée : 20 Dh (1,80 €).

Construite vers 1880, cette riche demeure de Ba Ahmed – vizir, ministre qui a assuré la régence des souverains moulay Hassan et Abdelaziz, et qui fut en fait le véritable maître du Maroc entre 1894 et 1900 – est un chef-d'œuvre de l'art marocain. Il racheta cet ensemble de maisons au fur et à mesure, ce qui explique l'absence de cohérence architecturale globale. Il fit venir les meilleurs artisans et ouvriers du pays pour édifier ce palais. Sur plus de 8 ha, des appartements superbement décorés débouchent sur des patios fleuris.

À l'exception d'un appartement, toutes les pièces furent conçues de plain-pied, étant donné l'embonpoint du grand vizir. Tout le marbre provient d'Italie et fut troqué par les Marocains contre des kilos de canne à sucre. Il y a longtemps que le sucre a fondu mais le marbre, lui, est resté.

On visite en enfilade un petit *riad* qui se caractérise par la richesse et le foisonnement de son décor (sol en zelliges, orangers, hauts panneaux de stucs, corniches et linteaux de portes à motifs en cèdre), une cour adorable, la grande cour de marbre (épurée et minérale), le grand *riad* à gauche de la grande cour (avec son vaste jardin central). Certaines salles ou patios sont vraiment exceptionnels. Plafonds de cèdre peints, riches stucs, patios de marbre, un autre au décor très végétal. Des ambiances différentes, toujours très calculées. Pour info, le vizir Ba Ahmed ne possédait pas moins de 4 épouses et 24 concubines. Quel tempérament ! Le maréchal Lyautey, qui n'avait pas mauvais goût, avait fait de ce palais sa résidence.

🎭 **Dar Tiskiwin** (plan des Palais, F4) : 8, rue de la Bahia. ☎ 024-38-91-92. En sortant du palais de la Bahia, remonter la rue Riad ez-Zitoun el-Jédid, puis, arrivé au niveau du parking, obliquer sur la droite (passer sous la porte). C'est un peu plus loin, sur le côté droit de la rue (lever les yeux pour repérer l'enseigne jaune). En principe, tlj 10h-12h30, 15h-17h30. Entrée : 15 Dh (1,40 €) ; réduc enfants. Bert Flint, un anthropologue néerlandais installé au Maroc depuis 1957 s'est intéressé au Sahara et à l'essaimage des populations anciennes de l'Afrique du Nord jusqu'à l'Afrique noire (Mali, Burkina Faso, Niger, etc.). Il expose le fruit de ses recherches dans cette belle maison du début du XXe s. Ça va de la tente aux tapis, en passant par les textiles, les outils, les bijoux, la sellerie et mille autres choses encore. Une expo pointue, mais accessible grâce au texte très bien rédigé que l'on vous remet en début de visite.

🎭🎭 **Dar Si-Saïd** (plan des Palais, F4) : prendre la 1re rue à gauche après Dar Tiskiwin ; c'est au bout. Tlj sf mar et j. fériés 9h-12h15, 15h-18h. Entrée : 20 Dh (1,80 €) ; réduc moins de 12 ans.

Cette ancienne maison du frère du vizir Ba Ahmed fut construite à la même époque et avec les mêmes artisans que le palais de la Bahia. Si Saïd profita des richesses de son frère, il fut aussi entraîné dans sa chute. Il mourut la même année que lui, dans des circonstances bien mystérieuses.

Aujourd'hui, le *riad* et ses dépendances abritent un musée d'Art marocain qui présente de belles expos temporaires. L'architecture et les salles elles-mêmes sont dignes d'intérêt, d'autant qu'une partie du palais longtemps abandonnée vient d'être superbement restaurée : plafonds admirables, murs aux motifs floraux, stucs, etc.

Flâner dans la médina

Il y a deux sortes de rues dans la médina. D'abord les rues principales, bordées de commerces et de boutiques. Elles mènent toujours quelque part, vers les portes des remparts ou vers la place. Puis il y a les ruelles qui desservent les quartiers. Ce sont des ruelles étroites et pittoresques, cernées de murs et de portes. Parfois couvertes par des pièces d'habitations *(saba)*, on n'y trouve aucune boutique. Ce sont, pour la plupart, des impasses qui ne mènent qu'aux maisons.

Chaque quartier de la médina s'organise autour de sa mosquée,

> ### PERDU DANS LE LABYRINTHE DE LA MÉDINA ?
>
> *Les ruelles* (derb) *de la médina sont numérotées de droite à gauche ; la première porte à gauche indique donc le nombre de maisons du derb. Si vous êtes perdu au fond d'une de ces ruelles, une seule solution : faites demi-tour, puis, à chaque embranchement, prenez la voie qui semble la plus fréquentée. C'est d'ailleurs un bon truc si vous cherchez à rejoindre la place Jemaa-el-Fna : en fin d'après-midi, les Marrakchis se dirigent en masse vers la place ; vers 20h ou 21h, le flux s'inverse !*

de sa fontaine, de son hammam et de son four. Chaque maison est centrée sur son patio ou son jardin – ces maisons construites autour d'un jardin sont appelées *riad* –, et ce sont toutes ces constructions collées les unes aux autres qui forment la médina comme un tissu horizontal quasi continu dans lequel se faufilent les ruelles, un curieux tapis de terre et de chaux d'où émergent, çà et là, un minaret ou la tête ébouriffée d'un palmier.

Difficile de comprendre Marrakech sans avoir goûté l'ambiance de ses *riad,* sans être monté voir, des terrasses, l'étonnant spectacle de la ville.

Nous vous proposons un itinéraire qui vous permettra de découvrir des sites peu fréquentés. Celui-ci peut vous paraître à priori bien compliqué avec ses changements « à droite, à gauche, etc. ». Le *Guide du routard* en main, laissez-vous guider en prenant tout votre temps. Et fiez-vous au proverbe marocain qui dit : « Un homme pressé est déjà mort ! »

De la place Jemaa-el-Fna à la médersa Ben-Youssef

🕯🕯🕯 Cet itinéraire débute derrière le café-restaurant *Argana*, sur la place de Bâb-Fteuh. Sur la droite, quand on arrive de la place Jemaa-el-Fna, s'ouvre le ***foundouk El-Fatmi.***

➤ Engagez-vous sous le porche jusqu'à cette grande cour au fond. Véritable caverne d'Ali Baba à ciel ouvert, on y trouve de tout : bijoux, poteries, cuir, boiseries et une multitude d'articles très originaux. La grande majorité des articles exposés provient du *Bled.* **Au 1er étage, au coin, Chez Ali (boutique 31)** propose une belle collection de théières anciennes. Ressortir et encore sur votre droite, un nouveau caravansérail **Ben Chaba,** au **n° 31** de la place. Moins intéressant que le premier malgré tout. Revenir ensuite sur ses pas et sur la gauche sous une petite arche de stuc, au **n° 56,** un troisième foundouk avec plus d'articles neufs qu'anciens. Une exception toutefois, *au 1er étage, au n° 33, Bel-Haj* possède une impressionnante collection de bijoux en argent, coraux du Yémen, etc. Difficile de ne pas craquer !

En sortant, sur votre gauche, un dernier caravansérail-hôtel. Observer à l'entrée l'alignement des emplacements pour cuisiner son tajine. Continuer tout droit jusqu'à une place où se trouve le mausolée de l'un des sept saints de Marrakech. Le jeudi après-midi, c'est le rendez-vous des voyantes et diseuses de bonne aventure. Contourner le mausolée ; à gauche, l'arche qui mène au *resto Ksar Essaoussan* ; à droite, le quartier du *Mouassine*. Tourner à droite après la fontaine pour admirer une belle perspective de la *porte Mouassine,* de style almohade. Vous suivez toujours ?

N'hésitez pas à emprunter les venelles adjacentes pour y découvrir des petites merveilles d'architecture. Passer deux portes, tourner à gauche devant la célèbre *« Fnaque Berbère »* et franchir à nouveau une très vieille porte. Sous l'affiche d'une boutique *« Palais des Almoravides »,* s'engager sous le porche et tourner à droite au moment où celle-ci s'élargit. Ensuite, au premier embranchement, prendre à gauche, et au deuxième encore à gauche sous un passage couvert. Puis encore à gauche sous une arcade, on retombe sur l'une des entrées de la *mosquée Mouassine,* et sur une belle *fontaine* datant des Saadiens.

Laisser ensuite le *souk des teinturiers* à droite et continuer tout droit. Passer le *derb El-Foundouk* à droite et au niveau du *n° 192,* un *foundouk* avec des sculptures en cèdre intéressantes et une vénérable porte rouge cloutée. Presque en face, au *n° 145,* une belle porte en fer à cheval (et vantaux également cloutés), encore un de ces caravansérails ne manquant pas de charme. Tourner à droite dans la ruelle. On pénètre alors dans le quartier de Sidi-Abdel-Aziz.

À 100 m sur la droite, sous une arche, au fond d'un trou, la « chaudière » d'un hammam (nourrie à la sciure). Le soir venu, lorsque le feu est à son comble, on assiste à une véritable vision d'enfer.

Ne pas se laisser troubler et prendre la première à gauche, une ancienne *zaouïa* (un hospice qui abritait les disciples des saints) malheureusement dans un piteux état. De très belles portes et façades s'alignent tout au long de la rue. On laisse la mosquée à gauche et on tourne tout de suite à droite dans la *rue Amesfah.* On peut aussi continuer tout droit pour rejoindre la *médersa Ben-Youssef.*

Vers la porte Sidi-bel-Abbès

🚶 En sortant de la *médersa Ben-Youssef,* descendez tout droit (on laisse à droite la mosquée) jusqu'à une porte de ville en brique (vers la droite). De là, longue et sinueuse ruelle (la *rue Amesfah*), pleine de vie et de superbes clins d'œil architecturaux. Rien ne semble avoir changé ici depuis des siècles. Le but : la magnifique *fontaine Chrob n'Chouf* (Monument historique). Au passage, à droite, un pittoresque et vénérable *foundouk.* Cour remplie de petites charrettes, linge séchant entre les élégantes arcades... Quelques dizaines de mètres plus bas, dans le coude de la rue à gauche, très belle porte ouvragée, mais hélas en partie ruinée. Noter la finesse du décor qui s'efface de façon dramatique. On continue dans le sens de la ruelle vers la droite, puis passage d'une arche ogivale. Enfin, à gauche, c'est la merveilleuse et monumentale *fontaine Chrob n'Chouf,* littéralement « bois et regarde ». Elle présente un bel auvent à stalactites en bois de cèdre sculpté, avec inscriptions coufiques. Toujours en service aujourd'hui.

Après la fontaine, tourner à gauche sous une voûte dans la *rue Diour-Sabon,* le lieu où se regroupaient les vendeurs de savon. On débouche alors sur la place de Bâb-Taghzout, tout en longueur, avec des arbres au milieu et une station de petits taxis au début. Ici, le flux touristique s'est nettement tari. Continuer tout droit pour atteindre la *porte de Sidi-bel-Abbès,* qui date de l'ancienne enceinte almoravide. Quartier très populaire qui tient son nom de Sidi-bel-Abbès (né à Ceuta en 1130, mort en 1205), le plus célèbre des sept saints de la ville. Il avait la réputation de guérir les aveugles et d'être très généreux avec les pauvres. Plein de ruelles à parcourir dans le coin. Ici, la frontière avec le quartier de *Sidi-ben-Slimane* qui le jouxte n'est guère perceptible et on passe facilement d'un quartier à l'autre.

Le quartier et la mosquée de Sidi-bel-Abbès

🕯 Après la **place Bâb-Taghzout** *(plan couleur d'ensemble, E2),* tourner immédiatement à droite et passer sous une arche. On parvient à l'un des plus séduisants portails du quartier. En forme de fer à cheval, avec une façade en stuc ciselé, surmonté d'un auvent à stalactites. Il s'ouvre sur un passage à arcades livrant un remarquable jeu de portes en enfilade. Tout au fond, la fameuse **mosquée de Sidi-bel-Abbès.** Ce passage à arcades est, paraît-il, réservé aux musulmans, mais la pancarte semble être tombée (depuis longtemps ?) et n'a jamais été replacée. En tout cas, il ne nous a pas été fait de réflexions (par l'usage, les gens du coin ont peut-être oublié cette interdiction ou font montre de tolérance). Au fait, à droite de cette belle porte, au *n° 26,* un trou noir qui exhale une bonne odeur de pain chaud. C'est l'entrée du boulanger local. Les habitants du quartier apportent leur pain à cuire dans des paniers d'osier recouverts d'un linge. Au sous-sol de la boulangerie, possibilité d'observer le savoir-faire millénaire de l'artisan (ne pas oublier la p'tite pièce à la fin !).

Prenons le passage vers la mosquée de Sidi-bel-Abbès. Au débouché de ce dernier, un bout de rue avec l'alignement traditionnel des mendiants. Continuer tout droit. On arrive sur une petite place fermée. À l'entrée de la place, la *zaouïa* où se réunissent les aveugles pour psalmodier les versets du Coran et recevoir dons et nourriture. Magnifique façade ouvragée de cette mosquée du début du XVIIe s (bien sûr, interdite aux non-musulmans), avec auvent à stalactites polychromes. En dessous, décor de stucs ciselés, délicate et harmonieuse composition, faïences en bas pour finir. Toit de tuiles vertes vernissées. De chaque côté, colonnettes de marbre. En vis-à-vis, une belle fontaine arborant une grille ouvragée et un auvent couvert de zelliges colorés. Un passage, avec grille à gauche, mène à une nouvelle cour avec tombeau de marabout. Nous vous invitons à prendre l'autre passage à droite de la mosquée. Il mène à une enfilade de voûtes débouchant sur une rue. Prendre ensuite la première à droite. Ruelle étroite en zigzag, voûtes de brique, portes cloutées cachant probablement de beaux *riad,* passages couverts au plafond de troncs d'arbres... Continuer. Tiens, sur la gauche, l'œil est immanquablement attiré par une succession de voûtes très basses en arcs brisés (attention à la tête !). C'est le charme de cette ville que d'aspirer sans cesse le visiteur vers d'autres choses. Résister à cet appel (ou revenir sur ses pas après) et maintenir le cap tout droit vers une nouvelle succession de voûtes débouchant à nouveau sur la voie menant à la mosquée (à noter, un pittoresque marché de quartier, non loin de là). La boucle est bouclée !

Vers les tombeaux de Sidi ben Slimane et Sidi Ahmed Soussi

🕯 Là aussi, pour s'y rendre, on parcourt un très intéressant quartier. Du temps du protectorat, c'était le quartier des mauvais garçons et des plus célèbres chefs de bande de la ville. Aujourd'hui, c'est un quartier populaire comme les autres, treillis invraisemblable de ruelles, avec pourtant toujours des petits reliquats de cette réputation sulfureuse (lire à ce propos le passionnant récit de Jean-Michel Bouqueton, *Médina entre rive et noyade,* dans l'ouvrage des éditions *Autrement* consacré à Marrakech).

Depuis la **place Bâb-Taghzout** *(plan couleur d'ensemble, E2),* voici l'itinéraire le plus simple pour retrouver les prestigieux **tombeaux de Sidi ben Slimane et de Sidi Ahmed Soussi.** Partir de la place en prenant la ruelle qui part à la perpendiculaire de la station des petits taxis (à gauche donc de la place, face à Bâb-Taghzout). Arrivée à un carrefour en T (bon repère : au coin droit, une petite école avec des dessins colorés de Dingo et de Donald en façade). Tourner à gauche, passer sous une voûte, tourner à droite, repasser sous une voûte, aller tout droit jusqu'à un nouveau carrefour en T. Prendre à droite vers le *tombeau de Ben Slimane*. Apparaît tout de suite un passage couvert en arc brisé présentant une délicieuse façade, vestige d'une ancienne *médersa*. Au milieu, fenêtre avec restes de faïences peintes et quelques tuiles vertes vernissées au-dessus. Tiens, d'où vient donc cette bonne odeur de pain chaud ? De part et d'autre de ce passage couvert, côté gauche, une boulangerie traditionnelle avec son vénérable four. Sous le passage, à droite, l'entrée d'un hammam. Continuer, légère courbe vers la gauche, nouveau passage couvert qui débouche sur une charmante placette. À gauche, élégante porte en fer à cheval décorée. Juste à côté, vénérable fontaine avec auvent en bois sculpté. Enfin, au fond de la place, la *zaouïa de Ben Slimane* (on ne visite pas). **Sidi Mohammed ben Slimane el-Jazouli,** pour être complet, fut le fondateur du soufisme marocain au XVe s, grand homme politique en son temps et pourfendeur des Portugais. Extrêmement vénéré par les fidèles. Mausolée datant de l'époque saadienne, mais remanié à la fin du XVIIIe s.

Repartons en sens inverse vers l'intersection en T où vous avez pris la direction du tombeau de Ben Slimane. Au passage, achat d'un morceau de pain tout chaud à l'un des deux boulangers, puis arrivée sur une nouvelle placette en triangle. À droite, au fond de la place, jolie porte en fer à cheval ornée de stucs, avec auvent en tuiles vertes vernissées. Continuer la ruelle, prendre la première à droite. Après deux coudes, arrivée à un passage couvert. Tourner à droite sous un autre passage couvert (boulanger en dessous) et aller tout droit. Vous y êtes !

Le **tombeau de Sidi Ahmed Soussi** se trouve dans une petite impasse à droite. On enjambe trois belles colonnes de marbre servant de marchepied et provenant sans doute du sac des palais saadiens. Lorsque les portes en sont ouvertes, admirer les superbes plafonds et murs de stuc (mais on n'y entre évidemment pas) ; les portes ne sont pas en reste, avec leurs merveilleux détails sculptés. Au-dessus, trois petites baies ajourées. Revenir ensuite sur ses pas jusqu'à la ruelle principale et tourner à droite. Tout droit, vous pouvez rejoindre le centre-ville.

Des itinéraires comme celui-ci, vous pouvez vous en inventer un nouveau chaque jour, alors n'hésitez pas et perdez-vous, c'est le meilleur moyen de saisir tout le charme de cette ville si pudique et secrète.

Le pèlerinage des Sept Saints

À moins d'être musulman, vous n'irez sans doute pas à Marrakech en tant que pèlerin, mais il n'est pas inutile de savoir que beaucoup de Marocains y vont parce que c'est, à sa manière, une **ville sainte.** Le pèlerinage, comme celui de La Mecque, toutes proportions gardées, obéit à un rituel précis : le pèlerin doit visiter sept tombeaux (accès interdit aux non-musulmans), dont cinq sont situés dans la médina.

– On commence à l'extérieur des remparts par la *zaouïa* (« marabout ») de **Sidi Youssef ben Ali** (plan couleur d'ensemble, G4), le saint des lépreux, consulté pour les problèmes médicaux.

– Le deuxième lieu saint est celui consacré à **Cadi Ayad,** entre Bâb-Aylen et Bâb-ed-Debbagh (plan couleur d'ensemble, G3).

– Le saint le plus populaire et le plus vénéré est le troisième : **Sidi-bel-Abbès-Sebti,** grand mystique du XIIIe s. Son mausolée, situé dans le nord de la médina (plan couleur d'ensemble, E1-2), contient le sanctuaire proprement dit et des chambres pour les nombreux visiteurs.

– **Ibn Souleyman el-Jazouli,** organisateur de la résistance contre les chrétiens à la fin du XVIe s, et **Sidi Abdelaziz at-Tabbaa** sont l'objet des quatrième et cinquième visites : le premier a son mausolée à Sidi-ben-Slimane (plan couleur d'ensemble, E2), le second au bout de la rue Mouassine (plan des Souks).

– **Abdallah al-Ghazouani** (le patron des palais, connu sous le nom de moulay Ksour) dont le mausolée se trouve près de la place Bâb-Fteuh (plan couleur Jemaa-el-Fna, E3) et **Imam Assouhaïly** (appelé *Sidi es-Soheyli*), érudit andalou dont le mausolée se situe à l'extérieur de Bâb-Agnaou *(plan couleur Médina, D5)*. Ce sont les deux derniers marabouts de ce que Tahar Ben Jelloun a appelé « la Ronde sacrée ».

À défaut de pouvoir visiter les tombeaux, rien ne vous empêche d'aller « admirer » les sept tours (représentant les sept saints) coiffées chacune de leur olivier (en bien piteux état !). Elles sont situées en bordure du boulevard du 11-Janvier, au nord de la gare routière de Bâb-Doukkala.

Le mellah *(plan couleur d'ensemble, F4-5)*

ⵊⵊ *Accès par la place des Ferblantiers (Bâb-Berrima). Ou alors tt au bout de la rue Riad ez-Zitoun el-Jédid.*

L'ancien quartier juif de Marrakech, aujourd'hui rebaptisé *Hay Essalam* (quartier de la paix). Il y eut, dit-on, jusqu'à 36 000 juifs dans la ville. De 1956 à 1967, la plupart partirent en Israël, en France et à Montréal. Il en resterait environ 250 à Marrakech, dont une vingtaine seulement habite le mellah.

La communauté juive était réputée jadis pour son sens de la récupération. À partir de vieux pneus, des artisans confectionnaient des savates qu'achetaient les Chleuh en raison de leur prix modique. D'autres, à partir de vieux bidons, fabriquaient des objets domestiques en fer-blanc (d'où la place des Ferblantiers), mesures diverses, entonnoirs, et, surtout, de belles lanternes ajourées et ornées de verres colorés. Bien sûr, on trouvait aussi nombre de bijoutiers.

Le souk coloré, qui rassemble de nombreux grossistes (épices, tissus, etc.), mérite vraiment le détour. Beaucoup de ruelles encore en terre battue, entassement dans les maisons, mais une vie locale encore très riche, nombreux enfants jouant dans la rue, vénérables échoppes de proximité... Attention aux « fausses synagogues » (comme pour les faux Touareg et autres faux trucs au Maroc !) proposées à la visite par des petits malins. La première prétendue synagogue qu'on a visitée (sous un passage couvert) n'était en fait qu'une ancienne demeure (sûrement de famille juive, on le concède), seulement ornée de quelques portraits de rabbins, photos et affiches. Jolie maison d'ailleurs, mais de synagogue, point ! À l'est du mellah, le cimetière juif mérite lui aussi un détour. C'est un champ de petites maisonnettes blanches ornées de niches où l'on faisait brûler des bougies.

L'ensemble artisanal *(plan couleur Médina, D3)*

ⵊ *Av. Mohammed-V. Tlj sf dim 10h-19h (moins d'activité ven ap-m).* Vous y verrez, sur un espace concentré, ce que vous trouvez dans les souks. Il n'y a pas les plaisirs de la flânerie au hasard des ruelles, mais si vous êtes pressé... Les artisans tiennent de petites boutiques, numérotées. Les prix sont indiqués. Parmi les métiers représentés : souffletier, lanternier, ciseleur sur cuivre, exciseur sur cuir, dinandier, boisselier, feutrier. Sans oublier les classiques : bijoutier, ébéniste, armurier, tisserand... Les produits sont de qualité et théoriquement à prix fixes. On a même pensé à la buvette. Juste en face, on peut aller faire un tour dans le **Cyber Parc**, un espace vert aménagé avec bornes Internet (le long de l'allée *Siemens* !).

GUÉLIZ *(VILLE NOUVELLE)*

C'est la ville nouvelle créée, en dehors des remparts, par les Français sous le protectorat. L'avenue Mohammed-V, longue de 3 km, tracée par un architecte du maréchal Lyautey, relie ce quartier moderne à la médina. C'est là que se trouvent les sièges des compagnies, les principales administrations, les agences de voyages, tous les commerces de luxe, les grands cafés et la poste principale. Il n'y a pas grand-chose à voir mais il ne faut cependant pas manquer ce qui suit.

ⵊⵊⵊ *Le jardin Majorelle (plan couleur d'ensemble, C1) :* ☎ 024-30-18-52. ● *jar dinmajorelle.com* ● *Bus n° 4 sur la pl. Jemaa-el-Fna ou taxi. Mais il est d'usage de* s'y rendre en calèche... En hiver : tlj 8h-17h ; en été : tlj 8h-18h30. Entrée du jardin : 30 Dh (2,70 €) ; gratuit jusqu'à 9 ans. Les poussettes ne sont pas acceptées. Dans le jardin, petit musée de l'Art islamique (entrée en supplément : 15 Dh, soit 1,40 € ; fermé 12h-13h et pour l'Aïd el-Kébir et l'Aïd es-Seghir). Ce magnifique jardin, assez petit, abrite l'atelier du peintre Jacques Majorelle, qui vécut ici à partir de 1924 pour soigner sa tuberculose. Après sa mort, Yves Saint Laurent et Pierre Bergé acquirent et restaurèrent l'endroit. C'est aujourd'hui un lieu plein de poésie avec une composition de l'espace à partir de cactus, de bougainvillées, une bambouseraie, et plusieurs essences présentes sur les cinq continents. Bancs ombragés bien agréables. C'est Majorelle qui eut l'idée audacieuse de peindre cet atelier d'un bleu-mauve, qui contraste violemment avec la végétation luxuriante. On l'appellera « le bleu Majorelle ». L'ancien atelier du peintre a été transformé en petit *musée*. On y admire des aquarelles de Majorelle consacrées à des paysages du Sud marocain, ainsi qu'une partie de la collection privée d'Yves Saint Laurent. Peu d'objets mais des pièces absolument superbes : bijoux remarquables, étoffes, céramiques raffinées, portes de bois... Le grand couturier aimait tant cet endroit qu'il a choisi d'en faire sa dernière demeure. Les cendres d'Yves Saint-Laurent y ont été dispersées en juin 2008 et une stèle commémorative en souvenir du couturier y a été érigée.

🕯 *Le souk de Bâb el-Khemis* (plan couleur d'ensemble, E-F2) : comme son nom l'indique, près de Bâb el-Khemis. Le jeu slt, tte la journée. Un genre de marché aux puces avec meubles, objets utilitaires, vêtements et nourriture. Un endroit à l'ambiance très locale et haut en couleur. Y aller surtout pour l'atmosphère car les prix sont exorbitants. Attention aux nombreuses contrefaçons !

🕯 *Le marché couvert* (plan couleur Guéliz, B-C2) : av. Ibn-Toummert, près de l'angle avec l'av. des Nations-Unies. Tlj sf dim ap-m 7h-13h, 16h-19h.
Ce ne sont pas les souks, bien entendu, mais il y a encore des marchands vendant des produits locaux. Beaucoup de boutiques pour touristes, où l'on propose tous les plagiats de marques célèbres au quart de leur prix euro-

D'ÉGLISE À GUÉLIZ

Savez-vous d'où vient le nom de Guéliz ? Tout simplement d'« église », transformé en « Guéliz » par les Marrakchis qui désignaient le quartier par son édifice religieux, le premier bâtiment à avoir été érigé dans la ville nouvelle à l'époque française. D'ailleurs, cette église existe toujours.

péen, mais au dixième de leur qualité. Attention au retour en Europe, on vous rappelle que détenir des contrefaçons est illégal. Pour certains objets traditionnels, les prix sont plus élevés que dans les souks.
Pour la petite histoire, sachez que l'ancien marché de Guéliz se trouvait, il n'y a encore pas si longtemps, sur l'avenue Mohammed-V. Tout a été rasé pour ouvrir d'ici 2010 « un ensemble plurifonctionnel d'un complexe de 5 étages (!) regroupant 69 commerces, 57 bureaux, 96 appartements, un parking souterrain pour 325 voitures, en plus d'un marché central qui sera réalisé au sous-sol et au rez-de-chaussée ». Les intellectuels regrettent « l'urbanisation de table-rase et la perte d'identité de plus en plus fréquente des lieux du Guéliz ». Les 150 commerçants qui composaient une partie importante de l'âme de ce cœur de ville ont en effet été purement et simplement expulsés pour être ensuite relogés dans le nouveau marché couvert de la rue Ibn-Toummert.

🕯 *La place Abd-Moumen-ben-Ali* (plan couleur Guéliz, A2) : pour ses terrasses de café, qui occupent trois de ses quatre angles. Les principaux hôtels et restos se trouvent à côté, boulevard Mohammed-Zerktouni, rue El-Houria (ex-rue de la Liberté) et rue de Yougoslavie.

🕯 *Le tour des remparts :* il faut un véhicule pour longer les 19 km de murailles couronnées de 200 tours carrées et percées d'une quinzaine de portes. Les parties les plus intéressantes de cette ceinture de pisé rose sont celles situées au niveau du quartier de l'Hivernage (surtout le soir, car les remparts sont orientés face au soleil couchant) et du souk de Bâb-el-Khémis.

Le circuit conduit ensuite au *jardin de l'Agdal. Ouv ven ap-m et dim ap-m.* Vaste verger planté d'oliviers et d'arbres fruitiers. Lieu de promenade prisé des familles.

Fêtes et manifestations

– **Rencontres internationales de poésie de Marrakech :** *une petite sem pdt la 2de quinzaine de mars. Rens à l'Institut français de Marrakech (voir plus haut les « Adresses utiles »).* Différentes manifestations culturelles qui rendent hommage à la poésie en différents lieux de la ville (soirées lecture, rencontres musicales, ateliers d'écriture, etc.).

– **Festival international de la magie :** *4 j. autour du 21 mars. Réparti sur 3 lieux : la pl. Jemaa-el-Fna (gratuit), le Théâtre royal (3 spectacles/j. à 50 Dh, soit 4,50 € ; réduc enfants) et le Palais des Congrès (pour les soirées de gala 100-300 Dh, soit 9,10-27,30 €). Rens :* ☎ *060-48-03-02.* ● *magiemarrakech.com* ● Des dizaines de magiciens, acrobates, jongleurs, illusionnistes, chorégraphes venus des quatre coins du monde. Plus de 180 000 spectateurs pour l'édition 2007.

– **Festival national des arts populaires de Marrakech :** *en principe, pdt 1 sem entre juin et août, pas forcément ts les ans. Rens auprès de l'office de tourisme.* Il permet de mesurer la richesse et l'importance du folklore marocain, que ce soit par les danses, les chants ou les costumes. Une vingtaine de troupes différentes se produisent soit dans le palais El-Badi, qui peut accueillir plus de 2 000 spectateurs, soit à la Ménara.

– **Festival international du film :** *en général, a lieu la 2e sem de déc.* ● *festival-marrakech.com* ● Grand rendez-vous cinématographique au Maghreb. De plus en plus de stars et de paillettes.

– **Moussem :** *à Ourika, début août ; à Asni, début juil ; à Moulay-Brahim, début fév. De 1 à 3 j.*

➤ DANS LES ENVIRONS DE MARRAKECH

🏹 **La Ménara** *(plan couleur d'ensemble, A5) : à 2 km à peine de Bâb-Jdid. On peut y aller à pied (45 mn de la place Jemaa-el-Fna), ou avec le bus n° 11, derrière la Koutoubia, ou en taxi (compter 20-30 Dh, soit 1,80-2,70 €, l'aller simple ; la plupart des chauffeurs refusent de mettre le compteur, surtout le dim !). En principe, ouv tlj dès 7h et ferme un peu avant le coucher du soleil.*

Il s'agit d'une vaste oliveraie au cœur de laquelle on trouve un grand bassin avec, sur l'arrière, un petit pavillon. Il servait aux rendez-vous galants des sultans qui, si l'on en croit la légende, avaient l'habitude de se débarrasser de l'heureuse élue en la noyant au petit matin dans les eaux du bassin.

L'endroit a été entièrement réaménagé et des dizaines d'oliviers vieux de plusieurs siècles ont été coupés. De plus, des tribunes dénaturent quelque peu l'unité du bassin (euphémisme) ! Malgré tout, la Ménara est redevenue aujourd'hui le lieu de promenade des amoureux en fin d'après-midi. Le dimanche après-midi, c'est noir de monde. La promenade consiste à emprunter la large allée qui mène au bassin, à faire un tour dans un sens, un tour dans l'autre et puis voilà. Rien de très excitant, donc. Encore moins sympathique l'été, lorsque la végétation est bien sèche.

➤ **Le tour de la palmeraie :** *emprunter la route de Casablanca pour effectuer ce circuit de 22 km. En grand taxi, compter min 150 Dh (13,60 €) pour un circuit de 1h30-2h.* Sur plus de 13 000 ha, une immense palmeraie souvent bordée de murs en pisé. On estimait à environ 150 000 le nombre de palmiers irrigués par un réseau de canalisations souterraines, dites *khettara.* Ce système très ancien permettait de capter l'eau des nappes phréatiques et de l'amener en surface. Il ne fonctionne plus. Depuis quelques années, une bonne partie de cette palmeraie est vendue par tranches et livrée aux promoteurs pour édifier de grands hôtels (une quarantaine d'établissements prévus d'ici à 2010) et de luxueuses villas. De plus, victimes d'un virus et faute de soins, les palmiers sont bien déplumés ! En revanche, ceux qui ceinturent les villas et hôtels pètent la forme ! Bref, on ne voit plus vraiment l'intérêt de cette promenade, sauf peut-être au printemps, quand la végétation est en fleurs. Y aller plutôt en fin d'après-midi, lorsque les rayons de soleil deviennent rasants.

🏃 **Le complexe de poterie Moujmar-el-Frara** (hors plan couleur d'ensemble par A3) : douar Iziki, route d'Agadir-Essaouira, à env 8 km à partir de la sortie de la ville, juste après la Sicofam, indiqué sur la gauche. Prendre le chemin qui longe l'établissement occupé par des artisans vanniers, c'est 100 m plus loin. Plusieurs dizaines de potiers se sont installés là. Ils fabriquent et vendent leurs pièces. Prix moins chers qu'aux souks... après négociation évidemment. Intéressera surtout ceux qui veulent acheter en nombre et qui sont véhiculés.

🎥🎥 **Les vallées de l'Atlas :** voir plus loin « Les montagnes du Haut Atlas occidental ».

QUITTER MARRAKECH

Attention : éviter les déplacements terrestres (train, bus, grands taxis...) durant les grandes fêtes religieuses musulmanes. Tout est absolument complet à ces périodes.

En bus

Pour les liaisons entre les grandes villes, utiliser les deux plus grandes compagnies, de loin les plus fiables : la CTM et Supratours. Nous conseillons de prendre son billet la veille et de vérifier les horaires.

🚌 **Gare routière principale** (plan couleur d'ensemble, C-D2, **1**) : pl. El-Mourabitin à Bâb-Doukkala, à l'extérieur des remparts. ☎ 024-43-43-52. La gare est bien organisée. Les compagnies de bus (sauf Supratours) partent de là.

Lignes de la CTM

– **Annexe de la CTM** : dans la gare routière. ☎ 024-44-44-02. ● ctm.co.ma ● Mais rdv plutôt aux **bureaux de la CTM** (plan couleur Guéliz, A2, **2**) : 12, bd Mohammed-Zerktouni. ☎ 024-44-83-28. On peut y prendre ses billets et faire enregistrer ses bagages. Consigne. En fait, tous les bus de la CTM passent par là. Très pratique donc.

Pour toutes les destinations suivantes, le nombre de départs quotidiens est extrêmement variable et oscille entre 1 et 10 pour les grandes villes et entre 1 et 3 liaisons pour les coins les moins fréquentés. Tout dépend des périodes de l'année. Se renseigner.

➤ **Pour Fès** (via **Beni-Mellal, Khénifra** et **Azrou**) : 2 bus/j. min. Trajet : env 8h.

➤ **Pour Casablanca :** 5 à 8 bus/j., dont certains de nuit. Trajet : env 4h. Avec les autres compagnies, env 20 bus/j. Avec la nouvelle autoroute, certains bus effectueront peut-être une liaison directe.

➤ **Pour Agadir :** nombreuses liaisons directes tlj. Trajet : 4h.

➤ **Pour Essaouira :** 1 à 7 bus/j. selon les périodes. Ligne souvent chargée mais places numérotées. Trajet : env 3h. Nombreuses autres liaisons assurées par d'autres compagnies : une dizaine (4h-17h).

➤ **Pour Ouarzazate :** 2 à 4 bus/j. Trajet : 4h30-5h. Réserver sa place. Partir tôt pour éviter la chaleur. La route est superbe. Essayer d'avoir une place à gauche, les paysages sont plus sympas. La route passe par le plus haut col du Maroc, le Tizin-Tichka, à 2 260 m d'altitude.

Lignes Supratours

▄▄▄ **Gare routière Supratours** *(plan couleur d'ensemble, A3, 3) : av. Hassan-II, à 150 m sur la gauche de la nouvelle gare ferroviaire.* ☎ 024-43-55-25 ou 63-31. • *supratours.com* • Consigne, petite restauration et téléboutique à proximité. Prenez garde que l'on ne vous fasse pas payer les bagages à main.

▮●▮ Possibilité de se restaurer à la gare routière. Plusieurs échoppes proposent des en-cas.

Excellente compagnie privée en termes de confort, de qualité, et de régularité. Très bon rapport qualité-prix. Seul inconvénient : ne va pas partout. Prévoir d'arriver 30 mn avant le départ, le temps de faire enregistrer les bagages.

➤ **Pour Agadir :** 4 à 8 bus/j. selon la saison.

➤ **Pour Essaouira :** 3 à 5 bus/j.

➤ **Pour Ouarzazate :** 1 bus/j. en milieu d'ap-m, hiver comme été.

➤ Quelques bus également (peu nombreux) pour **Tiznit, Guelmim, Tan-Tan, Dakhla** et **Laâyoune.**

En taxi collectif

▄▄▄ Derrière la gare routière, nombreux taxis collectifs pour **Essaouira, Agadir,** etc. À vous de choisir. Les taxis collectifs pour la vallée de l'Ourika, Asni, Imlil et Amizmiz se trouvent à la station de **Charige-el-Bgare,** située à 1,5 km de **Bâb-er-Robb** *(plan couleur d'ensemble, D6).* Attention, dans cette station, pas mal de rabatteurs qui prennent forcément une commission.

En train

▄▄▄ **Gare ferroviaire** *(plan couleur d'ensemble et plan couleur Guéliz, A3) : la nouvelle gare à l'angle des bd Mohammed-VI et Hassan-II.* ☎ 090-20-30-40. • *oncf. ma* • Ce site excellent propose horaires, trajets, tarifs... Pour cette nouvelle gare, l'architecte s'est inspiré des portes monumentales de l'ancienne médina de Marrakech. La trichromie souligne les lignes de force du bâtiment qui ouvre symboliquement vers la médina. À l'intérieur, en plus des services directement liés au transport (réservation, billetterie, bagagerie, consigne), on trouve plusieurs restos, des banques, des agences de location de voitures, de voyages, pharmacie...

➤ **Pour Casablanca ou Rabat :** env 5 trains/j. Il faut compter env 3h de trajet pour Casa et 4h pour Rabat, sans changement. Cela reste le moyen de transport idéal entre Marrakech et la capitale.

➤ **Pour Tanger :** slt 1 train direct de nuit. Trajet : env 11h. Sinon, changer à Casablanca ou Sidi Kacem.

➤ **Pour Meknès et Fès :** env 4 trains directs/j. (via Casablanca). Trajet : respectivement 7 et 8h.

En avion

✈ **Aéroport** *(hors plan couleur d'ensemble par C6) : à 6 km au sud.* ☎ 024-36-85-20 *(Royal Air Maroc).* • *onda.ma* • Pour rejoindre l'aéroport, voir « Comment y aller ? ».

– Petite précision : au *duty free,* les dirhams ne sont pas acceptés.

➤ **La RAM** *(Royal Air Maroc ; voir « Adresses utiles »)* assure des liaisons intérieures avec Casablanca, ainsi que des vols à destination des principales villes françaises. Nombreux vols charters pour plusieurs autres villes. • *royalairmaroc.com* •

➤ **Atlas Blue** *(voir « Comment y aller ? En avion. Les compagnies low-cost »* en début de guide) : vols pour Bordeaux, Lille, Lyon, Marseille, Nantes, Nice et Toulouse.

LES MONTAGNES DU HAUT ATLAS OCCIDENTAL

> Attention, à partir de mars 2009, *Maroc Telecom* doit mettre en place une nouvelle numérotation téléphonique. Les numéros passeront ainsi à 10 chiffres (au lieu de 9 actuellement).
>
> Voici les principaux changements prévus :
>
> ➤ **Pour tous les numéros fixes,** il faudra insérer « 5 » après le « 0 ». Exemple : 024-11-11-11 deviendra 05-24-11-11-11.
>
> ➤ **Pour les portables,** un « 6 » devra être placé après le « 0 ». Exemple : 068-11-11-11 deviendra 06-68-11-11-11.
>
> ➤ **Pour les numéros spéciaux,** se reporter en début de guide à la rubrique « Téléphone et télécoms » dans « Maroc utile ».

Elles forment une barrière naturelle au sud de la ville impériale. Il est difficile d'imaginer plus beau diadème que les sommets enneigés sur lesquels la lumière joue selon les heures du jour. Mais c'est au soleil couchant que cette parure devient particulièrement belle, lorsque les montagnes du Haut Atlas se transforment en une immense palette de toutes les teintes de rose et de rouge. Les routes du Tizi-n-Test et du Tizi-n-Tichka sont incontestablement les deux plus belles routes de montagne du Maroc. La première relie Marrakech à Taroudannt, et la seconde Marrakech à Ouarzazate. À 2 260 m d'altitude, le col du Tizi-n-Tichka constitue le plus haut passage routier du pays.

L'orage catastrophique qui s'est abattu sur le versant nord de l'Atlas, de la route du Tizi-n-Tichka jusqu'à l'ouest de celle du Tizi-n-Test, en août 1995, et qui a fait 5 000 morts, s'explique en partie par la déforestation massive pratiquée depuis des lustres. L'horreur de cette catastrophe a sensibilisé les pouvoirs publics sur les problèmes liés à l'absence de protection de l'environnement. La plupart des victimes étaient des vacanciers qui campaient au fond de la vallée, le plus près possible de l'oued. Or, en cas d'orage, l'eau monte tellement vite (jusqu'à 6 m en 2 ou 3 mn !) qu'il est impossible de s'échapper ; les versants sont trop escarpés pour pouvoir être escaladés. C'est pourquoi les Berbères de la région ont toujours construit leurs maisons sur les hauteurs, à l'abri. Évitez de passer la nuit au fond de la vallée, au bord de l'eau, et même de vous engager dans ces vallées lorsque le temps est orageux et menaçant. Cette recommandation vaut également pour les gorges du Dadès et du Todgha, sur l'autre versant de l'Atlas.

RANDONNÉES

Les vallées de l'Atlas offrent la possibilité de faire de superbes virées pédestres (plateau de Yagour dans la vallée du Zat, ascension du *djebel Toubkal,* haute vallée de *Tachdirt,* etc.). Certaines randonnées nécessitent les services d'un guide et sont à organiser avec soin. Prendre une mule pour porter vos affaires n'est pas une mauvaise idée.

Vrais guides, faux guides, beaucoup de questions et quelques réponses

Les problèmes récurrents liés aux vrais et faux guides de montagne, au Maroc en général, et dans les régions touristiques comme les montagnes du Haut Atlas

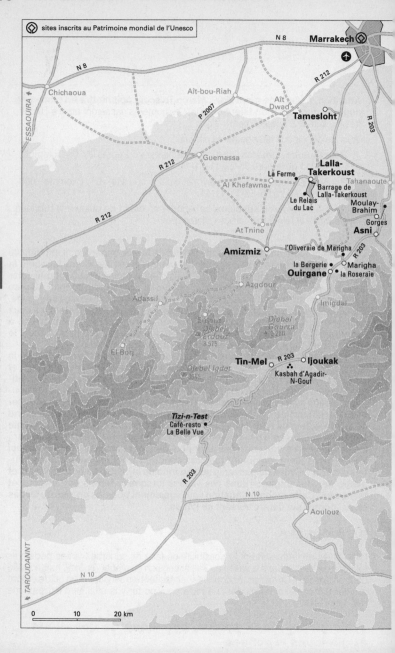

sites inscrits au Patrimoine mondial de l'Unesco

LE HAUT ATLAS OCCIDENTAL

N 8 · **Marrakech**

Chichaoua

Aït-bou-Riah

Aït Dwad

R 212

Tamesloht

R 203

Guemassa

R 212

La Ferme

Lalla-Takerkoust

Tahanaoute

Al Khefawna

Barrage de Lalla-Takerkoust

Le Relais du Lac

Moulay-Brahim

Gorges

R 212

Aït Tnine

Asni

l'Oliveraie de Marigha

R 203

Amizmiz

la Bergerie · **Ouirgane** · Marigha
la Roseraie

Azgdour

Imigdal

Adassil

Djebel Gourza 3.280

Djebel Erdouz 3.575

El Borj

Tin-Mel R 203 · **Ijoukak**

Djebel Igdet 3.615

Kasbah d'Agadir-N-Gouf

Tizi-n-Test
Café-resto
La Belle Vue

R 203

N 10

Aoulouz

0   10   20 km

ESSAOUIRA

TAROUDANNT

N 10

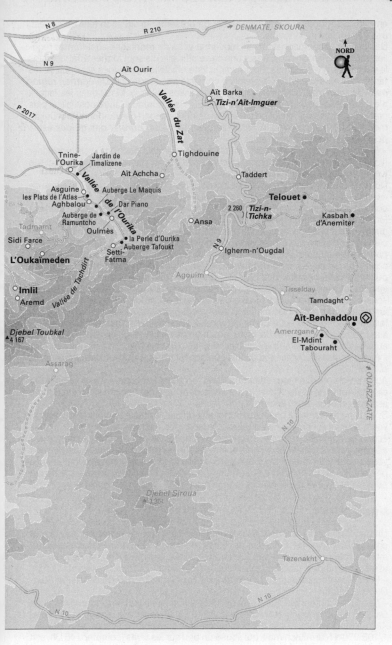

LES MONTAGNES DU HAUT ATLAS OCCIDENTAL

en particulier, nous conduisent à tenter de présenter la situation telle qu'elle est, à savoir un rien inextricable.

Des guides accompagnateurs en moyenne et haute montagne sont formés régulièrement au Maroc et possèdent une carte officielle. Ils sont formés à Tabant dans la vallée des Aït-Bougmez. Pour avoir la liste officielle des guides et connaître les tarifs, plusieurs solutions : la première consiste à se rendre à la **Délégation régionale de tourisme,** à Marrakech (voir « Adresses utiles »). Mais, dans les faits, il n'est pas possible de réserver un guide depuis leur bureau. L'autre possibilité, plus pratique, est de rejoindre directement les points de départ des randonnées (l'Oukaïmeden, Setti-Fatma, Imlil). À *Setti-Fatma* et à *Imlil*, un **bureau des guides** est là pour vous informer et vous aider.

– À l'*Oukaïmeden,* les membres du *Club alpin français* pourront vous renseigner (voir « Où dormir ? »). On peut aussi choisir de passer par une agence spécialisée (voir « Adresses utiles » à Marrakech).

Nous vous encourageons vivement à passer par des guides officiels. Il y a trop de risques avec les autres (la montagne peut être très dangereuse pour qui ne la connaît pas bien). Néanmoins, même si la majorité des guides font correctement (et même mieux que cela) leur travail, ce n'est pas le cas de tous. En effet, un « vrai guide » n'est pas pour autant une garantie totale de sérieux (même si c'est un précieux gage). Exemples de cas vécus : certains « vrais guides » que vous rencontrez pour mettre au point votre itinéraire la veille au soir envoient le jour du départ un cousin ou un neveu, se présentant lui-même comme un guide officiel – zut, il a oublié sa carte, comme c'est ballot ! –, prétextant que celui avec qui vous avez été en contact a été appelé d'urgence pour enterrer sa grand-mère ! En fait, ce dernier sous-traite le boulot à un p'tit gars du village. C'est arrivé. Certains guides, c'est arrivé aussi, se refilent les cartes. D'autres ont une carte officielle, mais n'ont pas fait de randos depuis belle lurette, ou connaissent très mal un secteur (là encore, ça s'est vu !). Bref, il est bon de savoir qu'un guide officiel n'est en rien une garantie automatique de qualité. Il est officiel, et c'est déjà pas mal. Cela dit, les autorités s'efforcent de faire le ménage depuis quelque temps et les cas posant problème se raréfient.

Autre précision utile : tout officiel qu'il soit, un guide est rarement assuré pour ses clients. Autant le savoir. On vous conseille donc vivement de prendre votre propre assurance, et ce avant le départ.

Si vous ne tenez pas à passer par un guide officiel, évitez à tout prix les types qui vous arrêtent à l'entrée des villages. Ce sont des escrocs, qui ont plus fait des écoles de commerce que des stages de montagne. Dernier point : certaines de nos adresses constituent d'excellents points de conseil pour les randos. Elles peuvent vous mettre en contact avec des gens sérieux, dont nos lecteurs n'ont jusqu'à présent pas eu à se plaindre. L'essentiel étant de tout bien préciser avant le départ pour éviter les embrouilles. Allez, bonne marche !

Infos utiles

Un document indispensable pour ceux qui veulent faire de la randonnée : la brochure *GTAM (Grande Traversée de l'Atlas marocain).* On y trouve des renseignements pratiques, les listes des guides spécialisés, des gîtes d'étape, des refuges, et les tarifs officiels (accompagnement, hébergement, portage, transports...).

– Pour se la procurer écrire à : **ministère du Tourisme DAI/BDTR,** *64, av. Fal-Ould-Oumeir, Rabat.*

– Les cartes à grande échelle sont difficiles à obtenir : il faut se rendre à Rabat à la *Division de la cartographie.* Autre possibilité : s'adresser à la réception de l'hôtel *Ali* (rue Moulay-Ismaïl), qui est pratiquement le seul point de vente des cartes au 1/100 000 à Marrakech mais qui abuse un peu sur les tarifs (compter 140 Dh, soit 12,70 €, la carte). Attention toutefois à certaines cartes, dont les mises à jour sont souvent si anciennes que les sentiers muletiers indiqués n'existent plus. Sinon, on peut s'adresser en France à des librairies spécialisées. Parmi les nombreuses cartes, celles de « Oukaïmeden-Toubkal » (1/100 000) ou « Djebel Toubkal » (1/50 000) sont les plus demandées.

– Le tarif pratiqué est de 300 Dh (27,30 €) par jour pour un guide (nourriture en plus) prenant en charge un petit groupe (2-10 personnes) ; compter 400 Dh (36,40 €) par jour en hiver. Pour un mulet et son muletier (toujours hors nourriture), il faut compter autour de 100 Dh (9,10 €) par jour pour deux (jusqu'à 120 Dh, soit 10,90 €, en haute saison). Pour plusieurs jours de randos, le cuisinier ou le muletier qui fait office de cuisinier est rétribué 150 Dh (13,60 €) par jour. Pour les randonnées en groupe de plusieurs jours, le guide proposera un forfait pour l'ensemble de la prestation (accompagnement, portage, intendance, hébergement). Toujours bien préciser ce qui est compris et ce qui ne l'est pas. À discuter en toute amitié, simplement pour que tout soit clair, histoire aussi de ne pas vous retrouver au régime boîtes de conserve pendant huit jours ! Le guide se charge généralement de recruter mulets, porteurs, cuisiniers et accompagnateurs.

IMPORTANT : pour les randonnées muletières reliant deux vallées ou les deux versants de l'Atlas, les journées de retour pour les guides et muletiers sont facturées la journée complète de randonnée, et cela à partir de trois jours de marche du point de départ. Ça se comprend après tout. Cela ne s'applique évidemment pas aux randonnées en boucle.

– Enfin, si vous avez un sérieux litige avec un guide, vous pouvez contacter le bureau du caïd (bureau qui détient des pouvoirs administratifs et judiciaires ; on l'indique à Asni et dans la vallée de l'Ourika par exemple). Ils sont en général efficaces. Sinon, rendez-vous à la gendarmerie.

LA VALLÉE DE L'OURIKA

Au sud de Marrakech et facile d'accès, la vallée de l'Ourika est la plus fréquentée des vallées du Haut Atlas. On y trouve d'ailleurs plusieurs hôtels. De nombreux Marrakchis ont des résidences secondaires dans la vallée et viennent s'y réfugier lorsque la température de leur ville devient difficilement supportable. Il fait ici 10 à 15 °C de moins. Malgré tout, cette escapade permet de pénétrer dans l'Atlas et de découvrir une vallée habitée par des tribus berbères. Une journée suffit si l'on part tôt le matin. Mais si vous souhaitez faire une randonnée, mieux vaut y passer une nuit. Attention, de nombreuses excursions organisées par des agences se contentent d'une courte halte dans une auberge, le temps de déjeuner, sans aller au-delà d'Aghbalou, ce qui est dommage. Si l'on dispose de peu de temps, on peut combiner la balade avec celle de l'Oukaïmeden, la première partie de la route étant commune. Mais ce sera un peu la course.

– En cas de problème, rendez-vous au bureau du caïd : *à Tnine l'Ourika, à l'intersection des routes qui mènent à l'Ourika et à Aït Ourir, près de la recette de la Régie de l'électricité.*

Arriver – Quitter

➢ *En grand taxi :* car il n'y a pas de bus régulier. On les trouve à la station de Charige-el-Bgare, à 1,5 km de Bab-er-Robb. Compter 25 Dh (2,30 €) pour une place ; env 150 Dh (13,60 €) pour le taxi en entier jusqu'à Setti-Fatma. Refusez une augmentation du tarif à cause des bagages.

➢ *En voiture :* c'est l'idéal (la route ne présente aucune difficulté). Compter 2h jusqu'à Setti-Fatma (point extrême de la vallée accessible en voiture de tourisme), mais sans les nombreux arrêts pour admirer les paysages, qui sont encore plus beaux au retour, dans la lumière de fin d'après-midi.

Où dormir ? Où manger ?

Nos adresses sont indiquées en fonction de leur distance par rapport à Marrakech (et non pas selon notre classement habituel).

Dans tous les petits restos, il est impératif de se faire préciser les tarifs des prestations avant de passer commande, et de contrôler les additions. Attention aussi à la fraîcheur des aliments. Les frigos sont rarement branchés, même quand il y a de l'électricité.

🛏️ |●| *Chambres d'hôtes Jardin de Timalizene :* km 41, dans le village de Timalizene (panneau sur la gauche). ☎ 024-48-40-59. 📱 063-56-46-56. ● ti malizine.com ● Se garer sur le parking de l'atelier de poterie de Mohammed, puis traverser l'oued à pied ; la maison est à 100 m sur le versant, en face. Doubles 220-390 Dh (20-35,50 €) selon confort. Repas 165 Dh (15 €) sur résa. L'accès a un petit côté boy-scout, mais cette adresse se mérite ! Rémi et Mustapha proposent 4 chambres dont 2 suites avec salle de bains et 2 chambres d'appoint, plus petites, sans salle de bains (hammam familial). Autour, un vaste jardin aménagé sur une dizaine de terrasses aux ambiances différentes, et parsemé de treilles, bassins, sculptures ; sans oublier les hamacs. Pour couronner le tout, Mustapha est un véritable cordon-bleu et n'a de cesse d'inventer de nouvelles recettes.

|●| *Les Plats de l'Atlas :* km 42, sur la gauche. 📱 061-14-98-07. Compter 50-80 Dh (4,50-7,30 €) pour un repas. Sert de l'alcool. C'est avec plaisir que l'on prend place, aux beaux jours, sur la terrasse avec sa pergola de glycine qui borde la vallée. Pour l'hiver, salle avec cheminée (qui a quelques petits problèmes de tirage...). Cuisine marocaine (couscous, tajines, brochettes) bonne et généreuse. Les portions moyennes peuvent combler 3 appétits ! Piscine (en saison uniquement). Accueil aimable.

🛏️ |●| *Auberge Le Maquis :* km 45, au carrefour de l'Oukaïmeden, prendre à gauche, c'est à 500 m sur la droite. ☎ 024-48-45-31. ● le-maquis.com ● Sept chambres très confortables avec sdb 680-840 Dh (61,80-76,40 €) pour 2 pers en ½ pens, selon saison. Également 1 suite avec cheminée 800-950 Dh (72,70-86,40 €) pour 2 pers. Compter 130 et 145 Dh (11,80-13,20 €) les menus servis en salle ou en terrasse.

Sert du vin. Possibilité aussi de manger dans le jardin aux abords de la piscine. CB acceptées. Un couple franco-marocain adorable, Saïda et Jean-Pierre, gère cette affaire bien située. Les couleurs sont fraîches, la literie est excellente et les couettes moelleuses à souhait. Piscine et petit bain pour les plus jeunes. Petit hammam traditionnel et jeux pour les enfants. Le resto propose des spécialités marocaines. Possibilité de faire des randonnées de 1 à 2 jours sur le plateau du Yagour, intéressant entre autres pour ses gravures rupestres. Dispose de fiches sur les balades à faire dans le secteur (à partir de 1h de marche). Un bon rapport qualité-prix pour cette adresse qui ne travaille pas avec les groupes.

🛏️ |●| *Auberge de Ramuntcho :* après Aghbalou, au km 50. ☎ 024-48-82-63. ● ramuntcho.ma ● Double avec sdb 410 Dh (37,30 €) ; ½ pens 610 Dh (55,50 €) pour 2 pers. Resto ouv tlj midi et soir. Menu 230 Dh (20,90 €) ou carte (plats env 130 Dh, soit 11,80 €), pas donné donc. CB acceptées. Bar avec alcool. Cette étape classique et chic possède une quinzaine de jolies chambres impeccablement tenues, avec douche. Pour le même prix, essayer d'en avoir une avec vue sur la vallée. Salle de resto élégante, à la blancheur éclatante, ou terrasse très agréable. Une adresse qui bénéficie d'une bonne réputation locale et prisée pour les séminaires (mais une salle leur est réservée).

🛏️ |●| *Dar Piano :* km 52, à l'entrée d'Oulmès, sur la gauche. ☎ 024-48-48-42. 📱 061-34-28-84. ● darpiano.com ● Fermé juin-août. Résa conseillée. Trois chambres 240 Dh (21,50 €) pour 2 pers. Petit déj 50 Dh (4,50 €). Également un riad campagnard, pour 4 pers, attenant à la maison, avec 2 chambres et 1 sdb, loué dans sa totalité pour 480 Dh

(43,60 €). Possibilité de ½ pens. Pour les hôtes de passage, repas 170 Dh (15,50 €) tlj midi et soir. CB acceptées. Il s'agit d'une maison d'hôtes très accueillante, tenue par un couple de Français charmant. Joli salon au plafond de bois peint avec cheminée pour les soirées fraîches. Chambres agréables ; deux d'entre elles bénéficient d'une vue sur l'oued. Excellente cuisine marocaine. Spécialités françaises sur commande. De la terrasse, vue magnifique sur les montagnes. Pour les balades, Jean et Danièle sont de bon conseil et vous mettront en contact avec un guide compétent.

▄ |●| La Perle d'Ourika : *km 58, sur la gauche.* ☎ *024-48-52-95.* ▯ *066-34-95-99.* ● *perledelourika@hotmail. com* ● *Résa conseillée. Doubles 350-450 Dh (31,80-40,90 €) selon confort, petit déj compris. Plats env 100 Dh (9,10 €). Une petite adresse tenue par Ammaria, une ancienne prof de français et aujourd'hui présidente de l'association de la* Femme marocaine. *Son accueil est adorable. Six chambres (dont une avec une grande baie vitrée), assez simples, avec une bonne literie, certaines avec salle de bains. Au rez-de-chaussée, salon pouvant servir de dortoir pour une dizaine de personnes. Terrasse ombragée dominant l'oued ou petite salle de resto très colorée. Au menu, spécialités de couscous aux champignons, tajines aux abricots ou aux pruneaux...*

▄ |●| Auberge Tafoukt : *km 60, après* La Perle d'Ourika. ▯ *068-32-83-69.* ● *bouahliih@hotmail.com* ● *Une poignée de chambres 100 Dh (9,10 €) pour 2 ou 3 pers ; petit déj en sus. Également 5 apparts pouvant accueillir jusqu'à 7 pers. Repas env 55 Dh (5 €). Une affaire familiale simple, très simple même, mais chambres avec salle de bains et balcon donnant sur l'oued. Cuisine correcte. Bon accueil d'Aziz qui pourra vous conseiller pour visiter la région ou partir en randonnée dans l'Atlas.*

▄ Hôtel Évasion : *à l'entrée de Setti-Fatma, sur la droite.* ▯ *066-64-07-58. Double 200 Dh (18,20 €) ; petit déj en sus. Hôtel récent avec 6 chambres propres, pimpantes et un tantinet kitsch. Toutes disposent d'une salle de bains et d'un balcon regardant la vallée. Accueil jeune et sympa.*

▄ |●| Hôtel Asgaour : *dans le village de Setti-Fatma, sur la droite, chez Lahcen Chiboub.* ☎ *024-48-52-94.* ▯ *066-41-64-19. Doubles 80-170 Dh (7,30-15,50 €) selon confort. Repas 60 Dh (5,40 €). Établissement d'une vingtaine de chambres rudimentaires mais propres. Sanitaires avec douche chaude (payante) et lavabo sur le palier pour les moins chères (quelques problèmes de tuyauterie...). Cuisine sans prétention. Patron sympathique. Terrasse et quelques tables posées de l'autre côté de l'oued dans un coin de verdure ombragé.*

À voir

🚶 Au km 29, la route passe à 3 km de *Jemaa-d'Rhmat* (sur la gauche, quand on vient de Marrakech), qui abrite un ancien mausolée et où se tient un souk le vendredi. Au km 34, on peut faire encore 3 km sur une petite route à gauche, pour trouver, au bord de l'oued, le souk de *Tnine-l'Ourika,* l'un des plus intéressants des environs de Marrakech, qui se déroule chaque lundi. Les agences y déversent leurs flots de touristes. S'y rendre tôt le matin si l'on veut profiter de l'ambiance, et fuir dès l'arrivée des autobus. Essentiellement un souk de fruits et légumes, ainsi qu'un peu d'artisanat.

🚶🚶 *Le jardin du Safran :* dans le village de *Tnine-l'Ourika* (35 km de Marrakech), fléché. ☎ 022-48-44-76. ● safran-ourika.com ● Tlj 8h30-18h (un peu plus tard, s'il y a du monde). Sonnette peu visible sur le pilier de gauche. Entrée : 20 Dh (1,80 €) ; 15 Dh (1,40 €) sur présentation de ce guide. Visite guidée. Une ferme artisanale pour tout savoir sur le *Crocus sativus,* cette jolie fleur mauve originaire du Cachemire et du Népal qui produit le safran. De la mise en terre du bulbe à la cueillette, de l'émondage (tri des stigmates) au séchage des filaments, un travail qui nécessite la plus grande patience et minutie. En période de récolte, visite fort agréable et très instructive dans les jardins. Le reste du temps, une exposition, éclairée par les commentaires de Saïd ou de Miloud, retrace les différentes étapes de la production. Saluons cette belle initiative qui a le mérite d'employer les gens du village. Thé offert pendant la visite.

🏃 **Les jardins bioaromatiques de l'Ourika :** *à Tnine-l'Ourika. En direction d'Aït Ourir, avt le pont, en face de la gendarmerie, prendre à gauche. C'est à 300 m env sur la gauche (grande grille verte fermée, sonnez pour qu'on vienne vous ouvrir).* ☎ 024-48-24-47. 📱 061-34-00-49. ● nectarome.com ● *Oct-fév : tlj 9h-17h ; mars-sept : 9h-19h ; fermé 3 sem en août. Entrée : 15 Dh (1,40 €) en visite libre ; pour une visite guidée de 45 mn, 60 Dh (5,50 €)/pers, infusion à base de plantes du jardin comprise ; pour 2h de visite (sur rdv), compter 50-120 Dh (4,50-10,90 €)/pers selon taille du groupe (à partir de 2 pers). Possibilité d'apporter son pique-nique (taxe de 30 Dh, soit 1,40 €, pour avoir le droit de grignoter dans les jardins !) ou de manger sur place (résa indispensable ; repas complets 120-150 Dh, soit 10,90-13,60 €). Propose différents ateliers (là encore, sur résa) 40-150 Dh (3,60-13,60 €)/pers. Également, bain de pieds : 85 Dh (7,70 €) les 20 mn ; massage : 300 Dh (27,30 €) les 30 mn.*
La meilleure période, celle de la floraison, se situe entre mars et juin, mais on peut venir humer toute l'année la cinquantaine de plantes aromatiques (locales ou acclimatées), comme la lavande, le thym-citron, la sarriette, plusieurs variétés de sauges, etc., le jardin étant aussi tourné vers la recherche et le développement. Quelques plantes ornementales également. À partir des plantes sont réalisés huiles essentielles, produits de beauté et épices culinaires, comme on peut le voir et même le pratiquer à travers des ateliers (gastronomie marocaine, fabrication du pain ou encore phytoaromathérapie, un atelier animé par Jalil, un aromathérapeute).
Et comme ce lieu se veut essentiellement voué à la nature et au bien-être, des aires de relaxation ont été aménagées pour des bains de pieds (pédiluves) au sel marin, des massages des pieds et des mains aux huiles essentielles. Ici on exerce son nez et ses pieds, deux parties de notre corps bien souvent négligées. D'ailleurs, rien ne vous empêche d'effectuer la visite des jardins pieds nus pour exacerber toutes les sensations. Une sortie zen, nature, mais pas donnée. Finalement, y a que les prix qui énervent un peu !
En partant, n'oubliez pas de lever la tête, vous apercevrez peut-être, sur le toit, des cigognes, qui nichent ici de mi-février à début août environ.

🏃 Juste après la plaine du Haouz débute la vallée, succession de points de vue exceptionnels et de petits *douar* (villages) aux maisons en pisé. En contrebas, l'oued Ourika serpente entre une mosaïque de vergers, de jardins et de champs.

🏃 Après *Asguine,* la route se scinde en deux. Laisser sur la droite celle qui monte à l'Oukaïmeden pour continuer tout droit vers *Aghbalou* (appelé également *Khemis*), un village boisé bordé de belles maisons en pierre (souk modeste le jeudi). À partir de la bifurcation à Setti-Fatma, 16 km de route surplombant l'Ourika. Ceux qui ont un peu de temps en profiteront pour explorer les villages de la vallée à pied. Excursions d'une journée ou d'une semaine ! Se renseigner à l'auberge *Le Maquis* ou au *Dar Piano* (voir plus haut « Où dormir ? Où manger ? »). Ils connaissent des accompagnateurs qui vous feront découvrir, après quelques heures de marche, un Maroc encore authentique, aux portes de Marrakech.

– Plus haut, à 6 km, *Oulmès,* tout en longueur avec de nombreux cafés-restos sur le bord de la route et sur les berges de l'Ourika.

🍴 Une petite dizaine de kilomètres plus loin, on arrive à *Setti-Fatma,* à 1 500 m d'altitude. Il s'y déroule un important *moussem* mi-août. C'est un village agréable d'où il est possible de faire de nombreuses balades. La plus classique est celle qui conduit jusqu'aux *sept cascades.* On peut accéder seul à la première. Ensuite, ça se corse (passages glissants et très pentus). Guide conseillé. Environ 4h de marche aller-retour (bon dénivelé). Prévoir de bonnes chaussures de marche et de l'eau. Venir tôt car, après, beaucoup de touristes envahissent le lieu. Pauses dans des petits bois propices au pique-nique, et superbe vue sur le village de Setti-Fatma en redescendant de l'autre côté. Baignade possible dans les cascades. Pour toutes les randos, petites ou grandes, vers les villages et les sommets, contactez :
– *Le bureau des guides et accompagnateurs de la vallée de l'Ourika :* à 200 m de l'hôtel Asgaour et à 100 m de la station de taxis, dans la rue principale, côté droit. ☎ 024-42-61-13 *(répondeur).* ▯ 068-56-23-40. ● *abdoumandili@yahoo.fr* ● *Ouv tlj. Infos auprès d'Abderrahin Mandili, président de l'association. Mieux vaut prendre contact quelques jours à l'avance.* Balade à dos de mule également. Attention : les guides officiels sont concurrencés par de faux guides qui vous arrêtent parfois à l'entrée du village, vous affirment que la route s'arrête là et que vous ne pouvez pas vous garer plus loin, ce qui est faux. Si vous les croyez, vous ne verrez pas le bureau des guides officiels situé plus haut. Ces guides clandestins n'hésitent pas à vous suivre malgré votre refus et à faire pression sur vous. Soyez ferme. Ils proposent des balades à des prix prohibitifs (jusqu'à 800 Dh, plus de 72,70 € !) sans offrir les mêmes garanties de sécurité. Il existe aussi un trafic entre certains chauffeurs de taxis et des guides clandestins. Une véritable mafia ! Certains lecteurs, excédés de ces pratiques, n'ont eu qu'une hâte : repartir. Une piste continue sur 7 km après Setti-Fatma jusqu'à Tadrart (VTT et 4x4 obligatoires).

L'OUKAÏMEDEN

À 75 km au sud de Marrakech. La route qui monte à l'Oukaïmeden est grandiose, surtout lorsqu'elle quitte la vallée de l'Ourika. Elle permet de découvrir, en surplomb, de nombreux villages construits à flanc de montagne. Elle est d'abord bordée par des agaves et des figuiers de Barbarie, qui laissent ensuite la place à des champs de pierres ocre. Vous croiserez de nombreuses femmes berbères aux vêtements colorés, des enfants qui surgissent de nulle part et demandent cinq dirhams ou des stylos dès que vous vous arrêtez pour prendre une photo. Bien sûr, ne donnez rien !
L'Oukaïmeden est une station de ski, la plus haute d'Afrique, et aussi la mieux équipée du Maroc (télésiège et 6 téléskis) pour un petit domaine skiable de 300 ha avec des pistes de tous les niveaux (noires, rouges, bleues et vertes). L'enneigement, très variable selon les années, est en moyenne de 120 jours entre mi-décembre et mi-avril. L'altitude varie entre 2 600 m (le plateau) et 3 270 m (le sommet) que l'on atteint en télésiège. De là-haut, vue splendide sur l'Atlas et le Toubkal. En été, le climat, très agréable en raison de l'altitude, attire beaucoup de Marrakchis. Ils devraient d'ailleurs être de plus en plus nombreux, puisqu'on parle d'aménager la station avec de nouvelles pistes de ski, des canons à neige, des hôtels de luxe pour accueillir les plus fortunés, une nouvelle route, et même d'agrandir la retenue d'eau. Un projet ambitieux qui devrait forcément changer la configuration et l'atmosphère de cette petite station de ski !
– *Moussem* de 3 j., vers le 10 août.

Arriver – Quitter

➢ Pas de bus. Compter près de 400 Dh (36,40 €) pour 4 pers avec un **grand taxi** (bagages compris) depuis la station de Charige-el-Bgare à Marrakech.

➢ **En voiture,** pas de problème : la route est bitumée. À Marrakech, prendre la route de la vallée de l'Ourika. À 45 km env, bifurquer à droite (fléché). Trajet : env 1h30. Nov-juin : droit d'accès de 10 Dh (0,90 €) par véhicule.

– De la route du Tizi-n-Test : en voiture, rejoindre Tahanaoute. De là, une route bitumée débouche sur la vallée de l'Ourika d'où on peut rejoindre ensuite l'Oukaïmeden.

– Si vous disposez d'un **4x4,** il est possible de se rendre à l'Oukaïmeden par Asni. Depuis Asni, deux pistes possibles : la première (trajet : 2-3h) passe par le village de Sidi Farce et rejoint directement l'Oukaïmeden. Prendre la piste qui conduit à l'école, passer devant l'auberge de jeunesse, puis un peu plus loin, tourner sur la gauche. Traverser le pont (la vue sur le Toubkal est alors magnifique !), la piste débute à 200 m de là.

L'autre piste passe par Tadmamt et nécessite plus de temps ; elle rejoint la route goudronnée, 19 km avant l'Oukaïmeden. Son départ se situe au niveau de la place du souk (demandez à un habitant). Mieux vaut posséder une bonne carte. Attention, ce deuxième trajet comporte une traversée d'oued dangereuse après des pluies. Si l'orage menace, il y a des risques réels de glissement de terrain. Se renseigner impérativement auprès de la gendarmerie d'Asni (☎ 024-48-45-85) avant de l'emprunter. La gendarmerie se trouve à l'entrée d'Asni en arrivant de Marrakech sur la droite.

Si vous faites le trajet dans l'autre sens, attention à la bifurcation située à 5 km environ après la route goudronnée de l'Oukaïmeden. À gauche, c'est pour Asni. À droite, la piste mène à Tahanaoute (ce tronçon devrait être goudronné à plus ou moins court terme ; se renseigner). Un dernier point, bête comme chou, mais si en cours de route, vous demandez votre trajet, adressez-vous toujours à un adulte et jamais à un enfant qui n'a aucun sens de l'orientation...

Ces deux itinéraires sont superbes, la beauté des paysages est à couper le souffle et certains passages demandent d'avoir le cœur bien accroché. Un bémol tout de même : le comportement des enfants qui s'amusent à s'accrocher aux voitures lors des traversées de village. S'il vous plaît, ne donnez ni stylos ni bonbons aux enfants...

Où dormir ? Où manger ?

Hors saison, éviter les petits restos où la faible fréquentation ne garantit pas la fraîcheur des aliments. Néanmoins, *Le Grand Café de l'Atlas (Chez Fatma)* sort du lot pour sa propreté et l'accueil de Fatma. Tajine autour de 50 Dh (4,50 €).

De bon marché à prix moyens

🛏 |◎| *Refuge du Club alpin français :* à droite en arrivant à la station. ☎ 024-31-90-36. • cafmaroc@menara.ma • *Accès wi-fi. Réservé en priorité aux adhérents, mais accepte aussi les non-adhérents. Env 110 Dh (10 €)/pers en hiver si on dort dans le chalet (l'édifice principal) et 83 Dh (7,50 €) l'été en* refuge ; réduc pour les 5-15 ans. Env 95 Dh (8,60 €) le repas hivernal (moins cher l'été). Réduc de 25 % sur présentation de ce guide pour la nuit dans le refuge (dortoir ; non cumulable avec d'autres promos). Bar avec alcool. Une cinquantaine de lits. Repas sur commande. Cuisine soignée. Bon accueil.

Très chic

🛏 |◎| *Le Courchevel :* ☎ 024-31-90-92. • lecourchevelouka.com • *En* ½ pens, doubles env 1 200-1 600 Dh (109-145,50 €) selon vue et confort ;

prix dégressifs à partir de la 2ᵉ nuit. De mi-avr à mi-déc, réduc de 15 % env. Repas complets 200-250 Dh (18,20-22,70 €) à la carte (résa indispensable si vous n'y logez pas). CB acceptées. Sympathique atmosphère de chalet de montagne pour cet hôtel qui compte pourtant près de cinquante chambres.

Les plus chères ont des murs bardés de bois et un balcon face à la montagne. Murs blancs en torchis et vue sur le jardin pour les autres. Elles sont toutes confortables, dotées d'une salle de bains en *tadelakt.* Salon cosy avec cheminée. Hammam, sauna, massages. Bon accueil.

À faire

Randonnées

De mai à novembre, les possibilités de balades sont très nombreuses, avec pour thème, par exemple, la découverte des gravures rupestres sur le plateau. Mais vous êtes en haute montagne, et partir en randonnée dans le secteur nécessite une bonne condition physique. Se renseigner au chalet du *Club alpin français* (voir « Où dormir ? Où manger ? »). Ils pourront vous donner des tas d'infos. Michèle est très aimable. Au fait, il est possible de prendre une douche au chalet (10 Dh, soit 0,90 €), même si vous ne logez pas sur place.

Dommage cependant que le plateau ressemble, çà et là, à une décharge sauvage. Les nombreux cars scolaires venus en excursion en sont en partie la cause. Depuis quelque temps, les autorités locales s'efforcent de régler le problème. Il y a du mieux, mais ce n'est pas encore ça.

Autres activités

– On peut faire de l'*escalade.*
– Le télésiège facilite la pratique du ***vol libre en parapente ou deltaplane*** (apporter son matériel). Attention, le télésiège ne fonctionne pas souvent hors saison.
– Le lac, situé à l'entrée de la station, a été aleviné pour permettre aux touristes de passage d'aller ***taquiner la truite*** entre deux randonnées. *Rens à l'hôtel-club Louka situé à l'entrée de la station :* ☎ 024-31-90-80 à 86.

SUR LA ROUTE D'IMLIL

Située au cœur d'un véritable écrin de nature, Imlil offre des excursions parmi les plus fabuleuses à entreprendre autour de Marrakech (64 km au sud). C'est l'un des principaux points de départ des randonnées dans le parc national du Toubkal et de l'ascension de ce sommet. Toutefois, l'atmosphère de ce petit village est quelque peu perturbé par l'afflux de touristes de plus en plus nombreux.
– À 34 km de Marrakech, à Tahanaoute, *souk* le mardi (très touristique). À noter : station-service distribuant du sans-plomb dans le village.

Arriver – Quitter

➤ *En voiture :* la route est bitumée jusqu'à Imlil. Sortir par la route de Taroudannt, dite route du Tizi-n-Test. De Marrakech, compter 1h pour rejoindre Asni, 1h30 pour Imlil. Entre Asni et Imlil, se méfier des fortes pluies qui peuvent entraîner des coulées de boue et des chutes de pierres.
➤ *En bus :* à la gare routière de Marrakech à Bab-Doukkala, bus jusqu'à Asni presque ttes les heures dans la journée, 8-18h env (slt 3 bus en basse saison). Compter

2h30. Possibilité également de prendre un bus qui relie Marrakech à Taroudannt (2 à 3 départs/j.) et qui s'arrête à Asni. Pas de bus pour Imlil. Depuis Asni, continuer alors en taxi collectif pour Imlil. Certains bus passent par Moulay-Brahim (ajouter alors 1h). Attention, pour retourner à Marrakech, le bus part en réalité de Moulay-Brahim. S'il est complet, il ne fait pas le détour par Asni. On risque de l'attendre un certain temps avant de comprendre qu'il ne s'agit pas de l'approximation marocaine des horaires...

➤ *En taxi collectif :* la solution la plus rapide et la plus confortable pour une pincée de dirhams supplémentaires, à peine. Ils partent de la station de Charige-el-Bgare à Marrakech. Certains font le trajet direct jusqu'à Imlil (env 25 Dh, soit 2,30 €/pers ; près de 150 Dh, soit 13,60 €, pour le taxi en entier, mais le chauffeur vous demandera davantage s'il repart à vide, refusez tout supplément pour les bagages). Pour rejoindre Asni depuis Imlil, on trouve sans problème des grands taxis collectifs jusqu'à 17h env (près de 10 Dh, soit 0,90 €/pers). Se renseigner pour éviter de rester en rade (ou de devoir louer un taxi en entier). D'Imlil, on trouve plus facilement un taxi collectif pour Marrakech.

ASNI

À 47 km de Marrakech. Asni est un village berbère à 1 150 m d'altitude, au pied du djebel Toubkal. Le village ne présente pas de charme particulier, mais le panorama est extra. Il y a là quelques excellentes adresses et c'est aussi un point de départ pour de belles excursions. Une alternative à Imlil, en somme, devenu assez touristique ces derniers temps. Souk le samedi matin où le troc y est très prisé. Y aller tôt, car les groupes de touristes sont nombreux en saison.

Une précision importante : à votre descente du bus ou sur la place du souk, des vendeurs de bijoux (de pacotille !) s'autoproclamant berbères vous inviteront certainement à faire une balade ou à manger dans une famille du coin. Refusez ! Le scénario est très au point. Ils vous emmènent alors au Douar-Larab (qu'ils ne vous citeront jamais d'ailleurs, puisque ce n'est pas de consonance très berbère...). Non seulement il n'y a là rien de typique, mais en plus, vous vous exposez, à coup sûr, à de sérieuses arnaques ! Certains opèrent également à Imlil. Pas d'affolement, il suffit d'être averti. En cas de souci, n'hésitez pas à vous rendre au bureau du caïd, situé à la sortie d'Asni, 150 m sur la gauche en direction d'Imlil.

Où dormir ? Où manger ?

Prix moyens

🏠 IOI **Villa de l'Atlas :** dans Asni, prendre à gauche la route d'Imlil ; la maison est à 800 m sur la gauche. ☎ 024-48-48-55. 🖷 061-64-77-36. ● ramoun_1945@hotmail.com ● ramoun@myself.com ● Doubles 400-450 Dh (36,40-40,10 €) avec petit déj. Repas 125-150 Dh (11,40-13,60 €). Table ouverte aux non-résidents, mais résa indispensable. Maison classique, impeccable et tenue avec gentillesse et discrétion par Abdelghani, son épouse Najat et leur fille. Quatre chambres d'hôtes avec salle de bains. Terrasses agréables donnant sur les vergers de la vallée. Délicieuse cuisine marocaine.

Spécial folies

🏠 **Kasbah Tamadot :** sur la route d'Imlil. ☎ 024-36-82-00. ● virgin.com/kasbah ● Fermé 2 sem en janv. À partir de 430 € pour 2 pers, petit déj compris. Sir Richard Branson, disquaire chez Virgin, n'a peur de rien ! Il a racheté le palais d'un décorateur californien pour en faire un hôtel pour happy few. Aux alentours, juste la nature, le calme et le Toubkal en toile de fond. Chambres à la déco d'inspiration marocaine et revisitée par les plus grands décorateurs, toutes avec balcon ou terrasse et vue sur les massifs montagneux. Une succession de petits jardins en terrasse avec transats. Piscine intérieure, une autre extérieure à débordement, pour les beaux jours. Hammam, sauna, court de tennis, bibliothèque. La grande classe !

À voir dans les environs

🦌 On peut se rendre à **Moulay-Brahim,** à 5 km. Embranchement à l'entrée du village, sur la droite, en venant de Marrakech. Compter 20 Dh (1,80 €) par personne en grand taxi, depuis Marrakech. C'est un lieu de pèlerinage réputé pour les femmes stériles. Elles viennent accrocher aux branches des arbres de petits rubans. La légende veut que, lorsque ceux-ci se détachent, la femme peut espérer devenir mère. Moulay-Brahim est également célèbre pour son *moussem,* qui a lieu une ou deux semaines après l'anniversaire de la naissance du prophète (Mouloud).

IMLIL

À partir d'Asni, la route s'enfonce dans de superbes gorges pour rejoindre Imlil, à 17 km.

Pour ceux qui font de la randonnée, aller voir le **bureau des guides de montagne** (voir plus loin).

– *Info pratique :* il n'existe ni distributeur ni bureau de change à Imlil.

Où dormir ? Où manger ?

De très bon marché à bon marché

🛏 **Chez Imi N'Ouassif :** *prendre le sentier sur la droite juste après l'hôtel-resto Soleil ; c'est à 80 m.* ☎ 024-48-51-26. 📱 *062-10-51-26.* • *imlil.ma* • *Pdt la hte saison, compter env 200 Dh (18,20 €)/ pers en ½ pens. Pens complète sur demande. Possibilité de dormir sur la terrasse pour 33 Dh (3 €). Sur présentation de ce guide, réduc de 8 %.* À peine à l'écart du village, mais on a presque l'impression d'être en pleine nature. La dizaine de chambres accueillent 2, 3 ou 4 personnes. Trois d'entre elles disposent d'une salle de bains. Également un dortoir de 6 lits. Un vrai effort au niveau de la déco (murs en *tadelakt*). C'est propre, mignon. De plus, on est bien reçu. Une bonne adresse.

🛏 **Refuge du Club alpin français :** *on peut réserver (ou tout du moins annoncer son passage) auprès du refuge de l'Oukaïmeden (voir plus haut).* ☎ *024-31-90-36.* • *cafmaroc@menara.ma* • *Accès wi-fi. Compter 70 Dh (6,40 €) pour les non-adhérents. Restauration possible. Réduc de 25 % sur présenta*tion de ce guide (non cumulable avec d'autres promos). Une quarantaine de lits dans deux grands dortoirs. Douche chaude. Le luxe, quoi ! L'accueil est sympa. Le *CAF* gère encore 4 autres refuges dans le massif du Toubkal : ceux de l'Oukaïmeden, du Toubkal, de Tazaghart et de Tachdirt. Ils sont tous équipés de couchettes avec matelas mais sans couverture.

🏕🛏 **Auberge La Vallée :** *à gauche à la sortie du village.* ☎ *024-48-56-16.* • *aziambrahim60@hotmail.com* • *Près de 60 Dh (5,50 €)/pers ; petit déj en sus. Possibilité de planter sa tente pour 15 Dh (1,40 €)/pers. Repas sur commande 60 Dh (5,50 €).* Dans un bâtiment sans charme particulier, chambres simples mais bien tenues et, au final, pas désagréables. Douches communes (payantes pour ceux qui campent). Petit jardin ombragé et agréable pour se poser. Là encore, un peu à l'écart du village et au calme.

🛏 **Maison d'hôtes Aït Souka :** *dans le hameau d'Aït Souka, à 20 mn à pied* *d'Imlil.* ☎ 024-48-56-05. 🖥 068-04-53-10. ● *randonneeaumaroc.com* ● *À l'extrémité du village (sur la gauche), franchir le pont puis suivre la piste sur 1,5 km (panneau sur la gauche) ; il faut alors traverser l'oued à pied pour rejoindre la maison !* Près de 160 Dh (14,50 €)/pers en ½ pens. Dans ce petit *douar* en nids-d'abeilles qui s'accroche sur le versant de la vallée, Ahmed, guide de montagne diplômé, a aménagé un gîte avec 6 dortoirs (de 4 à 6 lits). Sanitaires communs. La maison est récente, c'est propre et bien tenu. De la terrasse qui surplombe la vallée, la vue sur les montagnes et les vergers est tout simplement superbe.

🛏 |●| *Hôtel-café El Aïne :* à l'entrée du village sur la droite. ☎ 024-48-56-62. 🖥 070-40-56-70. *Compter 40 Dh (3,60 €)/pers ; petit déj en sus. Repas 30-60 Dh (2,70-5,40 €).* Une dizaine de chambres rudimentaires mais propres, avec douche commune gratuite (eau chaude). Une adresse un peu vieillissante mais c'est la moins chère d'Imlil. Quelques apparts également pour groupes de copains.

De bon marché à prix moyens

🛏 |●| *Atlas Gîte-Imlil* (chez Jean-Habib) *:* ☎ 024-48-56-01. ● *http://toubkal-maroc.site.voila.fr* ● *À l'extrémité du village. Le traverser puis enjamber l'oued (sur la gauche) et poursuivre sur 700 m. C'est un peu plus haut que l'école (350 m), dans une bâtisse en pierre, sur la droite.* En ½ pens (obligatoire en hte saison), compter 180 Dh (16,40 €)/pers en formule chambres-gîte (80 Dh, soit 7,30 €, la nuit en dortoir, petit déj compris) ; 500 Dh (45,50 €) pour 2 pers dans un studio en ½ pens. Repas env 100 Dh (9,10 €). Réduc de 10 % sur l'hébergement en ½ pens ou pens complète sur présentation de ce guide. Un dortoir de 6 lits et 2 chambres se partagent les sanitaires (formule chambres-gîte). Quelques studios récents pour plus de confort (avec salle de bains). C'est Jean-Habib, un jeune Franco-Marocain très sympa qui a repris l'auberge de son père, Jean-Pierre. L'ensemble est très bien tenu. N'hésitez pas à leur demander des conseils pour vos balades, ils connaissent parfaitement le coin (ils pourront même organiser vos treks).

🛏 |●| *Auberge-restaurant Atlas Tichka :* ☎ 024-48-52-23. ● *omaramerda@yahoo.com* ● *Traverser le village, puis enjamber l'oued (sur la gauche) et poursuivre sur 200 m ; à côté de l'école.* Double 200 Dh (18,20 €) ; petit déj en sus. Possibilité de ½ pens. Menu 150 Dh (13,60 €). Un resto qui sert une cuisine copieuse, à déguster en terrasse face aux montagnes ou dans un salon marocain bleuté. Trois chambres très propres avec sanitaires communs. Une p'tite adresse sans histoire.

🛏 |●| *Hôtel-restaurant Soleil :* dans le centre d'Imlil, devant le parking. ☎ 024-48-56-22. ● *cafesoleil44@yahoo.fr* ● Double 160 Dh (14,50 €) ; petit déj en sus. Quelques chambres récentes plus chères. Compter 30 Dh (2,70 €) pour dormir sur la terrasse. Possibilité de ½ pens. Repas 60-70 Dh (5,40-6,40 €). Édifice en béton mais bien placé en bordure de vallée. Deux types de chambres : les anciennes, avec ou sans salle de bains, et les récentes, au meilleur confort. Certaines à l'étage bénéficient d'une belle vue. L'ensemble est correctement tenu et prendre son repas sur la terrasse se révèle être un vrai plaisir.

Très chic

🛏 |●| *La Kasbah du Toubkal :* se garer sur le parking d'Imlil, poursuivre à pied et prendre à gauche à la sortie du village ; fléché. Demandez à un muletier du village de vous conduire (pour env 20 Dh, soit 1,80 €). Dispose d'une réception dans le village. ☎ 024-48-56-11. ● *kasbahdutoubkal.com* ● Prévoir 40 €/pers dans le dortoir, petit déj compris. Doubles 120-230 € selon confort, petit déj compris. Suites berbères encore plus chères. Repas 15-20 € pour les résidents ; 15 € de plus pour les autres. Hyper-cher, donc. De plus, la restauration est très moyenne. Pas d'alcool, mais on peut apporter sa bouteille. Cette ancienne demeure du caïd, dressée sur son éperon rocheux, a été magnifiquement restaurée, c'est pour cela que l'on vous en cause. Des scènes du film *Kundun* de Martin Scorsese, censées se dérouler... au Tibet, ont été tournées ici ! Le site est superbe, les chambres agréables, mais les prix abusifs !

Randonnées au départ d'Imlil

■ *Bureau des guides de montagne d'Imlil :* au centre du village, à côté du parking. ☎ 024-29-13-08. ● *guides.fr. fm* ● *Tlj 8h-19h. Réduc de 5 % sur présentation de ce guide pour des randonnées de plusieurs jours.* La liste des guides (avec photos) y est affichée. On compte une cinquantaine de guides officiels à Imlil. Sachez qu'un système de rotation des guides et des muletiers a été mis en place pour que chacun puisse bénéficier équitablement des retombées du tourisme. Une initiative à encourager !

Nous vous suggérons quelques randonnées, mais si un guide propose autre chose, ne pas refuser a priori. Les possibilités de promenade à partir d'Imlil sont si nombreuses qu'elles pourraient faire l'objet à elles seules d'un petit guide. Une précision : avant de partir, si vous envisagez de passer la nuit dans un gîte, apportez votre sac de couchage car, dans la majorité des cas, les draps et les couvertures ne sont pas fournis.

Aremd et Sidi-Chamarouch

➢ À Imlil, vous louerez sans difficulté une mule avec un guide pour atteindre le *cirque d'Aremd*, à 1h de marche, qui marque l'entrée du parc. Beau village étagé sur sa moraine caractéristique. On nous a dit grand bien du petit camping et du gîte *Chez Omar le Rouge* (☎ et fax : 024-48-57-50 ; 🖂 066-93-64-88). *Trekking organisé par Omar à partir de son camping. Restauration possible.* À 1h30 d'Aremd, ne pas manquer le sanctuaire de Sidi-Chamarouch, au bord du torrent descendant du Toubkal, vers 2 300 m d'altitude. Pèlerinage toute l'année (on peut y louer de petites chambres propres, mais sans aucun confort). En fait, le village est sans doute plus intéressant que le sanctuaire, celui-ci n'étant accessible qu'aux musulmans. Les habitants berbères sont chaleureux et offrent volontiers du thé.

L'ascension du djebel Toubkal *(4 167 m)*

➢ Le plus haut sommet d'Afrique du Nord. Guide recommandé et mulet conseillé pour le portage. Le Toubkal est plus facile à gravir que le Tazaghart ; de plus, on y est rarement seul sur la voie classique. Attention toutefois, l'ascension présente en condition neigeuse (même en été !) des dangers réels (il y a des morts chaque année, généralement faute d'équipement adéquat ou par manque d'informations sur les conditions météo). Le choix d'un guide compétent est primordial. Prévoir des sacs-poubelles pour remporter vos déchets avec vous. L'association « Avenir Toubkal » a récolté, en 3 jours, près de 4 t de déchets, dont les quatre cinquièmes provenaient du passage des touristes !
Suivre le chemin muletier jusqu'au *refuge Toubkal* (3 200 m). Compter 4-5h pour l'atteindre, suivant les conditions et la capacité du marcheur. Ensuite, il faudra emprunter un pierrier jusqu'au sommet. Au cours de l'ascension, on découvre des panoramas exceptionnels sur tout le Haut Atlas. Deux possibilités : certains la font en un jour, à dos de mule, jusqu'au *refuge Toubkal,* puis à pied (3h de montée et 2h de descente ; départ à 4h, retour à 17h). Cette solution ne nous semble pas raison-

nable. Le mieux est vraiment de la faire en 2 jours avec logement au *refuge Toubkal* (ou bivouac de mai à octobre). Chambres collectives très propres, et belle terrasse. Du sommet, belle vue sur l'ensemble du massif et sur le *Siroua*.

La haute vallée de Tachdirt

➢ À 4h de marche d'Imlil. À ne pas manquer. Site magnifique avec des villages berbères préservés à 2 400 m d'altitude, au cœur d'un cirque de montagnes grandioses. *Refuge du Club alpin français à l'entrée du village de Tachdirt (annoncer au préalable son passage au refuge du CAF de l'Oukaïmeden). Petite cuisine à disposition. Électrifié.* Il existe aussi plusieurs gîtes à *Ouaneskra*, en dessous de *Tachdirt* (malheureusement, impossible de réserver à l'avance). Accueil possible chez l'habitant. Possibilité de rejoindre l'Oukaïmeden en près de 5h, mais attention, ne JAMAIS s'y engager les jours et lendemains de pluie, car les sentiers muletiers peuvent être particulièrement dangereux.

➢ Sans oublier le **plateau de la Tazaghart,** une course de 2 j. *Possibilité de passer la nuit dans un gîte (chambres ou dortoirs avec douche chaude, hammam) à Tizi Oussem ou camper à Azibs Tamsoult, deux villages à 1 j. de marche d'Imlil (résas auprès de Mohammed Id Abdallah,* ☎ *062-84-00-22).* Également la **vallée de l'Azzadene,** une rando de 3 j. à faire de mars à oct. Et beaucoup d'autres que les guides ne manqueront pas de vous indiquer.

LA ROUTE D'AMIZMIZ

Cette route constitue une excursion très agréable et facilement réalisable dans la journée au départ de Marrakech. On traverse un paysage de douces collines arides avec, en toile de fond, lorsque le temps est clair, les montagnes du Haut Atlas. Un itinéraire riche en contrastes, à faire à son propre rythme, et qui réserve quelques haltes fort plaisantes.

Arriver – Quitter

➢ Des **grands taxis** partent de la station de Charige-el-Bgare à Marrakech. Compter 15 Dh (1,40 €)/pers pour Amizmiz. Pour le taxi complet, prévoir, en théorie, près de 120 Dh (10,90 €). Ils passent tous par le barrage de *Lalla-Takerkoust*.

➢ *En voiture de location,* aucun problème. Sortir de Marrakech par la R 203, au sud de la ville, sur la route du Tizi-n-Test décrite dans l'itinéraire suivant. Après 5 km, prendre, sur la droite, la route en direction d'Amizmiz ; compter 1h15 de trajet. D'Amizmiz, on peut rejoindre la vallée du Tizi-n-Test peu avant Ouirgane par une route goudronnée (36 km). Depuis le barrage de **Lalla-Takerkoust,** on peut aussi rejoindre cette même vallée au niveau d'Asni par une piste qui traverse de beaux paysages (4x4 vivement conseillé ; compter 2h).

Où dormir ? Où manger ?

Voir plus haut les rubriques « Où dormir ? » et « Où manger dans les environs de Marrakech ? ». Nous indiquons quelques adresses sur la route d'Amizmiz, aux portes de la ville rouge.

TAMESLOHT

À une quinzaine de kilomètres de Marrakech, sur la route d'Amizmiz. Panneau sur la droite. Souk le vendredi. Ce gros village fut un centre religieux fondé par son chérif Abdallah ben Hossein el-Hassani, un sage réputé pour ses miracles et appelé « l'Homme aux 366 sciences ». Les deux sanctuaires qu'il a fondés ne se visitent pas, mais le village, au milieu des orangers et des oliviers, mérite le détour. On y verra une coopérative de potiers très active (pas d'indication ; essayer de repérer la fumée noire qui s'élève des fours). La production est vendue dans les souks de Marrakech et sur les bas-côtés de la route d'Amizmiz. Dans le village, quelques ateliers également de tentures en sabra.

Où dormir ? Où manger ?

🛏 🍽 **Auberge de Tameslohte :** en pleine campagne, à l'écart du village. En venant de Marrakech, fléché à droite. ☎ 024-48-38-40. ▯ 066-64-45-80. • auberge-de-tamslote.com • Compter 800 Dh (72,70 €) la double avec petit déj et 290 Dh (26,40 €) sous la tente nomade. ½ pens sur demande. Repas 100 Dh (9,10 €). Gratuit pour les moins de 5 ans et 50 % de réduc pour les 6-12 ans. Dans une authentique olive-raie aux portes de Marrakech, Michelle propose une douzaine de chambres réparties dans deux riad. Savoir-faire et élégance sont les atouts majeurs de l'endroit. Tout est fait pour se détendre : la verdure, la piscine (superbe !), le bar ou le coin cheminée. En outre, bonne cuisine. Cette halte fleurie constitue une étape appréciée des familles. Parking clos. Excellent accueil.

LE LAC DE LALLA-TAKERKOUST

Poursuivre la route en direction d'Amizmiz. On découvre, au passage, d'intéressantes kasbah au-dessus du village d'Oumnas. On arrive ensuite au **barrage de Lalla-Takerkoust** (33 km de Marrakech), jadis barrage Cavagnac, édifié sous le protectorat. Sa digue de 357 m de long sur 62 m de haut retient les eaux d'un lac artificiel de 7 km de long. Nous ne sommes qu'à 30 mn de Marrakech, mais le dépaysement est total au bord de cette magnifique pièce d'eau.
Nous avons privilégié les parties du lac où l'ambiance nous paraît le plus en harmonie avec le site, à savoir la rive nord, en opposition aux activités vrombissantes qui polluent leur après-jour son flanc est, véritable repaire de quads, auto-cross et autres jet-skis pilotés par une clientèle peu soucieuse de l'environnement... navrant ! Voici des adresses pour les amoureux de nature qui voudront se baigner dans le lac et profiter du coin en toute quiétude.

Où dormir ? Où manger ?

🍽 **Chez Amghousse :** prendre la piste à gauche 100 m après la bifurcation pour le Relais du Lac. C'est indiqué. ☎ 024-48-49-65. ▯ 070-01-77-33. Menus 70-80 Dh (6,40-7,30 €). Un très bel endroit surplombant le lac avec vue sur le mur du barrage, un peu à l'écart de la ronde des quads et autres engins à moteur. Au choix : déjeuner en terrasse à l'ombre des eucalyptus ou sous tente nomade. Cuisine du bled et grillades pour un agréable moment de détente... mais sans alcool (à moins d'apporter sa bouteille). Bon accueil.
🛏 🍽 **Le Relais du Lac :** à 2 km de Lalla-Takerkoust. C'est fléché. ☎ 024-48-49-43. ▯ 061-24-24-54. • hotel-relaisdulac-marrakech.com • Double 650 Dh (59,10 €) avec petit déj ; également des triples et des quadruples. Bivouac pour

deux, avec petit déj, 380 Dh (34,50 €), possible jusqu'à 4 pers. Tlj le midi. Le soir sur résa. Menu à base de grillades 170-210 Dh (15,50-19 €). Après avoir baroudé à travers le monde, Daniel, un Breton, a jeté l'ancre sur les rives du lac dans les années 1990. L'établissement est à l'image de son propriétaire : chaleur humaine, détente et convivialité ont fait de ce restaurant « les pieds dans l'eau » aménagé en plein air sous les palmiers, l'un des endroits les plus appréciés de la région. On y vient de tout le Maroc pour y déguster sa côte de bœuf. Un ponton flottant a même été aménagé en restaurant pour vous emmener déjeuner ou dîner dans les criques d'une façon très originale ! Propose également de belles chaussures tout confort et des bivouacs sous tente nomade avec de vrais lits. Piscine. Location de canoës.

≜ |●| **L'Auberge du Lac :** juste à côté du Relais du Lac. ☎ 024-48-49-24. ⧠ 061-18-74-72. ● aubergedulac-marrakech.com ● Compter 650 Dh (59,10 €) la double avec petit déj. Menu 180 Dh (16,40 €). Petite restauration du midi à partir de 60 Dh (5,50 €) pour les résidents. Une dizaine de chambres tout confort aménagées en cascade autour d'un jardin. L'ensemble est de toute beauté. Salle de restaurant et bar décorés avec goût. Agréable petit déjeuner sur la terrasse face au grand Atlas. Piscine chauffée. Bivouac possible sous tente nomade. Un endroit rêvé pour un séjour en amoureux sans trop casser sa tirelire.

≜ **Jnane Tihihit :** douar Makhfamane. ☎ 024-38-73-52. ⧠ 070-96-59-70 ● riadt.com ● À 2 km au sud du lac (à l'opposé du barrage). Suivre le sentier le long du lit de l'oued, depuis les vignes jusqu'au village. Douaria pour 2 pers 86 € ; 32 €/pers supplémentaire. Formule pens complète 57 €/pers sur la base d'une double. Le lieu est magique : 4 douaria (maisonnettes pour 2 à 6 personnes) et 3 chambres « ferme » composent cette auberge en pisé entourée d'une foule d'animaux : c'est un peu le domaine de Marie-Antoinette à Versailles repensé par le sympathique M. Stercq. Tout est bio. Splendide verger composé d'orangers, d'oliviers, de grenadiers, de vignes. Bref, une bonne adresse pour déconnecter.

|●| **Le Flouka :** contigu à l'Auberge du Lac. ⧠ 064-49-26-60. ● le-flouka.skyrock.com ● Résa conseillée. Menu-carte 250 Dh (22,70 €). CB acceptées. Jean-Charles Puech, un Lyonnais, a quelques années de métier derrière les fourneaux. Dans son restaurant de plein air, aménagé face au lac, à l'ombre des oliviers, il propose une cuisine raffinée préparée avec les produits du marché. Excellent steak tartare. Les épicuriens prolongeront leur plaisir par un petit bain dans la piscine (chauffée) avant de reprendre la route. Service attentionné.

AMIZMIZ

À 60 km de Marrakech. Amizmiz est une grosse bourgade formée de plusieurs douars (sortes de quartiers), au milieu d'une oliveraie. Le douar de Regraga, sur la droite, est entièrement consacré à la poterie. On verra les pièces sécher devant les ateliers et les maisons regroupées au pied d'une ancienne kasbah et d'un mellah. Amizmiz est surtout remarquable pour son site avec son manteau d'oliviers couvrant les flancs du djebel Erdouz. Le souk du mardi rassemble tous les paysans de cette partie du sud de l'Atlas et permet d'admirer les productions locales. Léon l'Africain vantait déjà dans ses écrits, en 1525, son blé qui donnait une farine parfaite.

Où dormir ? Où manger très très chic ?

≜ |●| **Maroc Lodge :** sur la colline, juste à côté de la kasbah. ☎ 024-45-49-69. ● maroc-lodge.com ● Suivre le fléchage à partir du centre-bourg. Résa conseillée. Compter 250 € pour 2 pers, petit déj compris. Repas 15,50-23,60 €.

Adossé à la montagne, cet ensemble de *lodges* répartis sur plusieurs niveaux domine la plaine du Haouz. Ici on fait dans le haut de gamme et c'est plutôt réussi. Meublés avec élégance, les pavillons sont largement ouverts sur la nature grâce à leurs baies vitrées. Chambres lumineuses mariant le *tadelakt* et les boiseries, terrasses privatives, piscine à débordement avec vue imprenable sur l'Atlas. Hammam et massages sont proposés. Le tout noyé dans une végétation exubérante où les euphorbiacées se mêlent aux essences méditerranéennes. Agréable salle de restaurant et terrasse ensoleillée, pour un séjour « pleine nature » à 1h de Marrakech. Excellent accueil.

LA ROUTE DU TIZI-N-TEST

La première partie a été décrite plus haut dans l'itinéraire « Sur la route d'Imlil » jusqu'à Asni.
Une des plus belles et des plus impressionnantes routes de montagne du Maroc. Elle relie Marrakech à la N 10, entre Taroudannt et Taliouine. Elle est parfaitement praticable en voiture de tourisme. Le trafic n'est pas intense (les Marocains préfèrent passer par la route d'Agadir pour rejoindre Taroudannt), mais soyez vigilant. Les nombreux virages réduisent la visibilité. Les taxis et les camions roulent assez vite et rendent la route dangereuse. Compter environ 5h en voiture pour parcourir les 176 km qui séparent Marrakech de Taroudannt.
En principe, quelques bus partent de la gare routière de Marrakech tôt le matin pour Ouled Berhil (à mi-chemin entre Taroudannt et Aoulouz). Également une quinzaine de minibus par jour entre Aoulouz et Marrakech. À Ouled Berhil et Aoulouz, prendre un autre bus pour Taroudannt. Mais ceux qui sont de nature angoissée éviteront de parcourir l'itinéraire en bus... Sachez enfin que la route peut être coupée pendant plusieurs jours à la suite de chutes de neige entre novembre et mars. Se renseigner auparavant, notamment auprès de la gendarmerie d'Asni (☎ 024-48-45-85 ; à l'entrée d'Asni en arrivant de Marrakech, sur la droite). Prévoir de quoi se couvrir.

OUIRGANE

À 60 km environ de Marrakech et à 17 km d'Asni, au cœur d'un paysage alpestre, Ouirgane est un petit village longtemps resté à l'écart de l'agitation... jusqu'à la construction d'un barrage et d'un lac de retenue provoquant l'immersion de quelques habitations. Des projets touristiques (avec hôtels chic et diverses activités nautiques, genre jet-skis) sont à l'étude... Il faut dire que Ouirgane est très recherché l'été par les Marrakchis pour sa fraîcheur. Voici donc un coin de nature en passe d'être complètement refaçonné ! Pour autant, les environs restent superbes. On y exploite quelques salines. C'est également un point de départ pour des randonnées pédestres, notamment dans les *gorges du N'Fis.*
– Souk : *le lun.*

Où dormir ? Où manger ?

Note : pour chaque adresse, les distances indiquées le sont depuis Marrakech.

De bon marché à prix moyens

☒ 盒 |❂| *Auberge Le Mouflon (chez Farid)* **:** *km 61, sur le bord de la route, à* l'entrée de Ouirgane, sur la gauche. 🕿 *066-66-45-23 ou 068-94-47-24. Slt*

2 chambres, 250 Dh (22,70 €) pour 2 pers avec le petit déj, et 80 Dh (7,30 €) pour 2 pers sous une tente berbère... en plastique, sur un sol de béton (petit déj en sus). Possibilité de planter sa tente pour 40 Dh (7,30 €). Env 65 Dh (5,90 €) pour un repas complet. Chambres simples mais propres avec bains. L'une d'elles dispose d'une cheminée. Pour la tente berbère et le camping, pas de douche (on vous donnera la clé de l'une des chambres si elles ne sont pas occupées, sinon, direction le hammam du village !). Farid et Rachid ont repris l'auberge de leurs parents, mais c'est toujours leur maman qui prépare la cuisine. Le cadre est agréable et l'accueil charmant.

De chic à très chic et plus encore

▲ |●| **Au Sanglier qui Fume :** au km 61, sur la gauche de la route, en entrant dans Ouirgane. ☎ 024-48-57-07. ● au sanglierquifume.com ● Double 605 Dh (55 €) en ½ pens ; suites à partir de 700 Dh (63,60 €) pour 2 pers en ½ pens. Le midi, menu 110 Dh (10 €) ou carte ; le soir, menu slt 150 Dh (13,60 €) et 95 Dh (8,70 €) pour les résidents de l'hôtel. CB acceptées. Sur présentation de ce guide, 10 % de remise offerts sur la note de fin de séjour. L'atmosphère sent bon la province française des années 1950, et l'horloge semble s'être arrêtée comme pour mieux préserver un certain parfum d'antan. Une vingtaine de chambres (un peu inégales) dont 10 suites avec cheminée. Au resto, cuisine française, marocaine ou... asiatique, que l'on peut déguster en terrasse, sous une pergola de glycine. Location de VTT, piscine (réservée aux résidents), billard et ping-pong.

▲ |●| **La Bergerie :** Marigha, au km 59. Panneau sur la droite de la route. ☎ 024-48-57-16 ou 17. ● labergerie-ma roc.com ● Compter 1 080 Dh (98 €) en ½ pens pour 2 pers en chambre standard. Également des suites. Pension complète possible. Menu 150 Dh (13,60 €) ; 180 Dh (16,40 €) pour les non-résidents. CB acceptées (sf American Express). Belle auberge, tenue par un couple de Français, située sur un terrain de 5 ha, avec une vue splendide sur la montagne. De belles chambres aménagées dans un esprit sobre et rustique. Les chambres standard se répartissent autour d'un patio (l'ancienne bergerie). Également des suites dans des bungalows à l'écart. Toutes disposent d'une salle de bains, d'une cheminée ou d'un poêle et d'une terrasse ou jardin privatifs. Salle de resto aux pierres apparentes, avec cheminée, salle de billard, coin bibliothèque et bar (sert de l'alcool). Piscine avec vue panoramique (réservée aux résidents) et terrasse fermée donnant sur le jardin avec vue sur la montagne.

▲ |●| **La Roseraie :** km 60, sur la gauche de la route. ☎ 024-48-56-94 ou 95. ● laroseraiehotel.ma ● Doubles 1 400-2 000 Dh (127,30-181,80 €) pour 2 pers selon saison, petit déj compris ; également des suites. Déjeuner à la carte env 200 Dh (18,20 €). Au dîner, menu 300 Dh (27,30 €) ou carte. Au sein d'un parc de 22 ha, La Roseraie était un lieu de villégiature dans les années 1950. Repris par un ancien directeur de la Mamounia, l'endroit a gardé son charme désuet. Ravissants bungalows au milieu d'un superbe jardin luxuriant et embaumé par la floraison des roses (de fin mars à fin mai). Splendide piscine (réservée aux résidents). Curieusement, la cuisine est médiocre.

|●| **L'Oliveraie de Marigha :** km 58 (fléché sur la droite). ☎ 024-48-42-81. Fermé le soir. Repas complet 180-240 Dh (16,40-21,80 €), à la carte slt. Possibilité de prendre un verre mais dans ce cas, accès payant (100 Dh, soit 9,10 €). Évitez les mar et sam, jours des groupes. Un resto aménagé au cœur d'un environnement enchanteur et empreint de sérénité : des dizaines d'oliviers procurant une ombre bienfaisante, tables et transats dispersés sur de petites terrasses verdoyantes, piscine surplombant la vallée... Côté cuisine, plats aux tonalités française, méditerranéenne et marocaine. Une adresse idéale pour faire un break, passer l'après-midi à fainéanter, faire un plouf ou piquer un p'tit somme...

IJOUKAK

Après Ouirgane, la route pénètre dans les gorges de l'oued N'Fis avant de franchir, une trentaine de kilomètres plus loin, l'oued Agoundis à Ijoukak. Dans toute cette région, on voit des *kasbah* qui appartenaient aux Goundafa, puissante tribu qui contrôlait le col et toute la région au XIX° s. À 4 km environ d'Ijoukak, *la kasbah d'Agadir-N-Gouf,* perchée sur un promontoire de plus de 100 m (sur le côté gauche de la route), est visible de loin.
En poursuivant la route, on est frappé ensuite par le contraste entre le vert de la vallée et l'austérité désertique des montagnes colorées de différents rouges allant du rose au mauve. Superbe !

Où dormir ? Où manger ?

Ces deux adresses sont à proximité l'une de l'autre : à l'entrée d'Ijoukak, juste avant le pont qui enjambe l'oued, prendre la piste de gauche sur 1,5 km (fléchées).

🛏 |●| *Gîte d'étape Chez El-Mahjoub :* de l'autre côté de l'oued que l'on traverse par une passerelle de fortune. ☎ 067-59-23-90. *Compter 40 Dh (3,60 €)/pers ; petit déj en sus ; draps et couvertures fournis.* Dîner 40 Dh (3,60 €). Dans un petit *douar* agrippé à flanc de colline, ce gîte simple propose des chambres et dortoirs, parfaitement tenus par une famille berbère. Sanitaires communs nickel (douche chaude payante). Salon avec cheminée. L'accueil est excellent et l'environne-

ment superbe (belles randos à faire dans le coin). Une adresse très sympa pour ceux qui recherchent calme, simplicité et authenticité.
🛏 |●| *Gîte Tigmmi N'Tmazirt (Chez Ifakhkharane Elhousseine) :* ☎ 068-25-34-21. ● *tigmintmazirt.123.fr* ● *Compter 150 Dh (13,60 €)/pers en ½ pens. Draps et couvertures fournis en chambre double.* Un gîte récent avec chambres (sanitaires privés) et dortoirs. Petites touches de déco agréables. Là encore, très bien tenu et accueil exemplaire.

TIN-MEL

À 40 km environ après Ouirgane. Le petit village de Tin-Mel est célèbre pour sa mosquée, contemporaine de la Koutoubia et construite en hommage à Ibn Toumert, fondateur de la dynastie des Almohades, au début du XII° s.

À voir

🏃🏃 *La mosquée de Tin-Mel :* dans le village fléché sur la droite de la route. De tte façon, se repère d'assez loin. Ouv tlj. En théorie, pas de droit d'entrée fixé, mais le gardien vous demandera 10 Dh (0,90 €)/pers. Une des très rares mosquées que les non-musulmans peuvent visiter.
Construite au XII° s, abandonnée depuis des siècles, elle tombait en ruine mais a été classée Monument historique, ce qui a permis sa réhabilitation. Une occasion de découvrir son architecture intérieure, d'une très grande sobriété et pureté des lignes (dans sa première version, la mosquée n'avait aucun décor en raison de l'austérité des Almohades), ses beaux arcs lobés et son minaret, détruit à mi-hauteur et, chose rarissime, situé au-dessus du mihrab et du minbar. Possibilité de grimper au sommet du minaret (attention à la tête !). Vue extraordinaire sur la vallée.

Où faire une pause dans les environs ?

|●| ▼ Après le passage du Tizi-n-Test (2 100 m), arrêtez-vous 1 km plus bas au *café-restaurant La Belle Vue* d'où, comme son nom l'indique, la vue sur la plaine du Sous est magnifique. Idéal pour prendre un remontant (solide ou liquide) avant d'attaquer la descente.

➤ La route descend ensuite à travers les arganiers vers la région du Sous, longeant sur la gauche les flancs du *djebel Siroua* : 30 km de descente assez impressionnante jusqu'à la plaine.

LA VALLÉE DU ZAT

Vallée longtemps restée ignorée et fermée, située à l'est de Marrakech en prenant la route de Ouarzazate. Elle constitue pourtant l'un des passages possibles entre le sud et le nord de l'Atlas par le col du Taïnant (2 300 m). C'est un véritable écrin de verdure au cœur d'un imposant massif montagneux (culminant à plus de 3 600 m). La vallée abrite environ 80 *douar* (villages), près de 23 000 habitants et bien peu de touristes. À partir de Tighdouine (chef-lieu de la commune, par ailleurs sans grand intérêt), les paysages sont de toute beauté. Petits bassins suspendus et gorges étroites bordées de falaises abruptes. Villages berbères en nid-d'abeilles accrochés aux flancs ocre des montagnes et qui font corps autour de l'ombre fraîche des noyers. Cultures en cascade sur de minces terrasses qui suivent la course effrénée d'un torrent fougueux. Surmontant le tout, comme pour mieux reprendre son souffle, d'imposants plateaux perchés à 2 500 m dont la quiétude n'est en rien troublée par les troupeaux de moutons et de brebis qui viennent paître l'été. C'est l'occasion de découvrir un Maroc authentique à 1h de route de Marrakech !
Dans les villages reculés de la vallée, le tourisme, peu important, n'a pas encore eu d'impacts négatifs comme on le voit ailleurs. Les enfants ne vous demanderont ni bonbons ni stylos ni dirhams. Alors si vous souhaitez faire un geste, mieux vaut vous adresser à l'association *Les Amis du Zat (AAZ* ; lire plus loin la rubrique « À voir. À faire. Randonnées »), œuvrant pour un développement durable, qui connaît bien la situation et redistribuera en fonction des besoins réels.
Bien sûr, on peut juste venir pour une journée, de préférence le mercredi, jour du souk (c'est l'un des marchés les plus importants du Haut Atlas). Mais ce serait dommage. L'intérêt de la vallée réside dans ses multiples possibilités de randonnées (de deux à quatre jours, voire plus), d'avril à octobre.
– À Aït-Ourir (*souk* le mardi), très belle *kasbah du Glaoui*.

Arriver – Quitter

Tighdouine

➤ *En voiture :* aucune difficulté. À Marrakech, prendre la direction de Ouarzazate. Contourner la bourgade d'Aït-Ourir. Après avoir traversé l'oued Zat, bifurquer à droite après la station-service *Agip* (à 47 km de Marrakech), direction Tighdouine (à 16 km de la station *Agip*). Compter 1h.
➤ *En grand taxi :* à prendre à Bab-Ghamat (on dit aussi Bab-Aghmat). Demander l'Arbaâ-Tighdouine. Taxi complet : 90 Dh (8,20 €), sinon, 15 Dh (1,40 €) la place. Également des bus qui vont jusqu'à Aït-Ourir, puis prendre un grand taxi (cette solution permet d'économiser quelques dirhams).

Les autres villages de la vallée

➢ Après Tighdouine débutent des pistes (4x4 indispensable). Pour aller à **Tizirt** et **Ansa,** attention aux passages étroits surplombant de beaux précipices : mieux vaut avoir le cœur bien accroché ! Compter 1h30 pour Tizirt et 2h pour Ansa (30 km).

Sinon, depuis Tighdouine, il existe des *Land Rover* qui font quotidiennement la liaison avec les villages de Tizirt et d'Ansa. D'ailleurs, si vous n'êtes pas habitué à la conduite d'un 4x4, on vous conseille vivement d'opter pour un *Land Rover*. Prévoir 300-400 Dh (27,30-36,40 €) le véhicule pour ces villages, sinon on peut payer 20-30 Dh (1,80-2,70 €) par passager et attendre que toutes les places soient occupées.

➢ Pour **Warzazt,** tlj en *Land Rover.* Compter 400 Dh (36,40 €) pour affréter un véhicule.

➢ Pour **Aït-Ali,** prendre un *Land Rover* direction Tichki, descendre au village de Aït-Achcha. De là, solliciter les services d'un muletier ou poursuivre à pied (45 mn de marche). Pour le *Land Rover,* compter 300 Dh (27,30 €) le véhicule en entier (à négocier). Là encore, c'est la solution la plus simple lorsqu'on n'a pas l'habitude de conduire un 4x4. De plus, il n'y a aucun panneau de signalisation.

➢ Autre solution : avec un muletier. Compter 5h pour Tizirt, 6h pour Warzazt et 3h30 pour Aït-Ali.

Où dormir ? Où manger ?

LE HAUT ATLAS OCCIDENTAL

≋ |●| **Le Coq Hardi :** à 38 km de Marrakech ; juste après le pont du Zat. ☎ 024-48-00-56. ● coqhardimarrakech.com ● À partir de 200 Dh (18,20 €)/pers en ½ pens sur la base d'une chambre double. Une auberge qui propose des chambres propres et bien tenues, avec bains. Préférer celles situées autour de la piscine et du jardin, planté d'oliviers et d'orangers. Bonne cuisine marocaine. Une adresse agréable pour ceux qui sont véhiculés. Un peu bruyant le soir.

≋ |●| **Les gîtes du Zat :** l'association Les Amis du Zat propose 3 gîtes ; à Tizirt, à Warzazt et à Aït-Ali. ☎ 024-43-62-51. ▯ 070-57-16-84. ● bellaoui_ahmed@yahoo.fr ● Résa indispensable.

Compter 130-150 Dh (11,80-13,60 €)/pers en ½ pens. Gîtes dotés d'une cuisine équipée, construits avec des matériaux locaux. Simples mais bien tenus. Chambres pour 2 à 6 personnes avec sanitaires communs. Salons où l'on peut dormir à 15 personnes. À Warzazt, électricité solaire. Apporter son sac de couchage. Attention, souvent complets l'été, car accueillent des chantiers de jeunes en appui auprès de projets de développement locaux.

≋ |●| **À Tighdouine :** possibilité de louer des chambres et de se sustenter dans des petits restos qui servent de la bonne viande grillée ou des tajines pour une poignée de dirhams.

À voir. À faire

➢ **Randonnées :** vous êtes venu pour ça ! Contacter l'AAZ (☎ 024-43-62-51 ; ▯ 070-57-16-84). Compter 250-300 Dh (22,70-27,30 €)/j. pour le guide et 90-100 Dh (8,20-9,10 €)/j. pour la loc d'une mule. L'association peut vous concocter un programme en fonction de vos aspirations (balades faciles ou rando pour expérimentés) et du temps dont vous disposez (entre 2 et 5 jours). Elle fournit un guide-accompagnateur avec ou sans mule. Il est bien sûr possible de se poser dans un gîte et de rayonner en étoile. Pas mal aussi : passer la nuit dans un bivouac près du lac Ifard n'Yagour sur le plateau du Yagour, où l'on trouve la plus grande concentration de gravures rupestres du Maroc.

Au Maroc, l'art rupestre date du Néolithique final (il y a environ 4 000 ans), et perdure peut-être jusqu'au VIIe s de notre ère. Les premières manifestations de cet art apparurent probablement lorsque, contraintes par l'assèchement du Sahara, les populations nomades des pasteurs à bovidés atteignirent la frange septentrionale du désert. Ainsi réfugiés sur les pâturages d'altitude, où l'herbe était grasse pour leurs bêtes, ils dessinèrent sur la pierre leurs troupeaux comme leurs ancêtres l'avaient fait avant eux sur les grès du Tibesti, du Tassili ou de l'Ahaggar. Les gravures du Haut Atlas sont contemporaines de l'âge du bronze, ce qui explique la présence de hallebardes, de haches ou de poignards.

🔆 *Le village des potiers de Talatast :* beau village berbère, aux maisons de pierre rouge, situé à 45 mn de marche de Tighdouine, sur le versant gauche de l'oued Zat. On y rencontre une population très noire de peau, originaire du versant sud de l'Atlas. Une quinzaine d'artisans fabriquent des poteries aux formes et aux couleurs variées. Pour la petite histoire (pas très belle), sachez qu'il existe dans le village une mosquée pour ceux qui ont la peau noire et une autre pour ceux qui ont la peau plus claire. Mais le vendredi, tout le monde est convié à prier ensemble...

– Autant éviter la *source (Laouïna),* à 30 mn à pied de Tighoudine, qui n'a que peu d'intérêt. Ancien lieu de pèlerinage où de nombreuses personnes viennent soigner les problèmes de peau et les maladies de reins, grâce à une eau gazeuse censée avoir de multiples vertus. En réalité, c'est un lieu de rencontre avec de nombreuses chambres de passe.

LA ROUTE DU TIZI-N-TICHKA

Cette route de 200 km environ, franchissant le Haut Atlas, est l'une des plus belles du Maroc et le passage obligé de Marrakech pour atteindre Ouarzazate. Elle ne présente aucune grosse difficulté mais requiert un peu d'attention et de patience, car le parcours montagneux n'est qu'une succession de virages qui culminent sur le col du Tizi-n-Tichka, à près de 2 300 m d'altitude. En hiver, se renseigner avant le départ en téléphonant à la gendarmerie ou à l'office de tourisme de Marrakech, le col pouvant être fermé entre janvier et avril.
Faire le plein avant le départ : pas de stations-service entre Aït-Ourir et Agouim. Vous remarquerez aussi pas mal « d'auto-stoppeurs » sur le parcours (faux guides, rabatteurs), ainsi que des vendeurs de minéraux plus ou moins « authentiques »... (lire plus loin la rubrique « À voir. À faire »).

Comment y aller depuis Marrakech ?

➤ *En voiture :* suivre les indications « Fès » ou « Ouarzazate » (route de la palmeraie). Env 5 km après le rond-point de sortie de Marrakech, la route se divise en deux : à droite, c'est la route de Ouarzazate. Compter env 2h de trajet pour atteindre le Tizi-n-Tichka et 1h30 pour gagner Ouarzazate depuis le col.
➤ *En bus :* plusieurs services de bus relient tlj Marrakech à Ouarzazate. Compter 4h30 à 5h.

À voir. À faire

➤ La vue commence à surprendre à partir du *col du Tizi-n'Aït-Imguer* (1 470 m) avec, comme fond de décor, le djebel Tistouit dominant un cirque de montagnes enneigées. En contrebas, des *kasbah* et des petits villages. Après *Aït Barka,* la route serpente entre les pins et les lauriers roses. La nature se mêle à la rouille de la terre pour laisser un peu plus loin les collines à nu. De nombreux arrêts permettent de profiter de la vue sur l'oued blotti au fond d'un canyon encaissé. Il faut faire preuve de patience derrière les lents camions. Puis le village de *Taddert* offre ses quelques petits restos réservés aux estomacs aguerris. On peut toutefois conseiller *Le Jardin,* qui sert une cuisine correcte sur son agréable terrasse. Tout au long du trajet, c'est un patchwork de couleurs qui court le long de l'asphalte : du rose au gris minéral, en passant par l'ocre. Ces différentes teintes se reflètent sur les villages traversés.

Les étals des marchands de minéraux se succèdent de virage en virage (surtout là où on a tendance à freiner...). On vous proposera de superbes géodes peintes... au Mercurochrome ou, mieux encore, de « véritables géodes » entièrement reconstituées à partir d'une orange imprégnée de plâtre avec des cristaux de sel pour faire plus vrai que nature ! Également des fossiles réalisés avec des moulages de polyester. Du grand art ! Ne vous y laissez pas prendre. Et évitez de vous arrêter, même si l'on peut être surpris au premier abord par leurs grands signes ou quand ils se mettent en travers de la route. Lire également la rubrique « Achats » dans « Hommes, culture et environnement ».

Le Tizi-n-Tichka, littéralement le *col des Pâturages,* est le passage routier le plus élevé du Maroc avec ses 2 260 m d'altitude. Il marque la frontière entre les provinces de Marrakech et de Ouarzazate.

TELOUET

Telouet, situé à 1 870 m d'altitude, est dominé par une *kasbah* qui servit autrefois de résidence au Glaoui de Marrakech. Il y rend son dernier soupir. Sa vie fut étroitement liée à l'histoire de son pays. Inutile de s'arrêter dans le village, où les sollicitations sont constantes ; rejoindre plutôt la *kasbah,* sur les hauteurs qui dominent une petite vallée verdoyante.

– *Souk :* le jeu.

Un peu d'histoire : le Glaoui

Dernier « seigneur de l'Atlas », El-Hadj Thami el-Mezouari el-Glaoui (ouf !), 1878-1956, fut une personnalité très controversée. On visite ses demeures, symboles de sa richesse, qu'il a essaimées dans tout le Sud marocain, mais sait-on qui il était exactement ? Frère du grand vizir de moulay Hafid, le sultan qui signa le traité de protectorat en 1912, il profita d'un choix tactique fait cette même année : alors que les tribus du Sud se révoltaient contre l'envahisseur chrétien, il prit le parti des Français en sauvant des prisonniers qui lui avaient été confiés. Lyautey, résident de 1912 à 1925, apprécia ce « grand caïd » et ne fit rien pour s'opposer à sa montée en puissance en tant que pacha de Marrakech et de sa région.

À la fois immensément riche grâce à des revenus tirés de l'exploitation de mines de sel, de taxes diverses perçues dans tous les domaines, incluant même la prostitution à Marrakech, sans oublier le pillage de ses administrés, et immensément endetté, mais constamment remis à flot par l'administration coloniale. On le considérait comme indispensable : véritable roi dans le royaume, avec 600 000 sujets sous ses ordres. Il donnait des réceptions fastueuses, jouait au golf, voyageait en voiture de luxe, et œuvrait même en sous-main contre la dynastie alaouite.

Lorsqu'en 1953 le sultan Mohammed V a été déposé par les autorités françaises, ce fut en grande partie en raison de l'hostilité personnelle du Glaoui envers le sultan du Maroc. Il avait soulevé Berbères et marabouts contre ce roi jugé impie.

Mais le vent tourna bientôt : l'exil du sultan ne fut pas populaire et les autorités françaises allèrent le chercher à Madagascar pour le réinstaller sur le trône. Ce fut l'humiliation pour le Glaoui, qui dut aller implorer le pardon de son souverain, à genoux, face contre terre. Le pardon fut accordé. Mais, la même année, le Glaoui mourut, ses biens furent confisqués et ses fils exilés. Grandeur et décadence...

Arriver – Quitter

➢ *En voiture :* à 7 km du col du Tizi-n-Tichka, en direction de Ouarzazate, prendre une étroite route goudronnée sur la gauche, en mauvais état. Prudence. Elle conduit en une vingtaine de kilomètres au village de Telouet (compter 30 mn).

➢ Un *bus* (Express Tichka) relie *Marrakech* à Telouet en 4h. Départ en début d'ap-m de Bab-Ghamat à la sortie de Marrakech. Le retour se fait assez tôt le lendemain matin. L'arrêt se trouve devant la place du marché.

➢ *En taxi collectif* ou *en minibus* depuis *Ouarzazate.*

Où dormir ? Où manger ?

Nous avons sélectionné des adresses essentiellement en dehors du village. Il en existe d'autres mais, malheureusement, le tourisme de masse a induit ici des habitudes un peu pénibles. Sollicitations, rabatteurs, prix à surveiller, sans parler de problèmes d'hygiène et d'entretien assez nets. Ne vous laissez donc pas détourner de votre choix par d'éventuelles fausses informations sur l'adresse choisie...

▲ ♨ *Auberge – Camping Tasga, chez Saïd :* à 3 km au-delà de Telouet, prendre à gauche la piste carrossable sur 4 km. Fléché. ☎ 024-89-13-21. 📱 070-72-90-82. Fax : 024-49-46-38. Compter env 20 Dh (1,80 €)/pers par camper. Quelques chambres simples et confortables, env 60 Dh (5,50 €)/pers, plus 30 Dh (2,70 €) pour le petit déj. L'accès est long, mais l'effort en vaut la peine. Voici l'un des meilleurs campings du coin, verdoyant et tapi au fond de l'oued. Ainsi, par temps d'orage, prévoyez éventuellement de rester bloqué à l'auberge... Mais l'endroit est très plaisant. La pelouse couvre près de 1,5 ha dans un verger très ombragé et irrigué. Une tente saharienne invite à prendre le thé. Certaines chambres et salles de bains sont tout de même défraîchies. Possibilité de restauration, soirées folkloriques et randonnées.

▲ |♨| *Gîte du Lac (chez Mohammed Bennouri) :* tourner à gauche au centre du village (pancarte) sous une vieille porte, c'est à 500 m après avoir traversé la place du souk. Attention, le chemin est régulièrement impraticable sans 4x4, ce qui oblige à garer sa voiture de tourisme bien avt et à marcher avec les bagages. ☎ 024-89-07-22. 📱 068-19-29-17. ● bennouri2@yahoo.fr ● Compter 40 Dh (3,60 €)/pers pour dormir, plus 15 Dh (1,40 €) pour le petit déj. Repas env 50 Dh (4,50 €). Cinq chambres, une douche (chaude) et deux w-c très rudimentaires. Dom-mage que l'ensemble ne soit pas mieux entretenu. Mais l'accueil est familial et l'on vous proposera une honorable cuisine rustique (parfois un peu grasse). Il s'agit sans doute d'une bonne occasion d'entrevoir la vie domestique berbère. Mohammed Bennouri est accompagnateur de montagne et a fait un stage de guide à Chamonix. Il organise plusieurs randonnées, notamment vers un petit lac de montagne nommé Tamda.

▲ *Maison d'hôtes Afoulki :* même chemin que pour le Gîte du Lac, mais il faut tourner tt de suite à gauche après la place du marché. ☎ et fax : 024-89-13-14. 📱 070-41-13-98. En France : 📱 06-16-79-87-75. ● http://afoulki.free.fr ● Compter env 125 Dh (11,40 €)/pers pour la nuit et le petit déj ; 200 Dh (18,20 €) en ½ pens. Transfert aéroport de Marrakech envisageable. Afoulki signifie « beauté » en berbère. La maison principale comprend 2 chambres et 2 salons où l'on peut prendre ses repas. Dans le jardin, une autre maison (où ont lieu des séances de yoga) possède 6 chambres coquettes et très bien tenues. Celles de l'étage bénéficient d'une très belle vue sur la montagne. Hassan et Malika, qui vivent sur place à l'année, vous serviront une bonne cuisine berbère. Ils connaissent bien la région et vous conseilleront très gentiment sur les balades à faire. Hassan enseigne aussi le yoga et propose des stages et des marches zen ! Des stages de danse orientale et d'aquarelle sont également proposés.

🏠 |●| *Auberge de Telouet : en face de la* kasbah *du Glaoui.* ☎ *et fax : 024-89-07-17.* 📱 *062-13-44-55. Compter 400 Dh (36,40 €) la chambre double avec sdb, en ½ pens. Menu 70 Dh (6,40 €).* De jolies chambres confortables, style *kasbah* et une vaste terrasse dont la vue embrasse un large panorama. Un peu cher tout de même. La cuisine est goûteuse et le réceptionniste, Ali, connaît bien l'histoire du Glaoui.

🏠 |●| *Le Lion d'Or : à côté de la* kasbah. ☎ *024-88-85-67.* 📱 *070-10-56-73. Quelques petites chambres assez banales dans les 150 Dh (13,60 €)/pers, placées juste derrière la cuisine, ainsi que des menus corrects mais un peu chers, 80-110 Dh (7,30-10 €).* En dépannage.

À voir

🎭 *La kasbah de Telouet : tlj 8h-19h. Entrée : 10 Dh (0,90 €). Déambuler dans les parties en ruine de la* kasbah *est gratuit. Mais l'entrée au palais se fait par la porte principale, gardée par un guide qui vous donnera quelques explications. Toutefois, ne vous laissez pas détourner par de faux guides ou des rabatteurs dont l'objectif est de vous emmener dans des boutiques ou de vous faire payer la visite au prix fort.* De *kasbah*, on en compte en fait trois : la première date de 1824, la deuxième de 1888 et la troisième partie, de 1942. Près de mille personnes vivaient ici du temps du Glaoui. En entrant, on découvre la « place du folklore » où avaient lieu les fêtes. Puis sur la gauche, le tribunal... On pénètre ensuite dans le palais du « dernier seigneur de l'Atlas », dont il ne reste qu'un dédale de corridors, cours intérieures et arcades plus ou moins dégradés. Subsistent quelques pièces richement décorées de fins détails floraux et géométriques, tant dans les boiseries que dans le stuc et les marbreries incrustées de faïence, qui témoignent de la splendeur dans laquelle vivait ce grand chef berbère. Il est vrai que la main-d'œuvre ne coûtait pas cher. On dit que 300 ouvriers travaillèrent durant trois années pour sculpter les plafonds et les murs. Vous pourrez ainsi visiter la chambre à coucher *(harim)* aux murs tendus de tapisseries en soie, la chambre des femmes *(harem)*, la cour, le salon où l'on prenait le thé et enfin la terrasse d'où l'on a une superbe vue sur la vallée. On prête au Glaoui quatre épouses et pas moins de 80 concubines ! Cette grande *kasbah* de terre, où quelques cigognes ont élu domicile entre deux migrations, est sans doute la première d'une longue série que vous découvrirez. Il s'agit en effet du type d'habitat traditionnel des Berbères du Haut Atlas et, au-delà, des vallées du Drâa et du Dadès.

C'est beau, mais faites quand même attention à l'état de délabrement parfois avancé de certains pans de murs. Il est d'ailleurs surprenant de voir que le Maroc néglige totalement l'entretien de cette merveille, victime de rivalités historiques. Certaines verrières abritant les quelques salles ont été détruites, les vasques servant à l'éclairage, brisées. Les tuiles en superbe faïence verte de la toiture disparaissent peu à peu, avec quelques complicités locales. L'association du village de protection de l'environnement et de sauvegarde de la culture, *Atlas,* essaie cependant de convaincre les autorités de restaurer cette admirable bâtisse.

🚶 *La mine de sel : à 8 km au-delà de Telouet. La route est en grande partie goudronnée mais compte encore env 1 km de piste.* Au bout, on découvre des installations sommaires permettant l'extraction du sel, et même une mine. Avec un peu de chance, les ouvriers vous feront visiter une galerie. Vaut le coup d'œil. Telouet était ainsi placé sur le parcours de la caravane du Sahara qui rejoignait Tombouctou. On y échangeait du sel contre des tapis et des esclaves...

Randonnées à pied

Les randonnées pédestres dans la région peuvent se faire entre avril et octobre.

LE HAUT ATLAS OCCIDENTAL

➢ De Telouet, il est possible, à certaines époques de l'année, d'atteindre directement *Aït-Benhaddou* en suivant l'ancienne route des caravanes qui passe par la *kasbah d'Anemiter* à une dizaine de kilomètres (très beau site). Tout le parcours, à l'écart des circuits traditionnels, est magnifique. On parle d'un projet de route goudronnée parallèle à la piste jusqu'à Ouarzazate (on a dit un projet), alors dépêchez-vous.

On vous conseille de suivre les jardins parallèles à la piste pour éviter le cortège de tout-terrain sur la piste en saison. Il faut compter 2 jours de marche pour parcourir les 40 km jusqu'à Tamdaght et Aït-Benhaddou avec une étape au gîte d'Assaka. Jolis petits jardins entre Assaka et Tizgui. On peut néanmoins tronçonner le parcours si l'on souhaite une rando plus courte. Par exemple, en rejoignant le village rouge de *Tasga* par une boucle de 3h aller-retour. Les (très) bons marcheurs peuvent aussi se contenter d'une journée de marche jusqu'à la *kasbah d'Anemiter* et revenir à Telouet le jour même.

Enfin, il est possible d'atteindre *Tighza* (4 km après la fin de la route goudronnée menant à *Anemiter*) en 3-4h. De là, on peut remonter l'oued Iounil (ou Ounila), jusqu'à sa source. Peu à peu, la verdure de la vallée cède la place à un paysage de montagne aux couleurs contrastées, royaume des bergers. Compter encore 3-4h de marche pour atteindre le *lac de Tamda-n-Ounghmar*, qui regorge de truites. On vous conseille de bivouaquer sur place. Sinon, compter 2h30 de marche pour revenir à Tighza où il vous faudra dormir en gîte. Le 2e jour, retour à Telouet ou alors prolongation de la rando jusqu'à Aït-Benhaddou. Quoi qu'il en soit, c'est très beau !

À voir encore sur la route du Tizi-n-Tichka

➢ À une dizaine de kilomètres après l'embranchement de Telouet, la route N9 descend vers *Igherm-n'Ougdal* où il peut être agréable de faire une petite halte pour visiter l'*agadir* (le grenier fortifié ; *igherm* en berbère, d'où le nom du village). Si vous décidez d'y faire étape, attention aux tarifs pratiqués par certaines auberges locales, particulièrement celles qui se prévalent de notre guide...

🎋 À la sortie d'Igherm, visitez le grand *grenier collectif* de pisé rouge fortifié, et flanqué de quatre tours carrées plutôt massives. Il servait, dès le XVIe s et jusqu'à son effondrement partiel vers 1990, à conserver les denrées périssables de chaque famille. Fort heureusement, le grenier a bénéficié d'une exceptionnelle restauration en 1999. À l'intérieur, on distingue encore quelques portes décorées de motifs berbères et fermées par des serrures de bois. Mais la plupart des portes d'origine ont été revendues par des antiquaires. Faites appeler le gardien par les enfants du village ou par une bonne volonté locale (resto *La Kasbah,* par exemple). Notez qu'il est plus difficile de le trouver le vendredi, jour de prière, et le samedi, jour du souk. Il vous demandera environ 10 Dh, soit 0,90 € par adulte, ce qui vous permettra de découvrir l'agencement des 84 cases familiales privatives, naturellement climatisées par l'épaisseur des murs de terre. Ces greniers-forteresses permettaient de bénéficier d'une surveillance collective. On en voit encore beaucoup dans les villages du Sud, mais ils ont quand même tendance à se dégrader, faute de restauration, et donc à disparaître.

– Sur cette route, la première **station-service** se trouve dans le village d'Agouim.

🏠 |◐| *Maison d'hôtes I Rocha :* au village de Tisselday, 25 km après Igherm, à 200 m de la route par une piste carrossable sur la gauche. ☎ 067-73-70-02. ● irocha.com ● Selon taille, env 470-500 Dh (42,70-45,50 €)/pers en ½ pens ; une suite 605 Dh (55 €). Déjeuner 120 Dh (10,90 €). Cette belle maison berbère, qui surplombe toute la vallée, s'articule autour d'un patio central. Une dizaine de chambres, très propres, toutes équipées d'une douche (eau chaude) et subtilement décorées. Deux d'entre elles se trouvent un peu à l'écart, si une soudaine envie d'autonomie vous saisit. Le salon convivial se prolonge par une véranda et une terrasse avec une vue imprenable sur l'oued et les montagnes. Belle piscine agrémentée de parasols en paille et hammam. Bonne cuisine marocaine et méditerranéenne (pain et confiture maison, entre autres). Le midi, les gens de passage sont les bienvenus. Catherine et Ahmed reçoivent chaleureusement et proposent des cours de cuisine à la demande. Excursions également possibles.

➢ La route passe à *Amerzgane,* puis à *El-Mdint,* facilement repérable grâce à sa belle *kasbah* de pisé rose dont les tours sont décorées de motifs en relief (mais qui ne se visite pas car elle est toujours habitée), et enfin, à *Tadoula* (jolie *kasbah* en ruine) avant d'arriver à *Tabouraht*, l'embranchement d'Aït-Benhaddou (km 178 ; on y trouve une station-service). Ce *ksar,* qu'il faut absolument visiter, n'est qu'à 9 km. Voir ci-après.

➢ À visiter aussi, la *kasbah de Tifoultoute,* qui date du XVIIe s et que l'on peut rejoindre en empruntant, au km 191, la route directe pour Zagora, ce qui évite la traversée de Ouarzazate (voir plus loin « Dans les environs de Ouarzazate »). Les fils du Glaoui ont transformé cette kasbah en auberge. À partir de 8h, on peut accéder pour 10 Dh (0,90 €) à la vaste terrasse sur laquelle nichent quelques cigognes.

AÏT-BENHADDOU

Le village se trouve 30 km avant Ouarzazate en venant de Marrakech. Surtout, ne pas s'engager sur la piste indiquant Aït Benhaddou à 6 km. La route goudronnée, débutant au village de Tabouraht, passe à travers des formations géologiques peu communes, notamment un feuilleté vertical de strates rocheuses assez impressionnant.

Même si, ces dernières années, des pluies torrentielles ont partiellement abîmé cette forteresse de terre et de roseaux, Aït-Benhaddou reste l'un des *ksar* les mieux préservés de tout le Sud marocain. Il serait impardonnable de manquer cette visite, qui vous laissera des photos sublimes et des images plein la tête. Beaucoup de réalisateurs sont d'ailleurs venus y tourner, ajoutant des éléments de décor parfois encore présents aujourd'hui...

Les autorités, conscientes de la valeur de ce chef-d'œuvre en péril, ont réussi à le faire inscrire en 1987 sur la liste du patrimoine mondial de l'Unesco. Les travaux de restauration ne sont pas terminés. Seule une dizaine de familles y vit encore, contre une trentaine autrefois.

Les logements que nous indiquons se trouvent dans la ville « moderne », c'est-à-dire de part et d'autre de la grand-rue, où les établissements ont poussé comme des champignons, tout en restant à taille humaine.

Arriver – Quitter

➢ Liaisons en bus entre Aït-Benhaddou et *Marrakech* (en 5h) ou *Ouarzazate.* Descendre à Tabouraht (à l'embranchement de la route d'Aït-Benhaddou). Ensuite, il y a toujours des taxis collectifs qui attendent. Depuis Aït-Benhaddou, prendre un taxi jusqu'à Tabouraht, d'où partent tous les bus.

Où dormir ? Où manger ?

Tous les hôtels du coin proposent la demi-pension.

Camping

⚊ ⌂ **Camping Le Tissa :** ☎ 024-89-04-30. ▯ 068-88-52-62. ● *tissacamp@hotmail.com* ● *À env 1 km après l'embranchement d'Aït-Benhaddou en direction de Ouarzazate (env 15 km de Ouarzazate). Compter env 35 Dh (3,20 €) pour 2 pers avec tente et voiture ; 30 Dh (2,70 €) par camping-car. Électricité en sus. Douches chaudes 5 Dh (0,50 €).*

Deux chambres sans sdb 80 Dh (7,30 €). En bord de route, mais dans un cadre plutôt agréable. Ceint d'un grand mur en pisé, le terrain est correct mais peu ombragé, les sanitaires sont bien entretenus. Resto pas cher. De vraies chambres d'hôtes devraient voir le jour. Bon accueil.

Très bon marché

⌂ |●| **Le Ksar d'Aït-Benhaddou :** *dans la rue principale.* ☎ 024-89-00-54. ▯ 066-60-60-84. *Petites chambres rudimentaires avec sanitaires communs env 30 Dh (2,70 €) et doubles avec douche-w-c env 80 Dh (7,30 €) ; petit déj en sus. ½ pens proposée. Également 2 apparts à louer à côté pour env 100 Dh (9,10 €)/pers, avec salon, 2 chambres, cuisine et sdb. Une bonne auberge tenue par le chef du village, un personnage jovial. Cuisine correcte. Musique traditionnelle de temps à autre. Vaste terrasse qui permet d'appréhender tout le village.*

⌂ |●| **Auberge Tombouctou :** *vers Tamdaght, à 1,2 km après la Kasbah du Jardin, sur la droite.* ☎ 024-88-28-49. ▯ 066-26-17-44. ● *tombouctouiflilis@hotmail.com* ● *Double avec sanitaires communs 60 Dh (5,40 €)/pers. Une chambre avec douche-w-c env 100 Dh (9,10 €)/pers. Possibilité de ½ pens. On peut planter la tente, dormir sous une tente berbère ou sur la terrasse pour 20 Dh (1,80 €). Menu env 60 Dh (5,50 €). Un peu à l'extérieur du village, dans un nid de verdure au calme où l'on entend le chant des oiseaux et l'eau couler. Cette petite auberge en pisé dégage une atmosphère chaleureuse et traditionnelle. Les chambres sont simples, mais propres. Mohammed, le jeune propriétaire, a tout refait avec son père. Il vous montrera son potager, le four et le moulin (où il est souvent, évidemment) et l'art de transformer le blé en semoule à couscous. Une bonne adresse authentique.*

De bon marché à prix moyens

⌂ |●| **Auberge Ayouze :** *dans le village d'Asfalou, à 3 km après Aït Benhaddou vers Tamdaght (sur la gauche).* ☎ 024-88-37-57. ▯ 071-19-17-06. ● *auberge-ayouze.com* ● *Double env 200 Dh (18,20 €)/pers en ½ pens. Possibilité de dormir sur la terrasse en dépannage : 20 Dh (1,80 €)/pers. Repas 90 Dh (8,20 €).* Une sympathique petite auberge tenue avec enthousiasme par un couple franco-marocain, Zoé et Abderrahmane qui vous conseilleront volontiers sur les alentours. Ils ont tout refait eux-mêmes (ils vous montreront les photos d'avant) et accueillent les routards dans cinq charmantes chambres, avec douche (eau chaude) et w-c. C'est impeccable et joliment décoré d'éléments traditionnels. Le plus, ici, c'est la cuisine d'Abderrahmane. Excellente *kalya* au bœuf et aux oignons, délicieux tajine de légumes fondants et la salade de fruits au yaourt et à la cannelle n'est pas en reste. Le tout en terrasse ou dans l'un des salons sur fond de musique cool.

⚊ ⌂ |●| **La Kasbah du Jardin :** *dans la rue principale du village, sur la droite.* ☎ 024-88-80-19. ▯ 067-41-32-89. ● *kasbahdujardin.com* ● *Compter 100 Dh (9,10 €) la double avec sanitaires communs au rez-de-chaussée, ou 200 Dh (18,20 €) côté terrasse ou piscine, avec douche et w-c. Également une chambre familiale. Petit déj 30 Dh (2,70 €). Pour le camping (sans ombre et près de la route), prévoir 40 Dh (3,60 €) pour 2 pers avec tente, ou sous tente ber-*

bère. Repas 70 Dh (6,40 €). Chambres très simples avec lits pour seul mobilier, mais confortables et à peu près propres. Celles sur la terrasse et côté piscine sont plus agréables et équipées de sanitaires (mais entretien aléatoire). Cuisine honorable, sans plus. Vue magnifique sur le ksar. Belle piscine. Organise des excursions.

🛏 |●| **Hôtel-restaurant La Rose du Sable :** sur la route principale, à la sortie du village, en direction de Tamdaght. ☎ 024-89-00-22. 📠 067-76-03-27. ● la rosedusable.com ● Prévoir 60-120 Dh (5,50-10,90 €) la chambre avec ou sans vue sur le ksar ; 20 Dh (1,80 €)/pers pour dormir sur la terrasse et 30 Dh (2,70 €)/pers sous la tente berbère. Repas complet env 70 Dh (6,40 €). Tenu par trois frères accueillants, qui proposent des chambres fraîches de couleur ocre, équipées de balcon pour certaines, douche et w-c. Les chambres sont très

propres et les moins chères se trouvent en sous-sol. La terrasse permet d'admirer le ksar et le ciel étoilé la nuit tombée. Piscine. Bonne cuisine (spécialité locale, le kalya).

🛏 |●| **Auberge Étoile Filante d'Or :** dans la rue principale, côté gauche de la route. ☎ 024-89-03-22. 📠 061-65-70-03. ● etoilefilantedor.com ● Doubles avec sanitaires 160-200 Dh (14,50-18,20 €), petit déj compris. Compter 20 Dh (1,80 €)/pers pour dormir sur la terrasse ou sous tente berbère ; ½ pens possible. Menu 70 Dh (6,40 €). Pas loin d'une trentaine de chambres tenues par deux frères, Abdessamad et Rachid. Les plus récentes (et donc les plus chères) ont été décorées à la berbère avec leur plafond en arganier et roseaux tressés. Cuisine classique et service attentif. Location de VTT. Abdessamad pourra vous faire découvrir les kasbah voisines.

Maisons d'hôtes

🛏 |●| **Maison d'hôtes Dar Mouna :** chemin de terre sur la droite, derrière l'hôtel La Kasbah. ☎ 028-84-30-54. ● darmouna.com ● Chambres 660-780 Dh (60-70,90 €) pour 2 pers selon vue ; petit déj et taxes en sus. Repas à partir de 120 Dh (10,90 €). CB acceptées. Une douzaine de chambres avec douche et w-c. La terrasse commune de cette maison d'hôtes de charme offre quasi la même vue imprenable pour tous... L'intérieur allie une déco tra-

ditionnelle à des éléments contemporains. Salle de resto aux couleurs chatoyantes et bonne cuisine maison. Enfin, un hammam et une agréable piscine lorsque le vent ne s'invite pas. Accueil moyen.

🛏 Voir aussi la **maison d'hôtes d'I-Rocha,** située à Tisselday, à environ 30 km d'Aït-Benhaddou, en direction de Marrakech. Une bonne adresse qu'on indique plus haut dans le chapitre « Sur la route du Tizi-n-Tichka ».

À voir. À faire

🎯🎯🎯 ◉ Le vieux ksar et le vieux village : pour la visite, traverser l'oued à gué (ou à dos de chameau, d'âne ou de mulet, moyennant quelques dirhams). Pour rejoindre l'oued, prendre à droite au niveau du café Internet à l'entrée du village (en venant de Tabouraht). Suivre le sentier en contrebas du café Tighramt. Attention, pour le ksar, il y a 4 accès possibles : 2 gratuits et 2 payants ! On vous explique : à gauche du ksar, après le chemin de pierre (passerelle d'accès en projet), se trouve la porte Talat Ntroura (gratuite) ; à droite (face à l'hôtel La Kasbah), les portes Jamal Edin et Aït Ougram donnent accès à des maisons privées (lire plus loin), ce qui explique les 10 Dh (0,90 €) de droit de visite ; enfin, on accède à la porte Imi Niram (gratuite) en contournant complètement le ksar par la droite (suivre les flèches à droite des grandes portes de pisé). Tlj 7h-19h.

À l'arrivée, avant de franchir l'oued, il est intéressant de voir le vieux ksar d'Aït-Benhaddou depuis le nouveau village. Les meilleurs points de vue se situent avant l'arrivée par la route, sur le côté droit (les cars s'y arrêtent et il y a le plus souvent des marchands, qui se font très pressants), et des terrasses de l'*auberge El Ouidane* (qui fait partie de l'hôtel *La Kasbah*). Autre beau point de vue depuis la terrasse du petit resto *Tighramt*. Le spectacle est étonnant le soir, quand on surplombe cette mosaïque de cultures avec la longue procession des femmes portant sur la tête les fourrages qu'elles ont coupés pour nourrir leurs bêtes. Mais le lever du soleil n'est pas mal non plus. Non seulement on évite le flux des touristes, incessant entre 8h et 17h, mais aussi les sollicitations dans la *kasbah*. Passez-y une nuit pour être à l'heure !

La période de fondation de ce superbe *ksar* n'est pas établie. Certains parlent du VIIIe s, d'autres

UN DÉCOR DE RÊVE

De nombreux films furent tournés dans ce décor prestigieux. Eh oui ! les deux portes en pisé situées devant le ksar ont été ajoutées pour le tournage des films Sodome et Gomorrhe *(Robert Aldrich ; 1962), puis pour* Le Diamant du Nil *(avec Michael Douglas et Kathleen Turner ; 1985). David Lean y tourna également des scènes de son superbe* Lawrence d'Arabie. *Parmi les films récents,* Gladiateur *(Ridley Scott ; 2000),* Astérix et Obélix : Mission Cléopâtre *(Alain Chabat ; 2002) et* Alexandre *(Oliver Stone, 2004)...* L'Unesco, tout en acceptant de conserver les deux portes qui font déjà partie de l'histoire, oblige désormais à démolir tous les ajouts apportés par les décorateurs de cinéma.*

de la dynastie almoravide des XIe et XIIe s... Le village se déploie en un dédale de ruelles et de passages couverts. La majorité des maisons est en ruine et les familles se sont le plus souvent installées dans le nouveau village.

Beaux points de vue depuis le haut de la colline où est planté l'*agadir* (grenier fortifié) de la *kasbah*. Il faut y monter ! De l'autre côté, on aperçoit au loin le *ksar* de Tamdaght puis, en ramenant doucement le regard, le cimetière juif (de simples pierres au milieu de nulle part), la maison du marabout Sidi Ali Ouamar (une vache rousse y est sacrifiée chaque année le 15 juin) et enfin le cimetière arabe au pied de la colline.

Retour sur le *ksar* lui-même. Quelques cigognes nichent aux beaux jours sur les tours de certaines maisons. Des deux entrées privées, nous vous conseillons celle de la *porte Aït Ougram*. Cette demeure appartenant à une vieille famille locale présente une belle porte d'entrée, un petit musée de vieux outils et d'objets usuels, un beau puits de lumière, une salle à manger à arcades et un accès à une terrasse donnant sur une *kasbah* de 4 tours restaurée par l'Unesco. Parfois, une cigogne niche juste en face. La maison de la *porte Jamal Edin* (payante) est vide mais offre néanmoins un point de vue et quelques vieilles portes entreposées dans la cour.

➤ Tamdaght (voir plus loin) peut être le point de départ d'une rando de 2 j. jusqu'à Telouet. La route goudronnée s'arrête et se transforme en piste étroite (cela dit, un projet de route goudronnée parallèle pourrait voir le jour). Compter 40 km pour atteindre Telouet. Bien se renseigner auparavant sur l'état de la piste. L'itinéraire est décrit dans « Randonnées » à Telouet.

➤ DANS LES ENVIRONS D'AÏT-BENHADDOU

TAMDAGHT

À 6 km après Aït-Benhaddou, sur la route goudronnée. Il y a un pont à emprunter, qui ne pose généralement pas de problème en voiture, sauf si l'oued est en crue, bien sûr. Pour l'anecdote, sachez que la *kasbah* de Tamdaght a été louée en 2006 à une émission de télé-réalité italienne, équivalent de notre *Ferme des célébrités*, et qu'un pont de l'armée traversait l'oued le temps du tournage... Il sera maintenu jusqu'à ce qu'un pont fixe le remplace.

C'est aussi une balade merveilleuse à faire à pied, car le paysage est splendide. Découvrir Tamdaght et sa *kasbah* par le bas du village est un vrai bonheur. La splendeur du site, avec cette citadelle où des cigognes ont élu domicile, est à couper le souffle. Elle servit souvent, elle aussi, de décor de cinéma, notamment pour *Gladiateur*.

On vous fera visiter la citadelle et ses jardins avec beaucoup de gentillesse, moyennant 10 Dh (0,90 €).

Où dormir ? Où manger ?

🏠 *Auberge Kasbah La Cigogne :* à droite de la citadelle. ☎ 024-89-03-71. ▯ 062-78-73-54. Compter 400 Dh (36,40 €) la chambre double et 500 Dh (45,50 €) en ½ pens. Des chambres coquettes et colorées disposent de salles de bains très propres. Une grande terrasse offre une large vue sur la kasbah. L'accueil est souriant et attentionné dans cette maison traditionnelle.

🏠 |●| *Defat Kasbah :* à 2 km avt Tamdaght en venant d'Aït-Benhaddou, juste avt l'oued. ☎ 024-88-59-55. ▯ 060-54-69-91. ● defatkasbah.com ● Tarifs avec le petit déj : 60 Dh (5,50 €)/pers sous tente caïdale ou en terrasse ; 170-260 Dh (15,50-23,70 €) pour 2 pers dans une chambre avec ou sans sdb ; env 340 Dh (30,90 €) dans une chambre familiale pour 4 pers avec sanitaires extérieurs. Possibilité de ½ pens. Repas env 80 Dh (7,30 €). Ambiance chaleureuse. Les chambres doubles avec salle de bains ont une petite terrasse privée. Le soir, il n'est pas rare que les jeunes Marocains et Français qui tiennent l'hôtel improvisent un concert dans le resto. Une grande et agréable piscine. Bon point de départ pour les randonnées.

LE HAUT ATLAS OCCIDENTAL

Attention, à partir de mars 2009, *Maroc Telecom* **doit mettre en place une nouvelle numérotation téléphonique.** Les numéros passeront ainsi à 10 chiffres (au lieu de 9 actuellement).

Voici les principaux changements prévus :

➤ **Pour tous les numéros fixes,** il faudra insérer « 5 » après le « 0 ». Exemple : 024-11-11-11 deviendra 05-24-11-11-11.

➤ **Pour les portables,** un « 6 » devra être placé après le « 0 ». Exemple : 068-11-11-11 deviendra 06-68-11-11-11.

➤ **Pour les numéros spéciaux,** se reporter en début de guide à la rubrique « Téléphone et télécoms » dans « Maroc utile ».

VERS LE GRAND SUD

Attention, à partir de mars 2009, *Maroc Telecom* doit mettre en place une nouvelle numérotation téléphonique. Les numéros passeront ainsi à 10 chiffres (au lieu de 9 actuellement).

Voici les principaux changements prévus :

➢ **Pour tous les numéros fixes,** il faudra insérer « 5 » après le « 0 ». Exemple : 024-11-11-11 deviendra 05-24-11-11-11.

➢ **Pour les portables,** un « 6 » devra être placé après le « 0 ». Exemple : 068-11-11-11 deviendra 06-68-11-11-11.

➢ **Pour les numéros spéciaux,** se reporter en début de guide à la rubrique « Téléphone et télécoms » dans « Maroc utile ».

D'ESSAOUIRA À TAN-TAN

Qui n'a jamais rêvé d'aller vers le Grand Sud et ses déserts de sable ? Cet itinéraire, qui longe la côte atlantique à partir de l'ancienne Mogador, vous conduira jusqu'à la frontière mauritanienne. Un parcours de plus de 1 500 km. Mais il n'est pas nécessaire d'aller aussi loin pour trouver le dépaysement.
***Essaouira,* le point de départ, est encore habitée par des Gnaoua, descendants des esclaves noirs venus du Soudan. C'est une ville très attachante, qui a conservé de nombreux vestiges de son passé. Elle jouait déjà un rôle important dans l'Antiquité grâce aux mollusques dont on extrayait la pourpre, destinée à teindre les vêtements des Césars.**
***Agadir,* connue du monde entier pour sa plage magnifique et son ensoleillement exceptionnel, retiendra le temps d'une halte les routards fatigués, histoire de se refaire une santé.**
***Tiznit,* porte du Sud, conduit à *Guelmim.* Nous suivrons ensuite la route qu'empruntaient les caravanes chargées d'or, d'épices et d'esclaves provenant du Mali, de Mauritanie et du Sénégal. *Tan-Tan* doit sa célébrité à la fameuse Marche verte de 1975. La réputation du *cap Juby* est beaucoup plus ancienne. C'est dans cette escale fameuse de l'Aéropostale que Saint-Exupéry écrivit *Courrier Sud* en 1927. Il avait trouvé le titre de son premier livre sur un sac de courrier à destination de Dakar.**
La route conduit ensuite à *Laâyoune* et aux provinces sahariennes. Le voyage devient alors aventure...

ESSAOUIRA

70 000 hab.

Pour le plan d'Essaouira, se reporter au cahier couleur.

Avec son corset de murs fortifiés, son port de chalutiers et ses envols de mouettes, comment ne pas évoquer Saint-Malo ? Mais les maisons blanches

aux toits plats, les huisseries bleues et les minarets nous rappellent vite que nous sommes loin de la Bretagne. Essaouira est une ville hors du temps, qui envoûte et enserre ses hôtes, vite prisonniers de ses remparts. Difficile alors de s'échapper, le charme opère et ne nous lâche plus. Mais qui s'en plaindrait ? Oubliez Marrakech la folle, la trépidante ; à l'intérieur de la médina, les engins à moteur n'ont pas droit de cité ici. Adieu, donc, pollution ! Un bienfait n'arrivant jamais seul, la ville rutile, de gros efforts ayant été faits pour son nettoyage quotidien, surtout depuis que la médina a été inscrite au patrimoine mondial de l'Unesco.

Essaouira (prononcer « Swira ») est l'endroit rêvé pour ceux qui veulent décompresser après le harcèlement des grandes villes, avoir des contacts avec la population et flâner dans une médina encore authentique. Il faut prendre lentement le rythme, ne surtout pas se presser. S'installer par exemple place Moulay-el-Hassan, à la terrasse d'un café, ombragée d'arbres à caoutchouc, pour siroter un thé et prendre le pouls de la ville. La température y est presque toujours de 25 °C. Pas étonnant que de nombreux Marrakchis s'y précipitent en été, fuyant les fortes chaleurs de leur ville.

Mais combien de temps le charme va-t-il encore opérer ? Les travaux de construction de 11 000 lits et d'un golf, à quelques kilomètres à peine au sud, sont déjà bien avancés dans le cadre du plan « Azur ». Ils visent à développer une infrastructure touristique haut de gamme. Et comme si cela ne suffisait pas, la spéculation immobilière dans la médina n'est pas en reste... Espérons que Mme Asma Chaabi, première et seule femme maire du Maroc, veillera sur son bébé pour que la « petite perle » ne perde pas, un jour, son âme.

CARREFOUR CULTUREL ET CITÉ DES ARTS

> « Toute grande civilisation est métissage. »
>
> Léopold Sédar Senghor.

La tradition, source de l'art contemporain

Essaouira se situe au carrefour de deux tribus : au nord, les Chiadma (arabophones), et au sud, les Haha (berbérophones), sans parler de la forte influence des Gnaoua et autres ethnies venues d'Afrique. Ce brassage de différentes cultures en a fait un lieu privilégié pour artistes de tous horizons, venus profiter de la « muse supplémentaire » qui plane au-dessus de cette cité.

Grâce à son riche héritage et à sa tradition, Essaouira a vu fleurir l'art contemporain depuis les années 1950. Il y a d'abord eu le sculpteur Boujemâa Lakhdar, fondateur du musée Sidi Mohammed-ben-Abdallah, qui a inspiré toute une nouvelle génération, puis d'autres créateurs autodidactes ont été soutenus par un Danois, Frédéric Damgaard, qui a contribué au rayonnement de l'art souiri en organisant des expositions de leurs œuvres à travers le monde. On peut d'ailleurs les admirer dans la galerie des arts de Frédéric Damgaard (voir plus loin « Galeries »), ainsi que dans d'autres galeries ouvertes suite au succès de ces artistes.

« M » COMME MUSE MOGADOR...

Essaouira a inspiré plus d'un artiste : elle a fait l'objet d'un livre de photos en 2004, signé Matthieu Chedid. La ville a également séduit les réalisateurs américains comme Oliver Stone avec Alexandre le Grand *ou Ridley Scott et son* Kingdom of Heaven. *À une autre époque, Orson Welles a tourné ici l'un de ses plus célèbres films,* Othello ; *Jimi Hendrix, dans les années 1960, y a attiré une partie de la communauté hippie, tout comme Cat Stevens ou le* Living Theatre.

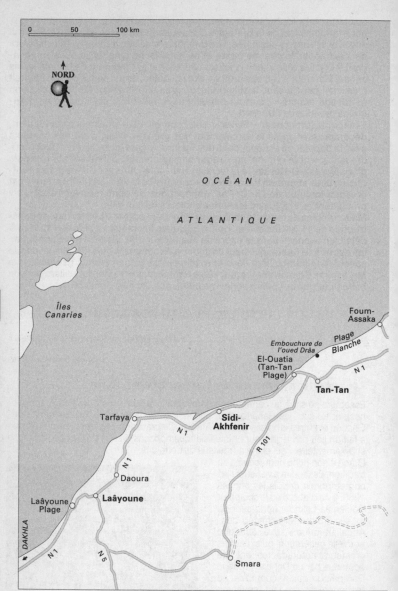

LE GRAND SUD

Les Gnaoua

Ce sont les descendants d'anciens esclaves noirs. Dans la région d'Essaouira, jusqu'au XVIe s, ils étaient nombreux à travailler dans les fabriques de sucre. Le fondateur de la confrérie est Mohammed ibn Allah, qui vécut aux alentours du XVIIe s. Peut-être aurez-vous l'occasion d'assister à l'une de leurs cérémonies, la plus importante et la plus spectaculaire étant la *lila*. C'est un rite d'exorcisme, de tradition africaine. Sa fonction est essentiellement thérapeutique. Ce rituel est comparable au vaudou d'Haïti et à la macumba du Brésil ; le mouvement centrifuge de la danse représente le mouvement des planètes.

Trois instruments de musique sont nécessaires : les tambours (appelés *ganga*), les *crotales* et le *guembri*. Les *crotales,* sortes de castagnettes, sont composés de deux demi-sphères aplaties, situées aux extrémités d'une petite barre, le tout en fer. Le joueur les frappe alternativement selon une cadence particulière. Le *guembri* est fabriqué à partir du bois de figuier ou de saule, et constitué de trois cordes tendues. Enfin, le *ganga* est un gros tambour recouvert de peau de mouton.

La danse de possession se déroule dans la *zaouïa* ou chez des particuliers. Elle démarre le soir, après que tous les participants ont absorbé des breuvages particuliers et fumé force kif. Le rythme très lancinant envoûte jusqu'à la transe, et ça peut durer jusqu'au petit matin. Réfléchissez bien avant d'y assister, car il n'est pas permis de quitter les lieux en cours de route... Très impressionnant !

LE SOUFFLE DU *TAROS*

Dans un domaine différent, la station séduit aussi de nombreux véliplanchistes avec sa magnifique plage balayée par le *taros,* nom berbère du vent soufflant de la mer sur les côtes d'Essaouira. Cela explique, d'une part, le labyrinthe de ses ruelles étroites et, d'autre part, le *haïk* de grosse cotonnade dans lequel les femmes se drapent. Seuls les yeux et les pieds apparaissent dans cette architecture de plis savants. Pas facile de savoir à qui l'on a affaire ! Quant à vous, n'oubliez pas d'emporter votre petite laine.

UN PEU D'HISTOIRE

Ce mouillage, utilisé par le navigateur carthaginois Hannon en 500 av. J.-C., riche en eau potable, servit pendant plusieurs siècles de poste avancé sur la route des îles du Cap-Vert et de l'Équateur. Le site fut conquis ensuite par les Romains, lors de la troisième guerre punique en 146 av. J.-C. Ceux-ci placèrent comme vassal, à l'époque d'Auguste, le roi de Maurétanie, Juba II. Le bâtisseur de Volubilis favorisa l'installation de ses équipages et le développement de l'industrie des salaisons et de la pourpre. C'est cette acti-

> ### ES-SAOUIRA ET ÇA IRA !
>
> *Cornut l'Avignonnais, l'architecte français à la solde des Anglais de Gibraltar, et qui avait été employé par Louis XV à la construction des fortifications du Roussillon, travailla trois ans à édifier le port et la kasbah. Mais finalement, reprochant au Français d'être trop cher et d'avoir travaillé pour l'ennemi anglais, le sultan de l'époque préféra mettre un terme à sa collaboration. Avec son plan très régulier, la ville mérite bien son nom actuel d'Es-Saouira, qui signifie « la Bien-Dessinée ».*

vité (production de teinture à partir d'un coquillage : le murex) qui explique la renommée des « îles Purpuraires » jusqu'à la fin de l'Empire romain. Cette couleur, chez les anciens, était synonyme d'un rang social élevé.

Au Moyen Âge, les marins portugais mesurent tous les avantages de cette baie et baptisent la ville « Mogador », déformation probable du nom de sidi Mogdoul, un marabout local. Les juifs ont un statut spécial d'intermédiaires entre le sultan et les puissances étrangères, obligées d'installer à Essaouira une Maison consulaire (il y en eut jusqu'à dix dans la *kasbah*). On les appelle les « négociants du roi » ou les « représentants consulaires ». Ils ont, par exemple, le monopole de la vente du blé aux chrétiens, celle-ci étant interdite aux musulmans. En 1764, le sultan Mohammed ben Abdellah décide d'installer à Essaouira sa base navale, d'où les corsaires iront punir les habitants d'Agadir en révolte contre son autorité. Il fait appel à l'architecte français, Théodore Cornut. Le sultan le reçoit avec tous les honneurs dus à un grand artiste et lui confie la réalisation de la nouvelle ville « au milieu du sable et du vent, là où il n'y avait rien ». Le plan original d'Essaouira est aujourd'hui conservé à la Bibliothèque nationale de Paris.

L'importance d'Essaouira n'a cessé de croître jusqu'à la première moitié du XIXe s, et la ville connut une formidable prospérité grâce à l'importante communauté juive. On y compta jusqu'à 17 000 juifs pour à peine 10 000 musulmans. La bourgeoisie marocaine accourait y acheter des bijoux. Le commerce y était florissant. Mais la plupart des juifs partirent après la guerre des Six Jours. Aujourd'hui, il ne subsisterait que quelques familles juives dans la ville.

Pendant des années, ce fut le seul port marocain ouvert au commerce extérieur. Le déclin commença avec la colonisation française et le développement d'autres ports (Casablanca, Tanger, Agadir). Handicapée par ses eaux peu profondes et ne pouvant pas recevoir les gros bateaux modernes, Essaouira se tourna alors vers la pêche avec succès.

Cette cité jumelée à La Rochelle est aujourd'hui le chef-lieu d'une province de 500 000 habitants, pour la plupart agriculteurs, et développe une opération de coopération avec Saint-Malo, sous l'égide de l'Unesco.

Arriver – Quitter

En voiture

Méfiez-vous des contrôles de vitesse. Respectez les panneaux limités à 40 km/h, même si les belles lignes droites sont bien tentantes. Tous les alentours d'Essaouira sont étroitement surveillés.

En bus

▭ *Gare routière principale* (hors plan couleur par D2) : rue du 2-Mars, à 500 m de l'entrée de la médina. ☎ 024-78-52-41. Consigne. Pour s'y rendre ou rejoindre le centre-ville en petit taxi, compter 5 Dh (0,40 €) de jour, 7 Dh (0,60 €) max de nuit. Il est indispensable de réserver ses places au plus tard la veille, au risque de ne pas partir à l'heure souhaitée. Cette gare accueille toutes les compagnies, sauf *Supratours*. La délégation du tourisme affiche également les horaires de départs, car ils varient d'une saison à l'autre.

■ *Principales compagnies de bus :* CTM, ☎ 024-78-47-64 ; SATAS, ☎ 024-78-57-84 ; et Pullman du Sud, ▯ 061-70-90-44. Liaisons avec :

➢ *Marrakech :* 15 bus/j. env dont 2 avec la *CTM* et 1 avec *SATAS* (en début de soirée dans le sens Essaouira-Marrakech ; tôt le mat dans l'autre sens). Trajet : env 3h.

➢ *Casablanca :* env 20 départs/j. dont 2 avec la *CTM* (le mat), 1 bus de nuit avec *Pullman du Sud*. Trajet : 6h.

➢ *Agadir :* env 20 départs/j. dont 1 avec la *CTM* en fin d'ap-m et 1 de nuit avec *Pullman du Sud*. Trajet : env 3h.

➢ Liaisons également avec *Tiznit via Inezgane* (départs fréquents), *Safi* (env 10 bus/j.), *Taroudannt* (3 bus/j.), *Guelmin* et *Tan-Tan*.

🚌 *Gare routière Supratours* (plan couleur C-D2-3) : départs de Bab-Marrakech. ☎ 024-47-53-17. *En principe, tlj 5h30-6h30, 9h30-13h, 15h-19h (au départ des bus).* La compagnie relie la ville à :
➢ *Marrakech :* 4 à 6 bus/j. selon saison. Bus rapides et confortables (trajet : env 2h45). Très pratique pour les correspondances avec les trains en direction de *Casablanca, Rabat, Fès,* etc.
➢ *Safi :* 1 bus/j. le mat.
➢ *Agadir :* en principe, 1 bus/j. assurant la liaison Safi-Agadir en s'arrêtant à Essaouira.
➢ *Ouarzazate et Zagora :* en principe, pas de bus direct. Changer à Marrakech.
➢ *Tan-Tan, Laâyoune, Dakhla :* 1 bus/j. dans l'ap-m qui permet la correspondance avec le bus de nuit au départ d'Agadir.

En avion

✈ *Aéroport* (hors plan couleur par D3) : à 10 km de la ville sur la route d'Agadir. Pour s'y rendre, le plus simple : grand taxi depuis le centre-ville (compter 150-200 Dh, soit 13,60-18,20 €). Sinon, certains bus qui se rendent à Sidi-Kaouiki s'y arrêtent (mais la seule possibilité de savoir si le bus s'y arrête ou pas est de demander au chauffeur du bus : pas très pratique donc !). L'aéroport a été agrandi et il est question d'accroître le nombre de vols et de destinations desservies ; se renseigner.
◼ *Royal Air Maroc* (plan couleur C2, *1*) : rue du Caire. ☎ 024-78-53-84 ou 85. Lun-ven 8h30-12h15, 14h30-19h ; sam 8h30-12h.
➢ *Paris :* 2 vols/sem.
➢ *Casablanca :* 4 vols/sem.

Adresses utiles

Infos touristiques

🄸 *Délégation du tourisme* (plan couleur B2) : 10, rue du Caire. ☎ 024-78-35-32. • essaouira.com • En principe, lun-ven 9h-16h30. Dispose de la liste des hébergements et des activités sportives. Plan de la ville (payant).

Poste et télécommunications

✉ *Poste* (plan couleur C3) : av. Al-Mouqawama. Lun-ven 8h-16h15, sam 8h-12h (quelques permanences sam 16h30-18h). Un second bureau (plan couleur B1), rue Laâlouj, juste à droite du musée. Lun-ven 8h-16h.
◼ *Téléphone :* partout en ville, des cabines à cartes et des téléboutiques.
🄰 *Internet :* de plus en plus répandu.

Pour vous guider, en voici deux, mais il en existe bien d'autres : *Espace Internet Mogador* (plan couleur B2, *2*) : 8 bis, rue du Caire. 🄸 061-08-79-81. À côté de la délégation du tourisme ; au 1er étage de la téléboutique. Tlj 9h-23h.
Cyber Les Remparts (plan couleur B2, *3*) : 12, rue du Rif. ☎ 024-47-47-28. Tlj 9h-23h env. Très bon accueil.

Argent

◼ *Banques :* parmi les principales, la *BMCE* (plan couleur B2, *4*), la plus centrale et la plus importante ; le *Crédit du Maroc* (plan couleur B2, *5*), pl. Moulay-el-Hassan ; la *Wafabank* (plan couleur C2, *6*), av. de l'Istiqlal ; la *Société Générale* (plan couleur B2, *7*), av. Oqbaben-Nafi, à côté de la galerie d'art Fré-déric-Damgaard. La plupart ont un distributeur accessible 24h/24 (mais parfois vide ou avec des problèmes de connexion, soyez prévoyant). Elles assurent presque toutes le change et disposent d'un service *Western Union.* Attention à la fermeture prolongée le vendredi midi, à l'heure de la prière.

Urgences, santé

■ *Commissariat de police* (plan couleur B2) : rue du Caire. ☎ 024-78-48-80 ou 19. À côté de la délégation du tourisme.

■ *Médecins : Dr Saïd El-Haddad* (plan couleur C2, **8**), 5, av. de l'Istiqlal, un peu avt la Wafabank, sur la gauche. ☎ 024-47-69-10. ▯ 061-19-19-98. Sur rdv. Médecin alliant compétence et accueil. Également **Dr Mohammed Taddrarat** (plan couleur C3, **9**), en face de la poste. ☎ 024-47-59-54. Pédiatre : **Dr Rectaoui,** ▯ 061-20-71-68.

■ *Dentistes : Dr Elacham* (hors plan couleur par D2), 1, bd de Fès. ☎ 024-47-47-27. Allez-y en toute confiance, car tous les résidents sont unanimes sur les soins de qualité et le professionnalisme de ce dentiste. *Également*

Dr Sayegh (plan couleur B2, **10**), 4, pl. Chefchaouni, dite pl. de l'Horloge. ☎ 024-47-55-69. Très compétent. Cabinet d'une propreté exemplaire.

■ *Pharmacies :*
– *Hamad Ismail* (plan couleur B2, **11**) : pl. Chefchaouni, appelée aussi pl. de l'Horloge. ☎ 024-47-51-63. Tlj sf dim 9h-12h30, 15h-19h30. Conseils judicieux.
– Les pharmacies de garde sont toujours affichées.
– *Pharmacie de nuit* (plan couleur D2, **12**) : au niveau de la municipalité, sur la droite de l'entrée principale. Tlj 21h-8h30.

■ *Hôpital Sidi Mohammed ben Abdellah* (plan couleur D2) : bd de l'Hôpital. ☎ 024-47-57-16 (urgences).

Transports

🚕 *Station de petits taxis* (plan couleur D1) : station importante à Bab-Doukkala (c'est aussi là que stationnent les calèches). Les petits taxis sont bleus. On en trouve peu à la périphérie de la ville pour revenir sur Essaouira. La nuit, ils sont quasi inexistants.

■ *Location de VTT et de vélos :* 81, rue Mohammed-el-Qorry (plan couleur C2, **13**). ▯ 061-72-73-43. Prévoir env 50 Dh (4,50 €)/j. Sinon, **Chez Youssef** (plan couleur B1, **43**) : rue Laâjouj. ▯ 072-04-40-67. Env 80 Dh (7,30 €)/j.

■ *Location de voitures :*
– *Essaouira Wind Car* (hors plan couleur par D3, **14**) : quartier des Dunes, rue Princesse-Lalla-Amina. ☎ 024-47-28-04. ● essaouira-windcar.com ● Prix raisonnables, assurances comprises. Bonnes voitures et accueil sympa. Mais n'oubliez pas, comme le conseille leur publicité, « l'important n'est pas de louer, mais de rouler en toute confiance ». Loue surtout des Fiat.
– *Tassourte Cars* (hors plan couleur par D3, **14**) : quartier des Dunes, 38, rue Moulay-Ali-Echriff. ☎ et fax : 024-47-42-42. Une agence tenue par une équipe dynamique. Mêmes tarifs que chez Essaouira Wind Car.
– *Essaouira Travel Car* (plan couleur D2, **15**) : 4, rue Oued-el-Makhazine,

dans le quartier de Bab-Doukkala (extra muros), juste en face de la Municipalité. ☎ 024-78-31-66. ▯ 061-19-81-87. ● essaouiratravelcar.com ● Une agence sérieuse proposant une gamme de véhicules récents assurés tous risques, de la catégorie A au 4x4. Possibilité de livraison sur Marrakech, Casablanca ou Agadir.
– *Louizi Rent A Car* (hors plan couleur par D2, **21**) : 52, av. Moulay-Driss, près de la gare routière. ☎ 024-47-33-11. ▯ 061-10-35-51. ● louizi-rent-car.com ● Sérieux et voitures en bon état.

■ *Parkings* (plan couleur B2) : à côté de la pl. Moulay-el-Hassan, devant le port. Le plus central. Il existe des tarifs officiels, mais dans la réalité, c'est à la tête... du touriste, et les tarifs pratiqués sont bien différents ! Essayez de négocier, mais comptez 10 Dh (0,90 €) le ticket, valable tte la journée ; le double pour la nuit ; en dessous, vous risquez d'essuyer l'agressivité des gardiens ! Un autre à Bab-es-Sebaa (plan couleur C2) et Bab-Marrakech (plan couleur D2). Cependant, ils sont nettement insuffisants en saison. La peinture rouge et blanche sur la bordure d'un trottoir indique une interdiction de stationner. Et la police est intransigeante.

Loisirs

■ *Journaux, livres :*
– *Librairie Jack's* (plan couleur B2, **16**) : pl. Moulay-el-Hassan. ☎ 024-47-55-38. Nombreux journaux et magazines français (arrivage vers 11h), et, entre autres, le *Guide du routard*. Très bon choix d'ouvrages sur le Maroc.
– *Librairie Wafa* (plan couleur C2, **17**) : rue Mohammed-el-Qorry. Un tout petit bouquiniste avec quelques revues et bouquins en français. Pittoresque et anachronique.
– *Galerie Aïda* (plan couleur B2, **116**) :

voir plus loin « Achats ». Le plus grand choix de livres à Essaouira.
■ *Photo Service Mogador* (plan couleur C1, **18**) : 169, av. Sidi-Mohammed-ben-Abdallah. ☎ 024-78-39-55. Lun-sam 9h-13h, 15h-21h ; dim 10h-13h, 15h-21h. Bien équipé. Possibilité de transfert de carte mémoire sur CD-Rom. Un peu plus cher qu'ailleurs mais travail de qualité.
■ *Labo Photo Flash* (plan couleur B2, **19**) : av. Sidi-Mohammed-ben-Abdallah. ☎ 024-47-56-57. Tlj 9h-21h.

Sports

■ *Base nautique de l'Océan Vagabond* (hors plan couleur par D3, **20**) : tt au bout du bd Mohammed-V (à l'opposé de la médina), sur la plage. ☎ 024-78-39-34. • *club-mistral.com* • L'adresse la plus sympa pour s'adonner aux sports nautiques. Location de surfs, *bodyboards et kitesurfs*, à l'heure ou à la journée. Également des cours. Matériel neuf, équipe jeune et très compétente, ambiance décontractée. Également un bon endroit pour grignoter un morceau (voir « Où manger ? »).
■ *UCPA* (hors plan couleur par D3, **20**) : tt au bout du bd Mohammed-V (à l'opposé de la médina), sur la plage. ☎ 061-34-33-02. Avr-sept : tlj 9h30-18h ; oct-mars : tlj sf lun 9h30-18h. Propose de nombreuses activités avec location de matériel, des stages de différentes durées. Planche à voile, funboard, *flysurf* et découverte de la région à travers la pratique d'un sport.
■ *Cap Sim Trekking* (hors plan couleur par D3) : douar El-Ghazoua, à 10 km

d'Essaouira. ☎ 062-20-18-98. • *capes saouira.com* • Juste en face du resto Le Km 8, emprunter la petite piste toujours tt droit sur 1,2 km ; puis prendre le chemin sur la gauche à l'angle de la 2e fontaine, c'est la maison à 100 m. Que vous soyez intéressé par le VTT, les randonnées à dos de chameau, la pêche ou encore la découverte de la faune, les deux Français qui ont créé cette agence sauront vous conseiller pour des vacances sportives. Une approche intéressante du Maroc. Voir aussi « Où dormir dans les environs ? ».
■ *Gipsysurfer* (plan couleur B2, **22**) : 14, rue de Tétouan. ☎ 024-78-32-68. ☎ 061-34-70-92. Une boutique branchée surf tenue par Thierry, avec aussi des maillots de bain et des coupe-vent (au cas où vous auriez oublié les vôtres), revendeur exclusif de vêtements *Rip-curl*. Organise aussi des randos à dos de dromadaire. Équipe super-sympa et passionnée qui connaît la région sur le bout des doigts.

Hammams, massages et thalasso

Plusieurs hammams populaires dans la médina. Le mieux est de demander à votre hôtel ou *riad* quel est le plus propre et le plus proche. En effet, la notion d'hygiène est très subjective. Certains lieux sont vieillots mais beaucoup plus nettoyés que ceux qui « font » plus nets. Et cela dépend des heures de la journée !

■ *Le Bolisi* (plan couleur C1, **23**) : juste derrière le souk. Tlj pour les femmes 6h-20h ; pour les hommes tlj 20h-2h du mat. Entrée : 10 Dh (0,90 €) env. Populaire et simple.
■ *Le Sidi Abdsamieh* (plan couleur C1,

24) : dans la rue du même nom. Ouv pour les femmes slt 7h30-minuit. Entrée : 10 Dh (0,90 €) env (si on vous demande plus, refusez !).
■ *Hammam Pabst* (plan couleur C1, **25**) : juste derrière le souk. Pour les fem-

mes, tlj 6h-20h ; pour les hommes, tlj 20h-2h du mat. Entrée : 10 Dh (0,90 €) env. Hammam traditionnel et propre dans lequel Orson Welles tourna une scène du film Othello.

■ **Hammam du Lalla Mira** (plan couleur C2, **26**) **:** 14, rue d'Algérie. ☎ 024-47-50-46. Pour les femmes, tlj 9h30-19h ; sur résa slt pour les hommes, tlj 19h-22h. Prix : 15 Dh (1,40 €) pour 1h30. Gommages ou massages à partir de 75 Dh (6,80 €). Très propre, tout carrelé, très simple mais on est ici pour se prendre un bain de vapeur, pas pour la frime. Également gommages, massages à l'huile d'argan à prix doux.

■ **Hammam du Riad Al Madina** (plan couleur B2, **27**) **:** 9, rue El-Attarine. Accès réservé aux femmes tlj 9h-13h, 15h-16h ; accès mixte 10h-12h30, 16h-19h. Prix : 70 Dh (6,40 €) les 30 mn ; soins à partir de 100 Dh (9,10 €). Très propre et agréable.

■ **Les Massages Berbères** (plan couleur C-D2, **28**) **:** 135, av. Mohammed-el-Qorry. ☎ 024-47-31-30. Tlj 9h-13h,

15h-17h. Résa indispensable. Mixte ; possibilité donc d'y aller en couple. Compter 250 Dh (22,70 €) pour 1h. Ici, vous aurez droit, dans la même séance, à la totale ! Tisane relaxante, bain et massage de pieds, suivis d'un massage du corps avec des produits à base d'huile d'argan. On vous enduira ensuite le visage avec de la crème à la rose. Le tout, dans une atmosphère délicatement parfumée et très, très zen !

■ **Thalassa Sofitel Mogador** (plan couleur C3, **29**) **:** bd Mohammed-V. ☎ 024-47-90-00. Pour le hammam, accès réservé aux femmes tlj 7h-12h30, 16h-22h30 ; accès mixte 14h30-16h. Tarif : près de 150 Dh (13,60 €). Soins thalasso accessibles aux non-résidents de l'hôtel, mais résa conseillée assez longtemps à l'avance. Compter env 950 Dh (86,40 €)/j. Possibilité de cures w-e ou sem. Hydrothérapie, bain hydromassant, massage, aquagym... Nickel et service très prévenant.

Divers

■ **Coiffeur-barbier Hamdoune** (plan couleur B2, **30**) **:** rue El-Hajalli, juste dans l'axe de la rue Sidi-Mohammed-ben-Abdallah. Le plus ancien d'Essaouira. Très propre. Ses instruments sont désinfectés après chaque coupe. Bon accueil par le père, un vrai Souiri, au rez-de-chaussée (salon hommes), la fille et le gendre à l'étage (salon femmes).

⚜ **Vente de vins** (plan couleur D1, **31**) **:** libre-service, av. al-Massira al-Khadra.

Pas d'enseigne, juste un auvent bleu surmonté de l'inscription « Dolidol ». Tlj sf ven 8h-20h. Pour acheter des vins de la région (dont le Val d'Argan, plutôt cher au resto). Sinon, allez directement au domaine du Val-d'Argan (voir plus loin « Dans les environs d'Essaouira »).

⚜ **Épicerie** (plan couleur B2, **19**) **:** 1, rue Sidi-Mohammed-ben-Abdallah. Tlj 7h-minuit (avec pause pour la prière). Très centrale, grand choix.

Où dormir ?

La délégation du tourisme affiche la liste de tous les hébergements, mais en saison, le succès d'Essaouira est tel que la demande est toujours supérieure à l'offre. Résultat, les prix s'envolent l'été et le week-end, de manière parfois totalement injustifiée. Voir notre « Coup de gueule sur les abus ! », pour la même raison, à Marrakech (sur les riad). Sachez également que les propositions alléchantes des rabatteurs sévissant sur les parkings sont rarement valables... À noter que pour ceux qui souhaitent rester quelques jours, la location d'un petit appartement devient vite intéressante.

Campings

⚞ **Camping Sidi Magdoul** (hors plan couleur par D3) **:** à 3 km sur la route

d'Agadir, sur la gauche. ☎ 024-47-21-96. Compter env 55 Dh (5 €) pour 2 pers avec tente et voiture. Pas génial (peu ombragé) mais le plus proche d'Essaouira. Entouré de hauts murs qui le protègent un peu du vent. L'accueil est sympa. Sol dur (prévoir un marteau-piqueur !), et douches payantes (bloc sanitaire correct).

☒ ⌂ **Camping Le Calme** (hors plan couleur par D3) : à env 15 km d'Essa-ouira. Prendre la direction d'Agadir ; à El-Ghazoua, suivre la direction de Mar-rakech, puis fléché. ☎ 024-47-61-96. ☐ 060-26-77-24. ● essaouiranet.com/lecalme ● En principe, fermé pour le ramadan. Env 70 Dh (6,40 €) pour 2 pers avec tente et voiture ; tarifs dégressifs à partir de 4 j. Douche chaude comprise. Doubles 250-300 Dh (22,70-27,30 €), avec ou sans sdb ; suite 400 Dh

(36,40 €). Restauration sur commande. Sanitaires nickel. Dans un lieu très tranquille où gazouillent les oiseaux, on plante sa tente à l'ombre d'un arganier (attention, le sol est un peu dur). L'environnement est idyllique et la piscine avec transats et parasols bien agréable. Voilà un bien bel endroit. Pour les réfractaires au camping, quelques chambres colorées dans un joli bâtiment ocre aux volets bleus, très grandes, très propres, très bien. Repas à savourer dans un beau patio.

☒ **Camping Les Oliviers** (hors plan couleur par D3) : à 25 km d'Essaouira, à Ounara. Voir « Où dormir ? Où manger à Ounara ? » dans la rubrique « Dans les environs d'Essaouira ».

Dans la médina

Pour ceux qui désirent être au centre de l'animation, la médina est l'endroit idéal pour séjourner. On vous rappelle qu'il n'y a aucun véhicule dans les ruelles. Les autres, tournés vers la mer, se reporteront un peu plus loin « Près de la plage ». Mais le taxi sera indispensable pour rejoindre la médina. À la descente des bus et aux portes de la médina, des porteurs proposent leurs services jusqu'à votre hôtel. Certains établissements étant nichés assez loin dans le dédale des ruelles, ce système peut s'avérer bien utile. Assurez-vous toutefois qu'ils vous conduisent bien là où vous le souhaitez car ils sont parfois commissionnés par certains hôtels et auront tendance à les favoriser.

De bon marché à prix moyens

⌂ **Hôtel Tafraout** (plan couleur B2, **45**) : 7, rue de Marrakech. ☎ 024-47-62-76. Juste derrière le rempart. Doubles env 100-280 Dh (9,10-25,50 €) selon saison. Une trentaine de chambres entièrement restaurées, dont une douzaine équipées d'une douche ; les autres d'un lavabo. Elles se répartissent autour d'un patio agrémenté de quelques plantes vertes. Propreté irréprochable. Bref, un rapport qualité-prix très honnête.

⌂ **Casa di Carlo** (plan couleur C2, **40**) : 17, rue d'Agadir. ☎ 024-78-36-85. ☐ 066-30-88-90. Doubles 150-200 Dh (13,60-18,20 €) selon taille ; petit déj en sus. Tout au fond d'un passage couvert et d'une galerie d'art, se niche une des adresses les moins chères d'Essaouira. Cette attachante demeure abrite non seulement des chambres sobres (douches extérieures gratuites), et correcte-

ment tenues, avec des matelas rebondissants, mais également des œuvres d'artistes locaux qui s'en sont donné à cœur joie pour décorer murs, tables et même plats à tajine ! Couleurs garanties. Mais attention, les chambres sont inégales (les unes assez spacieuses et aérées, d'autre en revanche, plus petites, assez humides et au final, moins sympa...).

⌂ **Hôtel-pension Smara** (plan couleur B1, **41**) : 26, rue de la Sqala, le long des remparts. ☎ 024-47-56-55. ☐ 061-08-62-62. Veillez à bien confirmer votre résa. Doubles 105-200 Dh (9,50-18,20 €) selon vue ; 185-275 Dh (16,80-25 €) pour 4 pers (intéressant !) ; petit déj en sus. Douche gratuite. Une petite vingtaine de chambres, dont quatre donnent sur la mer et les remparts (vue géniale). Celles perchées au dernier étage s'ouvrent sur la grande terrasse où l'on prend le petit déj (vue encore plus géniale). Les autres donnent sur la salle intérieure. Sanitaires carrelés communs. Attention tout de même à l'humidité, qui peut être gênante, surtout en hiver et à certaines chambres un peu vieillissantes.

🏠 *Hôtel Chakib* (plan couleur C1, **42**) :

Prix moyens

🏠 *Résidence Hôtel Al Arboussas* (plan couleur B1, **43**) : 24, rue Laâlouj. ☎ 024-47-26-10. ● arboussas@yahoo.fr ● Doubles 300-350 Dh (27,30-31,80 €) selon saison ; petit déj en sus. Dans une ruelle au calme, en face du musée. Hôtel d'une dizaine de chambres équipées d'une salle de bains (sauf une), dont deux avec fenêtre sur cour, comme dirait Alfred. Agréable lieu aux couleurs vives (tonalités jaunes et bleues) et décoré avec goût. Certaines chambres, cependant, sont un peu étroites et quelque peu sombres. La n° 5, avec salle de bains extérieure, est particulièrement sympathique, ainsi que la n° 9, qui donne sur la terrasse. Accueil chaleureux. Possibilité de louer des vélos.

🏠 *Hôtel Souiri* (plan couleur B2, **44**) : 37, rue El-Attarine. ☎ 024-47-53-39. ● hotelsouiri.com ● Doubles 230-360 Dh (20,90-32,70 €) selon confort (avec ou sans sdb). Apparts 600-800 Dh (54,50-72,70 €). Petit déj compris. L'ensemble est bien tenu avec même un effort de déco, louable dans ces prix (murs colorés, petits meubles en fer forgé, rideaux bigarrés). Accueil discret.

🏠 *Chez Brahim* (plan couleur D2, **72**) : 41, rue El-Mourabitine. ☎ 024-47-25-99. ● chezbrahim.com ● Doubles 220-250 Dh (20-22,70 €) selon confort, petit déj compris. Dans une maison traditionnelle qui s'organise autour d'un patio coloré de zelliges, une dizaine de chambres sur trois niveaux. Les moins chères disposent de salles de bains communes situées au rez-de-chaussée : ce qui n'est pas super pratique si vous logez au 2e ou 3e étage ! La déco des chambres n'est pas vraiment peaufinée, mais on aime bien l'atmosphère tranquille qui se dégage du lieu, l'accueil simple et souriant. Terrasse sur

2, rue Abdesmih. ☎ 024-47-52-91. Double 120 Dh (10,90 €). Pas de petit déj. Sur 3 étages, des chambres avec w-c sur le palier. Plutôt spartiate, et propreté moyenne. Deux douches (payantes) pour la douzaine de chambres ! Pas le nirvana, et l'accueil est inégal, mais les adresses à ce tarif se font très rares.

le toit pour les petits déj. Bien pour ceux qui recherchent l'authenticité d'une maison traditionnelle et qui ne sont pas trop regardants.

🏠 *Hôtel Beau Rivage* (plan couleur B2, **46**) : 14, pl. Moulay-el-Hassan. ☎ 024-47-59-25. ● essaouiranet.com/beaurivage ● Doubles 320-390 Dh (29,10-35,50 €) selon saison, ttes avec sdb ; petit déj en sus. Également des suites plus chères. Confortable, déco de tendance stylisée et moderne, ce qui change un peu. Les chambres donnant sur la place, avec balcon, sont bruyantes, mais quel spectacle avec une vue plongeante sur la ribambelle de terrasses de cafés ! On se croirait au théâtre. Pour plus de calme, en prendre une donnant sur l'arrière (mais la vue n'est pas la même !).

🏠 *Hôtel Cap Sim* (plan couleur B2, **47**) : 11, rue Ibn-Rochd. ☎ 044-78-58-34. ● hotelcapsim@menara.ma ● Même direction que l'hôtel Souiri. Doubles 160-310 Dh (14,50-28,20 €) selon confort et saison, petit déj compris. CB acceptées. Une quarantaine de chambres correctes mais à la déco assez banale, la plupart avec salle de bains. Elles sont réparties autour d'un patio qui fait un peu caisse de résonance, comme souvent. Terrasse sur le toit. Bref, pas de quoi garder un souvenir inoubliable de l'hôtel, mais rapport qualité-prix honorable.

🏠 *Hôtel Riad Nakhla* (plan couleur C2, **48**) : 12, rue d'Agadir. ☎ 024-47-52-30. ● essaouiranet.com/riad-nakhla ● Double 300 Dh (27,30 €) ; petit déj en sus. Avec sa vingtaine de chambres, c'est avant tout un hôtel évoquant un *riad* avec son patio sur colonnes de pierre. Les chambres sont un peu sombres. Choisissez plutôt celles à l'étage, plus claires. Certaines sortent du lot avec un bout de vue sur la mer. L'ensemble reste propre et fonctionnel. Terrasse agréable. Rapport qualité-prix correct.

🛏 *Résidence El Mehdi (plan couleur C1-2,* **49**) : *15, rue Sidi-Abdesmih.* ☎ *024-47-59-43.* ● *el-mehdi.net* ● *Double 360 Dh (32,70 €), petit déj inclus.* Un hôtel de taille modeste organisé autour

du traditionnel patio qui accueil un resto-bar (avec alcool) ouvert aux non-résidents. Chambres avec salle de bains à l'atmosphère un peu froide, sans être désagréables pour autant. Un bon point pour l'accueil plutôt sympathique. Pourquoi pas, s'il n'y a aucune disponibilité ailleurs...

Chic

🛏 *Les Matins Bleus (plan couleur B-C2,* **44**) : *22, rue du Drâa, derrière l'hôtel* Souiri. ☎ *024-78-53-63.* ● *les-matins-bleus.com* ● *Fermé 2 sem en nov. Selon saison, doubles 38-42 € ; suites 50-54 € pour 2 pers. Petit déj compris.* Au cœur de la médina, ce petit *riad* du XVIIIe s entièrement rénové a su garder charme et authenticité, même si on aimerait une déco des chambres un peu plus marocaine. Certaines possèdent une terrasse-solarium. Celles à l'étage sont plus lumineuses, normal ! Plusieurs salons au rez-de-chaussée. Terrasse sur le toit pour le petit déj. Excellent accueil et propreté irréprochable.

🛏 *Dar Al Bahar (plan couleur B1,* **51**) : *1, rue Touahen, quartier San Dion.* ☎ *024-47-68-31.* ● *daralbahar.com* ● *Doubles 40-61 € selon vue et confort. Petit déj inclus. Également des chambres pour trois et un appart pour deux. Bon repas sur demande. CB refusées.* L'une des rares maisons d'hôtes intégrée aux remparts mêmes est tenue par un couple franco-néerlandais. Une dizaine de chambres aux prénoms féminins : certaines donnant directement sur le large et les vagues qui se fracassent quelques mètres plus bas. Tableaux d'artistes souiris aux murs, et une terrasse déconseillée au brushing de ces dames. À l'écart du centre animé et un peu difficile à trouver, c'est certainement ce qui fait son charme.

🛏 *Hôtel El Dar Qdima, L'Ancienne Maison (plan couleur C2,* **52**) : *4, rue Malek-ben-Rahal.* ☎ *024-47-38-58.* ● *darqdima.com* ● *Doubles 350-500 Dh (31,80-45,50 €), petit déj compris. CB acceptées.* Un bel hôtel d'une quinzaine de chambres dans une maison souirie de caractère où règne une atmosphère sobre. Plus on monte, plus les chambres sont lumineuses. Confort et bon goût s'harmonisent parfaitement.

Toutes les chambres possèdent une agréable salle de bains en *tadelakt,* et certaines ont un petit salon. Superbes portes et boiseries peintes. Quelques problèmes d'humidité à signaler tout de même dans certaines chambres. Terrasse. Parfois bruyant lorsqu'il y a des groupes.

🛏 *Emeraude Hotel (plan couleur D2,* **53**) : *228, rue Chbanat.* ☎ *024-47-34-94.* ● *essaouirahotel.com* ● *À proximité du parking Bab-Marrakech. Doubles 40-44 € selon saison, petit déj compris.* Voici belle demeure du XVIIIe s qui n'a rien à envier à certains *riad* de la médina. Une dizaine de chambres s'organisent agréablement autour du traditionnel patio voûté. La plupart d'entre elles ne sont peut-être pas très grandes. Mais elles sont toutes équipées de salle de bains et dégagent une atmosphère douillette avec leurs portes en bois peint, leurs lits dissimulés derrière des voilages blancs. Sur le toit, la traditionnelle terrasse pour prendre le petit déj ou un thé dans la journée. Accueil souriant et charmant. Tout cela à des tarifs serrés... Un très bon rapport qualité-prix.

🛏 *Riad El Mess (plan couleur C1,* **54**) : *14, rue Oujda.* ☎ *024-47-63-74.* 🖷 *061-13-75-56.* ● *riad-el-mess@menara. ma* ● *Selon taille et saison, doubles 300-700 Dh (27,30-63,60 €), petit déj compris.* Un *riad* d'une dizaine de chambres récemment restauré aux murs en *tadelakt,* plafonds en bois et salle de bains privée. La déco des parties communes est chaleureuse et dégage une certaine élégance (salon marocain avec de nombreux coussins multicolores au rez-de-chaussée). En revanche, celle des chambres n'est pas aussi peaufinée, dommage. Quelques chambres ont une ouverture qui donne sur la rue (ce qui est plutôt agréable, mais ne correspond pas à l'architecture traditionnelle d'un *riad*). Au dernier étage, terrasse qui pointe son nez vers les étoiles comme un mirador au-dessus de la ville. Une adresse au rapport qualité-prix honorable, même si certaines chambres sont un peu sombres, mais c'est le lot commun de nombreuses maisons traditionnelles.

■ *Dar Nafoura (plan couleur C1, 55) :* 30, rue Ibn-Khaldoun. ☎ 024-47-28-55. 📱 061-69-70-76. • essaouiranet.com/dar-nafoura/ • *Doubles 49-63 € selon confort, petit déj compris (+ 20 % pour les fêtes de fin d'année et le festival Gnaoua).* Une dizaine de chambres et quatre suites (l'une d'elles dispose d'une cheminée) aux couleurs et à la déco variées. L'une possède un baldaquin, l'autre un joli paravent, etc. De belles photos du Maroc ornent ce petit *riad* très bien tenu par une Française. Agréable patio avec salon et fontaine qui glougloute. Terrasse protégée du vent et des regards aménagée de chaises longues pour bronzer en toute tranquillité. Accueil aimable et souriant.

■ *Riad Marosko (plan couleur C2, 56) :* 66, rue d'Agadir, au fond d'une impasse. ☎ 024-47-54-09. • essaouiranet.com/riadmarosko • *Doubles 55-65 €, avec petit déj copieux et varié. Bonne affaire : les chambres pour 4 pers 85-95 €.* Petit *riad* classique avec patio et fontaine, bien caché dans un quartier populaire intéressant, loin du tumulte touristique et en même temps guère éloigné de l'animation urbaine. Un grand charme, chaque étage possédant sa couleur. Certains éléments du passé ont été conservés. Beau salon gnaoua décoré d'instruments de musique. Sans oublier la terrasse d'où l'on bénéficie d'une belle vue sur la plage et le port en prenant le petit déj.

■ *Hôtel El Fath (plan couleur B2, 57) :* 6-8, rue de la Sqala. ☎ 024-47-44-92. • essaouiranet.com/hotel-elfath • *Bien confirmer sa résa. Doubles 35-60 € selon vue, petit déj inclus (pas terrible).* Bien entendu, pour profiter de la meilleure vue sur mer, il faudra taper dans le porte-monnaie (un peu chérot tout de même...) ! Éviter la poignée de chambres, moins chères mais sans vue, qui donnent à l'arrière sur un puits de lumière (c'est frustrant !). Déco assez mignonne (lampes marocaines, salle de bains en zelliges un peu minuscule, mobilier en bois) mais les chambres ne sont pas immenses. Grande terrasse panoramique sur le toit.

■ *Villa Garance (plan couleur C1, 58) :* 10, rue Eddakhil. ☎ 024-47-39-95. • essaouira-garance.com • *Doubles 50-65 € selon confort, petit déj compris ; mini-suites pouvant accueillir 4 pers (intéressant en famille) ; réduc de 10 % en basse saison. Table d'hôtes 10 €.* Une ancienne demeure d'un rabbin qui l'a aménagée à sa guise. Le patio avec salon et cheminée est bien là, et, une fois n'est pas coutume, les chambres sont assez spacieuses et possèdent des fenêtres donnant sur l'extérieur. Du coup, beaucoup plus de luminosité que dans un *riad* traditionnel. Toutes les chambres sont dotées d'une salle de bains et d'une sympathique déco marocaine. Deux suites sur la terrasse. Petit détail : les chambres sur rue donnent en face d'une école, mais Christine, Marylène et Pierre ont pensé au double vitrage ! Salle de jeux pour les enfants et salle de massages. Très bon accueil.

■ *Hôtel du Grand Large (plan couleur C1, 59) :* 2, rue Oum-Errabii. ☎ 024-47-28-66. • riadlegrandlarge.com • *Plusieurs catégories de chambres, ttes avec bains, 430-825 Dh (39,10-75 €) selon confort et saison, petit déj compris et servi sur la terrasse.* La dizaine de chambres, parfois un peu petites, a été aménagée avec goût sur les 3 étages de cette vénérable demeure souirie. La plupart donnent sur une rue très commerçante. Salon de thé sur la terrasse (gâteaux maison, glaces, thé) et resto au rez-de-chaussée. Quelques aléas au niveau de la propreté, toutefois. Propose toutes sortes d'excursions dans la région. Accueil sympa.

Très chic

■ *Riad Al Zahia (plan couleur B1-2, 60) :* 4, rue Mohammed-Diouri. ☎ 024-47-35-81. • riadalzahia.com • *Fermé nov-déc. Double 70 € et suite 110 €*

pour 4 pers, petit déj compris. CB refusées. Belle maison d'hôtes, décorée avec goût et parfaitement entretenue par Clemente, le jeune et très sympathique propriétaire espagnol, qui vit vraiment dans son *riad.* Six superbes chambres (les musiciens apprécieront la *Leila*) et 3 suites, toutes différentes, portant des noms de princesses des *Mille et Une Nuits.* On y trouve tout le confort (belles salles de bains avec chauffage) et les éléments familiers qui confèrent à chacune un cachet personnel. Petits salons douillets, dont un avec une belle cheminée, qui s'organisent autour du patio central et de sa fontaine. Grande terrasse aménagée. Une excellente adresse de charme. *Al Zahia* signifie d'ailleurs « joie de vivre ».

■ *Riad Asmitou (plan couleur C1,* **61***) : 32, rue de Bagdad.* ☎ 024-47-37-26. ● *riadasmitou.com* ● *Doubles 60-70 € selon confort ; chambre familiale 90 €, petit déj compris.* Dans cet ancien *riad* superbement rénové, Greg propose huit chambres de très bon confort. Les éléments et matériaux traditionnels (arcades et piliers de pierre autour du patio, sols recouverts de *bejmat,* salles de bains en *tadelakt*), sont subtilement mis en valeur par une déco alliant esprit marocain et touches africaines stylisées. Certaines chambres donnent sur l'une des deux terrasses. Très bon petit déj servi en terrasse ou en chambre, c'est au choix.

■ *La Maison des Artistes (plan couleur B1,* **62***) : 19, rue Laâlouj.* ☎ 024-47-57-99. ● *lamaisondesartistes.com* ● *Doubles 60-90 € avec ou sans vue sur l'océan ; suite 135 € ; réduc de 20 % à partir de 6 nuits sf en hte saison.* Au 2e étage d'une maison à la façade un peu décrépie. Ne vous laissez pas rebuter par l'escalier, car une jolie surprise vous attend. Chambres spacieuses, assez originales, comme celle *du roi* dotée d'une salle de bains séparée par un simple paravent ou la *Venise* avec son lit à baldaquin. Mention spéciale pour la suite, un véritable petit nid d'amour perché sur la terrasse, dont la baie vitrée offre une vue remarquable sur l'océan. Ensemble hétéroclite, joyeusement bordélique où les œuvres d'art et les antiquités jalonnent tous les coins et recoins. Une adresse au

charme certain dans une atmosphère très bobo. Terrasse-solarium pour jouir de l'une des plus belles vues sur la mer qu'il soit.

■ *Dar Adul (plan couleur B1,* **63***) : 63, rue Touahen.* ☎ 024-47-39-10. ● *dar-adul.com* ● *Dans l'avant-dernière ruelle à droite au bout de la rue Laâlouj. Cinq chambres 55-80 € pour 2 pers, petit déj compris. Possibilité de louer le* riad *entier (10 pers max) 375 €.* Bien situé, tout près des remparts de la sqala, ce vrai *riad* propose des chambres très confortables qui s'ouvrent sur le patio. Toutes disposent d'une salle de bains et certaines d'une cheminée. Vaste terrasse avec vue sur la mer, idéale pour prendre le petit déj. Latifa prodigue un accueil charmant.

■ *Hôtel Palazzo Desdemona (plan couleur B2,* **64***) : 12-14, av. Oqba-ben-Nafi.* ☎ 024-47-22-27. ● *palazzo-desdemona.com* ● *Compter 700 Dh (63,60 €) pour une double, 900-1 300 Dh (81,80-118,20 €) pour une suite ; petit déj compris. CB refusées.* Remarquable et spacieuse demeure du XVIIIe s à dominante turquoise dont les escaliers courent dans tous les sens (l'accès à certaines chambres s'avère sportif !). Une quinzaine de chambres, toutes différentes, possèdent des lits à baldaquin et de hauts plafonds pour la plupart. Certaines sont même parquetées. Deux d'entre elles donnent sur l'intérieur. On a beaucoup aimé la n° 1, spacieuse et donnant sur l'enceinte de la médina, ainsi que la n° 16 au 3e étage pour sa vue, son balcon, sa cheminée et sa grande salle de bains. Mais l'eau chaude a parfois du mal à grimper jusqu'au dernier étage. Deux suites sur le toit, dont une avec une grande baie vitrée. Au rez-de-chaussée, élégantes arches de pierre dans le grand hall, beau plafond traditionnel et des expos d'artistes locaux. L'atmosphère tient plus de la maison d'hôtes que de l'hôtel.

■ *Dar Loulema (plan couleur B2,* **65***) : 2, rue Sous.* ☎ 024-47-53-46. ▤ 061-24-76-61. ● *darloulema.com* ● *Dans la médina, à deux pas de la grand-place, au bout d'une impasse cernée de tapis. Doubles 79-95 €, suites 110-130 € ; petit déj compris. Également une superbe suite pour 4 pers (190 €) en forme de cabine de bateau avec terras-*

se-solarium privée. Repas sur commande 19 €. Élégante et lumineuse demeure à la blancheur éclatante, avec quelques chambres décorées avec beaucoup de goût suivant des thèmes orientaux (ah, la *Todra* aux tonalités berbères jusqu'au plafond de la salle de bains et la *Marrakech* ocre rouge...). Les chambres se répartissent harmonieusement autour du patio central fleuri, où murmure la fontaine et gazouillent des oiseaux en cage. L'ensemble dégage une douce atmosphère et une grande sérénité. Adorable salon marocain. Superbe terrasse avec belle vue, d'où l'on profite des concerts du *Taros*, juste à côté, le soir.

▣ *Dar Ness* (plan couleur B2, **66**) : 1, rue Khalid-ben-Walid. ☎ 024-47-68-04. ● darness-essaouira.com ● *Dans le passage qui part de la pl. Moulay-el-Hassan, indiqué « Coopérative artisanale des marqueteurs ». Doubles 75-85 € selon taille, petit déj compris. Chambre familiale 125 €.* On frappe à la porte de ce *riad* du XVIIIe s et l'on est accueilli timidement, avec le sourire, dans le traditionnel patio. Chambres décorées avec goût, élégance et sobriété : couvre-lits berbères, lavabos en cuivre... Atmosphère calme et reposante à deux pas de l'animation. Petit déj qui peut être servi sur la terrasse panoramique.

▣ *Riad Mímouna* (plan couleur C1, **67**) : 62, rue d'Oujda. ☎ 024-78-57-50 ou 51. ● riad-mimouna.com ● *Près de la sqala, dans des ruelles qui sentent le sel de la mer et le bois de cèdre. Doubles 85-120 € selon vue, petit déj compris ; à partir de 150 € pour une suite.* Une décoration très travaillée pour cet hôtel récent d'une trentaine de chambres, dans un style traditionnel réussi. La plupart ont vue sur la médina, quelques privilégiés pourront admirer la mer (prix plus élevés). Atmosphère feutrée, plafonds en thuya ouvragés, cheminées et belles salles de bains ainsi que l'inévitable et délicieuse terrasse, immense, surplombant la ville. L'accueil prévenant ne fait qu'ajouter au plaisir de passer là quelques jours de vacances. Espace beauté et hammam (en supplément).

▣ *Madada Mogador* (plan couleur B2, **68**) : 5, rue Youssef-el-Fassi. ☎ 024-47-

55-12. ● madada.com ● *Résa conseillée 2 mois avt. Doubles 110-150 € selon vue ; suites à partir de 165 € pour 2 pers ; petit déj inclus (+ 20 % en fin d'année et pour le festival Gnaoua). Également un appart de 90 m[2] avec cheminée, cuisine et entrée indépendante 180 €. CB acceptées.* Une très belle adresse pleine d'élégance tenue par Christine, une ancienne hôtesse de l'air, qui a réussi sa reconversion avec brio. Des chambres et des suites dans un style moderno-marocain, épuré et stylisé, très chic et intime. Certaines offrent une vue sur la mer et disposent d'un balcon-terrasse. Bien au calme, idéal pour ceux qui veulent rester plusieurs jours (et qui ont les moyens...). Service attentionné et discret. Accès wi-fi. Pour couronner le tout, très agréable terrasse qui donne sur le large et où l'on savoure un excellent petit déj. Envisage de donner prochainement des cours de cuisine marocaine.

▣ *Dar L'Oussia* (plan couleur B2, **74**) : 4, rue Mohammed-Ben-Messaoud. Près de Bâb-Sebaa. ☎ 024-78-37-56. ● dar-loussia.net ● *Doubles 990-1 500 Dh (90-136,40 €) selon confort ; suite 1 800 Dh (163,60 €), petit déj compris.* Que l'on ne s'y trompe pas, avec ses 25 chambres, *Dar L'Oussia* est avant tout un hôtel. Un hôtel élégant qui propose des chambres spacieuses, lumineuses, à la déco contemporaine, sobre, raffinée et ponctuée de touches de couleur parfaitement senties. Belle terrasse sur le toit pour admirer la médina et le port. Hammam (gratuit pour les résidents).

▣ *Villa Maroc* (plan couleur B2, **73**) : 10, rue Abdellah-ben-Yassin. ☎ 024-47-61-47. ● villa-maroc.com ● *Dans une ruelle longeant les remparts, juste derrière la tour de l'Horloge. Doubles 960-1 160 Dh (87,30-105,50 €) ; à partir de 1 360 Dh (123,60 €) pour une suite ; petit déj compris. Dîner 200 Dh (18,20 €) obligatoire en hte saison (slt le 1er soir du séjour en basse saison... ouf !). CB acceptées.* Dans un dédale de patios, d'escaliers, de terrasses, ce *riad* du XVIIIe s (en fait 4 *riad* savamment reliés les uns aux autres), joliment restauré avec des salons meublés à l'ancienne, propose des chambres et minisuites d'un confort très inégal, certaines ne justifiant pas du tout les prix. En demander une sur le toit. En saison

fraîche, éviter les chambres du rez-de-chaussée.

Près de la plage

Prix moyens

🏠 *Résidence Vent des Dunes – Villa Sarah* (hors plan couleur par D3, **69**) : villa n° 20, quartier des Dunes. ☎ 024-47-53-91. ● essaouiranet.com/ventdes dunes ● *Du centre, suivre le bd Mohammed-V ; tourner à gauche juste avt la bifurcation Agadir-Marrakech, puis fléché. Doubles 310-360 Dh (28,20-32,70 €), petit déj compris et servi sous une tente berbère ou sur la terrasse. Studios et apparts 300-600 Dh (27,30-54,50 €) selon saison (mais sans le petit

déj). Tarifs dégressifs.* À la *Résidence Vent des Dunes*, une quinzaine de chambres joliment colorées avec TV satellite et salle de bains. Agréable jardin planté de bougainvillées. Un lieu très bien tenu. En face, la *Villa Sarah* abrite une dizaine de studios et appartements pour 2 à 4 personnes, avec une partie salon, une cuisine, et parfois une mezzanine. Si besoin, voiture avec chauffeur à disposition.

Chic

🏠 *Riad Zahra* (hors plan couleur par D3, **69**) : 90, quartier des Dunes. ☎ 024-47-48-22. ● riadzahra.com ● *Du centre, suivre le bd Mohammed-V ; tourner à gauche juste avt la bifurcation Agadir-Marrakech, puis fléché. Chambres 500-550 Dh (45,50-55 €) avec ou sans balcon. Petit déj inclus. Suite 700 Dh (63,60 €) avec vue sur mer.*

Repas sur demande. Un hôtel d'une vingtaine de chambres aménagé façon riad, avec le traditionnel patio. Chambres plutôt spacieuses, aux couleurs pêchues, parfois même un poil exubérantes... de là à parler de quelques fautes de goût, il n'y aurait qu'un pas... Bon, l'ensemble est confortable, le coin bar chaleureux et la piscine bienvenue.

Très chic

🏠 *Villa Quieta* (hors plan couleur par D3, **69**) : 86, bd Mohammed-V. ☎ 024-78-50-04 ou 05. ● villa-quieta. com ● *Parking gardé. À 50 m de la plage et à 10 mn de la vieille ville. Doubles 1 070-1 600 Dh (97,30-145,50 €) selon vue, confort et saison ; suites à partir de 1 800 Dh (163,60 €). Deux chambres dans le jardin, à partir de 600 Dh (54,50 €), à réserver longtemps à l'avance. Petit déj compris. Possibilité de dîner. Réduc de 15 % sur présentation de ce guide.* Une quinzaine de grandes chambres et suites, toutes décorées différemment avec des meubles en thuya. Certaines avec vue sur mer. Des œuvres d'art traditionnelles sont accrochées çà et là dans les salons et les suites. Le comble du raffinement est de prendre son petit déj dans le grand salon marocain de 400 m² aux murs et

plafonds superbement ouvragés (on se console du prix en se disant qu'on paie le décor !). Terrasse donnant sur le jardin fleuri. Piscine, hammam, spa, sauna, salle de massage et soins. Une adresse au calme. Un petit bémol pour l'accueil qui n'est pas toujours à la hauteur de ce que l'on pourrait attendre.

🏠 🍴 *Hôtel-restaurant Océan Vagabond* (plan couleur C3, **70**) : 4, av. Lalla-Aicha. ☎ 024-47-92-22. ● oceanvaga bond.com ● *Doubles 120-150 € selon taille et vue, petit déj compris. Menu 180 Dh (16,40 €) et carte.* On entre par le salon avec une belle cheminée, surmonté d'une mezzanine meublée de fauteuils Chesterfield, d'une bibliothèque et d'un écran plasma. Puis, toujours au rez-de-chaussée, la salle à manger, très conviviale, avec un coin bar à la fois exotique et design. Les matériaux utilisés ont la noblesse du naturel : marbre, cèdre avec des touches de cuivre, différents bois exotiques... Piscine dans le jardinet. En supplément, accès au coin spa dans le plus pur style marocain avec massage et hammam. Quant aux chambres, luxueuses, elles surfent sur le thème du voyage avec des noms qui font rêver :

Pondichéry, Geisha, Masaï, Sarahoui, Pirogue... Elles possèdent tout le confort, et le coin salon peut servir de 3e couchage. Sol rustique en tomette, décoration très étudiée, salle de bains en *tadelakt* avec des vasques en marbre taillées dans la masse. Rien n'est laissé au hasard pour faire de ce lieu un petit bijou de sophistication.

Spécial folies

🏨 *Hôtel Sofitel Mogador* (plan couleur C3, **29**) : bd Mohammed-V. ☎ 024-47-90-00. Fax : 024-47-90-80. Doubles 2 000-2 900 Dh (181,80-263,60 €) selon saison et vue. Suites encore plus chères. À ce prix-là, le petit déj n'est même pas inclus. Ses 120 chambres (dont 8 suites) satisferont les plus exigeants. Et l'artisanat marocain n'a pas été oublié : on y trouve de beaux meubles en racine de thuya et des zelliges dans les salles de bains. Chaque chambre possède un balcon sur la mer, la médina ou la piscine. L'établissement propose 3 restos, dont un sur la plage, 2 bars, une piscine chauffée avec solarium, une plage privée, un hammam, une salle de gymnastique, une boutique et surtout un institut de thalassothérapie avec tous les soins traditionnels. Excellent service. Voir aussi « Où manger ? ».

Location d'appartements

Si vous voyagez à plusieurs ou si vous décidez de rester quelques jours à Essaouira, cette formule est intéressante financièrement (on peut parfois tomber sur de vraies aubaines en basse saison). Une occasion de vivre comme des Souiris et d'avoir sa propre maison dans le labyrinthe des ruelles. Plus dépaysant que l'hôtel, et plus amusant. Nous vous recommandons des adresses de qualité, pour lesquelles il est impératif de réserver parfois longtemps à l'avance.

🏠 *Jack's Apartments* (plan couleur B2, **16**) : 1, pl. Moulay-el-Hassan. ☎ 024-47-55-38. ● essaouira.com/apart ments ● Compter 25-85 € pour 2 pers pour un appart avec cuisine ; à partir de 65 € pour 4 pers ; prix spéciaux en basse saison et pour longs séjours. Avant de faire son choix, il est possible de voir des photos de ces studios à l'accueil de la librairie et sur le site Internet. Grand choix d'appartements très confortables, remarquablement entretenus. La plupart ont vue sur la mer. Le ménage et les lits sont faits chaque jour et on peut même avoir recours aux services d'une cuisinière. Cette agence propose le meilleur parc locatif de la station même s'il y a parfois des problèmes de résa.

🏠 *Riad Essalam* : s'adresser au resto du même nom (plan couleur B2, **71**), pl. Moulay-el-Hassan. ☎ 024-47-55-48. Fax : 024-47-62-42. Selon taille, compter 400-500 Dh (36,40-45,50 €) pour 2-4 pers ; prix négociables sur de longs séjours et en très basse saison. Pour louer la maison entière (10-12 pers), compter 1 400 Dh (127,30 €). Demander Mohammed, le patron, propriétaire d'une authentique maison souirie qui abrite 3 appartements (un à chaque niveau). Au calme, car éloignée de la place Moulay-el-Hassan. Les appartements sont pourvus d'une petite cuisine. Sur demande, la femme de ménage deviendra cuisinière et pourra même vous dévoiler les secrets des recettes marocaines. Les appartements du 2e et du 3e étage (ce dernier plus petit), plus agréables, possèdent chacun une petite terrasse privée. La terrasse commune, sur le toit, domine les remparts.

– Voir aussi les agences de location de *riad* que nous vous recommandons à Marrakech dans « Où dormir ? » et qui proposent des *riad,* des chambres d'hôtes ou des appartements à Essaouira.

Où dormir dans les environs ?

De prix moyens à chic

■ *Dar Salsa-Cap Sim Trekking :* douar El-Ghazoua. ☎ 024-79-23-23. ▯ 077-54-04-31. ● darsalsa.com ● À 10 km d'Essaouira. Prendre la route d'Agadir. Juste en face du resto Le Km 8, emprunter la petite piste toujours tt droit sur 1,2 km ; puis prendre le chemin sur la gauche à l'angle de la 2ᵉ fontaine, c'est la maison à 100 m. Double 30 €, petit déj inclus. Dîner sur commande env 10 €. Quelques chambres sobrement décorées dans le style berbère. Sanitaires communs. Petite piscine et cuisine équipée où l'on peut préparer ses repas. Laurent et Véronique proposent des treks et des balades à dos de chameau de toutes durées dans la région.

■ *La Maison du Chameau :* sur la route de Marrakech. Au km 7, piste de 2,5 km sur la droite (fléché). ☎ 024-78-50-77. ▯ 061-34-71-08. ● passionmaroc. com ● Doubles 270-320 Dh (24,50-29,10 €) selon saison, petit déj compris. Possibilité de louer la maison en entier. Menu 130 Dh (11,80 €) ou carte. Balades à dos de chameau 100 Dh (9,10 €) l'heure ; 370 Dh (33,60 €) la journée (pique-nique inclus). Autre formule : 1h de balade à dos de chameau et un déjeuner pour 150 Dh (13,60 €). En fait de maison, il s'agit d'un *douar* avec quatre chambres agréablement restaurées (déco sobre et mignonne) qui s'agencent autour d'un patio fleuri. Une seule salle de bains commune équipée d'une douche chaude (solaire), 2 grandes pièces communes et des jardins au milieu de 4 ha de champs et d'oliviers. Dans un style purement traditionnel berbère et très confortable, voilà un véritable havre de paix, sans électricité (bouillottes pour l'hiver !). Un lieu idéal pour l'apprentissage de la conduite du chameau. De plus, l'équipe de méharistes est très compétente et vous emmènera visiter des coins insoupçonnés.

■ *Dar Kenavo :* à 15 km env d'Essaouira. Prendre la direction d'Agadir ; à El-Ghazoua, suivre Marrakech, puis fléché. ▯ 061-20-70-69. ● darkenavo. com ● Doubles 350-550 Dh (31,80-50 €) selon confort (sanitaires privés ou communs) ; suites 650 Dh (59,10 €), copieux petit déj compris. Possibilité de dormir sous une tente berbère pour 150 Dh (13,60 €)/pers. Tout près d'un oued, cette grande maison fleurie propose une douzaine de chambres réparties autour d'un patio. À signaler, deux sympathiques pavillons à l'écart, avec cheminée et terrasse privée. Hammam en *tadelakt* et petite piscine au bord d'un verger. L'accueil est excellent. Balades à dos de chameau à prix honnêtes. Une adresse qui offre un cadre idéal pour se ressourcer au milieu de la campagne marocaine.

■ *Chambres d'hôtes Casa Naïma :* à 15 km env d'Essaouira. Prendre la direction d'Agadir ; à El-Ghazoua, suivre Marrakech sur 4 km, puis à droite Ida Ogourd (fléché). ▯ 078-96-18-80. ● casa-naima.com ● Doubles 540-660 Dh (49-60 €) selon taille ; compter 880 Dh (80 €) pour 4 pers, petit déj compris. Dîner 110 Dh (10 €). Au cœur d'une belle nature préservée, une maison récente de plain-pied, tenue par Séverine et son mari. Beaucoup d'espace. Avec un grand salon, une piscine et une pataugeoire au cœur du jardin, 5 chambres conçues pour accueillir de 2 à 5 personnes et qui donnent toutes sur une terrasse, cette adresse est idéale pour passer un séjour au calme et en famille. En prime, l'accueil est charmant.

■ *La Maison :* à 12 km env d'Essaouira. Prendre la route de Marrakech ; à 9 km, bifurquer sur la gauche sur la route côtière de Safi (fléché). ▯ 061-19-73-74. ● lamaisonessaouira.com ● Double 660 Dh (60 €), petit déj compris. Repas 165 Dh (15 €). Une maison isolée dans la nature, parfaitement au calme et construite avec des matériaux traditionnels. Cinq chambres confortables et décorées avec goût, sur des thèmes différents (Afrique, berbère, Orient, etc.). Immense salon aux coussins multicolores et une cheminée pour les soirées fraîches. Ravissant jardin verdoyant qui s'étire tout en longueur. Tout au bout,

une piscine. Bonne cuisine. Une adresse très sympathique mais on ne parlera pas de chambres d'hôtes puisque les propriétaires vivent en France une grande partie de l'année.

Très chic

■ *Le Jardin des Douars :* à 13 km d'Essaouira. Suivre la direction d'Agadir puis, à El-Ghazoua, prendre la route de Marrakech, ensuite fléché. ☎ 024-79-24-92. ▤ 064-24-00-05. ● jardindes douars.com ● *Doubles 90-110 €, suites 130 € et 2 petits dar (douaria) pour 6 pers 220 €. Également une grande suite pouvant loger 8 pers. CB acceptées.* Pour construire cette maison d'hôtes, l'architecture marocaine traditionnelle a été respectée avec minutie, avec un mobilier pensé dans les moindres détails, des salles de bains en *tadelakt* et un éclairage subtil. La salle commune dans laquelle on prend le petit déj (inclus) possède de grandes baies vitrées et il fait bon y bouquiner. Le tout est entouré par un jardin luxuriant, dans lequel se niche une originale piscine aux couleurs vertes. Une petite rivière coule en contrebas. Délicieux repas sur demande. On y resterait bien des jours et des semaines à se faire dorloter par des hôtes (Aurélio, Jean et Mehidy, le trio gagnant !) d'une gentillesse inégalable. Nous avons eu pour ce lieu magique un vrai coup de cœur. Si votre budget vous le permet, courez-y ! Mais n'oubliez quand même pas d'aller visiter Essaouira.

■ *Baoussala :* village d'El-Ghazoua. ☎ 024-79-23-45. ▤ 066-30-87-46. ● baoussala.com ● *Prendre la route d'Agadir. À 8 km, suivre la piste à droite, juste en face du resto Le Km 8. À la petite fourche, à 50 m, rester sur la droite et faire 3 km ; sur la gauche, on repère 2 cônes roses, passer entre, et c'est à 200 m. Doubles 60-70 € selon taille ; suites 85 €, petit déj compris ; loc possible à la sem. Repas sur commande 15 €. CB refusées.* Cette maison d'hôtes, à l'architecture délicieusement décalée, rappelle les demeures en adobe du Nouveau-Mexique. Tenue par Dominique, elle se compose de chambres ou de minisuites avec cheminée (qui fonctionne), bains et w.-c. Là aussi, cadre de charme. Des teintes pour tous les fantasmes, bleu, fauve... Comme le grand salon, les chambres donnent toutes sur le patio, vraiment paisible. Le toit-terrasse a été aménagé avec un solarium et un coin sieste sous une tente berbère. Le jardin de 5 000 m^2 est clos de murs. Petite pataugeoire pour les enfants. Un endroit idéal pour vivre tranquille et se reposer en pleine nature. Une adresse de charme qui sait tenir ses prix.

Où manger ?

Attention à certaines adresses recommandées par le passé, qui ont changé de propriétaire et que nous ne conseillons plus. Elles affichent encore des couvertures du *Guide du routard,* espérant récupérer quelques lecteurs distraits ou qui voyagent avec une ancienne édition. Certains de ces établissements sont aujourd'hui vivement déconseillés pour manque d'hygiène, entre autres raisons. Essaouira, victime de son succès, est la ville du Maroc où les prestations des restaurateurs sont malheureusement les moins régulières. Un point positif cependant : de nombreux restos ayant ouvert ces dernières années, on constate une hausse de la qualité, surtout dans les catégories « Plus chic ». Vive l'émulation !
Une dernière recommandation importante : ne commandez pas de poisson dans un resto un dimanche ou un jour férié. Les pêcheurs ne sortent pas la veille. On vous servira donc un poisson de l'avant-veille ou congelé ! Les risques d'intoxication sont alors réels ! Même topo lorsque la mer est agitée.

De très bon marché à bon marché (moins de 80 Dh / 7,30 €)

On trouve encore à Essaouira des *cafés berbères* qui perpétuent une tradition très peu ébruitée, presque confidentielle. Le principe : vous achetez les ingrédients, et les cafés font votre popote pour quelques dirhams. Un plan génial pour bien manger pour trois fois rien, et surtout faire des rencontres sympas. Ces cafés se situent face au souk, entre la rue Mohammed-el-Qorry et l'avenue de l'Istiqal.

|●| Laâyoune *(plan couleur B2, 80)* : 4 bis, rue El-Hajalli. ☎ 024-47-46-43. Cadre bien léché : tables basses, longues banquettes, coussins colorés. L'atmosphère est paisible et intime, surtout le soir, lorsque les bougies scintillent. Cuisine marocaine d'un bon rapport qualité-prix. Une adresse qui remporte un franc succès.

|●| Beach Restaurant Lounge *(Restaurant-snack de l'Océan Vagabond ; hors plan couleur par D3 20)* : au bout du bd Mohammed-V, sur la plage. Tlj 8h-18h env. Simples sandwichs, appétissantes salades composées, plats cuisinés et desserts du jour selon l'humeur du chef. On prend également le petit déj face à la mer, les pieds dans le sable. Ambiance jeune et décontractée. Une adresse très sympa pour prendre un verre (bons cocktails de fruits) ou manger un morceau sur la plage.

|●| Le Dauphin *(plan couleur C1-2, 82)* : 6, rue Sidi-Abd-Smih. Cuisine marocaine sans prétention servie dans un cadre typique et chaleureux. Couscous parfumé à l'huile d'argan lui conférant un goût bien particulier. Mieux vaut ne pas être pressé, car tout est préparé à la demande. Musique locale agréable.

|●| Crêperie Mogador *(plan couleur B2, 83)* : 4, rue Laâlouj. Fermé ven. Des crêpes au blé noir complet bio, servies dans une salle sobre mais conviviale. Tenue par un jeune couple franco-marocain, très sympa.

|●| La Petite Perle *(plan couleur B2, 80)* : 2, rue El-Hajalli. Tlj midi et soir. Attention, service automatiquement ajouté à la note. Salle voûtée en longueur, tables basses et tapis, bref, une déco typique de bon aloi pour une cuisine simple et pas chère, rien d'extraordinaire non plus. Au choix : une vingtaine de tajines et une dizaine de couscous ! Accueil inégal.

|●| Essalam *(plan couleur B2, 71)* : pl. Moulay-el-Hassan. Tlj 8h30-15h30, 18h30-22h30. Pas d'alcool. Les repas se composent d'une salade variée ou d'une soupe, d'un plat et d'un dessert. Une cuisine qui ne vous laissera pas un souvenir impérissable, mais correcte et à des prix qui ne changent pas depuis des années. Reste l'un des restos les moins chers de la ville et idéalement situé avec une terrasse ombragée donnant sur la place. Service décontracté.

|●| Superbe Pastilla *(plan couleur C2, 84)* : rue Mohammed-el-Qory, angle rue d'Irak. Tlj (sf parfois dim) jusqu'à 21h env. Une petite échoppe qui, comme son nom l'indique, vend de belles *pastillas* au poulet et aux amandes, particulièrement bien garnies, mais aussi des *msemen*, crêpes marocaines... À emporter. Pour les budgets serrés qui veulent grignoter en flânant dans les rues.

|●| Chez El Ouazzani *(plan couleur C2, 85)* : 88, rue Mohammed-el-Qory. Une cantine de poche fréquentée par des Marocains qui s'installent derrière le comptoir pour manger « comme à la maison ». Tajines, mais le vendredi midi c'est couscous. Le soir, soupe de pommes de terre pour tout le monde ! Prix imbattables. Une adresse vraiment authentique et à l'hygiène plutôt respectée.

Prix moyens (80-150 Dh / 7,30-13,60 €)

|●| Barbecues de poisson grillé *(plan couleur B2, 86)* : en plein air, à côté de la maison des douanes et de la halle aux poissons. Une série de petites gargotes fermées le soir hors saison ou quand le vent est trop fort. Menus ou poisson au poids 80-160 Dh (7,30-14,50 €)/kg. En général, l'ambiance est animée et très sympathique, mais voici quelques précautions utiles pour éviter les mauvaises surprises : d'abord, évitez d'y manger lorsque la mer a été démontée plusieurs jours de suite car, les bateaux ne sortant pas, les loustics ont une fâcheuse tendance à essayer de vous revendre le poisson de la veille (ou même d'avant) congelé puis décongelé. Un poisson frais (et cru) doit avoir les ouïes rouges. Ensuite, faites-vous toujours préciser les prix avant de commander quoi que ce soit, et mettez-vous d'accord sur le prix définitif aussi AVANT, car, sinon, entourloupe quasi assurée ! Vérifiez également si le poisson que vous avez choisi est bien celui que l'on fait griller pour vous. Enfin, écartez d'emblée les crudités et vérifiez le capsulage des bouteilles. Cela étant dit, régalez-vous de bon cœur !

|●| *Restaurant Ferdaouss* (Chez Souad ; plan couleur C1, **88**) : 27, rue Abd-Essalam-Lebadi. Au 1er étage. ☎ 024-47-36-55. Fermé lun. Menu à prix intéressant. Excellente cuisine familiale traditionnelle (on a aimé le tajine de chevreau, mais celui aux poissons n'est pas mal non plus) aux accompagnements inventifs, à base de figues, de noix, de dattes, de coings, etc. Huile d'argan pour accompagner le pain. Cadre agréable, service attentif et musique marocaine tout en douceur. Que demander de plus ?

|●| *Beldy* (plan couleur B2, **89**) : 6, rue Ibn-Toumert, à deux pas du musée. ☎ 024-47-67-12. Service majoré de 10 %. Cette belle maison aux multiples salons et au beau décor traditionnel sert une authentique cuisine berbère, diaboliquement tentante. Essayez donc l'excellent tajine *Beldy* aux fruits secs. Le soir, l'éclairage à la bougie rend l'atmosphère très romantique. Accueil

et service aimables.

|●| *Restaurant Les Alizés* (plan couleur B1, **41**) : 26, rue de la Sqala, au rez-de-chaussée de la Pension Smara. ☎ 024-47-68-19. Résa indispensable le soir en hte saison. Tenu par un couple marocain charmant et plein de bonne humeur, qui a décoré avec goût cette ancienne maison à arcades du XIXe s (grandes voûtes de pierre tranchant sur le blanc). Le soir, dîner aux chandelles. Cuisine marocaine de bonne tenue (on vous recommande particulièrement les boulettes de sardines et le couscous *Saffa*). Pastillas sur commande. Vin au verre ou en bouteille. Une adresse très courue, tant par les Marocains que par les touristes.

|●| *Restaurant Tawrirt* (plan couleur C1, **18**) : 2, rue Oujda. ☎ 024-47-67-24. Fermé ven en basse saison. Un sympathique resto au cadre soigné qui met de suite en confiance et où l'on se pose avec plaisir (murs en tadelakt rougeoyant, tables recouvertes de nappes en tissu). On sent le souci de bien faire. D'ailleurs, l'accueil est charmant. Sur la carte, toute la cuisine marocaine est au rendez-vous (tajines aux pruneaux et aux amandes, aux noix et aux abricots, grillades, pastillas, couscous, etc.). Les portions pourraient être un peu plus généreuses, mais les viandes sont fondantes. Terrasse sur le toit avec juste une poignée de tables pour ceux qui voudraient prendre un bain de soleil.

|●| *Restaurant Sirocco* (plan couleur B2, **87**) : 15, rue Ibn-Rochd. ☎ 024-47-23-96. Fermé sam sf vac scol. Résa conseillée. Un resto tout en arcades, aux tons colorés et très chaleureux. *Pastillas* de poulet et tajines. En principe, les jeudi et dimanche, musique marocaine et arabo-andalouse. Bonne ambiance et bonne chère !

Chic (150-250 Dh / 13,60-22,70 €)

|●| *La Licorne* (plan couleur B1, **90**) : 26, rue de la Sqala. ☎ 024-47-36-26. Slt le soir. Fermé lun hors saison. Résa conseillée avr-août. CB refusées. Dans une ancienne halle aux murs en pierre, magnifiquement restaurée avec un éclairage intimiste. Prenez le temps d'admirer le lieu : 5 années de travail

ont été nécessaires à Fred pour peaufiner chaque œuvre d'art du mobilier, car c'est bien d'art qu'il s'agit. Majesté de la tête de licorne sculptée à l'entrée, ampleur des sièges, finesse des cadres et superbe des lampes, c'est lui qui a tout fabriqué. On ne peut que lui tirer notre chapeau ! C'est somptueux. Sa femme, Aurélie, accueille avec le sourire et propose une cuisine marocaine très gourmande, où les tajines fondent dans la bouche, la semoule bat des records de légèreté et la *pastilla* de pomme au miel avec sa glace au whisky, régale les plus exigeants. Elle saura aussi vous conseiller très judicieusement à travers la carte des vins de la région. Service exclusivement féminin, ce qui est rare à Essaouira. Une belle table dans un décor unique.

|●| *Elizir* (plan couleur C2, *52*) : 1, rue d'Agadir. ☎ 024-47-21-03. Le soir slt ; résa indispensable. Originalité, convivialité et sens de l'accueil sont les maîtres mots de ce resto tenu par un jeune d'Essaouira. Le cadre, délicieusement décalé, ravira les nostalgiques des années 1970, éveillera la curiosité des férus d'antiquités, séduira les amateurs d'art et conviendra à ceux qui recherchent une certaine intimité. La carte est limitée mais tout est fait maison et les produits sont frais. La cuisine est savoureuse et généreuse, le service allie attentions et décontraction. Carton plein !

|●| *Le Patio* (plan couleur B2, *91*) : 28 bis, rue Moulay-Rachid. ☎ 024-47-41-66. Slt le soir. Fermé lun. Résa très conseillée. Dans une ambiance *lounge*, Marie et Antoine ont créé un des lieux les plus à la mode d'Essaouira. L'éclairage à la bougie magnifie la salle aux murs rouges, presque gothiques. Pour encore plus de romantisme, le repas est servi dans un des petits salons, très raffinés, séparés du patio par des voilages. Chaises en fer forgé, vaisselle marocaine viennent compléter le tableau de ce dîner où le poisson règne en maître. Service très souriant. Dommage que la cuisine ne soit pas toujours à la hauteur. Une adresse idéale pour une soirée en amoureux.

|●| *D'Orient et d'Ailleurs* (plan couleur B1, *63*) : 67 bis, rue Touahen. ☎ 024-47-59-77. Le soir slt. Fermé dim. Menus à prix moyens ; « chic » à la carte. Sert de l'alcool. Un resto qui dégage de bonnes vibrations et qui met les hôtes en paix. Le cadre reposant et intime nous a ravis. L'accueil simple et prévenant du jeune couple franco-suisse nous a séduits et la cuisine aux saveurs savamment mélangées, enchantés. La carte

offre un choix assez restreint et change souvent. Les spécialités françaises, marocaines et italiennes tiennent régulièrement le haut de l'affiche. Quelques créations, comme le granité d'orange nappé de chocolat, sont particulièrement réussies !

|●| *El Menzah* (plan couleur B2, *92*) : 3, av. Oqba-ben-Nafi. ☎ 024-47-53-08. Sert de l'alcool. CB acceptées. Dans une ancienne halle aux voûtes majestueuses (qui se croisent, c'est rare), resto à la clientèle presque essentiellement marocaine, genre hommes d'affaires, familles bourgeoises, flics du commissariat d'à côté... Atmosphère assez conformiste donc et service stylé, mais on appréciera cette belle architecture et le côté aéré. Les brochettes de requin bleu figurent régulièrement sur la carte. Piano-bar le samedi soir. Quelques tables en terrasse.

|●| *Taros Café-restaurant-galerie* (plan couleur B2, *65*) : pl. Moulay-el-Hassan. ☎ 024-47-64-07. Fermé dim. CB acceptées. Cette galerie-café-resto, à la terrasse inoubliable, bénéficie d'une solide réputation et propose une cuisine d'inspiration française, avec quelques spécialités marocaines joliment présentées. Magnifique salle de resto en mosaïque avec des tables et chaises couleur brique au premier. Les choses de l'esprit ont aussi une large place ici avec des expos de peinture et de produits artisanaux de bonne qualité. Grand choix d'alcools. Prix un peu surestimés.

|●| *Casa Bella* (hors plan couleur par D3, *93*) : 60, bd Mohammed-V. ☎ 061-47-55-70. Le soir slt. Un resto dont le cadre joue résolument dans le contemporain sobre et élégant (côté pile, mur en brique, côté face, mur en *tadelakt* et mobilier noir aux lignes épurées). Dans les assiettes, une excellente cuisine italienne pur jus (ou presque... car vous échapperez aux sempiternelles pizzas). Principalement des pâtes faites maison (*penne, gnochetti, quadrucci, e tutti quanti...*) et quelques viandes (à la sauce milanaise, s'il vous plaît !). Terrasse en bordure de boulevard, face à la mer.

|●| *Dar Loubane* (plan couleur B2, *94*) : 24, rue du Rif. ☎ 024-47-62-96. Près de l'horloge. Le midi, menu à prix moyens.

CB acceptées. Dans un *riad* du XVIIIᵉ s, ce resto bénéficie d'un décor exceptionnel au service d'une cuisine marocaine pur jus. Le soir, on dîne aux chandelles dans le patio fleuri ou dans l'un des 3 salons. On pourra admirer la collection d'anciennes photos de Mogador et d'objets hétéroclites rassemblés par les propriétaires, anciens marchands aux puces de Saint-Ouen. Une fois par semaine, le samedi généralement, soirée musicale gnaoua (spectacle de fort bonne qualité). Prix un peu élevés tout de même. Ils disposent aussi de 3 chambres en dépannage.

Très chic (plus de 250 Dh / 22,70 €)

|●| *Le Samarcande (plan couleur B1-2, 100)* : 9, rue Abderrahmane-Eddakhil. ☎ 024-47-66-65. 📱 061-85-26-36. *Dans la médina. Résa conseillée. Carte 250-300 Dh (22,70-27,30 €).* Abrité dans un ancien *riad*, ce petit établissement accueille ses hôtes pour un déjeuner ou un dîner en noir et or. Voilages aériens, girandoles de perles de Bohême et fauteuils cramoisis confèrent à l'espace un style typiquement rococo. Mais ce n'est point là la particularité du lieu. Le décor planté, tout se joue dans l'assiette : crème de langouste, médaillon de lotte rôtie aux cèpes et nougat glacé au coulis de fruits rouges ! Le tout arrosé d'une excellente cuvée de Meknès. Hassan Chajii, après des études à l'école hôtelière de Casa, s'est formé dans les plus grands restaurants. Aujourd'hui, il maîtrise son art et multiplie les inspirations notamment berbères, car pour timide et discret qu'il soit, Hassan n'est pas du genre à renier ses origines ! Une table 100 % marocaine !

|●| *After Five (plan couleur B2, 81)* : 5, rue Youssef-el-Fassi. ☎ 024-47-33-49. *Malgré son nom, ouv tlj midi et soir. Le midi, plats env 65 Dh (5,90 €) ; brunch le dim ; le soir, repas 250-300 Dh (22,70-27,30 €).* Dans un cadre intimiste et branché avec voûte en pierres, gros lampadaires qui pendent au plafond, on vient déguster une cuisine française recherchée, à tonalité méditerranéenne. Ici et là, quelques saveurs italiennes et marocaines. Le « juste cuit au chocolat et sa crème mentholée » est superbe ! Vins chers, tout de même. Une adresse qui convient parfaitement pour un repas en amoureux.

|●| *L'Heure Bleue (plan couleur D2, 95)* : 2, rue Ibn-Batoula. ☎ 024-78-34-34. *Tlj 19h30-22h. Résa conseillée. Menu 690 Dh (62,70 €) ; carte 650-700 Dh (59,10-63,60 €).* Dans le cadre fabuleux du patio à la végétation luxuriante ou dans la salle aux fauteuils club confortables, on dîne au resto de cet hôtel de charme (le prix des chambres est exorbitant pour le confort). Cuisine française et marocaine, présentée avec élégance. Cuissons parfaites, produits frais. Une grande table.

|●| *Restaurants du Sofitel Mogador (plan couleur C3, 29)* : bd Mohammed-V. ☎ 024-47-90-00. À L'Arganier, *plats env 200 Dh (18,20 €)* ou *menu découverte 380 Dh (34,50 €). CB acceptées.* Ce menu, servi uniquement le soir, varie tous les jours. La carte des vins, « d'ici et d'ailleurs », offre une large sélection de crus venus de France, d'Australie, d'Argentine, etc. Excellent bar à côté, pour terminer la soirée. Également un resto « côté plage », à dominante de poisson, mais aussi avec des tapas. Et encore, un resto marocain, *L'Aïlen*, qui propose un menu classique, un peu cher toutefois. Tenue correcte préférable.

Où manger dans les environs ?

|●| *Le Km 8 (hors plan couleur par D3)* : à El-Ghazoua, sur la route d'Agadir, à 8 km donc, sur la gauche. 📱 066-25-21-23. *D'Essaouira, petits taxis 30 Dh (2,70 €) env. Fermé lun sf juil-août.* Compter 150-300 Dh (13,60-27,30 €) pour un repas. On s'installe dans le patio, sous un treillis de bambous, à proximité d'un jardin aux multiples senteurs ou dans une salle à la tonalité

contemporaine, avec une belle cheminée. Ce resto, tenu par Marlène et Bernard, propose une authentique cuisine marocaine et européenne. Goûtez aux sardines marinées, aux *brioaute* de fromage frais à l'huile d'argan, ou encore au plat vedette : les ris de veau à la crème.

Où prendre le petit déjeuner ?
Où manger une pâtisserie ou une glace ?
Où boire un verre ?

|●| 🍷 ░*Nombreuses* **terrasses de café** *sur la* pl. Moulay-el-Hassan *(plan couleur B2).* On vous laisse choisir celle qui vous plaira le plus. Toujours très animées. Ne pas rater le *Café de France* à l'heure du PMU, c'est le plus grand. Le *Dolce Fredo* (tenu par une Italienne authentique) sert de vraies glaces (italiennes !) en terrasse. De nombreux vendeurs de gâteaux viendront gentiment vous solliciter.

|●| **Pâtisserie Chez Driss** *(plan couleur B2,* **96***) : 10, rue* El-Hajalli. ☎ 024-47-57-93. *Au fond de la* pl. Moulay-el-Hassan. Tlj 7h-20h. Une institution tenue depuis 1928 par la même famille. Arrivages de viennoiseries chaudes dès 7h. Venir le matin, car l'après-midi il n'y a plus grand-chose. Quelques tables dans un mini-patio, pour le petit déj ou pour combler le petit creux de l'après-midi. Sur commande, *pastilla* ou pizzas à emporter.

|●| 🍷 *Café de l'Horloge – Chez Kanane (plan couleur B2,* **97***) : 2,* pl. Chefchaouni (pl. de l'Horloge). Tlj 7h-21h env. Sur la plus jolie placette d'Essaouira plantée de vénérables arbres, avec sa terrasse qui s'étire paresseusement au soleil, protégée du vent et entourée de tapis colorés. Petits déj marocains pour commencer la journée en douceur ou thé à la menthe en journée pour une pause contemplatrice. En revanche, accueil moyen, dommage !

|●| 🍷 ♦*Cafés-salons de thé du marché aux grains (plan couleur C1,* **98***) : derrière le souk.* Un endroit très sympa pour boire un thé au soleil sur cette jolie placette. Petit café traditionnel et populaire où l'on peut manger les traditionnels beignets. Également *Au Bonheur des Dames (tlj 8h-18h env).* Près d'une cinquantaine de thés de différents hori-

zons à déguster accompagnés de quelques pâtisseries. Propose aussi de très bons cocktails de fruits et légumes, sorbets et crèmes glacées. Un peu chérot mais si agréable !

|●| 🍷 *La Maison Gourmande (hors plan couleur par D3) : 5,* pl. du 11-Janvier. Tlj 7h-22h. Ces anciens restaurateurs de Provence proposent des petits déj avec confitures maison, des pâtisseries françaises, mais aussi des produits du Sud-Ouest (foie gras, charcuterie, fromages, etc.). Également des sandwichs.

🍷 ♦*Taros Café-restaurant-galerie (plan couleur B2,* **65***) :* pl. Moulay-el-Hassan *(voir plus haut « Où manger ? »).* Tlj sf dim jusqu'à 1h env. L'un des rares endroits où il se passe quelque chose le soir à Essaouira... Vous en entendrez forcément parler, vous y passerez sûrement. Sur une terrasse perchée sur le toit, se côtoient serveurs cravatés, jeunes et moins jeunes de bonne famille, jet-set locale, mais l'atmosphère reste décontractée et bon enfant. Musique live presque tous les soirs.

|●| 🍷 *Casa Vera (plan couleur B2,* **101***) :* pl. Moulay-el-Hassan. Fermé mar. Tapas env 55 Dh (5 €). Ambiance très espagnole pour grignoter de vrais tapas ! Terrasse sur le toit avec vue stratégique sur le port !

🍷 *Il Mare (plan couleur B1,* **99***) : rue de la* Sqala. Tlj 17h-3h env. Au dernier étage du restaurant. Le cadre est superbe ! On vient notamment pour la terrasse qui surplombe les remparts de la *sqala* et la mer. Idéal pour un verre (alcoolisé ou non) à l'heure de l'apéro. Attention, les jours de grand vent, ça décoiffe. Le soir, ambiance moins posée qu'au *Taros...*

Où sortir ?

Autant le savoir, Essaouira n'est pas vraiment une ville pour les noctambules. Certains s'en plaignent, d'autres au contraire apprécient cette tranquillité. On peut, pourquoi pas, faire un tour au *Patio* (plan couleur B2, **91**), à l'heure de l'apéro, pour grignoter des tapas. Le *Casa Vera* (plan couleur B2, **101**), tout comme *Il Mare* (plan couleur B1, **99**) sont aussi de très bonnes adresses pour prendre l'apéro face au soleil couchant ou flâner plus tard (pour *Il Mare* ! Sinon, le *Taros* (plan couleur B2, **65**) est un incontournable. Vous pouvez aller voir ce qu'il se passe du côté du resto *Aigue Marine* (62, bd Mohammed-V ; hors plan couleur par D3, **93**) qui organise des concerts gratuits (du jeudi au samedi, de 19h à 3h du mat' environ ; groupe live alternant avec DJ). Autre choix, le bar musical du *Mechouar* (plan couleur B2, **50**), ouvert tous les jours jusqu'à minuit-1h (jusqu'à 3h ou 4h le week-end). D'autres existent, mais si peu fréquentables et tellement imbibés d'alcool qu'on préfère ne pas les mentionner.

À voir

🎎 ⊘ *La médina,* enserrée dans ses remparts, se visite à pied et se déguste à petites gorgées, à l'une des nombreuses terrasses de cafés, par exemple... pas de doute, le charme opère bien vite.

🎎 *Le port* (plan couleur A-B3) : essentiellement consacré à la pêche, c'est l'un des lieux les plus animés de la ville, surtout au retour des bateaux ; le poisson est alors vendu à la criée : un spectacle à ne pas manquer. Les nuées de mouettes attendant les restes sont impressionnantes. On y accède par le poste de douane situé en haut de la plage (ne pas tenir compte des barrières) ou par la porte de la Marine (voir plus loin). Les quais sont transformés en chantiers navals. Vous y verrez construire des chalutiers, tout en bois, comme on n'en fabrique plus guère ailleurs. Leur forme n'est pas sans évoquer celle des anciens boutres.

🎎 *La porte de la Marine et la sqala du port* (plan couleur A-B3) : édifiée en l'an 1184 de l'hégire (1806) pour relier la ville au port, elle fut construite par un renégat anglais. Elle est ornée de deux colonnes et d'un fronton triangulaire très classique. L'ensemble a beaucoup d'allure. Un escalier permet de grimper au sommet de la muraille de la *sqala* du port (accès : 10 Dh, soit 0,90 € ; tous les jours de 8h30 à 12h, et de 14h30 à 18h). De là-haut, très belle vue panoramique sur les îles Purpuraires, la plage et Essaouira. Si vous le souhaitez, le gardien se fera un plaisir de vous guider. Très intéressant. Les canons sont ornés de blasons portugais, espagnols et flamands. C'est dans cet étonnant décor qu'Orson Welles a tourné certaines scènes de son *Othello,* qui devait remporter la Palme d'or au Festival de Cannes en 1952.

🎎 *La sqala de la Kasbah* (plan couleur B2) : franchir la porte de la Marine, se diriger vers la pl. Moulay-el-Hassan et tourner à gauche dans la rue de la Sqala qui longe les remparts et que l'on suit jusqu'au bout. Franchir le passage sous la voûte pour découvrir, dans les anciens entrepôts de munitions, des ateliers d'artisans marqueteurs. Leurs œuvres sont en loupe de thuya, incrustées de bois de citronnier, d'ébène et parfois de fil de cuivre.
Monter la rampe qui conduit à la plate-forme de près de 200 m de long, protégée de l'océan par un mur crénelé formé de blocs de roche sciés. Vu d'en haut, on distingue encore les traces de scie et le trou, vestige de la manœuvre qui servit à déplacer ces roches. Belle collection de canons de bronze braqués vers l'océan. Après une promenade vivifiante dans le vent et les embruns, redescendre par la rampe. Juste après la voûte, emprunter la *derb* (ruelle) Laâlouj qui conduit au musée, sur la droite.

🐪 *Le musée Sidi-Mohammed-ben-Abdallah* (plan couleur B1) : derb Laâlouj. ☎ 024-47-53-00. Fermé pour rénovation lors de notre passage ; se renseigner. En principe, tlj sf mar 8h30-18h. Entrée : 10 Dh (0,90 €) ; réduc enfants. Possibilité de visite guidée. Installé dans un ancien *riad,* transformé en mairie sous le protectorat français (la traditionnelle fontaine du patio a été démolie au profit de l'escalier), ce petit musée rassemble des collections sur les arts et les traditions populaires de la région d'Essaouira. Petite collection de pièces romaines et phéniciennes retrouvées dans la baie d'Essaouira (amphores notamment). Quelques photos anciennes de la ville également. Anciens objets en bois marqueté et des bijoux juifs et arabes qui ont fait jadis la renommée des artisans créateurs de la cité. Remarquables collections d'instruments de musique andalous, berbères et de *malhoum,* ainsi que des objets de différentes confréries de transe : *gnaoua, hamadcha* et *aissaoua.* Ne pas rater l'admirable luth entièrement fait d'incrustation de bois différents (racine ou tige de thuya, de citronnier, d'acajou, etc.) : un véritable travail d'orfèvre ! En poursuivant la visite, quelques pièces de monnaie en argent du XVIIIe s, une poignée d'armes, une belle collection de tapis et de tissages de la région de Chichaoua notamment. Pour finir, expo sur les bois peints.

🐪 *Le mellah* (plan couleur C1) : rejoindre la rue Sidi-Mohammed-ben-Abdallah qui aboutit à l'ancien mellah au nord. Traverser l'ancien mellah jusqu'à Bâb-Doukkala constitue une vraie expérience. Ce quartier tombe littéralement en ruine, sapé par la mer, abandonné par les propriétaires juifs qui ont fui les pays arabes lors des guerres contre Israël, puis par les pouvoirs publics. L'ensemble donne une désagréable impression de désolation, surtout la *rue du Mellah* qui longe les remparts jusqu'au bastion Bâb-Doukkala. Aujourd'hui, il y subsiste à peine trois ou quatre familles juives. Une bonne partie des familles très pauvres, des paysans déracinés et autres laissés-pour-compte qui étaient venus s'entasser là, ont été relogés dans le quartier de la *sqala.* Petit conseil : le meilleur moment pour se balader dans le haut du quartier (notamment *rue du Mellah*), c'est le matin de bonne heure. En fin d'après-midi (et le soir a fortiori !), pas trop recommandé.

🐪 *Les vieux cimetières chrétien et juif* (plan couleur D1) : bd de l'Industrie, Bab-Doukkala. Pas de problème pour y pénétrer, il y a en principe un gardien dans chacun d'eux. Une petite obole sera appréciée. Le premier cimetière, le chrétien, se trouve derrière le mur à gauche où se rangent toutes les calèches. L'entrée du cimetière juif marin, le plus ancien, se trouve plus loin, à environ 200 m, au bout de ce long mur (frapper fort à la porte marron). Tombes plates d'une grande sobriété. En face, au-delà du carrefour, une autre porte permet l'accès à la partie la plus importante du cimetière juif.

🐪🐪 *Le marché ou souk jdid* (plan couleur C1) : des deux côtés de l'av. Mohammed-Zerktouni, entre les deux portes qui enjambent la rue. Grande animation le mat et le soir. Les commerces sont groupés par spécialités. Pittoresque garanti. Le premier souk (en venant de Bab-Doukkala) est celui de la viande. Après avoir franchi la porte, sur le côté droit, derrière la rangée d'échoppes qui bordent la rue, se cache le souk du poisson, tout carrelé, entouré par les échoppes d'épices. Sur le côté gauche, quelques échoppes dont un véritable tisserand. De l'autre côté de l'av. Mohammed-Zerktouni, on découvre l'agréable placette du souk au grain (fonctionne en période de récolte uniquement). Juste derrière (côté Bab-Doukkala), vente à la criée (tous les jours de 10h à 19h). On y vend de tout, selon des règles précises, immuables depuis des siècles. Cela tient plus des puces que de l'hôtel Drouot.

En retournant dans la grand-rue, en direction du port, le souk des bijoux : quelques dizaines d'échoppes qui proposent des articles en argent et en or. Ces commerces étaient très prospères à l'époque où la ville comptait une importante communauté juive. Mais bien peu maintenant sont de véritables artisans qui fabriquent encore eux-mêmes. L'avenue Mohammed-Zerktouni continue et change de nom pour s'appeler avenue de l'Istiqlal. Observer les portes de la grande mosquée sur la

gauche (plan couleur C2). Les deux porches sont complètement décentrés pour respecter l'alignement avec La Mecque. Un sacré travail d'architecture !
L'avenue de l'Istiqlal conduit jusqu'aux remparts d'une belle couleur ocre. La porte sur la droite donne accès à la place de l'Horloge (plan couleur B2). C'était autrefois l'une des plus importantes de la kasbah, car elle permettait d'accéder à la grande mosquée de l'époque.

🏃🏃🏃 *Balade en ville :* en franchissant cette porte, on découvre le réseau des ruelles. Il n'y a pas d'itinéraire précis. Perdez-vous dans leur lacis entre les hauts murs blancs des maisons dont les fenêtres sont peintes en bleu. On dit que ce sont les juifs qui ont eu l'idée de les badigeonner ainsi, afin de chasser les mouches. On ne risque pas de se perdre. Admirer au passage les magnifiques portes de certaines maisons.

🏃 *L'église* (plan couleur D3) : dans la ville nouvelle. ☎ 024-47-58-95. Essaouira est une des rares villes du Maroc où vous entendrez peut-être les cloches sonner le dimanche pour annoncer la messe de 10h. Cette ville a une longue tradition de tolérance puisque juifs, musulmans et chrétiens y cohabitent harmonieusement depuis des siècles. Malheureusement, le bâtiment n'a aucun intérêt en lui-même.

À faire

⌂ *La plage* (plan couleur B-C-D3) : magnifique, elle s'étend à perte de vue. La municipalité fait de gros efforts pour son entretien. Moins de monde en allant vers les dunes, en haut du boulevard Mohammed-V. Cependant, il n'est pas toujours aisé de s'y baigner et de bronzer : les vagues peuvent être violentes et il y souffle parfois un vent à « décorner les dromadaires », selon un de nos lecteurs. En revanche, on peut faire de la planche à voile (voir la rubrique « Adresses utiles. Sports »). Location de matériel et cours pour débutants. Le rocher que l'on voit dans l'eau, en face de l'île, est un ancien fort portugais en ruine.

➤ *Balade en bateau :* avec Ciel et Mer, *au port* (plan couleur A3). ☎ 024-47-46-18. 🖥 064-32-64-93. • mogador-iles.com • *En été, 4 départs/j., 11h30-18h30 (résa nécessaire) ; 2 départs/j. le reste de l'année, 12h et 15h30.* Possibilité également de balade sur un petit bateau de 5 pers. Compter 80 Dh/pers (7,30 €) ; réducs. Propose aussi des sorties pêche (résa indispensable la veille) : compter 200 Dh (18,20 €)/pers pour 3h. Sur un bateau d'une capacité de 70 passagers, conçu de manière traditionnelle au chantier naval d'Essaouira, la balade de 1h vous mènera au large, d'un côté à l'autre de la baie. Sympa, surtout en été (parfois des musiciens à bord) et au coucher du soleil vers 17h30. Très touristique, évidemment. On passe au pied des îles Purpuraires (la principale, appelée « île de Mogador », a une superficie de 30 ha). Il est interdit d'y accoster, afin de préserver les faucons d'Éléonore (en voie de disparition) qui nichent dans cette réserve naturelle et se nourrissent de petits oiseaux en leur plongeant dessus à plusieurs. Les îles servaient autrefois de bagne aux chefs de tribus réfractaires, puis comme lieu de quarantaine pour les pèlerins au retour de La Mecque jusqu'au début du XXᵉ s. Elles doivent leur nom au murex, ce coquillage dont les Romains extrayaient la pourpre pour teinter leurs tuniques et que l'on peut encore acheter au souk.

➤ *Balades à cheval* (hors plan couleur par D3) : *au ranch de Diabat*, à 3 km d'Essaouira, sur la route d'Agadir. ☎ 024-47-63-82. 🖥 062-29-72-03 ou 070-57-68-41. Infos en France : ☎ 04-50-48-58-84. • ranchdediabat.com • *Prix en fonction de la durée des randonnées, qui peut être de 1h (15 €) comme de 6 j. (650 € avec prise en charge à l'aéroport d'Agadir ou d'Essaouira).* Au programme : oasis, kasbah, désert, palmeraie, villages berbères (et leurs douches municipales !), bivouac ou nuits en hôtel... Une équipe qui connaît bien la région et qui vous fera partager son amour du cheval de race barbe. *Également Ranch Mogador, tou-*

jours à Diabat : ▮ *078-39-88-66 (Majid) ou 072-50-57-57 (Miloud). Infos en France :* ☎ *04-50-70-01-37.* ● *ranchmogador.com* ● *Tarifs : 19 € pour 2h ; 40-100 €/j. en rando (tt compris).* Une équipe sympathique qui réussit à vous emmener à cent lieues des sentiers battus. Randonnées de un à plusieurs jours, à pied, avec âne de bât et logement chez l'habitant, ou à cheval avec bivouac en tente berbère.

➤ *Randonnées écotouristiques : rens au* ▮ *050-23-22-47 ou 015-76-21-31.* ● *ecotourisme-maroc@hotmail.fr* ● *Compter 200 Dh (18,20 €)/pers la ½ journée ; 450 Dh (40,90 €)/pers la journée, transport compris.* Balades pédestres à thèmes pour s'initier aux milieux naturels des environs d'Essaouira (forêts d'arganiers, de thuyas, milieux dunaires) en compagnie d'un Français, ancien ingénieur forestier. Balades sans difficulté qui s'adressent à des personnes de tout âge. Au cours de la randonnée, dégustation d'un thé à la menthe au sein de villages berbères. Très convivial.

À voir dans les environs proches

🔏 *Le musée Boujemâa-Lakhdar : à 12 km sur la route d'Agadir, piste fléchée sur la gauche ; continuer tt droit, c'est la 1ʳᵉ maison à 500 m sur la droite (maison rose et portail bleu).* ☎ *024-47-51-34. Téléphonez absolument avt pour qu'on vous ouvre les portes. Entrée : 10 Dh (0,90 €).* Pour bien comprendre le souffle artistique qui emporte Essaouira depuis les années 1950, venez donc visiter la maison-sculpture de l'artiste Boujemâa Lakhdar, décédé il y a quelques années, et que sa veuve a ouverte à la visite. Ce « magicien de la terre » à l'esprit libre a créé toute sa vie une œuvre naïve, sincère, colorée et profondément humaine. Que ce soit par ses sculptures zoomorphes, ses figures géométriques, ses installations ésotériques dans le jardin ou ses tableaux d'une richesse étourdissante, le travail de Boujemâa nous raconte la vie en couleurs. De l'art moderne, qui reste proche de l'essentiel.

🔏 ⦿ *Le domaine du Val-d'Argan : à la sortie d'Ounara, sur la route de Casablanca, à 200 m du carrefour principal du village.* ☎ *024-78-34-67. Visite gratuite tlj 10h-18h. Possibilité de restauration : tlj le midi (soir sur résa slt, à partir de 6 pers). Menu dégustation 200-300 Dh (18,20-27,30 €) avec un verre de vin (un blanc, un rouge, un gris) adapté à chacun des plats.* Le *Val-d'Argan* est un vignoble créé en 1994 à partir de cépages de la vallée du Rhône par Charles Melia, un Français originaire du Maroc et vigneron à Châteauneuf-du-Pape. La production annuelle du domaine atteint aujourd'hui près de 900 hectolitres (120 000 bouteilles). Visite guidée intéressante parfois complétée par une balade en carriole dans le vignoble d'une quarantaine d'hectares et qui s'achève toujours par une dégustation des différents vins produits sur le domaine. Vous pourrez goûter à la Gazelle de Mogador en rouge, blanc ou en rosé, au gris de Mogad'Or, à El Mogador (rouge, blanc ou rosé) et au fleuron du domaine, le val-d'argan, un rouge plus puissant que les précédents qui existe aussi en rosé et en blanc. Le domaine produit également un blanc de blanc selon la méthode champenoise. Pour des raisons de législation, vous ne pourrez pas acheter moins de douze bouteilles d'un même vin, à moins de vous rendre dans l'une des adresses indiquées à Essaouira dans « Adresses utiles. Divers ». Attention si vous reprenez le volant ensuite !

Galeries

– *Galerie des arts Frédéric-Damgaard (plan couleur B2, 7) : av. Oqba-Ibn-Nafi.* ☎ *024-78-44-46.* ● *galeriedamgaard.com* ● *Tlj 9h-13h, 15h-19h.* Pour les amateurs de peinture (abstraite, cubiste, naïve). Toute la presse marocaine a salué la création de cette galerie consacrée à des peintres locaux. Les œuvres de ces artistes singuliers sont fortement imprégnées des influences africaines de la culture souirie. Elles relèvent de l'art naïf, de l'art primitif et d'un art populaire très particulier. Ces artistes autodidactes, défendus par le Danois Frédéric Damgaard, désormais à la retraite mais qui garde un œil sur ses protégés, ont aujourd'hui une renommée internationale. Le succès fulgurant qu'ils ont obtenu est dû à leur spontanéité, à leur naturel et à la forte coloration de leurs œuvres, qui restent encore à des prix raisonnables. Quelques artistes y sont exposés régulièrement : Tabal, Berhiss, Maimoune, Sanana, Elatrach et Ouarzaz. Mais tout le monde n'est pas collectionneur ou n'en a pas les moyens, c'est pourquoi la galerie propose aussi des dessins et des aquarelles très classiques à des prix exceptionnellement bas. Une idée de cadeau original et pas encombrant.

– **Espace Othello Galerie d'art** *(plan couleur C2, 32)* : 9, rue Mohammed-Layachi. ☎ 024-47-50-95. *Dans une petite rue, juste en face de la délégation du tourisme. Tlj sf lun 9h-13h, 15h-20h.* Cet ancien entrepôt de marchandises, un peu en retrait, mérite aussi une visite, ne serait-ce que pour sa belle architecture intérieure. On peut y admirer des œuvres de nombreux artistes qui montent.

– **Galerie d'art Bâb-S'Baâ-Abderrahim-Harabida** *(plan couleur C2, 33)* : dans la porte de Bâb-es-Sebaa, entre le bd Mohammed-V et la rue du Caire. ▯ 067-73-67-43. *Tlj sf lun 9h30-12h30, 15h-20h.* Cet artiste talentueux s'exprime principalement à travers des interprétations de la calligraphie arabe.

– **Espace Taros** *(plan couleur B2, 65)* : pl. Moulay-el-Hassan. Voir « Où manger ? ». *Tlj sf dim 11h-16h ; à partir de 18h, il faut dîner au resto pour pouvoir contempler les œuvres.* Là aussi, l'espace Taros se fait découvreur de talents, allant parfois les chercher dans les endroits les plus improbables. Ainsi en est-il de Taloufate Mohammed qui vit et peint dans un quasi-bidonville, en marge d'un quartier populaire. Artiste totalement autodidacte et qui recycle, de façon inspirée, naïve et poétique, les rebuts de notre quotidien (vieille porte de placard qui devient tableau, caisse d'emballage se transformant en coffre rempli de rêves, etc.). Des œuvres que vous découvrirez bien sûr ici.

Achats

Marqueterie en bois de thuya

Tout d'abord, Essaouira est célèbre pour son artisanat unique : l'ébénisterie ou marqueterie, plus particulièrement pratiquée sur la racine de thuya. Ce bois n'est pas sans rappeler la loupe d'orme. Non seulement il est doux au toucher lorsqu'il a été poli, mais il dégage aussi une odeur agréable et très reconnaissable.

À Essaouira, l'artisanat du thuya constitue à la fois l'un des attraits de la ville et un gisement de plusieurs milliers d'emplois dans une région où le chômage est endémique. Cependant, la façon dont il évolue actuellement représente une grave menace pour ces emplois, pour la ressource forestière et pour l'environnement d'une façon générale. À cause de l'exploitation massive et illégale, le bois de thuya est vraiment menacé de disparition.

À l'origine de cette crise, il y a le nombre croissant d'artisans, la pression exercée sur les prix et la politique des deux ou trois gros bazaristes qui monopolisent le marché des touristes en groupes. Pourtant, il existe encore de véritables artistes dont le travail est de grande qualité. Pour trouver leurs œuvres, il suffit de visiter quelques petites échoppes et de bien observer les objets et leurs finitions. Ils ne sont pas forcément plus chers que les autres.

⚜ **Coopérative artisanale des marqueteurs** *(plan couleur B2, 110)* : 6, rue Khalid-ibn-Walid. ☎ 024-47-56-76. *Depuis la pl. Moulay-el-Hassan, prendre la ruelle sombre sur la gauche (dos* au port), c'est indiqué. Tlj 8h-20h.* Une sélection de pièces produites par de vrais artisans qui aiment leur métier. Bon choix, de la minuscule boîte à bijoux à la table pour 8 personnes.

✥ **Artisans de la sqala** (plan couleur B1, 111) : le long de la sqala dans les anciens entrepôts maritimes et rue Laâlouj. On y voit de nombreux artisans réaliser les pièces qu'ils vendent sur place. Vous aurez un vrai contact avec ceux qui travaillent le bois. Ils vous apprendront à distinguer les différentes essences. Vous découvrirez ainsi que le bois noir que l'on vous propose pour de l'ébène n'est en fait que du citronnier frit. Les prix sont abordables ; alors, pour une fois, ne marchandez pas et admirez leur savoir-faire.

Huile d'argan

Pour plus de renseignements sur cette huile incomparable et pour quelques conseils d'achats, se reporter en début de guide à la rubrique « Faune et flore. Flore. L'arganier » dans le chapitre « Hommes, culture et environnement ».
Si vous voulez faire un cadeau, voici quelques adresses :

✥ **Produits naturels** (plan couleur C1, 112) : 75, rue Sidi-Mohammed-ben-Abdallah (pas d'enseigne ; à gauche de l'enseigne de l'Hôtel Central). Tlj 9h-22h env. « Petit magasin, grand bonheur », comme dit la carte de visite. Hamid, propriétaire de cette minuscule boutique, propose de l'huile d'argan, de l'amlou (pâte à tartiner à base d'huile d'argan, de miel et d'amande), du miel biologique, etc.

✥ **Poteries berbères Chez Aïcha** (boutique n° 116 ; plan couleur C1, 113) : pl. du Marché-aux-Grains. ☎ 024-47-43-35. Tlj 9h-19h30. Ne pas confondre avec la boutique perfidement baptisée Chez Aïch et qui n'a bien sûr rien à voir. Vend de l'huile de qualité et des produits de beauté très joliment présentés. Également de la poterie de qualité, ornée de motifs berbères traditionnels.

✥ **Coopérative Ajddigue :** à Tidzi, à env 30 km d'Essaouira, sur la route d'Agadir. ☎ 024-47-23-58. ● argane-ma

roc.com/coop.htm ● Tlj 8h30-18h. Et la **Coopérative Tamounte** : à Imi'N'Tlit, à 50 km env au sud-est d'Essaouira. Prendre la route d'Agadir jusqu'au village de Smimou (à 40 km d'Essaouira), puis bifurquer à gauche (fléché), c'est 17 km plus loin. ☎ 024-47-60-92. ● tamounte. net ● Coopératives de femmes où le savoir-faire des grands-mères a pu ainsi se transmettre aux jeunes générations, créer des emplois et, surtout, permettre de faire considérablement évoluer le statut social des femmes de la région et d'améliorer leurs conditions de vie. Elles reçoivent chaleureusement les visiteurs et leur huile est vendue à prix très correct.

✥ **La Coopérative Tiguemine :** au km 15, sur la route de Marrakech. ☎ 024-79-01-10. Tlj 8h-19h, mais moins d'activité dim. Encore une coopérative féminine, qui a l'avantage de ne pas se trouver trop loin d'Essaouira. Huile alimentaire, produits de beauté...

Artisanat

✥ **Atelier de tissage – Chez Elahri** (plan couleur C1, 114) : boutique n° 181, situé tt près du marché aux poissons, dans le souk. Tlj 9h-21h. Magnifiques haïk traditionnels et de qualité, couvertures, etc. Les prix sont fixes et vraiment abordables.

Antiquités

✥ **Galerie Aïda** (plan couleur B2, 116) : 2, rue de la Sqala. ☎ 024-47-62-90. À deux pas du Taros. Une véritable caverne d'Ali Baba. Joseph Sebag est à la fois antiquaire, brocanteur, libraire et bouquiniste. Il propose un choix surprenant d'ouvrages sur Essaouira et vend aussi le Guide du routard (c'est dire s'il est bien !). Au fond à gauche, plein d'antiquités. Prix très variables selon les pièces.

🌸 **Caravansérail** (plan couleur B2, **117**) : 24, rue du Rif. 🖥 067-16-92-05. Tlj sf dim 9h30-19h. Une boutique d'antiquités minuscule et de bric-à-brac provenant des différentes provinces du Maroc. Pas donné. Abdallah, le propriétaire, est également peintre et utilise la technique du pointillisme.

🌸 **Galerie La Kasbah** (plan couleur B2, **118**) : 4, rue de Tétouan. 🕿 024-47-56-05. Tlj 9h-21h. Là aussi, un véritable capharnaüm ! Le patio et ses alentours sont jonchés d'antiquailles de toutes sortes à tous les prix (fixes).

🌸 **Galerie Jama** (plan couleur B1-2, **119**) : 22, rue Ibn-Rochd. 🕿 024-78-58-97. Tlj 9h30-20h30. Bijoux, étoffes, coffres... De vraies antiquités.

Les tapis-tableaux

Les tapis-tableaux sont l'une des formes d'art les plus originales d'Essaouira. Ces tapis de laine où les animaux, personnages et motifs divers s'entremêlent dans des décors extravagants sont tissés et noués (toujours d'un seul côté) par les femmes. Les véritables tapis-tableaux sont devenus extrêmement rares, mais en cherchant chez les bazaristes, sur la place derrière l'Horloge, vous aurez une chance d'en trouver. Ou alors adressez-vous à Mounain, qui tient boutique au n° 3 de la rue El-Hajjali, juste en face du resto La Petite Perle ; et toujours dans la même rue, juste après le coude dans l'angle, au n° 8, Chez Miloud. On vous montrera avec compétence des tapis anciens ou neufs et on vous indiquera avec précision leur origine. Les prix ne sont pas donnés, mais il s'agit toujours de pièces uniques. Pour routards très aisés.

Et encore

🌸 **Rafia Craft** (plan couleur C2, **120**) : 82, rue d'Agadir, tt près de Bab-Marrakech. 🕿 024-78-36-32. Lun-sam 10h-13h, 15h-19h30 ; dim 10h30-13h30. Superbes chaussures tressées de qualité, qui, devant leur succès, ont été copiées partout en ville.

🌸 **Au P'tit Bonhomme La Chance** (plan couleur B1, **121**) : 38, rue Laâlouj, dans la rue qui part face au musée. 🖥 066-01-45-02. Tlj 9h-19h. Fermé 1 sem en sept. Boutique d'épices, de parfums et de plantes médicinales. Mais ce qui fait son plus grand charme, ce sont les tatouages au henné de Habiba. Elle mélange également des couleurs et le noir, plus onéreux, restera un bon mois sur votre peau.

🌸 **Azurette** (plan couleur C2) : 12, rue Malek-ben-Rahal. Tlj 10h-21h (avec pause au moment de la prière). Derrière une grande porte en bois bleu se cache une surprenante boutique d'apothicaire avec ses bocaux aux 1 000 vertus. Huiles essentielles, parfums, épices et des remèdes contre tous les maux, préparés selon des recettes ancestrales. Mérite vraiment que l'on s'y attarde, d'autant que l'accueil y est particulièrement sympathique.

🌸 **Chez Rafia Style** (plan couleur D2, **122**) : 13, rue Ibn-Batouta. Tlj 9h-19h30. Un magasin où l'on peut voir travailler deux sœurs, Radia et Kadifa, à la confection de chaussures en raphia. Des sacs également. Des articles très colorés.

Au marché, vous trouverez toutes les épices, de la vannerie, des vêtements, des poteries. Ne pas manquer les « puces » locales situées dans le quartier des souks (à côté de la place du Marché-aux-Grains). Tout autour, des femmes s'installent pour vendre des herbes, plantes aromatiques, écorces, etc., servant à la préparation de remèdes ou de potions magiques. On trouve aussi de très beaux kilims et des tapis originaux. Les bijoux, eux, ne correspondent pas toujours à nos goûts et l'argent n'en est pas toujours.

Action humanitaire

■ **ALCS** (hors plan couleur par D1) : 369, bd El-Maghrib-el-Arabi. ☎ 024-47-25-72. ● alcsmaroc.org ● Derrière la pharmacie des Dunes située au bord de la « petite autoroute ». Lun-ven 9h-12h, 15h-18h30. Une des rares associations de lutte contre le sida au Maroc. L'antenne d'Essaouira, créée en 1998, travaille très activement sur des projets de prévention de proximité auprès de groupes marginalisés. N'hésitez pas à aider les membres de cette association, leurs moyens sont limités et votre contribution, aussi minime soit-elle, sera la bienvenue. Petite annexe devant la poste principale (plan couleur C3).

Fêtes et festivals

– **Achoura** : pdt 10 j. à partir du Nouvel An musulman. Pour plus de détails sur la signification de cette fête, lire en début de guide la rubrique « Fêtes et jours fériés ». Toute la ville vit au son des tarrija, petits tambours de céramique en forme de vase et recouverts de peau. Le soir, des ensembles se créent pour donner la dakka (la frappe) entrecoupée de chants, et perpétuent jusqu'à une heure tardive ces antiques traditions. Des joutes poétiques chantées opposent les habitants de chaque quartier, chacun vantant ses mérites. Un spectacle à ne pas manquer.

– **Fête de la confrérie des Regraga** : en général, se déroule début avr, pdt 2 j. Des milliers de pèlerins regraga venus de la campagne environnante tournent pendant 40 jours à pied, visitant 44 marabouts de la région. La tradition des Regraga commémore l'islamisation et l'arabisation de la région. Ils tournent ainsi chaque année depuis des siècles. L'arrivée à Essaouira, par la porte Bâb-Doukkala, de ces hommes saints porteurs de la baraka (la bénédiction de Dieu), donne lieu à de grandes festivités. Ils se promènent sous les « youyous » et les applaudissements d'une foule frénétique qui les asperge d'eau de rose. Un gigantesque couscous est offert par la population dans le village de Diabet. Les étrangers peuvent assister à ces manifestations, mais pas aux prières à l'intérieur des zaouïa et des mosquées.

– **Printemps musical des Alizés** : pdt 4 j., fin avr en principe. ● alizesfestival.com ● Un festival de musique de chambre de haute qualité et éclectique. Une bonne raison de visiter la ville à cette période de l'année.

– **Festival de musique gnaoua et de musiques du monde** : chaque année, en principe pdt 4 j., fin juin. ● festival-gnaoua.net ● Il rassemble les meilleures troupes nationales. Gnaoua à l'origine, ce festival s'apparente plus désormais à une rencontre de world music. Inutile d'espérer trouver une chambre au dernier moment, car tout est réservé depuis plusieurs mois. Il peut attirer plus de 300 000 personnes ! La musique, l'art sous toutes ses formes, emplit la ville. Les expositions se multiplient, les orchestres s'improvisent. Ceux qui logent à l'intérieur des remparts auront du mal à trouver le sommeil avant l'aube. La ville doublant sa population à cette occasion, le festival est à fuir pour les amoureux de la tranquille Mogador. Pour les fêtards, ces 4 jours sont à consommer sans modération.

– Deux **moussem** attirent les juifs du Maroc, et même de l'étranger, rappelant l'importance des traditions séfarades. Le premier célèbre le rabbin Haim Pinto, enterré dans le cimetière de la ville, et le second, en mai, commémore le saint Rabbi Nassim ben Nassim, qui a son sanctuaire dans le village d'Aït-Biyoud, à 40 km d'Essaouira.

– **Festival des Andalousies Atlantique** : pdt 3 j. en sept. Un festival de musiques arabe, andalouse et de flamenco.

– **Festival des jeunes talents gnaoui** : pdt 4 j. en août. Concerts et concours pour déterminer les meilleurs nouveaux groupes de gnaoui.

➤ *DANS LES ENVIRONS D'ESSAOUIRA*

LA PLAGE DE SIDI-KAOUKI

À 27 km d'Essaouira. Petit village paisible, devenu l'un des spots de surf de la région. Ce sport se pratique de mars à septembre, mais la meilleure période est juin-juillet. Suivre la direction d'Agadir et, à 15 km, bifurquer à droite (panneau « Sidi-Kaouki, 12 km »). Attention aux chèvres qui traversent la chaussée et sont la cause d'accidents graves lors de freinages brusques. Nous ne plaisantons pas !

Adresse et infos utiles

– Bus quotidiens toutes les 1h30-2h environ (bus *Lima*, ligne n° 2). À Essaouira, les bus se prennent bd Moulay-Youssef *(plan couleur D1)*.
– Baignade à risque en raison des courants. Aucun panneau ne signale le danger.
– En été, le *taros* souffle fort et fréquemment. D'ailleurs, c'est grâce aux éoliennes que le village a été électrifié. Mais attention, peu de lumière le soir dans le village ; pour des virées nocturnes, prévoir une lampe de poche.
– La plage est surtout valable pour les planchistes confirmés.

■ *Sidi-Kaouki Surfclub :* *sur le front de mer, dans un bâtiment avec une façade en bois évoquant vaguement un châ-* *teau fort.* 🗎 *071-19-17-37.* ● *sidi-kaouki. com* ● *Ouv mars-oct.* Loue du matériel et fait aussi café.

Où dormir ? Où manger ?

Ceux qui veulent loger à proximité d'Essaouira pour un prix moins élevé en seront pour leurs frais : succès du surf oblige, il n'est pas forcément moins onéreux de dormir ici que dans la médina de la belle Mogador.

🗶 Le camping sauvage sur la plage est interdit et il n'y a plus de terrain de camping à Sidi-Kaouki, mais aux dernières nouvelles, il était question d'en aménager un. Se renseigner.

🛏 *Auberge du Marabout :* *en face de la plage.* 🗎 *062-30-96-65. Le bâtiment se détache au bout d'un petit passage vert et fleuri. Doubles 150-250 Dh (13,60-22,70 €) selon vue (les moins chères ne donnent que sur le patio) ; petit déj en sus. Studio 500 Dh (45,50 €).* Toutes les chambres disposent d'une salle de bains, mais les plus chères, particulièrement vastes, bénéficient d'une vue sur mer. Nos préférées sont les n°s 1 et 2. Ensemble moyennement entretenu. Accueil simple et adorable.

🛏 I●I *Auberge de la Plage :* *dans le hameau.* ☎ *024-47-66-00.* ● *kaouki. com* ● *Doubles 300-550 Dh (27,30-50 €) selon confort, petit déj compris. Repas env 100 Dh (9,10 €). CB acceptées.* Une dizaine de chambres joliment décorées et très colorées autour de

matériaux naturels et de tissus marocains, avec douches chaudes et sanitaires privés pour la moitié des chambres. On conseille celles de la terrasse pour la vue magique sur la mer. Elles fonctionnent toutes à l'énergie solaire. Cuisine variée. Petit jardin au calme. Salle de jeux pour les enfants et salon de lecture. L'auberge est tenue par Dominique, une Française. Vraiment mignon.

🛏 I●I *Résidence Le Kaouki :* *à 500 m du parking principal, à proximité de la plage.* ☎ *024-78-32-06.* 🗎 *068-05-16-27.* ● *sidikaouki.com* ● *Ouv tte l'année. Double 280 Dh (25,40 €), petit déj inclus. Repas 100 Dh (9,10 €).* Belle et agréable maison tenue par un Français qui propose une quinzaine de chambres aux sanitaires communs. Elles ont une déco sobre, à la tonalité marine, et sont très bien tenues. Patio adorable, salon avec cheminée à l'étage. Pas d'électricité : on s'éclaire à la bougie, ce qui ajoute au charme du lieu. Bonne cuisine. Bref, on aime beaucoup.

🏠 |●| *Windy Kaouki : un peu derrière l'Auberge de la Plage.* ☎ 024-47-22-79. 📱 *061-25-63-83.* ● *windykaouki. com* ● *Ouv tte l'année. Compter 50-75 € l'appart selon saison. Prix dégressifs. Repas 100-150 Dh (9,10-13,60 €). Dans une maison moderne joliment conçue dans le style traditionnel, 6 appartements, prévus pour deux adultes et deux enfants, équipés d'une chambre,* d'un salon avec cheminée, d'une terrasse, d'une salle de bains et d'une kitchenette. Déco marocaine de très bon goût. Piscine et resto de cuisine marocaine et italienne avec des pizzas au feu de bois. Très bon accueil.

|●| Quelques kiosques à droite de la plage (à l'arrêt des bus) préparent de bons repas à prix très doux.

À voir dans les environs

🍖 *Smimou : à une dizaine de km au sud de Sidi-Kaouki.* Ce village accueille un souk pittoresque le dimanche. L'occasion d'emprunter la route côtière et d'admirer de magnifiques points de vue sur cette côte sauvage.

LE GRAND MARCHÉ DE HAD-DRAÂ

À 30 km environ d'Essaouira. Prendre la route de Marrakech, puis à Ounara (25 km), bifurquer à gauche (direction « Casablanca ») pour Had-Draâ (à 6 km). Bus depuis Essaouira vers 6h30 et 9h, sur la place Bâb-Doukkala. Marché qui a lieu tous les dimanches depuis fort longtemps, d'où le nom hérité par le village : *Had* (dimanche) *Draâ* (marché). L'un des plus importants du Sud marocain. Immense et divisé en deux parties : le grand marché proprement dit et celui des bestiaux. Pour ce dernier, grosse négo de chameaux, de vaches et d'ânes. La montée dans les bétaillères est toujours cocasse. Un conseil : venir de bonne heure (les marchands commencent à s'installer dès 4h). En effet, les animaux vendus ici sont tués à l'abattoir voisin dès la vente réalisée. Certains sont ensuite revendus en pièces détachées sur les étals de boucher du souk.

Au souk proprement dit, vous découvrirez tous les fruits et légumes de la région, la toujours pittoresque section des bouchers (voir ci-dessus !), les marchands de gâteaux et pâtes d'amande, vendeurs de vêtements et fripiers... Intéressante section des petits forgerons qui fabriquent tout, clous, outils, fers à chevaux, etc., suivant des techniques millénaires. Attention aux vols, surtout dans les petits sacs à dos qu'il vaut mieux porter devant soi !

Où dormir ? Où manger à Ounara ?

⛺ |●| *Camping Les Oliviers : à Ounara, sur la droite de la route en venant de Marrakech, exactement au carrefour des routes pour Marrakech, Essaouira et Casablanca.* ☎ *013-95-43-82.* ● *campingdesoliviers.com* ● *Pour 2 pers avec tente et voiture, compter 80 Dh (7,30 €). Douche chaude incluse. L'été slt, possibilité de dormir dans un slt sous l'une des nombreuses tentes caïdales, 120 Dh (10,90 €) pour 2 pers. Également des bungalows 150-360 Dh (13,60-32,70 €) selon taille (2-6 pers) et saison. Plats env 70 Dh (6,40 €). Évidemment un peu éloigné d'Essaouira, mais pour ceux qui ont un véhicule, ce* camping tenu par Alain est exceptionnel, compte tenu du niveau général des campings marocains. Belles pelouses, resto sous tente, sanitaires impeccables, piscine nickel (payante pour les non-résidents), aire de jeux pour enfants, accès Internet, ambiance décontractée. Info importante : comme on est à l'intérieur des terres, le vent souffle moins ici. Tiens, même si vous ne résidez pas au camping, venez là après la visite du marché pour le couscous du dimanche midi. Et puis un petit plouf dans la piscine, ça ne peut pas faire de mal ! Possibilités d'excursions dans la région.

LA ROUTE CÔTIÈRE D'ESSAOUIRA À AGADIR

C'est sans conteste la plus belle partie de cette interminable route qui longe l'Atlantique depuis Tanger jusqu'à La Gouèra, dans l'extrême Sud, à la frontière mauritanienne. Ce parcours de 175 km permet de faire connaissance avec les arganiers, des arbres endémiques (lire ses caractéristiques vraiment exceptionnelles dans la rubrique « Faune et flore »

RESTAURANT D'ALTITUDE

Les feuilles les plus tendres des arganiers se trouvant en haut de l'arbre, il est assez fréquent de voir les chèvres brouter en équilibre à plusieurs mètres au-dessus du sol. Évitez de les photographier en présence d'un berger. Celui-ci exigera des droits à l'image... pour ses chèvres !

dans « Hommes, culture et environnement » en début de guide).

➢ À 15 km env d'Essaouira, embranchement pour *Sidi-Kaouki* (voir plus haut « Dans les environs d'Essaouira »). Plus loin, *Smimou,* avec un souk pittoresque le dimanche. Au km 49 (panneau « Plage Tafadna », sur la droite ; attention indiqué seulement en venant d'Essaouira). Route goudronnée de 14 km qui mène au petit port de pêche de *Tafelney* rappelant un peu les ambiances des côtes sauvages du Portugal. On trouve une petite gargote en bord de plage. Du village, possibilité de rejoindre le cap *Tafelney,* à pied, par une piste (compter 30-45 mn). De là, très beau point de vue. Piste praticable en 4x4.

IMSOUANE

On atteint sa pointe en quittant, une fois de plus, la route principale par l'ancienne route de 12 km (la plus belle) ou la nouvelle (8 km), plus au sud. Les deux routes sont goudronnées. Un peu compliqué en transport en commun : bus n° 61 d'Agadir jusqu'au Tamri ; de là, taxi collectif jusqu'au rond-point d'Imsouane, puis taxi ou stop jusqu'au village. Ce port de pêche est aussi un très bon spot de surf avec une vague de 800 m toute l'année. Ambiance agréable.

Où dormir ? Où manger ?

▲ |●| *Auberge du Bout du Monde – Auberge Kahina :* sur le port. ☎ 028-82-60-32. ● kahinasurfschool.com ● Double 180 Dh (16,40 €). Possibilité de ½ pens. L'auberge dispose de 6 chambres simples mais confortables et bien décorées. Grands balcons. Sanitaires communs avec douches. Repas servi sur l'immense terrasse avec vue sur la mer (mais la priorité est donnée aux résidents).

▲ |●| *Auberge Tasra :* à 500 m env du village, au début de l'ancienne route d'Essaouira. ☎ 028-82-05-97. ● bi jerch@web.de ● Dortoir d'une quinzaine de lits 50 Dh (4,50 €)/pers ; dou-

bles 150-300 Dh (13,60-27,30 €) selon confort (douches et sanitaires privés ou communs). Possibilité de ½ pens. Plats env 40-50 Dh (3,60-4,50 €) ; sur résa le midi (sinon, ils pourront vous dépanner d'un sandwich). Ancien centre UCPA relooké par un couple allemand très branché surf. Le tout agencé façon labyrinthe de couloirs-patios-coursterrasses plutôt cool. Propre, simple et agréable. Ambiance auberge de jeunesse très décontractée.

|●| Quelques petits restos près du port ou face à la mer qui servent du poisson grillé.

À faire

➤ À la hauteur de *Tamri*, dans l'embouchure d'une rivière, une immense banane-raie surgit comme une oasis dans cet endroit désertique. Le coin est idéal pour les surfeurs.

➤ À la hauteur du *cap Rhir*, quelques belles plages, comme celle de *Taghazout*, et des excursions vers l'intérieur, comme celle de la route du Miel et de la vallée du Paradis (voir plus loin).

TAGHAZOUT

Situé à 19 km au nord d'Agadir, Taghazout (prononcer « Tarazout »), adossé à la montagne, est un spot de surf mondialement connu. Prenez le temps de descendre jusqu'au petit port de pêche. On sent que les gens du pays sont mariés avec l'océan. Les maisons ont toutes des terrasses qui permettent de profiter au maximum de beaux couchers de soleil. Profitez-en bien, car aux portes de la ville 130 000 lits devraient y être ouverts d'ici à 2010...
Attention aux vols à la roulotte en période estivale.
➤ Taghazout est relié à *Agadir* par le bus n° 60 ttes les heures. D'Agadir, il part du bd Mohammed-V (au niveau de l'hôtel *Mirage*).

Où dormir ? Où manger ?

Au port de pêche, on vous proposera des chambres chez l'habitant. Si vous acceptez, faites attention, des vols ont été signalés.

⚏ *Atlantica Parc :* Imi Ouaddar (Aghroud) à 8 km env au nord de Tagha-zout, en direction d'Essaouira. Voir « Où dormir ? Campings » à Agadir.
|●| *Café de la Paix :* dans le centre du village. Bon marché. Ambiance jeune et décontractée. Cuisine marocaine. Petite terrasse surplombant l'animation de la rue. Plats à emporter. Le gérant est très accueillant.
– Voir également nos adresses situées dans les villages d'Aourir et de Tamraght, situés à une dizaine de kilomètres au sud de Taghazout, en direction d'Agadir.

LA ROUTE DU MIEL ET LA VALLÉE DU PARADIS

Au nord d'Agadir, une région enclavée grosso modo entre Aourir (route d'Essaouira) et Bigoudine (route de Marrakech). C'est certainement la balade la plus intéressante dans les environs, un véritable coup de cœur. La route tortueuse, appelée « route du Miel » car on y récolte du miel de thym au goût unique, traverse tantôt des collines dénudées, tantôt des oasis verdoyantes. Elle longe le lit de la rivière envahi de lauriers-roses et offre de beaux points de vue sur la vallée (appelée vallée du Paradis) et sur les montagnes environnantes. Le tourisme de masse commence, malheureusement, à faire des ravages sur le circuit classique ; en revanche, toujours personne sur les petits chemins. Un peu partout on trouve en effet des villages minuscules et pittoresques, où l'on peut facilement dormir et manger chez l'habitant, à condition de respecter les règles de base de bienséance. Plein de belles randos pédestres à faire également. Au centre de la région, à une soixantaine de kilomètres d'Agadir, se trouve le village d'*Imouzzer-des-Ida-Outanane* perché à 1 250 m d'altitude, au pied du Haut Atlas, avec ses cascades réputées.

Si l'on ne dispose que de peu de temps, au départ d'Aourir, on pourra se contenter de la *vallée du Paradis,* 12 km avant Tifrit. Cette vallée, nommée ainsi par des hippies nudistes qui se la coulaient douce dans les années 1970, peut se parcourir à pied. Et on confirme : c'est un véritable éden, à ne surtout pas manquer.

– Si vous êtes en voiture, attention aux enfants qui vendent des bouquets de thym et qui surgissent parfois du bas-côté de la route, sans préavis !

Arriver – Quitter

– *En voiture de location :* pas de problème, la route est goudronnée. Depuis la route d'Essaouira, c'est fléché à partir d'Aourir (à 12 km au nord d'Agadir). On peut également y accéder par la route N8 qui relie Agadir à Marrakech : en venant d'Agadir, bifurquer à gauche (route goudronnée), quelques kilomètres à peine après Ameskroud. On rejoint Imouzzer après une cinquantaine de kilomètres. Si on loge à Agadir, on peut donc faire le trajet en boucle en une journée (compter environ 150 km de route tortueuse).

– *Pas de bus direct* pour Imouzzer. Prendre le bus n° 12, 14 ou 60 vers Taghazout et descendre au carrefour d'Aourir, à 12 km d'Agadir. À Agadir, les bus se prennent dans l'av. Mouqawama, perpendiculaire à l'av. Hassan-II. Ensuite, faire du stop ou prendre un taxi collectif en direction d'Immouzzer (compter env 25-30 Dh/pers, soit 2,30-2,70 €) et demander au chauffeur de vous arrêter là où vous le souhaitez (toutes nos adresses sont au bord de la route), dans la vallée. Mais le plus agréable est encore de louer une moto à Agadir.

Où dormir ? Où manger ?

Les adresses sont mentionnées par ordre d'apparition lorsqu'on vient de la côte.

|●| ▼ *Chez Omar :* à 23 km en venant d'Aourir, à 200 m sur la droite après l'échoppe de souvenirs d'Ibrahim (panneau). *Plat env 25 Dh (2,30 €).* Une cabane annonce le lieu, puis on descend à pied dans un cadre enchanteur avec petite plage de sable, quelques tables à peine disséminées dans la nature. Le pompon... Ce petit salon marocain naturellement niché au milieu de 4 palmiers et ravissant comme tout ! Tajines, couscous, thés et jus de fruits à tout petits prix. Un vrai moment de détente. On peut même se baigner dans le bassin clair formé à cet endroit par l'oued. Une adresse très routard.

▲ |●| *Hôtel Tifrit :* à 30 km d'Aourir. ☎ et fax : 028-31-67-08. 📱 061-65-42-31. *Selon saison, doubles 250-300 Dh (22,70-27,20 €) ; ½ pens 350-400 Dh (31,80-36,40 €) pour 2 pers. Repas 80-100 Dh (7,30-9,10 €).* Au cœur de la vallée du Paradis et, par conséquent, dans un cadre fort agréable avec terrasse et piscine. Une dizaine de chambres sommaires avec sanitaires sépa-

rés et eau chaude (un peu chérot donc, mais l'endroit est si beau...). Essayer d'avoir l'une des quatre chambres qui font face à la vallée et à la belle palmeraie (vous ne paierez pas plus cher !). Sentier de rando qui débute à 300 m de l'hôtel.

▲ |●| *Hôtel-restaurant À La Bonne Franquette :* à Aqsri, 36 km après Aourir. ☎ 028-82-31-91. ● *bonnefranquet te-agadir.com* ● *Double 550 Dh (50 €) ; ½ pens 750 Dh (68,20 €) pour 2 pers. Repas env 120-200 Dh (10,90-18,20 €).* « Cuisine française traditionnelle de qualité », peut-on lire. On ne pourra pas accuser le patron, Jérôme, de publicité mensongère. Superbe côte à l'os, salade de magret de canard... Agréable terrasse sous un abricotier et salle conviviale. La qualité des chambres, qui peuvent accueillir jusqu'à 5 personnes, égale celle de la cuisine. Typiquement berbères, en pierre taillée, avec mezzanine, chauffage pour l'hiver, clim' pour l'été, décorées avec beaucoup de goût. Ravissante piscine au milieu de laquelle pousse un oranger. De supers randos à faire dans le coin en suivant les chemins balisés. Vend également différentes sortes de miel, dont un étonnant miel de cactus. Une belle adresse si votre budget vous le permet.

🛏 ▐●▌ *Hôtel des Cascades :* à Imouzzer. ☎ 028-82-60-23. Fax : 028-82-60-24. *Selon saison, doubles 540-571 Dh (51,80 €), sans le petit déj ; ½ pens 880-1 040 Dh (80-94,50 €) pour 2 pers. Menu env 130 Dh (11,80 €) et carte. Bref, prix musclés tt de même ! CB refu-*

sées (mais on peut payer en euros). Admirablement situées, les chambres dominent la vallée. Au 1er étage, elles bénéficient d'une vue plus belle. Piscine, tennis, VTT et jardin de rêve envahi de fleurs, véritable parc horticole. On peut manger sur la terrasse. Belle adresse pour se reposer mais les salles de bains mériteraient d'être plus propres. Organise des treks dans la région (avec hébergement chez l'habitant). Balade sympa en bas de l'hôtel sur la droite, jusqu'au village.

À faire

🏌 *L'excursion aux cascades d'Imouzzer :* à 4 km d'*Imouzzer-des-Ida-Outanane. Route goudronnée. Bien fléché. Accès gratuit.* Très touristique. Depuis le parking où sévissent des chasse-touristes, on vous conseille d'accéder au site par les sous-bois. La balade est beaucoup plus agréable que par l'autre côté de l'oued (par l'entrée officielle), où l'on slalome alors entre les bars-restos et les nombreuses sollicitations des petits marchands de bijoux et de fossiles. La grande cascade, appelée « le Voile de la Mariée », n'est alimentée en eau qu'en hiver. Évitez les plongeurs qui essaieront de vous soutirer des dirhams.

🏌🏌 *Randonnées pédestres :* le long de la vallée du Paradis, plusieurs sentiers ont été aménagés. La plupart, en boucle, ne présentent aucune difficulté particulière. Ils se parcourent en 2h ou 3h de marche. Le coin est idéal pour un pique-nique bucolique !

AGADIR
346 000 hab.

Attention, à partir de mars 2009, *Maroc Telecom* **doit mettre en place une nouvelle numérotation téléphonique.** Les numéros passeront ainsi à 10 chiffres (au lieu de 9 actuellement). Voici les principaux changements prévus :

Voici les principaux changements prévus :

➤ **Pour tous les numéros fixes,** il faudra insérer « 5 » après le « 0 ». Exemple : 024-11-11-11 deviendra 05-24-11-11-11.

➤ **Pour les portables,** un « 6 » devra être placé après le « 0 ». Exemple : 068-11-11-11 deviendra 06-68-11-11-11.

➤ **Pour les numéros spéciaux,** se reporter en début de guide à la rubrique « Téléphone et télécoms » dans « Maroc utile ».

Capitale du Sous et l'un des principaux ports de pêche du Maroc, Agadir doit sa réputation actuelle à sa plage exceptionnelle de plus de 6 km de sable fin et à ses 300 jours d'ensoleillement annuel (mais gare aux coups de froid estivaux, parfois plus cinglants qu'à Oslo ! De mai à septembre, quelques jours de brouillard tenace jusqu'à au moins 13h). Ville adorée du roi, jet-skieur averti, paraît-il !

Devant l'invasion des Nordiques, les Gadiri (habitants d'Agadir) ont tendance à parler plus l'allemand que le français. Même si les bords de mer ont retrouvé un certain charme grâce à la nouvelle croisette bordée de palmiers et à la marina, Agadir ne présente guère d'intérêt, sinon pour refaire le plein des batteries avant d'attaquer le Grand Sud, ou pour s'en remettre ! Cela dit, l'arrière-pays recèle quelques merveilles (ne manquez pas la route du Miel et la vallée du Paradis, voir plus haut) et les habitants du Sous se montrent fort sympathiques. C'est déjà pas mal !

UN PEU D'HISTOIRE

Au cours de son histoire, Agadir fut l'enjeu d'âpres luttes rivales : elle fut convoitée par les Portugais en 1513 (mais la guerre sainte, conduite par les princes saadiens, les chassa en 1541 après un terrible siège de six mois), par les Alaouites au XVIIIᵉ s et par l'empereur Guillaume II en 1911 qui tenta d'y installer une base navale. La France s'y opposa, bien entendu, et obtint, après des négociations diplomatiques difficiles, l'abandon des prétentions allemandes en échange d'une partie du Congo. À partir de 1930, Agadir constitua l'une des étapes de l'Aéropostale. Saint-Exupéry et Mermoz y faisaient escale avant d'entreprendre la traversée de l'Atlantique.

Après l'indépendance, ce fut une ville prospère et jolie, jusqu'à cette date fatidique du 29 février 1960, peu avant minuit, lorsque le destin cogna violemment à la porte. La terre trembla quinze secondes, pas une de plus, mais longues comme l'éternité. Dans l'une des plus furieuses catastrophes de l'histoire, la petite cité cessa d'exister, ensevelissant sous ses ruines 15 000 âmes. Plus peut-être. Aujourd'hui reconstruite, Agadir présente le visage d'une ville moderne, sacrifiée au tourisme de masse.

Arriver – Quitter

En avion

✈ *Aéroport d'Agadir-Massira* (hors plan par B3) : à 22 km, sur la route de Taroudannt. ☎ 028-83-91-22 ou 52. On peut passer par Aït-Melloul ou par Tikouine. Change et distributeurs automatiques. Location de voitures.
– *Petit kiosque d'infos touristiques* ouv 24h/24 (en principe). ☎ 028-83-91-52.
➢ *Liaisons intérieures :* en passant par *Casablanca* avec la *RAM*.
➢ *Liaisons internationales :* 1-2 vols directs/j. selon saison pour Paris avec la *RAM*.

■ *Royal Air Maroc* (plan A1, 4) : angle av. Général-Kettani et bd Hassan-II. ☎ 028-82-91-20 ou 090-00-08-00 (pour les résas, confirmations de vol et infos, dans tt le pays). À l'aéroport : ☎ 028-82-96-60. ● royalairmaroc.com ● Lun-ven 8h30-12h, 14h30-19h ; sam 8h30 (9h30 j. fériés)-11h45, 15h-17h45.
■ *Regional Airlines :* tickets en vente dans ttes les agences de voyages. Vols intérieurs uniquement.
■ *Atlas Blue :* à Marrakech (☎ 024-42-42-00). Sinon, contacter l'aéroport, ☎ 028-83-91-52.

➢ *Pour rejoindre le centre-ville :*
– *Grands taxis bleus,* dont le tarif est fixé par les autorités : env 150 Dh (13,60 €) le jour, 200 Dh (18,20 €) la nuit ; les bagages sont en supplément.
– Sinon, *bus* avec changement à Inezgane. Plus long, plus compliqué, mais 10 fois moins cher ! L'arrêt se trouve de l'autre côté du parking de l'aéroport. Départ ttes les 20 mn env. À Inezgane, autre bus pour Agadir ou taxi collectif.

AGADIR

➢ *Pour se rendre à l'aéroport :*
– Taxi (☎ 028-82-20-17) ou *bus* via Inezgane. Entre Agadir et Inezgane, il existe des navettes et des taxis collectifs.

En bus

🚐 🚖 *Station des bus locaux et des grands taxis* (plan B3, **3**) : pl. Salam. ☎ 028-82-20-17. Pour circuler dans la ville ou rejoindre la gare routière d'Inezgane (à 11 km). Les grands taxis prennent jusqu'à 6 personnes et peuvent sortir de la ville.

🚐 *Gare routière* (hors plan par B3) : av. Abderrahim-Bouabib (anciennement av. El-Hamra), à 3 km env du centre-ville. Pour les liaisons nationales et internationales. Toutes les compagnies y ont un kiosque :

■ *SATAS :* ☎ 028-84-20-07.
■ *Pullman du Sud :* ☎ 028-84-60-40.

■ *CTM* (plan B1, **1**) : la compagnie dispose d'un bureau au centre-ville, rue

---

■ Adresses utiles

✈ Aéroport
✉ Poste
🚐 Gare routière
🛈 Délégation régionale du tourisme
1 Bureau de CTM
2 Bureau de Supratours et pressing des 4 Saisons
🚐🚖 **3** Station des bus locaux et des grands taxis
4 Royal Air Maroc
@ **5** Adrar Net
@ **6** Cybercafé Indrif
@ **7** Cybercafé Ouarti
8 Consulat honoraire de Belgique
9 Médecin (Dr Bouziane Ouaritini) et Kerbid et Cie
10 Clinique Assoulil
11 Polyclinique CNSS
12 Karbid Cars
13 Location de voitures
14 Auto Cascade
15 LPS
16 Institut français d'Agadir
17 Magasin Fuji Photo
18 Librairie Al Mouggar
19 Supermarché Sawma

⛺ 🏠 **Où dormir ?**

30 Camping international
31 Hôtel Tiznine et Hôtel Ayour
32 Hôtel Tamri
33 Hôtel Moderne
34 Hôtel du Sud
35 Hôtel El-Bahia
36 La Tour du Sud
37 Hôtel Sindibad
38 Hôtel de la Petite Suède
39 Atlantic Hotel et Résidence Asaka
40 Hôtel Kamal
41 Hôtel Aferni
42 Hôtel Sofitel

43 Hôtel Kenzi Europa
44 Résidence Sacha
45 Résidence Fleurie

🍽 **Où manger ?**

50 Gargotes de poisson, Restaurant du Port et Le Miramar
51 Le Nomade
52 Café-snack Riyad Yacout
53 Rôtisserie Annahda
54 Restaurant Les Arcades
55 Mille et Une Nuits
56 SOS Poulet
57 Little Italy
58 Restaurant Tafoukt
59 Mozartstube
60 Mezzo-Mezzo
61 Restaurants de la Croisette
62 Jour et Nuit, Mimi La Brochette, Au Parasol Bleu, Restaurant Panoramique Jour et Nuit, Le Flore
63 La Corne de Gazelle
64 Restaurant du Shem's Casino
65 La Scala

🍽🍴 **Où manger une pâtisserie ? Où prendre le petit déjeuner ? Où savourer une bonne glace ?**

51 Navarro
52 Café-snack Riyad Yacout
70 Salon de thé La Véranda
71 Boulangerie-pâtisserie Tafarnout
72 La Tour de Paris
73 Glacier

🍸 **Où prendre un verre en soirée ? Où sortir ?**

80 Irish Pub

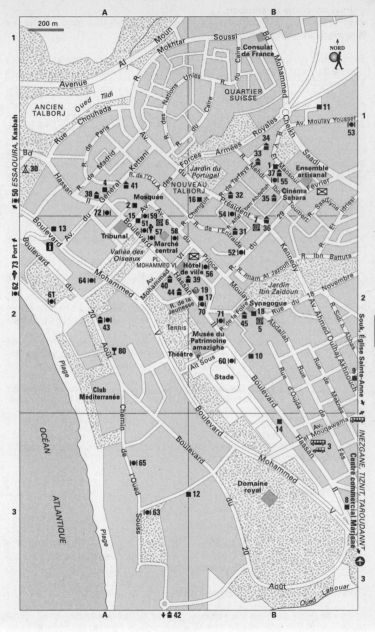

Y.-El-Mansour. ☎ 028-82-53-41. Tlj 6h30-21h30.
■ *Supratours* (plan A1, *2*) : 10, rue des

Orangers. ☎ 028-84-12-07 ou 028-22-40-10 (gare routière). Tlj 8h30-20h.

Tous les bus partent de la gare routière. Avec *Supratours,* pour rejoindre les villes du nord du Maroc (Casablanca, Tanger, Rabat et Fès, par exemple), il faut se rendre à Marrakech en bus et poursuivre en train.

Sinon, on peut rejoindre Inezgane, à 11 km au sud d'Agadir (navettes depuis la station de bus locaux ; *plan B3, 3*). C'est le nœud routier des cars ou des grands taxis, la « capitale commerciale du Sous », théâtre d'un énorme trafic de marchandises. Souk très animé le mardi. Cela dit, aller à Inezgane est d'un intérêt très, très limité (quelques hôtels plutôt sommaires non loin de la gare routière) : les bus qui desservent le Nord passent par la gare routière d'Agadir. Quant aux bus en direction du Sud, le nombre de départs est peut-être un peu plus élevé à Inezgane qu'à la gare routière d'Agadir... mais cela ne justifie pas la peine de s'enquiquiner...

Depuis la gare routière d'Agadir, liaisons avec :
➢ *Marrakech :* env 10 liaisons directes/j. Trajet : env 4h.
➢ *Casablanca :* env 15 bus/j. dont 4 min avec *CTM.* Trajet : 8h.
➢ *Rabat :* 2 bus de nuit avec *CTM* dont un poursuit sur **Tanger.** Trajet : env 9h (13h30 pour Tanger).
➢ *Fès :* env 10 départs, dont, au moins, un de nuit avec *CTM.* Trajet : env 9h.
➢ *Essaouira et Safi :* près de 5 bus (3h de trajet), dont 3 avec *CTM* et 1 avec *Supratours.* Certains poursuivent jusqu'à Safi (trajet : 5h).
➢ *El-Jadida :* slt 1 bus avec *CTM* (trajet : 7h).
➢ *Ouarzazate et Taroudannt :* 1 bus/j. le mat avec *CTM.* Trajet : 1h pour Taroudannt ; 6h pour Ouarzazate. Sinon, départs plus nombreux depuis la gare routière d'Inezgane.
➢ *Guelmim, Tiznit et Assa :* une petite dizaine de bus/j. ; liaisons directes avec *CTM* et *Supratours.* Les bus de *Supratours* poursuivent jusqu'à Assa et Zag. Trajet : 1h pour Tiznit ; env 3h pour Guelmim ; 5h30 pour Assa ; 6h30 pour Zag.
➢ *Tata :* 4 bus/j. avec *Supratours* et *SATAS.*
➢ *Tan-Tan, Laâyoune et Dakhla :* 2 bus min/j. avec *CTM ;* 2 départs également avec *Supratours.* Bus de nuit en principe. Trajet : 4h30 pour Tan-Tan, env 10h30 pour Laâyoune, 13h pour Boujdour ; un peu plus de 20h pour Dakhla.
➢ *Tineghir :* slt en bus privés.
➢ *Tafraoute via Aït-Baha :* 1 bus/j.
– Il existe des bus depuis les principaux pays d'Europe. Bien choisir sa compagnie. Depuis Paris, compter 55h de trajet.

Adresses utiles

Infos touristiques

🛈 *Délégation régionale du tourisme* (plan A2) : bd Mohammed-V. ☎ 028-84-63-77. Fax : 028-84-63-78. En principe, tlj sf w-e et j. fériés 8h30-16h30. Pas franchement indispensable d'y passer...

Poste et télécommunications

✉ **Poste** (plan B2) : av. du Prince-Moulay-Abdallah. Lun-ven 8h-16h30, sam 8h-12h. Retrait d'argent avec les postchèques internationaux, distributeur automatique et service *Western* Union. Autre bureau : rue du 29-Février (en face de l'ensemble artisanal ; plan B1). Lun-ven 8h-16h15. Mêmes services.
🖳 **Internet :** *Adrar Net* (plan B2, *5*), 5,

av. du Prince-Moulay-Abdallah. Tlj 8h30-23h. **Cybercafé Indrif** *(plan A2, 6) : 60, av. du Prince-Moulay-Abdallah. Tlj 8h-22h (pause ven 12h-14h).* Un peu plus cher, mais accueil très sympa.

Cybercafé Ouarti *(plan B2, 7) : av. du Président-Kennedy, dans une ruelle piétonne. Tlj 9h-minuit.* Grave également les CD-Rom.

Argent

■ **Distributeurs automatiques :** *un peu partout en ville et, entre autres, av. du Général-Kettani (plan A1-2).* BMCE, BMCI, Société Générale et Wafabank.

Presque toutes possèdent un service *Western Union* pour les transferts d'argent d'urgence, sinon, aller à la poste.

Représentations diplomatiques

■ **Consulat de France** *(plan B1) : bd Mohammed-Cheikh-Saadi.* ☎ 028-29-91-50. Fax : 028-29-91-51. ● *consul france-ma.org* ● *Dans le quartier « suisse ».*

■ **Consulat honoraire de Belgique** *(plan B3, 8) : bd Hassan-II, immeuble Borg Dlalat, entrée F.* ☎ 028-84-74-30. Fax : 028-84-33-27. *Mar et sam 8h30-12h.*

Santé

■ **SOSAMU :** ☎ *028-82-88-88. Tlj 24h/24.*
■ **Pharmacie de garde et permanence médicale :** *pour la nuit, les week-end et les jours fériés, la liste des pharmacies de garde est affichée en devanture de chacune des pharmacies.* Sinon, en principe, les pompiers (☎ 150) vous indiqueront les adresses les plus proches.
■ **Médecins :** *Dr Atlabe Noure-Essaïd, 40, av. Jamal-Abdenacer, cité Al-Massira.* ▤ *061-19-57-80.* Généraliste. Sinon, **Dr Bouziane Ouaritini**

(plan B2, 9), av. Ahmed-Oulhaj-Akhnouch (ex-rue de Marrakech). ☎ *028-84-42-42.* Spécialiste des poumons mais s'avère être un bon généraliste.
■ **Clinique Assouil** *(plan B2, 10) : bd Hassan-II, immeuble Assouil.* ☎ *028-84-35-39. Face au stade.* Bon établissement privé.
■ **Polyclinique CNSS** *(plan B1, 11) : rue Moulay-Youssef.* ☎ *028-84-66-25 ou 27. Urgences 24h/24.* Pour les petits bobos uniquement.

Transports

– **Remarque :** les plans de ville n'ont pas encore tous modifié l'avenue Sidi-Mohammed (datant de l'époque où l'actuel roi était le prince héritier) en avenue Mohammed-VI. Mais c'est cette dernière appellation qui est correcte et donc, que nous utilisons.

■ **Petits taxis ou « taxis orange » :** *pas de téléphone, il faut appeler le poste de police juste à côté (*☎ *028-82-20-17), qui prévient un taxi.* Ils n'ont pas le droit de sortir de la ville. La course revient à min 5 Dh (0,50 €) le jour et min 10 Dh (0,90 €) la nuit. Compter près de 15-20 Dh (1,40-1,80 €) entre la gare routière et le centre-ville. Sinon, voir le

mode d'emploi détaillé dans la rubrique « Transports » dans « Maroc utile ».
■ **Location de vélos, scooters et motos :** *dans le secteur touristique et balnéaire, à même le trottoir, bd du 20-Août ou bd Mohammed-V,* vous trouverez probablement des loueurs proposant des *Yamaha* 125, des scooters (50 et 80 cc) et parfois des vélos.

Pour la location de vélos, pas de problème. En revanche, pour le reste, on vous le déconseille. Ils sont rarement en règle au niveau des assurances. D'ailleurs, les autorités tentent de faire le ménage et de faire disparaître peu à peu cette activité « à la sauvette ». Enfin, à deux, sachez qu'il est plus avantageux de louer une voiture qu'un scooter ou une moto. Quoi qu'il en soit, adressez-vous à une agence qui a pignon sur rue, comme : *Karbid Cars (plan A-B3, 12)*, ☎ 028-84-51-04. Pas donné, mais engins récents et de qualité. Accueil très gentil.

■ *Location de voitures (plan A2, 13) :* toutes les grandes agences sont représentées *(Europcar, Budget, Avis, Hertz)*. Leurs bureaux se trouvent sur le bd Mohammed-V, en direction du port, en face de l'office de tourisme, les uns à côté des autres. Pratique pour comparer les prix (prestations égales). On peut aussi choisir un loueur local, où les négociations sont parfois plus souples.

– Une agence, un peu plus chère mais vraiment appréciée de nos lecteurs, *Auto Cascade (plan B3, 14)*, bd Hassan-II, face au magasin Honda. ☎ 028-84-37-61 ou 45-04. ▤ 061-21-22-

05. ● *auto_cascade.site.voila.fr* ● Tlj 8h-12h, 14h-19h. Véhicules en parfait état. Petite affaire familiale serviable et sympathique.

– Ou encore *LPS (plan A1-2, 15)*, av. des FAR. ☎ 028-84-41-07. ● *lps-car.com* ● Tlj 8h-12h30, 14h30-20h. Des Honda à partir de 380 Dh (34,50 €) la journée, et des Fiat Palio autour de 1 800 Dh (163,60 €) la sem. Prix raisonnables et aux petits soins en cas de pépin.

■ *Réparations et vidanges : Speedy,* à côté du centre commercial Marjane *(hors plan par B3)*, au sud d'Agadir, direction indiquée. CB acceptées. Pour la maintenance.

■ *Chez Tito-Clinique Automobile (hors plan par B2) :* 45, rue du 9-Juillet, quartier industriel *(près de la Ramsa)*. ☎ 028-22-76-29. Fax : 028-23-96-98. D'origine espagnole, Tito, qui parle très bien le français, répare toutes les voitures, de toutes les marques. En revanche, demander un devis et faites-vous bien préciser les délais de réparation.

■ *Kerbid et Cie (plan B2, 9) :* av. Ahmed-Oulhaj-Akhnouch (ex-rue de Marrakech). ☎ 028-84-61-45 ou 028-82-01-05. Tlj sf dim. Le meilleur endroit pour trouver des pièces détachées.

Divers

■ *Institut français d'Agadir (plan B1, 16) :* rue Chenguit, face au jardin du Portugal. ☎ 028-84-13-13. ● *ifagadir.org* ● Mar-sam (sf jeu mat) 9h30-12h, 14h30-18h. Fermé lun et en août. Spectacles et concerts (40 Dh, soit 3,60 €), expos et conférences (gratuites). Médiathèque. Adhésion avantageuse si on séjourne longtemps (55 Dh, soit 5 €).

■ *Magasin Fuji Photo (plan B2, 17) :* 12 bis, bd Hassan-II, immeuble Oumlil, devant la galerie commerciale. ☎ 028-82-29-31. Tlj 8h-20h. Développe les films et grave les photos sur CD. Également Internet.

■ *Librairie Al Mouggar (plan B2, 18) :* av. du Prince-Moulay-Abdallah, à l'angle de la rue du 29-Février. Grand choix de littérature arabe et européenne. Une référence sur Agadir.

■ *Presse internationale :* très nombreux points de vente en centre-ville.

Deux kiosques notamment au croisement du bd Hassan-II et de l'av. des FAR *(plan A2)*. Presse internationale disponible, avec un jour de décalage.

✹ *Supermarchés : centre commercial Marjane (hors plan par B3)*, à env 3 km au sud d'Agadir, direction indiquée. Tlj 9h-22h. Vous y trouverez tout ce dont vous avez besoin : banque, distributeur automatique, pharmacie, olives en vrac, fromages, alcool, etc., et même de la charcuterie pur porc ! Également *Sawma*, bd Hassan-II *(plan B2, 19)*. Au centre-ville. Tlj 9h-21h. Plus modeste, mais assez bien achalandé. Sinon, ne pas oublier le *marché central (plan A2)*.

■ *Pressing des 4 Saisons (plan A1, 2) :* 20, rue des Orangers. ☎ 028-84-02-42. Au pied de la mosquée. Tlj sf dim 8h30-12h30, 14h30-19h. Très compétent.

Où dormir ?

Le gros problème est de trouver un lit en haute saison (vacances de Noël, de Pâques et d'été). Aller voir les hôtels de préférence tôt le matin, la plupart des petits établissements n'acceptant pas de réservation par téléphone. En basse saison, on peut tenter de négocier les prix.

Campings

⏣ **Camping international** (plan A1, **30**) : bd Mohammed-V. ☎ 028-84-66-83 à 85. Au nord de la ville. Près de 50 Dh (4,50 €) pour 2 pers avec tente et voiture. Douches chaudes payantes, accessibles slt à certaines heures. Bondé, en plein environnement urbain, pas de pelouse et bruyant en haute saison. Voilà le tableau ! Et en plus on vous conseille de planter votre tente au milieu du camping, loin des murs, pour ne pas tenter les voleurs.

⏣ **Atlantica Parc** (hors plan par A1) : Imi Ouaddar (Aghroud) à 27 km au nord d'Agadir ; sur la route côtière vers Essaouira, à 500 m de la plage. ☎ 028-82-08-05. ● atlanticaparc.com ● Compter 80 Dh (7,30 €) pour 2 pers (avec un animal, car ici, on est des amis des bêtes). Tarifs dégressifs à partir de 3 nuits. Loc de chalets également. En retrait d'une petite station balnéaire récemment sortie de terre, un camping parfaitement tenu avec des emplacements délimités par des rangées de fleurs et d'arbres. Bacs pour la vaisselle et le linge différenciés, piscine, resto, snack, supérette, Internet, etc.

Bon marché

▤ **Hôtel Tiznine** (plan B2, **31**) : 3, rue Drarga, Talborj. ☎ et fax : 028-84-39-25. ● hoteltiznine@yahoo.fr ● Doubles 120-160 Dh (10,90-14,50 €) selon confort et saison. Pas de petit déj. Établissement propre, soigné et à prix démocratiques. Autour d'un patio, chambres vastes avec une bonne literie. Pour les moins chères, salles de bains communes mais impeccables. Accueil gentil. Pour le petit déj, la pâtisserie Yacout se situe à un jet de pierre (voir la rubrique « Où manger ? »).

▤ **Hôtel Tamri** (plan B1, **32**) : 1, av. du Président-Kennedy, au Nouveau Talborj. ☎ 028-82-18-80. Doubles simplissimes 100-120 Dh (9,10-10,90 €) selon saison, avec douche commune. Pas de petit déj. Petit hôtel, entièrement carrelé, sur deux niveaux, avec un patio intérieur fleuri qui réchauffe l'atmosphère. Les chambres ont certes un côté monacal, mais elles sont propres et calmes. Eau chaude le matin et le soir, mais robinetterie parfois défaillante. Accueil sympathique.

▤ **Hôtel Moderne** (plan B1, **33**) : rue Mehdi-Ibn-Toumert. ☎ 028-84-04-73. Doubles 150-180 Dh (13,60-16,40 €) selon saison. Pas de petit déj. Dans un sympathique quartier populaire à côté d'un marché de poche. Derrière une entrée pas très avenante, des chambres aux portes turquoise disposées autour d'une cour. Douches et lavabos dans la chambre, w-c à l'extérieur. Pas mal pour le prix. Seul hic : l'accueil qui n'est pas toujours des plus chaleureux.

▤ **Hôtel du Sud** (plan B1, **34**) : rue Sidi-Sahnoune, Talborj. ☎ 028-82-65-75. Double 100 Dh (9,10 €) ; douche chaude payante. Au bord d'une placette et en retrait de la circulation, un petit hôtel d'une dizaine de chambres avec lavabo et sanitaires communs. C'est simple mais calme, propre, et la literie est bonne. Que demander de plus à ce tarif ? On n'y parle pas toujours le français.

Prix moyens

▤ **Hôtel El-Bahia** (plan B1, **35**) : rue Mehdi-Ibn-Toumert. ☎ 028-82-27-24 ou 39-54. Fax : 028-82-45-15. Doubles 200-260 Dh (18,20-23,60 €) selon

AGADIR

confort et saison. Un peu en retrait de la rue et donc au calme. Une trentaine de chambres confortables (la plupart disposent de la clim' ; même tarif) et à la déco un poil coquette. Les chambres à l'étage sont plus aérées et ensoleillées. On peut prendre son petit déj (en sus) dans un petit patio fleuri, où sont disposées quelques tables munies de parasols. Accueil très sympathique. Un excellent rapport qualité-prix.

≜ *La Tour du Sud (plan B2, 36) : av. du Président-Kennedy.* ☎ *028-82-26-94. Fax : 028-82-48-46. Doubles 230-240 Dh (20,90-21,80 €) selon saison et taille des lits.* Un établissement récemment restauré qui se distingue par sa déco harmonieuse aux tonalités marocaines. Salles de bains nickel. Pas de clim'. Sympathique bar-resto au rez-de-chaussée avec terrasse pour prendre le petit déj (en sus). Mosquée juste à proximité (prévoir les boules Quies si vous ne souhaitez pas être réveillé aux aurores). Un rapport qualité-prix très honnête.

≜ *Hôtel Sindibad (plan B1, 37) : pl. Lahcen-Tamri, au Nouveau Talborj.* ☎ *028-82-34-77.* • *sinhot@menara. ma* • *Doubles 290-310 Dh (26,40-28,20 €) selon saison.* Un hôtel donnant sur une placette qui ne voit pas passer la moindre voiture, donc l'endroit est calme. Chambres propres et confortables, climatisées et pourvues de douches fonctionnant parfaitement. Piscine minuscule pour faire trempette sur le toit-terrasse. Resto quelconque. On y sert de l'alcool. Un peu loin de la plage tout de même.

≜ *Hôtel Ayour (plan B2, 31) : 4, rue de l'Entraide, au Nouveau Talborj.* ☎ *028-82-49-76.* • *ayour.hotel@gmail.com* • *Doubles 260-290 Dh (23,60-28,40 €) selon saison.* Hôtel bien tenu, par le même propriétaire que l'hôtel *Sindibad.* Une vingtaine de chambres simples, avec tout de même sanitaires, baignoire et TV satellite. Noter que les salles de bains commencent à vieillir doucement, mais rien de bien méchant cependant. Certaines chambres sont climatisées ; en revanche, chauffage dans toutes en hiver. Celles qui donnent sur la rue sont plus lumineuses que celles avec fenêtre sur couloir.

≜ *Hôtel de la Petite Suède (plan A1, 38) : bd Hassan-II.* ☎ *028-84-07-79.* • *petitesuede.com* • Perché au-dessus de la *Wafabank,* à 300 m de la plage. *Double 320 Dh (29,10 €), petit déj compris. CB acceptées, sf American Express. Sur présentation de ce guide, réduc de 10 % sur le prix de la chambre et 15 % sur les voitures qu'ils louent (via Amoudou Cars).* À l'origine, deux Suédoises s'étaient installées à Agadir pour y ouvrir cet établissement. Elles ont abandonné la partie, mais le nom n'a pas changé pour autant. Chambres simples autour d'un patio, avec douche privée mais w-c communs pour la plupart. Certaines donnent sur le boulevard et sont équipées d'un double vitrage. D'autres ne refuseraient pas un p'tit coup de peinture. Terrasse avec vue sur Agadir et l'océan.

Chic

≜ *Atlantic Hotel (plan A-B2, 39) : bd Hassan-II.* ☎ *028-84-36-61 ou 62.* • *at lantichotelagadir.com* • *Accès par une petite rue perpendiculaire. Doubles 480-510 Dh (34,50-46,40 €) selon saison, petit déj inclus.* Bien placé et rénové. Voici un hôtel aux couleurs vives et à la décoration chargée, avec des matériaux modernes respectant pleinement le style marocain. Chambres confortables avec salle de bains et TV. Jolie piscine intérieure ombragée par des palmiers ; bar sous une tente berbère. Bon accueil discret. Une adresse en tous points charmante.

≜ *Hôtel Kamal (plan A2, 40) : bd Hassan-II.* ☎ *028-84-28-17.* • *hotelkamal. ma* • *Situé en plein centre. Double env 460 Dh (41,80 €), petit déj non compris. CB acceptées.* Sur les 130 chambres, une cinquantaine donnent sur la piscine, les autres sur la rue mais avec double vitrage. Chambres confortables à la déco standardisée et bon service. Certaines peuvent accueillir 3 ou 4 personnes. Solarium autour de la piscine tout en longueur, au milieu d'un jardin paysager. De plus, la cuisine du resto est très correcte.

≜ *Hôtel Aferni (plan A1, 41) : av. du*

Général-Kettani. ☎ 028-84-07-30. ●afer ni.com ● Doubles 390-410 Dh (35,50-37,30 €) selon saison ; petit déj en sus. CB acceptées. Rien d'exceptionnel au niveau de la déco, classique et forma-tée, mais les chambres sont propres, bien équipées (baignoires, TV câblée, pas de clim' cependant), spacieuses et

confortables. Bref, pas de mauvaise surprise. Certaines donnent sur la petite piscine en forme de deltaplane (tran-sats autour). Demandez-en une avec balcon (même prix !). La mosquée étant toute proche, le muezzin risque de vous réveiller.

Très chic

De plus en plus d'hôtels de luxe voient le jour dans le quartier touristique, constam-ment en travaux. Et il faut bien avouer que l'architecture de ces temples des loisirs est parfois très réussie.

🏨 *Hôtel Sofitel* (hors plan par A3, **42**) : cité Founty, baie des Palmiers. ☎ 028-82-00-88. ● accorhotels.com ● Dou-bles 2 500-3 600 Dh (227,30-327,30 €) selon confort, vue et saison. Suites encore plus chères. Petit déj en sus. Dans un secteur en pleine construction, ce 5-étoiles, conçu comme une kas-bah, à la déco fantastique, propose des chambres modernes avec des touches orientalisantes très réussies. Parfaite-ment équipées, la plupart disposent d'un balcon. La piscine de 1 800 m^2 avec ses palmiers, petits ponts, sola-riums et transats, est assez fabuleuse. Plage privée, plusieurs restos. En sup-plément, hammam, centre de remise en forme, massages, etc. Bref, un hôtel de

grand luxe pour des vacances en toute tranquillité.
🏨 ⦿ *Hôtel Kenzi Europa* (plan A2, **43**) : bd du 20-Août. ☎ 028-82-12-12. ● kenzi-hotels.com ● Doubles 1 200-1 500 Dh (109,10-136,40 €) selon sai-son, petit déj compris. Repas env 200 Dh (18,20 €) ou carte. CB accep-tées. Réduc de 10 % sur le meilleur tarif disponible à l'hôtel sur présentation de ce guide. À 100 m de la plage, l'hôtel est conçu pour requinquer les voyageurs fatigués : grand jardin, court de tennis, piscine (chauffée l'hiver), centre de remise en forme et spa. Plus de 200 chambres au confort international, 3 restos et un pub complètent les pres-tations de l'établissement.

RÉSIDENCES ET STUDIOS AVEC KITCHENETTE

De prix moyens à chic

🏨 *Résidence Sacha* (plan A2, **44**) : pl. de la Jeunesse. ☎ 028-82-55-68 ou 028-84-11-67. ● agadir-maroc.com ● Au cœur du centre commercial d'Aga-dir et à moins de 10 mn de la plage. Selon saison, studios classiques avec kitchenette 350-410 Dh (31,80-37,30 €) ; 450-510 Dh (40,90-46,40 €) pour disposer d'une grande loggia ensoleillée ou d'un jardin privatif ; apparts pour 4-5 pers avec cuisine équi-pée 700-1 000 Dh (63,60-90,90 €). Ajouter 10 % de taxe. Le petit déj (en sus) peut être livré dans l'appart. CB refusées. Réduc intéressante en basse saison. Réduc de 25 % sur les longs séjours (4 ou 5 sem selon saison), voir aussi les promos sur leur site inter-

net. Un ensemble d'appartements nic-kel et tous différents. Certains bénéfi-cient d'une décoration orientale, d'autres surplombent la piscine (n° 24), d'autres possèdent un matelas à eau (comme le n° 11)... Le n° 25 a un style contemporain et épuré. Si c'est possi-ble, le mieux est d'en voir plusieurs. On vous fait même votre vaisselle ! Piscine avec solarium, parking, garage, coin BBQ. Un endroit calme. Possibilité d'accès au Royal Tennis Club et au Royal Golf. Ils font aussi bureau de change (aux taux bancaires). Très accueillant, Yves, le directeur, connaît parfaitement Agadir pour y avoir vécu presque toute sa vie.
🏨 *Résidence Fleurie* (plan B2, **45**) : rue

AGADIR

de la Foire. ☎ 028-84-36-24. ● residen
ce-fleurie.com ● Chambres pour 2 pers
avec sdb et kitchenette 340-370 Dh
(30,90-33,60 €) selon saison. Petit déj
compris slt en basse saison. Consulter
les promos sur leur site internet. Petits
balcons avec table et chaises. Double
vitrage aux fenêtres. Central. Petite piscine dans un environnement assez
minéralisé mais au calme. Accueil charmant et café-pâtisserie au rez-de-
chaussée très fréquenté par les locaux,
très bien pour le petit déj.

🛏 **Résidence Asaka** (plan A-B2, **39**) :
101, av. Hassan-II, en face de l'hôtel
Atlantic. ☎ 028-82-82-73. Studios pour
2 pers 350-480 Dh (31,80-43,60 €)
selon saison. Également apparts pour
4 pers 700-900 Dh (63,60-81,80 €). Prix
négociables pour plusieurs nuits. Studios meublés avec cuisine équipée et
TV câblée. Pas le grand luxe, mais c'est
très propre, très central et juste au-dessus d'une supérette (pratique !). Une
adresse très fonctionnelle donc. Grande
terrasse avec tables et chaises.

Où dormir ? Où manger dans les environs ?

Les cinq premières adresses se trouvent à Aourir et à Tamraght, situés respectivement à 12 km et 14 km au nord d'Agadir, sur la route d'Essaouira, deux villages
distants de 2 km l'un de l'autre. Intéressants uniquement pour ceux qui ne veulent
pas loger (ou s'arrêter) à Agadir ; c'est en effet à Aourir que débute la route qui
conduit dans la vallée du Paradis (et la route du Miel). Sinon, le village d'Aourir (le
plus important des deux) ne présente guère d'intérêt en lui-même. Sachez enfin
qu'entre Aourir et Tamraght, un grand projet de station balnéaire avec golf et hôtels
« chic » doit prochainement sortir de terre.

🛏 **Dynamic Loisir** : à Tamraght ; fléché
sur la droite à la sortie du village (en
venant d'Agadir). ☎ 028-31-46-55. ● dy
namicloisirs.com ● Double en ½ pens
210 Dh (19,10 €)/pers. Également une
formule stage de surf en pension complète. Sept chambres bien tenues
(2-4 personnes) dans une grande villa,
sur les hauteurs et face à la mer. Sanitaires communs (sauf pour une chambre double). Accueil sympathique de
Vanessa et Philippe sous l'œil toujours
vigilant de mamy Salerno. Location de
matériel et accès wi-fi sur la grande terrasse. Une adresse très prisée des sur-
fers.

🛏 **Villa Solaria** : à Tamraght. ☎ 028-31-
47-68. ● addimaroc.com ● À la sortie du
village (en venant d'Agadir), prendre la
route qui monte sur la droite ; continuer
tt droit jusqu'à la mosquée. Juste avt
celle-ci, bifurquer à gauche dans
l'impasse qui débute au niveau de
l'arganier ; c'est la dernière maison sur
la droite. Doubles 35-52 €, petit déj
compris ; appart 95 € pour 6 pers ;
réduc à partir de la 2ᵉ nuit. Repas (sur
commande) 70-100 Dh (6,40-9,10 €).
Possibilité de transfert payant à l'aéroport d'Agadir. Une villa sur les hauteurs
du village parfaitement tenue par un

couple suisso-marocain. Chambres,
studios et appartements tous différents
avec déco marocaine très soignée.
Presque toutes les chambres bénéficient d'une vue sur la mer. Jardinet avec
tente berbère et terrasse sur le toit d'où
le panorama est remarquable !

🍴 **Al-Baraka** : à Aourir, face à la station
Afriquia (en bordure de la route côtière
principale). Bon marché. Tajines et
méchouis extras, cuits sur la braise. Le
soir, ils sont préparés sur commande
(attention, pas mal d'attente !). Un bon
repas que vous ferez sur la terrasse et
qui ne vous ruinera pas.

🍴 **Café-restaurant Tanilt** : à Aourir, à
deux pas de la station Afriquia (en bordure de la route côtière). ☎ 028-31-48-
75. 🖂 061-31-91-95. Compter env
100 Dh (9,10 €) le repas. Musique berbère le w-e à partir de 11h30 et le soir.
Derrière une façade quelque peu « car-
ton-pâte », se cache un décor raffiné et
bordé d'un joli patio. On déguste des
plats variés et très copieux dans la
grande salle, à l'étage ou sous la tente
berbère. La salade « Tanilt » conjurera le
sort de la monotone salade marocaine... Une adresse bienvenue également à l'heure du goûter : on vous servira un assortiment de tartines au miel

et à l'amlou. L'un des meilleurs restos du coin, particulièrement prisé des Gadiri le week-end !

|●| 🍸 *Banana Beach* : à Tamraght ; fléché sur la gauche à la sortie du village (en venant d'Agadir). Plats 65-80 Dh (5,90-7,30 €). Sur la plage. Pour caler une faim, prendre un verre ou faire une sieste sur un transat, les pieds dans le sable. Rendez-vous incontournable des surfeurs, d'où une ambiance décontract'.

🛏 |●| *Paradis Nomade* (hors plan par B3) : à 15 km d'Agadir. 🖥 071-12-15-35. ● paradis-nomade.com ● Du centre-ville, suivre l'indication Marrakech ou Taroudannt jusqu'au magasin Métro (attention, à certains carrefours, l'une des deux directions n'est pas toujours indiquée, parfois c'est l'autre). Devant le magasin Métro, au tt début de la route de Marrakech, traverser le terre-plein près du poste militaire et prendre la petite route qui longe le lotissement (bien fléché à partir de là), puis poursuivre sur 11 km le long d'une route ravissante. Doubles 430-540 Dh (39-49,10 €) ; à partir de 110 Dh (10 €) la nuit/pers sous tente berbère. Petit déj en sus. Également quelques tentes spacieuses (avec lit double et banquette) pour 2 pers 250 Dh (22,70 €). Et quelques emplacements (très limités) pour camper 70 Dh (6,40 €) pour 2 pers.

Déjeuner 120 Dh (10,90 €), dîner 150 Dh (13,60 €). ½ pens possible. CB refusées. Tenu par un couple de Français, Jacqueline et Robby, amoureux du désert et de la montagne, qui ont aménagé cet ensemble de bungalows et de tentes berbères en pleine nature, au milieu des arganiers. Les bungalows, équipés de salle de bains, surplombent le resto et la piscine à débordement de leur terrasse privée (accessible aux non-résidents qui déjeunent sur place, 12h-17h). Les 8 tentes berbères (6 à 8 personnes) disposent d'un espace sanitaire et trois d'entre elles (2 à 3 personnes) ont été aménagées confortablement. Ancien rallyman, Robby peut faire découvrir la région en 4x4. Un endroit parfaitement tenu, idéal pour se ressourcer, même une après-midi (à condition de déjeuner sur place).

🛏 |●| *Le Provençal* : à la sortie d'Inezgane, route d'Agadir. ☎ 028-83-26-13. Fax : 028-83-34-31. Double env 240 Dh (21,80 €). Resto sur place. Situé à 9 km au sud d'Agadir, un établissement intéressant pour ceux qui arrivent à l'aéroport d'Agadir et qui veulent filer dans le Sud en évitant Agadir. Hôtel très bien tenu avec des chambres agréables et confortables réparties autour d'un jardin verdoyant, à l'écart de la route. Un rapport qualité-prix très honorable.

Où manger ?

Sur le port

Bon marché (moins de 80 Dh / 7,30 €)

|●| *Gargotes de poisson* (hors plan par A1, 50) : à l'entrée du port. Tlj jusqu'à la tombée de la nuit. C'est une succession de petites gargotes très populaires où l'on déguste des sardines grillées et des tajines de poisson dehors, sur de longues tables, avec les pêcheurs. Demander le prix des plats avant et recompter l'addition, sinon, arnaque assurée. C'est plein de rabatteurs. Le mieux est de se balader pour voir la tête des poissons et vérifier leur fraîcheur.

Chic (140-200 Dh / 12,70-18,20 €)

|●| *Restaurant du Port* (restaurant Yacht Club ; hors plan par A1, 50) : dans le port de pêche, après le poste de contrôle, prendre en face, puis à droite et enfin à gauche ; mal signalé. ☎ 028-84-37-08. Tlj 12h-15h, 19h-22h30. Grande véranda et terrasse donnant sur le bassin du port. Salle aux tonalités

blanches et bleues, plaisante sauf lorsqu'il y a des groupes ; l'endroit est alors bruyant. Carte de spécialités de la mer abondante, mais nombreux plats manquants. Service soigné.

Dans le centre-ville (ou un peu excentré)

De très bon marché à bon marché (moins de 80 Dh, soit 7,30 €)

I●I **Le Nomade** (plan A2, **51**) : 69, bd Hassan-II. Tlj 13h-23h. Bon marché. Pas d'alcool. Petite salle à la gentille déco marocaine et quelques tables sur le trottoir. Bonnes brochettes au feu de bois, servies avec frites et salade ou en sandwich. Sinon, tajines et couscous. Pastillas sur commande. Accueil et service aimables.

I●I **Café-snack Riyad Yacout** (plan B2, **52**) : rue du 29-Février. Jouxte la pâtisserie du même nom. Tlj 8h-22h (service continu). Excellent petit déj et menu du jour bon marché. Pâtisseries, crêpes marocaines au miel, mais aussi des sandwichs, des pâtes, pizzas et même des tajines. Les jus de fruits sont délicieux. Sa terrasse ombragée et très verdoyante fait de cet endroit l'un des plus agréables d'Agadir, où les locaux aiment à se retrouver en fin de journée pour une harira aux dattes. Fauteuils confortables, petite fontaine au centre. Service soigné mais plutôt lent. Bref, un havre de paix, loin de la cohue touristique.

I●I **Rôtisserie Annahda** (plan B1, **53**) : av. Moulay-Youssef. Un peu excentré. Tlj jusqu'à 23h. Dans une salle banale où la TV fonctionne en permanence (on préfère la petite terrasse), on vient pour un excellent tajine ou un succulent méchoui. Ici, on paie la viande au poids.

Fréquenté essentiellement par des locaux. Pour un repas authentique et copieux.

I●I **Restaurant Les Arcades** (plan B1-2, **54**) : av. du Président-Kennedy. Tlj jusqu'à 23h30 env. Resto à la fois populaire et touristique (carte traduite dans toutes les langues !), à la déco dans tous les tons de bleu. Ne vous attendez pas à de la grande cuisine, mais le menu rassasiera les affamés. Grande salle claire et agréable terrasse en angle (TV allumée presque en permanence).

I●I **Mille et Une Nuits** (plan B1, **55**) : pl. Lahcen-Tamri. Face au cinéma Sahara. Tlj jusqu'à 23h. Petit resto avec sa terrasse agréable au bord de cette placette certes très bétonnée, mais reposante, car sans la moindre circulation automobile. Menus corrects à prix plancher. Service sympa.

I●I **SOS Poulet** (plan B2, **56**) : 32, av. du Prince-Moulay-Abdallah. ☎ 028-84-30-47. Tlj 12h-minuit. Très bon marché. Ce n'est pas pour appeler les flics mais bien pour se restaurer que l'on vient dans ce fast-food où l'on sert du poulet rôti aux herbes accompagné de frites : en demi, en quart, en brochettes ou en sandwich. Également à emporter ou livraison à domicile. À côté, la même formule, mais version pizzas. Rien d'exceptionnel cela dit.

Prix moyens (moins de 150 Dh / 13,60 €)

I●I **Little Italy** (plan A2, **57**) : bd Hassan-II. ☎ 028-82-00-39. Grand choix de pizzas au feu de bois, généreusement garnies et parmi les meilleures d'Agadir, à déguster dans une salle chaleureuse et souvent animée ou sur les quelques tables posées sur le trottoir au bord du boulevard. Également des salades fraîches, de bonnes pâtes et du poisson.

I●I **Restaurant Tafoukt** (plan A2, **58**) :

sur la place du marché central. Situé en bordure d'une place qui n'est pas des plus charmante au niveau architectural (arcades en béton), on en convient. Cependant, à l'écart de la circulation, l'endroit et sa terrasse sont très paisibles, l'accueil agréable et la cuisine marocaine (tajines, couscous, brochettes) s'avère fort correcte. Autant de raisons donc, pour vous en parler !

De prix moyens à chic (plus de 130 Dh / 11,80 €)

|●| *Mozartstube* (plan A1-2, **59**) : 24, av. des FAR. ☎ 028-82-45-64. *Tlj sf dim. Repas 130-170 Dh (11,80-15,50 €). Carte en allemand,* natürlich ! Tenu par la sympathique Maria, le resto a l'avantage d'être à l'écart de la foule, face à la mosquée. Jolie terrasse avec de confortables fauteuils en osier. Cuisine de qualité, notamment l'*Apfelstrudel*, particulièrement réussi. La bière locale est servie à la pression.

|●| *Mezzo-Mezzo* (plan B2, **60**) : 19, bd Hassan-II. ☎ 028-84-88-19. 📱061-38-58-93. *Ouv slt le soir. Résa conseillée. Repas 130-260 Dh (11,80-23,60 €).* Les patrons, Jean-Michel et Dimitri, formés au *Club Med,* sont les rois de la nuit. Lumières tamisées et petit bar à l'étage. Déco branchouille, tendance ethnique, dans l'air du temps. Dans l'assiette, spécialités italiennes raffinées, mais aussi des (rares) plats de poisson et de viande suggérés par le chef selon les arrivages. Les clients repartent repus et contents.

Dans le secteur balnéaire

De très bon marché à bon marché (moins de 80 Dh / 7,30 €)

Les établissements de la croisette *(plan A2, **61**)* proposent presque tous un menu complet ou un plat du jour d'un bon rapport qualité-prix, du type brasserie. Pas de raffinement gastronomique, mais le coin est animé.

Le *Camel's,* notre préféré avec ses grands parasols en osier, sa salle marocaine et son aquarium au plafond, propose des tajines et des brochettes de chameau ; au *Vendôme,* menus touristiques très complets avec animation tous les soirs à partir de 19h ; au *Nil Bleu,* bons tajines de poisson et fruits de mer à déguster sur des chaises en rotin. Tous ont une terrasse protégée du vent et rabattent plus ou moins le chaland. Rien d'exceptionnel, mais la vue sur l'océan et l'ambiance de station balnéaire valent qu'on s'y attarde.

|●| *Jour et Nuit* (hors plan par A2, **62**) : bd de la Plage (attention ! il y en a deux qui portent ce nom, c'est celui qui a des parasols jaunes). *Ouv 24h/24.* Grande terrasse ombragée et abritée du vent. Poisson frais, frites maison, sandwichs, pizzas, salades, il y a de tout, pour tout le monde. Également des glaces et des jus de fruits frais. Un monde fou car on y mange plutôt bien pour pas cher. Au 1er étage, une salle pour une cuisine plus élaborée et plus dispendieuse (voir « De chic à très chic »).

|●| *La Corne de Gazelle* (plan A3, **63**) : complexe Valtur (à côté du Casino Mirage). ☎ 028-84-82-75. Sur une terrasse un peu en retrait de la circulation, tajines, *pastillas* et pizzas se partagent la carte. Un lieu agréable qui propose aussi un grand choix de pâtisseries marocaines, ainsi que des pâtes de fruits et d'autres délices.

Prix moyens (moins de 150 Dh / 7,30 €)

|●| *Mimi La Brochette* (hors plan par A2, **62**) : bd de la Plage. ☎ 028-84-03-87. *Tlj sf ven soir et sam midi.* Fidèle au poste depuis un bail, Mimi sert des brochettes au feu de bois, mais aussi des plats marocains sur commande. Le pain est servi chaud et croustillant. Adresse touristique enjouée à la belle déco soignée. Petite terrasse également.

De chic à très chic (plus de 150 Dh / 13,60 €)

|●| *Restaurant du Shem's Casino* (plan A2, **64**) : bd Mohammed-V. ☎ 028-82-11-11. *Ouv 20h-1h. Prévoir 200-300 Dh (18,20-27,30 €)* pour un

repas. Pour certains, la meilleure table d'Agadir. La direction n'a pas hésité à ouvrir, dans la galerie-promenoir de ce temple du jeu, un resto haut de gamme dédié à Jean Cocteau. Rapport qualité-prix plutôt rare dans ce genre d'endroit. La carte, qui varie tous les jours, propose une cuisine européenne originale, habilement agrémentée de saveurs marocaines. Viandes et poisson extra-frais, huile d'argan... même les salades ne manquent pas de piquant. Service irréprochable. Une adresse idéale pour une étape gastronomique. Rien ne vous empêche ensuite d'aller prendre un verre au bar où évoluent d'accortes serveuses, à moins que vous ne préfériez vous rendre à une table de jeu pour prolonger ou abréger vos vacances !

|●| Au Parasol Bleu (hors plan par A2, **62**) : 7, complexe Tawada, bd de la Plage. ☎ 028-84-87-44. Tlj sf dim soir et lun. Menu le midi env 100 Dh (9,10 €) ; carte env 220 Dh (20 €). En léger retrait du boulevard de la Plage, blotti au cœur d'une courette où vos tympans sont épargnés par la circulation automobile, un resto exclusivement français qui s'est vite forgé une bonne petite réputation. Il faut dire que le couple de Français qui tient les rênes du Parasol Bleu n'en est pas à sa première expérience. Après avoir travaillé dans une grande table en France, ils ont monté leur propre resto. Monsieur est en cuisine, tandis que madame prend les commandes. À l'intérieur, c'est une déco sobre, moderne et épurée, très réussie. La carte n'est pas très étoffée, mais c'est un gage de fraîcheur et de qualité. Cuisine particulièrement savoureuse et le menu du midi est une bien bonne affaire ! Accueil et service sans fausse note.

|●| Restaurant Panoramique Jour et Nuit (hors plan par A2, **62**) : voir plus haut. Au 1er étage. ☎ 028-84-02-48. Tlj

12h-15h, 18h30-23h. Repas 150-200 Dh (13,60-18,20 €). C'est la partie « chic » de l'établissement. Carte qui respecte un juste équilibre entre les viandes (particulièrement tendres) et les poissons. Une adresse pour faire un bon repas tout en prenant un peu de hauteur sur l'animation de la croisette. Le midi, les salades peuvent suffire à combler un appétit. Curieusement, toujours moins de monde le soir.

|●| La Scala (plan A3, **65**) : rue de l'Oued-Souss, complexe Tamlelt, secteur balnéaire. ☎ 028-84-67-73. Résa conseillée. Env 200-250 Dh (18,20-22,70 €). Dans un cadre séduisant, surmonté d'une tour de brique, on y mange une cuisine méditerranéenne. Viandes succulentes, impressionnant choix de poisson, langouste pour les amateurs. Très belle terrasse fleurie et salle avec véranda dans un esprit marocain revisité. Clientèle cosmopolite aisée.

|●| Le Flore (hors plan par A2, **62**) : 9, bd de la Plage. ☎ 028-84-88-39. Env 130-210 Dh (11,80-19,10 €). Cuisine de qualité à déguster en terrasse avec la mer en ligne de mire, ou dans une petite salle bleue. Les Florissimes, qui changent chaque jour, régaleront les lassés du tajine. Encornets à la sétoise, côte de bœuf fondante, penne à l'ail et aux belles crevettes fraîches, couscous royal pour ceux qui ne jurent que par la cuisine locale. Accueil enthousiaste des frangins Arnaud et Yann, épicuriens joyeux. Beau choix de vins.

|●| Le Miramar (hors plan par A1, **50**) : bd Mohammed-V. ☎ 028-84-07-70. Compter env 200 Dh (18,20 €). Resto italien spécialisé dans le poisson et les fruits de mer. Les pâtes sont aussi très bonnes. Les repas sont servis dans une vaste salle à l'atmosphère quelque peu surannée. Spécialités de plats préparés en salle et flambés devant vous.

Où manger une pâtisserie ? Où prendre le petit déjeuner ?
Où savourer une bonne glace ?

|●| Café-snack Riyad Yacout (plan B2, **52**) : voir « Où manger ? ».

|●| Salon de thé La Véranda (plan B2, **70**) : bd Hassan-II. Face au Tennis Club.

Tlj 6h-22h. Deux grandes terrasses ombragées et assez agréables malgré la circulation. Il faut aller dans la boulangerie pour choisir les délicieuses pâtisseries marocaines ou françaises facturées au poids. On a aimé notamment les pavés croquants d'amandes et les cornes de gazelle à la fleur d'oranger. Le tout arrosé d'un thé à la menthe, un p'tit moment de plaisir.

IOI *Boulangerie-pâtisserie Tafarnout* *(plan B2, 71) :* bd Hassan-II ; angle rue de la Foire. ☎ 028-84-44-50 ou 35-85. *Tlj 6h-23h.* Très grand choix de pâtisseries marocaines et européennes, et de viennoiseries. Petits déj exceptionnels que l'on peut prendre au salon de thé juste à côté ou sur la terrasse attenante, en bord de rue. Une excellente adresse surtout fréquentée par les Gadiri. Pâtisseries à emporter.

IOI *La Tour de Paris* *(plan A1, 72) :* bd Hassan-II. *Tlj 7h-23h.* Pour le petit déj, grand choix de croissants, petits pains au chocolat, brioches aux raisins à déguster en terrasse, car l'intérieur risquerait bien de vous donner le bourdon ! Délicieuses glaces. En été, animations musicales le soir. Un classique.

IOI 🍦 *Navarro* *(plan A2, 51) :* 77, bd Hassan-II ; face à la vallée des Oiseaux. *Tlj 7h-22h.* Bons gâteaux, délicieux sorbets (parmi les meilleurs d'Agadir !) à la figue, à l'abricot, à la prune... selon les saisons. Souvent beaucoup de monde en terrasse. Un peu cher, mais la qualité est au rendez-vous !

🍦 *Glacier* *(hors plan par A2, 73) :* 7, passage Tawada. *Tlj jusqu'à minuit. Prix raisonnables.* Un glacier sans véritable nom, aux couleurs brésiliennes, qui donne sur le boulevard de la Plage. Tenu par un couple de Français. Excellents sorbets et crèmes glacées aux multiples parfums. Tout est fait sur place. Également des crêpes et des gaufres.

Où prendre un verre en soirée ? Où sortir ?

La vie nocturne à Agadir n'est pas aussi intense qu'à Marrakech, loin de là. En soirée, les Gadiri et les vacanciers se pressent en terrasse des différents restos le long de la croisette *(plan A2).* Un autre endroit très prisé de la jeunesse d'Agadir : le *passage Aït-Sous (plan B2),* une rue piétonne qui concentre de nombreuses terrasses. Sinon, vous pouvez aller prendre une bière à l'*Irish Pub (plan A2, 80),* boulevard du 20-Août (ouvert tous les jours jusqu'à 1h du mat'), un genre de pub moderne. Si le karaoké vous casse les oreilles, vous pouvez toujours vous installer sur la terrasse qui borde la rue. Billards et retransmission d'événements sportifs. Quelques boîtes de nuit dans certains hôtels chic. Pour ne pas les rater, ayez l'œil sur les flyers des derniers lieux à la mode qui traînent dans certains restos.

À voir

En ville

🚶 🚶‍♂️ *La vallée des Oiseaux* *(plan A2) :* entrée bd du 20-Août et bd Hassan-II. *Tlj 9h-19h. Entrée :* 5 Dh (0,40 €) ; *réduc enfants.* Jardin avec volières d'oiseaux de tous horizons et surpeuplées, mouflons et lamas.

🚶 *Le musée du Patrimoine amazighe* *(plus connu sous le nom de Musée berbère ; plan B2) :* passage Aït-Sous, dans la rue piétonne perpendiculaire au bd Mohammed-V, derrière le théâtre. ☎ 028-82-16-32. *Tlj sf dim et j. fériés 9h30-17h30. Entrée :* 20 Dh (1,80 €) ; *réducs.* Inauguré en 2000, un petit musée qui mérite le détour. Collection de bijoux berbères, tapis, portes, ustensiles de cuisine... L'ensemble est joliment mis en valeur. Expositions temporaires également.

⚜ **L'ensemble artisanal** (plan B1) : rue du 29-Février. Dans le quartier du Nouveau Talborj. Tlj sf dim et j. fériés 9h-12h30, 15h-19h. Abrite la Coopar- | tim (vente de produits artisanaux). Prix fixes intéressants. Agréable petit café autour de la fontaine.

🎋 **Le jardin du Portugal** (jardin du Olhão ; plan B1) : entrée av. du Président-Kennedy. Tlj 9h-19h. Murets et bâtiments de style colonial, petits ponts des soupirs où se bécotent des couples pas encore légitimes. Également un musée consacré au séisme de 1960 (entrée à l'angle des avenues du Président-Kennedy et des FAR ; ouv tlj 9h-12h, 15h à 18h ; entrée libre). Bar-resto apaisant avec sa grande terrasse ombragée.

🎋 **L'église catholique Sainte-Anne** (hors plan par B2) : 115, av. Ahmed-Oulhaj-Akhnouch (ex-rue de Marrakech). Rien de particulier au niveau architectural. On vous la signale pour sa chorale sud-africaine très enjouée lors des offices religieux le dimanche à 10h.

🏖 **La plage** (plan A2-3) : bien entretenue, elle s'étend sur plusieurs centaines de mètres le long du boulevard de la plage aux airs de Croisette. On peut s'y baigner.

Un peu excentré

🎋🎋 **Le Grand Souk** (Souk Al-Had ; hors plan par B2) : descendre le bd Hassan-II, au rond-point tourner à gauche en direction de l'aéroport. Autre possibilité : prendre l'av. Ahmed-Oulhaj-Akhnouch (ex-rue de Marrakech), au bout de laquelle se trouve le souk. Tlj sf lun. Un festival de fruits, de légumes et de couleurs. Vous trouverez aussi des échoppes d'artisanat et de quoi refaire votre garde-robe. Très touristiques.

🎋🎋 **Le port et la criée** (hors plan par A2) : au nord de la ville, compter min 20 mn à pied en suivant la croisette. Criée le long des quais 6h-10h sf dim. Ici stationnent 2 000 bateaux de pêche. Il faut voir les tonnes de sardines changer de mains dans une ambiance survoltée. Ne pas manquer non plus les chantiers navals d'où sortent ces chalutiers de 20 m de long au milieu desquels vous vous glissez.

🎋 **L'ancienne kasbah** (hors plan par A1) : elle domine la ville. On y accède en voiture (env 3 km) en partant du bd Mohammed-V (c'est fléché). Très difficile d'y monter à pied par les petits sentiers, entre les cactus, à moins d'éviter les heures chaudes et de s'armer de courage. Toujours ouverte. Entrée gratuite. Surtout intéressant pour la vue imprenable sur la ville et le port d'Agadir. De la puissante forteresse construite en 1540 pour résister aux attaques des Portugais, il ne reste rien. Ce quartier fut d'ailleurs le plus éprouvé par le séisme de 1960. Seuls les remparts ont été relevés. Tout le reste fut aplani au bulldozer, transformant cette ancienne place forte en une immense nécropole. Plusieurs milliers de cadavres ont été ensevelis sous les décombres de leur maison. Parmi eux, nombre de nos compatriotes restés après l'indépendance. Les deux communautés reposent ensemble. Cette visite est un peu comme un pèlerinage. La porte d'accès, construite par les Hollandais au XVIIIᵉ s, offre en néerlandais cette devise : « Crains Dieu et respecte le roi. »

🎋 **La médina d'Agadir** (hors plan par B3) : à Aghroud-ben-Sergao. ☎ 028-28-02-53. ● medinapolizzi.com ● En voiture, à 5-10 mn du centre, en direction de Tiznit, sur la droite peu après le palais royal. En principe (mais mieux vaut se renseigner avt), ouv tlj sf lun 9h-19h (18h en hiver). Entrée : 40 Dh (3,60 €). Bien entendu, ce n'est qu'une reconstitution datant de 1992, mais l'architecture traditionnelle est respectée dans les moindres détails. On peut s'attarder dans un lacis de ruelles, certaines à ciel ouvert, d'autres voûtées, bordées de petites échoppes. Construit à l'intérieur d'une enceinte, ce véritable petit village accueille des ateliers d'artisans.

Loisirs

– Deux *cinémas* (on ne sait jamais, s'il pleut) projettent des films pas toujours récents sur des écrans géants. L'un, le *Rialto,* est situé derrière le marché central *(plan A2),* l'autre, le *Sahara,* dans le quartier de Talborj, face à l'hôtel *El-Bahia (plan B1, 35).* Les films sont en français. Programmation très limitée, mais c'est 4 fois moins cher que chez nous.

– *Royal Tennis Club (plan A-B2)* : bd Hassan-II. ☎ 028-84-77-54. *Près de 100 Dh (9,10 €)/pers. Loc de matériel.* Les courts en terre battue sont vides aux heures de bureau (surtout le matin) et arrosés avant les matchs.

– Et, bien sûr, Agadir est le paradis des golfeurs avec trois superbes golfs qui sont de vrais écrins de verdure. Le *Golf Royal d'Agadir :* ☎ 028-24-85-51. Le moins cher (environ 250 Dh, soit 22,70 €, pour le 18 trous, caddy compris), mais pas le mieux (routes à proximité et passablement entretenu). Propose la location du matériel et des cours pour les débutants. Le *Golf des Dunes :* ☎ 028-83-46-90. Ouvert à tous, environ 600 Dh (54,50 €). Résa obligatoire. C'est là que se rendent les résidents du *Club Med.* Également un practice. Possibilité de location de matériel. Le *Golf du Soleil :* résa obligatoire au ☎ 028-33-73-29. Prévoir environ 600 Dh (54,50 €). Un trois fois 9 trous assez techniques, d'ailleurs il faut un minimum de handicap 36. Practice, caddy et location de matériel.

Excursions dans les environs

🏃 *Taghazout, la route du Miel et la vallée du Paradis :* voir les chapitres concernés plus haut.

SUR LA ROUTE DE TIZNIT

🔆 *Complexe Souss Massa :* à 30 km env d'Agadir, sur la route de Tiznit, peu après le village de Sidi-Bibi, sur le côté droit de la route. ☎ 028-81-61-46. Tlj 8h-20h. Négocier fermement les prix affichés ! Dans un grand bâtiment, des poteries en tout genre. Vrais plats à tajines pour cuisiner ou décoratifs, cendriers, assiettes... Derrière le bâtiment principal, on peut visiter les ateliers de fabrication.

🏃 *Tifnit :* à env 40 km au sud d'Agadir, sur la route de Tiznit. À l'entrée d'Inchaden, prendre sur la droite la 7028, Tifnit est indiqué ; route goudronnée. Mignon petit village de pêcheurs niché dans une anse, avec des maisons troglodytiques. Les 400 derniers mètres se font à pied le long de la plage. Une véritable impression de bout du monde. Il existe bien un projet d'en faire une grande station balnéaire, mais pour l'instant celui-ci est en veilleuse...

🏃🏃 *La réserve de l'oued Massa :* à 60 km au sud d'Agadir et à 40 km au nord de Tiznit. Sur la N1, à Had-Belfa, prendre direction Sidi-Rbat ; route goudronnée. Autre solution : à Sidi-Aabou, suivre Tassila (plus long). En venant de Tifnit, à condition d'avoir un 4x4, on peut se rendre à la réserve par une piste en bordure de mer (au niveau d'une maison en ruine). Attention, plusieurs bifurcations, restez toujours sur la piste la plus proche de la mer. On arrive directement à Sidi-Bnazarn, l'entrée de la réserve. Accès gratuit (en permanence) au bout du village de Sidi-Bnazarn, mais slt à pied (parking). Garde forestier pour vous accueillir et... une flopée de prétendus guides, qui demandent parfois de petites fortunes (il est prévu d'attribuer un badge aux vrais professionnels, mais pour l'instant, c'est le statu quo, depuis un petit moment déjà...). Un centre d'information sur la réserve devait voir le jour face au parking principal. La réserve naturelle de l'oued Massa, qui s'étend sur 1 200 ha, est un endroit merveilleux, calme, rempli d'oiseaux : canards, ibis chauves (le clou de la réserve, une espèce très rare avec pas un poil sur le caillou, vous l'aurez deviné, flamants roses, hérons cendrés. Il est interdit de remonter l'oued à pied. En revanche, il est possible d'observer les oiseaux en s'approchant de la rivière. Les meilleurs mois pour les observer sont mars-avril ou octobre-novembre (époques des migrations), tôt le matin ou en fin d'après-midi. Après 900 m, plage gigantesque et village troglodytique, avec grottes, escaliers et terrasses directement taillés dans la falaise. Devant, la mer se brise le long de la côte découpée, une merveille. Méfiez-vous quand même, il n'y a aucun moyen de secours pour récupérer les nageurs emportés par une barre impitoyable. On tient à nos lecteurs !

⚠ Attention au *camping sauvage*. Panneaux d'interdiction et vols fréquents dans le coin. À vos risques et périls.

Où dormir ? Où manger dans le coin ?

🛏 🍴 *Khaïma Hôtel Bio Découverte :* à Douira, à 4 km au nord de l'embouchure de l'oued Massa. ● khaimahotel bio.com ● Sur la N1, dans le village de Tin Mansouri, prendre une piste (accessible en 4x4) qui part sur la droite (rien de fléché ; demandez à un habitant du village de vous l'indiquer). C'est à 12 km. Compter 790 Dh (72 €) pour 2 pers sous tente berbère ; repas 300 Dh (27,30 €). Navette payante pour rejoindre l'aéroport d'Agadir. Situé dans la réserve naturelle de Souss Massa, dans un environnement de plages désertes et de falaises rocheuses, un ensemble de tentes traditionnelles et confortables (salon et salle de bains privés). Tout a été aménagé dans un esprit bio, à l'image des toilettes sèches et de l'énergie solaire qui alimente l'endroit. Une très belle adresse, idéale pour faire des excursions « nature » dans le coin.

🛏 🍴 *Ksar Massa :* à Sidi-Wassay, 80450 Massa. ☎ 061-28-03-19. ● ksar massa.com ● Sur la N1, tourner à droite vers Sidi Rbat au panneau, à env 10 km avt Tiznit. Plus loin, prendre la piste à droite, bien fléchée, sur 6 km (praticable en voiture de tourisme en y allant doucement ; quelques passages sableux mais pas de difficulté majeure). Double 1 800 Dh (163,60 €) ; ½ pens 2 500 Dh (227,30 €) pour 2 pers. Menus à partir de 170 Dh (15,50 €). Un hôtel de luxe récent à l'architecture traditionnelle, très bien intégré à son environnement sauvage et tourné vers les rouleaux grondeurs de l'océan, vers lequel on descend par un chemin escarpé. Une dizaine de chambres très mignonnes et lumineuses, toutes décorées différemment, avec salle de bains en *tadelakt*. Piscine, vastes espaces extérieurs pour méditer. En supplément, hammam et massages. Un petit air de thalasso marocaine, mais il faut y mettre sacrément le prix ! C'est même abusif, d'autant que l'accueil pourrait être plus chaleureux (on a même parfois l'impression de déranger !). Quant au resto, si vous vous y attablez, c'est surtout pour le cadre, car c'est cher et moyen ! Pour les amoureux de la nature, on peut atteindre la réserve à pied en une vingtaine de minutes par la plage.

TIZNIT

54 000 hab.

À 80 km au sud d'Agadir par la N1. Cette ville plutôt tranquille est connue pour son intéressante médina et son mellah (quartier juif), le tout protégé par une vaste enceinte de couleur ocre de plus de 5 km de périmètre. Une étape sur la route, histoire de goûter l'animation de la grand-place El-Mechouar ou de négocier un bijou berbère, qui fait la renommée de Tiznit... Mais sachez qu'il ne reste pratiquement plus d'artisans travaillant à l'ancienne. Attention, il y a quelques rabatteurs qui patrouillent à vélo et veulent toucher leur commission chez les bijoutiers.

Ensuite, on choisit de continuer soit vers le désert le long de la côte, soit vers Tafraoute, à l'intérieur des terres.

– **Souk :** *les mer et jeu. Prendre la route de Tafraoute ; à 500 m env du grand rond-point, au niveau de la bifurcation, tourner à droite ; le souk se trouve un peu plus loin, juste derrière le café-resto dont l'entrée est surveillée par deux chameaux.*

UN PEU D'HISTOIRE

Tiznit ne date que de 1882. En avril 1912, El-Hiba, le fils de Ma el-Aïnine, un chérif originaire de Mauritanie, personnage médiatique et très populaire, se fit proclamer sultan de Tiznit dans la mosquée. Son influence fut si grande qu'il parvint en deux mois à conquérir tout le Sous et se rendit maître de Marrakech. Les habitants, dont il portait le costume, le considéraient non seulement comme leur chef, mais aussi comme un saint, et lui attribuèrent des miracles. Le « sultan bleu », comme on avait coutume de l'appeler, mourut à Kerdous (sur la route de Tafraoute), en 1919, à 42 ans.

Arriver – Quitter

🚌 **Gare routière** *(plan D3) : route de Tafraoute, à env 400 m du grand rond-point central.* Tous les bus partent de là sauf ceux de la compagnie **Supratours** qui partent du parking situé en face de leur bureau *(hors plan par C3, 1) :* à 500 m du rond-point central, en direction de Guelmim ; tourner à gauche au 1er feu, c'est à 50 m. ☎ 028-86-03-65. La compagnie **CTM** *(plan B2, 2)* a son bureau sur la place El-Mechouar, dans le centre-ville. ☎ 028-86-23-29.

Attention, de nombreux bus en direction du nord ou du sud ne sont qu'en transit à Tiznit ; ils prennent des voyageurs uniquement s'il y a des places disponibles (logique !), d'où la nécessité de réserver à l'avance. Liaisons avec :

➤ **Guelmim :** plusieurs bus/j. avec *CTM* et *Supratours,* mat et soir. Trajet : 2h30-3h. Entre Tiznit et Guelmim, on franchit le col du Tizi-Mighert, à 1 057 m, où des pierres verticales sortent de terre au milieu de plantes grasses. Bus avec *Satas* également.

➤ **Tafraoute :** 3 bus/j. (2 le dim) dans les 2 sens (trajet : 2h30-3h).

➤ **Tan-Tan, Laâyoune, Boujdour et Dakhla :** 3-4 bus/j. en soirée avec *CTM,* autant avec *Supratours* dont 1 en milieu de journée. Seuls les bus *Supratours* s'arrêtent à Tan-Tan Plage. Compter 4h de trajet pour Tan-Tan ; 10h pour Laâyoune, 17h-18h env pour Dakhla.

➤ **Tata :** 2 bus/j. (le mat) avec *SATAS.* Trajet : env 8h.

➤ **Agadir, Marrakech :** env 3-4 bus/j. avec *CTM* ; autant avec *Supratours.* Bus également avec *SATAS.*

➤ **Essaouira :** pas de ligne directe. Changement à Agadir ou à Inezgane.

➤ **Casablanca, Rabat, Tanger et Tétouan :** 1 bus/j avec *CTM,* le mat (c'est l'un des bus pour Agadir qui continue). Pas de bus direct avec *Supratours* : il faut se rendre à Marrakech puis poursuivre en train.

➤ Pour les intrépides ou les masochistes, sachez qu'il existe des bus hebdomadaires pour se rendre en France !

🚕 **Grands taxis pour Aglou Plage** et **Mirleft :** ils se prennent av. Hassan-II *(plan B2, 3).*

Adresses utiles

✉ **Poste** *(plan B3) : av. du 20-Août, perpendiculaire à l'av. Mohammed-V. Lunven 8h-16h15, sam 8h-12h.* Service de | Western Union.

📶 **Internet et téléphone :** *plusieurs adresses en ville, dont le* **Cyber Ville**

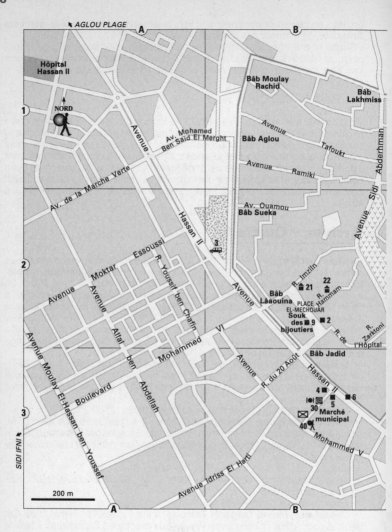

↖ *AGLOU PLAGE*

A **B**

Hôpital
Hassan II

Bâb Moulay
Rachid

Bâb
Lakhmiss

NORD

Av. Mohamed
Ben Saïd El Merght

Bâb Aglou

Avenue

Avenue Tafoukt

1

Av. de la Marche Verte

Avenue Ramiki

Hassan II

Av. Ouamou
Bâb Sueka

Avenue Sidi Abderhman

R. Youssif ben Chafin

Essoussi

Moktar

2

Avenue

Avenue

3

R. Imziln

R. Hammam

21

22

Bâb
Lâaouïna

PLACE
EL-MECHOUÂR

2

Souk
des
bijoutiers

9

R. de
l'Hôpital

R. Zarktoni

Allal

VI

ben

Abdellah

Mohammed

Avenue

Bâb Jadid

Hassan II

R. du 20 Août

Avenue

Boulevard

Avenue Moulay El-Hassan ben Youssef

4

5

6

30

Marché
municipal

40

Mohammed V

SIDI IFNI ↙

3

200 m

Avenue Idriss El Harti

A **B**

■ **Adresses utiles**

🚌 Gare routière
✉ Poste
1 Supratours (bus)
2 CTM (bus)
🚗 **3** Grands taxis pour Aglou
  Plage et Mirleft
4 Banque BCMI

5 Banque Populaire
6 Banque BMCE
🐝 **8** Supermarché IDOU
9 Presse française
📧 **30** Cyber Ville Nouvelle

⛺ 🏠 **Où dormir ?**

20 Camping municipal

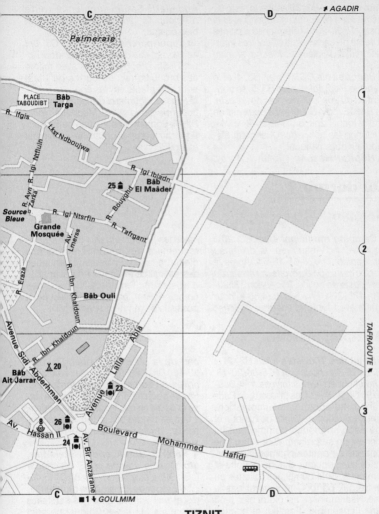

TIZNIT

21 Hôtel des Touristes	**⦿ Où manger ? Où déguster une bonne pâtisserie ?**
22 Hôtel Belle Vue	
23 Hôtel de la Fontaine	**23** Resto de l'hôtel de la Fontaine
24 Hôtel de Paris	**24** Café-resto de Paris
25 Chambres d'hôtes Bab El-Maâder	**26** Resto de l'hôtel Idou Tiznit
	30 La Ville Nouvelle
26 Hôtel Idou Tiznit	**🎥 À voir**
	40 Centre artisanal

Nouvelle (plan B3, **30**), entre le resto du même nom (voir « Où manger ? ») et la poste. Tlj 9h-22h. Téléphones à pièces et vente de cartes. Autres centres Internet près de la place *El-Mechouar* (plan B2).

■ *Banques :* la **BCMI** (plan B3, **4**) et la **Banque Populaire** (plan B3, **5**) se trouvent av. du 20-Août, non loin de la poste. La **BMCE** (plan B3, **6**) est à deux pas de l'hôtel Idou Tiznit, av. Hassan-II, la voie qui longe les remparts. Change et distributeur automatique.

■ *Hôpital Hassan I* (plan A1) : av. Abdellatif-Sabihi-(ancienne route d'Aglou). ☎ 028-86-25-16. Propre et bien équipé.

✆ *Supermarché IDOU* (plan C3, **8**) : av. Hassan II, à côté de l'hôtel Idou Tiznit. Tlj 8h-22h. Bien fourni avec même des produits frais et tout ce qu'il faut pour les enfants en bas âge.

■ *Presse :* journaux français dans une boutique de la pl. El-Mechouar (plan B2, **9**). Également dans une petite boutique au cœur du marché municipal (plan B3).

Où dormir ?

Camping

⚔ *Camping municipal* (plan C3, **20**) : en arrivant d'Agadir, sur la droite au rond-point. ☎ 028-60-13-54. Après la piscine municipale à droite, au niveau du petit poste de police. Réception : 8h30-11h, 18h-22h. Env 50 Dh (4,50 €) pour 2 pers avec tente et voiture ; douches payantes ; réduc à partir du 3ᵉ j. Environnement très bétonné et pas mal d'effort à faire au niveau de l'entretien des sanitaires (en nette sous-capacité d'ailleurs...). Terrain caillouteux, peu ombragé. Bref, pas terrible. Seul point positif, la proximité du centre-ville.

Très bon marché

🛏 *Hôtel des Touristes* (plan B2, **21**) : 80, pl. El-Mechouar. ☎ 028-86-20-18. ● hoteltouristetiznit.site.voila.fr ● Double 90 Dh (8,20 €). Des tableaux de Paris d'une autre époque, une impressionnante collection de billets de banque et une déco mignonne comme tout lui donnent un surprenant côté rétro. Une douzaine de petites chambres confortables avec douche chaude gratuite et commune. Seul bémol, les toilettes au centre qui, parfois, ne sentent pas la rose. Néanmoins, c'est plutôt bien tenu dans l'ensemble. Familial et accueil vraiment sympa.

🛏 *Hôtel Belle Vue* (plan B2, **22**) : 101, rue du Bain-Maure. ☎ et fax : 028-86-21-09. Dans une ruelle sympathique qui part de la pl. El-Mechouar. Doubles 80-100 Dh (7,30-9,10 €) avec sanitaires privés ou communs (peu nombreux). Pas de petit déj. Très propre, bonne literie et assez calme. Pour la « belle vue », il faut se rendre sur la terrasse la plus haute. Un rapport qualité-prix très honorable.

🛏 *Hôtel du Bon Accueil, Hôtel Atlas, etc. :* sur la grande pl. El-Mechouar (plan B2). Compter env 60-80 Dh (5,40-7,30 €) pour des chambres rudimentaires et mal entretenues. Les sanitaires communs (douches froides) ne sont pas plus folichons. Et, bizarrement, les hôtels sont souvent pleins... En dernier recours donc.

De bon marché à prix moyens

🛏 *Hôtel de la Fontaine* (plan C3, **23**) : 10, bd Lalla-Aabla (route d'Agadir). ☎ et fax : 028-86-14-66. 📱 066-06-41-81. À env 150 m du grand rond-point. Doubles 140-160 Dh (12,70-14,50 €) avec 1 ou 2 lits. Petit déj et clim' en sus. Chambres aux couleurs pastel, propres, très simples et avec sanitaires privés. Doubles fenêtres pour toutes (même pour celles qui donnent sur l'arrière). Pas de charme particulier, mais l'hôtel fera l'affaire, sans problème, pour une nuit. Au rez-de-chaussée, resto fréquenté par des locaux. Terrasse ombragée le matin pour mieux apprécier la carte fleuve. Patron très sympa.

🏠 *Hôtel de Paris* (plan C3, **24**) : av. Hassan-II ; au niveau du grand rond-point, à l'entrée de la ville. ☎ 028-86-28-65. • *ho teldeparis.ma* • *Double env 170 Dh (15,40 €). Petit déj en sus.* Chambres correctes et relativement confortables (salles de bains privées, clim') mais qui commencent à vieillir doucement (rien de bien méchant cependant). Celles qui donnent sur le rond-point sont forcément plus bruyantes ; dans les autres, on gagne en tranquillité, mais on perd en luminosité. À vous de voir ! Bon resto au rez-de-chaussée (voir « Où manger ? »).

🏠 *Chambres d'hôtes Bab El-Maâder* (plan C2, **25**) : 132, rue el-Haj-Ali. ☎ 028-86-42-52. 🖥 073-90-73-14. • *bab-el-maader.com* • *Entrer dans la médina par bâb el-Maâder puis, à 100 m, prendre la rue à gauche ; c'est dans la 2e à droite. Fermé juin-août. Doubles 20-25 € ; petit déj en sus (3 €). Repas 10 €.* Un vrai coup de chapeau à Michèle et Yann qui ont aménagé une bien belle adresse au cœur de la médina. Dans cette ancienne demeure traditionnelle qu'ils ont peu à peu retapée, 5 chambres avec salle de bains privée ou commune, aménagées dans un esprit très sobre. L'une d'elles donne sur un patio fleuri. Les couleurs sont particulièrement apaisantes et, dès le pas de la porte franchi, on se laisse envelopper par une atmosphère ouatée. Salon avec cheminée où l'on partage les repas. L'accueil est simple et sincère. Notre coup de cœur à Tiznit !

Très chic

🏠 *Hôtel Idou Tiznit* (plan C3, **26**) : av. Hassan-II. ☎ 028-60-03-33. • *idoutiznit. com* • *À l'entrée de la ville, au niveau du rond-point. Doubles avec petit déj 600-800 Dh (54,50-72,70 €) selon saison, négociable... CB acceptées.* Tout le confort d'un hôtel 4 étoiles inauguré par Sa Majesté en personne (des photos en attestent). Le hall et son lustre sont superbes et la piscine évoquant la forme du Sous est magnifique. Couloirs spacieux, chambres tout confort (plus calmes côté piscine), resto et bar. Mais petit déj pas génial par rapport au standing de l'établissement. Évidemment, le personnel est aux petits soins.

Où manger ? Où déguster une pâtisserie ?

De très bon marché à bon marché

– Plusieurs petites cantines sans prétention sur la place El-Mechouar (plan B2), comme **Au Bon Accueil** (petit menu env 30 Dh, soit 2,70 € !). Pour les amateurs de fruits et légumes, le *marché municipal* (plan B3) se trouve juste en face du resto *La Ville Nouvelle*.

|●| *La Ville Nouvelle* (plan B3, **30**) : 17, bd du 20-Août. Face à Bab-Jdid, à côté de la BMCI et de la Banque Populaire. Tlj jusqu'à 21h env. Plats 30-50 Dh (2,70-4,50 €). Déco dépouillée et carrelée pour ce resto sur 2 étages, prolongé par une terrasse, qui fait aussi salon de thé. La carte n'est pas très garnie (sand-wichs, pâtes, grillades), mais les prix et la qualité sont très corrects. Les petits plus, ce sont ces excellentes pâtisseries au rez-de-chaussée (envahies par des nuages de guêpes, mais personne ne s'en soucie !) et ce vrai café italien à déguster à l'étage.

|●| *Café-resto de Paris* (plan C3, **24**) : au rez-de-chaussée de l'hôtel du même nom (voir « Où dormir ? »). Tlj jusqu'à 22h30. Repas à moins de 80 Dh (7,30 €). Un resto propret qui a la cote auprès des Marocains de Tiznit et personne ne démentira. Au choix, quelques tables dans la salle dépouillée à l'éclairage quelque peu blafard en soirée, ou en ter-

DE TIZNIT À TAN-TAN

rasse pour observer les voitures qui tournicotent autour du grand rond-point. Petite cuisine marocaine d'une belle régularité.

De prix moyens à chic

๒๐๒ En prix moyens, n'oubliez pas le resto honorable de l'*Hôtel de la Fontaine* *(plan C3, 23)*. Pour un repas chic, allez donc à l'hôtel *Idou Tiznit* *(plan C3, 26)*. Voir plus haut « Où dormir ? ».

À voir

๒๐๒๐ Tiznit est la patrie des bijoux berbères (parfois en laiton !). Le marchandage y est difficile. Ne pas manquer les ruelles du *souk des bijoutiers* (attention, les sollicitations des faux guides sont fréquentes). L'entrée du souk des bijoutiers se fait par la *place El-Mechouar (plan B2)*. Seule une petite partie du souk est ancienne ; même si celle-ci est moins riche (moins d'artisans), elle mérite cependant une visite pour son architecture : les boutiques s'ouvrent sur un joli patio à colonnes. Une précision importante : ici, comme dans de nombreux autres endroits d'ailleurs, des bijoux (de pacotille !) en provenance d'Asie tendent à inonder le marché. Mais, en principe, on les reconnaît assez facilement ! D'une part, ils n'ont pas de motifs marocains traditionnels, d'autre part, ils portent le poinçon « 925 » qui indique qu'ils ont passé la frontière. Ne manquez pas non plus de vous rendre au *centre artisanal (plan B3, 40)*, avenue Mohammed-V (parallèle à l'avenue Hassan-II). Ouvert tous les jours sauf le dimanche. Expose et vend de nombreux bijoux traditionnels.

๒๐ Si vous passez devant la *grande mosquée* de Tiznit *(plan C2)*, on vous signale que les perches horizontales fixées au minaret sont là pour faciliter la construction et les réparations.

๒๐ *La promenade le long des remparts* est agréable, surtout en fin de journée, quand la lumière est plus douce. Avec 36 tours et 9 portes, les remparts sont d'une dimension respectable, mais l'ensemble n'a tout de même pas le cachet de Taroudannt.

> **LA SOURCE BLEUE**
>
> *Lalla Zninia, une pécheresse repentie, aurait donné son nom à la ville. Allah, pour manifester son pardon devant le repentir de cette femme, aurait fait jaillir une source à ses pieds. La source, encore visible aujourd'hui, n'est plus qu'un simple bassin sans intérêt.*

➤ *DANS LES ENVIRONS DE TIZNIT*

๒ Si vous prenez la route de Bouizakarne (ville-carrefour pour Guelmim ou Tata), faites éventuellement un arrêt au village d'*Aïn Ouled Jerrar* à 16 km au sud de Tiznit. La carte *Michelin* indique « Talaïnt ». Juste à la sortie du village (en venant de Tiznit), prendre la route goudronnée sur la gauche ; 1,5 km plus loin, vous déboucherez sur une jolie *kasbah* un peu à l'abandon mais pas touristique pour un sou. Agréable dédale pour une balade tranquille, jolies tours crénelées et quelques inscriptions sur les portes datant du XIVᵉ s. La source où les femmes lavent leur linge irriguerait depuis trois siècles l'oasis d'oliviers qui s'étend jusqu'à Had Reggada.

AGLOU-PLAGE

À 15 km au nord-ouest de Tiznit par une bonne route goudronnée, un peu en dehors des sentiers battus (ce n'est pas sur la route principale d'Agadir). Quelques maisons de pêcheurs, blanches aux volets bleus, et de belles plages désertes alentour. Baignade assez dangereuse néanmoins, soyez prudent. Intéressant pour les camping-cars bien ravitaillés ou pour une étape tranquille sur la route. Le village ne s'anime guère que pendant les vacances scolaires d'été, période à laquelle, pourtant, le temps n'est pas le meilleur.

➢ Possibilité d'y aller en bus depuis Tiznit. Sinon, grand taxi.

Où dormir ? Où manger ?

⊼ **Camping :** en arrivant sur la droite. ☎ 028-61-32-34. Env 30 Dh (2,70 €) pour 2 pers avec tente et voiture ; douche chaude comprise mais électricité en sus. Voilà un petit moment déjà que le camping doit faire peau neuve... mais les travaux s'éternisent... Pour l'heure, il s'agit d'un simple terrain au sol caillouteux et sans la moindre ombre...

🛏 |●| **Hôtel Aglou Beach :** à 200 m en bord de la plage. ☎ 028-86-61-96 ou 028-61-30-34. ● agloubeach.com ● Double env 310 Dh (28,20 €) avec ou sans vue sur la mer ; petite ristourne en basse saison. Menu env 70 Dh (6,40 €). La bonne grosse hôtellerie balnéaire et le seul hôtel du coin. Belle et imposante terrasse surplombant la plage. À l'intérieur, une décoration très sobre. Chambres propres et spacieuses, équipées de salle de bains, certaines avec balcon. Resto honnête. Poisson et tajines. Accueil qui peut s'avérer quelque peu cavalier certains jours.

🛏 |●| **Maison d'hôtes Le Chant du Chameau :** à 3 km d'Aglou, sur la route de Mirleft (fléché sur la droite). ▯ 067-90-49-91 ou 068-16-72-55. ● chantdu chameau.com ● Pour 2 pers, compter 440 Dh (40 €) en tente nomade, petit déj compris et 550 Dh (50 €) en ½ pens ; double 550 Dh (50 €), petit déj compris, et 770 Dh (70 €) en ½ pens. CB refusées. On slalome un peu entre des maisons à l'abandon, impression un peu étrange que l'on oublie bien vite en arrivant à cette jolie maison rouge face à la mer. Certes, les tarifs ne sont pas donnés (surtout pour dormir sous la tente !), mais Jocelyne et Ikhlaf proposent une poignée de chambres, dont deux avec salle de bains commune, à la décoration soignée et un jardin très charmant. Dommage que les prestations hôtelières pèchent un peu compte tenu des tarifs pratiqués. Bonne cuisine à base de poisson grillé (mulet local). Le lieu accueille des stages pour apprendre l'art du *tadelakt* et des *zelliges*.

– Quelques restos récents, propres et à prix raisonnables pour grignoter un plat ou un snack, juste en bord de plage.

À voir. À faire

🚶🚶 **Le village de pêcheurs et les grottes :** à 2 km par la piste, à droite avt le camping ou à pied en longeant la plage. On arrive d'abord à un **village de pêcheurs** où se trouve un port naturel avec un petit marché local. Ensuite, on tombe sur des **grottes** creusées dans des falaises où vivent des gens accueillants. Au total, une cinquantaine de cavités, composées le plus souvent d'une pièce unique, fermée par une porte, et dont les murs sont blanchis à la chaux. L'endroit est assez génial.

➢ D'Aglou-Plage, on peut rejoindre vers le sud Gourizim, par la belle route côtière 7063 (compter 23 km). Puis continuer sur Sidi-Ifni via Mirleft par la route 7064. Cet itinéraire permet de découvrir de belles plages désertes blotties au pied d'une côte rocheuse déchiquetée et quelques villages de pêcheurs.

➢ **De Tiznit à Tafraoute :** une belle route avec quelques jolis crochets possibles (voir dans l'Anti-Atlas « De Tafraoute à Agadir, par Tiznit ») et des paysages superbes à partir du col de Kerdous.

AUTOUR DU BARRAGE YOUSSEF-BEN-TACHFINE

Au nord de Tiznit, à 8 km environ en direction d'Agadir, quitter la N1 au niveau du premier embranchement pour le barrage. La route 1007 traverse, sur une quarantaine de kilomètres, de jolis paysages parsemés d'arganiers. Elle longe les premiers contreforts de l'Anti-Atlas sur lesquels sont accrochés quelques villages dont **Arbaa-Rasmouka.** La partie la plus intéressante longe le barrage Youssef-ben-Tachfine. En poursuivant jusqu'au bout, on rejoint la route principale, à 35 km environ au nord de Tiznit.

MIRLEFT
7 000 hab.

À 45 km de Tiznit en direction de Sidi-Ifni, soit au terme d'une route sinueuse peu empruntée (R 104), encadrée de cactus, soit par la jolie route côtière si on vient d'Aglou-Plage. Le village s'agrippe à des collines abruptes, où ressort le rouge du *bastion* en pisé qui domine la région. La rue principale, très agréable, est ourlée d'arcades qui abritent quelques petits cafés où les hommes viennent boire le thé.

Une des seules plages où l'on peut se baigner sans risque est celle du marabout Sidi-Mohammed – ou Abdallah –, à 2,5 km en direction de Sidi-Ifni. Mi-juillet s'y déroule un petit *moussem* très animé où l'on peut acheter, entre autres, de la poterie de la région. L'été, le coin est très prisé des Marocains. Il y a même parfois difficile de circuler en voiture. Le littoral de la région est un paradis pour les pêcheurs amateurs de gros loups de mer, de sars et de courbines. Mais attention, la mer est très dangereuse (vagues et courants très forts).

– **Souk** : le lun dans la rue du Souk. Débute le dim soir.
– *Pour se repérer* : la rue principale est celle qui monte vers la poste depuis la route côtière ; la rue commerçante, dite rue du Souk, est au cœur du village, avec la poste à un bout, l'hôtel *Abertih* à l'autre.

Arriver – Quitter

➤ **Bus** pour **Tiznit** et **Sidi-Ifni** : 6 bus/j.
– Également de nombreux grands taxis. Trajet : 45 mn-1h.

Adresses utiles

✉ **Poste et Western Union :** au bout de la rue principale, en remontant vers la colline. Lun-ven 8h-15h45. Fait aussi le change. Transfert rapide d'argent depuis l'étranger, en cas d'urgence.

@ *Internet :* 2 centres Internet, rue principale, non loin l'un de l'autre, le Cyber Farah Mirleft et le Cyber Tazarzi. Tlj 9h-minuit env. Mêmes tarifs.

Où dormir ? Où manger ?

Très bon marché

🛏 🍽 *Hôtel Tafoukt :* dans la rue du Souk. ☎ 028-71-90-77. Entrée sous les arcades. *Doubles 80-100 Dh (7,30-9,10 €) selon saison ; douche chaude*

payante et petit déj possible. Délicieux tajines autour de 40 Dh (3,60 €). Une quinzaine de chambres simplissimes et commodités partagées, mais bien tenu par Slimane. Bon accueil.

I●I **Café-resto de Lunel :** *rue principale.* Bons petits plats simples à prix imbattables (tajines, pieds de bœuf, grillades, etc.) dans ce resto populaire tenu par Brahim. Bon accueil.

De bon marché à prix moyens

I●I **Abertih :** *dans la rue du Souk.* ☎ 028-71-93-04. ▮ 072-22-58-72. ● abertih.com ● *Doubles 200-300 Dh (18,20-27,30 €) avec ou sans sdb, petit déj inclus.* Sert de l'alcool. Joli petit hôtel-resto, retapé par un Français. L'endroit idéal pour siroter un thé à l'ombre des arcades et observer l'animation du souk. Une dizaine de chambres simples, mais vraiment plaisantes avec leur touche de déco marocaine. Notre préférence va à la n° 11, qui donne sur la terrasse. Au resto, plats marocains goûteux et bon marché. Accueil charmant. Le même proprio tient l'*hôtel de l'Atlas* (☎ 028-71-93-09), dans la même rue. Prestations équivalentes pour des prix comparables.

I●I **Hôtel du Sud :** *rue du Souk.* ☎ 028-71-94-07. ● hoteldusud.fr ● *Doubles 120-150 Dh (10,90-13,60 €) selon saison.* Ne pas hésiter à négocier les prix, surtout en été ! Un hôtel d'une trentaine de chambres, bien agréable avec son patio au 1er étage et sa terrasse au 2e étage. Sanitaires et dou-

ches communs impeccables. Fait également resto (service à toute heure !), de plus, c'est bon !

I●I **Restaurant Ayour :** *rue du Souk.* ☎ 070-70-60-43. Tlj 12h-15h, 19h-22h. Fermé pdt le ramadan. *Menus 85-100 Dh (7,70-9,10 €).* Un cadre agréable et soigné, une propreté impeccable, un accueil souriant, une délicieuse cuisine berbère : *pastilla* au poulet, tajine de keftas, salade de crêpes, viandes et poissons grillés. Pas d'alcool mais vous pouvez apporter discrètement le vôtre. Belkir et Rachid se feront un plaisir de vous donner moult infos précieuses sur la région. Bref, une bonne adresse, c'est même le meilleur resto de Mirleft !

I●I **Hippolyte Galerie :** *dans la rue du Souk.* ▮ 070-40-46-21. *Repas env 100 Dh (9,10 €).* À la fois resto, café et galerie d'art. De son trépied de peintre à la toile cirée, Hippolyte sait tout faire. Cuisine franco-marocaine esquissée chaque jour, sur commande.

De chic à très chic

I●I **Maison d'hôtes Le Ksar :** *domaine Fedan Id-Louiz.* ☎ 028-71-91-43. ▮ 067-42-60-30. ● ksar-molina. com ● *Doubles 440-510 Dh (40-46,40 €) selon saison ; petit déj en sus.* Également riad pour 4-6 pers 780-1 100 Dh (70,90-100 €) selon confort et saison (loc à la sem de préférence en saison). Possibilité de ½ pens. Sinon repas 110-220 Dh (10-20 €). Une maison d'hôtes très soignée, tenue par Roger et Liliane. Cinq jolies chambres avec terrasse dont la plupart s'ouvrent sur un ravissant jardin à la Monet... Pour ceux qui voyagent en famille et souhaitent séjourner plus longtemps, 3 appartements avec cuisine équipée. Petite piscine. Accès direct à la plage.

I●I **Les Trois Chameaux :** *en surplomb du village.* ☎ 028-71-91-87. ● 3chameaux.com ● *Au pied du bas-* tion. *Doubles 1 020-1 120 Dh (92,70-101,80 €) selon saison pour 2 pers en ½ pens (souhaitée). Également des suites à partir de 1 270 Dh (115,50 €) pour 2 pers en ½ pens. Chambres berbères 200-250 Dh (18,20-22,70 €) ; petit déj en sus. Repas env 180 Dh (16,40 €).* Coup de chapeau pour le petit déj, copieux et savoureux. Réhabilité avec un goût soigneux, et perché sur la colline, cet ancien fort militaire abrite une vingtaine de chambres et suites luxueuses absolument superbes, aux volumes parfois déconcertants, compte tenu de l'architecture d'origine qui a été respectée. Les chambres berbères sont plus simples et plus sobres. Déco raffinée, bonne cuisine, piscine entourée de *tadelakt*, quelques appareils de remise en forme avec vue sur les montagnes, hammam, massage... Possibilité d'organiser des balades à VTT et des parties de pêche. Une belle réussite de Jean-François, qui a traîné auparavant ses babouches à l'Institut du monde arabe à Paris.

Où dormir dans les environs ?

🏠 *Kasbah Tabelkoukt :* à env 4 km de Mirleft, sur la route de Sidi-Ifni. ☎ 028-71-93-95. ● *kasbah-tabelkoukt.com* ● *Double 2 000 Dh (181,80 €), petit déj compris ; mini-suites plus chères. Également une poignée de bungalows en pierre pour 3 pers. Possibilité de ½ pens, sinon repas 150-250 Dh (13,60-22,70 €).* Posée en pleine nature au sommet d'une falaise balayée par le vent du large, cette belle demeure construite récemment propose 7 chambres élégantes et d'un raffinement exquis. L'architecture très réussie mélange la chaleur des matériaux traditionnels (murs en *tadelakt* dans les salles de bains, zelliges, sols en *bejmat*) aux bienfaits du confort moderne (beaucoup d'espace et de luminosité). Côté déco, même tonalité. L'ameublement marocain côtoie avec succès les touches plus *design.* Cheminée dans toutes les chambres. Grand salon avec baie vitrée qui s'ouvre sur une terrasse et l'océan. De certaines chambres (attention, certaines n'ont une vue que sur la campagne environnante), on peut même succomber à l'appel du large confortablement blottis sous les draps ! C'est pas la classe, ça ! ? Pour finir, deux pompons : la piscine à débordement qui surplombe l'océan et un accès direct à la plage en contrebas !

Où boire un verre ?

🍸 *Café Tayoughte :* rue du Souk. Il s'agit du plus ancien café de Mirleft, où se retrouvent les locaux de toutes les générations et les touristes de toutes nationalités. Brassage riche et fécond en amitiés ! Musique berbère et saharienne, mais aussi les classiques du rock yankee de l'époque hippie.
– Le *Café Timitar,* plus récent, est aussi très sympa.

SIDI-IFNI
20 000 hab.

À 30 km au sud de Mirleft par la route côtière (R104), juchée sur une haute falaise, Sidi-Ifni est restée enclave espagnole jusqu'en 1969. De la promenade qui borde la pl. Hassan-II (ex-plaza de España), vue décoiffante sur la plage en contrebas. Le marché s'anime après 14h, avec le retour des pêcheurs, et la ville vers 18h, comme toute bonne ville au parfum ibérique. Ceux qui restent quelques jours apprécient cette ville où le temps semble être suspendu. Ceux qui sont véhiculés ne manqueront pas de faire de superbes excursions dans le coin. Les plages des environs commencent à être connues des amateurs de surf. Celle de Sidi-Ifni se réduit d'ailleurs comme peau de chagrin face à l'arrivée en force du béton.
– *Souk :* le dim, sur l'ancien terrain d'aviation.

Arriver – Quitter

– Les *bus* partent depuis l'aérodrome, en face de l'hôpital.
➤ *Guelmim :* pas de bus. Grands taxis slt ; nombreux départs, 6h-18h.
➤ *Tiznit et Mirleft :* bus ttes les heures, 5h-18h. Sinon grands taxis tte la journée.

➤ *Marrakech et Agadir :* 1 bus/j. tôt le mat.
➤ *Tan-Tan et les provinces du Sud :* pas de bus. Passer par Guelmim.

Adresses utiles

✉ **Poste et Western Union :** *av. Mohammed-V, près du souk.*
■ **Banque Populaire :** *av. Moham-med-V, à 100 m de la poste. Lun-ven 8h15-15h45.* Distributeur automatique et change.
@ **Centres Internet :** *plusieurs cen-tres. En principe, tlj 8h-minuit.*
■ **Pharmacies :** *une poignée, dont une* (Pharmacie Populaire) *située av. Has-san-II, en face du souk.*

■ **Hammams :** *à la grande mosquée, à l'entrée de la ville en venant de Mirleft ; à 2 km du centre-ville. Femmes 8h-17h, hommes 18h-23h.* Pas de souci au niveau de la propreté. Également le hammam *Sâada,* av. Moulay-Moussef, à 50 m de l'hôtel *Suerte Loca.* Réservé aux femmes de 8h à 20h, mais les hom-mes sont acceptés le soir, en prévenant avant. Restauré et propre.

Où dormir ? Où manger ?

Campings

⛺ **Camping Ifni :** *quasi sur la plage.* ☎ 028-87-67-34. Compter 30 Dh (2,70 €) env pour 2 pers avec tente, dou-che chaude comprise. Petit camping clos d'un mur pour le protéger du vent. En revanche, aucun arbre pour vous protéger du soleil ! Sol très dur mais sanitaires vraiment bien tenus. Et il suf-fit de franchir la petite porte du fond pour avoir les pieds dans le sable. Beau-coup de monde en été. Pour les ama-teurs d'eau douce, grande piscine (payante) ouverte en été. En juillet et août, soirées folkloriques et anima-tions, ainsi qu'un bar-resto.
⛺ 🏠 **Camping-Bungalows El Barco :**

au pied de la ville, sur la plage. ☎ 028-78-07-07. ● elbarco-ifni.com ● Empla-cement tente pour 2 pers 50 Dh (4,50 €). Doubles 220-350 Dh (20-31,80 €) selon saison. Chambres fami-liales 400-500 Dh (36,40-45,50 €). CB refusées. Un camping en bord de mer, complété d'un bâtiment récent abritant quelques chambres avec cui-sine et vue sur le large (à condition d'en avoir une au 1er étage, sinon, ce sera vue sur... les camping-cars !). Resto marocain traditionnel. Là encore, sol bien dur et pas la moindre ombre bien-faitrice à l'horizon...

De très bon marché à bon marché

Près du souk, avenues Mohammed-V et Hassan-II, plusieurs cafés très typiques où, en plus de boire un thé à la menthe, vous pourrez, comme les Marocains, man-ger des beignets et des *msemen* pour trois fois rien ! Beaucoup de monde en début de soirée.

🏠 🍴 **Hôtel Ait Baamran :** *av. de la Plage.* ☎ *et fax : 028-78-02-17. En bas du village, sur le front de mer. Double 180 Dh (16,40 €) avec sdb, TV câblée. Fait aussi resto : menus 70-90 Dh (6,40-8,20 €).* Propre et accueil sympa. Rien à redire. Pas le grand luxe, mais du confort correct à prix plus que raisonna-ble. Une précision tout de même : pour

le même prix, autant demander une chambre qui donne sur la mer, mais pas de balcon, dommage, c'est frustrant ! Cuisine d'un rapport qualité-prix hon-nête.
🍴 **Tagout :** *rue Moulay-Abdellah. Plats 35-40 Dh (3,20-3,60 €).* Face à la mer, un sympathique bar-resto avec une ter-rasse protégée, qui donne sur l'océan

et devant laquelle les jeunes du village s'en donnent à cœur joie, le soir, en faisant pétarader joyeusement leurs pétrolettes. Choix assez limité, mais cuisine traditionnelle (tajines, brochettes), à la fraîcheur garantie et aux prix très raisonnables.

Prix moyens

🛏️ |●| *Chambres d'hôtes Xanadu :* 5, rue El-Jadida. ☎ 028-87-67-18. ● maisonxanadu.com ● *Depuis la* Banque Populaire *(av. Mohammed-V, près du souk), c'est dans la 6e rue sur la gauche. Double 330 Dh (30 €), petit déj compris. Table d'hôtes 110 Dh (10 €).* Dans cette ville où les logements sont peu nombreux, Sandrine et Patrick ont ouvert récemment 5 chambres d'hôtes dans leur propre maison. Bonne idée ! Toutes disposent d'une salle de bains en *tadelakt,* d'une petite déco sobre et soignée. Sandrine et Patrick aiment le Maroc et ça se sent ! Ils sauront vous conseiller des excursions dans le coin et pourront même vous proposer des activités (balades en bord de mer, extraction d'huile d'argan, etc.). Les repas préparés par Sandrine, cuisinière hors pair, sont partagés autour de la même table. Terrasse pour prendre de la hauteur sur la ville. Une belle adresse.

🛏️ |●| *Hôtel Suerte Loca :* 7, bd Moulay-Youssef. ☎ 028-87-53-50. ● suerteloca36@yahoo.com ● *À 100 m de pl. Hassan-II (ex-plaza de España). Prévoir env 170-190 Dh (15,40-17,30 €) selon saison pour une double avec bains et balcon donnant sur l'océan et la vallée. Dans l'ancienne partie de l'hôtel, doubles correctes avec terrasse et sdb communes env 100-125 Dh (9,10-11,40 €). Également 2 petits studios à louer à la sem 900-1 000 Dh (81,80-90,90 €). Attention, parfois quelques soucis au niveau de la résa. Repas env 60-75 Dh (5,40-6,80 €).* Un hôtel au charme d'antan, très correctement tenu et à l'atmosphère conviviale. Toujours 3 ou 4 plats pour les affamés de passage mais pour les spécialités, mieux vaut commander à l'avance. Fait aussi des crêpes.

Accueil sympathique. Location de VTT, planches de surf, bibliothèque, change. Malika tient juste à côté une échoppe d'artisanat et de bijoux à prix raisonnables.

🛏️ |●| *Hôtel Bellevue :* pl. Hassan-II (ex-plaza de España). ☎ 028-87-50-72. *Fax : 028-78-04-99. Doubles 110-190 Dh (10-17,30 €) selon confort. Petit déj en sus. Menu env 80-100 Dh (7,30-9,10 €).* L'hôtel, perché au sommet de la falaise, disposerait d'une vue sur la mer à couper le souffle, s'il n'y avait pas cette rambarde massive en béton qui coupe la vue ! Chambres avec ou sans salle de bains, fonctionnelles et propres, c'est déjà pas mal, mais sans vue sur le large. Côté déco, le rose bonbon de certaines chambres n'est pas forcément du meilleur goût... et l'eau chaude s'avère parfois capricieuse ! Côté restauration, c'est très moyen. Bref, l'adresse conviendra pour une nuit ; pour un séjour prolongé, il y a mieux.

|●| *Café-restaurant Nomad :* 5, av. Moulay-Youssef. À côté de l'ancienne (belle) ambassade d'Espagne. Tlj sf lun. *Bons et copieux tajines de viande et de poisson autour de 60 Dh (5,40 €) ; repas complet 80-120 Dh (7,30-10,90 €).* Également grosses salades et sandwichs. Ici, il faut commander à l'avance, rien n'est réchauffé (gage de qualité). Derrière la devanture pimpante, la déco, très réussie, dégage une atmosphère chaleureuse et conviviale. Petite terrasse au bord de la rue. Même si la cuisine est bonne, on vient plus pour l'ambiance et la bande d'amis qui anime les lieux. Aya, Balou, Isham et consorts ont des talents de musiciens. De plus, ils connaissent très bien la région. N'hésitez pas à leur demander des infos !

Fête

– *Moussem :* une sem fin juin-début juil.

➤ *DANS LES ENVIRONS DE SIDI-IFNI*

👫 ⌂ Face à l'îlot d'El-Gzira, à 10 km sur la route de Mirleft, une piste signalée par une borne conduit, après 500 m, au bord d'une *plage* où quatre arches naturelles ont été taillées par le flux et le reflux. Les amateurs de surf, de bodyboard, de pêche (autour de l'îlot) et de rêvasserie seront à la fête. L'endroit est idéal pour une petite balade en amoureux ou en famille, surtout au coucher du soleil. Sur la plage, deux ou trois petits hôtels les pieds dans le sable. Camping interdit.

🛏 🍽 **Auberge-restaurant Sable d'Or :** ☎ 061-30-24-95. *Doubles avec ou sans sdb 180-250 Dh (16,40-22,70 €) selon confort et saison. Repas 60-100 Dh (5,50-9,10 €).* Au sein d'une petite crique de pierre rouge, on descend vers cette sympathique auberge par une volée de marches avant d'atteindre la splendide terrasse qui surplombe la plage de sable fin. Réservez de préférence les chambres nos 14 et 16 (sans douche) ou nos 19 et 20 (avec douche) pour leur vue sur l'océan. L'ensemble est propre et parfaitement tenu. La nuit, on est bercé par la douce musique des rouleaux d'écume qui lèchent la plage. Fait aussi resto, pas mal du tout. Mieux vaut ne pas être pressé car tout est fraîchement préparé.

🍴 *Sidi-Ouarsik :* à 18 km au sud de Sidi-Ifni par une bonne route goudronnée. À Sidi-Ifni, suivre l'av. Hassan-II ; à la fin des arcades, bifurquer à droite en direction du port. La route débute à env 2,5 km sur la gauche (fléché « Tan-Tan et Guelmim »). Bouchez-vous le nez, car il faut traverser la décharge publique ! Mais sa majesté le roi Mohammed VI a donné son accord pour la supprimer : la situation devrait donc s'améliorer... Petit village de pêcheurs très sympa. Possibilité de planter sa tente en bordure de mer. On peut aussi louer de petites maisons bon marché (confort rudimentaire), en s'adressant notamment à l'hôtel *Suerte Loca* de Sidi-Ifni. Prévoir des vivres.

➤ *La boucle Sidi-Ifni – Sidi-Ouarsik – Foum-Assaka – Guelmim – Sidi-Ifni :* au total, env 140 km, dont 90 km d'asphalte. Véhicule 4x4 indispensable. Comptez une journée et prévoyez une réserve d'eau et de vivres en quantité suffisante. Les pistes sont bien balisées. Sachez qu'il est prévu de goudronner la piste entre Foum-Assaka et l'oued Bouissafen (plage Blanche). Les travaux devraient débuter courant 2009-2010 ; se renseigner. À terme, la route rejoindra Tan-Tan Plage (El-Ouatia). Il existe en fait deux possibilités pour faire la boucle. D'*Ifni*, direction *Sidi-Ouarsik* (voir plus haut). La route goudronnée se poursuit jusqu'à l'oued Foum-Assaka (à 22 km env de *Sidi-Ouarsik*) où elle s'arrête net par un radier, au fond de l'oued. Sans 4x4, impossible d'aller plus loin !
– *Première possibilité :* à env 35 km de Sidi-Ifni (à env 7 km avant Foum-Assaka), prendre la piste sur la gauche au panneau indiquant Fort Bou-Jerif que l'on atteint après 12 km (piste bien balisée). Là encore, 4x4 indispensable et ne pas s'y aventurer s'il a plu, ce qui est tout de même rare (la traversée de l'oued est alors très difficile, voire impossible ! Se renseigner).
– *Deuxième possibilité :* à privilégier car les paysages sont plus variés, plus beaux. Poursuivre jusqu'à Foum-Assaka. Juste avant d'arriver dans l'oued, profitez bien de la vue absolument superbe du haut de la falaise, car au niveau de l'oued même, plusieurs maisons construites en parpaing et sans autorisation (les constructions sont d'ailleurs aujourd'hui arrêtées !) mitent quelque peu le paysage ! En hiver, comme à *Massa,* flamants roses, hérons, grandes tortues, cormorans. De l'autre côté de l'oued, la montée est assez raide. Ne pas prendre la piste en bas de l'oued sur la gauche mais poursuivre sur 1,5 km pour atteindre le plateau. Vous verrez alors une première piste sur la gauche avec panneau « Fort Bou-Jerif à 14 km », continuez 500 m de plus, pour trouver une autre piste fléchée indiquant toujours le fort, ainsi que la plage Blanche. Mieux vaut prendre cette deuxième piste car elle est plus aisée (pas d'oued à traverser). De toute façon, les deux pistes se rejoignent

DE TIZNIT À TAN-TAN

et passent devant le fort Bou-Jerif. Après le fort, pour rejoindre Guelmim, la piste longe l'*oued Noun* et entre dans ses gorges habitées et cultivées courageusement en petites terrasses. À *Targawassay*, on retrouve l'asphalte pour Guelmim et Ifni. Une précision : depuis Foum-Assaka, pas de difficulté particulière en 4x4 pour rejoindre la plage Blanche (oued Bouissafen) que l'on atteint après 25 km de piste. Ensuite goudron jusqu'à Guelmim (mais dans ce cas, vous ne passerez pas par le fort Bou-Jerif).

➤ *La boucle d'Aït-Baamrane :* env 85 km de circuit autour de Sidi, entièrement bitumé (pas de problème en voiture de tourisme). À Sidi-Ifni, prendre la direction de Mirleft ; juste après la mosquée du quartier de Colomina qui domine la colline, bifurquer à droite. Succession de montagnes et de vallées, parsemées de villages berbères parfois très isolés. On passe par la vallée de Khalfouf et ses champs de cactus. Après 30 km, on arrive à Tiougzza ; de là, par une piste en bon état de 2 km, possibilité de rejoindre le village d'Imogni, connu pour ses quelques potiers. Puis direction le sud vers Amellou et Mesti. Enfin, retour sur Ifni.
Avant de rejoindre Sidi-Ifni, dans le village de Mesti, arrêtez-vous à la *coopérative de femmes Tafyoucht* qui produit de l'huile d'argan (☎ 028-86-72-52 ; ouv tlj sf dim 7h30-12h, 14h-18h).

GUELMIM (GOULIMINE)

96 000 hab.

À 110 km au sud de Tiznit, Guelmim (prononcer « Gueulmime ») constitue avant tout une base pour découvrir les oasis des environs, avant d'amorcer le « vrai » désert. Sinon, la ville n'a qu'un intérêt très limité en soi... Guelmim a en effet perdu l'hégémonie commerciale qui faisait d'elle une porte du désert animée, où les caravanes se bousculaient après une longue croisière à travers la mer de sable. Si vous voyez des « hommes bleus », pas de doute, un piège à touristes se prépare...
C'est ici que l'on peut assister à la *guedra* (« marmite »), danse très caractéristique de la région, où les musiciens entourent une femme accroupie voilée de noir, dont les mains s'animent comme des marionnettes en suivant le rythme des tambourins tandis qu'elle se libère peu à peu des voiles qui la couvrent. Rien à voir cependant avec un strip-tease de Pigalle. Le rythme atteint un paroxysme délicieusement érotique. Cependant, il devient fort difficile d'assister à une authentique *guedra*.

Arriver – Quitter

🚌 *La gare routière* se situe à un bon km du centre, sur l'ancienne route de Sidi-Ifni. CTM, ☎ 028-87-11-35 ; Supratours, ☎ 028-87-15-03. Liaisons avec :
➤ *Tiznit, Agadir, Marrakech, Casablanca, Rabat :* env 3 bus/j. avec *CTM* et *Supratours*. D'autres compagnies également. Attention, au-delà de Marrakech, la suite du voyage s'effectue en train.
➤ *Tan-Tan, Tan-Tan Plage, Laâyoune, Dakhla, Boujdour :* 1 bus/j. avec *CTM* vers minuit (mais attention, le bus vient d'Agadir et prend des passagers uniquement s'il y a des places disponibles). Sinon, 2-3 bus/j. avec *Supratours*. Seuls les bus de *Supratours* s'arrêtent à Tan-Tan Plage.
➤ *Ouarzazate* (1 ou 2 bus/j., en soirée) et *Assa-Zag* (2 bus/j.).
➤ *Sidi-Ifni et Mirleft :* grands taxis slt. À côté de la gare routière.

✈ *En avion :* l'aéroport se situe sur la route de Sidi-Ifni, après l'embranchement de la route qui mène à la plage Blanche (fléché). Trois vols/sem pour *Casablanca* et *Tan-Tan* avec *Regional Airlines*.

Adresses utiles

✉ **Poste :** au centre-ville, en bordure du rond-point principal (place centrale). Lun-ven 8h-18h30, sam 8h-12h.

■ **Délégation du tourisme (ONMT) :** av. Mohammed-VI (route d'Agadir), face à La Province (grand bâtiment administratif). ☎ 028-87-29-11. Fax : 028-87-31-85. Aucune info utile, malheureusement.

■ **Banques et distributeurs :** plusieurs dans le centre (Crédit Agricole, Banque Populaire, etc.), autour de la place centrale (rond-point principal). Font le change.

■ **Hôpital militaire :** bd Mohammed-VI (route d'Agadir). À env 800 m après avoir franchi la porte de la ville, sur le côté droit de la route, en venant de Tiznit. Récemment ouvert, le mieux équipé de la ville.

✿ **Supermarchés : AOUTAS,** sur la place centrale, face à la station-service. Tlj 8h30-22h. Bien fourni. Également **RAJI,** juste en face. Un peu plus moderne. Idéal pour remplir les glacières avant le Grand Sud.

@ **Cyber Club Horizons Internet :** av. Abaynou, à 5 mn à pied de la place centrale. ☎ 028-87-26-80. Tlj 8h-minuit. Une dizaine d'ordinateurs à la connexion rapide. Également un autre centre Internet, à proximité de l'hôtel Salam (et de la place centrale). Ouvert tous les jours de 9h à 23h.

Où dormir ? Où manger ? Où boire un verre ?

Très bon marché

🛏 **L'Ère Nouvelle :** 115, av. Mohammed-V. ☎ 028-87-21-18. À 5 mn à pied du rond-point principal (place centrale). Compter 30 Dh (2,70 €)/pers, douche chaude payante (10 Dh, soit 0,90 €). Pas de petit déj. Chambres sommaires mais acceptables pour le prix et draps propres (comme les sanitaires communs d'ailleurs). Accueil sympa. Pour routards pas trop exigeants. Internet en face.

🍴 🍸 **Espace Oasis :** au début du bd Mohammed-VI (route d'Agadir), à 100 m de la poste. Tlj 7h-22h. Pizza env 35 Dh (3,20 €). Un bar-snack avec sa terrasse à la parisienne qui étale ses chaises en rotin. Bien pour combler un p'tit creux avec des paninis. Encore mieux pour caler une faim plus conséquente avec de bonnes pizzas présentées sur des assiettes en bois. Très bon café que l'on peut parfumer à la cannelle.

🍴 Quelques **rôtisseries** face au rond-point principal (la place centrale). Tlj jusqu'à 22h env. Prévoir env 30 Dh (2,70 €) le plat. Hygiène souvent aléatoire...

🍸 **Café Ali Baba :** av. Hassan-II (route de l'oasis de Tighmert), en face de l'ancien marché aux grains et de l'entrée de la vieille ville. Café populaire et traditionnel qui dispose d'une grande terrasse ombragée sur le toit, idéale pour observer la cité tout en sirotant tranquillement un verre non alcoolisé. On peut y manger, mais on vous le déconseille.

De prix moyens à un peu plus chic

🛏 **Bahich Hotel :** 31, av. Abaynou. ☎ 028-77-21-78. Fax : 028-77-04-49. À 5 mn de la place centrale. Double 180 Dh (16,40 €). Un hôtel relativement récent aux chambres correctement tenues. Salles de bains dans chacune d'elles. Certaines chambres donnent sur la rue, les autres autour d'un puit de lumière. Rien d'extraordinaire, mais convenable pour une nuit.

🛏 🍴 **Hôtel Au Rendez-vous des Hommes Bleus :** 447, av. Hassan-II. ☎ 028-77-28-21. Fax : 028-77-05-56. Sur la nouvelle route de Sidi-Ifni, 200 m à droite après le palmier au milieu de la route. Double env 350 Dh (31,80 €), sans petit déj ; menus 80-120 Dh (7,30-10,90 €). Chambres petites (celles avec un grand lit sont... plus grandes), mais ceux qui recherchent un confort minimal (AC, TV satellite, eau chaude, etc.) apprécieront car c'est à peu près la seule adresse digne de ce nom à Guelmim (ce qui explique certainement ses tarifs un peu élevés). Un bémol pour les serviettes de bain à la propreté parfois douteuse... Salle de resto tristounette, la terrasse est plus accueillante.

Où dormir ? Où manger dans les environs ?

△ 🏠 |⊚| *Fort Bou-Jerif : à env 40 km à l'ouest de Guelmim (une bonne heure de route). BP 504, 81000 Guelmim.* ☎ 072-13-00-17. • *fortboujerif.com* • *Direction Sidi-Ifni, puis, à env 1 km à la sortie de Guelmim, tourner à gauche en direction de la plage Blanche (« Fort Bou-Jerif » est indiqué). Après une tren-taine de km de bon goudron, prendre la piste à droite, c'est bien fléché ; les der-niers 9 km sont accessibles aux véhicu-les de tourisme en roulant lentement. Il existe un autre itinéraire par Targa Was-saye, slt pour les 4x4 (impraticable s'il a plu : il faut traverser un oued ; se le faire décrire au préalable). Prévoir 70 Dh (6,40 €)/pers pour dormir sous la khaïma (tente nomade au sol bétonné, cou-chage fourni), 30 Dh (2,70 €)/pers pour planter sa tente, électricité comprise, ainsi que les douches chaudes alimen-tées à l'énergie solaire ; véhicule en sus : 20-30 Dh (1,80-2,70 €). Double 350 Dh (31,80 €) au motel (sanitaires à l'exté-rieur). Dans le* Petit Hôtel, *chambres avec sdb 450 Dh (40,90 €) pour 2 pers. Pour le* Caravansérail, *la partie « chic » de l'hôtel (déco raffinée et chambres spacieuses) imitant un fort, compter 550 Dh (50 €) ; petit déj en sus. ½ pens vivement recommandée (il n'y a rien autour pour se ravitailler !) : 280 Dh (25,50 €)/pers sous la tente khaïma,* 340-440 Dh (30,90-40 €)/pers en cham-bre double. Sinon menu 175 Dh (15,90 €) et carte. *Un établissement planté au milieu de nulle part, dans un environnement parfaitement calme, préservé et superbe, à 500 m des rui-nes d'un fort construit par les Français en 1935. Des familles de gerboises affo-lées, des lapins, parfois même des renards pointent le bout de leur nez. L'ensemble est confortable, parfaite-ment tenu par Pierre et son équipe, et offre des possibilités d'hébergement à différents budgets. Si votre portefeuille vous le permet, optez pour une cham-bre dans le Caravansérail ; prendre le petit déj le matin sur la terrasse à l'écart du bâtiment principal, au soleil levant, est un moment purement délicieux ! Piscine. Salle de resto (bonne cuisine franco-marocaine) à l'atmosphère un poil chic et agréable terrasse pour dîner à la fraîche ou prolonger la soirée un verre de vin à la main jusqu'à 23h (après, le groupe électrogène maintenu à l'écart cesse son activité). Propose des par-ties de pêche, des balades en* Land Rover *(gravures rupestres, Sahara atlantique) et du bivouac sauvage. Accueille aussi bien les groupes que les individuels. Une adresse de choix pour faire le vide !*

À voir

🐐🐐 *Le souk :* le sam mat, à l'extérieur de la ville. S'y rendre dès le lever du soleil (les commerçants, eux, s'installent dès le ven ap-m). Intéressant pour acheter des épi-ces, voir les bouchers, les tonnes de céréales... La partie consacrée aux animaux (moutons, vaches, chèvres et surtout le plus grand marché de dromadaires du Sud du Maroc) est plus ou moins animée en fonction de la saison. Attention, les bimbe-loteries sont hors de prix, les perles de Mauritanie presque toutes fausses. Mais on vient surtout ici pour l'ambiance, pour les étals de fruits et légumes superbes, pour voir les hommes bleus faire leurs emplettes et négocier les animaux, pour cette animation à ne manquer sous aucun prétexte.

🐐 *Le vieux Guelmim :* à l'écart de la ville nouvelle ; prendre l'av. Mohammed-V. Il débute devant le café Ali Baba. La ville ancienne, avec ses ruelles et ses maisons de terre, n'a guère changé depuis des décennies (même si, comme partout, le parpaing a fait son apparition). On y trouve des *mlhaf* en coton (de longs vêtements que portent les femmes de la région), surtout si on entre par l'ancien marché aux grains, aujourd'hui transformé en petit parking.

Fête

– *Moussem de Sidi-el-Ghazi : pdt 1 ou 2 sem en juil.* Nombre important de dromadaires. Au programme : compétition, foire aux dromadaires, manifestations culturelles, etc.

➤ *DANS LES ENVIRONS DE GUELMIM*

🏃 *Abahinou : à 15 km de Guelmim, direction Sidi-Ifni sur 4 km ; puis tourner à droite vers Abahinou ; route goudronnée. Ouv tlj 24h/24 (oct-mars, le bâtiment réservé aux hommes est mixte, 18h-minuit, pour les touristes occidentaux slt). Entrée : 10 Dh (0,90 €) env ; massage en plus (100 Dh, soit 9,10 €).* Source thermale rénovée et propre ; le débit est important et, du coup, l'eau se renouvelle rapidement. Un bâtiment pour les hommes et un autre pour les femmes ; chacun équipé d'une piscine d'eau chaude (38 °C).

🛏 |●| *Résidence Oasis : à l'entrée d'Abahinou, sur la gauche.* ☎ 028-87-27-54. 🖥 068-42-75-85. ● *residence-oasis.net* ● *Compter 70 Dh (6,40 €)/pers. Apparts 150-250 Dh (13,60-22,70 €) selon saison et taille (jusqu'à 3-4 pers). Repas sur commande (bon marché).* Le sympathique Abdou a ouvert sa petite affaire récemment et l'ensemble est fort propre. Chambres carrelées disposant d'une bonne literie. Douches chaudes et w-c communs. Également 6 appartements avec cuisine, toilettes, mais attention, certains sont dépourvus de douche (seule solution : faire connaissance avec votre voisin de palier ou bien aller piquer une tête dans la source thermale non loin !). Accueil adorable.

🏕 🛏 *Auberge et camping Abaynou : juste à côté du bâtiment thermal réservé aux hommes.* ☎ 028-87-28-92. *Double 250 Dh (22,70 €) ; env 50 Dh (4,50 €) au camping.* Éviter de manger sur place, contrairement à la source, il y a peu de débit dans les cuisines ! Pas trop mal mais surpeuplé à certaines périodes.

🏃 *Sidi-Ifni : à 55 km au nord.* Voir ci-dessus le chapitre « Sidi-Ifni ».

🏖 *La plage Blanche : à 60 km à l'ouest de Guelmim.* Prendre la route de Sidi-Ifni. À 1 km à gauche de la sortie de la ville, panneau indiquant « Plage Blanche » (même route que pour Fort Bou-Jerif). La route est goudronnée. Vaste plage qui s'étire sur une quarantaine de kilomètres, la plus longue du Maroc, et qui tire son nom de l'époque de l'Aéropostale : Saint-Exupéry et consorts avaient remarqué un immense ruban de sable très clair, rendu inaccessible par le cordon dunaire tout autant que par la falaise. Mais la configuration de son embouchure (oued Bouissafen) devrait connaître une profonde modification dans les années à venir : le lieu a en effet été choisi comme l'un des six sites du plan Azur, visant à créer au Maroc de nouvelles stations balnéaires. Une première tranche de travaux est prévue à partir de 2009 : 5 000 à 8 000 lits doivent sortir de terre. Néanmoins, pas de panique, de vastes étendues resteront à l'état sauvage (n'oubliez pas que la plage s'étale sur près de 40 km de long !). Au sud (pour les 4x4 initiés seulement), au niveau du fort d'Aoreora, indescriptible vue plongeante sur les dunes gigantesques. *Mais attention :* ne pas dépasser l'épave à hauteur du fort en raison de la présence de sables mouvants. Ensablement garanti !

– *L'embouchure de l'oued Drâa : bien au sud de la plage Blanche.* Voir plus loin « Dans les environs d'El Ouatia ».

L'OASIS DE TIGHMERT

À une dizaine de kilomètres à l'est de Guelmim, cette oasis n'a pas été abandonnée par ses habitants, à la différence de tant d'autres. Environ 650 familles continuent à vivre de cultures maraîchères, au mépris des tentations émanant de la grande ville. C'est une chance pour le voyageur, qui a l'occasion de se plonger dans un village pittoresque. D'ailleurs, de plus en plus d'étrangers ont compris l'attrait de cette oasis et s'y sont installés. On peut s'attarder à l'ombre d'un palmier, pour observer les paysans sarcler de minuscules parcelles irriguées par des canaux, ou flâner dans le dédale de venelles bordées de hauts murs de terre ocre, percés de lourdes portes de bois.

Arriver – Quitter

➤ **En voiture :** à Guelmim, depuis le rond-point principal (place centrale), descendre l'av. Mohammed-V jusqu'au bout. Prendre ensuite à gauche en direction d'*Assa* (passer devant le café *Ali Baba*). Trois kilomètres après la ville, bifurquer à droite sur la route goudronnée (panneau « Asrir ») qui conduit à Tighmert (prononcer « Tirmart »). Attention : sur la carte *Michelin*, l'oasis porte le nom d'*Aït-Bekkou*.
➤ **En grand taxi :** départ sur le parking situé devant le café *Ali Baba*.

Où dormir ? Où manger ?

🛏️ 🍴 *La Maison Saharaouie :* dans la palmeraie, à 16 km de Guelmim, bien indiqué à l'entrée de l'oasis (voir « Arriver – Quitter », ci-dessus). ☎ 028-87-07-06. 📱 071-32-37-17. • http://lamaisonsaharaouie.site.voila.fr • *Doubles en ½ pens slt 250-350 Dh (22,70-31,80 €) selon taille.* Nichée au cœur de l'oasis, une authentique maison en pisé. C'est une Française, Saliha, qui a restauré cette maison pour en faire un lieu tout à fait original. Confort basique (salles de bains communes avec toilettes à la turque et douche au baquet), mais chambres bien tenues et joliment décorées. Hammam. Tajine de lapin au miel et à la cannelle, r'fissa, couscous, pain cuit dans le four installé dans la cour, confitures maison... Possibilité d'organiser de petites excursions. Mais n'oubliez pas de réserver dans cette maison si particulière car il n'y a que 5 chambres. On se répète, mais conviendra à ceux qui ne sont pas trop regardants sur le confort.

À voir

🎒🎒 Au cœur de la palmeraie se cache une superbe **kasbah,** vieille de trois siècles, qu'il faut absolument visiter. Impératif de téléphoner avant à Laabd depuis Guelmim car c'est difficile à trouver, vous éviterez ainsi de vous casser le nez et surtout vous ne tomberez pas dans le piège des faux Laabd très ingénieux qui parfois vous embobinent dès Guelmim ! 📱 062-19-37-73. Participation : 25 Dh/pers (2,30 € ; ou plus si vous tombez sous le charme, bien sûr). Possibilité de manger sur place un repas traditionnel : 100 Dh (9,10 €), visite comprise (dans ce cas, prévenir la veille). La *kasbah* appartient à Laabd et à son cousin, qui la restaurent religieusement depuis plus de 20 ans. On y pénètre par une épaisse porte protégée par un antique verrou, qui dissimule un patio autour duquel s'organisent les seize pièces. Construites en pisé, couvertes par un treillage de branches de palmiers, elles abritent un passionnant petit musée (une véritable caverne d'Ali Baba !) que Laabd fait visiter avec un plaisir évident. Il s'agit d'une belle collection d'outils traditionnels et de matériel de caravanier, patiemment constituée, dont des tentes nomades en poil de chèvre et de chameau qui nécessitaient 6 hommes pour leur transport. On y trouve des *guerba*, ces outres utilisées pour le transport de l'eau dans le Sahara, mais aussi de véritables curiosités, comme cette clepsydre d'une incroyable précision et cet inattendu soutien-gorge pour chamelle. Quelques reliques de la colonisation française et un précieux vestige : le premier numéro du *Guide du routard* dans lequel la *kasbah* a été mentionnée ! Dans la cour, un grenier enterré, de 3 m de profondeur, qui permettait de stocker près de 8 tonnes de céréales ! La visite donne l'occasion de saisir la culture saharaouie marocaine de manière plus authentique que dans les grands musées. Et puis rencontrer Laabd est une expérience en soi ! Pour lui faire vraiment plaisir, envoyez-lui quelques photos (Laabd Jamil, Casbah Caravansérail, BP Tighmert, 81000 Goulmine, Porte du Sahara).

🏃🏃 *Les sources de l'oasis : à l'extrémité de l'oasis, après env 3 km de piste.* Bassin au vert profond cerné de palmiers. Baignade possible. Vous pouvez aussi planter votre tente et ne serez dérangé que par le coassement des nombreux crapauds. Également des oiseaux, lézards, tortues... On peut aussi voir les femmes ramasser la chaux dans le lit de l'oued.

🏃🏃 *Les cascades de Fask : à 17 km en direction d'Assa. Les derniers 4 km sont déconseillés aux véhicules inadaptés.* Sur place, village en pisé abandonné, proche de la très belle *cascade* rafraîchissante. Idéal pour pique-niquer, bercé par le murmure de l'eau à l'ombre de la palmeraie. On peut s'y baigner, s'il a suffisamment plu, en automne et en hiver.

TAN-TAN
61 000 hab.

À 125 km au sud de Guelmim par la N1. La route traverse un désert caillouteux superbe, dont les étendues désolées forcent à la méditation. Les premiers contrôles de police (en principe, succincts et courtois) commencent avant d'arriver à Tan-Tan. Pour pénétrer en ville, on passe entre deux dromadaires géants (observez bien et repérez le mâle et la femelle). Le centre-ville est appelé *El-Hamra,* « ville rouge ». La ville n'offre rien de passionnant, et il est nettement plus agréable de dormir à Tan-Tan Plage, située à 25 km (voir plus loin). Toutefois, pour faire le plein avant un long périple, n'hésitez pas à venir autour de 18h car la ville s'anime gentiment autour de la rue Mohammed-V : les cafés se remplissent, les gens sortent des ruelles décrépies et authentiques. Jetez un œil au petit centre d'artisanat qui fabrique des bijoux ethniques, rue Mohammed-V, au niveau des snacks, prendre la rue du Général-Kettani, c'est à 100 m sur la gauche. En quittant Tan-Tan, à la sortie de la ville en direction de Tan-Tan Plage, belle vue sur la ville et l'oued, ainsi que sur le désert de rocaille, surtout au coucher du soleil.

Arriver – Quitter

En bus et taxi collectif

➤ La ligne *Agadir-Dakhla* est assurée par les compagnies *CTM* (arrêt près de l'hôtel *Bir Anzarane ;* ☎ 028-76-58-86) et *Supratours* (arrêt à côté de la banque *BMCE ;* bd Hassan-II ; ☎ 028-87-77-95). En principe, 1 à 2 bus/j. pour chacune des compagnies. Les départs, que ce soit pour *Agadir* ou *Dakhla,* dans les deux sens, ont lieu en début de soirée ou carrément en pleine nuit, ce qui n'est pas toujours pratique car on arrive au milieu de la nuit ou très tôt le matin. En grand taxi : même prix. Également des bus de nuit pour *Rabat* (1 bus), *Casablanca* (1 bus) et *Marrakech* (1 bus) avec *CTM*.

En avion

✈ *L'aéroport se trouve à 5 km de Tan-Tan en direction de Tan-Tan Plage.* Les avions de *Regional Airlines* (☎ 082-00-00-82) desservent **Casablanca** via **Guelmim** (Goulimine) 3 fois/sem, dans les 2 sens. Attention, pas de service régulier de taxis à l'aéroport : prenez vos précautions avant. Si vous avez réservé un hôtel dans le coin, prévenez-le pour qu'il vous envoie un taxi.

Adresses et infos utiles

En venant de Guelmim, on arrive automatiquement sur le grand boulevard Hassan-II qui traverse la ville ; toutes nos adresses sont localisées en bordure de celui-ci, ou à deux pas.

■ *Banques :* bd Hassan-II (avt l'oued), BMCE et *Crédit Agricole* ; *Banque Populaire,* av. Mohammed-V. Change et distributeurs automatiques.

✉ *Postes :* l'une à l'entrée de la ville en venant de Guelmim, sur le côté droit ; l'autre située en direction de Tan-Tan Plage, après avoir traversé l'oued. Elle propose un service Western Union.

@ *Internet :* plusieurs cybercafés dont un à côté du *Crédit Agricole,* bd Hassan-II ; tlj 9h-13h, 14h-minuit.

■ *Pharmacie Tan-Tan :* av. Mohammed-V, à côté de la Banque Populaire. ☎ 028-87-70-73. La plus grande et la mieux approvisionnée.

■ *Presse :* à l'entrée du marché. Quelques journaux en français, pas toujours de première fraîcheur.

■ *Location de voitures : Boutabaa,* Union Arabe, nº 25 bis, près de la Banque Populaire. ☎ et fax : 028-87-76-76. 📱 067-92-86-22. Agence qui dispose de bonnes voitures.

■ *Général Tire :* 100 m env après la poste en venant de Guelmim (côté droit). Le seul spécialiste du pneu dans le coin !

– *Marché :* rue Mohammed-V. Quotidien, très typique, avec de beaux étals débordants d'épices, d'olives, de fruits frais...

– *Souk :* le dim, au bout du bd Mohammed-V, à la sortie de la ville.

Où dormir ? Où manger ?

Mis à part les deux établissements indiqués ci-dessous, l'absence d'hôtels et de restos dignes de ce nom, corollaire de la pénurie de touristes à Tan-Tan, conduira les plus aventuriers à tenter leur chance dans les gargotes et les hôtels crasseux qui pullulent autour de la gare routière. Mieux vaut pousser jusqu'à El-Ouatia (Tan-Tan Plage) ou vers le *Ksar de Tafnidilt* (voir « Dans les environs de Tan-Tan »).

🛏 |◯| *Hôtel Bir Anzarane :* 154, bd Hassan-II. ☎ 028-87-78-34. Dans le quartier administratif, à côté du palais royal et face au commissariat ; juste après avoir traversé l'oued, en direction de Tan-Tan Plage. Double 80 Dh (7,30 €) ; plats 45-50 Dh (4,10-4,50 €). Hôtel qui a pas mal de vécu et qui dispose de chambres petites à la propreté relativement correcte, entièrement moquettées. Celles qui donnent sur le couloir sont beaucoup plus sombres. Sanitaires communs rudimentaires mais bien entretenus. Resto avec une grande terrasse.

🛏 |◯| *Hôtel Les Sables d'Or :* bd Hassan-II ; en venant de Guelmim, c'est juste avt de traverser l'oued. ☎ 028-87-82-60. ☎ et fax : 028-87-80-69. Double env 200 Dh (18,20 €) ; repas 60-100 Dh (5,50-9,10 €). Hôtel à la déco sommaire qui propose des chambres tenues, équipées de bains. De toute façon, c'est l'hôtel le plus confortable de la ville ! Éviter toutefois les chambres qui donnent sur le boulevard, trop bruyantes. Accueil aimable de Nafia. Si vous mangez sur place, ne pas hésiter à commander 3 ou 4 thés, parce que l'attente est franchement longue.

|◐| Au début de la rue Mohammed-V, en face de l'hôtel *Anezi,* un renfoncement forme une placette, bordée de *rôtisseries* qui proposent une cuisine populaire et très bon marché qu'on avale sur les terrasses, souvent pleines à craquer.

|◐| *Resto de la station Pétromin :* juste à l'entrée de la ville, sur la droite, en arrivant de Guelmim. Très bon marché. Tlj *6h-minuit.* Vous avez bien lu, une fois n'est pas coutume, on vous propose de faire une halte au resto d'une station-service ! Déjà, il n'y a pas grand-chose à se mettre sous la dent à Tan-Tan, mais ce resto disposant d'un jardin verdoyant et tranquille n'est pas désagréable du tout si la faim vous tiraille ! Poulet rôti, brochettes, tajines. De plus, il y a pas mal de débit !

Où dormir ? Où manger dans les environs ?

🛏 |◐| *Ksar de Tafnidilt :* à env 29 km. ☎ 070-78-88-46. ▯ 063-23-31-15. ● *pis tesaven@aol.com* ● En venant de Guelmim, à env 23 km avt Tan-Tan, juste avt le poste de police, piste indiquée sur la droite (6 km). Accessible slt en 4x4 (sinon, téléphoner pour qu'on vienne vous chercher ou pour être guidé). Au camping, prévoir 80 Dh (7,30 €) par voiture et, pour ceux qui ne sont pas équipés, grande tente traditionnelle (pour 30 pers) avec matelas et draps fournis 60 Dh/pers (5,40 €) ; doubles 200-350 Dh (18,20-31,80 €) selon confort ; repas 150 Dh (13,60 €). Petit déj en sus. Ancien chef étoilé, bâtisseur dans l'âme, Guy a posé ses valises au Maroc depuis belle lurette ! Au pied d'une ancienne prison coloniale et au milieu d'un paysage totalement isolé, il a travaillé dur pour faire sortir de terre un *ksar* dans le plus pur style traditionnel. Un petit bijou de quiétude qui se fond dans le paysage. Tout confort, et vous vous doutez qu'on y mange bien. Un bon moyen de récupérer des tuyaux utiles pour le Sud marocain et la Mauritanie. S'y croisent en effet toutes sortes de baroudeurs. Guy organise aussi des excursions à la carte dans l'arrière-pays.

Fête

– *Moussem :* une sem en sept ou oct. Gigantesque course de dromadaires. C'est d'ailleurs l'un des plus grands *moussem* du Maghreb !

EL-OUATIA (TAN-TAN PLAGE)

À 25 km de Tan-Tan, sur la route de Laâyoune. À l'entrée d'El-Ouatia, noter la curieuse sculpture représentant une ronde de sardines qui ressemblent à des requins debout sur leurs nageoires ! Pourquoi une telle sculpture ? Tout simplement parce que El-Ouatia est le premier port sardinier du pays (il faut d'ailleurs assister au retour des pêcheurs en fin d'après-midi). La bourgade-plage peut constituer une étape sur la route de la Mauritanie. Depuis la plage, certains soirs, on devine les îles Canaries situées à 80 km.

Arriver – Quitter

➢ *En voiture :* de *Tan-Tan,* suivre toujours tout droit le boulevard Hassan-II. Après l'oued, bifurquer à gauche, puis à droite en continuant en fait sur la rue principale.
➢ *En bus : Supratours* a un bureau au centre-ville, à 100 m de la BMCE. ▯ 074-10-50-62. Les bus de *Supratours* reliant *Agadir* à *Dakhla* s'arrêtent à Tan-Tan Plage. Compter 1 à 2 bus/j. dans les 2 sens.
➢ *En grand taxi :* de *Tan-Tan,* compter env 10 Dh (0,90 €)/pers.

Adresses utiles

✉ *Poste :* au centre.
■ *BMCE :* derrière la poste, dans la rue principale qui mène à la mosquée. Change et distributeur automatique.
@ Plusieurs *cybercafés* dont un sur le bd de la plage. Tlj 10h-1h.
■ *Pharmacie El-Ouatia :* en face de la grande mosquée. Tlj en journée et permanence de nuit.
■ *Garage El-Massira :* bd Mohammed-Edora, non loin de la BMCE. ☎ 061-64-91-31. Contacter Jamel. Peut vous remplacer un embrayage en une nuit !

Où dormir ? Où manger ?

⋔ Plusieurs établissements pour planter sa tente, notamment au *Camping Résidence Atlantique,* sur le front de mer.

🛏 |●| *Villa Océan :* bd de la Plage. ☎ 028-87-96-60. ● villaocean.net ● Doubles 200-250 Dh (18,20-22,70 €) avec sdb. ½ pens très intéressante (super petit déj et dîner exquis) 290 Dh (26,40 €)/pers. Sous tente, 70 Dh (6,40 €)/pers ou 100 Dh (9,10 €) pour 2 pers avec la douche chaude. Menu 120 Dh (10,90 €) et carte env 140 Dh (12,70 €). Peuvent venir vous chercher gratuitement à l'aéroport de Tan-Tan. Voilà une adresse où règne une véritable atmosphère de maison d'hôtes. Tons marins dans les 4 chambres simples et bien tenues (dont une, un brin plus chère, avec vue sur l'océan). Sinon, pour les routards désargentés ou pour les bandes de copains, une sympathique formule sous les tentes plantées dans le jardin. Muriel et Norbert, de vrais passionnés de cette région, vous feront découvrir le coin en 4x4 ou en Zodiac pour de formidables parties de pêche (à la journée ou à la semaine avec bivouac sous tente). La cuisine, à prix fort raisonnables, y est délicieuse. Goûtez au tajine de fruits frais à la cannelle, la spécialité de Muriel, un vrai régal ! Ou encore aux calamars farcis ! Une adresse comme on les aime, conviviale au possible et à l'accueil adorable.

🛏 |●| *Hôtel-resto de France :* bd de la Plage. ☎ 028-87-96-41. ● hotel-tantan. com ● Doubles 200-250 Dh (18,20-22,70 €). ½ pens 290 Dh (26,40 €)/pers. Menu 120 Dh (10,90 €) et carte env 140 Dh (12,70 €). Peuvent venir vous chercher gratuitement à l'aéroport de Tan-Tan. Muriel et Norbert, qui tiennent aussi la *Villa Océan,* ont ouvert récemment cet hôtel d'une dizaine de chambres. L'accueil est aussi sympa, la cuisine tout autant savoureuse. Mais ici, il s'agit bien d'un hôtel et non d'une maison d'hôtes, avec des chambres parfaitement propres et équipées de salle de bains. La plupart dispose d'un balcon avec une belle vue sur la mer. Proposent plusieurs activités (voir ci-dessus la *Villa Océan*) et pourront vous obtenir un véhicule de location à tarif intéressant. Là encore, une bonne adresse.

🛏 |●| *Hôtel-restaurant La Belle Vue :* sur la plage. ☎ 028-87-91-33. 📠 062-29-00-64. Env 150 Dh (13,60 €) la double ; quelques chambres plus chères dans une partie récente. Repas 90 Dh (8,20 €) env. Dans un bâtiment face au large, deux types de chambres. Dans les plus anciennes, les moulures au plafond commencent à piquer du nez, et vérifiez bien la propreté des draps avant de choisir la chambre. Les autres, récentes, plus spacieuses et confortables font face au large et disposent d'un balcon. Resto les pieds dans le sable.

🛏 *Résidence Raja :* place des taxis, près de la poste, au centre. ☎ 028-87-95-03. 📠 061-61-22-20. Petites chambres doubles sur 2 étages 100 Dh (9,10 €). Pas de petit déj, mais cafés et pâtisseries à deux pas de là. Douches communes, en principe chaudes. Chambres sans charme mais correctes pour le prix. Certaines sont assez sombres : en voir plusieurs.

➤ *DANS LES ENVIRONS D'EL-OUATIA (TAN-TAN PLAGE)*

👭 *L'embouchure de l'oued Drâa :* depuis Tan-Tan Plage, on peut rejoindre l'embouchure de l'oued Drâa par une piste de 32 km praticable en voiture (celle-ci devrait être goudronnée en 2010, *inch Allah !*). Pour l'instant, on ne peut pas aller plus loin ; à terme, il est prévu de bitumer toute la route entre Tan-Tan Plage et Sidi-Ifni (certains tronçons sont déjà terminés ; ne pas hésiter à se renseigner sur l'état d'avancement des travaux). Au niveau de Tan-Tan Plage (en venant de Tan-Tan), la piste débute sur la droite, au croisement de la route qui mène à Laâyoune et celle qui conduit à la plage.
En venant de la plage Blanche par les dunes, pour les 4x4 uniquement munis d'une bonne carte, on peut rejoindre le fort d'*Aoreora,* en longeant la plage sur 28 km (indescriptible vue plongeante sur les dunes gigantesques). Attention au risque d'ensablement. Après, remonter l'*oued Aoreora* sur 500 m, le traverser (il est généralement à sec) et prendre la piste à droite pour rejoindre le fort. Suivre ensuite la piste plein sud qui longe la mer jusqu'à l'embouchure de *l'oued Drâa,* l'oued le plus long du Maroc. Possibilité de s'y baigner et même de camper. Attention, on ne peut pas traverser l'embouchure. Il faut prendre la piste qui longe l'oued à gauche (plein est) sur le plateau, pendant 8 km (attention, la carte *Michelin* est fausse à cet endroit), puis descendre dans la dépression qui est le lit majeur du Drâa (gare aux chutes !). La piste mène à un premier gué (le plus spectaculaire) après 5 ou 6 km. En fonction des heures de marée, possibilité de traverser à l'un des trois gués (chacun éloignés d'environ 1 km). Le *Ksar Tafnidilt,* où vous ne manquerez pas de passer une nuit, se trouve entre le premier et le deuxième gué. Ensuite prendre la piste principale, passer sous les lignes haute tension (direction sud-ouest) d'où l'on rejoint le goudron à l'entrée de Tan-Tan Plage.

LES PROVINCES SAHARIENNES

Les provinces sahariennes du Maroc peuvent être belles et passionnantes à découvrir, si l'on s'éloigne de Tan-Tan. Bien sûr, la circulation dans ces régions est très contrôlée et la patience de mise. Si la route est en bon état, la prudence s'impose. Le sable et les camions surchargés, sur ces interminables lignes droites, représentent un réel danger.
Suite aux événements survenus en Algérie, le Maroc est aujourd'hui la voie privilégiée pour descendre vers l'Afrique noire, via la Mauritanie. Cela oblige à traverser le Sud-Maroc, encore sous administration militaire, c'est-à-dire le Sahara occidental. Le Front Polisario a définitivement cessé ses activités militaires, pour entamer un processus légal de reconnaissance sur le plan international (lire à ce sujet la rubrique « Sahara occidental » en début de guide).
Les premiers à s'être hasardés sur ce terrain miné du Sud-Maroc (ou Sahara occidental, c'est selon) l'ont fait fin 1992, suite à la fermeture des frontières du Niger et aux événements d'Algérie. Miné, il l'a été, par le Maroc, par le Polisario, mais personne ne sait plus très bien où, et le sable, mesquin, recouvre ou découvre tout selon ses caprices. Jusqu'en février 2002, le trajet vers la Mauritanie s'effectuait en convoi. Si la mesure a été supprimée, les mines, elles, sont toujours là. Prudence, donc !

➤ Le trajet d'El-Ouatia à Tarfaya représente 205 km de bonne route côtière. La diversité des paysages désertiques, les immensités arides, les dunes isolées plantées sur la rocaille, les falaises de rêve qui surplombent le rivage indéfiniment ourlé de vagues déferlantes se succèdent. On peut sans crainte camper sur la côte parmi les pêcheurs locaux. Attention aux tempêtes de sable, plus particulièrement de janvier à mars, mais aussi à l'eau de la glace fondue déversée sur la chaussée par les camions qui transportent le poisson.

À 30 km d'El-Ouatia, l'*oued Chebika.* L'endroit a été choisi comme l'un des six sites du plan *Azur.* De nombreux hôtels devraient prochainement sortir de terre. Gendarmerie et poste militaire (inévitables) à proximité. En continuant 10 km plus loin, on trouve les premières stations-service détaxées (soit 40 % de moins qu'au Maroc proprement dit).

SIDI-AKHFENIR

Environ à mi-chemin entre Tan-Tan et Tarfaya, ce petit bled peut paraître sans intérêt. Et pourtant, entre le spectacle des pêcheurs au bord des falaises et la merveilleuse lagune de Naila, les mordus de mer et de nature seront comblés.

– *Attention :* pas d'essence sans plomb.

Où dormir ? Où manger ?

⚐ ≜ |●| *La Courbine d'Argent :* à env 800 m à la sortie de Sidi-Akhfenir, en direction du sud. ☐ 071-42-23-77. • la courbinedargent.com • Camping 7 € pour 2 pers avec tente et voiture. Double 40 €, petit déj compris. Possibilité de ½ pens. Propose des journées pêche ; également des séjours à la semaine. Posé sur la plage, un établissement tenu par Paul, un féru de pêche en mer. Une partie hôtel comprenant une dizaine de chambres très bien tenues et une partie camping. De la salle de resto et de la terrasse perchée sur le toit, remarquable vue sur le large. L'une des meilleures adresses du coin !

≜ |●| *Auberge et Centre de pêche et loisirs du Sahara :* à l'entrée du village, juste après le pont sur la gauche, légè-

rement en retrait. ☎ 028-76-55-60 ou 028-23-56-28. ☐ 061-21-19-83 ou 067-06-37-55. • peche-sud-maroc.com • http://peche.sudmaroc.free.fr • Prévoir 300 Dh (27,30 €)/pers en ½ pens. Yves Sicart, passionné de pêche et violoniste, propose une semaine de pêche au bord des falaises, pêche à pied aux crustacés ainsi que promenade en bateau à la lagune de Naila. Ici les courbines pèsent jusqu'à 40 kg. Pour la semaine de pêche (réservations indispensables), Yves vient chercher ses clients à l'aéroport d'Agadir. Sa femme, Samira, une cuisinière hors pair, donne des cours aux accompagnants et concocte des apéros et des repas aussi délicieux que gargantuesques.

➤ *DANS LES ENVIRONS DE SIDI-AKHFENIR*

⚑ *La lagune de Naila* (appelée aussi *Khnifis* sur les panneaux et *Foum Agoutir* sur la carte Michelin !) : à 22 km au sud de Sidi-Akhfenir. Autorisation obligatoire à retirer au caïdat de Sidi-Akhfenir. « Le plus grand espace lagunaire sur l'Atlantique marocain. » Merveilleuse réserve naturelle et écologique de 3 000 ha offrant de belles balades à pied ou en barque. Location sur place, auprès des pêcheurs, environ 250 Dh (22,70 €) l'heure. On peut observer des flamants roses, des échassiers ou des chevaliers, surtout en fin d'après-midi, ainsi que le rare ibis chauve qui en a fait son lieu de nidification le plus important d'Afrique. Lieu étape pour les oiseaux migrateurs. Le cordon de dune bordant la lagune est majestueux.

⚑ *Le trou du Diable :* à la sortie nord de Sidi-Akhfenir, avt le radar. Entre la route et les bords de la falaise, un trou circulaire dans lequel s'engouffre la mer.

🎴🎴 *Tarfaya :* *à 100 km au sud de Sidi-Akhfenir en direction de Laâyoune.* Une des villes les plus authentiques du Grand Sud marocain. Souvent ensablée par les vents violents, elle accueille peu de touristes et peu de gens y parlent le français. D'ailleurs, aucun hébergement ni resto digne de ce nom dans le coin. Ce fut le point de rassemblement de la Marche verte en 1975. Attention, pas de banque.

> **DESSINE-MOI UN MOUTON !**
>
> *Tarfaya doit aussi sa renommée à son passé d'ancienne escale de l'Aéropostale. Ceux qui ont lu* Courrier Sud *et* Vol de nuit *de Saint-Exupéry seront sensibles au petit monument élevé sur le sable. Il commémore l'aventure extraordinaire de ces pionniers qui ont relié le Vieux Continent à la cordillère des Andes à bord de leurs modestes biplans.*

– *Le musée Saint-Exupéry : rens auprès de Sadat (*☎ *061-53-03-05) ou Mohammed (*☎ *077-45-21-83).*
Il relate toute l'histoire passionnante de l'aéropostale. Vaut vraiment le détour. Tous deux sont très cultivés et parlent un français remarquable. Ils se feront un plaisir de vous guider également pour découvrir la ville et la région.
Bernard Giraudeau a interprété le rôle du célèbre écrivain dans un film intitulé *Saint-Exupéry, la dernière mission,* tourné à Tarfaya et dans la région. Le beau film du réalisateur marocain Daoud Oulad Sayed, *Tarfaya,* a également été tourné ici. Sur la plage subsiste encore la *casamar,* un comptoir commercial battu par les flots, construite par un Anglais dans le courant du XIXᵉ s.

➤ De Tarfaya à Laâyoune, compter 117 km d'une route très correcte mais qui peut également être ensablée.

LAÂYOUNE
184 000 hab.

Fondée par les Espagnols en 1932, Laâyoune, qui se développe à vitesse grand V (des avantages fiscaux incitent les Marocains à s'y installer), est aujourd'hui le principal centre économique des provinces sahariennes. La ville n'offre pas un grand intérêt. Il reste une cathédrale et quelques bâtiments administratifs, héritage de la présence espagnole. On peut visiter l'ensemble artisanal. On croise beaucoup de militaires, et pour cause : c'est ici que la MINURSO (la mission de l'ONU censée préparer le déroulement du futur référendum) a établi son siège.

Arriver – Quitter

🚌 *Gare routière CTM :* *200, av. de La Mecque.* ☎ *028-99-02-48 ou 07-63.* Liaisons avec *Dakhla :* 1 à 2 bus/j. Pour *Tan-Tan* et *Agadir,* 2 bus/j.

✈ *Aéroport :* *à 6 km sur la route de Dakhla.* Vols pour *Casablanca* avec *Régional Airlines* et pour *les Canaries* avec la *RAM.*

Adresses utiles

■ *Banques :* *plusieurs autour de la pl. O'Cheira, dont la* Banque Populaire.
■ *Cliniques, pharmacies, opticiens...* ne manquent pas. Certaines cliniques ont même un scanner.
– *Clinique Sahara :* 36, av. de La-Mec-

que. Quartier administratif, à côté de la banque CIH. ☎ *028-99-00-00. Urgences 24h/24.* Chirurgie, pédiatrie, gynécologie, radiologie et scanner.
■ *Location de voitures : KBcar,* 5, av. Kairaouane. ☎ *et fax : 028-89-24-24.*

061-08-75-59. Petite agence qui possède une succursale à Agadir, intéressant donc pour ceux qui souhaitent remonter vers le nord tranquillement. Tarifs intéressants et dégressifs. Également *El Barato Rent-a-car, 149, av.* Mekka. 061-11-65-44. Demander Ali. Véhicules récents. Peuvent vous mettre une voiture à disposition à l'aéroport.

Internet : vous n'aurez que l'embarras du choix. Nombreux cybercafés, notamment autour de la pl. O'Cheira.

Où dormir ?

Possibilité de camper sur la *plage de Foum-el-Oued* (voir plus loin).

Très bon marché

Plusieurs petits hôtels très rudimentaires qui se valent avenue M.-Salem-Bida (dans le prolongement de l'avenue Hassan-II). Un peu excentrés, mais au cœur du quartier populaire.

Hôtel Assahel : av. Boukhar. ☎ 028-89-01-70. Au-dessus du garage, face à la pl. O'Cheira. Pas plus de 60 Dh (5,50 €) la double ; douche chaude collective payante. Correct et propre pour le prix. A l'avantage d'être central.

De prix moyens à chic

Hôtel Mekka : 205, av. Mekka. ☎ et fax : 028-99-39-96. Doubles avec sdb et TV 200-350 Dh (18,20-31,80 €). Sans charme particulier mais propre. L'hôtel est squatté par les militaires de la MINURSO.

Sahara Line Hôtel : à l'angle d'El-Kairaouane et du 24-Novembre. ☎ 028-99-22-26. Fax : 028-99-01-55. Double 510 Dh (46,40 €) avec sdb et TV satellite. Hôtel 3 étoiles. Chambres spacieuses et bonne literie. La décoration est soignée, le mobilier classique et élégant. Resto au 4e et dernier étage (cuisine très moyenne). Prix négociés pour la location de voitures. On peut venir vous chercher à l'aéroport.
– Sinon, pour les plus fortunés, une kyrielle d'hôtels 4 et 5 étoiles se sont ouverts un peu partout en ville.

Où dormir dans les environs ?

Camping Le Bédouin : au village de Dawra, env 40 km avt Laâyoune, en venant de Tarfaya. Face au relais GSM, piste à droite sur 4,5 km (indiqué). 067-92-58-74. • geocities.com/leroi bedouin • Compter 50 Dh (4,50 €) pour 2 pers en camping-car, 90 Dh (8,20 €) sous une tente nomade et 120 Dh (10,90 €) le bungalow et la tente royale (confortable : lumière, matelas, petite table, étagère). Sanitaires avec eau chaude (légèrement saumâtre). Repas env 90 Dh (8,20 €), concocté par Martine. Installé au bord d'une dépression d'un lac salé, le camping tenu par Luc et son épouse offre un paysage quasiment lunaire. Rustique mais impeccable côté propreté. Superbes balades au milieu des dunes.

Hôtel Josefina : au port d'El-Marsa à 30 km au sud de Laâyoune. ☎ 028-99-84-78. Double env 310 Dh (28,20 €) avec vue sur la lagune. Repas env 250 Dh (22,70 €). Très propre et confortable. Mais l'établissement est situé à proximité d'une usine fabricant des glaçons qui fonctionne la nuit. Demandez donc impérativement une chambre donnant sur la lagune, sinon, dans l'aile située côté usine, nuit blanche assurée ! Dernier bémol : la restauration n'est pas à la hauteur des tarifs pratiqués.

Où manger ?

Autour du marché et des petits hôtels, il est possible de se restaurer convenablement dans des échoppes pour 30 Dh (2,70 €). Tout comme dans l'av. Boukhar qui part de la place O'Cheira. Sur cette dernière, deux rôtisseries proposent des repas complets également à 30 Dh (2,70 €).

|●| **Restaurant La Perla :** *av. Mekka. Dans le prolongement du virage. Compter 100 Dh (9,10 €) pour un repas complet, mais il est possible de manger pour beaucoup moins.* Du poisson à la carte, mais selon l'arrivage. Viandes, pizzas, spaghettis et salades à des prix moyens. Le service est soigné.
|●| **Le Poissonnier :** à côté de *La Perla,* son frère jumeau. À peu de chose près, mêmes menus et mêmes prix.

À faire dans les environs

◪ Vingt-cinq kilomètres séparent Laâyoune-ville du **port** et de la **plage de Foumel-Oued.** Pas de problème pour s'y rendre, si ce n'est que la route peut être ensablée. Camping sauvage autorisé sur la plage.

VERS DAKHLA

➢ **De Laâyoune à Dakhla,** *l'ancienne « Villa Cisneros » des Espagnols, compter 545 km de très bonne route.* Ne pas jouer au matador avec les camions. Ralentir et se mettre sur le bas-côté est plus prudent. Théoriquement, un à deux bus partent le matin (toujours complets), suivi de taxis qui font le trajet pour un prix à peine supérieur. Quelques militaires sur le parcours. Pour ceux qui ont leur propre véhicule, prudence et humilité sont de rigueur. À 190 km de Laâyoune, se trouve la ville de **Boujdour.** Pas d'intérêt particulier et peu de possibilités d'hébergement. Un seul établissement correct : *Hôtel Gos,* av. Abdel-Aziz-Edaoiiri, ☎ 028-89-69-62. À signaler tout de même que c'est à Boujdour que se trouve le plus grand phare de l'époque espagnole de toutes les provinces du Sud. Avis aux amateurs. À l'approche de Dakhla, les paysages deviennent un peu plus intéressants, principalement lorsque l'on rentre sur la presqu'île.

DAKHLA
58 000 hab.

Dakhla est construite au cœur d'une dépression géologique, sur une presqu'île de près de 40 km de long entre l'océan et la baie, aux eaux très poissonneuses, de Rio de Oro. En venant du nord, vous ne regretterez pas la vue époustouflante sur la lagune, surtout si vous avez arrivez au coucher du soleil. Dakhla est une ville de garnison à 400 km de la frontière mauritanienne, qui se construit beaucoup depuis quelques années. Elle peut constituer une étape agréable sur la route de la Mauritanie.
– *Attention :* pas d'essence sans plomb.

Où dormir ? Où manger ?

Camping

⋊ **Camping Moussafir :** *à 6 km avt d'arriver à Dakhla, 500 m avt le checkpoint.* Ce camping est le rendez-vous des routards vers l'Afrique noire, mais il est franchement sordide et délabré.

De bon marché à prix moyens

🛏 |●| *Hôtel Sahara :* av. Sidi-Ahmed-Laaroussi. ☎ 028-89-77-73, 83-91 ou 78-44. *Double propre 80 Dh (7,30 €) ; w-c et douches communs. Repas correct env 70 Dh (6,40 €).* Cet hôtel très simple est situé près du marché, dans le quartier arabe.

|●| *Café-restaurant Capri :* 1, av. El-Walaa. *Prix moyens.* Cuisine très correcte et variée. La salle est agréable. Service sympa.

|●| *Le Samarkand :* sur le front de mer. *Bon marché.* Un resto-salon de thé agréable. Les tables sont réparties sous des kiosques. Service sympa.

Chic

🛏 *Hôtel Sahara Regency :* av. El-Walae. ☎ 028-93-16-66. ● sahararegency. com ● *Double env 80 €, mais facilement négociable car l'hôtel est souvent vide.* Un hôtel 4 étoiles pour faire une halte reposante sur la route de Mauritanie. Certaines chambres possèdent un balcon. Tout le confort moderne : accès Internet, belle piscine, sauna, resto. En revanche, cuisine décevante pour un établissement de ce standing.

|●| *Casa Luis :* 300 m avt Le Samarkand. *Pour un repas complet, compter env 200 Dh (18,20 €).* Sert de l'alcool. On y mange une bonne cuisine espagnole.

À voir. À faire

Rien d'intéressant et, de plus, se promener en ville se révèle très vite assez fatigant en raison du vent qui souffle en permanence. Il y a un vieux cinéma croulant, immense et vide, dont seule l'architecture vaut le coup d'œil. On peut aussi sortir de la ville pour se baigner près des falaises ou, plus loin, sur la plage de Tarouk, 26 km avant Dakhla (c'est indiqué) ; on se baigne côté lagune dans une eau chaude, sans vague, mais pas mal de vent. C'est pourquoi le complexe *Dakhla Attitude* (● dakhla-attitude.com ●) a ouvert ses portes pour les amateurs de surf, planche à voile, sky-surf... Managé par une équipe jeune et dynamique. Campement sous tente.

➤ *De Dakhla à la frontière mauritanienne :* se reporter en début de guide au chapitre « Quitter le Maroc ». On y donne aussi des infos sur le passage de la frontière. Pour faire une étape en route, voici une adresse à 320 km de Dakhla, 80 km avant la frontière, qui a le mérite de faire aussi station-service :

🛏 *Motel Barbas :* à Bir-Gandouze. ☎ 028-89-79-61. *Env 150-200 Dh (13,60-18,20 €) en chambre double.* Une station-service-motel-resto avec un grand auvent blanc, rendez-vous incontournable des routards pour s'échanger les dernières nouvelles sur le passage de la frontière. Quelques chambres récentes dans une nouvelle aile.

– Sinon, à la frontière même, côté marocain, un *motel* a ouvert ses portes.

L'ANTI-ATLAS

Attention, à partir de mars 2009, *Maroc Telecom* doit mettre en place une nouvelle numérotation téléphonique. Les numéros passeront ainsi à 10 chiffres (au lieu de 9 actuellement).

Voici les principaux changements prévus :

➢ **Pour tous les numéros fixes,** il faudra insérer « 5 » après le « 0 ». Exemple : 024-11-11-11 deviendra 05-24-11-11-11.

➢ **Pour les portables,** un « 6 » devra être placé après le « 0 ». Exemple : 068-11-11-11 deviendra 06-68-11-11-11.

➢ **Pour les numéros spéciaux,** se reporter en début de guide à la rubrique « Téléphone et télécoms » dans « Maroc utile ».

DE TAROUDANNT À OUARZAZATE PAR TALIOUINE OU PAR LES ROUTES DU SUD

Cet itinéraire permet de découvrir un Maroc plus secret, avec des propositions de randonnées qui offrent une meilleure approche du pays et de ses populations. La plaine fertile et hospitalière, arrosée par l'oued Sous, alterne avec des montagnes arides où l'on découvre encore des villages qui semblent vivre hors du temps.

Taroudannt, première capitale des sultans saadiens avant Marrakech, a conservé sa belle parure de remparts ocre. Celle que l'on nomme encore parfois la « Petite Marrakech » mérite plus qu'une courte halte. Sa place Al-Alaouyine et ses souks constituent des lieux privilégiés pour observer la vie quotidienne avec les femmes drapées dans des voiles d'un bleu indigo surprenant. Taliouine, qui produit un excellent safran, est le point de départ de randonnées pédestres dans le massif du djebel Siroua.

Tafraoute la rose, encerclée dans son cirque de granite, est célèbre pour ses amandiers et, un peu moins, pour ses arganiers. Il faut voir la région quand les arbres sont en fleur et que leurs branches ploient sous le poids d'une neige de pétales blancs et roses.

Le goudronnage progressif des anciennes pistes permet désormais d'emprunter des itinéraires différents et de découvrir des endroits plus méconnus.

TAROUDANNT   70 000 hab.

À 80 km d'Agadir. Ville très pittoresque, protégée par de superbes remparts de couleur ocre qui valent à eux seuls le déplacement. Cette ancienne capitale du Sous possède une petite médina et des souks modestes mais intéressants. Un peu d'artisanat, même s'il n'a pas ici la créativité de celui de Marrakech. À noter aussi une *kasbah* au nord-est des remparts, en face de jolis jardins.

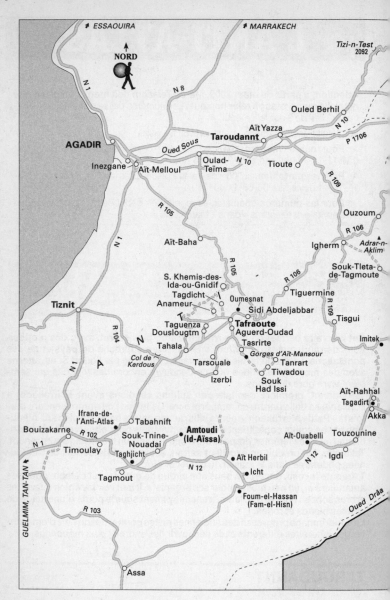

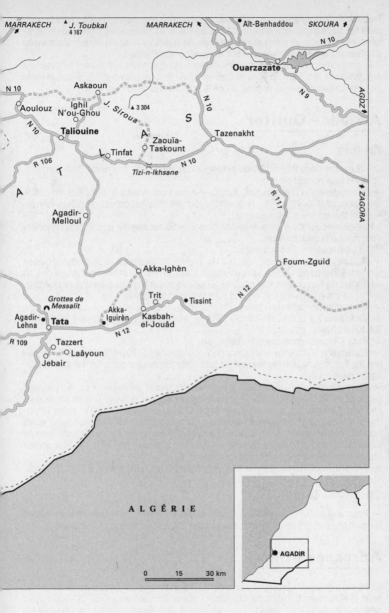

L'ANTI-ATLAS

L'ANTI-ATLAS

Petite info topographique : les deux principales places de la ville, dont le nom était berbère (respectivement places Assarag et Talmoklate), ont été rebaptisées et ont reçu un nom arabe (places Al-Alaouyine et An-Nasr). Beaucoup continuent à les nommer par leur ancienne appellation.
– À noter : important **souk des animaux** le dimanche matin qui se tient à l'extérieur des remparts, à 1,5 km au nord de Bab-el-Khemis *(hors plan par B1)*. Sinon, le reste de la semaine, au même endroit, c'est le marché aux légumes.

Arriver – Quitter

En bus

■ **Gare routière** *(plan B2)* : à l'extérieur des remparts, à la porte Bab-Zorgane. Tous les bus partent de là.
➤ **Kiosque de la CTM** *(plan A2, 1)* : pl. Al-Alaouyine (Assarag), à côté de la Société Générale. ☎ 028-85-23-73. Tlj 8h-21h. Pour les résas et achats de billets (Marrakech et Casablanca uniquement).
– Pas de bureaux pour les autres compagnies. Se renseigner auprès des vendeurs de tickets à la gare routière.
De la gare routière, liaisons avec :
➤ **Agadir** : près de 15 bus/j., 7h15-21h. Trajet : 1h. Attention, la plupart des bus se rendent à Inezgane, situé à 8 km d'Agadir. De là, prendre un taxi. Seul le bus de 21h au départ de Taroudannt (compagnie *STCR*) rejoint la gare routière d'Agadir. Acheter les billets à l'avance car les bus sont souvent complets.
➤ **Ouarzazate** : près de 5 bus/j., 5h30-21h30. Trajet : 6h.
➤ **Taliouine** : 5 bus/j., 5h-15h30. Sinon, les bus pour Ouarzazate s'arrêtent à Taliouine. Trajet : env 2h.
➤ **Tata** : 3 bus/j. en moyenne. Trajet : 5h.
➤ **Essaouira** : 3 bus directs/j. dans l'ap-m et en soirée. Trajet : env 5h30. Sinon, se rendre à Inezgane. De là, nombreux bus pour Essaouira dans un sens et Taroudannt dans l'autre.
➤ **Marrakech** : près de 5 bus/j., slt le mat, au départ de Taroudannt, qui passent par la route N8. Trajet : env 6h. On peut aussi passer par le Tizi-n-Test en prenant un bus pour Ouarzazate, avec changement à Ouled Berhil (à mi-chemin entre Taroudannt et Aoulouz) d'où partent 2 à 3 bus/j. Sinon, une quinzaine de minibus/j. entre Aoulouz et Marrakech. Mais on vous déconseille cet itinéraire, vu l'état de la route et de certains bus ! Malgré tout, si vous tenez à passer par le Tizi-n-Test, évitez absolument les départs en fin de journée !
➤ **Tafraoute et Tiznit** : pas de bus direct. Se rendre à Inezgane, à 8 km d'Agadir.

En grand taxi

➤ Pour une petite poignée de dirhams supplémentaires, des grands taxis relient Taroudannt (départ de la gare routière ; *plan B2*) à **Marrakech** ou à **Agadir**.

Adresses utiles

✉ **Poste principale** *(plan B2)* : à l'extérieur des remparts, route de Ouarzazate, non loin de l'hôtel Salam. Lun-ven 8h-16h (pause ven au moment de la grande prière), sam 8h30-11h30. Change (seulement liquide) et transferts d'argent avec *Western Union*. Pas de vente de timbres le samedi.

– Également un petit bureau de poste dans la médina : av. du 20-Août *(plan A2)*. Lun-ven 8h-18h30, sam 8h-12h15.
▣ **Internet** *(plan B1-2, 2)* : av. Moulay-Rachid. Pas d'enseigne, mais auvent jaune. Tlj 9h-minuit env (pause ven 12h-15h). Le moins cher de la ville. C'est une librairie avec, au fond, des ordinateurs.

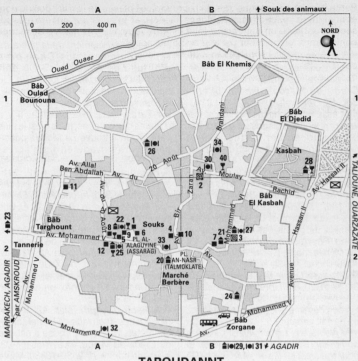

TAROUDANNT

■ **Adresses utiles**

🚌 🚐 Gare routière et station des taxis
✉ Poste principale
1 Kiosque de la CTM et Société Générale
@ 2 Internet
@ 3 Cyber Café Chaba
4 Banque BMCI
5 Banque Crédit du Maroc et Maison d'Argan
6 Pharmacie de Taroudannt
7 Pharmacie de nuit
8 Dentiste Omar El-Kaissi
9 Location de vélos
10 Presse française
11 Hammam Chifaa
12 Hammam Tounsi

⬛ **Où dormir ?**

20 Hôtel El-Warda
21 Hôtel Indouzal
22 Hôtels de la place Al-Alaouyine
23 Chambres d'hôtes Les Amis
24 Hôtel Atlas
25 Taroudannt Hôtel
26 Hôtel Saadiens

27 Hôtel Tiout
28 Palais Salam
29 Dar Zitoune

🍽 **Où manger ?**

22 Restaurants des hôtels Les Arcades et de la place Al-Alaouyine
26 Restaurant de l'hôtel Saadiens
30 Chez Nada
31 Restaurant Vala
32 Restaurant Jnane Soussia

🍽 **Où manger une pâtisserie ?**

26 Pâtisserie de l'hôtel Saadiens
33 Pâtisserie El Widad
34 Pâtisserie Ettais

🍸 **Où boire un verre ?**

5 Boutique sans nom (jus de fruits)
22 Terrasses de la place Al-Alaouyine
28 Palais Salam
40 Cocktail Oasis

L'ANTI-ATLAS

@ *Cyber Café Chaba (plan B2, 3) :* av. Mohammed-VI. ☎ 028-85-29-88. À droite de l'hôtel Tiout. Tlj 8h-minuit env.

■ *Banques : plusieurs banques pl. Al-Alaouyine (Assarag) et une pl. An-Nasr (Talmoklate). La **BMCI** (plan A2, 4), le **Crédit du Maroc** (plan A2, 5) et la **Société Générale** (plan A2, 1).* La plupart assurent le change (liquide et *travellers cheques*), disposent d'un distributeur acceptant cartes *Visa* et *MasterCard* et possèdent un service *Western Union*.

■ *Pharmacies : Pharmacie de Taroudannt, pl. Al-Alaouyine (Assarag ; plan A2, 6).* ☎ 028-85-31-94. Lun-ven 9h-13h, 15h-20h ; sam 9h-13h. L'une des mieux fournies. La liste des pharmacies de garde est affichée sur la porte. *Pharmacie de nuit (plan B2, 7),* av. Mohammed-VI, juste en face d'Axa Assurances. Tlj 23h-8h30.

■ *Dentiste Omar El-Kaissi (plan A2, 8) :* av. du 20-Août, presque à l'angle de l'av. Mohammed-V. ☎ 028-55-17-55. Un bon dentiste que l'on vous signale... on ne sait jamais !

🚕 Nombreux **taxis** *(plan B2).* Pas de compteur. Compter env 7 Dh (0,60 €) pour traverser la ville en journée ; 10 Dh (0,90 €) la nuit.

■ *Location de vélos (plan A2, 9) :* pl. Al-Alaouyine (Assarag), dans une petite échoppe sans nom, sur le flanc ouest de la place. Aucune indication, mais les quelques vélos sont dehors. Tlj 8h-18h env (pause au moment de la prière du ven). Également aux **Chambres d'hôtes Les Amis** *(voir « Où dormir ? »).* Compter 10 Dh (0,90 €)/h. Un bon moyen d'explorer cette petite cité.

■ *Presse française (plan A-B2, 10) :* av. Bir-Zaran, face à la banque. Il y a d'autres dépositaires, mais c'est le plus central. On y trouve *Le Monde* principalement (arrivage en fin d'après-midi).

■ *Hammam Chifaa (plan A2, 11) :* prendre la 1re rue (sans nom) à gauche en venant de Bab-Targhount. Tlj 6h-minuit. Entrée : près de 10 Dh (0,90 €). Une partie réservée aux hommes, l'autre aux femmes. Traditionnel et propre. Massages. Le meilleur hamman de la ville.

■ *Hammam Tounsi (plan A2, 12) :* av. Mohammed-V. Tlj 11h-17h30 pour les femmes ; 17h30-minuit et 4h-11h pour les hommes. Là encore, un hammam traditionnel et propre.

■ *Maison d'Argan (plan A2, 5) :* av. Mohammed-V, en face de l'hôtel Taroudannt ; au fond de l'impasse à gauche du Crédit du Maroc. ☎ 028-55-17-03. ● arganti.com ● Tlj 9h30-18h30. Vente d'huile, de cosmétiques et de médicaments traditionnels.

Où dormir ?

Très bon marché

🛏 *Hôtel El-Warda (plan A2, 20) :* pl. An-Nasr (Talmoklate). ☎ 028-85-27-63. Double 70 Dh (6,40 €). Pas de petit déj. Chambres avec ou sans lavabo et douche commune (gratuite) qui ne risquent pas de vous ruiner. Simple mais propre. Bonne literie. Si possible, voir plusieurs chambres. Certaines avec balcon donnent sur la place. Seul problème : la musique du café-resto situé juste au-dessous n'est pas toujours très discrète.

🛏 *Hôtel Indouzal (plan B2, 21) :* av. Mohammed-VI. 📱 079-40-15-07. Compter 30 Dh (2,70 €)/pers ; 20 Dh (1,80 €) pour dormir sur la terrasse. Pas de petit déj. Une dizaine de chambres dans un hôtel relativement récent. Douches communes gratuites. C'est simple, très simple (de toute manière, à ce prix-là, on n'est pas difficile...). Propreté des chambres correcte (mais mieux vaut apporter son sac à viande). En revanche, c'est limite pour les sanitaires communs.

🛏 *Pl. Al-Alaouyine (Assarag), plusieurs hôtels de « standing » comparable (plan A2, 22),* entendez par là sans le moindre standing... Compter 40-70 Dh (3,60-6,40 €) pour 2 pers. Chambres sommaires, mal entretenues et avec des sanitaires à la propreté aléatoire...

Bon marché

🛌 *Chambres d'hôtes Les Amis* (hors plan par A2, **23**) : quartier de Sidi-Belkass. 🖥 *067-60-16-86.* ● *chambresle samis.com* ● *À 15 mn à pied de Bab-Targhount. Double 160 Dh (14,50 €), petit déj compris. Repas sur commande 60 Dh (5,40 €).* Après avoir travaillé dans de grands hôtels, le jeune et sympathique Saïd a monté sa p'tite affaire. Bonne idée ! Ici, tout est nickel. L'accueil, la déco, les conseils sur la région, la petite dizaine de chambres (avec douches communes), le petit déj que l'on prend sur la terrasse. Saïd peut venir vous chercher à l'aéroport d'Agadir pour 250 Dh (22,70 €) et vous organiser des excursions dans la région. Location de vélos. Une adresse qui porte bien son nom. Ah oui, un détail important : mosquée à 10 m !

🛌 *Hôtel Atlas* (plan B2, **24**) : bd El-Mansour Eddahbi, près de Bab-Zorgane. ☎ *028-55-18-80. Fax : 028-85-17-39. Double 160 Dh (14,50 €), petit déj compris.* Un hôtel assez récent avec une vingtaine de chambres fort bien tenues (toutes avec salle de bains, portes en bois peint, parties communes joliment carrelées). Accueil souriant. Agréable terrasse avec quelques bouquets de plantes vertes. Bref, une adresse qui tient la route et à 5 mn à pied de la gare routière !

🛌 I●I 🍷 *Taroudannt Hôtel* (plan A2, **25**) : pl. Al-Alaouyine (Assarag). ☎ *028-85-24-16. Fax : 028-85-15-53. Double 160 Dh (14,50 €) ; petit déj en sus. Menus 70-90 Dh (6,40-8,20 €). CB acceptées.* Parmi les adresses du centre, celle-ci sort un peu du lot. Les chambres se répartissent autour d'un patio verdoyant et ombragé par deux gros caoutchoucs. Mais la tenue générale est très moyenne. De plus, essayez absolument d'avoir une chambre au 1er étage car, au rez-de-chaussée, l'hôtel a installé un bar où l'on sert de l'alcool. Donc souvent bruyant le soir et, de tout temps, ambiance virile. Accueil moyen.

Prix moyens

🛌 *Hôtel Saadiens* (plan A1, **26**) : borj Oumansour. ☎ *028-85-25-89. Fax : 028-85-21-18. Au cœur de la médina* (bien fléché). *Parking gratuit et fermé à 100 m. Double 240 Dh (21,80 €), petit déj compris.* Une cinquantaine de chambres, avec bains et w-c. Préférer celles qui donnent à l'arrière avec vue sur la piscine, plus calmes. Ensemble correct et pas désagréable (petites touches de déco dans les chambres), mais accueil parfois routinier. Resto (moyen), bar, pâtisserie.

🛌 *Aziyadé* (plan A2) : 358, Jnane Si Moussa, derb Akkar. ☎ *028-55-05-29* 🖥 *067-762-075.* ● *aziyadetaroudant@ yahoo.fr* ● *Non loin de l'hôtel Taroudannt. Doubles 350-500 DH (31,80-45,50 €).* Beau riad restauré par une Française native du Maroc. Elle propose plusieurs chambres dotées de salle de bains (dont l'une à l'extérieur de la chambre) et décorées avec goût. On peut aussi s'y restaurer (voir « Où manger ? »).

🛌 I●I *Hôtel Tiout* (plan B2, **27**) : av. Mohammed-VI. ☎ *028-85-03-41, 44-78 ou 79.* ● *hotioute@menara.ma* ● *À l'intérieur des remparts ; bien indiqué. Parking juste devant. Double 340 Dh (30,90 €), petit déj compris. Au resto, menu 75 Dh (6,80 €). CB acceptées.* Certaines chambres sont un peu petites, d'autres possèdent un balcon. Toutes disposent de bains, téléphone, TV et clim'. Comme souvent, celles donnant à l'arrière sont plus calmes. Un petit effort de déco a été fait. Terrasse avec deux salons et solarium. Accueil parfois un peu mollasson.

Très chic

🛌 *Palais Salam* (plan B1, **28**) : bd Taroudannt. ☎ *028-85-25-01. Fax :* 028-85-26-54. *Accès par l'extérieur des remparts. Parking juste devant. Ttes* catégories de chambres 680-1 650 Dh (61,80-150 €). Petit déj 80 Dh (7,30 €). Pendant des années, ce fut LE grand hôtel de la ville. L'ensemble n'est pas vilain avec sa piscine au cœur d'un jardin agréable, ses chambres et appartements confortables (certaines chambres manquent toutefois de charme et de luminosité). Mais il faut bien avouer qu'il y a du laisser-aller dans la gestion de l'établissement (piscine pas toujours nickel, cuisine médiocre, peinture qui s'écaille). En revanche, prendre le thé au bord de la piscine en fin d'après-midi est un moment privilégié.

🛏 ⏐●⏐ **Dar Zitoune** (hors plan par B2, **29**) : Boutarialt-el-Barrania, à 2 km de Taroudannt, sur la route d'Agadir. ☎ 028-55-11-41 et 42. ● darzitoune. com ● Double 1 200 Dh (109,10 €) ; suites 1 340-2 840 Dh (121,80-258,20 €).

Menus 150-200 Dh (13,60-18,20 €) le midi, 250 Dh (22,70 €) le soir. CB acceptées. Une adresse de charme et d'un raffinement sobre, entièrement construite avec des matériaux traditionnels. L'ensemble est remarquablement décoré dans un style arabo-berbère. Rien que la réception avec sa majestueuse *douaya* en brique vaut le coup d'œil ! L'établissement propose une quinzaine de chambres et une dizaine de suites reparties au sein d'un jardin d'éden, avec une piscine (chauffée en hiver) qui se dissimule derrière des oliviers et des orangers. Le confort est au rendez-vous (chambres spacieuses avec TV satellite et clim'), le calme total et l'accueil courtois. Pour parfaire le bien-être des hôtes, hammam, massages et sauna. Possibilité de transfert depuis l'aéroport d'Agadir.

Où manger ?

De très bon marché à bon marché (moins de 80 Dh / 7,30 €)

⏐●⏐ **Restaurants des hôtels Les Arcades et de la place Al-Alaouyire** (plan A2, **22**) : ces petits hôtels servent une nourriture locale, simple et généralement correcte. Attention tout de même, car les établissements ne sont pas des modèles de propreté.

⏐●⏐ **Chez Nada** (plan B1, **30**) : rue Ferk-Lahbab. Sympathique accueil du patron et de son fils dans ce resto ouvert par le grand-père. Salle à l'étage un tantinet kitsch ou agréable terrasse mi-cou-

verte. Délicieux tajine de *kefta* aux œufs... mais tout est bon. Thé à la menthe offert. Plats spéciaux (*pastilla*) à commander 2h à l'avance. On peut y prendre son petit déj. L'un des meilleurs petits restos de Taroudannt, plébiscité par nos lecteurs depuis longtemps, et on comprend pourquoi ! Au fait, comme on n'y sert pas de vin, on peut parfaitement apporter le sien (à condition de dissimuler la bouteille sous la table...).

De prix moyens à chic (moins de 250 Dh / 22,70 €)

⏐●⏐ **Restaurant de l'hôtel Saadiens** (plan A1, **26**) : voir « Où dormir ? ». Tlj slt le soir. Menu env 80 Dh (7,30 €). Pas d'alcool. Resto sur la terrasse de l'hôtel donnant sur l'Atlas et la médina. En salle, l'atmosphère manque parfois de vie. Rien de renversant, mais la cuisine est correcte, généreusement servie, et puis, il faut bien reconnaître que les restos ne courent pas les rues à Taroudannt...

⏐●⏐ **Restaurant Vala** (hors plan par B2, **31**) : av. Hassan-II (route d'Agadir), à env

2 km du centre-ville, sur le côté droit. ☎ 028-85-02-49. Tlj 12h-23h (service continu). Compter 110-150 Dh (10-13,60 €), à la carte slt. Un sympathique resto avec une terrasse qui s'organise autour d'un patio, des salons marocains agréables avec tables basses recouvertes de nappes rouges, pour les soirées fraîches ou les grosses chaleurs. Bonne cuisine traditionnelle et saluons les p'tits efforts en matière de présentation des plats. Couscous et *pastilla* sur commande. Le soir, on y

croise des Marocains (c'est bon signe !). Le midi, la clientèle est plus touristique.

l●l ♟ *Aziyadé* (plan A2) : voir « Où dormir ? ». Tlj 10h-21h. « Assiettes » 50 Dh (4,50 €) ; plats locaux env 140 Dh (12,70 €). Menu fixe le soir sur demande. Un resto-café littéraire installé dans un *riad*. Un lieu qui se veut convivial en mettant une bibliothèque à la disposition des hôtes, venus aussi siroter un thé ou un jus d'orange dans le salon ou en terrasse. De temps en temps, expo de photo et de peinture.

l●l *Restaurant Jnane Soussia* (plan A2, **32**) : av. Mohammed-V, à l'extérieur des remparts. ☎ 028-85-49-80. Tlj midi et soir. Compter 110-150 Dh (10-13,60 €), à la carte slt. Pas d'alcool. On mange sous des tentes caïdales dans un cadre agréable, bordé d'un jardin, à côté d'une petite piscine (servant davantage de déco !). Pas mal de groupes le midi. Beaucoup plus calme et agréable le soir (sauf lors des soirées folkloriques). Bonne cuisine marocaine classique (tajines, brochettes, couscous – le vendredi – et *pastilla* sur commande). Les couples marocains viennent y boire un verre en fin d'après-midi.

Où dormir ? Où manger dans les environs ?

🏠 l●l *Riad El Aissi* (hors plan par A2) : à 3,5 km env de Taroudannt. Prendre la direction de Marrakech-Agadir par Amskroud. À Nouayl, bifurquer à droite (fléché). ☎ 028-55-02-25. 📱 066-63-35-13. ● riadelaissi.com ● Double env 420 Dh (38,20 €), près du double pour 4 pers ; bon petit déj compris. Resto ouv tlj (service continu). Repas 50-110 Dh (4,50-10 €). Au cœur d'une orangeraie de 20 ha et dans un *riad* familial datant de 1930, Latifa propose une dizaine de chambres et de suites agréables, entièrement rénovées, chacune d'une couleur différente. La plupart d'entre elles peuvent accueillir 3 ou 4 personnes. Quelques légères fautes de goût çà et là dans la déco ? Peut-être... Mais l'atmosphère est tellement reposante et l'accueil si charmant. Petite piscine réservée aux résidents. De la terrasse du resto, vue apaisante sur la campagne environnante.

Spécial folies

🏠 *La Gazelle d'Or* (hors plan par A2) : à 2 km de la ville (en direction de Marrakech-Agadir par Amskroud). ☎ 028-85-20-39 ou 48. ● gazelledor.com ● Une idée des prix ? À partir de 4 950 Dh (450 €) en ½ pens pour 2 pers. Si on le signale, c'est que cet hôtel, au milieu d'une orangeraie de 100 ha, est peut-être la plus belle adresse du Maroc. Construit par un Français au lendemain de la Seconde Guerre mondiale pour accueillir ses hôtes, l'établissement se compose de bungalows avec chacun une terrasse donnant sur un splendide jardin, et l'orangeraie au fond. Grande piscine, hammam, massage, équitation. Ce fut un temps le refuge privilégié des Chirac en hiver.

Où manger une pâtisserie ?

l●l *Pâtisserie El Widad* (plan A2, **33**) : à deux pas de la pl. An-Nasr (pl. Talmoklate). Tlj 8h-22h30. Bonnes pâtisseries.

l●l *Pâtisserie Ettais* (plan B1, **34**) : rue Brahdani. Tlj 7h-22h. Une pâtisserie avec pains au chocolat, croissants, sans oublier toutes sortes de douceurs marocaines. Fait aussi salon de thé avec quelques tables pour se poser dans un cadre bien propret.

l●l *Pâtisserie de l'hôtel Saadiens* (plan A1, **26**) : voir « Où dormir ? ». On peut déguster les gâteaux sur place, en s'installant dans le patio autour de la piscine. La pâtisserie est à l'opposé du lobby, sur la gauche.

Où boire un verre ?

Sans alcool

▼ *Nombreuses terrasses* (plan A2, 22) : pl. Al-Alaouyine (Assarag). Pour déguster un thé à la menthe en observant l'animation. Place plantée d'arbres, très populaire. Agréable, en particulier en fin d'après-midi.

▼ *Boutique sans nom* (plan A2, 5) : av. Mohammed-V, presque à l'angle de l'av. du 20-Août. Une petite boutique discrète et sans nom, donc, que l'on repère grâce à sa guirlande de fruits à l'intérieur, ses 2 tables et ses 4 tabourets.

Très bons jus à base de fruits frais provenant en grande partie de l'exploitation agricole du frangin. Avocat, pêche, orange, fraise, pomme, kiwi, etc. C'est selon la saison.

▼ *Cocktail Oasis* (plan B1, 40) : av. Moulay-Rachid, à gauche du marchand de journaux. Tlj 10h-22h env. Une étroite terrasse en bord de rue avec des chaises défoncées en moleskine, pour se poser et se rafraîchir avec des jus de fruits de toutes sortes.

Avec alcool

▼ *Palais Salam* (plan B1, 28) : voir « Où dormir ? ». Possibilité de prendre un verre (une bière bien fraîche par exemple !) autour de la piscine dans un cadre paisible et arboré. En revanche, difficile d'échapper à la musique d'ascenseur, en fond sonore...

À voir. À faire

🚶🚶 *Les souks* (plan A2) : juste à l'est de la pl. Al-Alaouyine (Assarag). Activité réduite le ven.

On les aime bien. En effet, bien que peu étendus, ils n'en demeurent pas moins pittoresques. N'hésitez pas à vous perdre dans cet enchevêtrement de ruelles où bijoutiers, antiquaires et sculpteurs de pierre proposent toutes les productions locales : cuivre, tapis, cuir, fer forgé. Parmi les plus animés du Sud marocain. Mais sachez que ce n'est pas parce qu'ils sont moins fréquentés qu'ils sont moins chers. Négociez ferme !

Un arrêt particulier au *souk des épices*, où l'on vous expliquera les grandes vertus de toutes les plantes. Un vrai cours de diététique et d'herboristerie (là encore, attention au prix tout de même).

🚶 *Le souk dit « berbère »* (plan A-B2) : pl. An-Nasr (Talmoklate). Moins touristique que les souks. Populaire et authentique. Quelques échoppes de bijoutiers et d'épices intéressantes.

🚶🚶 *La Tannerie* (plan A2) : aller jusqu'à la porte de Bâb-Targhount, sortir vers la gauche ; à 100 m à droite, suivre le chemin en terre (fléché). Tlj jusqu'à 18h (un peu plus tard l'été). Qualité de tannerie supérieure aux peaux proposées au même prix dans les villes du Nord. La quarantaine de tanneurs de la ville s'est réunie ici pour présenter son travail. Lavage des peaux, salage, séchage, blanchiment... grattage, peignage (ou cardage)... et « vendage » ! Les tanneurs y ont également leur petite boutique. Tiens, c'est la ville de Romans en France (jumelée à Taroudannt) qui a financé les cuves de béton.

➤ *Le tour des remparts* : à faire à vélo ou en calèche. Les calèches partent de la pl. Al-Alaouyine (Assarag). Prix officiel : 50 Dh (4,50 €)/h. Longs de 7 km et d'une épaisseur de 80 cm. Le meilleur moment est le coucher du soleil. Rien de comparable, cependant, avec les remparts de Marrakech. De plus, même si les parties les plus visibles par les touristes (le long des avenues Mohammed-V et Hassan-II) ont été restaurées, les autres, en revanche (au nord et à l'ouest) sont laissées à l'abandon et jonchées d'ordures. À certains endroits, on peut voir des fissures provoquées par le terrible tremblement de terre d'Agadir, ressenti jusqu'ici.

Fête

– *Le 15 août, **moussem** important pdt 3 j.* En l'honneur d'un marabout local.

➤ *DANS LES ENVIRONS DE TAROUDANNT*

LA PALMERAIE DE TIOUTE

À 30 km env de Taroudannt.
La palmeraie, qui s'étend sur 1 000 ha et comprend 20 000 palmiers, est cultivée par les gens du village. En 1952, on y tourna les extérieurs d'*Ali Baba et les 40 voleurs,* avec Fernandel. Le pacha local prêta les chameaux... et les figurants. Les anciens s'en souviennent encore.
En été, si vous trouvez la chaleur de Taroudannt insupportable, allez vous mettre au vert dans la palmeraie de Tioute.
➤ ***Pour y aller :*** pas de bus depuis Taroudannt. En grand taxi collectif, compter près de 10 Dh (0,90 €)/pers. Pour ceux qui ont un véhicule : deux possibilités. Prendre la route d'Agadir ; au 1er rond-point après l'oued Sous (à env 5 km de Taroudannt), prendre à gauche, direction Ouarzazate-Taliouine. Faire env 15 km, puis bifurquer à droite, direction d'Igherm et Tata. Poursuivre encore sur 10 km et emprunter la route fléchée « Tioute » sur la droite. C'est encore à 5 km. Autre chemin possible : à Taroudannt, prendre la route de Ouarzazate : à 8 km, dans le village de Aït Yazza, tourner à droite à la 1re route goudronnée. Il faut ensuite traverser un oued (500 m de piste mais sans difficulté avec une voiture de tourisme) ; ensuite continuer toujours tout droit sur env 15 km, jusqu'à la route fléchée « Tioute » sur la droite.
– ***Souk :*** *le mer, à l'entrée du village.* Très modeste.

Où manger ?

|●| *Restaurant Chwareg : au bout du village, env 200 m après l'endroit où attendent les ânes pour la balade dans la palmeraie.* ▤ *062-28-55-74. Tlj midi slt. Repas env 60 Dh (5,40 €).* Il est préférable de passer la commande avant de vous balader dans la palmeraie si vous ne voulez pas attendre. On déjeune sous une vaste tente ou au cœur d'un jardin noyé sous la verdure, en bordure de palmeraie. Cadre enchanteur et reposant. Bonne cuisine

traditionnelle, sans chichis.
– Une superbe *kasbah* en ruine, construite sur un promontoire, dominait la palmeraie. Elle a été scandaleusement saccagée par un promoteur sans scrupule pour y construire un ***restaurant touristique*** destiné à recevoir des groupes (le midi). La façade de béton déshonore tout le paysage. Mérite seulement le détour pour la vue sur la palmeraie depuis la terrasse.

À voir. À faire

🕴 *La coopérative Taïtmatine de l'huile d'argan :* à l'entrée du village. ☎ 028-85-25-51. • targanine.com • Tlj 9h-18h30 env. Depuis 2002, cette vraie coopérative réunit une quarantaine de femmes du village qui interviennent sur tout le processus de fabrication de cette huile si particulière qui, paraît-il, fait des merveilles pour le rajeunissement de la peau. Nous, on s'en fout, les voyages entretiennent aussi la jeunesse ! On voit ici le concassage, le triage, la torréfaction et l'extraction de l'huile. On rappelle qu'il y a deux huiles d'argan : une pour la consommation, l'autre pour le cosmétique. Ne vous trompez pas ! La qualité de cette huile, labellisée bio, est indéniable. En outre, la vente des produits permet aux femmes de vivre de leur production et d'améliorer leurs conditions de vie au niveau tant économique que social. Tout autour du village, plein d'arganiers évidemment.

🍴🏃 *La palmeraie :* à l'entrée du village, poursuivre tt droit en suivant la rue principale. *Pour une balade à dos d'âne, il y a toujours des baudets généralement menés par des enfants qui attendent à l'entrée de la palmeraie. Prévoir 30 Dh (2,70 €) pour 1h de promenade avec un âne et 25 Dh (2,30 €) l'heure avec un guide (sans âne). Bon, on peut très bien s'y promener à pied. Néanmoins, il peut être intéressant d'être accompagné d'un « guide » du village qui vous expliquera la vie dans la palmeraie (cultures, système d'irrigation, etc.). À vous de voir.*

➢ Possibilité de *randonnées* autour de Taroudannt, dans les montagnes du Haut Atlas, avec logement chez l'habitant ou sous la tente. On traverse des villages authentiques et de superbes vallées, à l'écart des circuits touristiques. Il faut être accompagné par des guides officiels de montagne. Notons toutefois que les enfants n'ont de cesse de réclamer stylos et argent. Par pitié, ne jouez pas le jeu... ne donnez rien !

DE TAROUDANNT À OUARZAZATE PAR LE DJEBEL SIROUA

La N10, qui part d'Agadir, permet d'atteindre Ouarzazate, la plaque tournante du Sud, au carrefour de toutes les routes (Zagora, Marrakech, la vallée du Dadès). Compter au total environ 290 km entre Taroudannt et Ouarzazate. Beaucoup de circulation jusqu'à Ouled-Berhil, en raison de l'activité agricole : attention aux véhicules lents et aux vélomoteurs. La route est bonne, le plus souvent rectiligne. Mais évitez de rouler dans le sens Ouarzazate-Taroudannt lorsque le soleil couchant se trouve face à vous, la visibilité s'en trouve considérablement réduite.

Où dormir ? Où manger ?

🛏 🍽 *Palais Riad Hida :* à Ouled-Berhil (bourgade sans intérêt), à 40 km de Taroudannt en allant vers Taliouine. ☎ 028-53-10-44 ou 12-26. ● riadhida. com ● *En plein centre-ville, une pancarte indique la direction à suivre, mais n'hésitez pas à redemander car ce n'est pas si facile à trouver. Double 550 Dh (50 €) avec petit déj. ½ pens possible.* Repas env 120 Dh (10,90 €). Construit en 1860 par un pacha, ce palais restauré fut entretenu par un milliardaire danois. L'établissement, entouré d'un délicieux jardin luxuriant, propose des chambres spacieuses et très agréables. Belle piscine avec sa grande terrasse. Attention toutefois, certains jours le resto est envahi par des groupes.

TALIOUINE   4 965 hab.

Petit village à 119 km de Taroudannt, dans une région à l'impressionnante beauté. Taliouine se situe sur l'un des plus beaux plissements géologiques du Maroc, à 1 080 m d'altitude. C'est de ce village et de ses environs que provient

tout le safran du pays. En octobre, un festival est dédié à cette épice, réunissant les petits producteurs de la région.
– *Souk :* le lun, près de l'hôtel Ibn-Toumert.

L'OR ROUGE DE TALIOUINE

Pour ceux qui voudraient venir en période de cueillette, celle-ci a lieu de mi-octobre à mi-novembre. On y recueille délicatement, à la main et avec les ongles, les pistils des crocus avant le lever du soleil. Sachez que 1 ha produit 4,5 kg de safran et qu'il faut environ 140 fleurs pour obtenir 1 g de pistil... Tout cela explique son prix, autour de 25 Dh (2,30 €) le gramme en moyenne, et en constante augmentation, ce qui en fait l'une des épices les plus chères du monde. Cela dit, c'est toujours moins onéreux ici qu'en Europe.

Le safran, comme chacun sait, est utilisé comme condiment en cuisine, mais entre également dans la pharmacopée (pour soigner les gencives ou en antispasmodique), et c'est aussi un colorant. N'achetez jamais de la poudre de safran. Cela n'existe pas ! Il s'agit plutôt de curcuma, voire une poudre à base de maïs, de bœuf séché ou même de... brique. Le véritable safran se présente sous la forme

> ### SAFRAN-CHIR DU FAUX
>
> *Pour ne pas se faire refiler du faux safran, il existe des petits trucs. Frotté à sec sur du papier, le vrai ne laisse aucune trace. Humidifié, il teint le papier en jaune et non en orange ou rouge. Enfin, s'il a un goût sucré, c'est que vous êtes sur le point de vous faire arnaquer ! Car le vrai safran est amer...*

de stigmates séchés. Les minuscules filaments en forme de trompette sont rouge sombre d'un côté, et jaune de l'autre. On vous expliquera tout cela à la coopérative locale.

Le safran, joliment conditionné et vendu à des prix raisonnables, y est de bonne qualité et on vous donne en prime de bons conseils pour l'utiliser. Vous pouvez également l'acheter en vrac, en grosses quantités (20 % moins cher), à la coopérative ou ailleurs dans le village. Mais pensez à bien l'emballer car le safran n'aime ni la lumière ni l'humidité.

Arriver – Quitter

En bus

🚌 *Gare routière :* sur la droite à l'entrée du village en venant de Taroudannt.
➤ *Ouarzazate et Aït-Benhaddou :* env 10 bus/j. Trajet : 4h pour Ouarzazate. Certains bus s'arrêtent à l'embranchement pour Aït-Benhaddou. De là, prendre un taxi.
➤ *Inezgane et Marrakech :* 1 bus ttes les 2h.
➤ *Tafraoute :* il faut passer par Inezgane et changer de bus.

En voiture

➤ *Marrakech via le Tizi-n-Tichka :* très beau parcours, surtout entre *Tazenakht* et l'embranchement de la route pour *Ouarzazate.*
➤ *Tata :* il y a désormais une belle route goudronnée via Agadir-Melloul et Akkalghèn. Paysages superbes et quelques oasis de montagne avant de retrouver la route *Foum-Zguid-Tata.* On peut également emprunter la R106 qui rejoint Igherm, puis la R109 jusqu'à Tata. Belle route également.

Adresses utiles

✉ *Poste :* rue principale, face à l'hôtel Siroua. Représente également *Western* | *Union* pour les transferts d'argent liquide.

■ *Change :* attention, l'agence du *Crédit Agricole (lun-ven 8h15-15h15)* dans la rue principale ne change que les euros, et il est pour l'instant impossible de retirer des sous avec une carte de paiement, que ce soit au guichet ou à un distributeur. Les distributeurs les plus proches sont ceux de la *Banque Populaire* dans les villages d'Ouled-Berhil (à 60 km vers Taroudannt) et de Tazenakht (à 85 km vers Ouarzazate).

@ *Internet :* plusieurs cyberboutiques en ville.

■ Une *station-service* permet de se ravitailler.

Où dormir ? Où manger ?

De très bon marché à prix moyens

⊼ |●| *Camping Zagmouzen :* en venant de Taroudannt, avt l'oued, prendre à gauche la route en direction d'Askaoun. Après 400 m, suivre le chemin caillouteux sur la droite, passer le radier et c'est au bout. ☎ 028-53-40-53. 📱 073-36-87-17. ● *lezagmouzen@menara.ma* ● Compter 15-25 Dh (1,40-2,30 €)/pers en tente caïdale. Petit déj 25 Dh (2,30 €). Électricité payante. Ahmed, ancien caravanier, a construit un petit havre de paix, tout près de l'oued. Les tentes caïdales de 2 personnes sont installées sur un sol en pierres surélevé, et séparées les unes des autres par des jardinets qui regorgent de légumes bio. Un poulailler et quelques lapins approvisionnent le resto. Sous les arbres, ou sous la tente commune, on déguste un thé à la menthe en discutant avec Ahmed, qui organise des randonnées dans la région. Une super-adresse.

⊼ 🏠 *Auberge-camping Toubkal :* à 2 km à gauche sur la route en direction de Ouarzazate. ☎ 028-53-43-43. 📱 061-53-01-09. Fax : 028-53-46-06. Avec tente ou en dortoir sous tente, prévoir 35 Dh (3,20 €) pour 2 pers, eau chaude comprise ; camping-cars acceptés. Doubles 150-200 Dh (13,60-18,20 €), avec ou sans clim' ; petit déj 30 Dh (2,70 €). ½ pens possible. Lieu arboré et fleuri, doté d'une piscine propre et de jeux pour les enfants. Également une quinzaine de chambres bien tenues faisant face au jardin et aux montagnes, toutes avec douche (eau chaude). Notez que les suites (construites dans l'ancienne piscine !) sont au même tarif que les chambres. L'auberge dispose d'une terrasse avec vue, d'une cuisine collective et d'un resto. Lave-linge (payant). Bon accueil et bons conseils sur les balades. Pour manger, préférez les adresses suivantes.

🏠 |●| *Auberge Askaoun :* av. Mohammed-V. ☎ 028-53-40-17. ● *aubergeaskaoun@yahoo.fr* ● À la sortie du village vers Ouarzazate. Doubles 150-200 Dh (13,60-18,20 €) avec ou sans sdb. Menus 60 Dh (5,50 €). Accueil sympa et cuisine correcte, servie sous la tonnelle en bord de route.

🏠 |●| *Auberge Le Safran :* à la sortie du village vers Ouarzazate, face à l'Auberge Askaoun. ☎ 028-53-40-46. 📱 068-39-42-23. ● *auberge-safran.com* ● Doubles avec douche et w-c 150-170 Dh (13,60-15,50 €) et 2 familiales à partir de 300 Dh (27,30 €). Repas à la carte 70 Dh (6,40 €). Jolies chambres aux noms de fruits ou de couleurs. Certaines ont vue sur la kasbah. Bon confort, avec salle de bains et chauffage en hiver (payant). Également un hammam pour les retours de rando. Mahfoud Mohiydine, s'il n'est pas parti en randonnée avec des clients, vous accueillera chaleureusement et vous dévoilera les secrets du safran (en vente sur place). La carte propose bien sûr pas mal de petits plats safranés de bonne qualité. Agréables pergola et terrasse. Un étage supplémentaire était en construction lors de notre dernier passage.

🏠 |●| *Auberge Souktana :* à 1,5 km du centre de Taliouine en allant vers Ouarzazate. ☎ 028-53-40-75. ● *souktana@menara.ma* ● Double 220 Dh (20 €) avec douche et w-c ; 140 Dh (12,70 €) pour l'unique chambre « château » (plutôt une tourelle !) sans sdb ; également bungalows 160 Dh (14,50 €) pour 2 pers (sanitaires communs) et tentes-chambres 80 Dh (7,30 €) ; petit déj en sus. Clim' ou chauffage en supplément.

Possibilité de camper dans la cour pour 45 Dh (4,10 €). Env 80 Dh (7,30 €) pour le menu, plus la carte. Pas d'alcool, mais vous pouvez apporter votre bouteille. Ahmed (ancien caravanier et descendant des « hommes bleus ») et Michelle, une Française, proposent des chambres aménagées à la berbère dans des tons chaleureux. Ils furent les premiers à ouvrir une auberge à Taliouine. Également un camping implanté par Ahmed de l'autre côté de l'oued à 2 km (voir plus haut). Ahmed et son fils Hassan, tous deux guides de montagne officiels et diplômés, ont ouvert un bureau de guides et proposent des circuits originaux dans la région. Ils organisent aussi des circuits en VTT.

🛏 🍽 ***Auberge Targa :*** *à 4 km avt le village en venant de Taroudannt. Chemin indiqué sur la droite.* ☎ 028-53-48-07. 📱 *072-07-08-79. Double 250 Dh (22,70 €) avec sdb ; petit déj en sus. Menu 80 Dh (7,30 €).* Une trentaine de chambres propres et fraîches. Cette auberge est installée au calme près de l'oued, et profite d'une grande piscine. Salon TV, terrasse panoramique. Jean-Marc, installé depuis belle lurette au Maroc, vous recevra avec attention.

À voir. À faire

🏛🏛 ***La kasbah du Glaoui :*** l'une des nombreuses propriétés du célèbre Glaoui (lire « Un peu d'histoire » à Telouet dans le chapitre « La route du Tizi-n-Tichka »). Assez délabrée, elle ne se visite pas, mais demeure impressionnante de l'extérieur. Quelques familles y vivent encore. Faites le tour de la bâtisse principale pour les rencontrer.

🏛🏛 ***Coopérative du safran :*** *dans la rue principale. Tlj 8h-20h. Entrée libre.* Sur demande, intéressantes explications sur le safran (lire aussi le paragraphe « L'or rouge de Taliouine » dans l'introduction à la ville). On vous apprendra notamment à distinguer le vrai safran du faux. Un petit *musée* rassemble des objets divers illustrant le mode de vie traditionnel berbère. Entrée : environ 12 Dh (1,10 €).

– Faire une promenade en fin de journée dans le ***village*** (quelques jardins agréables) et aux ***ruines de l'agadir.*** Superbes couleurs.

– Si vous raffolez des *agadirs* (greniers fortifiés), prenez la N10 vers Ouarzazate sur 12 km, tournez à droite vers Agadir-Melloul et roulez sur environ 3 km jusqu'à ***Ifrin-Imadine.*** Beau grenier collectif du XVIIᵉ s encastré dans la falaise. Visite payante : 20 Dh (1,80 €).

🏛 ***Ighil N'Ou-Ghou :*** *à 10 km de Taliouine sur la route d'Askaoun ; piste sur la gauche.* On apprécie de se perdre dans le dédale des ruelles. La *kasbah* se visite : demandez la clé aux jeunes femmes alentour. Et plus au cœur du village, une ancienne synagogue est ouverte à la visite moyennant une participation. Prendre le chemin en face de la *kasbah,* puis la première à droite, la maison du gardien est la première sur la gauche. Les Juifs ont quitté Ighil N'Ou-Ghou en 1961.

Randonnées

➢ ***Les gorges de Tisslit :*** joli site accessible en solo ou avec l'une des auberges de Taliouine (possibilité de combiner cette randonnée avec celle du djebel Siroua, voir ci-dessous). Prendre la route de Ouarzazate sur 27 km jusqu'au village de Tinfat. À l'entrée du village, piste à gauche sur 17 km, praticable slt en 4x4 ou à pied. Une fois arrivé à Souk Assais (« souk du mercredi »), partir à droite sur 3 km vers les gorges. En hiver, on peut se baigner dans les *gueltas* si l'eau n'est pas stagnante. Se renseigner un peu à Taliouine sur le niveau de l'eau avant de partir, ça évite la déception. Possibilité de camper sur place en demandant l'autorisation et en s'éloignant de la rivière (dangereuse en cas d'orage violent).

L'ANTI-ATLAS

➤ **Le djebel Siroua à pied** (alt : 3 304 m) **:** 3 à 6 j. dans l'Anti-Atlas marocain, avec des étapes tlj de 5-6h. L'itinéraire présenté a été élaboré par Ahmed et Michelle de l'Auberge Souktana. En arpentant ce massif volcanique, vous découvrirez de belles vallées où l'on cultive le safran, les olives ou les plantes aromatiques, des villages berbères avec de beaux agadirs toujours utilisés ou encore comment les femmes tissent les tapis berbères. Il est conseillé de louer des mulets pour le transport des bagages et des vivres. Nuits en bivouac ou chez l'habitant. Apporter de l'eau minérale ou des pastilles style Micropur® DCCNa pour purifier l'eau. Le matériel tel que tente, ustensiles de cuisine, matelas, nourriture et mulet, peut être fourni par une agence. Ne partez pas seul. Renseignez-vous notamment auprès de l'Auberge Souktana ou de l'Auberge Le Safran (voir « Où dormir ? Où manger ? »). L'itinéraire minimum de 3 jours, sur demande, consiste à découvrir le village d'Atougha (agadir et belles cultures en terrasses, notamment du safran), Tizgui (superbe agadir accroché à la falaise) et enfin le point fort, les gorges de Tisslit avec une baignade à la clé si le débit de l'eau le permet (lire plus haut). En 6 jours, on prend plus son temps, évidemment, par exemple pour visiter les bergeries de Tegragra, le village de forgerons de Tirasst ou même pour grimper le Siroua (3 305 m). Très belle rando. Le tour du massif est possible en 10 jours.

DE TALIOUINE À OUARZAZATE

➤ Après Taliouine, la N10, en direction de Ouarzazate, passe entre le djebel Siroua et le djebel Bani. Paysage rocailleux de plateaux. À 27 km de Taliouine, la route traverse le hameau de **Tinfat**, où il est encore possible d'acheter du safran (et même de prendre un thé au safran dans les petits salons de thé locaux) si vous avez loupé la coopérative de Taliouine. Pensez quand même à faire les tests nécessaires pour vérifier l'authenticité de l'épice qu'on vous vend (voir nos conseils en encadré dans l'intro de Taliouine). 30 km avant Tazenakht, le **Tizi-n'Ikhsane** offre une jolie descente sur un grand plateau désertique. Entre Tinfat et Tizi-n'Ikhsane, au km 46, une piste part sur la gauche pour rejoindre **Zaouïa-Taskount.** Vous découvrez à 400 m de la route principale une colline ourlée de roches noires et truffée d'abris troglodytes. La visite est surprenante, d'autant que pendant l'été, les bergers y font encore halte.

TAZENAKHT 3 815 hab.

Tazenakht est un important centre de tissage de tapis. Une fois sur la place principale du centre-ville, prendre la direction (indiquée) du vieux village à 2 km pour aller voir les femmes tisser, dans la pénombre des maisons, les fameux tapis ouzguida à trame orange. Attention, les coopératives honnêtes et moins honnêtes, ainsi que les rabatteurs, pullulent en ville. Pas facile de faire le tri, surtout lorsque certaines coopératives affichent la bannière du commerce équitable. Comment savoir avec certitude si le fonctionnement l'est vraiment ? Nous avons sélectionné l'association des femmes du vieux village qui nous paraît répondre à ce critère, mais on peut évidemment tenter ses propres expériences ailleurs en se fiant un peu à son instinct.

Adresse et info utiles

■ **Banque Populaire :** dans la rue principale, face à l'hôtel Taghadoute. Change au guichet et distributeur de billets.
– La ville compte 2 hammams.

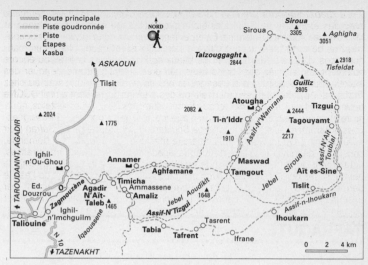

LE DJEBEL SIROUA

Où dormir ? Où manger ?

Rien de très passionnant. On dort ici pour faire une étape ou pour négocier un beau tapis avant de repartir. Les adresses que nous indiquons se situent dans le centre-ville et non dans le vieux village.

🛏 |●| **Hôtel-restaurant Taghadoute :** av. Moulay-Hassan. ☎ 024-84-13-93. 🛏 070-22-64-80. Doubles avec ou sans sdb 130 Dh (11,80 €), petit déj inclus. Menu env 70 Dh (6,40 €). Petit établissement à la propreté toute relative, mais qui peut dépanner. Côté resto, préférez le tajine aux frites trop grasses.

🛏 |●| **Hôtel-café-restaurant Zenaga :** av. Moulay-Hassan. ☎ 024-84-10-32.

🛏 072-31-72-34. ● zenaga_hotel@hotmail.com ● Doubles 80-160 Dh (7,30-14,50 €) avec ou sans douche chaude et w-c ; petit déj compris. L'été, possibilité de dormir sous tente sur la terrasse. Menu env 60 Dh (5,40 €), thé et boisson inclus. Préférer sans hésiter les chambres du 1er étage, beaucoup plus accueillantes. L'hôtel fournit les serviettes. Rapport qualité-prix moyen pour le resto.

À voir

🎥 **Le vieux village et le tissage des tapis :** situé à 2 km du centre-ville par la route d'Agdz, il est bien indiqué (mais il arrive que des personnes sur la route essaient de vous en détourner).

– **Espace Taznakht pour le développement de l'environnement et des arts populaires.** ☎ 024-84-12-09. ● espacetaznakht.com ● Tlj 7h-22h, mais le ven, les femmes ne travaillent pas. Ijja vous accueille pour vous faire visiter. Depuis 2003, cette association, à l'entrée du village sur la gauche, gère la fabrication des tapis et centralise leur vente (chaque tisseuse a un numéro et une carte de l'association). Le prix du tapis est fixé par la tisseuse qui recevra cet argent directement et reversera à l'association une petite cotisation, calculée en fonction des revenus et utilisée pour le fonctionnement et la mise en place de projets pour le village. Si vous le souhaitez, on vous y expliquera les techniques du tissage (et peut-être serez-vous sollicité pour mettre la main à la pâte). Une promenade dans le village permet de pénétrer au cœur de la société des femmes, qui restent traditionnellement dans l'ombre, et d'admirer leur travail et leur dextérité. Prix des tapis intéressants (on ne vous a pas dit qu'il ne fallait pas marchander pour autant !). Attention, en arrivant dans le village, beaucoup d'autres panneaux se revendiquent d'une coopérative... Et des marchands vous vendent des tapis très anciens qui ne sont en fait que des tapis délavés.

➤ Après Tazenakht, compter encore 86 km pour atteindre Ouarzazate.

Il est possible, pour ceux qui voudraient visiter la *vallée du Drâa* sans passer par Ouarzazate, d'emprunter une route goudronnée qui relie Agdz. Tout le long de la route, villages typiques et beaux paysages.

Une autre belle route goudronnée (la R111) conduit vers le sud à *Foum-Zguid*, d'où l'on peut rejoindre Tata et Zagora. Foum-Zguid et ces pistes sont décrites dans la partie consacrée à Zagora (voir plus loin).

TAFRAOUTE
3 950 hab.

Attention, à partir de mars 2009, *Maroc Telecom* doit mettre en place une nouvelle numérotation téléphonique. Les numéros passeront ainsi à 10 chiffres (au lieu de 9 actuellement).

Voici les principaux changements prévus :

➤ **Pour tous les numéros fixes,** il faudra insérer « 5 » après le « 0 ». Exemple : 024-11-11-11 deviendra 05-24-11-11-11.

➤ **Pour les portables,** un « 6 » devra être placé après le « 0 ». Exemple : 068-11-11-11 deviendra 06-68-11-11-11.

➤ **Pour les numéros spéciaux,** se reporter en début de guide à la rubrique « Téléphone et télécoms » dans « Maroc utile ».

À 1 200 m d'altitude, ce village au centre un peu anarchique se trouve au cœur d'un site exceptionnel, notamment en fin de journée, lorsque le sommet du djebel Lekst (2 359 m) au nord et celui de l'Adrar Mquorn (2 344 m) à l'est déclinent au soleil couchant une gamme de couleurs incroyablement différentes. Cette superbe barrière de montagnes de grès et de granit rose est également une véritable exposition de pierres et de rochers aux formes des plus surprenantes, le plus souvent arrondies (certaines atteignent la taille d'une maison et s'empilent éventuellement les unes sur les autres) et parfois même un peu fantastiques (la Tête du Lion, le Chapeau de Napoléon, etc.). Il est vivement recommandé d'y passer au minimum deux nuits, voire plus si l'on souhaite rayonner ou randonner dans cette belle région. Les autorités et les acteurs locaux ont bien saisi ce réel potentiel touristique. La cité pourrait un jour devenir préfecture. Il existe un projet de double voie goudronnée jusqu'à Tiznit et l'hôtellerie commence à se rénover sérieusement.

Tafraoute est aussi la capitale des Ammeln, une tribu très célèbre pour son sens des affaires et son dynamisme commercial. Partout au Maroc, le petit épicier de la rue est un Ammeln, et même en France, s'il n'est pas tunisien de Sfax, il a de grandes chances de venir de la région de Tafraoute.

Dans la région, les femmes s'enroulent trois fois dans une large étole noire qu'elles fixent à l'aide de deux fibules. Les femmes mariées se distinguent par leur ruban en diadème et le henné qu'elles portent aux mains et aux pieds. Ouvrez l'œil !

La langue la plus répandue dans la région est le *chleuh (tashelhit),* l'un des trois dialectes berbères parlés au Maroc. « Tafraoute » signifie « bassin d'irrigation ». Mais on dit aussi que l'estomac, lorsqu'il est vide, est « tafraoute »... Remplissez donc le vôtre des amandes qui poussent encore tout au long de la route dans la région.

L'idéal, c'est de venir lorsque les amandiers sont en fleur, autour de janvier-février. Cela dit, depuis quelques années, ils le sont dès décembre... Vous voulez savoir pourquoi ?

L'AMANDIER ET L'ARGANIER

Ces deux arbustes, inégalement réputés mais emblématiques de la région de Tafraoute, connaissent un destin inversé. En effet, les amandiers sont en danger. La sécheresse persistante de ces dernières années a provoqué leur floraison précoce dès le mois de décembre. Celle-ci est souvent suivie d'un gel, provoquant la perte des fruits. Ajoutons le manque de soins et l'amandier finit tout simplement par mourir et disparaître tout doucement...

Paradoxalement, l'arganier, cet arbre longtemps méconnu, occupe désormais le devant de la scène. Le Maroc est le seul endroit au monde où pousse cet arbre, aujourd'hui protégé (pour plus de détails sur son huile incomparable et pour quelques conseils d'achats, se reporter à la rubrique « Faune et flore. Flore. L'arganier » dans « Hommes, culture et environnement »). Très résistant, il est présent dans les maisons traditionnelles. Poutres et piliers sont en arganier, ainsi que les serrures.

Arriver – Quitter

En bus ou en taxi collectif

La ville n'est pas merveilleusement desservie par les transports en commun. Départ des bus à côté de la (petite) station-service *Afriquia* ; acheter son billet avant de monter dans le bus dans l'une des deux agences qui se trouvent dans cette même rue. Liaisons avec :

➤ *Agadir, par Aït-Baha :* 1 bus tlj en soirée *(transports Balady).* Terminus à... Rabat dans le sens Tafraoute-Agadir. Pas de taxi collectif pour Agadir.

➤ *Agadir, par Tiznit :* 1 bus le mat vers 8h30 *(transports Sahara Voyage).*

➤ *Tiznit :* 5 bus/j., mais qui empruntent des itinéraires différents. Trajet : env 3h. Dans le sens Tafraoute-Tiznit, la plupart des bus poursuivent jusqu'à Marrakech (plus de 8h de trajet), d'autres jusqu'à Casablanca (env 14h).

Les taxis collectifs sont préférables. Départs plus fréquents le mat, à partir de 6h.

En voiture

➤ Pour relier *Agadir,* voir les deux itinéraires indiqués plus bas dans la partie « De Tafraoute à Agadir ».

➤ Pour relier *Tata* ou *Taliouine,* prendre la R106 qui passe à *Igherm,* une superbe route à ne pas manquer.

Adresses utiles

Poste et télécommunications

✉ *Poste :* sur la petite pl. Mohammed-V (Al-Khamis) au-dessus du souk. Représente également Western Union. Lun-ven 8h-16h15.

@ *Internet :* le moins cher est d'aller à la *Téléboutique Al-Amal* dans la rue principale (sur la gauche après la grande station-service Texaco-Afriquia, vers la route d'Agadir). *Tlj 8h30-12h30,14h-20h. Sinon, chez* **Service Internet,** *dans la rue qui rejoint l'*Hôtel Les Amandiers. *Tlj 9h-minuit. Un autre centre à côté de la* Maison Touareg, *mêmes horaires.*

■ *Journaux français :* à l'épicerie **Tafraoute,** à 100 m de la petite station Afriquia *dans la rue principale.* Les quelques journaux ont plusieurs jours de retard.

Argent, banque, change

■ **BMCE :** *vers l'*Hôtel Les Amandiers, *dans la rue à droite juste après* L'Étoile d'Agadir *et la pharmacie. Tlj sf w-e.* Le seul distributeur automatique de la ville.
■ **Banque Populaire :** *face au resto*

L'Étoile du Sud: *Ouv slt mer et jeu !* Change au guichet.
– Pendant les heures de fermeture, voir à l'*Hôtel Les Amandiers* pour le change.

Santé, urgences

■ **Pharmacies :** *2 pharmacies. L'une est la voisine du resto* L'Étoile d'Agadir, *à côté de la poste. Tlj 8h-21h. L'autre, la pharmacie principale, est en face de la grande station-service* Afriquia. *Tlj 10h-22h.*
■ **Hôpital, urgences :** *bâtiment sur la*

droite, peu après la pharmacie principale, en direction d'Agadir par Aït-Baha. ☎ 028-80-00-15.
■ **Médecin généraliste :** *dans la rue principale, n° 83, à côté de la* Maison de Vacances. ☎ 028-80-11-66. 📱 061-95-93-20.

Transports, réparations

■ **Stations-service :** si vous partez vers le sud et que vous roulez au sans-plomb, profitez de la grande station *Afriquia* (rond-point direction Agadir) pour faire le plein... car il n'est pas évident d'en trouver avant Tiznit. Cela dit, il arrive qu'il y ait pénurie à Tafraoute ! Dans ce cas, le super fait l'affaire. Il existe aussi une petite station-service *Afriquia* près du souk.
■ **Garage :** *chez* Farih Mohamed, *route d'Agadir, près du centre de travaux agricoles.* 📱 *061-76-66-63. Mécanique voi-*

ture sur demande (mais pas les camping-cars), carrosserie et peinture sur voiture et camping-car.
■ **Location de vélos :** plusieurs boutiques louent des vélos ; *le* Coin des Nomades *(env 50 Dh/j., soit 4,50 €),* La Maison Touareg *(50-80 Dh/j., soit 4,50-7,30 €), ou* Artisanat du Coin *(env 80 Dh/j., soit 7,30 €), face au resto* L'Étoile d'Agadir. *Également à* La Maison de Vacances *(voir « Où dormir ? »).* Dans tous les cas, bien vérifier les biclous.

Loisirs

■ **Hammams :** *3 hammams dans le centre.* Il ne vous en coûtera qu'une dizaine de dirhams pour liquider la crasse et la poussière du voyage, et environ 20 Dh (1,80 €) avec un gommage ou un massage. Nous avons testé **Ouad Hadab,** *propre et le plus souvent ouvert, les autres souffrant de soucis d'alimentation en eau. De la rue princi-*

pale, prendre à gauche avant la boulangerie et la petite station-service, en venant d'Adaï/Tiznit. C'est tout au bout de la rue.
■ **Piscine :** *l'*Hôtel Les Amandiers dispose d'une piscine propre, accessible moyennant environ 50 Dh (4,50 €) la journée.

Excursions, randonnées

■ **Agence Tafraout Aventure :** *face à la poste.* ☎ *et fax : 028-80-13-68.*

📱 *061-38-71-73.* ● *tafraout-aventure.com* ● Une agence sérieuse qui propose notamment une boucle d'une journée par les gorges d'Aït Mansour, un trekking de 3 jours dans la vallée des Ammeln (Tagdicht-Lkest-Oumesnat), un circuit des *agadirs*, des conseils pour les férus d'escalade, etc. Une formule intéressante dans les gorges d'Aït Mansour : marche de 1h30 suivie de la découverte des gravures rupestres d'Ukas. Également des possibilités de rejoindre Tata et le désert en 4x4.

■ *Cartes et conseils de randos :* voir *Houssine Laarousi à la boutique* Coin des Nomades *(dans le souk, à l'angle de l'hôtel* Salama*).* ☏ 061-62-79-21. ● ta mayourt1@caramail.com ● Houssine est un véritable « Huggy les bons tuyaux » qui prendra le temps de vous expliquer toutes les balades à faire dans la région avec beaucoup de précision. Il possède des cartes topographiques de trekking, de randos faciles ou d'escalade. Accueil adorable et très bon état d'esprit.

Où dormir ?

Attention, les hôtels sont souvent complets. Se méfier de certains petits hôtels, très sales.

Campings

⛺ *Camping Tazka :* à 1 km de Tafraoute en direction de Tiznit par Aday et Tahala *(après le camping* Les Trois Palmiers*).* ☎ 028-80-14-28. ▯ 061-51-21-30. ● cam pingtazka.com ● *Avec tente et voiture, env 45 Dh (4,10 €) pour 2 pers ; douche payante.* Connexion wi-fi gratuite. Un camping récent protégé par une enceinte. Malgré l'absence d'ombre, on l'a trouvé mieux entretenu et moins surchargé que le camping *Les Trois Palmiers*. Une quarantaine d'emplacements, des sanitaires en état, des éviers et des bacs à linge. Bon accueil de Jamal. D'ici, on n'est pas loin des gazelles de Tazzeka et du village d'Aday.
⛺ *Camping Les Trois Palmiers :* ▯ 066-09-84-03. À la sortie de Tafraoute, en direction de Tiznit par Tahala. *Pour 2 pers avec tente et voiture, env 45 Dh (4,10 €) ; également 3 petites doubles* basiques 80 Dh (7,30 €). Douches payantes. Pour l'eau chaude, chaudières à gaz ou à bois plus ou moins efficaces. Terrain assez ombragé et bon accueil, mais sanitaires vieillots.
⛺ *Camping communal d'Ammelne :* à 4 km sur la route d'Agadir ; pas de panneau. Le camping est placé dans la structure de la piscine communale. ☎ 028-80-05-25. ▯ 070-80-31-82. *Pour 2 pers sous tente 40 Dh (3,60 €), douche payante. Accès piscine municipale 15 Dh (1,40 €).* En dépannage seulement car pas d'ombre et pas d'entretien digne de ce nom. Sanitaires très moyens. Resto-bar en face.
– Notez que l'hôtel *L'Arganier* possède également un terrain de camping (voir « Où dormir ? Où manger dans les environs ? »).

Très bon marché

🛏 |●| *Hôtel-restaurant-café Le Tanger :* en ville, au bord de l'oued. ☎ 028-80-01-90. ▯ 067-03-30-73. *Double env 60 Dh (5,40 €) sans la douche.* Bien placé, l'hôtel propose des petites chambres propres (un luxe dans cette catégorie !) et accessibles par de jolis couloirs bleus. La terrasse du haut offre une belle vue et permet de profiter des rayons du soleil. Resto agréable. Petits plats très honnêtes à petits prix. Un bon rapport qualité-prix.

De prix moyens à chic

Dans cette catégorie, voir aussi les adresses dans « Où dormir ? Où manger dans les environs ? ».

L'ANTI-ATLAS

🛏 |●| *Hôtel Salama :* sur la place du souk hebdomadaire. ☎ 028-80-00-26. ● hotelsalama.com ● ♿ *Double env 290 Dh (26,40 €), petit déj compris.* Autour du hall cossu et haut d'un beau plafond sculpté et décoré de zelliges, se déploie la quarantaine de chambres toutes fraîches et confortables (certaines avec balcon, baignoires). Celles-ci sont équipées de salle de bains, AC, TV et connexion Internet. Également 4 suites et une chambre accessible aux handicapés. Très belle vue depuis la terrasse sur le toit. Fait aussi resto.

🛏 *La Maison de Vacances :* dans la rue principale (côté Aguerd Oudad), face au resto La Kasbah. 🖥 062-87-96-57. *Env 400 Dh (36,40 €) la 1re nuit, puis 350 Dh (31,80 €) l'appart pour 4 pers.* Une formule pratique de location d'appartements. Il y en a trois, tous identiques, situés les uns au-dessus des autres dans une maison moderne du centre-ville. Chacun se compose d'une chambre double, d'un salon avec banquettes-lits, d'une TV (avec TV5), d'une salle de bains et d'une cuisine. Possibilité d'y dormir en famille ou en bande de copains, ce qui devient intéressant. Ce n'est pas immense, mais c'est propre. Seul bémol, cette rue principale sans grand charme.

🛏 *Hôtel Saint-Antoine :* à côté de la banque BMCE. ☎ 028-80-14-97 à 99. ● hotelsaintantoine-tafraout.com ●

Double env 450 Dh (40,90 €), nettement moins cher en basse saison. CB refusées. Construction moderne avec ascenseur qui dessert près de 25 chambres spacieuses et équipées de salle de bains, AC, TV satellite et téléphone. Au plafond de la réception, une vague de couleur verte donne une tonalité originale au décor. Des terrasses sur le toit, une piscine et un jardin agrémentent le tout. Personnel accueillant. Le nom de l'hôtel vient du fait que le propriétaire a longtemps habité le 11e arrondissement de Paris. Il possède toujours une épicerie dans le 20e...

🛏 |●| *Hôtel Les Amandiers :* en haut de la colline. Prendre la rue à gauche de L'Étoile d'Agadir et monter. ☎ 028-80-00-08 ou 88. ● hotel-lesamandiers. com ● *Double env 460 Dh (41,80 €) sans le petit déj en hte saison. Menu env 120 Dh (10,90 €). CB acceptées.* Làhaut, perché sur sa colline avec sa façade repeinte, il a plutôt fière allure. Les chambres, confortables (clim', TV) et spacieuses s'avèrent toutefois vieillottes. En revanche, le resto propose une cuisine goûteuse et très copieuse, souligné par un service délicat. Carte des vins et d'alcools pour les touristes seulement. Piscine accessible aux non-résidents (payante). Accueil personnalisé malgré la présence de groupes.

Où manger ?

De très bon marché à bon marché (moins de 80 Dh / 7,30 €)

|●| *Restaurant Atlas :* pl. de la Marche-Verte. Lieu de passage et de rendez-vous des habitués. L'ambiance est chaleureuse dans la salle TV ou le petit salon dans lequel on s'attarde confortablement. Bonne cuisine variée. Si vous êtes lassé du tajine, essayez la viande grillée, la soupe ou les omelettes.

|●| *Le Marrakech :* 128, rue Ennahda. À partir de la petite station Afriquia, ruelle qui monte vers la place de la poste. Menu composé de harira, tajine ou couscous, fruits, thé ou café. Bonne cuisine servie en terrasse dans une petite salle bien tenue avec la télé en

fond. Accueil souriant.

|●| *Café-restaurant de l'Hôtel Tanger :* au bord de l'oued, en ville. Sympathique terrasse en bois au-dessus de l'oued ou coquette salle au rez-de-chaussée. Bons petits plats pas chers (tajines aux pruneaux et amandes, aux légumes, à la viande...). Également de la « salade nissouaze » (!) mais gare aux petits microbes quand même. Bon accueil.

|●| *Café-restaurant L'Étoile d'Agadir :* pl. de la Marche-Verte, à gauche de la poste. Une affaire familiale tenue par trois frères. Une partie café-terrasse et

une partie resto. Carte bon marché, avec un honnête tajine aux pruneaux et aux amandes et un bon poulet au citron. Le soir, on y rencontre les habitants du village attablés en terrasse ou devant la télé en salle. Le matin, bon petit déj. Service efficace.

– Essayez aussi le resto de l'*Hôtel Les Amandiers,* plus cher qu'en ville mais savoureux, et ne vous privez pas d'un repas (sur commande seulement) à la *maison d'hôtes de la Maison traditionnelle* à Oumesnat (voir plus bas). Si vous souhaitez accompagner votre repas d'un verre de vin ou d'une bière, seuls l'*Hôtel Les Amandiers* et le resto *Étoile du Sud* servent de l'alcool.

Où dormir ? Où manger dans les environs ?

✗ ▣ |●| *Chez l'habitant :* dans le joli hameau d'Imyane, à la sortie de Tafraoute vers Aguerd-Oudad et Tiznit ; petit panneau sur la gauche. Il faut monter les marches taillées dans la roche. ☎ 062-02-93-05. Double env 200 Dh (18,20 €), petit déj compris. Possibilité de camper dans l'une des 3 tentes berbères : env 100 Dh (9,10 €) pour 2 pers. Menu env 80 Dh (7,30 €). Une petite adresse qu'on indique surtout pour le superbe point de vue à 180° sur le Chapeau de Napoléon et Tafraoute. En revanche, côté confort, il ne faut pas être trop regardant. Mohamed restaure avec des bouts de ficelle cette maison traditionnelle proposant 2 chambres simplissimes. Beaucoup de cachet pour cette bâtisse authentique avec à l'étage un agréable salon donnant sur une terrasse.

✗ ▣ |●| *Hôtel-camping-restaurant L'Arganier :* à 4 km de Tafraoute, route d'Agadir. ☎ et fax : 028-80-00-20. ☎ 061-92-60-64. Camping pour 2 pers env 50 Dh (4,50 €) ; double 260 Dh (23,60 €), petit déj compris. Plats env 40 Dh (3,60 €). Construction moderne dans un style se voulant traditionnel. Terrain de camping sans ombre et en bord de route. Chambres fraîches aux couleurs gaies, très propres, avec douche et w-c ; certaines avec clim'. Jardin fleuri et terrasse avec une jolie vue.

▣ |●| *Maison d'hôtes de la Maison traditionnelle :* dans le petit village d'Oumesnat, à 6 km env de Tafraoute sur la route d'Agadir par Aït-Baha. Accueil à la Maison traditionnelle (qu'il ne faut pas manquer de visiter ; lire « Oumesnat » dans la rubrique « Dans les environs de Tafraoute »), bien indiquée. ☎ 066-91-77-68 ou 81-45. ● maisondhote@gmail.com ● Pour 2 pers, compter 200 Dh (18,20 €) la nuit, petit déj compris. Possibilité de (très bons) repas pour env 65 Dh (5,90 €), menu 120 Dh (10,90 €), servis aussi aux non-résidents. Résa indispensable. Six chambres simples, confortables (clim') et propres dans une belle maison traditionnelle berbère aux murs en pisé. Également une chambre indépendante donnant sur l'agréable petit jardin (plus moderne mais au double du prix). Au dernier étage, le salon pour les invités (un petit groupe peut éventuellement y dormir) et une terrasse offrant une jolie vue sur le village. Un très beau lieu tout en simplicité. Organisation de randonnées. Très bon accueil.

▣ *Chambres d'hôtes Yamina :* dans le village de Tandilt, à 5 km de Tafraoute vers Agadir. ☎ 070-52-38-83. ● yamina_resa@yahoo.fr ● yamina-tafraout.com ● Tourner à gauche dans le chemin qui part derrière l'hôtel L'Arganier ; la maison est au fond du village, au pied de la fameuse Tête du Lion. Double 175 Dh (15,90 €)/pers en ½ pens slt. Voici une jolie maison berbère assez ancienne, dont les accueillants propriétaires, Jacques et Mina, ont conservé les anciens plafonds d'arganier et de palmier, ainsi que l'originale rampe d'accès intérieure, qui servait à monter le grain à dos d'âne dans le grenier. Quatre chambres très coquettes, avec douche et w-c, aux ambiances différentes : la « Safrane » avec son petit salon et sa terrasse, et côté jardin, l'« Argan » colorée d'un bleu azur. On prend le thé et la fraîcheur dans l'adorable courette égayée de bougainvillées et l'on s'attable au salon pour goûter à la spécialité de Mina, le *berkous*, à base de semoule, sauce à l'huile d'argan, amandes pilées, miel et beurre fondu (et poulet grillé pour les carnivores). Ce plat traditionnel de Tafraoute n'est proposé que pour les fêtes ou les mariages. Avec la gentillesse qui la caractérise, Mina vous donnera sans doute quelques conseils culinaires et Jacques vous organisera une randonnée à la Tête du Lion.

🛏 |●| *Hôtel-restaurant La Tête du Lion :* à 4 km de Tafraoute, route d'Agadir, en face de L'Arganier. Faire 50 m sur la piste de Taddart, dans la vallée des Ammeln. ☎ 028-80-11-65. 📱 070-085-083. ● latetedulion.com ● Double 360 Dh (32,70 €), petit déj inclus ; également des chambres pour 3 et 4 pers. ½ pens possible. Un peu dans le style de L'Arganier mais plus en retrait de la route et avec un petit jardin intérieur rafraîchissant. Huit chambres à la déco gaie, équipées de clim', douche et w-c. Joli panorama depuis la terrasse sur le toit. Bar.

🛏 *Auberge Amaliya :* dans la vallée des Ammeln, à côté du camping communal. ☎ 028-80-00-65. ● chezamaliya. com ● Double 500 Dh (45,50 €), petit déj compris ; suite 600 Dh (54,50 €). Auberge chic récente, très confortable et calme. Les chambres sont colorées et décorées dans le style riad. Piscine. Manque cependant d'authenticité. Une adresse qui convient à une envie d'un certain standing.

Achats

– *Souk :* le mer, dans le centre-ville. L'installation se fait dès le mardi après-midi, et la promenade à la tombée de la nuit dans le souk qui se prépare ne manque pas de charme. Commerçants aimables et réputés honnêtes. Artisanat à des prix très modérés, il est parfois difficile de marchander dans certaines échoppes. Pour les babouches, le prix varie selon la qualité du travail, mais il ne descendra pas en dessous de 60 Dh (5,40 €).

Par ailleurs, fuyez les pseudo-« hommes bleus » qui font le siège des hôtels ou racolent dans les rues de la ville et n'hésitent pas à

> ### CHAUSSEZ LA « BTT » !
>
> *Tafraoute est réputée pour sa babouche, surnommée localement « BTT », la « Babouche Tout-Terrain » ! Attention, ne pas confondre la babouche berbère avec la babouche arabe, pointue ; la babouche berbère, elle, est arrondie et tient au talon grâce à sa languette. La couleur jaune est traditionnellement réservée aux hommes et la rouge aux femmes. Celles pourvues de plus longues languettes et décorées de motifs colorés auraient autrefois été portées par les soldats de la cavalerie. Aujourd'hui, c'est bel et bien pour appâter le touriste !*

arrêter vos voitures pour vous emmener dans leur magasin. Au passage, on vous rappelle qu'il n'y a pas de soie au Maroc, même dans les tapis les plus beaux (et surtout les plus chers !).

➤ *DANS LES ENVIRONS DE TAFRAOUTE*

Nombreuses promenades pédestres, que l'on peut aussi faire à vélo, dans la très belle campagne alentour. Il existe le plus souvent de multiples façons d'atteindre, à pied, certains sites que nous indiquons.

🦌 *La gazelle de Tazekka :* à 1 km de Tafraoute. Prendre la direction de l'hôtel Les Amandiers. Passé La Maison Touareg, *continuer tt droit (ne pas prendre le virage qui monte vers l'hôtel). Arrivé au village de Tazekka, emprunter le chemin de terre sur la droite et, si vous êtes en voiture, se garer au pied du minaret rose. Monter vers les rochers et emprunter le sentier sur la droite pour contourner le petit massif. Le plus simple est de demander aux habitants de vous indiquer où se trouve cette gazelle gravée dans la roche mais dont on ne connaît pas l'âge (bizarrement, elle a été copiée récemment sur la paroi voisine, non mais, quelle idée !). Pour ceux qui*

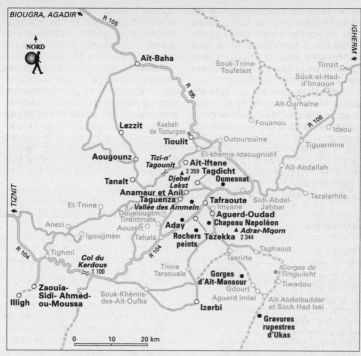

LES ENVIRONS DE TAFRAOUTE

auraient des problèmes de mobilité, prendre la route de Tiznit par Aday et Tahala et tourner à gauche 500 m après le camping *Tazka* ; la gazelle se trouve un peu plus loin sur le chemin.

🚶 *Aday :* à 3 km au sud de Tafraoute, sur la route de Tiznit par Tahala. Joli village accroché aux rochers qui rougeoie selon la lumière du jour entre les hibiscus et le rose des maisons. Son minaret rouge bordeaux et blanc est très photogénique.

🚶 *Aguerd-Ouad :* à 3 km au sud de Tafraoute par la route de Tiznit par Izerbi. Ce site, connu pour son grand rocher surnommé « le Chapeau de Napoléon » ou « le Doigt », et son village blotti à ses pieds, peut aussi faire l'objet d'une belle balade à pied au départ de Tafraoute.

🚶🚶 *Les rochers peints du désert :* plusieurs manières d'accéder à ce site, mais ceux qui font la route en voiture de tourisme devront, de tte façon, parcourir une partie du chemin à pied.

➢ La première solution consiste à continuer la route après Aguerd-Oudad sur 4 km. Suivre ainsi Tiznit, puis à la fourche, prendre à droite la piste. S'arrêter à 150 m des rochers que l'on discerne au loin. On arrive alors dans une zone totalement désertique, prisée du cinéma, puisque de nombreux westerns américains y furent tournés. Un conseil : par temps d'orage, laissez votre voiture au portique en béton (mais ne laissez rien à l'intérieur, il y a déjà eu des vols) et continuez à pied.

➢ Les marcheurs sans voiture préféreront la seconde solution au départ du village d'Aguerd-Oudad. Dans le village, rejoindre la mosquée et prendre le chemin un peu plus haut, à gauche, qui devient une piste presque tte droite et à peu près plate. Compter une bonne heure pour atteindre les rochers peints.

L'ANTI-ATLAS

Et les rochers peints dans tout ça ? Ils se trouvent, dispersés, environ 5 km plus loin. Ils sont l'œuvre de l'artiste belge Jean Vérame. En 1985, 19 t de peinture à l'eau, apportées par une noria de camions, furent nécessaires à cet artiste pour « détourner », avec des bleus et des rouges, ces blocs de granite rose. Mais tout fout le camp, même l'art ! Les chèvres broutent les arganiers aux alentours et la peinture des rochers ne leur résiste pas. Le temps efface donc peu à peu ce tableau minéral surprenant, dont les morceaux de peinture toxique s'en vont finir leur vie dans les terres alentour. Si certains pouvaient retrouver là ce goût typiquement belge pour une certaine forme de surréalisme ou même pour la bande dessinée, d'autres regrettent ce détournement de nature, déjà si belle à l'état brut et l'impact environnemental d'une telle œuvre.

🎭🎭🎭 *Randonnée pédestre au départ des gorges d'Aït-Mansour* (circuit d'Afella Ighir) : *à 30 km au sud de Tafraoute. Compter 2 j. pour faire la boucle ; sinon, on peut se contenter des gorges. Éviter les mois de juil-août en raison de la chaleur.* Sans voiture depuis Tafraoute, deux possibilités :
– Prendre le *minibus* au départ de Tafraoute dans la matinée, qui vous déposera à l'entrée de l'oasis. Même si on ne fait que les gorges, on doit passer une nuit sur place, *Chez Messaoud,* par exemple (voir plus bas), car aucun minibus ne rentre le jour même. Le lendemain, départ tôt le matin.
– Sinon, possibilité de prendre un *taxi* et de négocier avec lui pour qu'il vienne vous rechercher plus tard dans l'après-midi ou le lendemain. Le trajet aller-retour devrait vous coûter environ 250 Dh (22,70 €), même si la plupart des chauffeurs acceptent rarement les trajets à vide et n'hésiteront pas à réclamer 150 Dh (13,60 €) pour un aller simple.
– *En voiture,* quitter Tafraoute par la route de Tiznit par Izerbi (direction d'Aguerd-Oudad). À la fourche, 7 km plus loin, prendre à gauche en direction de Tasrirte (souk le vendredi matin). La montée jusqu'à ce village est très belle et impressionnante. La suite s'avère encore plus enchanteresse. La route tortueuse, sillonnant un paysage sec et caillouteux parmi les montagnes pelées, dévoile peu à peu un canyon ocre qui laisse bientôt la place à des gorges et leur oasis à la végétation luxuriante, où se mêlent palmiers, figuiers, oliviers et amandiers. Arrivé dans l'oasis, à l'entrée des gorges, la route goudronnée cesse. Une partie reste encore praticable, lentement, en voiture, puis seuls les 4x4 et les vélos peuvent continuer. Parking surveillé (laisser quelque chose).

🏠 🍴 *Chez Messaoud :* à 1 km du parking au début de l'oasis. ☎ 028-80-12-45. 📱 070-79-35-67. *Trois doubles sommaires env 50 Dh (4,50 €) avec douche commune. Possibilité de louer la maison pour 200 Dh (18,20 €) la nuit. Repas sur commande au min 1h30 à l'avance.* Cet étonnant café-resto-épicerie, au bord de la piste, propose quelques tables et des nattes à l'ombre des palmiers et des amandiers. La maison comprend aussi une cuisine et une terrasse qui offre une très jolie vue sur les gorges. Bon accueil. Messaoud a hébergé, en 2007, Valéry Giscard d'Estaing. Si vous ne nous croyez pas, demandez-lui de vous montrer la lettre qu'il a reçue de sa main...

L'été, les habitants de Tafraoute viennent se réfugier dans la fraîcheur des gorges et se baigner. Là, commence la rando. Il arrive qu'on soit un peu dérangé au début de la marche par un ballet de 4x4 en période touristique mais, ensuite, on sillonne un cadre paradisiaque avec, en fond sonore, un concerto pour grenouilles, ponctué de temps à autre par le déchirant braiment d'un âne. Si vous avez peu de temps, flânez sur les premiers kilomètres de piste en croisant les femmes et les enfants sortant de l'école.
– La rando fait une boucle de 37 km environ ; il faut prévoir une nuit sur place, *Chez Mohammed,* qui est à mi-chemin, ainsi qu'une voiture ou un taxi à l'arrivée sur le goudron après Taghaout (car il reste encore une quinzaine de kilomètres pour revenir au parking via Tasrirte). Prévoir beaucoup d'eau car il y a de grandes portions sans ombre entre les villages et les palmeraies.

La rando passe par le village de *Gdourt* où l'on peut jeter un œil à l'antique et traditionnel moulin à huile actionné par un âne. Les habitants apportent leurs propres olives et rémunèrent la personne chargée du pressage. On découvre ensuite les beaux villages d'*Aguerd Imlal* (deux familles seulement vivent ici) et de *Souk Had Issi* (souk le dimanche et *kasbah* abandonnée). De là, possibilité de rejoindre les très belles gravures rupestres d'*Ukas*. Ensuite, d'Aït-Abdelkadder, il y a environ 7 km sans ombre jusqu'à Tiwadou, où vous attendent un repos et un repas bien mérités (sur résa) chez l'adorable Mohammed.

🛏 |●| **Maison et table d'hôtes chez Mohammed Sahnoun** : à 5h de marche des gorges Aït-Mansour, à Tiwadou. ☎ 028-80-05-47. 📱 067-09-53-76. Double env 220 Dh (20 €) en pens complète. Repas env 50 Dh (4,50 €)/pers. On vous recommande vivement cette étape à mi-chemin de la boucle. D'abord pour la chaleureuse personnalité de Mohammed, photographe de formation, très impliqué dans le développement local et associatif. Ensuite pour ce petit havre de fraîcheur au cœur de la fournaise. Petit jardin idéal pour déjeuner d'une excellente cuisine concoctée par sa femme. Pour dormir, quelques chambres très simples mais très propres avec sanitaires communs récents. De toute façon, ne repartez pas sans avoir visité le petit musée de Mohammed, qui vous indiquera aussi les nombreuses gravures rupestres alentour.

– Pour ceux qui continuent la boucle, on passe ensuite par les gorges de Timguilcht (jolie mosquée avec son minaret) puis par une longue partie sans ombre avant de rejoindre Taghaout et son vieux *ksar*.

🐾 **La vallée des Ammeln** : *au nord de Tafraoute, la vallée s'étend du village de Douslougtm à Sidi-Abdeljabbar.* Cette curieuse oasis de montagne compte 27 villages répartis sur près de 40 km et dominés par les flancs roses du *djebel Lekst* (2 359 m) et sa fameuse Tête du Lion. Magnifique contraste entre la montagne âpre, souvent grandiose, et une riche végétation composée de caroubiers, d'oliviers, de palmiers, d'arganiers et de superbes amandiers aux fleurs blanc et rose à l'entrée de l'hiver. C'est un peu la cerise sur le gâteau de ce paysage minéral. Plusieurs façons de la visiter (mais le mieux reste à pied ou même à vélo). De Tafraoute, prendre la route d'Agadir par *Aït-Baha*. L'embranchement 4 km plus loin vous mène, à gauche, sur la route de Tiznit et Tanalt et, à droite, sur la route d'Agadir.

➢ Pour goûter aux promenades possibles dans cette vallée, suivre la route jusqu'à la borne indiquant « Anil-Anameur » et prendre à droite. Remonter la petite route bétonnée jusqu'au premier village qui est celui d'*Anil*. Laisser la voiture sur la petite place et continuer jusqu'au deuxième village, celui d'**Anameur**. Le chemin au pied des maisons et de la montagne, à l'ombre des figuiers, des oliviers et des arganiers, remonte jusqu'au bout du village en longeant d'abord un lavoir. Il passe ensuite au-dessus de la « source Bleue » (qui n'est absolument pas bleue !). Vous pouvez redescendre vers Anil en prenant au niveau du lavoir l'escalier entre les maisons, qui vous mènera au plus haut dans le village et au plus près de la montagne. Vue magnifique sur la vallée. En été, la balade permet de découvrir les femmes qui moissonnent à la main dans les champs ou qui transportent l'eau dans de grands pichets en cuivre, bref, les cent petites activités quotidiennes. Autre très beau village plus à l'est, **Tagdicht**, à 1 422 m, où se trouve un gîte d'étape (📱 062-89-19-13) souvent utilisé comme base pour l'ascension du *djebel Lekst* (2 359 m), réalisable en 1 journée. Une partie de la piste pour Tagdicht a été bétonnée, mais le trajet reste tortueux et délicat. Soyez prudent. Cette vallée est certainement l'endroit d'où l'on profite le mieux du coucher (ou du lever) du soleil, tant la falaise qui la ferme est abrupte et impressionnante. Signalons enfin deux gravures rupestres dans le lit de la rivière Tirentmate, plus à l'ouest. Pour organiser une randonnée dans ce secteur, adressez-vous aux prestataires de service que nous indiquons dans les « Adresses utiles » de Tafraoute.

L'ANTI-ATLAS

➢ **Oumesnat :** à env 7 km au nord de Tafraoute, le village est indiqué et la piste part sur la gauche. Le village, 1 km plus loin, se dresse au milieu des jardins, contre la falaise ocre. Se garer sur la place. Continuer à pied en s'enfonçant dans le village vers la montagne. Peu après avoir longé un cimetière musulman, ne manquez pas la visite de la **Maison traditionnelle.** Visite intéressante à, au moins, 10 Dh (0,90 € ; libre à vous de donner plus pour les explications). Maison à trois niveaux, vieille d'environ quatre siècles, judicieusement transformée en petit musée et tenue par un homme aveugle et trois de ses fils. Ouvert tous les jours. Une initiative personnelle qui mérite d'autant plus d'être saluée qu'elle est rare. L'un des fils du propriétaire vous expliquera l'organisation judicieuse des niveaux et des pièces (tels que l'étable, la cuisine au centre, avec son ouverture, le salon et la terrasse d'où l'on bénéficie d'un superbe point de vue), le choix des matériaux de construction ainsi que le fonctionnement de certains objets et outils, notamment le pressoir pour obtenir l'huile d'argan traditionnelle à base de graines torréfiées. Si vous avez la chance de ne pas tomber un jour de grande affluence, vous aurez peut-être l'occasion d'être convié pour le thé dans le salon des invités et de goûter au délicieux amlou, l'huile d'argan mélangée à du miel et à des amandes. Si vous avez envie de séjourner par ici (et on vous comprend), possibilité de dormir à la **maison d'hôtes de la Maison traditionnelle** (voir « Où dormir ? Où manger dans les environs ? » à Tafraoute).

DE TAFRAOUTE À AGADIR

Pour les routards motorisés qui veulent regagner Agadir, deux solutions : par Tiznit ou par Aït-Baha, avec quelques variantes et détours champêtres...

Par Tiznit

➢ La route principale (R104) passe par Tahala : 107 km de paysages sublimes via le col de Kerdous jusqu'à la grand-route (N1). Une variante plus longue consiste à passer par Izerbi, au sud de Tafraoute, avant de rejoindre également le col de Kerdous. Mais on vous la conseille plutôt si vous avez envie de musarder ou de partir en rando dans le secteur car la route par Tahala est plus spectaculaire. Le paysage rocailleux de Tafraoute laisse peu à peu la place à une succession de petites vallées encaissées, parsemées d'arbres et à l'habitat très dispersé. Le passage du col du Kerdous, à 1 100 m d'altitude, est le clou du spectacle.

🛏 🍴 **Hôtel Kerdous :** au col de Kerdous, à env 50 km de Tafraoute vers Tiznit. ☎ 028-86-20-63. • douniatravel. com/kerdous • Double env 270 Dh (24,50 €)/pers, petit déj compris. ½ pens possible. Repas à la carte env 130 Dh (11,80 €). CB refusées. Un bel hôtel plutôt chic, qui a su préserver son élégance. Bâti sur un piton rocheux, il possède une superbe vue sur les contreforts de l'Atlas. Chambres confortables avec TV satellite. Bar. Resto panoramique, mais à fréquenter en dépannage car les plats sont chers et servis chichement. Même si on n'y reste pas, on s'y arrête pour le point de vue depuis la splendide terrasse avec piscine, à quelque 1 100 m d'altitude. Accueil minimal.

➢ Ceux qui aiment flâner feront le joli détour suivant : 18 km après le col et sa descente vertigineuse, et 2 km après Tighmi, à gauche avant la station-service, suivre la direction « Zaouïa Sidi Ahmed ou Moussa ». La petite route, goudronnée sur 12 km, conduit jusqu'à la zaouïa : fin août se déroule le plus important moussem du Sud marocain, où une foule immense se rend sur le tombeau du saint. Les descendants de ce dernier ont fondé le royaume du Tazeroualt (du nom de la région) qui, à son apogée, au XVIIe s., était plus puissant que la maison royale qui siégeait à Marrakech. Ce royaume contrôlait le commerce caravanier de tout le Sud.

Les vestiges de cette puissance sont visibles environ 8 km plus loin ; franchissez l'oued, traversez le village en tenant votre droite, puis à gauche à la seconde intersection, environ 3 km plus loin. Le village s'appelle **Illigh**. Une *kasbah* ruinée en pisé montre encore les traces de l'ancien décor. Dans le village, passez une large porte en briques. Une forteresse est encore habitée par les descendants d'une importante famille. Demandez à visiter l'intérieur de cette superbe bâtisse flanquée de tours, de voûtes et de portes colorées. La cour accueillait les caravanes qui déchargeaient les marchandises pesées. Au XIXe s, les plumes d'autruche et les derniers esclaves noirs étaient les biens les plus prisés. La piste quitte le village en direction du sud : à environ 3 km, on aperçoit le cimetière juif, qui date du XVIIe s. Aucune piste carrossable ne mène directement au cimetière. Le moment est venu de faire une petite promenade à pinces ! Revenir par le même chemin sur la route principale.

➢ Un peu plus loin, avant d'arriver à Assaka, sur la gauche, une route goudronnée qui se transforme vite en chemin de terre praticable conduit à l'oasis de Ouijarre, près d'un village nommé Agadir. La villa isolée, un peu surréaliste, construite sur une colline, serait l'œuvre d'un général.

➢ De Tiznit à Agadir, 78 km de route rapide par la N1.

Par Aït-Baha

➢ 143 km d'une route étroite, très sinueuse et parfois dangereuse. Elle est régulièrement remise en état, mais les pluies font chaque année des dégâts considérables. Cette route est pourtant l'une des plus belles du Maroc. Les points de vue se succèdent et laissent un souvenir inoubliable. Après Aït-Baha, ne manquez pas le coup d'œil sur la *kasbah* de Tizourgan (voir plus loin).

➢ Une autre route de toute beauté, asphaltée (et ne figurant pas totalement sur la carte *Michelin*) nous a conquis : de Tafraoute, prendre la route d'Agadir par Aït-Baha ; une fois sorti de Tafraoute, suivre la direction de Tiznit et Taguenza (partie ouest de la vallée des Ammeln), c'est indiqué. Une grande borne, 8 km plus loin, indique sur la droite Aït-Oumzil, Aït-Taleb et Tanalt. Prendre cette route qui mène également à Aït-Baha via Aoungouz et Lezzit, ces deux dernières localités étant signalées sur la carte *Michelin*. Cet itinéraire permet de voir davantage de villages de la vallée des Ammeln, alors que la route tortueuse, étroite et assez vertigineuse, est un vrai régal pour les yeux. Avant Tanalt, belle vue en contrebas sur le village d'Assaka-Tizgui. Pour ceux qui désirent rejoindre la superbe *kasbah de Tizourgan* (où l'on peut dormir ; voir plus loin), ainsi que la magnifique portion de route, de bonne qualité, entre Tioulit et Aït-Baha, possibilité de reprendre la direction d'El-Khemis-Ida-ou-Gnidif. 10 km avant Tanalt, suivre Aït Baha, puis El-Khemis-Ida-ou-Gnidif. Le paysage devient plus verdoyant, les amandiers ourlant les blocs de granite. Attention, entre Aougounz et El-Khemis-Ida-ou-Gnidif, il faut absolument un 4x4 car la piste est mauvaise jusqu'à Toudma et Aït-Iftene, où l'on retrouve le goudron.

🏚 |●| *La Kasbah de Tizourgane* : à Tioulit, à mi-chemin entre Tafraoute et Aït-Baha, 5 km après l'embranchement d'El-Khemis-Ida-ou-Gnidif. 🖀 061-94-13-50 ou 061-80-03-11. ● *tizourgane-kasbah.com* ● En ½ pens/pers, compter 165 Dh (15 €) en gîte et 265 Dh (24 €) en chambre double. Résa conseillée si vous ne voulez pas trouver porte close. Superbe *kasbah* du XIIIe s, flanquée sur une butte sur la gauche de la route. Elle

appartient à la famille de Jamal Moussalli qui la restaure avec l'aide d'un ami. Classés patrimoine national, les édifices publics de la *kasbah* sont restaurés par l'État, mais le financement restant est privé (fonds propres, autres propriétaires et dons). Jamal aimerait aussi encourager des jeunes à investir ici dans le tourisme ou les arbres fruitiers. L'association a déjà permis d'acheminer l'électricité et l'eau potable et a

L'ANTI-ATLAS

rénové huit chambres, certaines avec salle de bains, un hammam et une terrasse. Superbes randonnées à faire dans la région. La bâtisse, vide à l'exception du gîte, est remarquable, mais peut paraître lugubre si l'on recherche le contact avec les habitants... À voir même si vous n'y logez pas (10 Dh, soit 0,90 € la visite).

➢ La route serpente ensuite dans la montagne jusqu'au barrage Had Aït Mzal qui alimente en eau potable la ville d'Aït-Baha.

Aït-Baha est une grosse bourgade de 3 650 habitants sans intérêt touristique, mais qui accueille néanmoins deux bons établissements.

🛏 ❙●❙ *Hôtel Al-Adarissa :* av. Mohammed-V. ☎ 028-25-44-61 à 64. ● *h.alada rissa@menara.ma* ● *Parking. En plein centre, au milieu de la grande artère qui traverse la ville. Double env 190 Dh (17,30 €) ; petit déj en sus. Menu 70 Dh (6,40 €).* Établissement moderne, fonctionnel, propre et assez confortable. Une trentaine de grandes chambres avec douche, TV et téléphone, sont réparties autour d'un patio. Préférez celles côté montagne. Resto et jolie terrasse panoramique.

❙●❙ *Café des Voyageurs :* juste en face de l'hôtel Al-Adarissa. *Repas complet env 50 Dh (4,50 €).* Petit resto simple qui sert de bons tajines, très bon marché, avec le sourire ! Propre et accueillant.

DE TAROUDANNT À AGADIR PAR LES ROUTES DU SUD

Agadir n'est qu'à 68 km de Taroudannt, mais on peut s'y rendre par le chemin des écoliers, en empruntant des routes traversant de magnifiques paysages. Compter environ 650 km, mais ceux qui décident de tenter l'aventure en garderont un souvenir inoubliable.
De Taroudannt à Tata, 208 km d'une très belle route goudronnée passant par Igherm. Sur la N10, environ 5 km après Taroudannt, prendre la P1706 qui rejoint la R109 en direction d'Igherm, Tata et Ouarzazate.

IGHERM 4 560 hab.

À 94 km. Gros village au carrefour des routes pour Taroudannt, Tata et Tafraoute. Souk le mercredi, où l'on peut acheter quelques objets en cuivre. Une station-service (pas de sans-plomb), quelques restos et un hôtel. Pratique pour une halte et pour s'immerger dans le quotidien marocain.

Adresse utile

✉ *Bureau de poste :* dans la rue principale. Guichet *Western Union.*

Où dormir ? Où manger ?

🛏 ❙●❙ *Hôtel-restaurant Anzal :* dans la rue principale. ☎ 028-85-93-12. *Double env 100 Dh (9,10 €). Tajine env 25 Dh (2,30 €).* Chambres simples et correctes avec sanitaires communs (eau chaude aléatoire), donnant sur un couloir lumineux. Nourriture correcte à prendre au rez-de-chaussée avec les habitués.

❙●❙ *Café-restaurant Atlas :* rue principale, à côté de la poste. *Brochettes env 10 Dh (0,90 €) pièce, tajine env 45 Dh*

(4,10 €). Bon signe, on va chercher la viande chez le boucher à la commande.

Terrasse en bois agréable et service attentionné.

➤ La route goudronnée 106 qui relie Igherm à Tafraoute est l'une des plus belles du pays (encore une !). De même, la route 109 qui rejoint Tata fait un grand détour que l'on ne regrettera pas. La plus belle partie se situe après le passage du Tizi-Touzlimt (1 692 m). À environ 25 km d'Igherm, dans le village de *Tamdagt,* juste avant *Timkite,* possibilité de faire une pause thé ou café sur la terrasse du *Zorado* (tajines, quelques gâteaux et amuse-gueules). Vérifiez bien l'addition, peu de touristes s'arrêtent ici... Ensuite, la route sillonne au plus près des montagnes abruptes striées de différentes couleurs. Puis on découvre un plateau rocailleux le long du djebel Tanamrout. Enfin, à *Imitek,* on aperçoit un ancien *ksar* en pisé accroché au flanc de la montagne qui surplombe une petite palmeraie.

➤ Quelques crochets possibles sur la route. De Tisgui-Ida-ou-Ballou (joli village et palmeraie), possibilité de rejoindre Tazegzaoute à pied ou en 4x4. Jolie rando de 20 km aller-retour au milieu des amandiers et des arganiers vers quelques villages et *agadirs.*

➤ Si vous rejoignez Igherm depuis Taliouine, par la R106, vous découvrirez tout d'abord un décor désertique ponctué au loin de villages « fantômes ». Puis les montagnes déploient leurs courbes et leurs couleurs, telles des peintures aborigènes. Après *Ouzzoum,* à environ 25 km d'Igherm, le paysage se fait plus gris avant de laisser la place au majestueux mont *Adrar-n-Aklim.*

TATA

12 550 hab.

Tata, ville rose, est plantée au centre d'une magnifique oasis alimentée par les oueds venant de l'Anti-Atlas, et qui comprend une trentaine de *ksour* aux habitations de pisé. Le choix du rose sur les bâtiments n'est pas anodin. Les maisons peintes en blanc éblouiraient désagréablement les habitants... Dans cette petite ville tranquille, la température peut atteindre des maxima très élevés. La population parle surtout un dialecte d'origine berbère, appelé le *tamazight.* Ancienne ville de garnison, Tata abrite encore quelques militaires, mais aussi des femmes berbères, reconnaissables à leur jupe bleue et à leur voile noir, et des Bédouines vêtues de façon très colorée. La place Massira (Marche-Verte) accueille les passants depuis 2008, après que le roi a visité la ville et décidé de déplacer la gare routière à la sortie de Tata.
– *Souk : le jeu et le dim, à 7 km dans la direction d'Akka (El-Khemis).*

Arriver – Quitter

En bus

🚌 *La gare routière* se situe à la sortie de Tata, en direction d'Akka, au niveau des stations-service. Tata est reliée à :
➤ *Guelmim et Tan-Tan via Akka :* 3 bus/j.
➤ *Agadir, via Bouizakarne et Tiznit :* 2 bus/j.
➤ *Igherm et Taliouine :* 4 bus/j.
➤ *Foum-Zguid et Ouarzazate :* 2 bus/j.

Adresses utiles

✉ *Bureau de poste :* juste à côté de la municipalité (indiqué). Lun-ven 8h-

16h30, sam 8h-12h. Un distributeur de billets. Représente également *Western*

Union.

@ Internet : Tata@Net, *dans la rue principale.* Tlj 10h-23h. Bonne connexion. Autre cybercafé à côté.

■ **Banques : Crédit Agricole,** *à côté du camping municipal, et* **Banque Populaire,** *juste à côté de la rue principale.* Lun-ven, 8h15-15h45. Seule la seconde dispose d'un distributeur. On peut aussi changer dans les hôtels.

■ **Stations-service : Petromin** *et* **Total,** *l'une en face de l'autre sur la route*

d'Igherm. Profitez-en pour faire le plein (super, sans-plomb et gazole) et des réserves si vous ne roulez pas au gazole. Les pompes sur la route entre Tata et Tiznit sont non seulement rares, mais, quand elles existent, elles sont souvent fermées, vides ou encore ne proposent que du gazole.

■ **Hammam :** *près du café* Hana. *Fermé juin-août. Dans une rue parallèle à la rue principale, après la pl. de la Marche-Verte. Demander.*

Où dormir ? Où manger ?

Éviter certains petits hôtels, très sales et peu recommandables, autour de la place de la Marche-Verte. En fait, l'hébergement n'est pas encore la principale qualité de cette ville. Également plusieurs restos en terrasse sur cette même place, pas chers (demander quand même les tarifs avant de commander) mais de qualité assez inégale et à l'hygiène très aléatoire. Le café-resto *Massira* est correct et l'accueil agréable.

Camping

⅄ **Camping municipal :** *en plein centre-ville, bien indiqué.* ☎ *et fax : 028-80-20-01.* 🖷 *068-72-70-07. Sous tente, 40 Dh (3,60 €)/pers, avec une voiture ; tarif dégressif à partir du 3ᵉ j. Douches chaudes payantes.* Camping divisé en deux parties un peu bétonnées et à l'entretien plutôt moyen. Côté « jar-

din », on plante la tente plus ou moins à l'ombre autour d'une piscine désaffectée... Cela dit, c'est central et encore praticable. Dispose aussi d'un grand local en cas de pluie (pas très fréquente !), mais apporter son matelas. Accueil sympathique.

De bon marché à prix moyens

|●| **Café-restaurant Al Amal :** *dans la rue principale, juste à côté du camping municipal.* Un endroit paisible, en retrait de l'agitation de la rue, grâce à sa large terrasse et son jardin. Cuisine savoureuse et accueil chaleureux. Hassan tient ce resto avec son cousin. Si vous êtes curieux, de longues conversations en perspective vous attendent.

🛏 |●| **Hôtel de la Renaissance :** *9, av. des FAR.* ☎ *028-80-22-25. Double env 140 Dh (12,70 €) et suite 320 Dh (29,10 €). Menu env 70 Dh (6,40 €), sur commande. Piscine.* Un grand ensemble plutôt impersonnel dans un virage de la route principale (côté Akka). Les chambres les moins chères sont assez petites, tandis que les « suites » sont aussi grandes que chères (avec salon, AC et TV, cela dit). Le resto et le bar

(alcool servi) ne sont sûrement pas ce qu'il y a de mieux. Et surveillez le prix de vos bières. En dépannage.

🛏 |●| **Le Relais des Sables :** *avt les 2 stations-service, à droite en allant vers Akka, à 1 km du centre.* ☎ *028-80-23-01 ou 02. Fax : 028-80-23-00. Double avec lits jumeaux 250 Dh (22,70 €) ; pour une chambre plus vaste, dotée d'un lit double, 450 Dh (40,90 €). Petit déj compris. Repas env 75 Dh (6,80 €).* Établissement dans les tons roses qui fut longtemps le plus « moderne » de la ville. Les chambres les moins chères sont quand même assez réduites, plutôt mal insonorisées, sans clim' et l'eau chaude se montre parfois lente à venir (cependant, ne gâchons pas l'eau qui, dans cette région désertique, reste un bien précieux). Les chambres plus grandes présentent une clim' bruyante mais ont une excellente pression dans les douches ou la baignoire. Petite piscine.

Resto sans charme en salle ou en terrasse, proposant néanmoins une bonne cuisine. Bar servant de l'alcool.

Très chic

🛏️ IOI *Maison d'hôtes Dar Infiane :* *dans la* kasbah *à la sortie de Tata vers Akka (fléché).* ☎ 061-44-16-43. ● *darinfia ne.com* ● *Double env 1 000 Dh (90,90 €), petit déj compris. Repas env 200 Dh (18,20 €), sur commande slt.* Si on en a les moyens, voici une belle adresse : une ancienne *kasbah* tout en pierre qui daterait de cinq siècles, entièrement rénovée avec le souci des couleurs, des matériaux traditionnels et de la déco artisanale. Un vrai dédale de patios, de terrasses, de demi-paliers, de coins et de recoins. Chambres adorables climatisées, dont certaines avec des fenêtres de Lilliputiens ! La chambre *Fatima* offre une vue imprenable sur la palmeraie. Les repas font bien sûr honneur à la cuisine marocaine. Et on peut partir en excursion : à pied, à dos de dromadaire, en 4x4 et même en *Cessna,* à prix très chic évidemment. La terrasse est à elle seule un havre de paix qui jouit d'un panorama époustouflant. Si votre bourse est en berne, vous pouvez au moins vous offrir un petit déjeuner sur la terrasse, avant de découvrir la région !

Où dormir ? Où manger dans les environs ?

⛺ 🛏️ IOI *Camping-hôtel-restaurant Tagmout :* à *Souk-Tleta-de-Tagmoute, une oasis à 51 km au nord de Tata par une jolie route goudronnée.* ☎ 028-85-96-24. ● *life8_2@hotmail.com* ● *Par pers, slt 20 Dh (1,90 €) pour dormir à la belle étoile sur une natte (ou dans le salon), env 50 Dh (4,50 €) sous tente berbère et 70 Dh (6,40 €) en chambre double. Menu env 70 Dh (6,40 €).* Karim et Abdallah vous accueilleront avec gentillesse dans leur grande cour ombragée par un citronnier et décorée de fresques par le maître d'école du village. Une dizaine de chambres, mais seulement deux autour de la cour, les autres se trouvant dans une annexe nettement moins engageante. Sanitaires propres avec eau et savon. On a juste été un peu surpris par la canalisation principale, qui peut attirer les moustiques en masse... Néanmoins, on y mange bien : brochettes, tajine ou couscous, suivis de fruits et d'un thé à la menthe, préparés par le café *Ourti* juste à côté. Possibilité de randos et de bivouacs. Trois *agadirs* à voir dans le coin, dont un à 9 km après l'oasis.

À voir. À faire à Tata et dans les environs

🎒 *La palmeraie de Tata :* balades agréables, notamment en fin de journée.

🎒🎒 *Agadir-Lehna :* village au nord de Tata, par la route goudronnée, à env 3,5 km du camping municipal. À la sortie de la palmeraie, 300 m après le radier, prendre la route sur la gauche. Le village se tient 2,5 km plus loin. On vous conseille de vous garer à l'entrée et de continuer à pied. En remontant les couloirs que forme le dédale de ruelles sombres et fraîches entre les maisons traditionnelles, possibilité d'accéder au « sommet du village », sur la colline, d'où l'on a une jolie vue sur la grande palmeraie. Vous croiserez des villageois accueillants. Chaque famille possède son lopin de terre et y cultive un fourrage pour nourrir ses bêtes.

🎒🎒 *Les grottes de Messalit :* au nord de Tata, par la route goudronnée de Souk-Tleta-de-Tagmoute, à 7 km de la ville à partir du camping municipal. Sur la droite, après avoir traversé un plateau et avt d'atteindre un nouvel ensemble de formations rocheuses « plissées » et les canaux d'irrigation en pierre, on aperçoit un hameau *abandonné. Se garer face aux maisons et marcher dans leur direction ; on trouvera en contrebas les grottes, remplies d'eau stagnante, et derrière elles, l'oued Tata.* Dans ce paisible décor, des oiseaux s'envoleront certainement à votre arrivée. Jusqu'en 1986, l'oued coulait encore dans la partie que l'on parcourt désormais pour visiter ces grottes de taille parfois étonnante (l'une d'elles faisant 10 km de profondeur fut fermée par crainte des accidents), qui constituent de véritables « salles » dans la pierre, au milieu des stalagmites et stalactites. Attention toutefois, certaines de ces grottes sont habitées par les guêpes en été. Dans l'oued, des fossiles de tiges et de feuilles rappellent que la végétation fut autrefois luxuriante.

En poursuivant un peu la route vers Tagmoute, admirez les montagnes aux formes sidérantes, donnant l'impression d'avoir été modelées par un artiste qui aurait passé un (grand !) peigne sur la roche. Observez sur la droite le djebel Tabarount. Si vous voulez aller jusqu'à Tagmoute, on trouve une adresse dans le village (voir « Où dormir ? Où manger dans les environs ? »).

🎥 *Les villages de Tazzert, Jebair et Laâyoun :* au sud de Tata, des villages le long d'une petite route pour contempler des constructions traditionnelles et avoir un avant-goût du désert.

➤ *Prendre la N12 en direction d'Akka et, 2 km après Tigezmirt et El-Khemis, suivre à gauche la route en direction de Tazzert, après le panneau « commune d'Adiss ».*

– *Tazzert* est le 1er village sur la gauche, à 4 km de la route pour Akka (il y a même une poste au bord de la route). Anciennement habité par les juifs marocains, qui l'ont quitté pour aller rejoindre le reste de la communauté, il se dégrade peu à peu, mais la promenade à travers le village, le *mellah* (quartier juif) et la palmeraie est bien agréable.

– Peu après Tazzert, à droite de la route, on aperçoit le village de *Jebair,* sa *kasbah* en ruine, la tourelle d'un *borj* (bastion) et son étrange promontoire rocheux en forme de tremplin à skis (oui, on sait, ce n'est pas vraiment la région !). Si vous êtes accompagné d'un guide, demandez-lui s'il est possible de visiter la maison *jbaïr.* Elle est un peu délabrée, mais sa cour intérieure et sa porte valent le coup d'œil (laisser un petit quelque chose).

– À la fourche, peu après Jebair, prendre la piste de gauche et poursuivre jusqu'au village de *Laâyoun* (*El-Ayoun* sur la carte Michelin), qui se situe à 11 km de la N12. Ce village, dont les maisons très fragiles se dégradent vite sous les effets du climat, est aux portes du désert. En grimpant tout en haut du village, on aperçoit de l'autre côté, au loin dans la colline, la piste en partie goudronnée qui mène en Algérie, à 80 km de là (avec, au passage, trois postes-frontières réputés infranchissables). Pour l'anecdote, la piste du Paris-Dakar passait à 3 km mais, située en zone militarisée, elle est évidemment interdite aux touristes !

DE TATA À ZAGORA

➤ Une bonne route goudronnée (la N12) relie Tata à Foum-Zguid. Le premier village à 30 km, sur la gauche, est *Akka-Iguiren* : entrez-y pour voir de près une imposante maison fortifiée, accrochée à la montagne, qui servait de grenier collectif. Une route conduit jusqu'à *Akka-Ighèn* (prononcer « Irène ») dans un paysage absolument dénudé. Avant Akka-Ighèn se trouve le village d'*Agadir-Isarhinnen.* À 14 km de la N12, prendre la piste, à gauche, au niveau du panneau « AFDS ». Ruines d'un très ancien *agadir* avec, fait singulier, quatre tours d'angle rondes. À 500 m, les restes d'un palais qui appartenait à la famille du Glaoui vers 1925 (voir « Telouet ») : l'architecture simple et austère révèle l'ancienne puissance, surtout dans la partie la mieux conservée, une énorme tour d'angle à base carrée, qui conserve le charme du décor. À l'intérieur, la cour et la mosquée sont en partie transformées en étable...

À Akka-Ighèn, belle oasis. D'ici, on peut continuer sur la belle et nouvelle route goudronnée jusqu'à Talouine ou bien regagner le goudron de la N12 à la hauteur de *Kasbah-el-Jouâd.* À 20 km de Tissint, ce village très pittoresque se dissimule derrière une colline qui borde la route. Très beau paysage canyonesque à partir du village de Tghit (ou Trit) jusqu'à Tissint.

➢ À 2 km avant Tissint (au niveau du panneau « 60 km/h »), laissez la voiture et allez voir à pied le profond canyon où se rejoignent deux oueds, l'un salé et l'autre d'eau douce. Vous pouvez éventuellement descendre en voiture jusqu'à l'oued et poursuivre à pied. En hiver, les flamants roses y font halte. La fraîcheur du site est particulièrement appréciable. Pour ceux qui en auraient les moyens, il y a un superbe campement de luxe non loin de là. Sinon, une maison d'hôtes devrait être opérationnelle dans le village en 2009.

🏕 *Campement d'Akka Naït Sidi :* *tourner à gauche au panneau « 60 km/h » à l'entrée de Tissint et descendre jusqu'au village Akka Naït Sidi. Le campement se trouve à env 4 km derrière le village ; accès en 4x4 ou à pied. Monter au village, puis traverser le plateau.* ☎ 028-80-24-08. 📱 061-44-16-43, 53 ou 70. ● *darinfiane.com* ● *Env 650 Dh (59,10 €)/pers la ½ pens en tente de 2 pers.* Même direction que la maison d'hôtes *Dar Infiane* à Tata. Dans un magnifique paysage désertique, se dressent une quinzaine de tentes berbères de 2 à 4 personnes, espacées et confortables avec sanitaires communs impeccables. Une grande tente salon-resto complète l'ensemble. C'est dépouillé, mais superbe et le calme y est évidemment garanti. Personnel aux petits soins. Excursions et animation villageoise sur demande.

➢ *Tissint* est un village qui se développe tout doucement et abrite une importante garnison militaire. Possibilité d'y loger, mais on y va surtout à la journée pour la *cascade Aâtik* (ou Atiq), alimentée par un oued à l'eau saumâtre, où l'on peut se baigner et pêcher. Tourner au niveau du poste de contrôle de la gendarmerie. Néanmoins, regardez un peu où vous trempez vos gambettes, les abords de la chute ne sont pas toujours très propres. Demandez à un gamin de vous guider dans le vieux village vers la maison où Charles de Foucauld a fait halte pendant deux ans, au cours de sa reconnaissance du Maroc. Un bienfaiteur lui a offert cette maison en construction, que Charles de Foucauld aurait achevée. Les fresques sur les arches sont bien originales. Également des gravures rupestres dans le secteur (demander le gardien El-Brahimi). Au bout de 500 m en direction de Foum-Zguid, prendre la piste sur la droite. Les gravures sont à environ 9 km. À 14 km sur la route de Foum-Zguid, passer l'oued El Maleh et se garer. Descendre sur la droite vers un petit lac salé pour une petite trempette.

➢ De Tissint, il reste encore 70 km pour *Foum-Zguid.* Ici, possibilité de continuer pour Zagora (en 4x4) : prendre la route de Tazenakht et, après 7 km, tourner à droite (entrée de la piste cachée par des maisons). On a pris soin de mettre un panneau, où on lit « Zagora 120 km ». La piste N12 coule dans un paysage un peu monotone, désertique, fréquenté par de rares nomades. En attendant la fin des travaux, qui avancent cahin-caha mais devraient en faire une belle route, le passage est parfois rendu difficile par les camions de chantier.
Ou bien continuer au nord, par la route goudronnée qui conduit à *Tazenakht* ou à *Agdz* (voir le chapitre concerné).

DE TATA À BOUIZAKARNE

Compter 245 km de bonne route goudronnée. Attention : très rares stations-service, qui ne vendent que du gazole (quand elles ne sont pas vides). Faites le plein à Tata (rien de sûr avant Bouizakarne, voire Guelmim ou Tiznit), d'autant que les portables ne passent pas non plus sur cette portion. Cette fois, on se sent vraiment à la limite du désert...

➢ *Akka* n'est qu'à 62 km de Tata, au milieu d'une oasis plantée de dattiers produisant d'excellents fruits. Si ce n'est pas la saison, ce sera peut-être celle du raisin, des grenades ou des abricots. Tous ces fruits poussent ici en abondance. La région est riche en gravures rupestres d'un grand intérêt.

Se faire accompagner d'un guide. Si vous tentez l'aventure seul, vous risquez de rater des sites superbes, parfois très éloignés les uns des autres, voire de vous perdre. Adressez-vous éventuellement à la *Délégation du tourisme* de Tata : ☎ 028-80-20-75, 21-31 ou 32.

Si le village d'Akka, vu du goudron, est décevant (un seul hôtel-café-resto sordide face à la mosquée, une petite station-service pas toujours approvisionnée, une poste avec distributeur de billets), il faut en revanche visiter la palmeraie. On peut même faire une petite boucle de 11 km autour d'Akka, très sympa, soit en voiture de tourisme (prudence sur les trois derniers kilomètres non goudronnés), soit à pied. Quittez Akka en direction d'Imitek. Peu après, prendre la route sur la droite (indiquant « Abdellah ben M'Barek ») pour la palmeraie. La première colline, appelée *Tagadirt*, a conservé au sommet les ruines de l'ancien *mellah*. Le rabbin Mardoché, originaire d'ici, fut le premier à reconnaître des gravures rupestres dans le Sud, et c'est lui qui accompagna Charles de Foucauld (qui s'était déguisé en juif sans pourtant tromper personne) dans sa reconnaissance du Maroc en 1883-1884. Visitez ensuite le hameau de *Taouiriret* (jolies maisons et palmeraie) et, à la sortie du village, le *guelta d'Aït-Rahhal* (étang et ruine d'un minaret sur la droite). Tournez à droite vers Akka au lieu-dit El-Kasbah (sinon, la piste continue sur Imitek). On termine par le plus joli site du circuit, l'*agadir d'Ozroi* (qui signifie « pierres »), superbement encastré dans la falaise. Rejoignez ensuite le goudron de la route Tata-Bouizakarne.

➢ Le goudron de la N12 recouvre l'ancienne piste qui reliait entre eux les « ports » où arrivaient les caravanes du Sahara : Akka, Tamdoult, Tisgui-el-Haratine, Foum-el-Hassan, Tagmoute, Guelmim.

➢ Sur la route pour Icht (81 km à partir d'Akka), on traverse **Touzounine** et ses maisons roses, puis **Aït-Ouabelli,** un village en terre accroché à la falaise. Juste avant Icht, bifurcation : continuez tout droit en direction de **Foum-el-Hassan** (ou Fam-el-Hisn) qui se situe environ 5 km plus loin. Ne vous arrêtez pas aux premières constructions, ni sur la place du village, mais continuez jusqu'à la palmeraie, située sur les abords de l'oued Tamanart, et les ruines de l'ancien *ksar* en pisé : une légende raconte que le village fut fondé par les Phéniciens (il s'appelait aussi Agadir-n-Fniks) qui venaient sur les côtes marocaines et à l'intérieur du pays pour chercher le cuivre.

La région est surtout connue pour ses gravures rupestres. Hassan, gardien accrédité par le ministère de la Culture (mais pas guide), pourra vous les faire visiter. Vous le rencontrerez, en principe, dans le magasin de photo ou au café, sur la place principale du village, avant l'oued.

➢ Une fois franchi l'oued, de Foum-el-Hassan, on peut descendre au sud jusqu'à **Assa** avec un véhicule de tourisme (80 km de route goudronnée). Le paysage est typique du pré-Sahara marocain : vastes étendues de montagnes et plaines arides, rocaille et... pas un touriste. À Assa, élevée au rang de chef-lieu de province, la ville moderne n'est d'aucun intérêt, mais la palmeraie et son ancienne *zaouïa* (du XIIIe s) des 360 marabouts ont fait sa renommée. Les habitants sont, pour la plupart, des Aït-Oussa, et vous les verrez habillés de magnifiques gandouras bleues ou blanches.

➢ D'Assa, la route goudronnée continue encore sur 70 km au sud jusqu'à **Zag,** une route récemment ouverte au tourisme. En revanche, ce sont les militaires qui font la loi après (pas le moment de zigzaguer !) mais vous pouvez rejoindre Guelmim via Tadalt (goudron, 105 km).

– La *SATAS* assure une liaison quotidienne entre Tiznit et Assa.

➢ Pour Icht, regagner la bifurcation sur la N12 où se trouve un poste de la gendarmerie royale. En poursuivant la N12 vers l'ouest, on découvre sur la droite **Icht,** un village fortifié au milieu d'un bouquet de palmiers.

⚓ À 500 m au nord du village d'Icht, sur la N12, deux frères, Philippe et Paul, tiennent le **Borj Biramane** qui devait ouvrir fin 2008. *Mieux vaut téléphoner avt de s'y rendre. Dépasser le village sur la N12, puis prendre la piste sur la droite qui longe la station d'eau potable, au pied du djebel Bani.* ☎ 028-80-35-66. 📠 010-46-99-33. ● *borj-biramane. com* ● *Par pers en ½ pens, en chambre env 320 Dh (29,10 €) ; sous tente berbère, de vrais lits (2 ou 6 pers) à partir de* 270 Dh (24,50 €). Camping possible, env 80 Dh (7,30 €) pour 2 pers. En tout, une dizaine de tentes *(khaïmas)* et une douzaine de chambres avec salle de bains, dans une bâtisse traditionnelle en pisé. Organise des excursions, notamment avec leur ami et guide Mouloud Taârabet (📱 062-29-18-64), qui peut faire découvrir les nombreuses gravures rupestres de Tata à Foum-el-Hassan.

➢ Si vous avez un peu de temps, environ 10 km après Icht, prendre à droite la direction de **Tamarart** (un ensemble de villages). Après le long radier qui traverse l'oued, une scène de chasse est gravée depuis environ 6 000 à 7 000 ans sur la montagne. Difficile à trouver. Pensez à recourir aux services du guide Mouloud Taârabet (voir ci-dessus).

➢ Sinon, après Icht, il reste encore une cinquantaine de kilomètres avant de pouvoir emprunter, sur la droite, la route menant à Amtoudi et l'oasis d'Id-Aïssa, à 33 km de l'embranchement. La première bifurcation est située à une douzaine de kilomètres avant Taghjicht et indique Amtoudi à 26 km : on peut désormais l'emprunter avec un véhicule de tourisme. La 2e route part 2 ou 3 km avant Taghjicht (panneaux publicitaires des hôtels à l'entrée de la route). Compter une trentaine de kilomètres jusqu'à Amtoudi. À 16 km de la route principale, prendre à gauche à la fourche dans le village de Souk-Tnine-Nouadai.

AMTOUDI (OASIS D'ID-AÏSSA)

Le village et ses environs sont célèbres pour leurs vieux greniers communautaires et fortifiés *(agadir)* qui servaient également de refuges en cas de menace. Celui d'Amtoudi était encore utilisé jusqu'à l'indépendance, en 1956. Mais la beauté du site relève aussi des superbes gorges avec leurs *gueltas* où l'on peut se baigner, et de cette falaise, prétexte à une super rando. Le village est habité par une confédération tribale formée par les tribus berbères de Chleuh. L'endroit est sublime, et ne faire qu'y passer serait vraiment dommage. Posez donc vos sacs, attachez vos lacets et allez crapahuter ! Deux nuits paraissent un minimum pour découvrir ce coin, qui se prête à la fois aux randos et au repos.

Adresse utile

■ **Boutiques Mustapha et Abdullah :** *dans le chemin de terre qui conduit à l'auberge* Ondiraitlesud. On trouve de tout (ou presque) chez Mustapha et Abdullah. Des fruits et des légumes, mais aussi et surtout du super et du gazole à peine plus cher qu'ailleurs si vous craignez la panne sèche (lorsque l'approvisionnement est assuré, bien sûr !).

Où dormir ? Où manger ?

⚓ ⎮●⎮ **Auberge et gîte d'étape Ondiraitlesud :** *en arrivant, vous ne pouvez* pas louper le panneau l'indiquant « à 576,50 m » à droite. ☎ 028-78-94-14.

• http://ondiraitlesud.ma.free.fr • Différentes formes de couchage : salle commune pour 12 pers (matelas et sac à viande fournis) 50 Dh (4,50 €)/pers, ou tente berbère sur la terrasse 40 Dh (3,60 €)/pers. Également quelques chambres avec ou sans sdb 150-350 Dh (13,60-31,80 €) ; les plus chères disposent d'une terrasse ou d'un jardin privatif. ½ pens possible. Tajines (délicieux) env 70 Dh (6,40 €). La piste étroite aboutit à ce havre de paix verdoyant au pied des falaises où Georges Roy et Mohammed, le cuisinier, vous accueillent très chaleureusement et simplement. Un lieu sans chichis, très convivial et, même si l'endroit ne ressemble ni à la Louisiane ni à l'Italie, c'est très joli... Chambres simples et décorées traditionnellement, grande cour agréable pour prendre ses repas. Le proprio vous mettra en contact avec des guides locaux (muletiers ou pas) et vous indiquera moult balades et treks de durée variable. Organise aussi des excursions.

⚐ 🏠 ❙�❙ **Hôtel Amtoudi :** à l'entrée d'Amtoudi. ☎ et fax : 028-78-93-94. 🖷 066-92-25-41. Env 40 Dh (3,60 €) pour une tente ou un camping-car. Double en ½ pens env 190 Dh (17,30 €)/pers. Sanitaires et douches communs avec les campeurs. Repas env 55 Dh (5 €). Petites chambres très simples et propres entourant le patio. Un ensemble correct, mais sans charme particulier. Les douches fonctionnent plutôt mal et l'eau chaude est rare. Le grand terrain de camping dénudé côtoie l'auberge, qui fait aussi resto et café.

À voir

🏃🏃🏃 **Le village et son agadir :** petite balade sympa dans le village pour voir les ruelles et ses jolies portes anciennes. Mais la fierté du village, c'est l'agadir d'Aït-Aguelouy (village attenant), ancien grenier collectif fortifié du XIIᵉ s, qui servait encore de refuge à la population dans les années 1950. Restauré, il est superbement planté sur un piton rocheux au-dessus du village et des gorges (très belle vue). Avant de grimper (en 45 mn), demander le gardien au village. Prévoir 10 Dh (0,90 €) de droit de visite.

🏃🏃 **L'agadir d'Id-Aïssa :** compter 1h30 aller-retour avec la visite. Départ de l'auberge Ondiraitlesud. Le gardien vous le fera visiter moyennant 10 Dh (0,90 €). C'est l'autre agadir, nettement plus grand, que l'on aperçoit sur un grand promontoire rond et penché comme une soucoupe volante. Il daterait du XIIᵉ s et a été restauré en 2007. Belle balade sous le soleil (prévoir de l'eau) et visite intéressante. La marche est plus agréable en fin de journée. Le grenier compte 75 compartiments, un par famille, des ruches, des citernes et trois pièces qui étaient réservées aux gardiens. De l'orge, du blé, des dattes et des légumes séchés étaient stockés ici. Juste après quelques marches, on remarque des traces de balles sur les rochers. On s'entraînait sérieusement à défendre l'édifice ! Au sommet du promontoire, quelques gravures, dont un dromadaire et un fusil.

🏃🏃🏃 Les superbes **gorges** qui commencent derrière le village sont l'occasion d'une balade géniale récompensée par une baignade dans de beaux **gueltas** tout en longueur où coule le plus souvent une eau bien fraîche. Le tout au cœur d'un véritable jardin d'éden avec une végétation variée : palmiers, amandiers, lauriers-roses, abricotiers, oliviers et arganiers... Renseignez-vous sur le niveau de l'eau, mais les gorges valent de toute façon la balade. Prévoyez donc un pique-nique et une serviette. Si vous vous contentez des gorges, vous n'avez pas forcément besoin d'un guide. Compter 2,5 km jusqu'aux gueltas. Bien sûr, ne pas s'y aventurer en cas de fortes pluies récentes ni si le mauvais temps menace.

➤ **Retour par la falaise :** les plus sportifs peuvent prolonger cette balade en grimpant la falaise par une sorte de « coulée de rochers » plus loin sur la droite, jusqu'au plateau désertique qui surplombe les gorges. Superbes points de vue sur les gorges, l'agadir et le village. On aperçoit souvent quelques couples d'aigles survolant le site et on marche parfois en compagnie de troupeaux de chèvres. Cependant, on vous conseille vivement de prendre un guide et de ne pas entreprendre la balade avec des enfants ou si vous avez le vertige : on longe une falaise et des à-pics et il n'y a évidemment aucune barrière de protection même s'il y a largement la place nécessaire pour marcher en retrait.

– Bien sûr, des randonnées plus longues sont possibles dans les gorges et au-delà. Renseignez-vous auprès des auberges locales et des guides avec qui elles travaillent.

🕯 Pour les amateurs, on peut voir un certain nombre de *gravures rupestres* dans le coin (éléphants, panthères, autruches, etc.). Reprendre le goudron sur 3 km, c'est un peu après le creux de l'oued. Mieux vaut se faire aider d'un guide local.

➤ *DANS LES ENVIRONS D'AMTOUDI*

➤ À *Taghjicht,* juste en face de l'auberge, à l'entrée du village, vous pouvez descendre dans l'*oasis* et vous promener dans la palmeraie. Ambiance bucolique. Avant la sortie du village, prenez à gauche en direction de Tagmout et de la gendarmerie royale. Vous aurez accès en contrebas à un sentier qui serpente entre les lopins de terre et les palmiers. Si c'est le jour, continuez sur 2 km jusqu'au souk (le jeudi). Un autre sentier démarre avant le radier à la sortie du village.

➤ De Taghjicht, suivre la R102 sur 23 km jusqu'à *Timoulay.* Au « garage mécanique Timoulay », prendre la route goudronnée sur la droite, en direction d'Ifrane, puis la piste sur la gauche pour visiter la *kasbah* qui tombe désormais en ruine. Au pied du château, une palmeraie où s'activent parfois les femmes et, s'ils ne sont pas à l'école, des enfants vous accompagneront pour visiter l'intérieur.

➤ En poursuivant la route goudronnée, il vous reste environ 9 km avant d'atteindre *Ifrane-de-l'Anti-Atlas* (souk le dimanche), une petite bourgade qui réunit trois villages. Lieu d'établissement d'une des plus anciennes communautés juives du Maroc, qui remonterait aux derniers siècles avant notre ère, Ifrane (« les grottes », en berbère) était florissant au Moyen Âge quand il commerçait avec le Sous et le Soudan (« pays des Noirs », en arabe). Les témoignages de l'ancienneté de cette communauté se trouvent, d'après la tradition, dans les dalles du cimetière. Le long de l'oued, la synagogue et les maisons du *mellah* sont complètement en ruine et les tombes du cimetière, effondrées. Voir aussi la belle couleur rouge de la caserne désaffectée (un seul militaire fait office de gardien ; entrée interdite) à l'entrée du village. C'est l'occasion d'une petite balade à pied dans cette longue palmeraie. Pour le plaisir des yeux, on vous conseille de dépasser Ifrane et de continuer jusqu'au bout des agglomérations qui s'étalent de part et d'autre de la belle route. Celle-ci se dandine dans un paysage où se mêlent le rouge de la terre et des montagnes, le vert des cultures et des palmeraies et les maisons traditionnelles. Voir notamment Tabahnift et Ida-Oumarkt. Ensuite, la route continue vers le col du Kerdous dans un décor de montagnes arides et rougeoyantes.

OUARZAZATE ET LES OASIS DU SUD

Ouarzazate est la porte du Grand Sud. Le long des oueds Drâa, Dadès et Ziz, ce ne sont que vergers, champs, palmeraies et jardins ourlés de roses, un long ruban fertile où les hommes possèdent la science de l'eau depuis la nuit des temps. Ouarzazate est le point de départ de cette route des oasis, mais c'est aussi le point de rencontre des différentes cultures de la région et de son artisanat. L'oued Drâa (« le coude » en arabe) égrène un chapelet continu de villages et de ksour ocre, qui domine la masse verte et compacte de la palmeraie jusqu'à Mhamid, avant de se perdre dans les sables du désert. En toile de fond, l'arête du djebel Kissane déroule sa muraille naturelle comme une immense meringue de pierre.

Dernière étape avant le désert, *Zagora* offre une ultime bouffée de verdure. C'est de là que les Saadiens conquirent le Sous au XVIᵉ s, puis tout le Maroc, « avant de se lancer dans la grande aventure vers Tombouctou ». De nos jours, Zagora accueille un autre flot d'envahisseurs tourné cette fois vers les vastes étendues désertiques.

Plus au nord, la région du *Dadès* constitue un véritable enchantement avec sa « vallée des Mille-Kasbah », où l'oued se faufile entre deux hautes murailles. Ici, la nature se donne en spectacle. Palmeraies et jardins jouent en taches colorées sur le fond ocre et rouge des montagnes. Les *gorges du Todgha* ne sont pas moins impressionnantes, avec leurs deux hautes falaises à pic de 300 m entre lesquelles on pénètre comme dans une gigantesque cathédrale dont la voûte se serait effondrée pour faire place au ciel. La *vallée du Ziz* nous conduit aux *dunes de Merzouga,* où la magie du désert et du sable est plus que jamais opérante. Un avant-goût de Sahara.

Enfin, pour bien comprendre le Sud, il est indispensable de connaître un peu la tradition architecturale des *kasbah* qui lui est si caractéristique, et que l'on ne retrouve qu'en un seul autre endroit au monde, dans les vallées prédésertiques de l'Hadramaout, au fin fond de la péninsule arabique (se reporter à la rubrique « Habitat » dans « Hommes, culture et environnement »). Épaisseur et hauteur des murs, créneaux et meurtrières, tours de garde, tout, dans l'architecture des *kasbah,* témoigne de la nécessité de résister à l'envahisseur. Quand la *kasbah* sert de grenier, on dit *irherm* ; et quand, en plus de stocker les récoltes, elle a pour vocation de surveiller un territoire, on parle d'un *agadir* (*tagadirt* en berbère), et elle peut dans ce cas abriter une garnison. Quand il s'agit d'une maison d'habitation, on l'appelle *dar* en arabe ou *taddart* en berbère.

OUARZAZATE
57 800 hab.

Depuis que cette ancienne ville de garnison est devenue un grand centre de production cinématographique, l'économie de Ouarzazate s'est sentie pousser des ailes. Il faut dire que les tournages en continu dans la région génèrent un chiffre d'affaires supérieur à cent millions d'euros et créent des milliers d'emplois chaque année. Ils offrent aussi un sujet de conversation amusant avec les habitants du moindre petit village. Mais Ouarzazate est aussi (et surtout) une ville axée

OUARZAZATE FAIT SON CINOCHE !

Si la région de Ouarzazate attire les cinéastes depuis les années 1950, l'industrie du 7e art y a surtout établi ses quartiers depuis les années 1980. Les grands studios américains y trouvent une main-d'œuvre bon marché et un décor naturel idéal pour leurs grandes fresques historiques, La Dernière Tentation du Christ, Gladiator, Kingdom of Heaven, Kundun, *etc. Un petit Hollywood berbère en quelque sorte !*

sur le tourisme. Située à la confluence des vallées du Drâa et du Dadès, elle constitue un passage obligé pour le Sud marocain ! Pourtant, hormis la *kasbah de Taourirt,* rien ne retient vraiment l'attention en ville. La population y est toutefois accueillante et on peut s'y promener tranquillement. Attention, malgré sa situation sur un plateau à 1 160 m, c'est la canicule en été.
– *Souk :* le mar à Sidi-Daoud (plan D2, **1**), le ven à côté de la gare routière (plan A1-2) et le sam à Taboune (plan B3, **2**). Le dim, « grand souk » typique au fond de la zone industrielle (accessible en bus de ville).

Arriver – Quitter

En avion

✈ *L'aéroport* (plan B1) se trouve pratiquement en ville. ☎ 024-88-23-83. Vols en provenance de Paris et de Casablanca.
■ *Royal Air Maroc* (plan B2, **6**) : av. Mohammed-V. ☎ 024-89-91-50 ou 55. À l'aéroport. ☎ 024-88-23-83.
➢ *Pour rejoindre le centre-ville :* la course en grand taxi tourne autour de 50 Dh (4,50 €), même de nuit. Cher pour 3 km !

En voiture

Une rocade située au nord de Ouarzazate permet de contourner le centre-ville, pour se rendre vers Tineghir.
➢ Depuis *Marrakech,* la très belle route du Tizi-n-Tichka paraît la plus évidente.
➢ Mais il est également possible de traverser le Haut Atlas par la route R307 depuis Demnate, située à l'est de Marrakech. Pratique pour ceux qui viennent du Moyen Atlas ou qui s'y rendent. L'embranchement se trouve à 13 km de Ouarzazate en direction de Skoura au niveau de l'oued Izerki. Cette route, étroite et sinueuse, qui passe par la haute vallée de la Tessaoute, est entièrement goudronnée et très pittoresque.

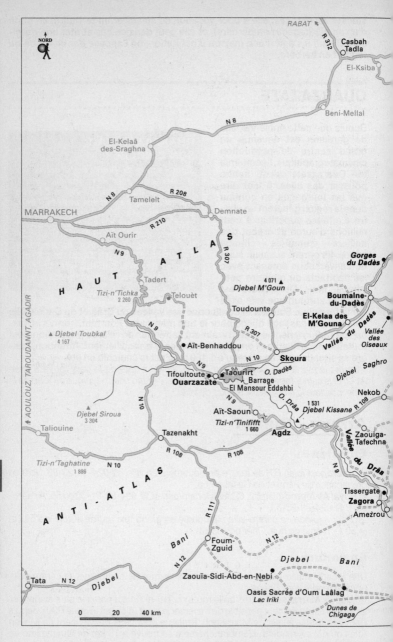

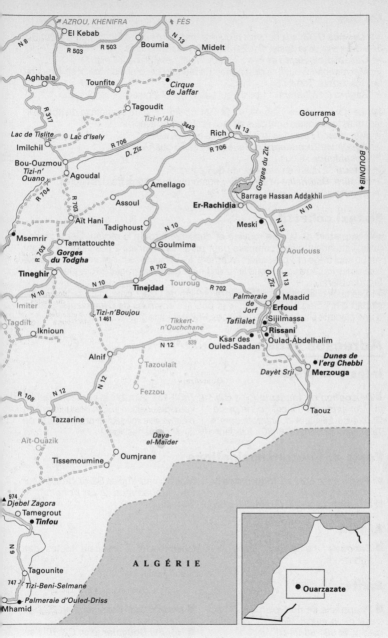

OUARZAZATE

En bus

🚌 **Les bus CTM,** aux horaires réguliers, partent de l'av. Mohammed-V (plan B2, 3), à deux pas de la poste. ☎ 024-88-24-27. Liaisons avec :
➢ **Casablanca, Rabat et Fès :** 2 bus/j. Trajet : env 8h pour Casa.
➢ **Marrakech :** 2 bus/j. à destination de Marrakech, plus nombreux en direction de Ouarzazate. Trajet : 5h.
➢ **Zagora (et Mhamid) :** 1 bus/j. qui passe par Marrakech. Compter 3h.

🚌 **La gare routière** (plan A1, 4 ; ☎ 024-88-25-13) offre davantage de possibilités, mais les horaires sont plus aléatoires. Liaisons avec :
➢ **Marrakech :** presque ttes les heures en journée.
➢ **Agadir via Taroudannt et Taliouine :** env 6 bus/j.
➢ **Casablanca :** 6 bus/j.
➢ **Erfoud :** 2 bus/j. en provenance de Zagora.
➢ **Skoura, Boumalne et Tineghir :** nombreux bus, quasi ttes les heures.
➢ **Zagora :** 2 bus/j.

En taxi collectif

🚐 Ils partent de la gare routière et desservent toute la **région.** Ces « grands taxis » attendent d'être complets pour partir. Ils prennent 2 passagers à l'avant sur un seul siège et 4 passagers à l'arrière. Le véhicule se transforme vite en boîte à sardines (quant à vous, vous ferez de l'huile dans les virages et lorsque le chauffeur doublera).
➢ Les taxis collectifs pour **Tabounte** (à 2 km de Ouarzazate, là où se trouvent la plupart des hôtels à prix moyens), et pour les **environs de Ouarzazate,** partent d'une placette située derrière la place El-Mouahidine (plan B2).

Adresses utiles

Infos touristiques

🛈 **Délégation du tourisme** (plan B2) : av. Mohammed-V ; à côté de la poste. ☎ 024-88-24-85. • ouarzazate.com • Tlj sf sam-dim 8h30-16h30 ; juil-août : 7h30-15h. Aimable et serviable. Tient à votre disposition la liste des guides officiels et des médecins privés. Carte de la ville à disposition.

Poste et télécommunications

✉ **Poste** (plan B2) : av. Mohammed-V. Tlj sf dim 8h-16h15.
@ **Internet :** angle rue du Marché et av. Mohammed-VI (plan B2, **5**). Un autre sur l'av. Mohammed-V. En principe, tlj 7h-minuit.

Argent

■ **Banques :** nombreuses dans l'av. Mohammed-V. Possèdent toutes des distributeurs.

Santé

■ **Pharmacie de nuit** (plan B2, **7**) : au siège de la municipalité, av. Mohammed-V. ☎ 024-88-24-91.
■ **Clinique Chifa :** Dr Lahcen Kabir, au-dessus du Supermarché du Dadès (plan B2, **8**). ☎ 024-88-52-76.
■ **Hôpital Sidi-Hsseine** (plan B2, **9**) : av. Ibn-Sinaa. ☎ 024-88-21-22.
■ **Hôpital Bougafer** (plan C2, **10**) : av. Mohammed-V. ☎ 024-88-24-44.
■ **Médecins :** liste disponible à la Délégation du tourisme.

– Pour les autres urgences (pompiers, police), reportez-vous à la rubrique « Urgences » de « Maroc utile », en début de guide.

Excursions

Nous distinguons d'un côté les agences de voyages, qui vendent de la billetterie de transport, y compris l'aérien, et possèdent une licence d'agents de voyages et la responsabilité civile qui va avec, de l'autre les sociétés de transport touristique, dont certaines organisent également des bivouacs et réservent des nuits d'hôtel pour leurs clients.

Les agences de voyages

■ **Crème Solaire Voyages** (plan B2, **24**) : juste en face de l'hôtel Berbère Palace. ☎ 024-88-66-54. • creme-solaire.com • Gérée par un Français, cette agence spécialisée dans le tourisme d'entreprise répond également à la clientèle individuelle.

■ **Ksour Voyages** (plan A2, **12**) : 11, pl. du 3-Mars. ☎ 024-88-28-40. • ksourvoyages.com • Cette agence repré-

sente la plupart des tour-opérateurs français. Excursions à la journée en minibus ou en Land Rover (vallée du Drâa, Telouet). Organise également des voyages selon vos souhaits un peu partout au Maroc.

■ **Désert et Montagne Maroc** (plan D3, **36**) : à la Kasba Dar Daïf. ☎ 024-85-49-49. • desert-montagne.ma • Voir « Où dormir ? ». Marié à Zineb, pre-

---

■ **Adresses utiles**

  ✈ Aéroport
  🛈 Délégation du tourisme
  ✉ Poste
  1 Souk Sidi-Daoud
  2 Souk Tabounte
  🚌 **3** Bus CTM
  🚌 **4** Gare routière
  📶 **5** Internet
  6 Royal Air Maroc
  7 Pharmacie de nuit
  🛒 **8** Supermarché du Dadès
  9 Hôpital Sidi-Hsseine
  10 Hôpital Bougafer
  11 Iriqui Excursions
  12 Ksour Voyages
  13 Cherg Expéditions
  15 Hertz
  16 Budget
  17 Avis
  18 Europcar
  19 Piscine municipale
  20 Piscine du complexe de Ouarzazate
  21 Marché municipal
  🛒 **22** Supermarché Dimitri
  23 Blanchisserie Atlas
  24 Crème Solaire Voyages
  25 Transport Touristique Ouhaddou
  36 Désert et Montagne Maroc

⚠ 🏠 **Où dormir ?**

  30 Camping municipal
  31 Hôtel Royal, Chez Belkaziz
  32 Hôtel-restaurant Bab Sahara
  33 Hôtel Zaghro

  34 Hôtel Nadia
  35 Hôtel-restaurant La Gazelle
  36 Kasba Dar Daïf
  37 Les Jardins de Ouarzazate
  38 Hôtel Mercure
  39 Auberge de La Rose Noire
  40 Villa Kerdabo
  41 Dar Kamar
  42 Maison Noura

🍽 **Où manger ?**

  50 Café Mounia
  51 Boulangerie-pâtisserie des Habous
  52 Snack Hassania
  53 Chez Nabil
  54 Al Karama
  55 La Halte
  56 Restaurant Erraha
  57 La Kasbah
  58 Restaurant Massinissa
  59 Restaurant 3 Thés
  60 Restaurant Phoenix
  62 Chez Dimitri

🍽 🍷 **Où manger une pâtisserie ? Où boire un verre ?**

  51 Boulangerie-pâtisserie des Habous
  57 La Kasbah
  62 Chez Dimitri

🛒 **Achats**

  70 Le centre artisanal
  71 Bazar Rabab
  72 Centre Horizon Artisanat

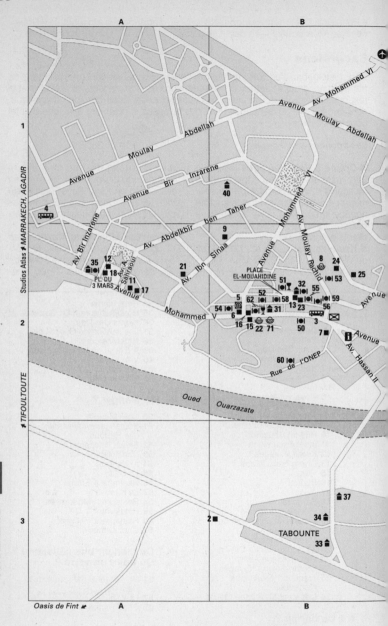

OUARZAZATE

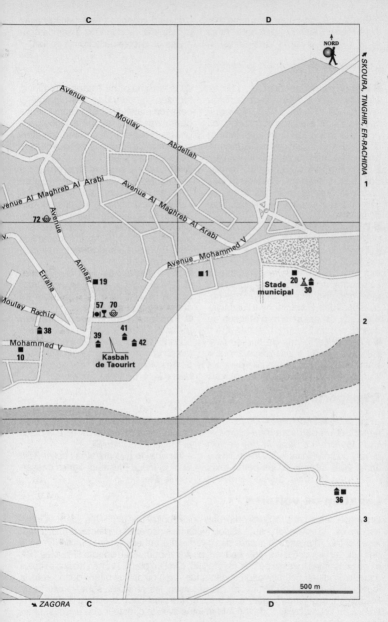

NORD

SKOURA, TINGHIR, ER-RACHIDIA

C

D

Avenue

Moulay

Abdellah

venue Al Maghreb Al Arabi

Avenue Al Maghreb Al Arabi

Avenue

72

1

Avenue Mohammed V

Errabia

Annasr

19

1

Stade
municipal

20

30

57 70

2

Moulay Rachid

38

39

41

42

Mohammed V

Kasbah
de Taourirt

10

500 m

36

3

OUARZAZATE

ZAGORA   C

D

OUARZAZATE

mière Marocaine guide de montagne, Jean-Pierre Datcharry parcourt l'Atlas et le désert depuis des années.

Les sociétés de transport touristique

■ *Iriqui Excursions* (plan A2, 11) : av. Mohammed-V, à deux pas de la pl. du 3-Mars. ☎ 024-88-57-99. • iriqui. com • Circuits à la carte (en groupes ou pour des individuels), principalement dans le désert. Ils ont aménagé un campement à l'oasis sacrée d'Oum-Laâlag, à environ 60 km de Mhamid. Tentes, douches, sanitaires. Également des bivouacs fixes au pied des dunes de Chigaga. Bon accueil de Labbas Sbaï et de son équipe.
■ *Cherg Expéditions* (plan B2, 13) : 2, pl. El-Mouahidine. ☎ 024-88-79-08. 📱 061-24-31-47. • cherg.com • Les frères Sbai, originaires de Mhamid, militent pour un tourisme respectueux de l'environnement. Ils proposent notamment des bivouacs en dehors des circuits habituels et soutiennent l'association *Zaila* qui œuvre à la protection du désert.
■ *Plein désert :* pas de bureau fixe. 📱 062-05-43-76. • pleindesert.com • Daoud Oussakoute a travaillé pendant 15 ans avec un tour-opérateur français

L'agence propose des trekkings avec mulets, des randonnées à dos de chameau, ou encore des circuits en 4x4.

dans le Sahara, du Maroc à la Libye. Moniteur de conduite 4x4 diplômé, il possède maintenant sa propre licence de transport touristique et accompagne les groupes et les individuels dans le désert. Un Maroc à découvrir hors des sentiers battus.
■ *Berbère Évasion Bretonne :* à Tifoultoute, à 11 km de Ouarzazate en direction de Zagora. ☎ 024-88-35-24. • berbere-evasion.com • Dans leur *kasbah* où ils accueillent aussi des hôtes, Claudie et Lahcen, son mari marocain, proposent de vous faire découvrir le Sud. Bivouacs, randonnées, balades, circuits en 4x4.
■ *Idéal Tours :* av. Moulay-Rachid. ☎ 024-88-70-63. • idealtoursmaroc. com • Une société réputée pour sa compétence et son sérieux.
■ *Transport Touristique Ouhaddou* (plan B2, 25) : hay El-Mansour-Eddahbi. ☎ 024-88-69-98. • ouhaddou-transport.com • L'une des plus grosses flottes de transport touristique du Maroc (4x4, minibus), sérieuse.

Transports

– *Petits taxis :* comptez 4 Dh (0,40 €)/ pers pour un parcours intra-muros si vous les prenez dans la rue et non devant un hôtel (plus 1,50 Dh – 0,10 € – après 20h). Attention, les petits taxis n'ont pas le droit de se rendre à

Tabounte. Pour y aller, il faut prendre les grands taxis collectifs derrière la place El-Mouahidine (plan B2).
– *Service de bus urbains :* ticket 2 Dh (0,20 €)/trajet. Plusieurs lignes desservent la ville.

Location de voitures

On trouve de tout et à tous les prix, mais nous conseillons plutôt les agences internationales. Attention, en haute saison (vacances scolaires de février à mai), il faut réserver très à l'avance (n'hésitez pas à verser des arrhes), faites-vous confirmer le prix noir sur blanc, car les tarifs peuvent passer du simple au double ! Pour les 4x4, exigez des Nissan Patrol ou des Toyota 105, c'est un peu plus cher, mais c'est plus robuste. Pour les petites voitures, demandez bien où est la voiture quand vous la louez, car la plupart du temps, en haute saison, les véhicules sont transférés de Marrakech, et on vous facturera un transfert (de plus, ça vous évitera d'attendre la voiture en vous gorgeant de thé à la menthe avec le directeur de l'agence, charmant au demeurant...).

■ *Avis* (plan A2, 17) : av. Mohammed-V, tt près de la pl. du 3-Mars. ☎ 024-88-80-00.

■ *Hertz* (plan B2, 15) : 33, av. Mohammed-V. ☎ 024-88-20-84. 📱 063-61-42-10. Fax : 024-88-34-85.

■ *Budget (plan B2, 16) :* av. Moham-med-V ; à côté d'Yves Rocher. ☎ 024-88-42-02. Fax : 024-88-81-52.

■ *Europcar (plan A2, 18) :* pl. du 3-Mars. ☎ 024-88-20-35. Fax : 024-31-03-60.

Loisirs

■ *Presse française :* on trouve des journaux (*Le Monde* et *Le Figaro* du jour, *Libé* et *L'Équipe* en décalage) et quelques magazines dans plusieurs grands hôtels, dans certaines téléboutiques, ainsi qu'au *supermarché du Dadès.*

■ *Piscines : piscine municipale (plan C2, 19),* en face du complexe culturel. *Ouv de mai à mi-sept. Entrée :* 15 Dh *(1,40 €). Également une piscine à côté du camping, dans le complexe de Ouarzazate (plan D2, 20). Entrée :*

30 Dh (2,70 €). Dans les piscines publiques, les quelques Marocaines qui n'ont pas froid aux yeux se baignent en maillot, d'autres (plus rares) sont enveloppées de la tête au pied. On l'aura compris, la clientèle est en majorité masculine. Les femmes se rendront de préférence dans certains grands hôtels qui acceptent des non-résidents, moyennant un droit d'accès entre 30 et 40 Dh (2,70 et 3,60 €).

Divers

■ *Marché municipal (plan A2, 21) :* av. Ibn-Sinaa. *Marché couvert tlj jusqu'à 21h.* Grande variété de produits, même des fleurs. *Devrait déménager plus au nord (plan B1) pour 2009.*

■ *Petit marché : rue du Marché (of course).* Beaucoup plus typique que le marché municipal. C'est ici que vous trouverez les quelques marchands de poteries, de bibelots et d'autres souvenirs.

⊛ *Supermarchés : Dimitri (plan B2, 22),* av. Mohammed-V. *Tlj 8h30-20h30. CB acceptées. Supermarché du Dadès (plan B2, 8),* av. Moulay-Rachid. On y trouve de tout. Ces deux supermarchés vendent de l'alcool.

■ *Blanchisserie Atlas (plan B2, 23) :* av. El-Mouahidine, à proximité du resto La Halte. Excellent accueil et très bon service. Repassage. Prix très raisonnables.

Où dormir ?

Si vous arrivez de Zagora, vous descendrez à la gare routière de Tabounte. Sachez que Tabounte n'est pas Ouarzazate, et que si vous y résidez, à part vous faire alpaguer par des chasse-touristes, il n'y a pas grand-chose à faire. Choisissez plutôt un hôtel dans le centre-ville de Ouarzazate, non qu'il y ait moins de rabatteurs, mais c'est plus animé.

Camping

⚐ 🏠 *Camping municipal (plan D2, 30) :* à droite à la sortie de la ville vers Tineghir, juste après le complexe touristique. ☎ 024-88-46-36. Env 50 Dh (4,50 €) pour 2 pers, véhicule et électricité compris. Également des chambres propres 30 Dh (2,70 €)/pers. Un peu d'ombre sous des bouquets d'arbres. Les sanitaires (eau chaude en sus) pourraient être mieux entretenus. Accueil sympa. Petit snack. La piscine du complexe est juste à côté.

De bon marché à prix moyens

🏠 *Hôtel Royal, Chez Belkaziz (plan B2, 31) :* 24, av. Mohammed-V. ☎ 024-88-22-58. Fax : 024-88-87-27. Doubles 80-120 Dh (7,30-10,90 €) avec ou sans douche et w-c. Petit déj en sus. Le repaire des jeunes routards, c'est simple, pas cher, très convivial, lumineux et bien tenu. N'en jetez plus ! Chambres au 1er étage plus agréables que les autres. Organise des excursions.

▄ *Hôtel Zaghro* (plan B3, **33**) : à Tabounte. ☎ 024-85-41-35. Fax : 024-85-47-09. *Parking avec gardien. Doubles 120-200 Dh (11-18,20 €) selon confort, petit déj compris. Repas 70 Dh (6,40 €).* Une cinquantaine de chambres, dont une bonne partie climatisées, très propres, avec bains et TV. Préférez celles qui donnent sur la piscine plutôt que sur la rue bruyante. L'ensemble est un poil kitsch et un peu sonore. On peut apporter sa bouteille. Bon rapport qualité-prix.

▄ *Hôtel Nadia* (plan B3, **34**) : à Tabounte. ☎ 024-85-49-40. ● *ouarza te.com/hotelnadia* ● *Double 280 Dh (25,40 €), petit déj compris.* Chambres impeccables agencées autour d'un patio occupé par une piscine. La déco soignée et locale demeure malheureu-

sement un peu austère. Clim'.

▄ |●| *Hôtel-restaurant Bab Sahara* (plan B2, **32**) : *en plein centre-ville, donnant sur l'esplanade piétonne El-Mouahidine.* ☎ 024-88-47-22. Fax : 024-88-44-65. *Doubles 100-140 Dh (9,10-12,70 €) selon confort. Petit déj en sus. Repas 50 Dh (4,50 €).* Ahmed réserve un bon accueil dans cet hôtel, typiquement marocain, comportant une quarantaine de chambres sans charme particulier mais spacieuses. Bien placé.

▄ |●| *Hôtel-restaurant La Gazelle* (plan A2, **35**) : *en retrait de la route, juste avt la station* Shell. ☎ 024-88-21-51. Fax : 024-88-47-27. *Double 160 Dh (14,50 €) avec sdb. Petit déj en sus. Repas 80 Dh (7,30 €).* Le plus vieil hôtel de la ville, assez défraîchi à l'extérieur d'ailleurs, mais qui présente l'avantage d'être à deux pas de la gare routière. Préférez les chambres donnant sur le patio fleuri.

De chic à très chic

▄ *Kasba Dar Daïf* (plan D3, **36**) : situé à côté de la Kasbah des Cigognes. ☎ 024-85-49-47. ● *dardaif.ma* ● & *De Tabounte, prendre la piste sur la gauche et rouler 3 km jusqu'à la* Kasbah des Cigognes. *Compter 730 Dh (66,40 €) pour une chambre de 2-3 pers, avec le petit déj. Deux suites plus chères. Dîner obligatoire 190 Dh (17,30 €). CB acceptées (majoration de 3 %).* Une belle adresse dont les chambres, décorées avec goût, sont réparties sur plusieurs niveaux sur les bases d'une ancienne *kasbah*. Le carrelage vernissé donne à l'endroit une facture typiquement marocaine. Beaucoup de petits recoins pour s'isoler et s'adonner à la lecture, à l'intérieur bien au frais ou en terrasse avec vue sur l'Atlas. Une suite pour personnes handicapées a été aménagée. L'établissement dispose également d'un hammam, d'une salle de massage et d'une petite piscine. Bonne table. Connexion Internet. Bon accueil.

▄ *Hôtel Mercure* (plan C2, **38**) : av. Moulay-Rachid (juste derrière l'hôtel Ibis). ☎ 024-89-91-00. ● *accorhotels. com* ● *Double 1 000 Dh (90,90 €) avec*

petit déj. CB acceptées. Aménagé dans l'ancien *Club Med*, cet hôtel est décoré avec goût dans des tons rouge orangé éclatants. Écran plat dans toutes les chambres. Très belle salle de resto. Vue imprenable sur la *kasbah* de Taourirt et les bazaristes. Hammam, massage et piscine. Accueil dilettante.

▄ *Les Jardins de Ouarzazate* (plan B3, **37**) : à Tabounte. ☎ 024-85-42-00. ● *lesjardinsdeouarzazate.com* ● & *Double 400 Dh (36,40 €) avec petit déj.* Hôtel récent en forme de *kasbah* qui a le mérite de disposer d'un jardin agréable et d'une belle piscine. L'ensemble est très coloré, parfois un peu kitsch, mais les chambres sont confortables. Personnel attentionné et de bon conseil pour la suite de votre périple.

▄ |●| *Hôtel Kenzi Azghor* (plan B2) : av. Prince-Moulay-Rachid. ☎ 024-88-65-01 à 05. ● *kenzi-hotels.com* ● *Double 850 Dh (77,30 €)* ; *petit déj en sus (négociable en basse saison). Repas env 200 Dh (18,20 €). CB acceptées. Réduc de 10 % sur le meilleur tarif disponible à l'hôtel, sur présentation de ce guide.* Dans un établissement à l'architecture typique du Sud, une centaine de chambres et suites au confort standard, pas immenses mais fonctionnelles. De la terrasse de la piscine, belle vue sur la vallée. Au retour d'une échappée dans le désert : piscine, centre de fitness, tennis, terrain omnisports. Un resto et un bar.

Maisons d'hôtes

On rappelle que, dans une maison d'hôtes, le propriétaire vous reçoit chez lui et propose un petit nombre de chambres, sinon c'est un hôtel. De plus, ne vous laissez pas abuser par le terme « kasbah » devenu à la mode dans la région. Une *kasbah* n'est autre qu'une maison fortifiée en pisé, avec des murs d'au moins 80 cm d'épaisseur et 4 tours.

▲ *Auberge de La Rose Noire (plan C2, 39) :* à côté de la mosquée Hay-Taourirt. ☎ 024-88-20-16. ▯ 061-61-05-68. *Dans la maison principale 600-750 Dh (54,50-68,20 €), dans l'annexe 800-950 Dh (72,70-86,40 €) ; petit déj compris.* Dans le quartier de la *kasbah* de Taourirt, une maison pleine de charme, notamment grâce à la maîtresse des lieux, Jmiaa, qui veille sur son petit monde avec bonne humeur, humour et chaleur. On ne vous parle pas des plats concoctés sur place... Au rez-de-chaussée, un petit resto, aux étages des chambres décorées avec goût et pour couronner le tout, une délicieuse terrasse où musarder. Une annexe située dans la bâtisse d'en face propose également six chambres plus récentes agencée autour d'un petit patio. Et si vous n'y séjournez pas, demandez à voir la petite boutique d'artisanat tenue par Jmiaa, dont la vente des produits (sans commission) vient en soutien aux femmes célibataires.

▲ *Dar Kamar (plan C2, 41) :* 45, kasbah de Taourirt. ☎ 024-88-87-33. ▯ 061-74-37-10. • *darkamar.com* • *Pour trouver ? On ne veut pas se défiler, mais*

mieux vaut demander son chemin ! Doubles avec petit déj 990-1 200 Dh (90-109 €). Maison d'hôtes tenue par des Espagnols conviviaux, installés dans l'ancien tribunal de la *kasbah,* d'où les pièces inhabituellement spacieuses. Une façade restée typique et un intérieur magnifique et chaleureux où le moderne et le traditionnel se mêlent avec bonheur. Terrasses avec hammam traditionnel et vue sur l'oasis de Ouarzazate, les montagnes environnantes et les moutons des terrasses voisines. La maison fait aussi resto.

▲ *Villa Kerdabo (plan B1, 40) :* 22, bd Sidi-Bennaceur, sur les hauteurs de la ville (pas très facile à trouver, insistez). ☎ 024-88-77-27. ▯ 068-67-51-64. • *villakerdabo.com* • *Double env 840 Dh (76,40 €) avec petit déj.* Baudoin d'Aboville et son épouse Élizabeth proposent près d'une dizaine de chambres climatisées, avec bains. Préférez celles au rez-de-chaussée, plus confortables. Des photos de mer et de désert, leurs deux passions, ornent les murs lumineux. Jardin et tonnelles bien agréables. Belle piscine.

Appartements

▲ *Maison Noura (plan C2, 42) :* 98, douar Hay-Taourirt. ▯ 062-40-12-40. • *jacquemet.florence@laposte.net* • *Pas indiqué et pas facile à trouver ; demandez Florence, qui viendra vous chercher à l'entrée de la vieille ville. Ouv Pâques-fin juin et sept-nov, slt sur résa. Compter env 1 400 Dh (127 €) l'appart pour 2 j. (séjour min) ou 3 460 Dh (315 €) la sem.* Au cœur du quartier de la *kasbah* de Taourirt, dans

une maison en pisé, très joliment restaurée. Florence propose 2 beaux appartements pour 2 à 4 personnes, entièrement équipés (cuisine, sanitaires) avec terrasses et chambres adorables entourant le puits de lumière. La maison fournit tout : draps, serviettes, torchons, ainsi que le café, le thé, les épices et les bons conseils !

Où manger ?

Très bon marché (moins de 50 Dh / 4,50 €)

|●| *Snack Hassania* (plan B2, *52*) : rue du Marché. Gargote sans prétention, très populaire, souvent remplie de routards. Terrasse ombragée avec quelques tables au 1er étage. Bonne cuisine familiale proposant une carte variée. Ne pas être à cheval sur l'hygiène, toutefois. Service parfois long.

|●| *Boulangerie-pâtisserie des Habous* (plan B2, *51*) : pl. El-Mouahidine. Vente de gâteaux et de pâtisseries

délicieuses. Petits déj, menus variés et pizzas. On mange en terrasse ou dans un salon climatisé avec canapés en cuir. C'est propre, très bon et sans surprise.

|●| *Café Mounia* (plan B2, *50*) : av. Mohammed-V, près de la station CMH. Cuisine préparée devant les clients, mais service un peu long. Bonne soupe marocaine, très appréciée des locaux. Couscous sur commande. Accueil sympa.

Bon marché (moins de 80 Dh / 7,30 €)

|●| *Chez Nabil* (plan B2, *53*) : rue Moulay-Rachid. Agréable terrasse fréquentée le midi par les touristes comme les locaux. Carte assez variée ; les brochettes et les hamburgers ne vous ruineront pas. Les tajines sont excellents. Pas d'alcool. Sert toute la journée.

|●| *La Halte* (plan B2, *55*) : av. El-Mouahidine. Resto donnant sur une rue piétonne. Grande fraîcheur des produits. Spécialités marocaines, françaises, et même des pizzas. Sert aussi des petits déj. Propreté et accueil irréprochables.

|●| *Restaurant Erraha* (plan B2, *56*) : av. El-Mouahidine. Belle terrasse donnant sur la rue piétonne. Saïd, le sym-

pathique patron, propose des spécialités marocaines. Bon tajine de poulet au citron. Ne manquez pas non plus le yaourt maison ! L'ensemble est propre, le service prévenant et rapide.

|●| *Al Karama* (plan B2, *54*) : derrière Royal Air Maroc. ☎ 024-89-02-52. Endroit sympathique et très kitsch, tenu par Ahmed, enthousiaste et volubile. Menu varié avec tajines, salades et autres, le tout d'une grande fraîcheur et à la portée de toutes les bourses. Couscous le vendredi, préparé par la femme du patron ; sur commande le reste du temps. Poisson selon arrivage.

Prix moyens (moins de 150 Dh / 13,60 €)

|●| *Restaurant 3 Thés* (plan B2, *59*) : av. Moulay-Rachid. ☎ 024-88-63-63. CB acceptées. Pas d'alcool. Très bon rapport qualité-prix pour ce resto idéal pour ouvrir ou terminer un voyage. Insatiable mangeur de tajine ou estomac sensible en quête de saveurs plus occidentales (pizza, côtes d'agneau, etc.), le choix ne manque pas. Pour le cadre, au choix une terrasse ombragée donnant sur la rue ou une salle cosy chauffée en hiver. Service attentionné.

|●| *La Kasbah* (plan C2, *57*) : face à la kasbah de Taourirt. ☎ 024-88-20-33.

CB acceptées. Pas d'alcool. Un très bel endroit sur plusieurs étages aux salles de styles différents. L'architecture est très réussie car elle s'intègre parfaitement dans le décor. Des terrasses, vue imprenable sur la *kasbah*. Cuisine correcte, sans plus. *Pastilla* sur commande.

|●| *Restaurant Massinissa* (plan B2, *58*) : rue du Marché. ☎ 024-88-46-46. Resto très bien tenu, pratiquement sur la place El-Mouahidine. De la terrasse sur le toit, on domine le marché attenant. Côté cuisine, rien de très original mais plats corrects.

Chic (150-250 Dh / 13,60-22,70 €)

|●| *Restaurant Phoenix* (plan B2, *60*) : rue de l'ONEP. ☎ 024-88-83-13. Sert

de l'alcool. Cuisine qui a su prendre son envol et apporter un vrai plaisir à ses hôtes. Quelques plats italiens (pour ceux qui saturent des tajines !). On retiendra aussi son cadre vraiment sympa, très paisible et au calme, avec sa terrasse extérieure ombragée entourant un bassin carrelé que bordent des plantes grasses.

|●| *Chez Dimitri* (plan B2, *62*) : 22, av. Mohammed-V. CB acceptées. Sert de l'alcool. Un des plus anciens restos de Ouarzazate, qui malheureusement vit aujourd'hui sur sa réputation passée. Cuisine correcte, sans plus, et accueil inexistant. Belle salle toutefois, entièrement dévolue au 7e art, avec quantité de portraits d'acteurs.

Où manger une pâtisserie ? Où boire un verre ?

|●| ♟ *Boulangerie-pâtisserie des Habous* (plan B2, *51*) : voir « Où manger ? Très bon marché ». Parfait pour boire toutes sortes de jus de fruits pressés, accompagnés d'une bonne pâtisserie.

♟ *La Kasbah* (plan C2, *57*) : voir « Où manger ? Prix moyens ». Un endroit fort sympathique pour siroter un thé avec vue sur la *kasbah*.

♟ *Chez Dimitri* (plan B2, *62*) : voir « Où manger ? Chic ». Terrasse vivante pour boire un verre.

À voir

🎥🎥 *La kasbah de Taourirt* (plan C2) : entrée face au centre artisanal. Tlj 8h-18h. Entrée : 20 Dh (1,80 €). Grandes ou petites, les *kasbah* ont de tout temps eu pour fonction première de protéger. Contre les intempéries, contre la poussière, le vent et la chaleur, et contre les sollicitations armées des grands seigneurs du désert, dont la pratique ancestrale du *rezzou* (pillage) était codifiée, mais qui fut sévèrement réprimée par les officiers des Affaires indigènes, alors que le Maroc était sous protectorat français. Pétrie de bonnes intentions, animée par l'esprit de 1789, l'administration française prit donc fait et cause pour les « châtelains » au détriment de l'aristocratie des grands nomades *sanhadja* (le Berbère Aït Atta, entre autres). Véritable œil de Moscou à la solde des Français, le pacha El Glaoui régnait donc en maître sur les provinces du Sud (lire plus haut l'histoire du Glaoui à Telouet dans le chapitre « La route du Tizi-n-Tichka »). La *kasbah* de Taourirt était l'une de ses nombreuses résidences. L'ensemble est en fait un *ksar*, un village fortifié habité, desservi par un réseau de ruelles. Le bâtiment de la résidence étant progressivement restauré, de plus en plus de pièces sont ouvertes à la visite. On vous recommande chaudement de prendre un guide (demandez-le à l'entrée, quand vous payez). Il vous conduira dans ce labyrinthe de pièces et d'escaliers en vous expliquant la fonction passée de chaque espace, les coutumes et les traditions locales. Même si les pièces sont vides, certaines ont conservé leurs riches décorations.

Achats

⚜ *Le centre artisanal* (plan C2, *70*) : fermé dim. Bâtiment moderne qui regroupe les ateliers des sculpteurs sur pierre, sur cuivre ou sur argent. On y trouve des broderies et des tapis, principalement des *ouaouzquita*, qui se caractérisent par l'originalité de leur dessin et de leurs coloris vifs. Ils sont tissés d'une façon assez lâche avec des laines soyeuses par une tribu dont ils portent le nom.

⚜ *Bazar Rabab* (plan B2, *71*) : 75, av. Mohammed-V. Fermé jeu. Une boutique où, chose rare, tous les prix sont affichés (et honnêtes) et où vous ne faites l'objet d'aucun harcèlement. Pratique pour se faire une idée des prix.

⚜ *Centre Horizon Artisanat* (plan C1, *72*) : rue de la Victoire. Lun-ven 9h-18h. L'association *Horizon Social* s'est fixé pour but de réinsérer de jeunes handicapés dans la vie active. Les objets d'artisanat fabriqués dans les ateliers de l'association sont en vente : poterie, bijoux, tissage... Le produit des ventes va, entre autres, à l'atelier orthopédique, ce qui permettra d'appareiller davantage d'enfants handicapés. Prix intéressants.

Manifestations

– **Foire artisanale :** en mai.
– **Festival Ahwach :** en avr, pdt 3 j. ● festivalahwach.com ● Ouarzazate remet au goût du jour cet art traditionnel qui mêle danse, chant et poésie. Défilés, concerts, animations dans les rues, etc.

➤ *DANS LES ENVIRONS DE OUARZAZATE*

🐎🏇 **Balade à cheval ou à dromadaire** (Ferme équestre de Joël Proust) **:** près du lac, à 15 km sur la route de Skoura. ☎ 073-86-04-96. Compter 150 Dh (13,60 €) pour une sortie de 1h. Chevaux barbes-arabes et mehari soudanais sont dressés pour le cinéma.

🚶🚶 ⊙ **Le ksar d'Aït-Benhaddou :** à 33 km (voir plus haut le chapitre « Les montagnes du Haut Atlas occidental »).

🚶 **La kasbah de Tifoultoute :** à 11 km, prendre la direction de Zagora. Au 1er village, tourner à droite vers Tifoultoute après la station-service Mobil ; c'est fléché. On y accède aussi en venant de Marrakech par la N9 et en tournant ensuite vers Zagora. Tlj 9h-19h. Entrée : 10 Dh (0,90 €). Encore une kasbah du Glaoui. Elle servit de décor à des films comme Lawrence d'Arabie et Jésus de Nazareth. Dommage que l'ensemble, livré aux intempéries, soit dans un tel état d'abandon. De la terrasse, on découvre une vue magnifique sur toute la vallée jusqu'au Haut Atlas.

🚶 **La kasbah de Tamesla** (« de la Cigogne ») **:** prendre la route de Zagora. Dans le village de Tabounte, emprunter la piste sur la gauche et rouler pdt 3 km en suivant les pancartes indiquant « Kasba Dar Daïf », c'est juste à côté. Bel exemple d'architecture locale et une agréable balade toute proche, assez peu connue.

🚶 **Atlas Corporation Studios :** à 5 km au nord de Ouarzazate en allant vers Marrakech. Bus (jaune) de la compagnie Stusid, à 10 mn de la gare CTM. Achat du ticket dans le bus. Tlj 9h-18h sf période de tournage. Visite guidée obligatoire : 50 Dh (4,50 €). Durée : 45 mn. Trois studios se visitent à Ouarzazate, mais seul celui-ci mérite vraiment le coup d'œil. De nombreux films célèbres ont été tournés dans le Sud marocain tels que Harem, Le Diamant du Nil, Banzaï, plus récemment l'hollywoodien Gladiator, Astérix et Obélix : mission Cléopâtre, bien franchouille, celui-là. La visite ne casse pas des briques mais permet de s'immiscer dans l'envers du décor de ces films.

🚶🚶 **L'oasis de Fint :** à env 15 km. Prendre la direction de Zagora et, après le pont, à Tabounte, bifurquer à droite juste après la station-service Mobil, en direction de la kasbah de Tifoultoute. À env 3 km, panneau sur la gauche ; suivre la piste carrossable qui traverse un paysage lunaire parsemé de roches noires appartenant à l'Anti-Atlas. Le dernier km en pente est plus difficile. Après l'oued, la petite oasis de Fint apparaît avec son bouquet de verdure ; un millier de personnes y vivent, réparties en quatre villages. Intéressant pour voir la vie traditionnelle, notamment le système d'irrigation pour l'agriculture. Attention aux faux auto-stoppeurs. Beaucoup d'enfants aussi.

🏠 🍴 **La Terrasse des Délices :** dans le 1er village sur la gauche après l'oued. C'est indiqué. ☎ 024-85-48-90. ☎ 068-51-56-40. Pour 2 pers en ½ pens, compter 400 Dh (36,40 €). Menu 80 Dh (7,30 €). Surplombant l'oasis, une grande bâtisse comprenant une douzaine de chambres. Le soir venu, on peut jouir de la quiétude de la petite vallée. Au restaurant, quelques plats traditionnels servis dans une grande salle agréable ou en terrasse. Bon accueil du patron (le fils du chef du village) ou de son petit-fils, ou de son cousin, ou...

AU SUD DE OUARZAZATE

LA VALLÉE DU DRÂA

Une route goudronnée de 164 km jusqu'à Zagora longe en partie cet oued dans une vallée bordée de palmeraies, de champs et de superbes *ksour* bâtis en pisé. Il faut passer au moins une nuit dans la palmeraie d'Amezrou à Zagora. Faire l'aller et le retour à des heures différentes pour profiter pleinement des divers éclairages tout au long de cet itinéraire. Compter 4h sans se presser, la route est excellente. La première partie, splendide, est toutefois très sinueuse puisqu'elle passe par le col de Tizi-n-Tinififft (1 660 m). Montagnes dépouillées et ravins à vous couper le souffle.

Le Drâa (ou Dra), né dans le massif de l'Atlas, a bien du mal au début de son cours à se frayer un passage dans les montagnes, mais, à partir d'Agdz jusqu'à Mhamid, son mince filet d'eau arrose une oasis sur près de 200 km avant de se perdre dans les sables. La distance de 750 km entre Mhamid et l'embouchure de l'Atlantique fait de ce « fleuve fantôme », dans un lointain passé très actif, le plus long cours d'eau du Maroc. Les textes anciens racontent que sur ses rives se prélassaient des crocodiles, et que la région était prospère.

Le long de cette oasis, les arbres fruitiers (figuiers, grenadiers) y abondent, au premier rang desquels les palmiers-dattiers. Pas étonnant que des vendeurs à la sauvette proposent des paquets de dattes sur le bord des routes. Sachez que la récolte a lieu en automne et qu'elles sont bien meilleures à cette période de l'année.

Insensiblement, le long du parcours, la peau des habitants devient plus foncée. Ce sont les Harratine, les premiers habitants qui ont peuplé les oasis quand le Sahara s'est asséché.

Sur ce parcours, c'est fou le nombre d'auto-stoppeurs qu'on peut croiser ! De lettres aussi, qui, si vous acceptez de jouer les postiers, se retrouveront dans la famille... qui, eh oui, vous avez deviné, tient boutique ! Le coup de la panne est aussi assez fréquent. Qu'à cela ne tienne, on prendra le bus, nous direz-vous ! Ça tombe bien, votre compagnon de voyage est fort sympathique, et puis il connaît si bien la région : une balade de quelques jours ? Au fait, son cousin tient un petit commerce, etc., etc. Ne généralisons pas, bien sûr, mais sachez que certains rabatteurs opèrent aussi dans ce moyen de transport. Quand la chasse aux touristes est ouverte, pas besoin de permis !

AGDZ
8 000 hab.

Située à 69 km de Ouarzazate, Agdz (prononcer « Agdès ») peut être propice à une brève halte. Cette cité est dominée par l'impressionnante arête rocheuse du djebel Kissane qui suit le cours du fleuve sur près de 40 km.

– **Souk :** le jeu, à la sortie de la ville, sur la route de Zagora. Animé et intéressant.

– *Fête des Dattes :* elle semble se dérouler désormais chaque année fin octobre. Se renseigner toutefois auparavant.

➢ *Bus pour Ouarzazate et pour Zagora :* attention, ils sont souvent complets. Des taxis collectifs partent de la place centrale.

Adresses utiles

■ *Banque :* distributeur Banque Populaire *sur la place centrale ou à la poste.*
✉ *Poste : en venant de Ouarzazate, prendre la rue à gauche en arrivant sur* *la place centrale ; c'est à 100 m.*
■ *Location de VTT :* Horizon Sud, *Chez Lahcen ; sur la place centrale.*

Où dormir ?

Camping

⚔ 🏠 *Camping Kasbah de la Palmeraie : prendre à gauche dès qu'on entre sur la place centrale d'Agdz, c'est à 2 km.* ☎ 024-84-36-40. ● casbah-caidali.net ● *Env 50 Dh (4,50 €) pour 2 pers avec tente. Prévoir 220 Dh (20 €) pour une double dans la* kasbah. *Ombragé, à l'extrémité d'une palmeraie sur la propriété de l'ancienne* kasbah *du caïd* Ali. Très calme. *Possibilité de restauration légère sur demande. Sanitaires corrects (eau froide). Piscine. On peut aussi dormir sur les terrasses et dans les pièces de la* kasbah *qui servaient auparavant de lieu d'accueil aux hôtes du caïd. Chambres simples mais très originales.*

De très bon marché à bon marché

🏠 |●| *Auberge Berbère d'Ouriz : à 2 km d'Agdz, sur la route de Zagora.* 📱 062-40-42-97. ● elkamiliabdellah@hotmail.com ● *Doubles 90-120 Dh (8,20-10,90 €) avec ou sans sdb. Menu 70 Dh (6,40 €). Réduc de 10 % sur présentation de ce guide ou pour tt séjour de plus de 2 nuits. Une famille ouvre sa maison et ses quelques chambres (rustiques) aux routards de passage. Ce sont des gens discrets et sympas. Cuisine traditionnelle et quelques excursions dans la région.*

🏠 *Hôtel des Palmiers : sur la grand-place. On entre sur le côté par une ruelle (panneau minuscule).* ☎ 024-84-31-27 ou 87. *Doubles 120-150 Dh (10,90-13,60 €) selon confort. Sanitaires propres à l'étage et douches chaudes. Certaines chambres, moins chères, donnent sur le couloir et n'ont pas de fenêtres. L'hôtel est cependant bruyant.*

Prix moyens

🏠 |●| *Kissane Hôtel : à l'entrée de la ville juste avt la gendarmerie en venant de Ouarzazate.* ☎ 024-84-30-44. ● kissane@iam.net.ma ● *Double 300 Dh (27,30 €), avec sdb et AC. Possibilité de* ½ pens. *Un hôtel en béton d'une quarantaine de chambres sans grand charme, mais propre et fonctionnel. Le tout est un peu vieillot mais d'un bon rapport qualité-prix. Grande piscine.*

Chic

🏠 *Dar Qamar : de la place centrale d'Agdz, prendre la route qui passe devant la poste. C'est indiqué.* ☎ 024-84-37-84. 📱 060-67-15-42. ● locsudmaroc.com ● *Doubles 600-700 Dh (54,50-63,60 €) selon taille, petit déj inclus.*

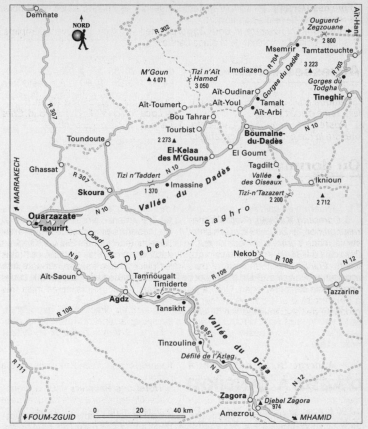

RANDONNÉES AUTOUR DES VALLÉES DU DRÂA ET DU DADÈS

½ pens proposée. Magnifique maison d'hôtes d'une demi-douzaine de chambres. Décoration raffinée, subtil mélange de couleurs, chaleur des pièces communes, rien n'a été laissé au hasard. Chaque chambre possède un caractère propre. De nombreuses attentions, qui n'ont pas laissé insensibles Brat Pitt et Cate Blanchett, venus y séjourner pendant le tournage de *Babel,* d'Alejandro Gonzalez Inarritu (2006).

🏠 Kasbah Azul : *de la place centrale d'Agdz, prendre la route qui passe devant la poste ; c'est indiqué.* ☎ 024-84-39-31. 📠 070-72-33-89. ● *kasbaha*

zul.com ● *Doubles 660-930 Dh (60-84,50 €) selon confort, petit déj inclus.* Au bout du ksar, les pieds dans la palmeraie, Sylvie et Nasser ont ouvert une splendide maison d'hôtes à la décoration très raffinée. Les chambres spacieuses possèdent chacune leur charme selon que l'on préfère les couleurs chaudes ou le blanc, le mobilier japonisant ou le style purement marocain. Des tableaux tendance expressionniste de la maîtresse des lieux parsèment les pièces à vivre de la maison dont leur très agréable salon avec cheminée. Beau jardin arboré, piscine, bref, une halte de charme.

Où manger ?

Plusieurs *cafés* autour de la place centrale, où l'on mange sur le pouce pour quelques dirhams.

|●| *Café-restaurant Les Sables d'Or :* sur la place centrale. Tajine à partir de 35 Dh (3,20 €). Un resto simple et populaire qui bénéficie d'une terrasse avec vue sur l'animation de la place.

|●| *Café-restaurant-Kasbah Draa :* à 1 km avt Agdz en venant de Ouarzazate.

☎ 024-84-33-46. ▤ 066-39-57-90. Menu 120 Dh (10,90 €). Un resto très propre, presque entièrement faïencé, qui propose un menu touristique. Grande salle à manger et terrasse à l'étage ou café au rez-de-chaussée. Pas mal de groupes cependant.

À voir

✹✹ *La kasbah du caïd Ali :* quand on vient de Ouarzazate, prendre à gauche sur la grand-place ; l'accueil se fait au camping de la Palmeraie *(voir « Où dormir ? »)*. Visite guidée 25 Dh (2,30 €). Compter 1h. Cette *kasbah* bicentenaire mérite vraiment le coup d'œil si vous séjournez à Agdz. Elle bénéficie depuis quelques années des soins des descendants du caïd qui la restaurent avec l'aide de groupes d'étudiants étrangers et de main-d'œuvre locale. Visite guidée très intéressante des salons d'accueil, des appartements et de l'intimidant bureau du caïd (pour le coup, il porte bien son nom).

➢ Pour ceux qui souhaitent bifurquer vers l'ouest, en direction de Taroudannt, emprunter depuis Agdz la route R 108, qui passe par Tazenakht. Tout le long, villages bien typiques et beaux paysages. On gagne un temps précieux en évitant Ouarzazate.

D'AGDZ À TANSIKHT

C'est à partir d'Agdz que commence vraiment la vallée dans toute sa splendeur. La route longe alors des *kasbah* et des palmeraies parmi les plus belles du Maroc. Ici, comme dans la grande majorité des oasis, ce sont les Harratine qui œuvrent dans les jardins. Leurs ancêtres, maîtres des palmeraies, ont été asservis à une époque, tant et si bien qu'on les qualifie le plus souvent d'*abid* (« esclave » en arabe), alors qu'en définitive ils ont la plupart du temps le statut de métayer.
Vers les VIIᵉ-Vᵉ s av. J.-C., le Drâa coulait avec suffisamment de force pour irriguer de grandes oliveraies. Les collines environnantes étaient encore plantées de forêts et de garrigues, et la région constituait alors une terre d'accueil sans pareille.
À la suite de la destruction du temple de Jérusalem en 587 av. J.-C., les premières colonies juives vinrent s'installer ici. Cette immigration se poursuivit jusqu'au VIIᵉ s sous la pression des Grecs, des Romains, des Arabes et des chrétiens. La présence judéo-arabe s'est donc affirmée pendant près de douze siècles. Spécialistes des métiers d'art, les juifs ont contribué à faire perdurer certains savoir-faire (poterie, tressage des nattes, ferronnerie, sellerie, menuiserie, dinanderie, joaillerie), qu'on retrouve aujourd'hui dans les palmeraies.

➢ Promenade possible jusqu'au *barrage du Drâa* (évitez de trop vous en approcher, le site est sous étroite surveillance). Prendre la piste à gauche, juste avant le *camping de la Palmeraie* (c'est à 6 km) et redescendre ensuite sur la droite vers la palmeraie. Cette piste est praticable sans difficulté avec une voiture de tourisme.

🎥 À 6 km d'Agdz, le **ksar de Tamnougalt** se dresse dans une luxuriante oasis, de l'autre côté du fleuve. Le traverser pour aller visiter cette ancienne capitale du pays mezguita. On peut se dispenser de la visite du fort situé en haut de la colline car l'intérieur n'est que ruine et n'offre pas d'intérêt. Il est préférable de poursuivre jusqu'au *ksar* du village où quelques *kasbah* sont encore habitées. Entrée : 10 Dh (0,90 €).
Le village de *Tamnougalt* raconte l'histoire du Sud du Maroc à travers sa population et son architecture. C'est une étrange impression que de parcourir cette petite ville aux rues intactes et aux porches ouvragés. On visite la *kasbah du Caïd,* qui fut habitée jusqu'à la fin des années 1960. Ne pas manquer le quartier juif abandonné. Balade mémorable. Les guides pourront vous éclairer de façon intéressante. L'association *Les Amis de Tamnougalt,* en collaboration avec les villageois, poursuit la restauration du *ksar.*

🛏 🍴 *Kasbah Tamnougalt, Chez Yacob : prendre la petite route sur la gauche en face des ruines lorsque l'on vient de Agdz ; ensuite, c'est à droite après le pont ; bien indiqué.* ☎ *et fax : 024-84-33-94.* 📱 📞 *066-10-43-05.* ● *tamnougalte@yahoo.fr* ● *Double 200 Dh (18,20 €) avec sdb collectives. Repas 120 Dh (10,90 €).* Située au milieu du ksar, cette jolie auberge restaurée a l'avantage de surplomber le jardin et d'offrir ainsi une belle vue sur le djebel Kissane. Restauration traditionnelle, mais les menus sont un peu chers. Bon accueil, n'hésitez pas à leur demander de vous faire visiter le vieux village !
🛏 *Kasbah Itrane, Chez Aït El Caïd :* à *100 m du ksar.* ☎ *et fax : 024-84-33-17. Compter 220 Dh (20 €)/pers en ½ pens.* Bel aménagement dans le style de la région disposant d'une piscine, situé à la lisière de la palmeraie. Une partie des chambres se situe dans un lotissement récent, l'autre dans une belle kasbah (en cours d'aménagement lors de notre dernier passage), mais sans douche privative. Curieuse salle de restaurant démesurée par rapport au nombre d'hôtes possible, mais plutôt agréable.
⛺ 🛏 🍴 *Au Jardin de Tamnougalt : même accès que pour la* Kasbah Tamnougalt. ☎ *et fax : 024-84-36-14. Compter 250 Dh (22,70 €) pour 2 pers, petit déj compris.* Ismael est originaire du village. Il a aménagé dans une bâtisse assez récente une douzaine de chambres, simples, mais très propres (chauffage et eau chaude dans certaines), toutes avec douche et w-c. Possibilité de camper dans le jardin. Belle terrasse à l'ombre des oliviers pour le resto.

➤ Avec un 4x4, possibilité de longer la route goudronnée vers Zagora pendant 35 km sur une piste qui borde la palmeraie sur l'autre rive de l'oued et rejoint Tansikht. Au bout de 8 km, après Tamnougalt, on aperçoit la **kasbah de Timiderte,** construite par le fils aîné du Glaoui. Le trajet est une suite de *ksour* (on en compte une cinquantaine), de véritables citadelles qui abritaient des familles entières, contre les nomades du Sud, qui cherchaient à piller cette région fertile.
Les plus remarquables sont ceux de **Hammou-Saïd,** à 17 km, d'**El-Had-Ouled-Othmane,** à 32 km, et d'**Igdâoun,** un peu plus loin, sur la gauche, avec des tours en forme de pyramides tronquées.

➤ À *Tansikht* (km 93), prendre la route de Nekob sur quelques kilomètres, puis la piste qui part sur la droite. Compter environ 5h pour Zagora, mais, si vous en avez marre, vous pouvez toujours traverser le Drâa à gué pour regagner la route. Attention toutefois à la hauteur d'eau, car le niveau monte lors de l'ouverture du barrage. Sinon, de Tansikht, la route goudronnée rejoint Nekob (40 km) et Tazzarine (74 km). Voir plus loin « Les routes au départ de Zagora ».
Juste après *Tinzouline* (km 133), la route pénètre dans le défilé de l'Azlag avant d'arriver aux portes de Zagora.

ZAGORA

35 000 hab.

Attention, à partir de mars 2009, *Maroc Telecom* doit mettre en place une nouvelle numérotation téléphonique. Les numéros passeront ainsi à 10 chiffres (au lieu de 9 actuellement).

Voici les principaux changements prévus :

➤ **Pour tous les numéros fixes,** il faudra insérer « 5 » après le « 0 ». Exemple : 024-11-11-11 deviendra 05-24-11-11-11.

➤ **Pour les portables,** un « 6 » devra être placé après le « 0 ». Exemple : 068-11-11-11 deviendra 06-68-11-11-11.

➤ **Pour les numéros spéciaux,** se reporter en début de guide à la rubrique « Téléphone et télécoms » dans « Maroc utile ».

Les excursions vers le sud font de Zagora un lieu d'étape agréable, d'autant que les possibilités d'hébergement y sont nombreuses. Il faut savoir cependant que les premières dunes se situent à 26 km et qu'elles sont vraiment riquiqui. C'est dans la région de Mhamid, en bordure de l'oued Drâa, que s'échelonnent les premiers ergs. En ville, le célèbre panneau sur lequel on pouvait lire « Tombouctou 52 jours » a été tout simplement rasé lors de récents travaux pour édifier le siège de la province. Sa reproduction mettra sans doute quelques années avant d'accéder à la notoriété de l'original.

Ne vous détrompez pas : les chèches noirs ou, parfois, blancs, sont portés par les guides de la région « pour faire comme » les « vrais » hommes bleus du Maroc. Ils vont tous vous dire que, sans eux, vous allez vous perdre dans les sables. N'en croyez rien. Si vous voulez toutefois être tranquille et profiter au maximum de la découverte de la région avec un natif, faites appel au guide qui vous sera conseillé par l'établissement où vous êtes descendu. Il est généralement compétent.

Arriver – Quitter

En bus

🚌 Peu de bus. *La CTM (plan A3, 1) opère sur l'av. Mohammed-V, à côté de la poste. Les bus privés quittent la ville depuis la gare routière (plan A1, 2), à 2,5 km du centre-ville en direction de Ouarzazate.* Prendre un petit taxi. Liaisons avec :
➤ **Casablanca :** 1 bus/j. avec la *CTM*, via **Agdz, Ouarzazate** et **Marrakech.** Également 1 bus/j. de la gare routière.
➤ **Mhamid :** en principe 1 bus/j. dans les 2 sens, depuis et vers la gare routière privée.

En taxi collectif

➤ Liaisons avec **Ouarzazate** et **Mhamid.** *Les taxis se trouvent à côté du souk.*

Adresses utiles

Services

✉ **Poste** *(plan A3) : av. Mohammed-V.* Distributeur de billets.

📧 **Internet** *(plan A2, 3) : av. Mohammed-V, dans une petite rue perpendi-*

culaire, en face du marché, et quelques autres cybercafés le long de l'av. Mohammed-V.

Santé

■ **Pharmacies** (plan A2 et A3, **5**) **: pharmacie de Zagora** et bien d'autres sur les av. Mohammed-V et Hassan-II.

Achats

■ **Journaux français** (plan A2, **6**) **:** librairie **Najjah,** av. Mohammed-V. Tlj 7h-21h30. Journaux et magazines récents. Également des livres en français, des cartes postales et des timbres. Photocopies.
✎ **Souk** (plan A2, **7**) **:** av. Mohammed-V. Principalement les mer et dim.

Divers

■ **Stations-service et mécanique : CMH** (plan A2), au centre-ville ; **Total,** sur la route de Ouarzazate. Pour un dépannage, le **garage d'Ali** se trouve en face de la police (plan A1).

■ **Banques** (plan A2, **4**) **:** av. Mohammed-V. Distributeur à la Banque Populaire et à la BMCE.

■ **Médecins : Dr Bourhkrissi** et **Dr Bouassou,** av. Mohammed-V, face au souk, ou **Dr Mustapha,** av. Hassan-II.

Marché aux femmes dans le souk les mêmes jours. Non, non, n'écarquillez pas vos mirettes de cette façon ! Il s'agit des ouvrages faits par des femmes et que celles-ci viennent vendre.
✎ **Vente de bière** (plan A3, **27**) **:** à l'hôtel **La Palmeraie,** av. Mohammed-V.

■ **Hammam :** à 1,5 km du centre-ville en allant vers Ouarzazate, dans la 2e rue à gauche après la station Shell. Un hammam récent et très propre où l'on vous accueillera... chaleureusement.

Bivouacs et excursions

La plupart des hôtels en organisent, mais il est aussi possible de passer par un des bureaux de vente suivants, spécialistes des randonnées et du désert. Attention, compte tenu du nombre important de faux guides dans la région qui prétendront travailler pour tel bureau ou appartenir à telle famille, on vous conseille de vous rendre directement aux adresses choisies, sans passer par des intermédiaires.

■ **Reima Voyages-Croq'Nature** (plan A2, **12**) **:** av. Mohammed-V. ☎ 024-84-70-61. ▯ 061-34-83-88. ● croqnature. com ● Le petit bureau ne paie pas de mine, mais il s'agit d'une agence tenue par la famille Azizi, qui, depuis des années, travaille dans le respect de la population et de la nature. Sur le prix de chaque voyage, elle ponctionne 6 % pour financer des projets de développement (école, formation, centre de santé...), qui sont suivis et contrôlés par l'association franco-touareg. Équipe professionnelle et fort sympathique. Propose également des chambres dans le ksar de Tissergate (voir plus loin « Dans les environs de Zagora »).
■ **Renard Bleu Touareg** (plan A3, **13**) **:** av. Mohammed-V. ▯ 061-34-84-13. ● re

nard-bleu-touareg.org ● Agence qui propose une immersion complète dans la culture nomade au travers de randonnées chamelières et à pied de 5 à 11 jours. Par ailleurs 8 % des sommes perçues sont consacrées au financement de projets de développement durable (construction de puits, d'école, de dispensaire, etc.). Pour voyager autrement.
■ **Caravane du Sud** (plan B3, **8**) **:** à Amezrou. ☎ 024-84-75-69. ▯ 061-34-83-83. ● caravane-sud.com ● Expéditions dans le désert de 1 à 3 semaines. Randonnées à pied, accompagné de chameaux pour le portage. Un peu racoleur mais guides compétents.
■ **Les Amis du Sahara** (plan A2, **9**) **:** 105, av. Mohammed-V. ▯ 068-76-56-

66. • *razgui@yahoo.fr* • Hammadi, ancien nomade, connaît le désert comme sa poche et possède un humour à toute épreuve ! Circuits en 4x4 ou à dos de chameau.

■ *Sahara Aventures (plan A3, 10)* : ☎ 024-84-70-26. ▯ *061-21-27-41.* • *sa haraaventure.com* • *Compter env 1 000 Dh (90,90 €)/j. pour une excursion en 4x4.* Brahim el-Meddiki, ancien militaire dans la région, et très sympa-

thique, connaît les pistes mieux que personne.

■ *Caravane Cimes et Dunes (plan A-B2, 11)* : *av. Allal-ben-Abdellah, 50 m avt l'hôtel La Rose des Sables.* ☎ 024-84-82-54. ▯ *067-48-17-23.* Brahim, le gérant, propose des excursions dans la région. Il vous emmènera bivouaquer loin des hordes de touristes. Une adresse recommandée par nos lecteurs.

Où dormir ?

Campings

⚔ |●| *Camping-restaurant Oasis Palmier* (*plan B3, 20*) : *à 100 m après l'oued Drâa, prendre à gauche la piste du djebel Zagora ; c'est à 600 m.* ▯ *066-56-97-50. Prévoir 40 Dh (3,60 €) pour 2 pers avec tente et voiture.* Un camping épatant, calme et bien ombragé au cœur de la palmeraie. Souvent complet. Électricité et douches chaudes. Location de tentes nomades. Cuisine populaire sur commande : tajine, couscous et méchoui. Accueil de Lahcen, toujours plein d'énergie. Une partie des recettes sert notamment à financer une école nomade.

⚔ |●| *Camping-auberge Les Jardins*

de Zagora (*plan B2, 22*) : *rue Hassan-II ; à gauche de l'hôtel Ksar Tinzouline.* ▯ *068-96-17-01. Env 60 Dh (5,50 €) pour 2 pers avec tente et voiture.* Beau camping avec quelques emplacements sous des arbres en fleurs. Électricité pour les camping-cars et les tentes. Blocs sanitaires corrects, eau chaude. Resto sous de confortables tentes berbères. Accueil chaleureux.

⚔ |●| *Camping-auberge Prends ton Temps* (*plan B1, 21*) : *prendre une des ruelles sur la gauche en arrivant à Zagora, avt le centre-ville ; c'est indiqué.* ☎ 024-84-65-43. ▯ *067-59-68-77. Compter 30 Dh (3,60 €)/pers en*

■ **Adresses utiles**

- ✉ Poste
- 🚌 1 Gare CTM
- 🚌 2 Gare routière privée
- 📶 3 Internet
- 4 Banques
- 5 Pharmacies
- 6 Journaux français
- ✺ 7 Souk
- 8 Caravane du Sud
- 9 Les Amis du Sahara
- 10 Sahara Aventures
- 11 Caravane Cimes et Dunes
- 12 Reima Voyages-Croq'Nature
- 13 Renard Bleu Touareg
- ✺ 27 Vente de bière

⚔ 🛖 **Où dormir ?**

- 20 Camping-restaurant Oasis Palmier
- 21 Camping-auberge Prends ton Temps
- 22 Camping-auberge Les Jardins de Zagora
- 23 Camping de la palmeraie d'Amezrou

- 24 Camping La Montagne
- 25 Hôtel-restaurant La Rose des Sables
- 26 Auberge-restaurant Chez Ali
- 27 Hôtel La Palmeraie
- 28 Hôtel-restaurant Zagour
- 29 La Fibule du Draa
- 30 Villa Zagora, maison d'hôtes
- 31 Riad Lamane
- 32 Kasbah Sirocco
- 33 Hôtel Ternata
- 34 Dar Nekhla, maison d'hôtes et Riad Marrat

|●| **Où manger ? Où prendre un petit déjeuner ?**

- 25 Restaurant de La Rose des Sables
- 26 Auberge-restaurant Chez Ali
- 28 Hôtel-restaurant Zagour
- 29 Restaurant de La Fibule du Draa
- 40 Boulangerie-pâtisserie Sable d'Or
- 41 Café-snack El Khayma

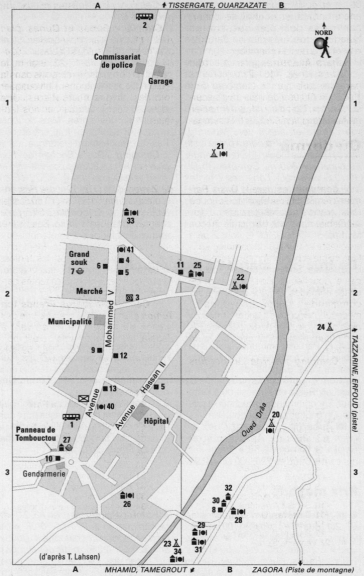

ZAGORA

tente et 40 Dh (3,60 €) en bungalow. Dans une petit jardin ceint de murs en pisé qui jouxte la palmeraie, la famille Laalili propose une dizaine de tentes (matelas au sol) et bungalows sommaires. Possibilité de manger sur place une cuisine soignée. Accueil chaleureux et musical, puisque les membres de la famille sont aussi de vrais musiciens.

⅄ *Camping de la palmeraie d'Amezrou* (plan A3, **23**) : à 1 km au sud de Zagora en allant vers Mhamid. ☎ 024-84-74-19. Prendre à droite juste après l'hôtel La Fibule du Draa et longer le canal sur 300 m. Compter 30 Dh (2,70 €)/pers sous l'une des 7 tentes nomades plantées dans le jardin. Sanitaires rudimentaires et pas toujours très bien tenus. Douches chaudes. Cadre agréable, dans une palmeraie. Accueil sympa.

⅄ *Camping La Montagne* (plan B2, **24**) : à 3 km de la ville. ☎ 024-84-75-78. À 100 m après l'oued Drâa, prendre à gauche la piste du djebel Zagora. Compter 35 Dh (3,60 €) pour 2 pers avec tente et voiture. On longe un joli oued où l'on voit bien le système d'irrigation de la montagne. Camping très ombragé, très spartiate et loin de tout, donc au calme. De plus, on n'est pas les uns sur les autres. Mais douches froides et sanitaires mal entretenus. Pas de branchement électrique.

⅄ *Camping L'Oasis Enchantée* (hors plan par A1) : à 2 km du centre-ville en allant vers Ouarzazate. ☎ 062-73-46-89. Compter 60 Dh (5,50 €) pour 2 pers avec tente et voiture, 150 Dh (13,60 €) sous tente nomade. En bordure de la palmeraie, les emplacements sont plutôt bien abrités. Piscine.

De très bon marché à bon marché

🛏 I●I *Hôtel-restaurant La Rose des Sables* (plan B2, **25**) : av. Allal-ben-Abdellah. ☎ 024-84-72-74. Doubles 70-100 Dh (6,40-9,10 €) avec ou sans douche et w-c. Menu copieux 60 Dh (5,40 €). Parties communes limite insalubres mais chambres correctes, décorées de tapis. Eau chaude. Le charme se trouve plutôt dans la qualité de l'accueil. Resto en terrasse ou à l'intérieur. Sur commande : méchoui et *pastilla*. On peut apporter sa bouteille.

🛏 I●I *Auberge-restaurant Chez Ali* (plan A3, **26**) : av. Atlas-Zaouit-el-Baraka. ☎ 024-84-62-58. ● chezali.ifastnet.com ● Doubles 120-200 Dh (10,90-

18,20 €) avec ou sans sdb, petit déj compris. Sous tente 40 Dh (3,60 €)/pers. Une adresse à la clientèle cosmopolite où il est toujours possible d'échanger de bons plans. Chambres confortables mais assez sommaires ou tentes berbères équipées (draps fournis). Les repas sont servis dans la salle qui domine le chouette jardin. Une bonne adresse.

🛏 Plusieurs hôtels (voir description plus bas) proposent des terrasses pour dormir à la belle étoile pour une poignée de dirhams : au *Sirocco*, à *La Palmeraie* ou à *La Fibule du Draa.*

Prix moyens

🛏 I●I *Hôtel-restaurant Zagour* (plan B3, **28**) : prendre à gauche, 100 m après le pont. ☎ 024-84-61-78. ● zagour. com ● Compter 260 Dh (23,60 €) pour 2 pers. Repas 90 Dh (8,20 €). Belles chambres avec bains, AC et chauffage. Une décoration simple mais raffinée : tentures, portes cloutées. Un bon compromis entre confort et tradition. Des chambres, vue sur la palmeraie. Petite piscine. Salle à manger façon salon marocain ou plus sympa en terrasse. Personnel compétent.

🛏 *Hôtel La Palmeraie* (plan A3, **27**) : av. Mohammed-V. ☎ 024-84-70-08. ● palmeraie_zagora@menara.ma ● Double env 220 Dh (20 €), petit déj compris. CB acceptées. Le premier hôtel construit à Zagora dans les années 1950. Les parties communes doivent dater de cette époque (!) mais les chambres sont confortables et propres, avec douche et w-c. Et surtout prix très attractifs, compte tenu des prestations. Piscine. Bon accueil et plein de bonnes infos sur la région. Parking payant. Alcool au bar.

≜ |●| *La Fibule du Draa* (plan B3, **29**) : après l'oued, sur la droite. ☎ 024-84-73-18. ● fibule-du-draa.com ● Doubles 200-430 Dh (18,20-39 €) avec ou sans douche et selon saison. CB acceptées. Hôtel de taille moyenne avec un beau salon marocain pour siroter un thé ou se reposer. À l'entrée, deux tours de pisé s'ouvrent sur un jardin intérieur à la végétation luxuriante. Chambres confortables avec AC. Piscine. Menu de qualité inégale.

≜ |●| *Hôtel Ternata* (plan A2, **33**) : av. Mohammed-V. ☎ 024-84-69-69. ● ter nata_zagora@yahoo.fr ● Doubles à partir de 270 Dh (24,50 €) avec w-c et AC (à négocier hors saison). Petit déj en sus. ½ pens proposée. Un hôtel moderne, très propre, situé dans le centre-ville. L'accueil y est chaleureux et on y mange bien. Piscine.

De chic à très chic

≜ *Villa Zagora, maison d'hôtes* (plan B3, **30**) : prendre à gauche, 100 m après le pont. L'entrée se trouve dans une petite ruelle sur la gauche. ☎ 024-84-60-93. À Paris : ☎ 01-46-33-70-84. ● ma villaausahara.com ● Doubles 570-720 Dh (51,80-65,50 €) avec ou sans sdb ; petit déj inclus. Une suite plus chère. Également une tente avec de vrais lits pour 220 Dh (20 €)/pers. Elle peut être louée dans son intégralité. ½ pens possible. Belle maison d'hôtes dans la palmeraie, tenue par une Française. Grand jardin, petite piscine, terrasse avec une très belle vue. Salon avec cheminée où la maîtresse des lieux expose des tableaux d'art contemporain. Accueil chaleureux.

≜ |●| *Dar Nekhla, maison d'hôtes* (plan A-B3, **34**) : dans la palmeraie d'Amezrou, env 500 m après le pont sur la droite. ▯ 068-88-63-94. Double 390 Dh (35,40 €) avec petit déj. Menu 90 Dh (8,20 €). Une véritable maison d'hôtes décorée avec sobriété et élégance, avec une dominante de céramique de Tamegrout. Les salons sont au rez-de-chaussée, les chambres à l'étage, le tout donne sur un patio d'où émergent des palmiers-dattiers, d'où le nom du lieu. Agréable petit jardin. Excellent accueil de Brahim. Bon rapport qualité-prix.

≜ *Riad Marrat* (plan A-B3, **34**) : dans la palmeraie d'Amezrou, env 500 m après le pont sur la droite. ☎ 024-84-67-66. ● riadmarrat.com ● Double 700 Dh (63,60 €) avec petit déj. Une grande maison proposant 5 chambres et 2 suites, décorées dans un style baroque-oriental à dominante indonésienne ! Magnifique jardin fleuri avec belle piscine et calme absolu. Bon accueil.

≜ |●| *Riad Lamane* (plan B3, **31**) : à Amezrou. ☎ 024-84-83-88. ● riadlama ne.com ● Passer l'oued Drâa et prendre la piste à droite après l'hôtel La Fibule du Draa. Double 800 Dh (72,70 €) avec petit déj. CB acceptées. Un vrai bijou avec une piscine au cœur d'une végétation luxuriante. Sous le bruissement des palmiers, une demi-douzaine de chambres à la déco réussie. Celles à l'étage disposent d'un balcon. Mais le must, ce sont les maisonnettes à la déco extravagante et lits *kingsize*. Cuisine délicieuse servie sous une tente nomade peinte au henné ou dans le *menzeh* (pavillon d'été), suivant l'humeur.

≜ |●| *Dar Raha, maison d'hôtes* (hors plan par B3) : à Amezrou. ☎ 024-84-69-93. ▯ 070-02-36-96. ● http://darraha. free.fr ● À 3 km après Zagora, sur la route de Mhamid ; c'est indiqué. Double 410 Dh (37,30 €) avec petit déj ; ½ pens proposée. Josiane et Antoine ont repris cette grande et belle demeure en pisé située dans l'ancien *ksar* d'Amezrou. Ils y accueillent chaleureusement les voyageurs. Une dizaine de chambres charmantes avec sanitaires communs. Belle terrasse avec vue sur le djebel Zagora et la palmeraie. Petits déj copieux. Antoine pourra vous faire visiter l'ancien *ksar* sur lequel il a fait de très nombreuses recherches, et Josiane vous conseillera sur les meilleures balades à faire à dos de dromadaire.

≜ *Kasbah Sirocco* (plan B3, **32**) : de l'autre côté de l'oued, non loin de la Villa Zagora. ☎ 024-84-61-25. ● kasbah-si rocco.com ● Double 600 Dh (54,50 €). CB acceptées. Cadre agréable. Une vingtaine de chambres climatisées ou chauffées l'hiver. Moquette au sol malheureusement d'un goût discutable. Jolie piscine bien entretenue. Grand choix de bières, on serait tenté vu le prix annoncé de l'eau minérale ! Bon accueil, service attentionné.

Où manger ? Où prendre un petit déjeuner ?

À Zagora, préférez la demi-pension car on compte peu de restos. Vous pouvez toutefois essayer des tables simples pour les estomacs aguerris. Ici, la concurrence n'a pas encore fait loi comme à Ouarzazate. Si dans la capitale régionale les menus touristiques tournent autour de 60 Dh (5,50 €), à Zagora, il faut compter plutôt aux alentours de 100 Dh (9,10 €). Les petits budgets peuvent tout de même se restaurer sans trop de crainte à ces adresses :

|●| *Café-snack El Khayma (plan A2, 41) : av. Mohammed-V.* Très populaire et correct. Au menu : poulet grillé, brochettes, tajines. Bonnes salades variées. On mange en terrasse à l'ombre ou en salle pour trois fois rien.

|●| *Auberge-restaurant Chez Ali (plan A3, 26) : voir « Où dormir ? ». Menus variés autour de 80 Dh (7,30 €).* On vous sert dans un salon marocain avec ban-quettes et tabourets. Possibilité de manger sous la tente ou dans le jardin. Ali et sa famille font tout pour satisfaire leurs hôtes. Bonne cuisine. Couscous sur commande.

|●| *Boulangerie-pâtisserie Sable d'Or (plan A3, 40) : av. Mohammed-V.* Omar propose ses pâtisseries, yaourts frais et jus de fruits pressés. Parfait pour le petit déj.

À noter également les restos des hôtels suivants, mais aux prix un peu surestimés :

|●| *Restaurants de La Rose des Sables (plan B2, 25), Hôtel-restaurant Zagour (plan B3, 28)* et *La Fibule du* *Draa (plan B3, 29) : voir plus haut « Où dormir ? ».* Le dernier sert de l'alcool.

➤ DANS LES ENVIRONS DE ZAGORA

🎋 *La kasbah des Ouled Othmane :* *quelques km sur la droite avt Zagora (en venant de Ouarzazate).* Un bel exemple d'architecture ksourienne. Petit estaminet au pied du site. Le proprio vous fera faire la visite.

➤ *Le djebel Zagora :* cette excursion est à faire au lever du soleil de préférence, si vous avez le courage de vous lever avant lui ! On peut accéder quasi jusqu'en haut avec un 4x4 (et même avec un véhicule de tourisme pour les téméraires). Après *La Fibule du Draa,* emprunter, à gauche, la piste qui passe devant l'hôtel *Zagour,* au pied de la montagne. Après 3 km, bifurquer à droite. Autre possibilité, prendre le sentier indiqué par les poteaux téléphoniques partant devant l'agence la *Caravane du Sud (plan B3, 8).* Compter 1h de marche. Vous serez récompensé de votre effort : le panorama est superbe. Prévoir une lampe de poche si vous y allez pour le coucher du soleil.

➤ *Amezrou :* à 2 km après le pont sur l'oued Drâa, à la sortie de Zagora, en direction de Mhamid. Promenade à effectuer de préférence en fin d'après-midi, en revenant par exemple de Tamegrout. Ce village longe une ancienne *kasbah* dite « des Juifs ». À l'entrée du *ksar* (à droite de la route en allant vers Mhamid), des enfants se disputeront, de façon parfois désagréable, pour vous accompagner dans la visite de ce dédale de ruelles.

🎋🎋 *Le ksar de Tissergate :* à 8 km au nord de Zagora. Il abrite le **musée des Arts et Traditions de la vallée du Drâa :** *tlj 8h-20h. Entrée : 20 Dh (1,80 €) ; réduc enfants.* Ce musée, unique dans la vallée du Drâa, s'est installé dans une ancienne *kasbah,* qui vaut à elle seule le détour. Il retrace la vie quotidienne des habitants de la région, à travers une exposition de bijoux, de vêtements, le travail des champs, les coutumes observées en période de deuil ou de naissance (la salle d'accouchement laisse songeur), etc. Le tout accompagné de commentaires en français très pédagogiques. Une belle initiative pour mieux découvrir et comprendre les tribus qui vivent ici.

⚒ *Camping Oued Drâa :* un peu après le ksar en venant de Zagora. ▯067-49-45-32. Compter 60 Dh (13,60 €)/pers sous tente nomade, 40 Dh pour 2 pers avec sa propre tente et une voiture. Petit camping peu ombragé, en contrebas de la route. Sol en terre, ça change de la rocaille ! Sanitaires propres.

🏠 |●| *Kasbah Dar El-Hiba :* dans le ksar. ☎ 024-84-78-05. ▯061-61-06-48. ●http://membres.lycos.fr/hoteldarelhiba ● Compter 200 Dh (18,20 €) pour 2 pers, petit déj compris. ½ pens sur demande. Belle *kasbah* centenaire agencée autour d'un puits de lumière intérieur, ornée de jarres et de vieux outils. Très petites chambres dans la plus pure tradition. Certains pourront trouver la sobriété des lieux un peu triste. Les w-c sont très propres et les douches se trouvent dans un autre bâti-ment en face. Grand jardin. Accueil cha-leureux.

🏠 |●| *Le Sauvage Noble :* juste avt le ksar en venant de Zagora. ☎ 024-83-80-72. ● sauvage-noble.org ● Doubles 450-550 Dh (41-50 €) en fonction du confort, petit déj inclus. Une adresse pleine de charme tenue par le même propriétaire que l'agence Renard Bleu Toua-reg (voir « Adresses utiles » de Zagora « Bivouacs et excursions »). Militant pour un tourisme en accord avec le développement durable, Abdellah a créé ce petit hôtel avec des matériaux et des produits d'artisans de la région. Chaque chambre est meublée différemment, les sols et les salles de bains sont réalisés en *tadelakt,* qui donne une teinte mar-brée à la pierre. Coin salon, terrasse avec vue sur la palmeraie, piscine. Que demander de plus ?

LES ROUTES AU DÉPART DE ZAGORA

VERS LE SUD : DE ZAGORA À MHAMID

TAMEGROUT

À une vingtaine de kilomètres de Zagora, Tamegrout est un ancien centre religieux célèbre pour la bibliothèque de sa *zaouïa* Naciri (école coranique). Mais son intérêt est très limité (dons à discrétion). On y garde encore des corans et des manuscrits sur peaux de gazelle. Des gens souffrant de problèmes psychiques viennent se recueillir à quelques mètres de là, près du mausolée du fondateur de la *zaouïa*. Photos formellement interdites, il y a déjà eu trop de manque de respect sur ce point. L'autre attrait de Tamegrout repose sur son artisanat de poteries vertes et brunes très caractéristiques (à base d'argile cuite émaillée au manganèse et à l'oxyde de cuivre) que l'on ne manquera pas de vous inviter à découvrir. C'est l'occasion de visiter le vieux *ksar* découpé en quatre quartiers, arabe, berbère, bédouin et harratine.

🏠 |●| *Jnane-Dar Diafa :* en face de la bibliothèque coranique, en plein cen-tre. ☎ 024-84-06-22. ▯061-34-81-49. ● jnanedar.ch ● Doubles 170-300 Dh (15,40-27,30 €) avec ou sans sanitaires et clim' ; ou 70 Dh (6,40 €) en tente nomade. Petit déj inclus. Déjeuner 90 Dh (8,20 €). CB acceptées (avec commission). Dans un grand jardin potager, avec, au centre, un bâtiment octogonal qui fait office de salle à man-ger. Bonne cuisine typique (viande de dromadaire !), service souriant. Le per-sonnel fera tout pour que votre séjour soit parfait. Une adresse routard à prix doux, qui nous a plu.

➤ À 7 km de Tamegrout, en continuant vers Mhamid, on découvre, sur la gauche, à proximité de la route, les dunes de *Tinfou* très fréquentées par les agences de voyages qui, à certaines heures, déversent ici leurs flots de clients pour leur donner un avant-goût du désert. Intérêt limité.

TAGOUNITE

Au km 60, on traverse une succession de maisons basses caractéristiques des villes du Sud.
– Bon à savoir : une station-service *Ziz* à l'entrée du village.

🛏 |●| *Hôtel-café-restaurant La Gazelle :* en face de Mécanique Générale. ☎ et fax : 024-89-70-48. Doubles 150 Dh (13,60 €) avec douche et w-c à l'extérieur, ou 350 Dh (31,80 €) avec sdb et clim'. Petit déj inclus. Simple mais très propre. Literie excellente. Peut dépanner. Cuisine simple et copieuse,

servie avec le sourire.
🛏 |●| *Hôtel L'Oasis :* à la sortie de la ville, sur la gauche en allant vers Mhamid. 📱 061-92-25-09. Double 150 Dh (13,60 €) ; petit déj en sus. Menu 60 Dh (5,40 €). Hôtel simple et assez propre du même acabit que le précédent. Cybercafé au pied de l'hôtel.

OULED-DRISS

Après la traversée d'une magnifique palmeraie, on atteint Ouled-Driss, village intéressant pour son architecture. Ouled Driss, et Mhamid au sud, sont devenues en quelques années de véritables « Desertland », sorte de parcs d'attractions grandeur nature : tout ici est fait pour profiter des dunes (cependant assez ridicules, il faut l'avouer, comparées à celle de l'erg Chebbi). Les campings, les auberges, les hôtels ont fleuri dans la palmeraie, avec leurs flots d'engins motorisés : quads, 4x4 et motos. Certainement un petit éden pour les touristes en manque de « Dakar », mais un véritable cauchemar en haute saison pour les amateurs de pleine nature. Reste la saison basse...

Où dormir ? Où manger ?

De très bon marché à bon marché

⏓ *Bivouac Mille et Une Nuits :* à la sortie du village, 500 m à droite. ☎ 024-84-70-61. ● croqnature.com/ouleddriss. htm ● Résas auprès de Reima Voyages – Croq'Nature à Zagora (voir « Adresses utiles » dans cette ville). Compter 150 Dh (13,60 €)/pers la nuit sous tente en ½ pens (hammam compris). Une petite oasis de 5 ha, au pied des dunes et éloignée de la route, abrite une vingtaine de tentes nomades confortablement aménagées pouvant accueillir chacune 4 ou 5 personnes. Grande tente cuisine, bloc sanitaire impeccable, hammam, petite piscine, resto. Organisation de randonnées chamelières. Le tout dans un souci de tourisme équitable.

🛏 |●| *Auberge Kasbah Touareg :* à 1 km après Ouled-Driss, puis 800 m de piste carrossable (départ de la piste face au Dar Azawad). ☎ 024-84-86-78. 📱 072-36-49-70. Double 100 Dh (9,10 €) avec ou sans sanitaires (même prix) ; ½ pens sur demande. Dans une *kasbah* en pisé plus que centenaire, une dizaine de chambres rudimentaires (la literie est limite) mais sympathiques (quatre disposent de douche et w-c). Les sanitaires collectifs sont propres. Tentes berbères et emplacements pour tentes individuelles. Grand jardin avec puits et four à méchoui. Hammam. Petit musée. Cuisine familiale. Accueil très chaleureux. Bon plan routard.

De chic à très chic

🛏 *Ma Bonne Étoile :* à la sortie du Bivouac Mille et Une Nuits. 📱 06-22-01-

45-91 (en France). ● riadmabonnetoile. com ● Wi-fi. ½ pens env 500 Dh (45,50 €)/

pers. Remise de 10 % à nos lecteurs sur présentation de ce guide. Il s'agit d'un petit *riad* comportant 7 chambres, tenu par une Française. Piscine.

⚎ |◉| *Chez le Pacha :* à 2 km après Ouled-Driss en direction de Mhamid. ☎ 024-84-86-96. • chezlepacha.com • En ½ pens, 300 Dh/pers (27,30 €) sous tente nomade semi-bétonnée avec terrasse privée. Également des chambres climatisées 400 Dh (36,40 €)/pers et quelques « tentes-suites » avec AC et tout le toutim 650 Dh (59,10 €)/pers, toujours en ½ pens. Youssef, le propriétaire, aménage les lieux avec beaucoup de goût, dans la tradition berbère, à l'ombre des canisses et palmiers. Les repas sont copieux et la propreté impeccable. Un bivouac de luxe en somme.

⚎ *Carrefour des Caravanes :* à 800 m à gauche après Ouled-Driss. ☎ 024-84-78-65. ▯ 061-08-53-63. • hotelkasbahca ravane.cabanova.fr • Double 770 Dh (70 €). Belle réalisation en forme de kasbah dotée de chambres agréables. Petite piscine et on peut prendre des bains de sable dans les dunes en été, pour soulager ses rhumatismes. Bon accueil. Organisation de bivouac et de nombreuses activités dans les environs.

⚎ |◉| *Hôtel Tabarkat :* entre Ouled-Driss et Mhamid. ☎ 024-84-86-88. • ta barkat.com • Doubles 700-800 Dh (63,60-72,75 €) suivant confort et emplacement. Petit déj en sus. Menu 100 Dh (9,10 €). Une réalisation de style kasbah donnant sur une belle piscine. Aménagement intérieur marocain avec les toiles figuratives du proprio et plus largement d'inspiration africaine (expos, boutique d'art). L'ensemble est réussi. On regrette cependant la petitesse des chambres de la *kasbah*. Pas mal de groupes.

⚎ |◉| *Dar Azawad :* dans la palmeraie d'Ouled-Driss. ☎ 024-84-87-30. • dara zawad.com • Prévoir 700 Dh (63,60 €)/pers en ½ pens. Possibilité de planter sa tente pour 100 Dh (9,10 €) pour 2 pers avec voiture. Les chambres, sous forme de mini-*kasbah*, sont réparties dans le jardin. Elles sont équipées de salle de bains et décorées avec goût. Le proprio, un Français, propose aussi des « chambres en toit nomade ». Espérons qu'ils ne s'envolent pas ! Piscine. Les parties communes sont joliment aménagées. Ça manque un peu d'âme, tout comme l'accueil, et les prix sont surestimés. Dispose aussi d'un bivouac dans les dunes.

À voir

⚑ *Le musée Big House :* au milieu du village, face à la téléboutique. Entrée : 15 Dh (1,40 €). Dans une vénérable *kasbah* tricentenaire s'est ouvert un musée qui mérite le détour. Tout ce qui rythme la vie quotidienne est ici représenté. Le gardien se fera un plaisir de vous accompagner pour vous donner toutes les explications souhaitées. Thé parfois offert.

MHAMID

Au km 88, c'est le bout du bitume et le début du désert. La frontière algérienne n'est qu'à 40 km. Mais il n'y a pas de route. Le village fut fondé en 1932 avec l'arrivée des Français et n'offre aucun intérêt particulier. Pour les plus curieux, sa palmeraie prédésertique renferme néanmoins quelques vestiges de l'époque saadienne qui côtoient de petits villages. Beaucoup de faux guides et de rabatteurs.

– *Souk* le lun. Le reste de la semaine, Mhamid retombe en léthargie.
– Taxis collectifs et minibus pour Zagora. Également un bus de la *CTM* qui part tous les jours à 6h du matin pour Zagora et Ouarzazate.

Adresses utiles

■ *Agence Bivouac l'Erg :* face à la mosquée. ▯ 061-87-16-30. • mdaimin@ yahoo.fr • Compter 200 Dh (18,20 €)/pers en ½ pens pour une nuit en *bivouac*. On vous accueille sous les tentes nomades au pied des dunes de l'erg Lihoudi. Le bivouac est équipé de douches et de sanitaires rudimentaires.

■ *Cherg Expéditions :* ☎ 024-88-79-08. 📠 061-24-31-47. ● *cherg.com* ●

Agence sérieuse dont les bureaux sont à Ouarzazate (se reporter aux « Adresses utiles » de cette ville, sous-rubrique « Excursions »). Pour tous renseignements, elle possède un bivouac, *Le Petit Prince,* à Mhamid.

Où dormir ? Où manger ?

Camping

⚕ ▲ *Relais Camping Hamada du Drâa :* prendre à gauche sur la place principale. ☎ 024-84-80-86. 📠 062-13-21-54. ● *relaishamadadudraa.com* ● Emplacement 30 Dh (2,70 €)/pers. Sinon tente berbère en ½ pens 190 Dh (17,30 €)/pers. Double avec sdb 250 Dh (22,70 €). Camping très propre et piscine convenable. Peu d'ombre. Bibliothèque d'ouvrages sur le désert. Hassan, guide officiel, propose des formules d'initiation au désert.

De très bon marché à bon marché

🛏 *Hôtel Sahara :* sur la place. ☎ 024-84-80-09. Double 60 Dh (5,40 €). Plus que sommaires, mais à peu près correctes. Accueil sympa.

🛏 |●| *Hôtel-restaurant Iriqui :* sur la droite de la place principale en arrivant à Mhamid. ☎ 024-84-80-23. À Ouarzazate : ☎ 024-88-57-99. Triple 150 Dh (13,60 €). CB acceptées. Trois chambres sommaires mais propres avec w-c et douche chaude. Grande terrasse sur le toit, avec tente berbère. Resto et bar (sans alcool) avec un vrai percolateur ! Organise des excursions dans le désert.

Très chic

🛏 |●| *Kasbah Azalay :* traverser l'oued après la fin du goudron. ☎ 024-84-80-96. ● *azalay.com* ● Double env 870 Dh (79,10 €), petit déj inclus. ½ pens possible. Un hôtel construit en forme de *kasbah* dont la vingtaine de chambres donnent sur le jardin (sec). Ambiance espagnole au resto. Jetez un œil sur la superbe photo satellite dans le hall d'entrée. Un peu « froid » tout de même, même en été.

À voir dans les environs

Pour visiter les environs de Mhamid, il est indispensable de posséder un 4x4 ou d'en louer un, et de se faire accompagner par un guide compétent, car la région comporte de nombreux pièges à cause des zones de *nebka* (végétation qui bloque le sable) le long de l'oued Drâa. Attention également au sable qui, en certaines périodes, peut être très mou. Depuis quelques années, les dunes ont une nette tendance à ressembler à un dépotoir. Nous ne le redirons jamais assez : n'enfouissez pas vos poubelles, rapportez-les à votre hôtel !

🏔 *L'erg Lehoudi* (« l'erg des Juifs ») : ce beau tas de sable se situe à quelque 12 km au nord de Mhamid, dans l'alignement du château d'eau. On peut s'y rendre avec une voiture de tourisme (prudence tout de même) ; le départ de la piste se situe à droite à 2,3 km après le col quand on vient de Tagounite (repérez le panneau « désert-propre »). L'ensemble est très sympa hors saison, le reste du temps, c'est une autre histoire : les *khaïma* sont alors alignées comme des baraques à frites dans une fête foraine. Il y a des chameaux pour une balade dans les dunes au coucher du soleil. Vous pouvez même rester dormir sur place si vous le souhaitez, ce n'est pas l'offre qui manque ! C'est néanmoins l'occasion d'aller fouler le sable pieds nus. Dommage que la surfréquentation du site se traduise par autant de sacs plastique tourbillonnant dans les environs.

🏃🏃 *Les dunes de Chigaga : à 60 km. Véhicule 4x4 indispensable. Compter 1h30 de piste avec un chauffeur connaissant parfaitement le coin.* Ces dunes, longues de 40 km, sont plus belles que celles de l'erg Lehoudi mais commencent à être victimes de constructions anarchiques. Les meilleures heures de la journée sont le lever et le coucher du soleil (mais ne le dites à personne !), la lumière y est beaucoup plus belle. On vous recommande d'établir un bivouac et de dormir au pied de la dune. Adressez-vous de préférence à des agences spécialisées, et essayez de vous isoler (pas facile !).

➤ Il est possible de relier *Mhamid à Foum-Zguid par la piste* (en 4x4). Il existe en fait deux itinéraires. Le premier emprunte un reg désertique et très caillouteux au nord des ergs qui jalonnent l'oued Drâa jusqu'à la dépression d'Iriki. L'autre chemine au sud de la zone d'ergs en limite de l'oued Drâa. Renseignez-vous auprès d'une agence.

VERS LE TAFILALET : DE ZAGORA À RISSANI

De Zagora, remontez la vallée du Drâa jusqu'à Tansikht, puis tournez à droite en direction de Tazzarine. Cet itinéraire relie successivement Nekob, Tazzarine et Alnif jusqu'à Rissani. Prévoir 4h de trajet en moyenne pour couvrir les 240 km du parcours. Ambiance minérale et très désertique : les affleurements rocheux, datant de 500 millions d'années, émergent un peu partout dans ce désert aride qui sépare les vallées fertiles du Drâa et du Tafilalet.
ATTENTION : si les principales villes traversées entre Zagora et Rissani possèdent des stations-essence, il y a régulièrement des problèmes de réapprovisionnement. Mieux vaut donc partir avec le plein.

TRONÇON TANSIKHT – TAZZARINE PAR NEKOB

🏃 À 38 km, *Nekob* peut servir d'étape entre les vallées du Drâa et du Ziz. Ce village, comptant près d'une quarantaine de *kasbah,* est planté dans le paysage lunaire du djebel Saghro. Il surplombe également une petite palmeraie où l'on peut se promener en toute tranquillité.
– Piste d'atterrissage naturelle pour les petits avions de tourisme et ULM. Parapente et deltaplane possibles depuis le djebel Amoun.

🏠 *Baha Baha : dans le centre du village, c'est fléché.* ☎ 024-83-84-63. • *ba habahaba.com* • *Doubles 300-400 Dh (27,30-36,40 €) avec ou sans sdb privative ; quelques chambres familiales également ; 150 Dh (13,60 €) pour deux sous la tente.* La *kasbah* est articulée autour d'un grand jardin intérieur. Le tout est très bien aménagé et entretenu (coin bibliothèque, terrasse panoramique, etc.). Tout a été tarifé, y compris la prestation d'un flûtiste berbère... Mais le patron cherche avant tout à promouvoir la culture de sa région. Ne pas manquer son musée ethnographique sur les habits, costumes et outillages agricoles utilisés par les Aït-Atta, les ancêtres de

cette demeure. Piscine. Bivouacs, excursions en 4x4, etc. Une adresse de charme.

🏠 🍴 *Auberge Enakhil Saghro :* ☎ et fax : 024-83-97-19. • *aubergeenakhil saghro@yahoo.fr* • *Juste à la sortie de Nekob à gauche en allant vers Rissani. Compter 320-500 Dh (29-45,50 €) en ½ pens pour 2 pers dans une chambre avec ou sans sdb. Menu 70 Dh (5,40 €).* Une dizaine de chambres simples, mais le tout est très bien tenu par une famille sympathique. Superbe vue sur la palmeraie et la ville des terrasses-restos, par ailleurs de qualité. Bonne petite adresse pas chère et au calme.

🏠 🍴 *Kasbah Imdoukal : dans une*

ruelle du village, c'est fléché. ☎ 024-83-97-98. ● kasbahimdoukal.com ● Doubles 500-700 Dh (45,50-63,60 €) selon confort, petit déj compris. Également 2 suites (jusqu'à 4 pers). Menus 100 Dh (9,10 €). Kasbah traditionnelle au charme fou, offrant une vingtaine de chambres à dominante ocre décorées avec sobriété. Sanitaires privés, clim' et chauffage. La terrasse offre une vue sur toute la vallée et les toits de la ville. Cuisine berbère servie dans un patio à ciel ouvert, sous les étoiles. Piscine. Accueil parfait, l'idéal pour une étape. Le tarif des excursions est un peu élevé en revanche.

â Ksar Jenna : ☎ 024-83-97-90. 🖥 067-96-32-48. ● ksarjenna.com ● À env 2 km avt Nekob en venant de Zagora. Résa recommandée. Compter 1 100 Dh (100 €) pour 2 pers en ½ pens ou 900 Dh (81,80 €) sur présentation de ce guide. Une véritable maison d'hôtes tenue par de jeunes Marocains dans un endroit très calme. Ici, tout est couleur et raffinement. Très beau salon avec cheminée, espace de lecture et TV. L'ensemble est aérien, loin de l'ambiance « forteresse » des kasbah. Décor et ameublement choisis avec goût. Seulement 7 chambres et un appartement, le tout climatisé. À l'extérieur, une ambiance musicale vous invite au jardin – green anglais et feu d'artifice de bougainvillées –, ou au bar, pour déguster un long drink. Ici, tout est fait pour votre bien-être.

➢ De Nekob, vous pouvez gagner par la piste le versant nord du djebel Saghro et par la suite, indifféremment, la vallée du Dadès ou du Todgha en passant par le col de Tizi-n-Tazazert. Cet itinéraire, accessible uniquement en 4x4, est absolument superbe, et chemine à travers un massif basaltique de toute beauté. Bien se renseigner sur l'itinéraire au préalable, car il est facile de se perdre (pas de panneaux). Compter une bonne journée de piste pour faire Nekob-Tineghir ou Nekob-Boumalne (voir plus loin « La piste Zagora – Tineghir »).

🌴 **Tazzarine :** belle palmeraie, située à 68 km. La région présente des sites de gravures rupestres, ainsi que de nombreuses tombes préislamiques, mais il faut un 4x4 pour l'explorer. Le plus beau site se trouve à Aït Ouazik, à 26 km de Tazzarine (7 km seulement sont goudronnés). Un bel endroit, où sont représentés quelques rhinocéros et girafes. Le piquetage à gorge lisse rappelle l'école du Messak libyen et témoigne de l'occupation de la région il y a de cela 10 000 ans. On trouve en ville un complexe touristique, un camping, et on peut faire le plein d'essence à la station Ziz.

IMPORTANT : dans le sens Rissani-Zagora, à la sortie de Tazzarine, ne pas suivre Zagora par la route de gauche. Selon les panneaux, c'est l'itinéraire le plus court, mais le goudron s'arrête au bout d'une trentaine de kilomètres, ensuite la piste est terriblement cassante. Préférez continuer jusqu'à Tansikht, via Nekob, pour aller sur Zagora.

– Souk : le mercredi et non le jeudi, comme vous l'entendrez peut-être dire.

🏕 |⚫| **Camping Amasttou :** prendre à droite, à l'entrée de la ville quand on vient de Nekob. ☎ 024-83-90-78. ● complexeamasttou@caramail.com ● Compter 50 Dh (4,50 €) pour 2 pers avec tente et voiture, 130 Dh (11,80 €) sous les tentes berbères équipées. Situé dans une partie de la palmeraie, camping propre, calme et ombragé avec un jardin aménagé très agréable. Ici tout est tarifé, ce qui fait dire à certains que le lieu porte bien son nom... Sanitaires avec douches chaudes et piscine dans un petit bassin. Des plats régionaux peuvent être servis sous une tente berbère ou sous des paillotes.

🏕 |⚫| **Campement touristique Serdrar :** dans l'oasis de Merzgane, prendre une piste sur 10 km qui part sur la droite, 3 km après le village d'Izakhninoune (sortie de Tazzarine vers Alnif). Accessible en voiture de tourisme. 🖥 067-23-80-22. Compter 40 Dh (3,60 €) pour 2 pers et un camping-car. Repas 40 Dh (3,60 €). Quelques tentes berbères dans un endroit au calme. Cuisine familiale. Bon accueil.

TRONÇON TAZZARINE – ALNIF

À 67 km, la *palmeraie d'Alnif* est agréable. Alnif est appréciée par les géologues du monde entier car des sols du précambrien (inférieur à 550 millions d'années) affleurent un peu partout dans la région. On y trouve, entre autres espèces, les fameux trilobites, les premiers animaux à avoir été dotés de l'organe de la vue, à une époque où la vie ne régnait pas encore sur la terre ferme.

> **EH PATATE !**
>
> *La patate d'Alnif est renommée dans tout le Sud marocain. Elle est cultivée le long de la superbe palmeraie qui borde la piste au nord du village. C'est ici que vous mangerez les meilleures frites du Maroc !*

Kasbah-auberge-restaurant Météorites : *à 13 km avt Alnif en venant de Nekob (oasis de Tiguerna).* ☎ 035-78-38-09. ● *kasbahmeteorites.c.la* ● *Env 200-250 Dh (18,20-22,70 €)/pers en ½ pens. Menu touristique 60 Dh (5,40 €).* Une quinzaine de chambres très propres et spacieuses mais sans grand charme dans cet établissement récent. La piscine située au fond du jardin, en revanche, est très belle. L'établissement dispose de la licence d'alcool et reçoit beaucoup de groupes le midi.

La Gazelle du Sud : *dans la rue principale, au centre d'Alnif.* ☎ 035-78-38-13. *Double 150 Dh (13,60 €).* Quelques chambres simples, plus calmes côté jardin, mais ne pas s'attendre au grand luxe. Accueil sympa et dynamique. Fait également resto et accueille les non-résidents à déjeuner. Bons repas. Organisation de bivouacs.

Hôtel Bougafer : *dans la rue principale, au centre d'Alnif.* ☎ 072-02-30-30. *Env 200 Dh (18,20 €)/pers en ½ pens.* Un hôtel simple et sans prétention comportant une petite dizaine de chambres avec douche et w-c.

– Si un petit voyage dans le temps vous intéresse, ne manquez pas *La boutique des fossiles Trilobites Center* (chez Mohammed Bouyiri), *à la sortie d'Alnif en direction de Rissani, face à la station-service* Afriquia. ☎ 072-15-29-52. ● *bouyiri. moh@caramail.com* ● Mohammed est passionné et très compétent pour vous faire part de ses découvertes concernant les fossiles de la région. Il organise également des sorties géologiques à la journée.

– Également *Ibmadi Trilobites Center :* non loin du restaurant *La Gazelle du Sud.* ☎ 066-22-15-93.

TRONÇON ALNIF – RISSANI

➢ Compter une centaine de kilomètres pour atteindre *Rissani* par la N12. La route traverse les villages qui affleurent dans un paysage semi-désertique, à la végétation arbustive éparse.

Auberge Azurite : *à Mecissi, un village à une quarantaine de km d'Alnif en direction de Rissani ; c'est bien indiqué.* ☎ 035-78-46-68. ☎ 061-87-21-64. *Double 200 Dh (18,20 €)/pers en ½ pens.* Moulay, un ancien du *Club* *Med*, a aménagé cette petite auberge pour sa retraite. C'est très simple mais propre. Il travaille ici en famille. Cuisine locale. Possibilité de bivouac pour quelques dirhams.

➢ Sinon, à partir d'Alnif, il est possible de rattraper la route qui relie Er-Rachidia à Ouarzazate au nord du djebel Saghro par une piste en partie goudronnée accessible aux voitures de tourisme. Prudence, toutefois, et attention aux crevaisons sur les tronçons de piste. De plus, la piste emprunte par endroits le lit d'un oued et peut donc devenir dangereuse en cas d'orage. Elle longe la palmeraie sur la gauche au nord du village jusqu'au col de Tizi-n-Boujou, puis redescend vers la plaine environ 21 km avant **Tineghir.** Il faut compter entre 1h30 et 2h pour arriver sur le goudron depuis Alnif.

VERS L'OUEST : DE ZAGORA À TATA PAR FOUM-ZGUID

➢ Longue de 120 km, la **piste Zagora – Foum-Zguid** est parfois cassante ; se renseigner avant de l'emprunter. C'est néanmoins un superbe raccourci qui permet de filer vers l'ouest sans repasser par Agdz. Les jours de souk à Zagora (mercredi et dimanche), possibilité de prendre place dans un camion qui dessert Foum-Zguid (5h de trajet pour 130 km). Prévoir des provisions.

⚑ **Foum-Zguid** compte quelque 10 000 âmes. Villages agréables dans les alentours. Peu de touristes.

– *Souk :* le jeudi. Animation garantie.

– *Coopérative des tapis :* bien indiquée. On vous laisse regarder tranquillement. Les prix, très inférieurs à ceux de Marrakech, sont fixés par l'État ; donc pas moyen de marchander, mais de toute façon, on est gagnant.

🛏 ▮◉▮ **Auberge Iriqui :** ☎ 028-80-65-68. *Une dizaine de chambres dont une avec AC. Compter env 400 Dh (36,40 €) pour 2 pers en ½ pens.* Une adresse cor- recte. Possède un garage fermé. Le patron fait aussi commerce d'objets anciens. Bon accueil.

➢ **La route Foum-Zguid – Tata :** les 150 km qui séparent les deux localités se font sans difficulté. En effet, cette route goudronnée est particulièrement agréable. Contrôle des passeports obligatoire à Tissint, mais les formalités se font dans la bonne humeur.

À L'EST DE OUARZAZATE

Attention, à partir de mars 2009, *Maroc Telecom* doit mettre en place une nouvelle numérotation téléphonique. Les numéros passeront ainsi à 10 chiffres (au lieu de 9 actuellement).

Voici les principaux changements prévus :

➢ **Pour tous les numéros fixes,** il faudra insérer « 5 » après le « 0 ». Exemple : 024-11-11-11 deviendra 05-24-11-11-11.

➢ **Pour les portables,** un « 6 » devra être placé après le « 0 ». Exemple : 068-11-11-11 deviendra 06-68-11-11-11.

➢ **Pour les numéros spéciaux,** se reporter en début de guide à la rubrique « Téléphone et télécoms » dans « Maroc utile ».

SKOURA   23 000 hab.
....

Skoura est la première étape entre Ouarzazate (42 km) et le Tafilalet. C'est le début de la vallée du Dadès, bordée par une magnifique palmeraie et des cultures irriguées. Au printemps, avec l'Atlas enneigé en toile de fond, l'ensemble présente beaucoup d'allure.

La fondation de Skoura par Yacoub-el-Mansour au XIIe s appartient à la légende. Il est probable qu'elle ait été fondée au XVIIIe s par moulay Ismaïl. En tout cas, elle n'est pas décrite lors du passage de Léon l'Africain au XVIe s. Les habitants parlent l'arabe, quoiqu'une partie importante soit d'origine berbère (Aït-Imegran). Il est possible que la palmeraie ait été fondée par des Arabes et que des nomades berbères s'y soient sédentarisés plus tard. On dit que la plupart des citoyens de Ouarzazate, ville récente, sont originaires de Skoura.

– *Souk :* le lun. Très animé.

Où dormir ?

Très bon marché

🏠 *Gîte Chez Slimani :* Oulad Yaacoub, *dans la palmeraie même, à 200 m de la kasbah d'Amerdihil. On y accède par une petite piste sur la gauche en venant de Ouarzazate, un peu après l'hôtel-*kasbah Aït Ben-Moro. *On doit ensuite traverser un oued.* ☎ 024-85-22-72. 📠 061-74-68-82. *Env 100 Dh (9,10 €)/ pers en ½ pens.* Dans une *kasbah* bien entretenue et propre. Très simple.

De bon marché à prix moyens

🏠 *Chez Talout :* à 6 km avt Skoura, en venant de Ouarzazate. Prendre une piste à gauche sur 4 km vers Oulad-Arbia. C'est indiqué. 📠 062-49-82-83. • talout.com • Env 300 Dh (27,30 €)/ pers en ½ pens selon confort ; suite (jusqu'à 5 pers) 800 Dh (72,70 €). *Une petite dizaine de chambres joliment décorées, dont cinq avec une salle de bains et la clim'. Également une suite dotée d'un petit poêle et de deux superbes fenêtres à la vue imprenable. Le gîte, couleur locale, surplombe la palmeraie. Le petit déj pris sur la terrasse est un régal. Excellent accueil de Talout.*

🏠 *Kasbah La Datte D'Or (chez Abdellatif) :* de Skoura-centre, suivre le fléchage, c'est bien indiqué. 📠 066-93-40-39. *Doubles 130-170 Dh (11,80-15,40 €) suivant confort.* ½ pens possible. *Guide touristique, Abdellatif a créé une maison d'hôtes chez lui, dans une authentique* kasbah. *L'ensemble est frais, aménagé avec sobriété. On y trouve 6 chambres très propres dont quatre avec douche et w-c. Charmant petit salon marocain, terrasse panoramique. Bon accueil.*

🏠 *Kasbah Les Nomades :* à deux pas de La Datte D'Or. ☎ 024-85-20-58. 📠 061-89-63-29. • azizberber@hotmail. fr • Double env 300 Dh (27,30 €), petit *déj inclus.* Belle réalisation architecturale typique de la région, comportant 5 chambres dont 4 à l'étage avec salle de bains. L'ensemble est très propre. Aziz, le propriétaire, vous recevra chaleureusement. Cybercafé à proximité.

🏠 *Kasbah d'hôtes Ayad :* avt d'arriver à Skoura, à gauche juste avt le pont sur l'oued el-Hadjaj. ☎ 024-85-20-47. • kasbahayad.com • Doubles 300-400 Dh (27,30-36,40 €) avec petit déj. Gratuit pour les moins de 10 ans. *Une maison d'hôtes sans prétention mais propre, aménagée dans une* kasbah *traditionnelle. Bon accueil d'Abdou, le père, qui travaille ici avec ses filles.*

🏠 *Auberge kasbah Tiriguioute :* à 4 km au nord de Skoura sur la route de Toundoute. ☎ 024-85-23-39 ou 20-68. 📠 062-40-36-01. *Doubles en 1ers 200-300 Dh (18,20-27,20 €)/pers selon confort.* Très belle réalisation dans une ancienne *kasbah* entourée d'un verger. On compte une dizaine de chambres dont six sont climatisées et cinq possèdent une très belle salle de bains en *tadelakt.* On s'y sent comme dans une vraie maison d'hôtes grâce à l'accueil chaleureux de Bouarif et sa famille. Bon rapport qualité-prix.

🏠 |◉| *Kasbah Aït-Abou :* à l'extrémité nord de la palmeraie. De Skoura, prendre la direction de Toundoute ; au bout de 4 km, suivre une piste sur la gauche et traverser l'oued (à sec !). C'est indiqué par un fléchage en rouge. ☎ 024-85-22-34. 📠 066-25-11-19. ● *chez.com/kasbahaitabou* ● *Doubles 220 Dh (20 €)/pers en ½ pens. Possibilité de dormir sous tente nomade pour 150 Dh (13,60 €)/pers en ½ pens. Menu le midi 100 Dh (9,10 €).* Dans une *kasbah* traditionnelle de 6 étages (une des plus hautes du Maroc) datant de 1837. Aménagement minimaliste mais qui a le mérite de restituer l'atmosphère originale d'un *dar*. Sanitaires privés ou communs.

Hammam. Tentes nomades dans le jardin. Très belle situation au cœur de la palmeraie. Ici se mettre au vert prend tout son sens. Nombreuses possibilités de randonnées, à pied, à VTT, à dos d'âne ou à cheval. Bon accueil de Mohamed Mafhoum.

🏠 Voir aussi le gîte construit par les frères Jebrane (se reporter plus loin à la rubrique « Où manger ? », *Café-restaurant La Kasbah*). *Prévoir 165-330 Dh (15-30 €) la double avec ou sans sdb.* Un gîte aménagé avec patience et goût.

Très chic

🏠 *Les Jardins de Skoura :* prendre la piste qui part juste après la Kasbah Aït Ben Moro. C'est fléché. ☎ 024-85-24-23. 📠 061-73-04-61. ● *lesjardinsdeskoura.com* ● *Double 880 Dh (80 €) avec petit déj ; 1 200 Dh (109,10 €) la suite familiale avec cheminée. Repas 170 Dh (15,50 €).* Cette maison d'hôtes, tenue par une Française, vous surprendra par son architecture typique nichée au cœur de la palmeraie. Qualité des matériaux et harmonie des couleurs offrent un très bel amalgame de déco traditionnelle et contemporaine. Une vraie réussite agrémentée d'un splendide jardin où traînent nonchalamment quelques hamacs plantés entre deux orangers. Piscine, coin repos sous tente berbère et même un verger qui alimente la cuisine.

🏠 *Hôtel-kasbah Aït Ben-Moro :* à 2 km avt Skoura, sur la gauche. Attention, à ne pas confondre avec l'auberge du même nom. ☎ 024-85-21-16. ● *kasbahbenmoro.com* ● *Fermé en juil. Env 500 Dh (45,50 €)/pers en ½ pens sur la base d'une double tt confort ; 350 Dh*

(31,80 €)/pers en ½ pens pour les petites chambres de la terrasse avec sdb communes (super pour les routards à l'aise côté pépettes). CB acceptées. Cette authentique *kasbah* du XVIIIe s, réhabilitée par un Espagnol, abrite une douzaine de chambres confortables, décorées avec goût, le tout disposé autour de plusieurs cours et puits de lumière imbriqués. La restauration du bâtiment est tout à fait réussie. Ambiance soignée. Belle vue sur la palmeraie de la terrasse.

🏠 *Dar Lorkam :* en plein cœur de la palmeraie. De Skoura, prendre la direction de Toundoute ; au bout de 4 km, suivre une piste sur la gauche et traverser l'oued (à sec !). C'est indiqué par des triangles verts. ☎ 024-85-22-40. 📠 063-81-96-29. ● *dar-lorkam.com* ● *Compter 380 Dh (34,50 €)/pers en ½ pens.* Une sorte d'oasis dans l'oasis tenu par deux Français. Six chambres sans chichis s'égrainent autour d'un jardin fleuri avec sa petite piscine. Possibilité de bivouac pour les 4x4 de passage, avec sanitaire et douche commune à disposition.

Où manger ?

Quelques restos de qualité similaire, proposant des repas pour 60 Dh (5,50 €) environ.

|●| *Café-restaurant La Kasbah (chez les frères Jebrane) :* sur la route principale. Bonnes brochettes. Mais surtout demander le fromage de la coopérative de Skoura accompagné de miel et de

cumin... un régal. Très bon accueil sans harcèlement (rare dans la contrée) qui fait oublier le service un peu long. Les frères Jebrane proposent également quelques chambres à prix intéressant.

|●| *Café-restaurant Atlas :* prendre à gauche à l'entrée de la ville en venant de Ouarzazate, c'est le deuxième. Un boui-boui comme on en trouve des centaines, mais le tajine est remarquable. Tonnelle pas désagréable. Bon accueil.

À voir. À faire

Perdu dans la palmeraie ? Les châteaux d'eau sont d'excellents points de repère. Mais vous avez aussi le droit de vous perdre, c'est le grand plaisir du découvreur. Si vous demandez votre chemin à quelqu'un, sachez que l'on vous répondra systématiquement, même si votre interlocuteur ne connaît pas !

🏇🏇 *Centre équestre Aït-Abou :* en plein cœur de la palmeraie. De Skoura, prendre la direction de Toundoute ; au bout de 4 km, suivre une piste sur la gauche. C'est fléché. ☎ 024-85-22-34. Env 130 Dh (11,80 €) pour 1h, jusqu'à 420 Dh (38,20 €) pour la journée entière. Grâce à une cavalerie d'une vingtaine de chevaux barbe-arabes, ce centre propose des randos à la semaine (Skoura-Tazzarine ou Skoura-Marrakech), à la journée ou à l'heure. Une très belle façon de découvrir la palmeraie et les environs.

🏛🏛 *Les artisans d'Ouled-Arbia :* les oasis ont depuis toujours été le lieu d'une riche production artisanale. À Skoura, il reste seulement 6 familles de potiers. Au village d'Ouled-Arbia, la famille Kabbour s'adonne depuis des générations à cet art. Ici, point de tour, l'argile est montée au colombin comme au néolithique pour produire jarres, tajines et canouns qui seront ensuite vendus au souk. Un peu plus loin dans la palmeraie, vous ferez la connaissance du forgeron, des femmes qui tissent la feuille du palmier pour en faire des nattes, et du *shibani* qui tresse les fibres du stipe (de la tige) pour en faire des cordages. Faites-vous accompagner d'un guide sérieux, quelqu'un qui vous aura été recommandé par votre auberge, par exemple.

🏛🏛 *La palmeraie :* à 2,5 km de l'entrée de la ville en venant de Ouarzazate, emprunter la piste sur la gauche. On se retrouve dans la palmeraie, qui est assez vaste et nécessite d'être accompagné.

La palmeraie est constituée d'un ensemble de *douar* avec des constructions en pisé, dont certaines sont exceptionnelles. Il est impossible de suivre un itinéraire précis dans ce lacis de chemins étroits qui desservent des cultures dans un cadre autrefois bucolique, où des jardins de roses apparaissaient parfois, à l'ombre des palmiers.

Les plus belles *kasbah* sont celles de *Dar-Sidi-el-Mati* (piste à 1 km avant l'entrée de la ville sur la gauche en venant de Ouarzazate, puis traverser l'oued) et celle d'*Amerdihil,* un peu plus loin du même côté.

🏛 *La kasbah Amerdihil :* à 2 km avt Skoura en venant de Ouarzazate. On y accède par une petite piste sur la gauche un peu après l'hôtel-kasbah Aït Ben-Moro. *Droit d'entrée (10 Dh, soit 0,90 €). Visite guidée en sus.* Cette puissante construction fortifiée, impressionnante par sa taille et remarquable par sa décoration, a été bâtie par le maître du Coran du Glaoui. C'est celle-ci qui figure sur les billets de 50 Dh (et sur certains packs de jus d'orange). La visite guidée offre l'occasion de comprendre les subtilités et les règles en communauté d'un tel édifice : les cinq fenêtres de la salle de prière symbolisant les cinq piliers du coran ; les quatre tours servant aux quatre femmes du pacha !

➢ En continuant la route principale en direction d'El-Kelaa, on franchit le Tizi-n-Taddert et, 16 km après Skoura, sur le côté droit, on découvre la *kasbah d'Imassine,* sorte de forteresse qui aurait, selon la légende, servi de caserne à une garnison d'esclaves noirs. Ce qui est certain, c'est que toute cette région mérite bien son nom de « vallée des Mille-Kasbah ».

QUITTER SKOURA PAR LE NORD

Partir avec le plein de carburant. Merci de ne rien donner aux autochtones (on ne le répétera jamais assez !). De Skoura, vous avez la possibilité de rejoindre la vallée du Dadès en passant par les pistes (en projet de goudronnage) qui serpentent au pied du massif du M'goun. Depuis les travaux, l'itinéraire est accessible aux voitures de tourisme. Attention toutefois aux conditions météo. Il y a quelques gués à traverser. Une bonne demi-journée est nécessaire pour effectuer le trajet, mais c'est certainement, au printemps, l'un des plus beaux itinéraires versant sud du Haut Atlas central.

De Skoura, prendre la route goudronnée en direction de Toundoute. Pour rejoindre les gorges du Dadès, à noter que seule désormais la partie entre *Bou-Tahrar* (vallée des Roses) et Aït-Youl est difficilement praticable en voiture de tourisme. En effet, les autorités mènent une politique de désenclavement des vallées fertiles d'altitude. De Bou-Tahrar, pour gagner El-Kelaa, ça passe beaucoup mieux grâce à la nouvelle piste qui conduit à Tourbist dans le lit de l'oued (paysages superbes), accessible en voiture de tourisme. Pour les 4x4, l'ancienne piste rocailleuse passe par le col tout aussi stupéfiant.

EL-KELAA DES M'GOUNA
14 000 hab.

Gros village à 1 450 m d'altitude, situé presque à la jonction des vallées du M'Goun et du Dadès. Ici, les températures peuvent osciller de - 3 °C à + 37 °C. Toute la région est célèbre pour sa rose, en pleine floraison de mi-avril à mi-mai. Mais la fleur est ici discrète, elle ourle simplement les jardins. Voir plus loin ce qu'on en dit dans « La vallée des Roses ». El-Kelaa des M'Gouna (la forteresse du M'Goun) abrite aussi l'une des plus dures prisons du royaume. Mais vous ne verrez rien, tout est souterrain.

L'été, la région regorge de fruits : abricots, pommes, poires, figues, prunes, grenades, noix, olives, pêches, brugnons, amandes, coings. Des ceps de vigne vous étonneront par leur importance (de 10 à 15 m de hauteur).

D'El-Kelaa des M'Gouna à Boumalne-du-Dadès, c'est une agglomération en continu le long de l'oued et de la palmeraie.

Adresses et info utiles

✉ *Poste :* dans la rue principale.

■ *Banques* (plan, *2*) : plusieurs banques l'une en face de l'autre dans la rue principale. Change et distributeur.

@ *Internet* (plan, *3*) : dans la rue principale, au 1er étage.

■ *Pharmacies :* dans la rue principale (plan, *4*).

■ *Cabinets médicaux :* Dr Lhoussaïn Amjoud, ☎ 024-83-65-06. Dr Brahim Charaf, ☎ 024-83-61-18.

■ *Bureau des guides et accompagnateurs de montagne* (plan, *5*) : en venant de Ouarzazate, à 1 km avt El-Kelaa, sur la droite. ☎ 024-83-73-71. 📱 062-13-21-92 (Aziz) ● guide-monta gne@voila.fr ● On le trouve souvent fermé. Vous pouvez aussi prendre rendez-vous au *bureau des guides* de Souk-el-Khemis (voir « Dans les environs d'El-Kelaa des M'Gouna »).

■ *Piscine :* dans le complexe touristique *Ksar Kaissar* (voir « Où dormir ? » ; plan, *20*). Accès : 50 Dh (4,50 €). Vraiment bien.

■ *Gendarmerie* (plan, *6*) : à la sortie du village en direction de Boumalne.

– *Souk :* le mer.

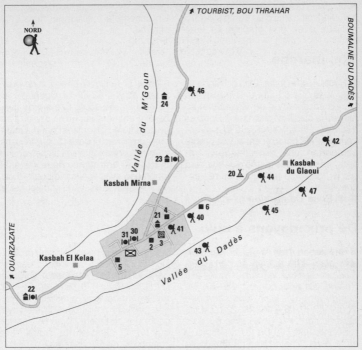

EL-KELAA DES M'GOUNA

■ **Adresses utiles**

⊠ Poste
2 Banques
@ 3 Internet
4 Pharmacies
5 Bureau des guides
   et accompagnateurs
   de montagne
6 Gendarmerie

⋏ ≙ **Où dormir ?**

20 Ksar Kaissar
21 Hôtel Aflafal
22 Rosa Damaskina
23 Kasbah Itran

24 Kasbah Assafar

|●| **Où manger ?**

30 Café-restaurant Rendez-
   vous des Amis
31 Café-restaurant Errabiaa

⚐ **À voir**

40 Coopérative du Poignard
41 et **42** Usines des Roses
43 Village d'Azlag
44 Mellah de Tylit
45 Mellah d'Aït-Ouzine
46 Mellah de Tourbist
47 Mellah d'Aït-Yassine

Où dormir ?

Camping

⋏ **Ksar Kaissar** *(plan, **20**) : à 2 km du centre.* ☎ *024-83-67-76.* ● *ksarkaissar. com* ● *Prévoir 80 Dh (7,30 €) pour* 2 pers avec voiture. Terrain bien agencé, surtout pour les camping-cars. L'ombre manque un peu toute-

À L'EST DE OUARZAZATE

fois. Sanitaires exemplaires. Le camping fait partie d'un complexe touristique avec une piscine de rêve (payant, même pour les campeurs !). Un ensemble fonctionnel mais sans charme.

Bon marché

🛏 *Hôtel Aflafal* (plan, **21**) : bd Mohammed-V. ☎ 024-83-68-00. À la sortie de la ville en direction de Boumalne (en face de la distillerie des roses). Doubles 130-150 Dh (11,80-13,60 €) suivant confort. Petit hôtel récent et très propre comportant une quinzaine de chambres. Très pratique quand on arrive tard par le bus. Café-restaurant au rez-de-chaussée.

🛏 |●| *Rosa Damaskina* (plan, **22**) : à 6 km de El-Kelaa, en direction de Ouarzazate. ☎ 024-83-69-13. Doubles 130-180 Dh (11,80-16,40 €) avec ou sans bains. Petit hôtel sur un niveau au bord de la route surplombant l'oued. Quatre chambres avec douches et quatre sans. Intérieur assez sombre et un peu désuet mais bien entretenu. Belle terrasse ombragée avec vue sur le cours d'eau où l'on peut aussi venir y déjeuner et dîner.

De prix moyens à chic

🛏 |●| *Kasbah Itran* (la Maison des Étoiles ; plan, **23**) : à 3 km au nord d'El-Kelaa, sur la route de Tourbist (vallée des Roses). En téléphonant d'El-Kelaa, quelqu'un peut venir vous chercher. ☎ 024-83-71-03. 📱 062-62-22-03. ● kasbahitran.com ● Doubles avec ou sans sanitaires 350-500 Dh (31,80-45,40 €) en ½ pens. Une dizaine de chambres décorées avec amour dans une kasbah traditionnelle où vous vous sentirez comme chez vous. Certaines disposent de balcon vertigineux. Repas et petit déj copieux. Tout ici est conçu pour que l'on n'ait plus envie de repartir. Vue imprenable sur la vallée du M'Goun et excellent accueil de Mohammed Taghda.

🛏 |●| Une annexe se trouve à *Tigharmatine*, sur la route de Tourbist, à env 9 km de la Kasbah Itran. ☎ 024-83-73-92. Pour 2 pers, ½ pens 400 Dh (36,40 €). Le concept a tellement de succès que la famille de la Kasbah Itran s'est offert une autre kasbah d'une dizaine de chambres, toutes avec salle de bains. Certainement les deux plus belles adresses de la vallée.

🛏 *Kasbah Assafar* (plan, **24**) : à 5 km au nord d'El-Kelaa, sur la route de Tourbist (vallée des Roses) dans un petit village. ☎ 024-83-65-77. ● kasbahassafar. com ● Double sans sdb 350 Dh (31,80 €). Repas 70 Dh (6,40 €). Aziz, guide de montagne, a restauré la maison familiale pour accueillir les voyageurs qui partagent la même passion que lui. Et c'est plutôt réussi ! Les chambres, dispatchées aux différents étages de cette vieille demeure en pisé, possèdent leur originalité. Les nombreux tapis et la décoration haute en couleur confèrent au lieu beaucoup de chaleur. Toit terrasse avec vue sur la vallée.

🛏 |●| *Kasbah chez Abdou* : un peu après le col à gauche, à 7 km avt El-Kelaa en venant de Ouarzazate. ☎ 024-83-70-81. 📱 068-96-05-45. Pour 2 pers en ½ pens, 360-420 Dh (32,70-38,20 €) suivant confort. Abdeslam Oukhajou est guide de montagne, il a créé sa petite auberge comportant des chambres troglodytiques (ne pas être claustro !) sans sanitaires et 4 autres chambres plus classiques joliment décorées, avec salle de bains. L'ensemble est très propre, et l'accueil de son frère, Lahcene, des plus chaleureux.

Où manger ?

Tous les petits restos se trouvent aux abords de la gare routière, sur la route principale, juste en face de la poste. À gauche en entrant quand on arrive de Ouarzazate, deux bonnes adresses concurrentes mais néanmoins amies :

|●| Café-restaurant Rendez-vous des Amis *(plan, 30) : tajine 50 Dh (4,50 €).* Cuisine simple et bonne, à consommer sur une petite terrasse.

|●| Café-restaurant Errabiaa *(chez Brahim ; plan, 31) : menu complet 60 Dh (5,40 €).* Belle terrasse avec quelques tables dressées.

À voir

※ La coopérative du Poignard *(plan, 40) : à la sortie du village, direction Boumalne, sur la droite.* Jusqu'en 1962, les juifs ont enseigné aux Berbères d'El-Kelaa l'orfèvrerie, l'argenterie et la ciselure. Un poignard de taille standard, finement ciselé, ne doit pas s'acquérir à plus de 300 Dh (27,30 €). Encore faut-il faire la différence entre un manche en os de dromadaire, de bœuf ou en bois de cèdre, de peuplier ou d'abricotier. La lame peut être en fer, en acier ou en métal argenté.

※ Le village d'Azlag *(plan, 43) : prendre la piste derrière la coopérative du poignard (informations sur place).* Les 120 artisans œuvrent à la fabrication des poignards.

※ Les usines des Roses *(plan, 41 et 42) :* elles sont visitables quand elles fonctionnent, au moment de la récolte des roses, entre avril et juin. De grands alambics et autres instruments de cuivre géants servent à y fabriquer l'eau de rose et ses dérivés.

※ Kasbah Mirna : *dans la vallée du M'Goun, au milieu d'un superbe verger.* Très belle *kasbah,* toujours habitée mais visitable (un petit bakchich est toujours le bienvenu).

※ Traverser le pont qui enjambe l'oued. Là, au pied des *kasbah,* dans un dédale de chemins, on découvre une mosaïque de petits champs verts irrigués d'eau fraîche. Les *citadelles,* en surplomb, furent bâties par des chefs locaux. Elles rappellent les luttes d'influence qui eurent lieu dans cette région, véritable carrefour de communications. Les épaisses murailles de pisé et leurs tours tronquées sont un bel exemple d'art berbère.

Fête

– **Fête des Roses :** *en principe début mai.* Trois jours de fête avec chants et danses folkloriques...

➤ *DANS LES ENVIRONS D'EL-KELAA DES M'GOUNA*

※ Les populations juives, qui ont définitivement quitté la région après la guerre des Six Jours, ont laissé derrière elles de nombreux vestiges, comme en témoignent les **mellahs de Tylit** *(plan, 44),* d'**Aït-Ouzine** *(plan, 45),* de **Tourbist** *(plan, 46)* et d'**Aït-Yassine** *(plan, 47).* Sur la route à droite, celui de Tylit, en direction de Boumalne, à 7 km d'El-Kelaa des M'Gouna, est le plus facile à visiter. Laisser la voiture sur la place, devant la mosquée. Visite à pied de 1h.

※ La kasbah Kassi : à **Souk-el-Khemis,** à env 13 km d'El-Kelaa sur la route de Boumalne. La *kasbah fait également maison d'hôtes. Pour 2 pers, ½ pens en chambre double 400-500 Dh (36,40-45,50 €) selon le confort.* Ahmed Maghiouzi a aménagé dans cette *kasbah* un tout petit *musée d'Art berbère* (c'est fléché). On y trouve des poteries, d'anciens cadenas, dont l'un présente l'étoile de David, des bijoux et toutes sortes d'ustensiles de la vie de tous les jours.

➤ El-Kelaa des M'Gouna est le point de départ pour découvrir les gorges du M'Goun, les cascades Ameskur et Khebach, le « sentier des Mille-Kasbah », le « chemin des Ornithologues », les jardins marocains du désert, l'ascension du M'Goun (4 071 m).

■ *Bureau des guides :* à Souk-el-Khemis. ☎ 024-85-04-11. ▯ 062-13-21-76. • *mohamed-berbere.com* • | Excursions pédestres, équestres ou à dos de dromadaire, VTT ou 4x4. Prix raisonnables.

LA VALLÉE DES ROSES

Cette vallée devrait plutôt être appelée « vallée Rose » en raison de la couleur de sa terre, dégradée de carmin, de magenta et donc de rose. Ici la surrection du Haut Atlas a vigoureusement plissé les dépôts sédimentaires de l'ère secondaire, alors que la région était peuplée de dinosaures. C'est ce qui fait la majesté des lieux. On y cultive bien des roses,

LE NOM DE LA ROSE

On dit de la très odorante Rosa damascena *qu'elle aurait été introduite au Maroc il y a longtemps par des pèlerins en provenance de Damas (d'où son nom)... même si certains affirment que c'est l'inverse ! Ce serait la fameuse rose de Damas qui viendrait d'ici !*

mais elles ne fleurissent que deux mois par an, de fin avril à juin. Ne vous attendez donc pas à trouver des champs de fleurs, à moins d'être là à cette époque et de vous lever très tôt, avant leur cueillette par les femmes au petit matin.

On en récolte en moyenne un millier de tonnes par an. La moitié de la production est séchée, l'autre moitié distillée pour faire de l'eau de rose ou de la concrète, qui sera utilisée comme onguent, le tout exporté dans tout le monde arabe, qui en est très friand. Quatre tonnes de roses sont nécessaires pour obtenir 1 kg d'extrait.

Arriver – Quitter

Aucune difficulté pour aller dans la vallée des Roses, car la route est goudronnée depuis peu jusqu'à Tamalout (Bou-Tahran). Paysages magnifiques.

D'autres itinéraires aussi sont possibles, notamment au départ de la vallée du Dadès (voir plus loin le chapitre concerné).

Compter 1h-1h30 pour faire les 35 km pour atteindre Tamalout (Bou-Tahrar) car les occasions de s'arrêter sont nombreuses.

À voir

🏃 Le village de *Tamalout Bou-Tahrar* est intéressant par son architecture traditionnelle. Il surplombe l'oued M'Goun et tire la plupart de ses ressources de la récolte de fruits : noix, amandes, pêches. Les femmes du village, comme plus loin dans la vallée en allant vers Amjgag, portent de superbes tatouages, ont les yeux fardés au khôl, et leur coiffure se caractérise par de fines nattes ramenées en anse de panier sous les oreilles. Arrivé à Tamalout, descendez jusqu'au bord de l'oued, il y fait bon et vous pourrez abandonner là votre véhicule et partir faire une randonnée pédestre ou à dos de mulet.

🛏 |●| *Maison d'hôtes Mont M'Goun* (chez Abdelghani) : juste après le pont, avt le village de Bou-Tahrar. ☎ 024-83-07-79. ▯ 062-62-41-08. Env 200 Dh | (18,20 €)/pers en ½ pens. Une authentique *kasbah* joliment rénovée dans un jardin planté d'amandiers, de figuiers et de noyers. Six chambres tout confort et deux plus simples, très bien décorées. Un coin restauration un peu à l'écart des couchages (appréciable quand on a envie de faire la fête). Ambiance familiale. Excellent accueil d'Abdelghani, qui est également guide de montagne diplômé de l'école de Tabant.

⌂ |●| *Gîte d'étape Tamaloute (chez El Houssine Azabi) :* ☎ 024-83-11-26. 📠 070-22-07-23. ● *tamaloutte.com* ● *En ½ pens, doubles 250-400 Dh (22,70-*

36,40 €) selon confort. Également 4 dortoirs 100 Dh (2,70 €)/pers en ½ pens. Grande bâtisse à l'entrée du village aux chambres simples mais harmonieuses. Préférez celles qui donnent sur la terrasse avec vue sur la vallée et la montagne qui se dresse toute proche. Bonne cuisine préparée avec les produits du potager du patron. Accueil chaleureux. Possibilité de louer des mules.

➢ De Tamalout, plusieurs randonnées sont envisageables. On recommande de suivre l'oued M'Goun. Cette randonnée de 2h environ vous permettra de rejoindre le village d'**Aït-Saïd** situé en amont de Tourbist en longeant les jardins qui bordent l'oued. C'est l'occasion de vous mêler aux habitants de la vallée qui travaillent dans les champs.

Pour la visite des *gorges du M'Goun,* compter deux jours. Cette excursion n'est possible que d'avril à novembre. Un accompagnateur est indispensable, ainsi qu'un 4x4 pour se rendre jusqu'à l'entrée des gorges. Le reste du circuit s'effectue à pied. D'une profondeur imposante, les gorges sauvages et escarpées vous laisseront un souvenir impérissable. Cette excursion nécessite de bonnes chaussures de marche qui résistent à l'eau et un maillot de bain.

BOUMALNE-DU-DADÈS

15 000 hab.

Située au débouché de la haute vallée du Dadès, la petite ville de Boumalne-du-Dadès, lieu de rencontre entre les Berbères Aït Atta du djebel Saghro et les Aït Sedrat du Haut Dadès, est un centre administratif important de la région. Très animée le mercredi, jour du souk, la rue centrale voit converger les montagnards se rendant à Ouarzazate. Si vous recherchez le calme, mieux vaut toutefois dormir dans les gorges.

– *Souk :* le mer. En face de la mosquée, à droite en allant vers Tineghir.

Arriver – Quitter

Les bus et les grands taxis s'arrêtent et partent au niveau de la mosquée, boulevard Mohammed-V, qui traverse la ville de part en part.

➢ Bus pour *Tineghir, Er-Rachidia, Erfoud* et *Ouarzazate.*

Adresses utiles

✉ *Poste :* dans une rue sur la gauche entre l'hôtel La Vallée des Oiseaux et l'hôtel Salam, *dans la ville haute.*

@ *Internet :* Boumalne semble être la ville du Net, tant le nombre d'accès est important. La plupart des cybercafés possèdent le haut débit.

■ *Banques : Banque Populaire* et *Crédit Agricole* sur le bd Moham-

med-V, *près du souk.* Change rapide. Distributeur.

■ *Médecin :* Dr Mountassir Ahmed, pl. de la Mosquée. ☎ 024-83-02-47. 📠 068-67-51-35.

■ *Pharmacies :* bd Mohammed-V.

⊛ *Supermarché :* à 200 m dans la rue à gauche précédent la mosquée.

À L'EST DE OUARZAZATE

Où dormir ?

De bon marché à prix moyens

Comme souvent dans le Sud marocain, les routards n'hésiteront pas à demander aux hôtels une place au salon en hiver, ou un matelas en terrasse en été. Les prix d'une nuitée, douche comprise, varient entre 15 et 30 Dh (1,40 et 2,70 €) par personne.

■ *La Vallée des Oiseaux :* *à la sortie de la ville en direction de Tineghir, à côté de la station* Shell. ☎ *024-83-07-64. Doubles 80-120 Dh (7,30-10,90 €) suivant confort ; petit déj en sus.* Une vingtaine de chambres propres mais assez rudimentaires. Un hôtel pour dépanner ceux qui arrivent tard en voiture. Bon accueil.

■ |●| *Hôtel Kasbah du Dadès-Chems :* *sur la route de Tineghir, à droite dans un virage.* ☎ *024-83-00-41. Double env 150-200 Dh (13,60-18,20 €) selon situation et avec ou sans clim'. ½ pens proposée. CB acceptées.* Établissement d'une trentaine de chambres avec douche individuelle et petit balcon. Les petits budgets peuvent aussi dormir en terrasse. Eau chaude garantie. Fait aussi resto (voir « Où manger ? »).

Chic

■ |●| *Auberge Le Soleil Bleu :* ☎ *024-83-01-63.* ● *le_soleilbleu@yahoo.fr* ● *À l'écart du centre-ville. Prendre à gauche au niveau de l'hôtel* La Vallée des Oiseaux, *un peu avt la sortie vers Tineghir. Doubles en ½ pens 400-500 Dh (36,40-45,50 €) selon situation. Empla-* cement tente 50 Dh (4,50 €). Menu 70 Dh (6,40 €). Une adresse bien tenue qui bénéficie d'un beau panorama sur la vallée. Les chambres sont toutefois inégales. Préférez la 25 ou la 26 dans un style arabisant, avec des salles de bains joliment carrelées.

Où manger ?

La plupart des petits restos se trouvent entre le pont qui marque l'entrée de la ville en venant de Ouarzazate et la mosquée au pied de laquelle se situe la gare routière.

|●| *Restaurant Tamazirte :* *en arrivant dans Boumalne à droite par la route de Ouarzazate. En face du café-resto* Atlas-Dadès, *par ailleurs très bien. Env 60 Dh (5,40 €) le repas complet.* Terrasse agréable et ombragée dominant la vallée et l'oued Dadès. Bonne halte pour déjeuner.

|●| *Café-restaurant Al-Manader :* *dans la montée, sur la route de Tineghir, juste avt l'hôtel* Kasbah du Dadès-Chems. ☎ *024-83-01-72. Menu env 70 Dh (6,40 €).* Bonne cuisine. Spécialités marocaines. Le patron est très accueillant. Belle terrasse.

|●| *Restaurant de l'hôtel Kasbah du Dadès-Chems :* *voir « Où dormir ? ». Menu 85 Dh (7,70 €).* Un bon plan de secours lorsqu'il fait frisquet. La salle un peu kitch ne casse pas des briques, mais les soupes et les plats sont bons. Cheminée.

À faire

La plupart des hôtels vous proposeront les services d'un guide si vous voulez découvrir les environs. La région offre de nombreuses possibilités pour pratiquer la randonnée pédestre, l'escalade ou le VTT.

➤ *DANS LES ENVIRONS DE BOUMALNE-DU-DADÈS*

LE DJEBEL SAGHRO

Avec un point culminant à 2 712 m d'altitude, le djebel Saghro est majoritairement composé de roches du précambrien, des andésites et des basaltes alumineux, bref des roches de couleur noire, qui captent merveilleusement la lumière et confèrent au paysage une impression de fin du monde. Plusieurs itinéraires permettent de traverser le massif, mais en 4x4 ou à pied. À 5 km de Boumalne sur la route de Tineghir, à droite, une route goudronnée conduit à Iknioun, fief des Aït Atta. Au bout de 20 km, un départ de piste, sur la droite, rejoint la *vallée des Oiseaux* et le village de *Tagdilt.* N'intéressera que les ornithologues amateurs. La meilleure saison pour observer les oiseaux se situe entre les mois de décembre et de mars. La piste vers le *Tizi-n-Tazazert* n'est pas toujours facile à trouver. Réservée exclusivement aux 4x4. Paysages fabuleux à vous couper le souffle. Compter 4-5h pour atteindre ensuite Nekob.

D'Iknioun, le chemin se divise en deux pistes : à droite, on rejoint Nekob, 56 km plus loin. En prenant à gauche au village, on débouche sur Tineghir. Quelle que soit la route que vous choisirez, vous traverserez le massif du Saghro, désertique et rude, aux reliefs fantomatiques. Drôle d'impression.

LA VALLÉE DES GORGES DU DADÈS

L'une des plus intéressantes du Sud marocain. La vallée du haut Dadès, longue d'environ 25 km, est comprise entre Boumalne et l'entrée dans les gorges (Imdiazen), quelques kilomètres après Aït-Oudinar. La route est bien goudronnée jusqu'à Msemrir (pays des Aït Morghad). Elle longe l'oued et traverse des paysages splendides où les constructions en pisé prennent la teinte des roches qui les entourent. L'oued Dadès, qui descend des hauts plateaux calcaires du Haut Atlas central, égrène un chapelet de *ksour,* au milieu de cultures et de petits vergers. En fin de journée, à l'heure où le soleil décline, toute cette architecture prend des allures de féerie. À ne pas manquer si vous êtes dans le coin.

Arriver – Quitter

➤ Minibus entre *Boumalne* et la vallée. À Boumalne, départs fréquents de la place près de la mosquée.

Où dormir ?

Comme dans tous les endroits hyper-touristiques du Sud marocain, la haute vallée du Dadès présente une foultitude de petites auberges toutes plus adorables et kitsch les unes que les autres. Des émigrés investissent aussi dans le pays en construisant dans un style pas toujours très heureux, certains écrivant en gros le nom de leur auberge sur le flanc de la montagne. Merci pour les photographes ! La plupart de ces petits établissements proposent des formules d'accompagnement et des guides pour randonner dans les environs. L'accueil y est en général très sympathique. C'est une marque de fabrique de la vallée. Nous vous indiquons notre sélection dans l'ordre où ces établissements apparaissent le long de la route.

Campings

⚞ *Camping d'Aït Oudinar :* à Aït-Oudinar, à 23 km de Boumalne, juste après le pont sur la gauche. ☎ 024-83-01-53. Compter 40 Dh (3,60 €) pour 2 pers. L'un des plus beaux endroits pour camper dans le Dadès. Une terrasse engazonnée et calme sous les peupliers en bordure de l'oued. Eau, électricité, et douche chaude.

⚞ *Camping La Gazelle du Dadès :* au km 27, avt les gorges. ☎ 024-83-17-53. Env 40 Dh (3,60 €) pour 2 pers, douche comprise. Une aire de camping de petite capacité surplombant l'oued.

Attention aux crues en cas d'orage ! Peu d'ombre. Sanitaires à l'auberge juste en face.

⚞ *Camping Berbère de la Montagne :* au km 34, à la fin des gorges ; 1er camping en venant de Msemrir. ☎ 024-83-02-28. • berbere-montagne.ift.fr • Compter 60 Dh (5,50 €) pour 2 pers. Environnement magnifique au bord de l'oued, sous les peupliers, avec quelques espaces gazonnés. Propreté exemplaire. Tout est impeccable. Excellent accueil de Mohammed.

De très bon marché à prix moyens

🛏 |○| *Gîte d'étape chez M'Barek Bouguenoun :* au km 6, à Aït-Youl (au pied de la grande kasbah du Glaoui). ☎ 024-83-14-59. ▯ 066-09-02-02. Compter 110 Dh (10 €)/pers en ½ pens en dortoir et 240 Dh (21,80 €)/pers en chambre double avec sdb (eau chaude). Une sorte de refuge où l'on dort sur des matelas à même le sol ou sur des banquettes. Deux chambres doubles avec salle de bains ont été aménagées pour plus d'intimité. Une adresse appréciée des randonneurs. Profitez-en pour visiter la kasbah du Glaoui attenante.

🛏 |○| *Auberge-restaurant Panorama :* au km 11, repérer la superbe terrasse dominant la vallée. ☎ 024-83-15-55. ▯ 067-15-99-41. • auberge-panorama.sup.fr • Par pers en ½ pens, 250-300 Dh (22,70-27,30 €). Une demi-douzaine de chambres traditionnelles décorées avec goût, plafond en tataoui, mur en tadelakt ou en pisé, avec une vue imprenable sur la vallée. Chouettes tableaux contemporains réalisés par le patron en guise de déco. Restauration impeccable. Le petit déj en terrasse est un pur bonheur. Accueil chaleureux des frères Oussakt.

🛏 |○| *Auberge Miguirne :* au km 13, juste avt Tamlalt. ▯ 068-76-38-04. Accès Internet et propose des VTT. Quelques doubles 110-150 Dh (10-13,60 €), avec ou sans w-c et douche. Chambres simples mais mignonnes et agréables. Les repas sont également bon marché et copieux, pris sur la ter-

rasse avec une vue imprenable.

🛏 |○| *Hôtel Kasbah Aït-Arbi :* au km 18. ☎ 024-83-17-23. Doubles 120 Dh (10,90 €) avec douche et w-c. Une quinzaine de chambres simples mais mignonnettes avec une belle vue sur la vallée. Deux belles terrasses dominant l'oued et la kasbah en face, idéales pour le petit déj quand il n'y a pas de vent. L'ensemble est très propre et l'accueil chaleureux.

🛏 |○| *Auberge des Gorges du Dadès* (Chez Youssef) : à Aït-Oudinar, à 23 km de Boumalne, juste après le pont sur la gauche. ☎ 024-83-01-53. Double 400 Dh (36,60 €) en ½ pens. CB acceptées. Une trentaine de chambres très propres avec bains et w-c, décorées avec soin, dont la moitié avec vue sur l'oued. Chauffage individuel l'hiver. Bonne table, essayez l'assiette berbère, c'est un régal ! Service attentionné. Une bonne adresse qui mériterait un petit brin de déco supplémentaire.

🛏 |○| *Riad des Vieilles Charrues :* au km 23. ▯ 070-63-41-76. Double 500 Dh (45,50 €) en ½ pens. Encore une technique de marketing berbère pour appâter le chaland en manque de guitare électrique ? C'est mal connaître Saïd, musicien percussionniste et ami des organisateurs du festival des Vieilles Charrues. Du goût, Saïd en a eu aussi pour l'aménagement de son riad, décoré avec des objets d'artisanat local. Les chambres dans les tons ocre sont spacieuses. Certaines possèdent même de petites cheminées: Un vrai coup de cœur.

🛏 |●| *Auberge La Fibule – Chez Ljoud :* au km 27. ☎ 024-83-17-31. *Par pers en ½ pens, 170 Dh (15,40 €).* Quatre chambres agréables avec sanitaires, eau chaude et chauffage individuel dans cette auberge à dimension humaine. Cuisine familiale et ambiance musicale assurée. L'adresse la plus sympa à proximité du grand canyon.

🛏 |●| *Auberge des Peupliers :* au km 27. ☎ 024-83-17-48. *Double 200 Dh (18,20 €) en ½ pens. Possibilité de dormir sur la terrasse pour 10 Dh (0,90 €) et de planter sa tente pour 15 Dh (1,40 €) au bord de l'oued.* Auberge très simple, tenue par Mohammed et son fils, très accueillants.

🛏 🛏 |●| *Hôtel La Gazelle du Dadès :* au km 27. ☎ 024-83-17-53 📱068-25-49-72. *Double 260 Dh (23,60 €) en ½ pens, avec ou sans vue sur la vallée. Possibilité de dormir dans le salon ou sur la terrasse, voire de camper pour 20 Dh (1,80 €)/pers. Menu 60 Dh (5,50 €).* Une adresse simple mais très appréciée de nos lecteurs. L'accueil du patron, Touffi Anbark, est très chaleureux. Resto avec cheminée offrant de bons petits plats marocains. Un bon rapport qualité-prix.

🛏 🛏 |●| *Auberge Tissadrine :* au km 27. ☎ 024-83-17-45. ● aguondize@yahoo. fr ● *Double 300 Dh (27,30 €) en ½ pens. Possibilité de dormir sur la terrasse pour 25 Dh (2,30 €)/pers. Menu 70 Dh (6,40 €).* Jolie bâtisse avec une agréable terrasse sur l'oued qui fait de cette adresse un endroit idéal pour déjeuner au bord de l'eau. Les chambres, d'architecture traditionnelle, sont confortables. Beau salon berbère pour prendre ses repas certains soirs en

musique. Grande gentillesse des deux frères, Daoud et Youssef. Une passerelle sur l'oued derrière l'auberge marque le début d'une excursion possible dans un canyon.

🛏 |●| *Auberge Atlas-Berbère :* au km 27. ☎ 024-83-17-42. 📱062-26-05-56. ● atlasberbere@yahoo.fr ● *Doubles avec sdb 250 Dh (22,70 €), ou 200 Dh (18,20 €) sans sanitaires. Sur la terrasse, env 25 Dh (2,30 €)/pers. Menu 80 Dh (7,30 €).* Encore un peu plus loin au bord de l'eau. Grand salon avec des plafonds en roseaux colorés, et magnifique terrasse sur l'oued où l'on peut prendre ses repas en été. Accueil chaleureux.

🛏 |●| *Hôtel-restaurant La Kasbah des Roches :* chez El-Houssain, au km 32, à la fin des gorges. ☎ 024-83-12-57. 📱062-20-12-49. ● kasbahdesroches@ yahoo.fr ● *Double 400 Dh (18,20 €) en ½ pens.* Petite auberge simple proposant une demi-douzaine de chambres, la plupart avec salle de bains privée. Eau chaude. Demander celles avec vue sur les gorges au même prix.

🛏 |●| *Hôtel Berbère de la Montagne :* au km 34, à la fin des gorges. ☎ 024-83-02-28. ● berbere-montagne.ift.fr ● *Par pers en ½ pens (obligatoire), doubles 170-280 Dh (15,50-25,40 €), avec ou sans bains.* Environnement magnifique. Propreté exemplaire. Cette adresse est la dernière citée, car elle se trouve la plus éloignée de l'accès des gorges, mais c'est l'une de nos préférées. La plupart des chambres possèdent une clim' réversible (qui fait chauffage). Excellent accueil de Mohammed. Bonne cuisine berbère. Camping possible (voir plus haut).

Chic

🛏 *Maison d'hôtes chez Mimi :* au km 12, dans le douar d'Aït Ibrirne. ☎ 024-83-05-05. 📱 071-52-38-55. *Résa obligatoire. Tabler sur 400 Dh (36,40 €)/pers en ½ pens. Min de 2 nuits exigé.* Très bel endroit situé en contrebas de la route. Véritable maison de charme, comportant 4 chambres fort bien décorées, créée à l'initiative d'un couple de pianistes-concertistes à la

retraite. Ici, Mimi, la patronne, a soigné l'ambiance. C'est elle-même qui œuvre aux fourneaux et propose à ses hôtes une cuisine raffinée à dominante méditerranéenne. Une maison d'hôtes au sens noble du terme. Petite piscine surplombant les champs. Multiples recoins pour lézarder au soleil.

🛏 |●| *Auberge Chez Pierre :* après l'Auberge des Gorges du Dadès, au *km 25.* ☎ *024-83-02-67.* 📱 *068-24-83-75.* ● *chezpierre.ifrance.com* ● *Fermé en janv, juin-juil et nov-déc (sf 15 j. pour les fêtes de fin d'année). Par pers en ½ pens, 570 Dh (51,80 €). Restauration accessible aux non-résidents (de préférence sur résa) pour 150 Dh (13,60 €).* Belle architecture de pisé entourée d'un beau jardin en terrasse ; les 8 chambres sont décorées avec goût et sobriété. Piscine. Table exceptionnelle. Au menu : caille rôtie aux baies de genévriers, petit fromage frais au miel et aux pommes, sablés aux citrons... Une cuisine inventive qui n'a pas fini de nous étonner !

Où manger ?

Voici quelques adresses, sélectionnées du sud au nord, à partir de Boumalne. Toutes offrent une cuisine berbère traditionnelle. Le repas est servi pour 70 Dh (6,40 €) en moyenne. Pour les fins palais, préférez *Chez Pierre* ou *Chez Mimi* (voir « Où dormir ? Chic »).

|●| *Restaurant Panorama : au km 10 à Aït Ibrirne.* En été pour profiter de la superbe terrasse dominant la vallée.

|●| *Café-restaurant Imlil : au km 19, après la kasbah Aït Arbi dans le douar de Tamlalt (près des Doigts de singe).* Un établissement recommandé par nos lecteurs, mais à proximité de la route.

|●| *Restaurant panoramique Timzillite : au km 28, en haut du col.* Impossible à manquer, c'est la grande terrasse en plein soleil qui culmine au-dessus du grand canyon. Rien que du classique dans l'assiette. Toujours beaucoup de monde pour admirer la vue. Du coup, service un peu long.

|●| *Restaurant de l'hôtel Berbère de la Montagne : au niveau du village d'Imdiazen (voir « Où dormir ? Prix moyens »).* En été, pour profiter de la fraîcheur de l'oued. Terrasse sous les peupliers.

|●| *Restaurant-auberge Le Nom de la Rose : au niveau du village d'Imdiazen.* Excellent tajine dans cet établissement décoré avec soin. Agréable terrasse.

À voir

Dans la vallée des gorges du Dadès

La meilleure façon de visiter la vallée est de s'y promener à pied en suivant le cours de l'oued. La plupart des hôtels vous proposeront les services d'un guide pour aller découvrir les gorges et autres recoins de la vallée. Ceux qui ont un véhicule seront avantagés : ils pourront s'arrêter fréquemment pour descendre visiter les parties les plus intéressantes. À *Aït-Mouted,* dans un virage de la route, à 6 km de Boumalne, se dresse encore une *kasbah* du Glaoui que l'on peut visiter. Elle est magnifique et bien entretenue. Son occupant actuel en a fait aussi un gîte d'étape.

🔫 *La gorge de Sidi-Boubkar : une magnifique balade de 1h30, réalisable au départ de l'auberge Miguirne, au km 13 ; l'accès se trouve en contrebas. À éviter en période de crues ou s'il a plu récemment, ça peut être très dangereux.* Le patron de l'auberge, Ali, vous expliquera quel chemin suivre. En principe, pas d'accompagnateur nécessaire, mais mieux vaut demander conseil à Ali. La gorge de Sidi-Boubkar, très peu connue et à l'écart des circuits classiques, a conservé son aspect sauvage. Quel spectacle magique ! Possibilité de pique-niquer sur place. Attention à ne pas laisser de déchets derrière soi. Vous pourrez vous faire préparer un casse-croûte à l'auberge.

🔫 *La falaise de Tamlalt : au km 15.* Elle est composée de roches érodées, aux formes arrondies. On la nomme la « vallée des Doigts de singe » ou encore la « vallée des Corps humains » (voir encadré).

🏃 *Le circuit des canyons :* randonnée pédestre de 5h30 env. Pour bon marcheur. Il faut être accompagné. Partir de préférence avt 9h. Départ Aït-Ouffi, Aït-Idir km 25, face à La Kasbah de la Vallée. On suit tout d'abord le lit de l'oued pendant 1h30, avant d'entrer dans un couloir étroit et de poursuivre jusqu'au village d'Imdiazen. Retour par un chemin différent, soit par la piste carrossable, soit par le lit du grand canyon.

> ### « LA VALLÉE DES CORPS HUMAINS »
>
> *Selon une légende locale, lors d'un mariage, les gens de la vallée s'étaient rassemblés sur le chemin que la jeune promise parcourait sur sa mule pour s'installer, comme le veut la tradition encore largement observée, dans la maison de son mari. À son passage, la foule se mit à jeter de la nourriture en l'air pour célébrer l'événement, geste que Dieu considère comme un sacrilège. Il punit alors d'un coup tous ces braves gens en les pétrifiant à jamais. Faudrait qu'Il pense à un truc pour ceux qui jettent leurs ordures...*

Dans les gorges du Dadès

Si vous disposez d'un 4x4 et que vous comptez dormir au moins deux nuits de suite dans les gorges du Dadès, profitez-en pour faire la *boucle par les gorges du Todgha.*

➤ La partie la plus étroite des gorges commence à *Aït-Oudinar* au km 25. C'est un peu après que la route grimpe jusqu'à surplomber le vide de plus d'une centaine de mètres. Aït-Oudinar est un très bon point de départ pour des randonnées pédestres de 1h ou d'une demi-journée le long de l'oued Dadès, à la rencontre des villageois. Possibilité de louer des ânes au *Camping d'Aït Oudinar* pour faire une randonnée avec vos enfants.

➤ D'Aït-Oudinar à Msemrir, compter 35 km de bonne route. Jusqu'à Tamtattouchte, c'est 45 km de piste un peu plus rude (en mauvais état) ! Enfin, de Tamtattouchte jusqu'aux gorges du Todgha, la route goudronnée a subi quelques dégâts qui ne facilitent pas le passage sans 4x4. On boucle le parcours en passant par la N10 avec Tineghir, Boumalne et en remontant par les gorges du Dadès. Cette boucle est exceptionnelle, vu la beauté des paysages traversés et, plus encore parce qu'elle permet de « sentir » les ambiances qui règnent au cœur de la montagne. C'est aussi aller à la rencontre des nomades berbères Aït-Moghrad et de leurs troupeaux. À ne pas manquer si vous disposez d'un 4x4.
Renseignez-vous dans la vallée avant de partir, car la piste peut être coupée par la neige en hiver (on passe un col à plus de 2 800 m), ou parfois même après l'été, quand les orages ont fait leurs ravages. Le mieux est de se faire accompagner d'un guide connaissant le coin et qui pourra même prendre le volant pour vous permettre de profiter au maximum des paysages qui, nous ne le répéterons jamais assez, sont exceptionnels. Pour ceux qui ne voudraient pas faire la boucle complète, il faut cependant aller jusqu'aux gorges. Le paysage vous coupera le souffle, surtout si vous faites l'excursion à pied, ce que nous conseillons aux sportifs. Avec une voiture de tourisme, vous pouvez pousser jusqu'à « la Tortue du Dadès », un plissement géologique de toute beauté, situé un peu avant Msemrir. La route est goudronnée.

➤ *La piste vers Imilchil :* attention, elle n'est accessible qu'après la fonte des neiges et seulement en 4x4, à condition d'avoir une bonne pratique de la conduite tout-terrain. Cette piste, qui gagne les vallées d'altitude où vivent les tribus Aït-Moghrad et Aït-Haddidou, vaut vraiment le détour. Partir à deux véhicules. Mieux vaut prendre un guide qui a déjà fait le parcours. Compter 5h pour monter à Imilchil depuis la vallée.

Une autre manière pour se rendre à Imilchil consiste à rejoindre la piste Todgha-Imilchil au niveau de Tamtattouchte, bifurquer vers Aït-Hani pour arriver sur Agoudal. C'est l'itinéraire « Mouflon futé » au cas où le Tizi-n'Ouano serait encore sous la neige, mais c'est également plus long (compter 8h pour se rendre à Imilchil par cet itinéraire).

➤ **Msemrir :** à 60 km de Boumalne, c'est le chef-lieu des tribus des Aït-Moghrad, des Aït-Haddidou et des Aït-Atta. Point de départ de nombreuses randonnées. La gendarmerie royale pourra vous renseigner sur l'état des pistes et les chemins à prendre. Au printemps, pêche à la truite dans l'oued Boukoula. Visite de grottes qui servaient de refuge. Les gens du coin sont plutôt hospitaliers.

– **Souk :** *le sam.* Très animé.

🏠 🍴 **Auberge El-Warda :** *chambres avec vue panoramique. Repas sur commande et sandwichs.* Mohammed | Outakhechi, le patron, pourra vous conseiller sur l'état des pistes et les possibilités de balades.

La vallée des Roses depuis le Dadès

Pour ceux qui disposent d'une pleine journée de détente dans le Dadès, profitez-en pour aller faire un tour dans la vallée des Roses. Le départ de la piste se situe au niveau de la *kasbah* du Glaoui, dans le village d'Aït-Youl (environ 7 km de Boumalne sur la route des gorges). Comptez environ 1h de piste pour vous rendre à Tamalout (Bou-Tahrar). Attention, ça passe tout juste avec une voiture de tourisme (et vous n'êtes pas assuré). Avoir l'expérience des pistes. Ensuite vous pourrez prendre la direction d'El-Kelaa, en continuant par la route le long de l'oued vers Tourbist, et enfin boucler par Boumalne avant de revenir dans les gorges. Les paysages rappellent un peu ceux du Grand Canyon (toutes proportions gardées, bien évidemment), la terre rouge, verte ou jaune suivant le sol est ravinée sous l'effet des pluies torrentielles déversées par les orages (c'est d'ailleurs pourquoi nous vous déconseillons de faire cette boucle quand l'orage menace). La meilleure période est avril-mai pour les lauriers-roses et le passage des cigognes.

TINEGHIR
36 000 hab.

Tineghir (prononcer « Tinerhir ») est réputée pour sa palmeraie. Vous la découvrirez en montant sur le promontoire de l'hôtel *Kenzi Saghro,* près de l'ancienne *kasbah* du Glaoui, dont il ne reste plus que quelques pans de murs délabrés. Quel panorama ! De quoi faire pâlir tous les réalisateurs de cinéma ! La palmeraie s'étend jusqu'aux contreforts de l'Atlas. C'est l'une des plus riches du Maroc.

À Tineghir, la communauté juive est encore très présente dans les esprits ; on lui doit, entre autres, l'art de confectionner des bijoux d'argent comme à Tiznit. À noter que la ville se situe à 1 342 m d'altitude, et les nuits y sont fraîches en hiver, alors que, l'été, la température est si élevée qu'il est préférable de dormir sur les terrasses, comme le font la plupart des habitants.

Arriver – Quitter

🚌 🚙 *Départs des bus autour de la poste (plan B1), billets à l'agence* Al-Fath, *sur la place de la mosquée.* Liaisons avec :
➤ **Fès, Meknès, Casablanca :** 1 bus de nuit. Trajet : env 11h jusqu'à Casa.
➤ **Ouarzazate :** bus quasiment ttes les heures ou taxis collectifs. Trajet : 3h.

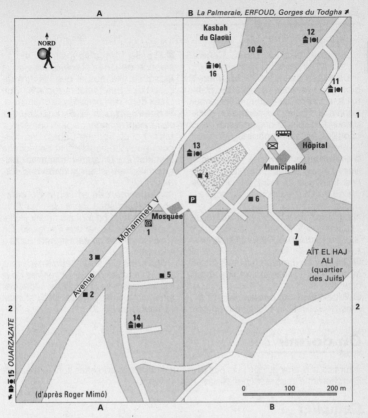

B *La Palmeraie, ERFOUD, Gorges du Todgha*

TINEGHIR

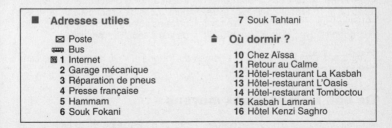

■ **Adresses utiles**	
⊠ Poste	
🚌 Bus	
@ 1 Internet	
2 Garage mécanique	
3 Réparation de pneus	
4 Presse française	
5 Hammam	
6 Souk Fokani	

7 Souk Tahtani

🏠 **Où dormir ?**

10 Chez Aïssa
11 Retour au Calme
12 Hôtel-restaurant La Kasbah
13 Hôtel-restaurant L'Oasis
14 Hôtel-restaurant Tombouctou
15 Kasbah Lamrani
16 Hôtel Kenzi Saghro

➢ **Marrakech :** quelques liaisons quotidiennes, la majorité partent le matin de Tineghir. Trajet : 8h.
➢ **Er-Rachidia :** bus fréquents ou taxis collectifs. Trajet : 2h30.
➢ **Tamtattouchte et les gorges du Todgha :** camion chaque matin et fourgonnette au départ de Tineghir ; un rabatteur crie la destination près des taxis collectifs.

Adresses et infos utiles

✉ **Poste** (plan B1) : av. Hassan-II.
@ **Internet** (plan A2, **1**) : av. Mohammed-V. Deux adresses à proximité.
■ **Banques** : sur l'av. Mohammed-V, proche de la mosquée. BMCE, Wafabank, le Crédit du Maroc et la Banque Populaire. Toutes possèdent un distributeur de billets. Change possible aussi dans les hôtels Tomboctou et Kenzi Saghro.
■ **Pharmacies** (plan B1) : Todghra et Saghro, av. Mohammed-V, près de l'hôtel L'Oasis (plan B1, **13**). **Pharmacie de nuit** à la municipalité, derrière la poste.
■ **Location de VTT** : Kamal's Bike, av. Mohammed-V, à côté de la pharmacie Saghro (plan B1) ; à l'hôtel **L'Oasis** (plan B1, **13**).
■ **Garage mécanique** (plan A2, **2**) : av. Mohammed-V. Honnête, rapide et pas cher.
■ **Réparations de pneus** (plan A2, **3**) : près de la BMCE. Dispose d'un bon équipement.
■ **Presse française** (plan B1, **4**) : au kiosque de **Chez Rachid**, près de la mosquée. Hebdos et quotidiens français, mais pas toujours récents ! Bon choix de cartes postales.
■ **Hammam** (plan A2, **5**) : pour ceux qui voudraient changer de peau après avoir fait la boucle Todgha-Dadès. Des douches publiques également non loin de la station Ziz. Un autre hammam à quelques kilomètres sur la route des gorges.
🍷 **Supermarché et vente de boissons alcoolisées** (hors plan par A2) : chez **Michèle**, bd Mohammed-V. Petite supérette tenue par une Française. On y trouve même du camembert. Pizza à emporter.
– **Marchés** : le souk hebdomadaire a lieu le lun et se déroule à l'entrée de la ville en venant de Ouarzazate. Les autres jours, souk Fokani (plan B1, **6**) et souk Tahtani (plan B2, **7**).

Où dormir ?

Attention aux faux guides qui vous diront que certaines adresses sont fermées, et chercheront à vous entraîner ailleurs. Restez ferme.

Camping

⚕ ❙●❙ **Camping Ourti** (hors plan par A2) : à l'entrée de la ville sur la route de Ouarzazate. ☎ 024-83-32-05. Compter 45 Dh (4,10 €) pour 2 pers avec tente, douches chaudes incluses. Également des doubles avec salle d'eau 190 Dh (17,30 €), petit déj compris, et quelques bungalows 100 Dh (6,40 €) pour 2 pers. Petit camping bien entretenu. Restauration possible et animations musicales certains soirs. Piscine payante ouverte de juin à sept. Bon accueil.

– Voir aussi, plus loin, dans « Les gorges du Todgha », « Où dormir ? », les campings plus sympas de la palmeraie.

De bon marché à prix moyens

🏠 **Chez Aïssa** (plan B1, **10**) : en contrebas de la kasbah. ☎ et fax : 024-83-49-62. ● chezaissa.com ● Prendre à gauche après la pharmacie Todghra, puis à droite (c'est indiqué). En ½ pens, compter 175 Dh (15,90 €)/pers. Belle maison traditionnelle en plein cœur de la vieille ville. Entièrement rénovée, elle comprend une dizaine de chambres très propres, confortablement aménagées. Sanitaires impeccables, mais sur le palier. Accueil attentionné de Aïssa et de ses fils. Une bonne adresse pour ceux qui arrivent tard par le bus.
🏠 ❙●❙ **Retour au Calme** (plan B1, **11**) : à la sortie de Tineghir en venant de Boul-

mane, au bord de la palmeraie, ne pas manquer le panneau à droite. ☎ 024-83-49-24. • hote.calme@mageos.com • Doubles 100-200 Dh (9,10-18,20 €), avec petit déj ; une familiale 250 Dh (22,70 €). Menu 60 Dh (5,50 €). Attention si vous êtes en voiture, le chemin d'accès est très étroit. Une maison d'hôtes toute simple, juste à côté du mellah. Une dizaine de chambres avec salle de bains privée ou commune. La maison dispose également d'un jardin, d'une grande tente et d'une pergola.

🛏 |●| **Hôtel-restaurant La Kasbah** (plan B1, **12**) : av. Mohammed-V. ☎ 024-83-44-71. 📱 061-79-60-31. Parking. Compter 260 Dh (23,60 €)/pers en ½ pens. CB acceptées. Une demi-douzaine de chambres ont été aménagées dans cette authentique kasbah. L'ensemble est propre et certaines chambres conviendraient parfaitement à une famille. Salon à la déco berbère pour les repas. Bon accueil (même si on

Chic

🛏 |●| **Hôtel-restaurant Tombouctou** (plan A2, **14**) : av. Bir-Anzarane. ☎ 024-83-51-91. • hoteltombouctou.com • En hte saison, résa conseillée. Doubles avec petit déj 420-620 Dh (38,20-56,40 €) selon confort. ½ pens proposée. CB acceptées. Dans une ancienne kasbah admirablement restaurée. Une vingtaine de chambres agréables avec clim' ou ventilo et chauffage individuel. Les plus grandes (et plus belles) se situent dans la kasbah mais sont plus chères que celles du petit riad. Les repas (boissons alcoolisées servies) se prennent dans le jardin au bord de la piscine. Organisation d'excursions et de bivouacs. Parking gardé à 200 m. Un excellent rapport qualité-prix.

🛏 |●| **Kasbah Lamrani** (hors plan par A2, **15**) : av. Mohammed-V. ☎ 024-83-50-17. • kasbahlamrani.com • À 2,5 km du centre. Doubles 560 Dh (50,90 €),

essaiera de vous vendre des tapis tissés par la famille.

🛏 |●| **Hôtel Bachir** (hors plan par A2) : av. Mohammed-V. ☎ 024-83-36-23. Fax : 024-83-30-60. Un des premiers hôtels sur la droite en venant de Ouarzazate. Compter 200 Dh (14,50 €)/pers la ½ pens en chambre double. Un hôtel au style typiquement marocain, très bien entretenu, qui comporte une douzaine de chambres. Sanitaires sur le palier mais cabines de douche dans les chambres. Retenez celles sur l'arrière, à cause de la route. Excellent accueil d'Abdel, qui n'hésitera pas à venir vous chercher à la gare routière.

🛏 **Hôtel-restaurant L'Oasis** (plan B1, **13**) : av. Mohammed-V. ☎ 024-83-36-70. • iminoulmou@caramail.com • Doubles 80-150 Dh (7,30-13,60 €) selon confort. Location de VTT et conseils de balades. Dommage que l'hôtel soit trop bruyant en raison de sa situation.

petit déj compris. ½ pens possible. CB acceptées. Bel hôtel qui évoque les fastes orientaux, proposant une vingtaine de chambres climatisées, toutes avec bains. Restos agréablement décorés, mais repas moyens. Alcool disponible. Vaste patio avec fontaine, belle piscine bordée de transats. Possibilité de louer des vélos.

🛏 **Hôtel Kenzi Saghro** (plan B1, **16**) : prendre la route qui monte à gauche, après la Banque Populaire. ☎ 024-83-41-81. • kenzi-hotels.com • Double 650 Dh (59 €). Repas 120 Dh (10,90 €). L'hôtel le plus haut de gamme de la ville offrant une vue superbe sur la kasbah et la palmeraie. Chambres avec baignoire, très confortables, climatisées et décorées avec goût. Belle piscine en forme de porte arabe, et resto panoramique. Beaucoup de groupes.

Où manger ?

Beaucoup de petits restos dans la rue qui va de la place de la mosquée à la poste. Comme toujours, fiez-vous à votre flair, préférez les tajines « frais » qui mijotent devant vous, et mangez « à la berbère », en trempant votre pain dans le jus de cuisson.

⦿ Inass Welcome (hors plan par B1) : à la sortie de la ville, à env 2,5 km du centre en direction des gorges du Todgha. ☎ 024-83-33-00. Menu 80 Dh (7,30 €). Accueil volubile et chaleureux de Mohamed qui s'efforce d'offrir un vrai service à ses hôtes. Dans l'assiette, un régal de cuisine traditionnelle (goûtez au *seffa*, vermicelle avec cacahuètes). Autour, une salle à la déco typique et une terrasse sous la tonnelle. Cheminée en hiver.

⦿ Chez Michèle (hors plan par B1) : à la sortie de la ville, à env 1 km du centre en direction des gorges du Todgha. ☎ 024-83-51-51. Résa conseillée. Menu le midi 120 Dh (10,90 €), le soir à la carte env 90 Dh (8,20 €) le plat. Gastronomie française et marocaine. La salle du rez-de-chaussée fait un rien bourgeois. On préfère le salon marocain à l'étage avec ses tables basses et ses nombreux tapis, voire la terrasse. Les assiettes sont belles et copieuses. Un peu cher tout de même.

À voir. À faire

➤ **La promenade à pied dans la palmeraie :** sortir de la ville et traverser l'oued devant la pancarte « Gorges », puis remonter en suivant l'escarpement rocheux. Compter deux bonnes heures de marche jusqu'au camping de la Source des Poissons Sacrés. Vous y découvrirez tout un petit monde travaillant dans les vergers, près des canaux d'irrigation. La palmeraie, irriguée par l'oued Todgha, est magnifique. Il faut s'y promener le matin ou en fin d'après-midi. Très intéressant pour observer la vie quotidienne et comprendre le système d'irrigation, où pas une goutte d'eau n'est perdue. Attention, la palmeraie est un vrai labyrinthe où l'on peut perdre beaucoup de temps dans les culs-de-sac. Suivre le canal d'irrigation principal permet, d'après un lecteur, de dérouler le fil d'Ariane sans heurt. Sinon, se faire accompagner par un guide ; à demander à votre hôtel.

🗡 **Le point de vue sur la palmeraie :** prendre la direction des gorges et, à 2,5 km du carrefour, on arrive sur un belvédère ; impossible de le manquer. Chameaux et gamins y attendent les touristes. Magnifique vue sur le village d'Aït-Boujane. De là, possibilité de descendre à pied dans la palmeraie. Les plus courageux continueront jusqu'aux gorges du Todgha (voir plus loin). Compter 15 km, mais la route est très belle.

🗡 **L'ancien village Aït El-Haj Ali** (plan B2) : plus connu comme le « quartier des Juifs ». Remarquable architecture en pisé et ambiance commerciale dans quelques rues où les maisons dissimulent des bazars. Si l'on vous invite à prendre un thé, à faire le henné, à la fête de la soie, ou à photographier les femmes qui tissent, ce n'est pas toujours désintéressé...

🗡 **La mosquée-médersa Ikelane :** dans le village d'Afanour, juste après le pont en sortant de Tineghir. Droit d'entrée : 20 Dh (1,80 €). Abandonné à la fin du XXᵉ s mais en grande partie rénové depuis, le site offre une occasion rare pour les non-musulmans de pénétrer dans une mosquée.

🗡 **El-Hart :** à 14 km. On s'y rend en empruntant la route d'Er-Rachidia et en suivant ensuite une piste de 4 km, ou par l'av. Bir-Anzarane et en tournant ensuite à gauche à la fin du goudron. Là, quelques potiers travaillent d'une manière tout à fait artisanale au milieu d'une magnifique palmeraie.

LES GORGES DU TODGHA

À la sortie de Tineghir, en direction d'Er-Rachidia, prendre à gauche avant le pont, puis compter 15 km. Découpées dans l'épaisse couverture calcaire du Haut Atlas, les gorges du Todgha (prononcer « Todra ») comptent parmi les plus belles du Sud marocain. Pour vous mettre l'eau à la bouche, vous pouvez aller voir trois films dont certaines scènes ont été tournées dans ces gorges : *Lawrence d'Arabie* (encore), *La Poudre d'escampette* et *Cent Mille Dollars au soleil*. L'eau y coule toute l'année.

– Si vous n'avez pas de véhicule, vous trouverez des taxis collectifs et des fourgonnettes, le matin, au départ de Tineghir.

En voiture, l'accès des gorges est payant : 5 Dh (0,50 €).

> **LA LÉGENDE DES POISSONS SACRÉS**
>
> *L'histoire raconte qu'il y a fort long-temps, en traversant les gorges, un saint homme assoiffé aurait frappé un rocher avec son bâton. Une source aurait jailli de la pierre. La frappant de nouveau, des poissons en seraient sortis à leur tour. Voilà pourquoi ces derniers ne sont jamais pêchés et font toujours l'objet d'un pèlerinage.*

À L'EST DE OUARZAZATE

Évitez d'y aller le week-end en saison chaude, à moins d'aimer les embouteillages et le hurlement des radiocassettes ! Le reste de l'année, le midi, les cars qui stationnent pendant que les groupes déjeunent vous empêcheront peut-être de passer, alors, pour apprécier les lieux, allez-y dès potron-minet ou en fin d'après-midi. L'idéal est de rester coucher sur place, et ce ne sont pas les hébergements qui manquent !

Où dormir ? Où manger ?

Dans la palmeraie

Campings

Les campings suivants se valent à peu près. Situés les uns à la suite des autres, à environ 8 km de Tineghir en allant vers les gorges, ils se trouvent en bordure de l'oued, donc en zone submersible ! Prudence en cas d'orage violent. Plusieurs excursions à pied dans la palmeraie sont possibles. On peut aussi louer des ânes.

X ≜ |●| *Hôtel-restaurant-camping Le Soleil :* au km 8, sur la gauche dans un virage. ☎ et fax : 024-89-51-11. Compter 60 Dh (5,50 €) pour 2 pers avec tente et voiture, électricité comprise. Doubles 180-300 Dh (12,70-16,40 €) selon confort ; pour les petits budgets, matelas sous tente berbère. Menu 80 Dh (7,30 €). Grand terrain de camping bien ombragé. Un peu plus en hauteur que les autres. Bloc sanitaire, laverie. Une dizaine de chambres correctes, certaines avec bains. Bon accueil. Piscine.

X ≜ |●| *Camping L'Auberge Atlas :* au km 9. ☎ 024-89-50-46. Compter 50 Dh (4,50 €) pour 2 pers avec tente et voiture. Double 100 Dh (9,10 €). Menu 70 Dh (6,40 €). Camping bien ombragé. À notre avis, le meilleur de toute la région car le site est très beau au bord de l'oued. Patron très sympa. Sanitai-

res communs avec eau chaude, très bien entretenus. Une petite dizaine de chambres propres, mais minuscules. Le petit resto sert une bonne cuisine.

X ≜ *Camping du Lac (Jardin de l'Éden) :* à deux pas du camping L'Auberge Atlas. ☎ 024-89-50-05. Compter 40 Dh (3,60 €) pour 2 pers avec tente et voiture. Chambres agréables 130 Dh (11,80 €) avec douche et w-c ; les fauchés peuvent dormir dans un salon ou sur la terrasse. Petit camping tout proche de l'oued (à éviter en cas de fortes pluies !). Sanitaires impeccables. Électricité.

X ≜ |●| *Camping-auberge de la Source des Poissons Sacrés :* quelques mètres après les 3 précédents. ▤ 068-25-53-09. Pour 2 pers avec tente et voiture 40 Dh (3,60 €) ; double 60 Dh (5,40 €). Dans le salon, 25 Dh (2,30 €)/pers. Menu 50 Dh (4,50 €). Les poissons existent toujours, dans un bassin à l'eau très limpide ; ils sont effectivement sacrés pour les gens du coin.

Prix moyens

🛏 *Maison d'hôtes La Palmeraie :* à Aït-Chaïb, 7 km de Tineghir en allant vers les gorges. ☎ 024-89-52-09. • *pal meraiehouse.com* • *Doubles 100-200 Dh (9,10 ou 18,20 €) avec ou sans sanitaires, petit déj compris.* Une maison traditionnelle étagée en contrebas de la route (accessible à pied), en lisière de la palmeraie. Elle compte une demi-douzaine de chambres simples, dont trois avec douche et w-c situées dans l'aile neuve. Celles sans bains sont plus fraîches en été. Grand salon marocain donnant sur la palmeraie, et un petit salon aménagé avec goût par Doreen, la maîtresse de maison. La carte du resto est assez chère.

🛏 |❍| *Hôtel Zakar Charif :* dans le village d'Aït-Acha, un peu après l'hôtel Amazir *en allant vers les gorges.* ☎ et fax : 024-89-51-48. *Parking. Double 300 Dh (27,30 €), petit déj compris. Menu 100 Dh (9,10 €) proposant une cuisine franco-marocaine. CB acceptées.* Une douzaine de chambres un peu impersonnelles mais propres, avec douche et w-c. Beaucoup de carrelage dans cet hôtel à l'architecture intérieure tarabiscotée. On admirera le travail des stucs dans la salle de resto. Moins la moquette bleue dans les chambres... Bon accueil.

🛏 *Maison d'hôtes Taborihte :* dans le village de Tabia, sur la route des gorges à 12 km de Tineghir. ☎ 024-89-52-23. 📱 072-81-63-83. *Double 200 Dh (18,20 €), petit déj compris ; 50 Dh (4,50 €)/pers avec le petit déj pour coucher sous la tente nomade. ½ pens sur demande.* Difficile de manquer cette

grande *kasbah* aux baies bleues, noyée dans la verdure. *Taborihte* signifie « au calme ». Ceux qui souhaitent se réveiller aux chants des oiseaux apprécieront cette maison traditionnelle entièrement rénovée, nichée dans un cadre enchanteur : on y accède par un pont suspendu au-dessus de la rivière. L'architecture en pisé fait la part belle aux espaces intérieurs où l'air circule librement. Admirer les plafonds et la grande salle de resto aménagée dans le style marocain. Grande terrasse avec piscine. Possibilités de randonnées et visites de la palmeraie. Parking dans un garage du village. Excellent rapport qualité-prix. Et très bon accueil de Mounir.

🛏 |❍| *Dar Ayour :* dans le village de Tizgui, 1 km avt les gorges. ☎ 024-89-52-71. 📱 072-52-12-51. • *darayour. com* • *Double 500 Dh (45,50 €) en ½ pens. Menu 100 Dh (9,10 €).* Cette belle maison au bord de l'eau et au cœur d'un petit village abrite 7 chambres aux couleurs fauves. On apprécie les finitions artisanales, les salles de bains en *tadelakt* et les attentions comme le coin bibliothèque avec des guides à disposition des hôtes. Belle terrasse sur le toit.

🛏 |❍| *Maison d'hôtes Aïcha :* dans le village de Tizgui, 1 km avt les gorges. ☎ et fax : 024-89-52-10. *Double 200 Dh (18,20 €), petit déj compris. ½ pens possible.* Petit hôtel propret et bien carrelé entre la route et la palmeraie. Une quinzaine de chambres, toutes à l'étage, avec douche et w-c. Accueil souriant.

Chic

🛏 |❍| *Hôtel Amazir :* avt l'entrée des gorges. ☎ 024-89-51-09. • *lamazir. com* • *Double 500 Dh (45,50 €), petit déj compris ; 600 Dh (54,50 €) pour 2 pers en ½ pens. CB acceptées (commission 5 %).* Bel établissement d'une vingtaine de chambres disposant toutes d'une salle de bains et d'une excellente literie,

Cadre romantique. Sanitaires sommaires. Pas d'accès en camping-car.

deux possèdent même un balcon dominant la palmeraie. Chambres lumineuses et décorées avec raffinement. Salle de resto très agréable avec cheminée, céramiques, tapis, etc. Piscine avec terrasse au bord de l'oued. Accès direct à la palmeraie.

À proximité immédiate des gorges

🛏 |●| *Hôtel-restaurant-auberge La Vallée, Chez Saïd :* ☎ 024-89-51-26. *Juste à l'entrée des gorges, sur la gauche au niveau du parking. Double 150 Dh (13,60 €), avec petit déj.* Saïd propose une douzaine de chambres, dont plus de la moitié avec douche et w-c. Ils font aussi resto, prix modiques. Choisir de préférence les nouvelles chambres avec vue sur l'oued et les gorges. Accueil chaleureux.

🛏 |●| *Maison d'hôtes Valentine :* dans le village d'Aït-Baha, juste avt les gorges. ☎ 024-89-52-25. *Une dizaine de chambres avec douche et w-c 300 Dh (27,30 €) pour 2 pers en ½ pens.* Située à l'écart de la route, au milieu du village et en bordure de la palmeraie, cette petite auberge est très propre et bien tenue. Au rez-de-chaussée, un petit salon marocain. Agréable petite salle à manger. Ne pas manquer de monter à la terrasse pour admirer la vue. Bon accueil.

🛏 |●| *Maison d'hôtes Riad Toudra :* dans le village d'Aït-Baha, juste avt les gorges. ☎ 024-89-50-31. *Compter 130 Dh (11,80 €)/pers en ½ pens ou 20 Dh (1,80 €) pour un matelas et une couverture en dortoir ou sur la terrasse dominant l'oued ; petit déj en sus.* Belle petite auberge (qui n'a rien d'un *riad*) aménagée autour d'une courette ombragée par une treille, disposant de 4 chambres avec douche et w-c et de 2 dortoirs. Une adresse aménagée visiblement pour se détendre. Ici, la référence, c'est plutôt Bob Marley ! Peut être réservée en priorité aux jeunes routards.

Où dormir ? Où manger dans les environs ?

🛏 |●| *Auberge Le Festival :* à 5 km après les gorges en direction de Tamtattouchte. 🖥 061-26-72-51. ● aubergele festival@yahoo.fr ● *Doubles 180-230 Dh (16,40-20,90 €) suivant confort, petit déj compris ; ½ pens possible.* Un grand cube de pierres sèches perché sur une hauteur dominant l'oued à l'écart de la route. Adi Sror, porté sur le tourisme rural et le développement durable (éclairage solaire), propose une demi-douzaine de chambres, dont trois avec douche et w-c dans son auberge d'excellente tenue. L'ensemble est sobre, mais décoré avec goût. Agréable terrasse ensoleillée. Pour les amateurs d'insolite, Adi a aménagé, en contrebas de l'auberge, des chambres troglodytiques avec une belle porte en fer forgé. Étonnant ! Nombreuses possibilités de randonnées pédestres dans les environs.

À faire

➢ *Randonnées équestres :* chez Assettif Aventure, à 1 km avt l'entrée des gorges. ☎ 024-89-50-90. Driss organise des bivouacs de plusieurs jours 700 Dh (63,60 €)/pers la journée, tt inclus. Également des balades à la journée 350 Dh (31,80 €) sans le repas. Loue aussi des VTT et propose une chambre d'hôtes.

– Ces gorges sont un véritable paradis pour les amateurs d'*escalade.* Location du matériel proposée chez *Assettif Aventure* (voir coordonnées ci-dessus). Renseignements et location aussi à l'hôtel *La Vallée,* à l'entrée des gorges, ainsi qu'à l'hôtel *Tomboctou* de Tineghir, qui possèdent les documents sur les voies d'accès. Très nombreuses sont les voies équipées pour niveaux de 5 + à 8a (seuls les spécialistes comprendront), de 25 à 300 m. Attention, il arrive parfois que des gamins s'amusent à un jeu stupide qui consiste à retirer la plaquette et l'écrou du premier point d'assurage ou, plus vicieux, à détacher le maillon rapide fixe du sommet. Donc, prévoir toujours un maillon avec soi pour ne pas rester en rade après tant d'efforts. La prudence s'impose car, en cas de pépin, les secours sont lents et peu efficaces.

TAMTATTOUCHTE

Depuis que le goudron a gagné la vallée, Tamtattouchte voit son offre en matière d'hébergement exploser. La multiplication des raids en 4x4 ces dernières années avait déjà infléchi la tendance. Mais la nature étant capricieuse, la route qui reliait les gorges du Todgha à ce paisible village de montagne (1 800 m d'altitude) a été fortement endommagée par la crue de l'oued au printemps 2007. Celle-ci est, jusqu'à réparation, difficilement praticable. Bien se renseigner avant de l'emprunter.

Où dormir ? Où manger ?

De très bon marché à bon marché

▲ I●I *Auberge Bougafer :* juste en face de Baddou (voir ci-dessous). ☎ 070-22-35-36. ● aubergebougafer.com ● Double env 150 Dh (13,60 €) en ½ pens. À peine une dizaine de chambres. Un établissement un peu en retrait, un peu austère aussi, mais les prix sont là. Très belle vue sur la vallée et accueil souriant.

▲ I●I *Le Campagnard :* situé en plein centre du village. Une auberge rustique tenue par Ali et sa sœur Fatima. Chambres propres et un petit dortoir dans lequel on remarquera d'étonnants tableaux du maître des lieux. Terrasse agréable avec belle vue sur la kasbah.

▲ I●I *Gîte Taymat :* dans le centre du village, derrière l'Auberge Bougafer, à l'écart de la route. Petit dortoir 40 Dh (3,60 €)/pers. Un gîte estampillé GTAM (« Grande traversée des Atlas marocains »), aménagé dans une kasbah en pierre sèche. Même propriétaire que l'hôtel Baddou.

Prix moyens

▲ I●I *Hôtel-restaurant Baddou :* dans le village (facilement repérable car très coloré). ☎ 072-52-13-89. Doubles 100-200 Dh (9,10-18,20 €) avec ou sans commodités. Repas env 70 Dh (6,40 €). Ensemble hôtelier d'une douzaine de chambres, très propre et aménagé avec soin. Les chambres confortables donnent toutes sur le jardin. On apprécie la cuisine berbère et la succulente spécialité du Baddou, le Timlilay (sorte de poulet au curry avec des petits légumes coupés en dés). Bons conseils et suggestions pour des randonnées dans les environs. Bref, un excellent rapport qualité-prix.

▲ I●I *Auberge Les Amis :* à l'entrée du village en venant de Tineghir. ☎ 070-23-43-74. Compter 200 Dh (18,20 €)/pers en ½ pens. Grande bâtisse en pierre disposant d'une demi-douzaine de chambres, grandes et propres, dont quatre avec douche et w-c. Resto au sous-sol frais et agréable, en contrebas de la route. Belle terrasse. Une étape sympathique pour déjeuner.

▲ I●I *Hôtel Essalam :* à droite à l'entrée du village en venant de Tineghir. ☎ et fax : 024-83-58-43. ☎ 077-78-97-51. ● http://essalam.f2g.net ● Doubles 150-200 Dh (13,60-18,20 €) suivant confort ; petit déj non compris. ½ pens proposée. Le plus grand établissement du village doté d'une trentaine de chambres, dont la moitié avec douche et w-c. Au rez-de-chaussée, une grande salle de resto, un petit salon et 4 chambres. Le reste des chambres est à l'étage. Un endroit très propre, mais assez froid en raison de la profusion de carrelage et de la peinture verte omniprésente. Il manque sans doute quelques tapis pour rendre l'endroit plus chaleureux. Demandez au passage au patron qu'il vous allume la fontaine du hall !

À faire

➤ *De Tamtattouchte,* on peut se rendre à *Imilchil,* par une piste en partie goudronnée (reste encore le tronçon Aït-Hani-Agoudal actuellement en travaux). L'itinéraire est décrit à partir d'Imilchil. Route goudronnée jusqu'à Rich (via Assoul et Amellago) pour rejoindre le nord à travers l'Atlas.

➤ Entre *Tamtattouchte* et *Msemrir* (dans les gorges du Dadès), compter 60 km de piste sans aucun village. Le point le plus élevé de la route est le *col d'Aguerd N'Zegzdoun,* à 2 639 m. On décrit la boucle gorges du Dadès-gorges du Todgha, plus haut dans la rubrique « À voir » de « La vallée des gorges du Dadès ».

TINEJDAD
7 500 hab.

À 47 km, un gros *ksar* implanté dans la palmeraie du Ferkla, qui a bien perdu de sa luxuriance à cause de la sécheresse. Pas d'hôtels, une maison d'hôtes remarquable mais cependant pas à la portée de toutes les bourses ; sinon, se réfugier chez l'habitant. Quelques restos sympas pour faire étape le midi. Tinejdad semble être, en devenir, la ville du patrimoine ksourien. En effet, c'est ici que vous trouverez les musées les plus intéressants pour expliquer la relation entre l'eau, les sédentaires et les nomades. À ne manquer sous aucun prétexte : le *musée des Sources de Lalla Minouna* et le *musée des Oasis,* aménagé dans le *ksar* d'El-Khorbat. On y apprend tout – ou presque – sur la culture berbère, et à cent lieux des clichés habituels.

Où dormir ? Où manger ?

🏠 I●I *Gîte-restaurant El Khorbat :* à *5 km de Tinejdad en venant de Tineghir, prendre une piste sur la droite pdt 800 m.* ☎ 035-88-03-55. ● *elkhorbat. com* ● Compter 800 Dh (72,70 €) la ½ pens pour 2 pers. Repas à partir de 70 Dh (6,40 €). Une dizaine de chambres (dont une de 6 lits) avec bains, certaines avec une petite terrasse ou un patio, toutes aménagées au cœur d'un *ksar* en pisé entièrement restauré conformément à son origine. Très frais en été. On adore le petit salon situé en face de la chambre *Taghia.* Créée à l'initiative de l'écrivain espagnol Roger Mimo, grand spécialiste de la culture berbère et du tourisme de randonnée au Maroc, cette maison d'hôtes possède un charme incontestable. Ici, pas de tape-à-l'œil. La déco est épurée, mais c'est tout à l'honneur des concepteurs, qui, visiblement, ont privilégié le musée attenant aux chambres (voir ci-dessous). Dans une salle à manger typique ou en terrasse, sous les palmiers, on vous servira une cuisine de qualité.

Essayez la *pastilla* au poulet et aux amandes. Pas d'alcool. Une occasion unique de partager la vie des habitants d'une palmeraie. De plus, œuvrant dans le sens du tourisme équitable, le responsable, originaire du village, a mis sur pied une coopérative de tissage avec l'aide des femmes. Leur production artisanale est proposée aux visiteurs.

I●I *Café-restaurant Le Panorama :* juste après le pont à l'entrée de la ville en venant de Tineghir. Pour les petits budgets (étudiants et associations marocaines), Aziz Hamdi, le patron, accorde 50 % de réduc. Restauration à prix corrects (la carte est bien fournie), doublée d'un « espace culturel », dans lequel les artistes locaux exposent leurs œuvres. Cadre assez simple. Bon accueil.

I●I *Café-restaurant Jardin Farkla :* dans la rue principale près du marché et de la station de taxis. On y propose des brochettes et des salades. Cuisine simple. Terrasse bien agréable au 1er étage.

À voir. À faire

🏃🏃 *Le musée des sources de Lalla Minouna :* avt d'arriver à Tinejdad, à gauche en venant de Tineghir. ☎ 035-78-67-98. 📱061-35-16-74. Entrée : 50 Dh (4,50 €). La mention « Grandiose » peinte sur la pancarte d'accès indiquant le lieu peut faire rire en arrivant. En repartant, en revanche, vous serez comblé ! Ex-tra-or-di-naire musée créé à l'initiative de Zaïd Abbou, peintre-calligraphe, qui donne ici un aperçu authentique de la culture de la région. Laissez-vous guider par la visite, qui commence par la préhistoire (nombreux bifaces accheuléens et haches en pierre polie du Néolithique), et qui se poursuit par un éventail des métiers disparus : travaux des champs, cordonnerie, dinanderie, menuiserie, poterie, forge. La partie traitant du textile et des bijoux est exceptionnelle et n'a rien à envier aux musées nationaux. Celle sur le thème de l'eau également : vous y verrez, entre autres, la fameuse « tanast », l'horloge hydraulique que les maîtres de l'eau contrôlaient pour répartir équitablement l'irrigation dans les jardins. Isolez-vous quelques instants pour écouter l'eau chanter dans l'atrium de la grande source. Frisson garanti.
Tout ici a été conçu par amour du beau. Petite boutique. Bistrot et casse-croûte. Certainement le lieu qui symbolise le mieux le Maroc de demain, loin des chasse-touristes et du désert business. Les faux guides vous affirmeront que c'est hors de prix. À vous de voir si vous êtes prêt à apporter votre pierre à l'édifice ! En tout cas, on ne peut qu'encourager ce genre d'initiative.

🏃🏃 *Le musée des Oasis :* à côté de la maison d'hôtes El Khorbat (s'adresser à eux pour le visiter). Entrée : 20 Dh (1,80 €). Une visite incontournable pour celles et ceux qui veulent en savoir plus sur les conditions de vie des Berbères du Maroc à travers les siècles. Dans une grande demeure du ksar, 21 salles exposent les différents aspects de la vie traditionnelle dans les oasis : agriculture, élevage, artisanat, commerce, habitat, religion, etc. Des objets anciens, mais aussi des cartes, des photos, des maquettes et des croquis. On en profitera pour vous faire visiter le ksar, très typique avec ses allées couvertes à angles droits. Cette expo déboulonne un certain nombre de lieux communs sur l'histoire des Berbères, et la crédibilité de certains guides risque d'en prendre un coup ! D'ailleurs, peu s'y rendent, car ils ne touchent pas de commission sur l'artisanat que les femmes de la coopérative ne manqueront pas de vous proposer !

🏃 Les amateurs d'art pourront s'arrêter à la *galerie d'art Chez Zaïd, dans le centre-ville.* ☎ 035-78-67-98. 📱061-35-16-74. Grand connaisseur des traditions et de la culture de son pays, peintre et maître du calame (qui signifie la plume, la calligraphie et, par extension, la poésie), Zaïd organise des expositions dans sa petite galerie. À découvrir. Bien entendu, tout est à vendre. Les prix sont fixes et étiquetés. Toilettes et café.

➤ *De Tinejdad,* deux solutions, soit poursuivre sur la N10 pour monter vers *Goulmima* et *Er-Rachidia,* soit emprunter la route beaucoup plus étroite mais aussi beaucoup plus intéressante en direction d'*Erfoud.* Elle traverse, sur la fin du trajet, une succession de ksour, d'oasis et de palmeraies.

– Avant d'arriver à celle de Jorf, vous verrez un astucieux *système d'irrigation* appelé *khetarra.* Connue dès l'Antiquité, cette technique persane consiste à capter l'eau de la nappe phréatique. La série de puits que l'on aperçoit en surface sert à entretenir les galeries souterraines. Par une faible pente, ce système permet de limiter l'évaporation et la lourde tâche de puisage. À l'extrémité du réseau, l'eau est distribuée dans les jardins par l'intermédiaire de petits canaux (seguia) régulés par un peigne en bois ou en terre cuite. On trouve des khetarra dans la plupart des pays arabes, ainsi qu'en Amérique du Sud et en Espagne.
Se méfier des tornades qui peuvent subitement dresser un rideau de sable opaque et couper toute visibilité. Ce sable charrié par le vent recouvre parfois des portions de route et rend la conduite dangereuse. Prudence jusqu'à Erfoud.

➤ *DANS LES ENVIRONS DE TINEJDAD*

GOULMIMA

Ceux qui poursuivent vers le nord, par la N10, traverseront Goulmima, une petite bourgade tranquille plantée dans l'oasis du Gueris. Elle ne comporte pas moins d'une vingtaine de *ksour* entourés de puissantes enceintes destinées à les protéger des attaques des tribus berbères. Ses habitants sont très fiers de leur région et entretiennent encore aujourd'hui un art de vivre et une vie sociale qui leur est propre.

🎥🏃 Le vieux **ksar de Goulmima** mérite vraiment une visite. C'est, pour certains, le plus impressionnant de toute la région. Pour y accéder, petite route caillouteuse de 2 km à droite après la porte de la ville en direction d'Erfoud. Véritable forteresse de pisé, le *ksar* est encore habité. Empruntez les ruelles, franchissez les passages aménagés sous les maisons. Un programme de rénovation a même permis au *ksar* de faire peau neuve. Malheureusement, l'architecture en pisé a laissé place par endroits à un amalgame entre terre et pierre de taille. La polémique fait rage, car, de plus, le mélange ne tient pas ! Profitez-en aussi pour faire un tour dans la palmeraie tout autour.

Où dormir ? Où manger ?

🏕 🏠 🍴 **Les Palmiers :** *dans un jardin au cœur de la palmeraie (d'où son nom).* ☎ 035-78-40-04. *Double 350 Dh (31,80 €) en ½ pens.* Maison d'hôtes tenue par une Française et son mari. Cinq chambres impeccables et très spacieuses dans un joli jardin en plein dans la palmeraie. Camping possible mais pas pour les camping-cars. On vous fournira un accompagnateur pour visiter les *ksour* avoisinants et la palmeraie. Ils organisent aussi des bivouacs. Une bonne adresse.

🏕 🏠 **Auberge de jeunesse :** *à 500 m de la maison d'hôtes* Les Palmiers, *un peu avt le* ksar. 📱 066-90-84-42. ●arjikamal@ yahoo.fr ● *Réception 8h-12h, 14h-22h. Prévoir 50-100 Dh (4,50-9,10 €)/pers en chambre double ou triple selon confort, avec le petit déj.* Pas vraiment une auberge de jeunesse mais plutôt une maison d'hôtes reconvertie en hébergement bon marché. Jardin où l'on peut également planter sa tente. À 5 mn à pied du *ksar*.

🏠 🍴 **Hôtel Gheris :** *en face du souk.* ☎ 035-78-31-67. *Double 100 Dh (9,10 €), sans petit déj.* Chambres simples mais confortables. Bonne et copieuse cuisine au resto. Les botanistes apprécieront l'herbier de fleurs de la région placardé dans le resto.

TADIGHOUST

À 18 km au nord de Goulmina, le village et la palmeraie de Tadighoust baignent dans une tranquillité absolue. La végétation est abondante et ses *ksour* abritent une population qui ne paraît pas trop se soucier de l'agitation touristique des vallées voisines. Les vestiges d'un ancien fort français semblent même veiller sur tout ce petit monde. Tadighoust peut être un bon point de départ pour des randonnées dans les gorges du Gheris, moins vertigineuses que celles du Todgha ou du Dadès, mais beaucoup plus tranquilles.

🏠 🍴 **Gîte rural Chez Pauline :** *dans la palmeraie, à 1,5 km de la route principale.* ☎ *et fax : 035-88-54-25.* 📱 071-10-12-71. *Double 400 Dh (36,40 €) avec douche et w-c ; 100 Dh (9,10 €)/pers dans un abri pour randonneur. Menu 120 Dh (10,90 €).* Ce couple de Français, qui a pas mal bourlingué en Afrique de l'Ouest, a posé ses valises dans cette ferme un peu loin de tout, pour accueillir randonneurs et autres amoureux de la nature. Des magnifiques masques africains au mobilier en bois d'ébène, tout donne l'impression d'être

À L'EST DE OUARZAZATE

dans un musée d'art primitif. Le gîte dispose de 4 chambres somptueuses et spacieuses, toutes situées au rez-de-chaussée. Parties communes tout aussi élégantes. Également trois abris de 4, 6 et 8 lits pour les petits groupes entre lopins de terre et enclos pour les chèvres. Bref, un vrai coup de cœur.

ER-RACHIDIA

77 000 hab.

> **Attention, à partir de mars 2009,** *Maroc Telecom* **doit mettre en place une nouvelle numérotation téléphonique.** Les numéros passeront ainsi à 10 chiffres (au lieu de 9 actuellement).
>
> Voici les principaux changements prévus :
>
> ➤ **Pour tous les numéros fixes,** il faudra insérer « 5 » après le « 0 ». Exemple : 024-11-11-11 deviendra 05-24-11-11-11.
>
> ➤ **Pour les portables,** un « 6 » devra être placé après le « 0 ». Exemple : 068-11-11-11 deviendra 06-68-11-11-11.
>
> ➤ **Pour les numéros spéciaux,** se reporter en début de guide à la rubrique « Téléphone et télécoms » dans « Maroc utile ».

L'ancienne Ksar-es-Souk, ville militaire servant de base à la Légion étrangère, fut construite de toutes pièces, au début du XXe s, suivant un quadrillage lui enlevant tout charme. Depuis, l'armée marocaine a remplacé les képis blancs et occupe les casernes qui jalonnent l'avenue Moulay-Ali-Chérif. Son seul intérêt : être un bon point de départ pour la visite des gorges du Ziz, très intéressante.

Er-Rachidia, chef-lieu de la province du Tafilalet, est en outre un grand marché agricole et un centre d'échanges important. Il est très aisé de s'y repérer : la ville est traversée de part en part par l'avenue Moulay-Ali-Chérif, qui concentre une grande partie des adresses indiquées.

– *Souk :* le dim, le plus important (c'est fléché), et également le jeu dans le centre-ville.

Arriver – Quitter

En bus

🚌 *La gare routière se trouve dans le centre-ville, derrière le resto* Lipton, *av. Moulay-Ali-Cherif.* Liaisons avec :

➤ *Casa et Rabat :* 3 bus/j.

➤ *Fès et Meknès :* 7 bus/j.

➤ *Midelt :* 1 bus ttes les heures jusqu'à minuit.

➤ *Ouarzazate :* 7 bus/j. via Tineghir.

➤ *Erfoud et Rissani :* nombreux bus tlj.

En grand taxi

🚕 *La station des grands taxis est située dans le quartier de l'oued lahmar, dans le quartier ancien. Demander « quartier de L'Habitat N° 1 ».*

➤ Liaisons avec *Erfoud, Rissani, Fès, Meknès* et *Tineghir* (via *Goulmima* et *Tinejdad*).

Adresses utiles

🏛 *Délégation provinciale du tourisme :* 44, bd du Prince-Moulay-Abdallah, lot Boutalamine. ☎ 035-57-09-44. Fax : 035-57-09-43. Tlj sf sam et dim 8h30-16h30. Juil-août : 7h30-15h. Excellent accueil et personnel très compétent.

✉ *Poste :* av. Moulay-Ali-Chérif ; à côté de la gendarmerie. Mêmes horaires que la Délégation du tourisme.

@ Beaucoup de *cybercafés* en centre-ville ainsi que dans la rue principale.

– Toutes les banques possèdent un guichet automatique.

■ *Urgences : polyclinique du Tafilalet,* à l'entrée de la ville en venant de Midelt. Urgences 24h/24.

■ *Pharmacie de nuit :* le *Croissant Rouge,* à côté de la station de bus.

■ *Complexe artisanal :* à l'entrée de la ville, juste après le pont en venant d'Erfoud. Fermé le w-e.

Où dormir ?

De bon marché à prix moyens

🛏 *Hôtel Er-Rachidia :* juste derrière la gare routière. ☎ et fax : 035-57-04-53. Double 350 Dh (31,80 €), petit déj compris. Hôtel récent, très sobre et central. Une vingtaine de chambres, réparties sur plusieurs étages, avec douche et w-c (la moitié avec AC et un petit balcon). Les meilleures sont sur la terrasse. Au rez-de-chaussée, grand salon avec canapés confortables où l'on sert le petit déj. Bon accueil.

🛏 *Hôtel N'Dagha :* rue N'Dagha. ☎ 035-57-40-47. En plein centre-ville, à deux pas de la gare routière. Double 230 Dh (20,90 €), avec petit déj. Hôtel central situé dans une rue animée aux abords de la gare routière. À peine une trentaine de chambres réparties sur 3 étages dont une quinzaine avec douche et w-c. Préférez celles donnant sur l'arrière. Café au rez-de-chaussée.

🛏 *Hôtel Le France :* en plein centre-ville, rue Cheich-el-Esllame. ☎ 035-57-09-97. Doubles 150-200 Dh (13,60-18,20 €) avec ou sans douche. Petit déj en sus. Une douzaine de chambres situées au-dessus d'un café. Les chambres sont exiguës mais on appréciera le mobilier costaud et le décor un poil kitsch.

De chic à très chic

🛏 I●I *Auberge Tinit :* à 3 km du centre en allant vers Goulmina, sur la route principale. ☎ 035-79-17-59. ● tinit_au berge2000@yahoo.fr ● Double env 500 Dh (45,50 €), petit déj compris. Il s'agit plutôt d'un hôtel récent, en pisé, aux prix un peu excessifs. Les chambres qui s'ordonnent autour d'une piscine disposent de grands lits et ont toutes une salle de bains. Évitez celles à proximité de la route. Belle salle à manger dans le style traditionnel également.

🛏 I●I *Hôtel Kenzi Rissani :* av. Moulay-Ali-Chérif, à droite juste après le pont en partant vers Erfoud. ☎ 035-57-25-84 ou 21-86. ● kenzi-hotels.com ● Double env 780 Dh (70,90 €). Repas env 150 Dh (13,60 €). CB acceptées. Réduc de 10 % sur le meilleur tarif disponible à l'hôtel sur présentation de ce guide. Situé au milieu d'un jardin avec piscine, cet hôtel entièrement climatisé propose des chambres équipées d'un téléphone, d'un minibar et de la TV satellite.

Où manger ? Où déguster une pâtisserie ?

I●I *Café-restaurant Islane :* à l'entrée de la ville, au carrefour de la route de Midelt et de celle de Ouarzazate. Compter env 60 Dh (5,40 €) pour un repas complet. Petite terrasse ombragée, cadre agréable. Quelques tables sous les arbres. Attention, les prix ne sont pas affichés. On peut aussi y boire un verre.

|●| **Restaurant Sijilmassa** : 116, bd Moulay-Ali-Cherif, en plein centre-ville. Repas 70 Dh (6,40 €). Grande terrasse couverte dans l'avenue principale ou salle tristoune à l'étage. Cuisine simple mais bonne. Excellent couscous le vendredi.

♟ **Café Le France** : dans le centre-ville, rue Cheich-el-Esllame. Dans un cadre agréable style années 1920, juste un peu kitsch. Très bon café (c'est suffisamment rare pour être noté) et bon petit déj.

♟ **Café-pâtisserie Sindibad** : juste à côté de l'hôtel N'Dagha. Agréable terrasse pour prendre un verre ou déguster une bonne pâtisserie. Grand choix.

Où dormir ? Où manger dans les environs ?

🛏 |●| **Hôtel Palma Ziz** : voir plus haut « Dans les environs de Rich. Où dormir ? Où manger dans les gorges du Ziz ? » dans le chapitre « Le Moyen Atlas et le Haut Atlas central ».

⚐ |●| **Camping de la Source Bleue de Meski** : à 18 km, sur la route d'Erfoud. ☎ 035-57-43-95. 🖷 066-58-98-64. Emplacement 40 Dh (3,60 €) pour 2 pers avec tente et voiture. Beau camping ombragé sous les palmiers. Très fréquenté le week-end. Cuisine correcte. Beaucoup de petits vendeurs tenaces autour de la source. Promenade sympa jusqu'à une vieille kasbah en ruine surplombant l'oued à partir du camping.

🛏 |●| **Maison d'hôtes Zouala** : à 30 km au sud d'Er-Rachidia, juste après le belvédère d'Aoufous. Descendre dans la palmeraie, c'est fléché. ☎ 035-57-81-82. 🖷 061-60-28-90. ● hami54@caramail. com ● Doubles avec ou sans sdb 200-250 Dh (18,20-22,70 €)/pers en ½ pens. Dans un ancien caravansérail, cette maison d'hôtes en pisé entièrement rénovée ravira les amateurs d'authenticque. Hami propose une demi-douzaine de chambres, 2 dortoirs et un appartement pour 6 personnes. Une grande salle à manger, avec des banquettes disposées autour d'un puits toujours en activité. Magnifiques tapis, petit jardin intérieur et verrière où viennent se réfugier les oiseaux. Cuisine traditionnelle et ambiance familiale, pain fabriqué devant vous. Une adresse de charme à prix corrects et une superbe occasion de découvrir la palmeraie loin des sentiers battus.

⚐ |●| **Camping Tissirt** : juste après le belvédère d'Aoufous dans la palmeraie d'Ouled-Cheker. 🖷 062-14-13-78. Compter 60 Dh (5,50 €) pour 2 pers avec tente et voiture. Possibilité de ½ pens. Petit camping d'une dizaine d'emplacements au bord de la palmeraie. Branchement électrique. Douches chaudes et propres. Bon accueil de Saïd.

À voir

🏃 Le soir, allez vous balader dans le **souk municipal** (au bout de la rue N'Dagha), on y trouve de tout : légumes, vêtements, épices, et même des porteurs d'eau. Le souk n'est pas fréquenté par les touristes qui, en général, se contentent du marché aux légumes situé à côté de la gare routière.

🏃 **L'ancien ksar de Targa** : à 500 m du centre. Toujours habité. Possibilité de boire un thé chez l'habitant. Ce ksar, avec son enceinte en pisé, est caractéristique de l'architecture de la vallée du Ziz.

➤ DANS LES ENVIRONS D'ER-RACHIDIA

🏃 **Les oasis oubliées** : itinéraires à emprunter uniquement si vous nous jurez de ne rien donner aux enfants le long des pistes...

D'Er-Rachidia, prenez la route en direction de Boudnib ; un peu avant Boudnib (10 km environ), au niveau d'un radier bétonné sur un oued, suivez la piste qui remonte au nord sur le village de Tazouguerte ; ensuite, continuez vers le nord pour ressortir à Gourrama. Cet itinéraire vous permettra de découvrir de splendides palmeraies et des paysages volcaniques.

🍴 *La source Bleue de Meski : à 18 km vers le sud en direction d'Erfoud ; c'est indiqué. Entrée : 5 Dh (0,40 €) ; gratuit si l'on est au camping (voir plus haut « Où dormir ? Où manger dans les environs ? »). Pas grand-chose à voir. C'est en quelque sorte la « piscine municipale » d'Er-Rachidia (on la désinfecte au chlore tous les trois jours !). Bondée le week-end en période chaude.* On l'appelait « la source Bleue » car c'était une escale des « hommes bleus ». En tout cas, elle est sacrée pour les habitants de la région ; le noir que l'on voit le long des parois de la grotte d'où sort la source est produit par les cierges que l'on y allume. Une petite Lourdes du désert, quoi ! Dommage qu'elle soit régulièrement polluée de détritus en tout genre.

➢ En descendant vers Erfoud, on arrive sur le *Tafilalet,* la plus vaste oasis du Maroc, empruntée jadis par toutes les caravanes du Sud. Avant d'atteindre le *ksar de Maadid,* quelques paysages méritent une halte : vue panoramique sur toute la vallée du Ziz à 10 km environ après la source Bleue, puis les sources artésiennes El Aati (voir plus loin « Dans les environs d'Erfoud »).

🍴🍴 Er-Rachidia est au centre de la vallée du Ziz. La partie la plus intéressante se situe au nord, sur la route de Midelt, avec notamment les *gorges du Ziz* à 30 km. Sortir d'Er-Rachidia par la route de Midelt (P21). Après 12 km, on longe le lac de retenue du barrage Hassan-Addakhil, contenu par une imposante digue de terre rouge contrastant avec la belle couleur verte de l'eau. Le Ziz se faufile capricieusement entre les parois de gorges encaissées. Beaux villages fortifiés. La partie la plus intéressante se situe à proximité du tunnel du Légionnaire. Savez-vous comment on appelle les habitants de la région du Ziz ? Dans le mille !

ERFOUD
23 000 hab.

Gros bourg assez vivant, à une vingtaine de kilomètres de Rissani. Les bâtiments, peints en ocre, datent pour la plupart de l'époque où la garnison française, installée en 1917, gardait les portes du Tafilalet, l'une des dernières régions pacifiées. La résistance au protectorat devait se manifester par des actions sporadiques jusque dans les années 1930. Quelques tamaris tentent bien d'égayer les trottoirs des rues, trop larges et taillées au cordeau, qui rappellent leur origine militaire. Avant la construction de la route goudronnée reliant Rissani à Merzouga, Erfoud était connu comme base de départ pour les dunes de l'erg Chebbi. Aujourd'hui, on s'y arrête moins. C'est bien dommage car la ville, qui accueille une école hôtelière, s'enorgueillit de compter quelques-unes des meilleures tables de la région.
– *Souk quotidien : dans une vaste enceinte, à côté de la place des FAR.*
– *Souk hebdomadaire : même endroit, le sam.* Mieux approvisionné.

Arriver – Quitter

🚌 *Gare CTM : av. Mohammed-V.* Liaisons avec :
➢ *Fès et Meknès :* 1 bus en principe en soirée dans les 2 sens.

■ *Bureau des compagnies privées : pl. des FAR, à côté du souk.* Liaisons avec :
➢ *Tineghir :* 3 bus/j. Trajet : 2h30.
➢ *Er-Rachidia :* plusieurs trajets tlj dans les 2 sens.

À L'EST DE OUARZAZATE

➢ *Zagora, par Alnif :* en principe, départ 1 mat sur 2 dans le sens Erfoud-Zagora. Trajet : 7h.

➢ *Ouarzazate :* 1 bus/j. dans les 2 sens. Trajet : 7h.

➢ *Marrakech, par Beni-Mellal :* 1 bus/j. Trajet de nuit : env 12h.

➢ *Également Fès, Meknès, Rabat, Casablanca :* 2 bus/j.

🚖 *Taxis collectifs : départs pl. des FAR.* Ils assurent la plupart du trafic de la région dont Merzouga.

Adresses utiles

✉ *Poste :* av. Moulay-Ismaïl, angle av. Mohammed-V.

◉ *Internet : Cyber-Club Quick-Net,* lot. Enakhil. Vers la poste, dans une petite rue perpendiculaire à la rue principale. Salle (climatisée) bien équipée avec le haut débit. *Plusieurs autres cybercafés* av. Mohammed-V.

■ *Banques :* plusieurs à l'angle des av. Moulay-Ismaïl et Mohammed-V. Distributeurs.

■ *Gendarmerie royale :* av. Mohammed-V.

■ *Médecin :* Dr Khouya Abdelkader, 100, av. Mohammed-V. ☎ 035-57-60-84. 📱 061-18-44-91. À côté de l'hôtel Merzouga, *sur le même trottoir.*

■ *Pharmacie :* av. Mohammed-V, à côté du médecin. ☎ 035-57-61-60.

■ *Mécanicien :* juste avt le pont à droite, sur la route de Merzouga. 📱 062-40-42-64. Un bon mécanicien, ça peut toujours servir dans la région ! Nordine Erraji fait des miracles avec trois fois rien.

◉ *Alimentation :* plusieurs boutiques sur l'av. Mohammed-V, dont une supérette très bien fournie, Chez Adil. On trouve également de l'alcool à emporter au bar de l'hôtel *Tafilalet.*

■ *Hammam :* derrière l'hôtel Sable d'Or. Ne pas être trop exigeant sur la propreté.

Où dormir ?

Si vous disposez d'un véhicule, il est préférable d'aller dormir au pied des dunes de l'erg Chebbi (sauf en cas de fort vent de sable ou d'orage). L'offre d'hébergement est plus complète, notamment pour les petits budgets, et vous serez sur place pour le coucher et le lever du soleil.

Campings

⛺ *Camping Sijilmassa :* au bord de l'oued Ziz. À 7 km sur la gauche en venant d'Er-Rachidia. ☎ 035-57-70-30. Pour 2 pers, env 50 Dh (4,50 €) en tente ou 70 Dh (6,40 €) en bungalow (mais sans matelas ni mobilier, c'est plutôt un abri). Petit camping sans beaucoup d'ombre. Sanitaires corrects et accueil aimable.

⛺ *Camping Tifina :* à 5 km d'Erfoud en allant vers Rissani. ● tifina-maroc.com ● Pour 2 pers, 60-80 Dh (5,50-7,30 €) en tente ou 110 Dh (10 €) en bungalow. Grand camping d'une centaine de places qui propose différents types d'emplacements : avec électricité ou point d'eau à proximité, voire des tonnelles pour faire un peu d'ombre, etc. En attendant que la végétation égaye un jour le site, les prix sont un peu élevés pour la prestation.

Bon marché

🏠 *Hôtel-restaurant Canne :* av. Moulay-el-Hassan. ☎ 035-57-86-95. Doubles climatisées, propres et avec sdb 180 Dh (16,40 €) ; petit déj en sus. Hôtel dans un bloc en béton, sans charme particulier, disposant d'une vingtaine de chambres. Tout est carrelé et bien entretenu. Salle de resto animée. Repas sur commande uniquement. L'accueil est sympa.

🛏 **Hôtel Sable d'Or :** *av. Moham-med-V.* ☎ *035-57-63-48. Double 150 Dh (13,60 €) ; petit déj en sus.* Petit établissement en centre-ville propo-sant des chambres spacieuses, mais pas d'une propreté exemplaire. Pour dépanner surtout.

Chic

Ces adresses organisent toutes des excursions vers **Merzouga** (4x4, bivouac, dromadaires...).

🛏 |●| **Hôtel Kasbah Tizimi :** *à 1 km du centre, sur la route de Tineghir (à côté de la station Afriquia).* ☎ *035-57-61-79 ou 73-74.* ● *kasbahtizimi.com* ● Connexion wi-fi. *Doubles climatisées 500-600 Dh (45,50-54,50 €), petit déj inclus. Également 2 suites. ½ pens possible. CB acceptées.* Architecture tradi-tionnelle qui utilise toutes les ressour-ces du pisé (sur ossature béton). Chambres autour de petits patios, dans un grand jardin fleuri. Un établissement qui met en valeur de beaux matériaux. La déco marie très bien la sobriété et la variété de l'artisanat local. Agréable pis-cine et vaste terrasse pour les nuits étoi-lées. De plus, la cuisine est bonne et variée. On y sert de l'alcool.

🛏 **Riad Nour :** *route d'Er-Rachidia, km 4, Rass el Hitt, au village de Maadid.* ☎ *035-57-77-48.* ● *riad-nour.ifrance. com* ● *Double 460 Dh (41,80 €), petit déj compris. En basse saison, négociation possible.* Une douzaine de chambres à la déco contemporaine dans les tons blancs et beiges, agencées autour d'un ravissant jardin. Pourvu que les pro-prios n'aient pas des envies d'exten-sion ! Agréable salon avec cheminée. Alcool servi aux étrangers seulement. Piscine et potager bio. Bon accueil.

Très chic

🛏 **Auberge Merzane :** *à 14 km en direction de Derkaoua. D'Erfoud pren-dre la rue du souk, puis traverser l'oued Ziz.* ▤ *062-64-07-87.* ●*aubergemerzane. com* ● *Fermé en juil-août. Double 730 Dh (66,40 €) en ½ pens. Possibilité de bivouac.* Agnès et Étienne se sont posés depuis quelques années entre Erfoud et l'erg Chebbi à l'écart du tumulte de Merzouga. Dans l'une des zones les plus intéressantes du Maroc sur le plan géologique, ils accueillent des chercheurs, comme des voyageurs en route pour le désert. L'auberge com-prend 5 chambres d'inspiration afri-caine, agencées autour d'un jardin accueillant deux bassins. Idéal pour faire un *break* confortable.

🛏 |●| **Kasbah Xaluca Maadid :** *route d'Er-Rachidia, km 5 (après le village de Maadid).* ☎ *035-57-84-50.* ●*xalucamaa did.com* ● *Double env 900 Dh (81,80 €). Repas 180 Dh (16,40 €).* Complexe monumental agencé autour de plu-sieurs patios-jardins et d'une grande piscine. Chambres vastes et très confortables, avec AC. Également quel-ques suites avec jacuzzi, *king-size bed*, écran plat, etc. Décoration réalisée avec toutes les ressources locales : poteries transformées en lampadaires, troncs de palmier en tables, fossiles incrustés dans les vasques des lavabos, etc. Cui-sine marocaine et internationale. Accueil de qualité et service irréprocha-ble. Pourtant, si l'hôtel est bien pensé, tout le monde n'appréciera pas l'ambiance « Dakar » au royaume de la mécanique et du « désert business ». Poètes, abstenez-vous !

Où manger ?

De bon marché à prix moyens (moins de 150 Dh / 13,60 €)

|●| **Café-restaurant des Dunes :** *av. Moulay-Ismaïl ; près de la station Ziz.* ☎ *035-57-67-93. Pas moins d'une dou-zaine de menus à partir de 80 Dh*

(7,30 €). L'adresse la plus agréable d'Erfoud. On déjeune à l'intérieur (belle déco de style andalou et clim'), dans la cour, ou en terrasse. Agréable petit salon à l'étage. Les pizzas sont excellentes (pas mal, quand on en a assez du tajine !). On peut d'ailleurs les emporter. Ne manquez pas les « oranges à la canaille ! ». Bonne étape qui change de la cuisine internationale des grands hôtels. Apporter sa bouteille, car ici on ne sert pas d'alcool.

|●| *Restaurant Dadani : 103, av. Mohammed-V.* ☎ *035-57-79-58.* L'adresse la plus conviviale d'Erfoud. Une grande terrasse abritée donnant sur la rue et un petit salon marocain à l'étage, en apparence ce restaurant pourrait ressembler à beaucoup d'autres. Mais le service attentionné et la qualité des plats vous feront vite changer d'avis. Tajine aux figues, brochettes aux légumes cuites à point, yaourts frais et pâtisseries succulentes, on se régale de bout en bout.

|●| *Chez Zineb : 126, rue Mohammed-Zerktouni.* ☎ *035-57-84-99. Résa obligatoire.* L'adresse la plus intimiste d'Erfoud. Après avoir vécu à Fès et Er-Rachidia, Zineb a repris la maison familiale pour la convertir en table d'hôtes. Et c'est plutôt réussi ! Légumes et viandes du jour mijotent dans les tajines avant d'être servis dans de très beaux plats. Les desserts maison varient, eux, en fonction des saisons. Et on déguste tout ça dans un petit salon marocain confortablement assis dans de grands canapés.

|●| *Restaurant de la Jeunesse : 99, av. Mohammed-V.* L'adresse la plus économique d'Erfoud. Vraiment très simple mais bon tajine. Accueil sympa. Pizza berbère préparée sur le trottoir.

|●| *Restaurant Al Andalous : av. Moulay-Ismail (en face de la station* Total *en direction d'Er-Rachidia). Pas d'alcool.* L'adresse la plus... Un resto propre dont le patron a fait l'école hôtelière.

À voir

🏃 *Le borj :* à 1 km, sur la route de Merzouga. Franchir le Ziz et tourner à gauche à 500 m ; la piste monte jusqu'au parking. Le borj est un terrain militaire. Du haut de ses 937 m, on a une chouette vue sur toute la palmeraie et sur le désert, à condition qu'il n'y ait pas de vent de sable.

🏃 *L'usinage des marbres à fossiles :* à la sortie de la ville, juste avt la station Afriquia, *route de Tineghir.* Pour tout savoir des céphalopodes incrustés dans les boues fossilisées de la région. Ici, on part du bloc extrait à la dynamite dans le désert pour arriver au produit fini : mobilier, bibelots, et délires de toutes sortes. Un grand rendez-vous avec l'histoire de notre planète, au temps où la vie n'avait pas encore mis pied hors de l'eau, il y a plus de 350 millions d'années. Quelques belles roses des sables provenant de la frontière algérienne, du vrai, du faux, du beau, du pas beau. À quand les téléphones mobiles fossilisés ?

Fête

– *Fête des Dattes :* en principe la 3e sem d'oct, en fonction de la récolte. Au programme : expositions, vente des différentes variétés de dattes, spectacles.

➤ *DANS LES ENVIRONS D'ERFOUD*

🏃 *Les sources artésiennes El Aati :* à une dizaine de km d'Erfoud, sur la route d'Er-Rachidia. La source est une résurgence de la nappe souterraine qui atteint la surface sous l'effet de la pression hydrostatique. Les sols du Tafilalet concentrent du sel en proportion considérable. Comme le disait à juste titre Théodore Monod : « Le sel ne vient pas de la mer, il y va. » Ici, dans le Tafilalet, on estime entre 50 000 et

70 000 t la quantité de sel qui se dépose par an. La forte salinité des sols, associée à la permanence des vents de sable, est un véritable frein pour l'agriculture.

🦎 **Le ksar de Maadid :** *à 3 km à la sortie d'Erfoud en direction d'Er-Rachidia.* Un exemple type de l'architecture ksourienne en pisé. Tout ici est conçu pour se protéger des vents de sable et des attaques de pillards.

🦎 **Le ksar des Ouled Zohra :** *à env 8 km d'Erfoud en direction de Rissani (départ de la piste en face de l'hôtel El Aati, accessible en voiture de tourisme).* L'un des plus célèbres décors de cinéma du Sud marocain. Une tour de guet typique du Tafilalet dominant quelques ruines au milieu de nulle part. De là, on peut poursuivre la piste vers Rissani et s'arrêter visiter le musée du *ksar* El Fida à Rissani.

D'ERFOUD À MERZOUGA

Avec la route goudronnée qui relie Rissani à Merzouga, seuls les aventuriers choisiront la piste longeant l'erg. Un 4x4 est alors conseillé, ainsi qu'une bonne connaissance de la conduite sur piste.
Attention, en cas de pépin avec une voiture de tourisme louée, vous n'êtes plus assuré à partir du moment où vous quittez la route. Pensez à faire le plein d'essence à Erfoud. Prudence aussi sur la route, les contrôles de vitesse sont fréquents.
IMPORTANT : surtout, ne pas s'engager sur des pistes isolées si une tempête de vent de sable menace : tous les repères seraient alors impossibles à voir.

D'ERFOUD À RISSANI

Une vingtaine de kilomètres séparent Erfoud de Rissani, par la N13.
La route traverse une région constellée de puits, révélant un ancien système d'irrigation souterraine, preuve que ce désert était autrefois prospère. On peut également voir ces *khetarra* sur la route entre Tinejdad et Erfoud (on en parle plus haut). Ils n'ont pas résisté aux longues périodes de sécheresse alternant avec des crues dévastatrices. On voit aussi, parfois, des puits à *delou,* où l'eau est puisée dans de grandes outres en peau de chèvre et déversée dans un canal. Des animaux ou des hommes en assurent la traction.

RISSANI
6 000 hab.

Le Tafilalet a été de tout temps un des hauts lieux du commerce transsaharien. Dès l'arrivée des Arabes au VIIᵉ s, la ville de Sijilmassa (Rissani) connut un formidable essor, grâce au contrôle des Berbères *meçûfa* sur tous les itinéraires vers le Soudan (l'actuel Mali). Du Sud,

> ### BERCEAU ROYAL
> *Mohammed VI vient de... Rissani, du moins ses ancêtres. C'est en effet ici que la dynastie des Alaouites, dont il fait partie, a été fondée au XVIIᵉ s par moulay Ali Chérif.*

on y achemine de l'or, de l'ivoire et des esclaves ; le Nord y expédiait des produits manufacturés, des perles, des étoffes et des métaux. Les routes passaient par les salines de Theghazza, où les caravaniers chargeaient des plaques de sel, pour les échanger contre de l'or à Tombouctou. Au XVIᵉ s, Léon l'Africain faisait de Sijilmassa cette description : « Sa grande rue est longue d'une demi-journée de marche, chacune de ses maisons est entourée d'un jardin et d'un verger, la ville possède de prestigieuses mosquées et medersas de renommée... »

Aujourd'hui, Rissani est une petite ville aux portes du désert, dont il ne reste du faste d'antan que des murs en torchis pleurant sous le soleil. Elle vit au rythme que lui impose la palmeraie.

Grâce à la nouvelle route goudronnée, la ville sert désormais de point de départ vers les dunes de Merzouga (erg Chebbi). Inutile de prendre un guide, tout est impeccablement fléché et il n'y a pas de risque de se perdre si on ne s'éloigne pas du goudron. Mais attention, les chasse-touristes vous repèrent dès votre arrivée et attendent partout : à pied, à vélo, aux terrasses, dans la rue. Ils n'hésitent pas à rendre illisibles les panneaux indicateurs et à donner de fausses informations. Les rabatteurs n'ont qu'un seul souci : vous mettre le grappin dessus pour vous conduire dans une boutique ou un hôtel où ils toucheront entre 20 et 30 % de commission sur tout ce que vous paierez. Alors, on les comprend, ils sont tenaces !

– *Souk :* *les mar, jeu et dim.* Ce dernier est le plus important. Vous y verrez des centaines d'ânes. Choisissez ces jours-là pour visiter Rissani et la palmeraie. On arrive encore à trouver quelques beaux objets patinés à l'ancienne mais le plus souvent récents. Malheureusement, la pression des rabatteurs est souvent insupportable. Si un article vous plaît dans une boutique, demandez la carte de visite du vendeur, téléphonez-lui et donnez-lui rendez-vous, avec l'objet, dans un endroit à votre convenance (votre hôtel par exemple), vous négocierez tranquillement et vous économiserez au moins 30 % de commission.

Arriver – Quitter

🚌 *Les bus* **CTM** *partent de la place principale, en dessous de l'hôtel* El-Filalia. Liaisons avec :

➤ *Fès et Meknès :* un bus part en soirée de ou à destination des villes impériales.

🚌 *Gare routière privée* juste avt l'entrée de la ville en venant d'Erfoud. Liaisons avec :

➤ *Casablanca :* 1 bus/j. Trajet : 2h.
➤ *Marrakech :* 1 bus/j. Trajet : 12h.
➤ *Er-Rachidia :* 4-5 bus/j.
➤ *Tineghir :* 1 bus le mat.
➤ *Zagora :* 1 bus le mat.

🚕 Également des taxis collectifs pour *Merzouga* et *Zagora,* qui partent en face de l'hôtel *Sijimassa.*

Adresses utiles

✉ *Poste :* juste après l'entrée de la ville, sur la droite en face de la mosquée.
■ *Banques :* sur la place principale. Retrait par carte de paiement possible pendant les heures d'ouverture.
@ *Internet :* à côté de l'hôtel Panorama, au 1er étage.
■ *Pharmacie :* sur la place principale.

Où dormir ? Où manger ?

Prix moyens

🛏 |●| *Hôtel Sijilmassa :* en venant d'Erfoud, passer la porte de la ville et prendre la 1re à gauche après la mosquée. ☎ 035-57-50-42. 📱 061-45-48-50. Assez proche de la gare routière. Doubles 220-300 Dh (20-27,30 €) suivant confort, petit déj inclus. Menu 60 Dh (5,40 €). Établissement proposant une dizaine de chambres dont certaines avec salle de bains individuelle,

AC et TV. Le meilleur rapport qualité-prix de la ville, même si l'accueil peut sembler un rien nonchalant.

🛏 ▮◐▮ *Kasbah Ennasra :* à côté de la station Ziz, à la sortie de la ville en direction d'Erfoud. ☎ 035-77-44-03. ● kasba hennasra.com ● *Double 750 Dh (68,20 €), petit déj inclus. Menu 120 Dh (10,90 €).* Un établissement de facture classique aménagé dans le style du pays, comportant une douzaine de chambres tout confort dont certaines possèdent un lit à baldaquin. Quelques chambres familiales également. Toutes donnent sur un patio. Petite piscine et tente nomade. L'ensemble demeure

assez sobre. Le prix est un peu surestimé.

🛏 ▮◐▮ *Kasbah Asmaa :* à 5 km de Rissani en direction d'Erfoud, au bord de la route, dans la palmeraie. ☎ 035-77-40-83. *Double env 350 Dh (31,80 €) ; petit déj en sus. Menu 120 Dh (10,90 €). CB acceptées.* Un établissement d'une trentaine de chambres assez confortable avec AC. Salle de bains plutôt étroite. On apprécie surtout son beau jardin où les bougainvilliers, rosiers et autres arbres fruitiers rehaussent l'aspect quelconque de la bâtisse. Resto servant de l'alcool. Bar et grande piscine.

À voir

🗝 *Le musée du ksar El Fida :* route de Taouz-Merzouga, prendre, à gauche, une petite route à la sortie de la ville ; c'est bien indiqué. *Entrée : 10 Dh (0,90 €).* Cette demeure édifiée au XIXe s, désormais aménagée en musée, vous permettra de vous faire une idée de ce qu'était l'habitation traditionnelle d'un pacha. Belles pièces, beaux plafonds en cèdre. Très beau hammam avec bas-relief en stuc. Nombreux objets traditionnels, bijoux et costumes.

➤ *DANS LES ENVIRONS DE RISSANI*

🗝 *La palmeraie de Tafilalet :* un parcours très touristique et fléché, d'une vingtaine de kilomètres, qui traverse la palmeraie. C'est la plus grande du Maroc, avec ses 40 *ksour* et ses 700 000 palmiers-dattiers. Mais pour combien de temps encore ? Le parasite du « bayoud » et la sécheresse causent en effet d'importants dégâts... comme à Skoura d'ailleurs. Et l'ombre des palmiers se fait de plus en plus rare. Pour effectuer ce circuit, dont les trois quarts sont asphaltés, il est préférable d'être accompagné afin de profiter pleinement de la visite (demandez un guide à votre hôtel).

Après Moulay-Ali-Chérif, on passe par le *ksar Oulad-Abdelhalim,* l'un des plus beaux et des mieux conservés. Celui d'Akbar, à 500 m d'Ali-Chérif, est très délabré, mais il abritait autrefois le trésor royal des Alaouites. À Ouirhlane, prendre la piste à gauche pour Tinrheras, dont le *ksar* est perché sur un piton. On domine toute la palmeraie.

Les *ruines de Sijilmassa* n'intéresseront que les amateurs. La proximité des pâturages pour les chameaux, l'abondance d'eau et de récoltes qu'on y trouvait alors, permettaient de faire le plein de réserves pour affronter les deux mois de marche (entre 1 500 et 1 800 km) à travers le désert. De cette ancienne capitale du Tafilalet, peuplée, dit-on, de plus de 100 000 habitants au XIe s, il ne reste que quelques pans de murs au milieu des sables. Ici, dominante arabe oblige, beaucoup de femmes sont drapées d'un *haïk* noir. Certaines portent le *hijab* (le voile). Comme dans toutes les oasis, on y trouve tous les métiers manuels, de la poterie à la forge, en passant par le tressage des nattes.

🗝 *Le ksar des Ouled Saadan :* sur la gauche de la route, à 2 km à la sortie de la ville en direction d'Alnif. Un village typique sur les bords de l'oued.

🗝 *Le mausolée de moulay Ali Chérif :* à 2 km du centre. L'accès au mausolée du fondateur de la dynastie des Alaouites est interdit aux non-musulmans.

MERZOUGA ET LES DUNES DE L'ERG CHEBBI

Si le temps est clément (pas trop de vent de sable), nous vous conseillons d'aller dormir au pied des dunes de l'erg Chebbi. On compte sur place pas moins d'une soixantaine de formules d'hébergement. Autant dire que le désert ne l'est plus ! C'est à qui proposera la meilleure excursion, à pied, à dos de chameau, en quad, en 4x4. L'erg Chebbi est devenu en quelques années un haut lieu du tourisme. Il faut dire que la bête vaut le détour ! Un erg avec des dunes impressionnantes qui changent de couleur en fonction de la lumière du jour. Bref, un petit Sahara en miniature, et malgré les maisons, quads, et autres pylônes électriques, la magie du sable opère encore. S'isoler, en revanche, relève de l'exploit en pleine saison, mais vous pouvez toujours aller camper de l'autre côté des dunes, à condition, bien sûr, de ne le dire à personne...
L'appétit des promoteurs immobiliers a toutefois connu un coup d'arrêt en mai 2006 (mais pour combien de temps ?). En l'espace de quelques heures, un violent orage a provoqué des inondations terribles dans le lit de l'oued qui borde les dunes. Six personnes ont péri, deux hôtels ont été détruits, une vingtaine d'auberges ainsi que plusieurs centaines d'habitations ont subi d'importants dégâts. C'est le village de Merzouga qui a été le plus touché. La tragédie aurait sans doute pu être évitée si les hôteliers, en particulier, ne s'étaient pas aventurés dans ces zones inondables. Un élément à prendre en compte lorsque vous choisirez votre adresse.

LE BON PRIX...

Tout le monde au pied des dunes vous affirmera qu'il est issu d'une famille de nomades (vous aussi d'ailleurs, mais il y a belle lurette que vos ancêtres se sont sédentarisés), et qu'il faut absolument passer une nuit dans le désert. Côté formules, vous avez le choix : à dos de dromadaire, en 4x4, à pied, sous tente nomade, à la belle étoile, avec ou sans repas. La plupart du temps, on vous proposera une méharée de 2h jusqu'à l'endroit du bivouac, repas et nuit sur place, retour à l'auberge pour le petit déj. Le tout entre 300 et 400 Dh (27,30 et 36,40 €) suivant la saison. Exigez bien qu'on vous donne un chameau par personne pour ce prix-là. Pour le 4x4, compter 1 000 Dh (90,90 €) la location à la journée avec chauffeur. Possibilité de partir à 6 personnes dans un véhicule. Contrairement aux idées reçues, c'est le dromadaire qui pollue le plus, car les chameliers n'hésitent pas à massacrer les touffes de graminées pour donner à manger à leurs bêtes, ce qui appauvrit le biotope. Tout est affaire de savoir-vivre. Attention à ne pas camper auprès d'un de ces bivouacs « luxe » organisés pour les étrangers en manque de grands espaces. Certains jours, ils sont plus de 400 individus à venir expérimenter une nuit dans la dune. Vive le désert !

Arriver – Quitter

– En voiture depuis Erfoud, emprunter la N13 jusqu'à Rissani, franchir la porte de la ville et continuer tout droit. Au bout de cette route, prendre à gauche. Ensuite, c'est indiqué. La route, goudronnée et accessible en voiture de tourisme, conduit directement au village de Merzouga (37 km), et même au-delà jusqu'à Taouz (25 km plus loin).
Un conseil : refusez les services de tous ceux qui vous assaillent dès votre arrivée à Rissani. C'est devenu un véritable sport local et ils sont prêts à tout pour parvenir à leurs fins, vous suivre sur plusieurs kilomètres, vous montrer de fausses pistes, etc. C'est à un tel point ridicule que, si vous êtes suffisamment (extrêmement)

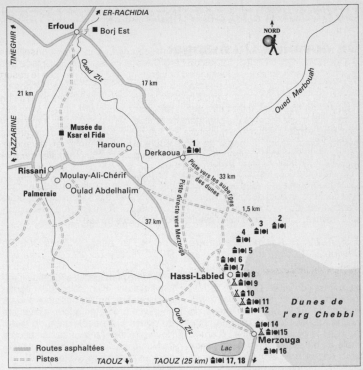

MERZOUGA ET LES DUNES DE L'ERG CHEBBI

⊼ ☗ |◉| Où dormir ? Où manger ?	
1 Auberge Kasbah Derkaoua Oasis	**9** Auberge-restaurant Sahara
2 Auberge Berbères	**10** Kasbah Aïour
3 Auberge-café du Sud	**11** Kasbah Mohayut
4 Les Dunes d'Or	**12** Hôtel Dar el Janoub
5 Kasbah Erg Chebbi	**14** Ksar Bicha et Chez Tonton
6 Auberge Atlas du Sable	**15** Auberge Le Petit Prince
7 Café-auberge L'Oasis	**16** Auberge La Tradition
8 Guesthouse Maison Merzouga	**17** Auberge Les Portes du Désert
	18 Nomad Palace

résistant, ils s'inclinent avec le sourire, vous accordant la victoire, vous avouant qu'ils ne font que leur boulot. Mais accrochez-vous, ce n'est pas gagné !
– Si vous n'êtes pas motorisé, des *taxis collectifs* assurent la liaison entre Merzouga et Rissani. Également un *bus* entre Erfoud et Merzouga. La compagnie *Supratours* propose une ligne Merzouga-Fès.

Adresses utiles

✉ **Poste :** à Merzouga, juste avt l'arche. │ principale, ou à Hassi-Labied, près de
@ **Internet :** dans le village, sur la place │ Chez Ahmed. Pour surfer dans le désert !

■ *Location de vélos :* Chez Ahmed, *dans le village de Hassi-Labied.* | Convient aux sportifs pour explorer les pistes du désert.

Où dormir ? Où manger ?

N'hésitez pas à choisir la demi-pension, les restos ne sont pas légion au pied des dunes. Pour les petits budgets, certaines auberges offrent la possibilité de camper, et même de dormir sur la terrasse. Quant aux repas, il n'est pas rare de patienter 1h30 avant qu'on vous serve, le temps que l'aubergiste enfourche sa mobylette et parte en trombe vers le souk acheter le nécessaire (mieux vaut passer commande à l'avance)... Pratiquement tous les hébergements proposent des randonnées à dos de chameau (oui, on sait... des dromadaires !). Mais tous ne possèdent pas leur propre bivouac à l'écart des groupes.

Pour se rendre dans les adresses indiquées, rien de plus simple : il suffit de suivre la route goudronnée, qui vous servira de colonne vertébrale. La plupart des auberges sont fléchées en bord de route. Nous vous indiquons les établissements par ordre d'apparition, du nord au sud, en direction de Taouz. Dans l'ensemble les pistes sont bonnes, sauf en cas d'intempéries ou de tempêtes de sable.

🛏 ▮●▮ *Auberge Kasbah Derkaoua Oasis* (plan, 1) *: notre adresse la plus au nord.* ☎ 035-57-71-40. ● *auberge der kaoua.com* ● *Fermé en janv et juin- août. Résa conseillée. Compter 550 Dh (50 €) en ½ pens (obligatoire).* Réduc de 50 % pour les moins de 12 ans. Kasbah *pleine de charme, plan- tée dans le désert, un peu à l'écart du sable, ce qui est un avantage en cas de vent. Accueil très aimable. Une vingtaine de chambres ou bungalows décorés avec goût et dotés de sanitaires indi- viduels et d'AC. Grand salon avec cheminée pour les soirées d'hiver. L'auberge dispose d'une piscine. C'est un régal de déjeuner à l'ombre des oliviers, d'autant que Bouchra, qui œuvre aux fourneaux, est un fin cordon-bleu. La maison organise des bivouacs « haut de gamme » dans les dunes. Une halte qui convient parfaitement aux familles.*

🛏 ▮●▮ *Auberge Berbères* (plan, 2) *:* ☎ 035-57-80-32. ▮ 061-50-31-08. ▮ *au berge-berberes-merzouga.com* ● *Sui- vant confort, ½ pens 100-150 Dh (9,10- 13,60 €)/pers.* Une auberge de facture classique pour la région, aménagée avec simplicité au pied des dunes et comportant une quinzaine de cham- bres dont dix avec salle de bains. L'ensemble est propre, les chambres donnent sur un patio. Une bonne halte pour routards. Bon accueil des frères Ounir.

🛏 ▮●▮ *Auberge-café du Sud* (plan, 3) *:* ▮ 061-21-61-66. ● *aubergedusud.*

com ● Par pers, ½ pens 200 Dh (18,20 €) ; 300 Dh (22,70 €) pour une suite avec cheminée ; 120 Dh (10,90 €) sous tente nomade. Une auberge idéa- lement située, bien isolée, dont certai- nes chambres ont été décorées suivant un thème précis (on adore la chambre du potier !). Agréable salle de resto. Nourriture excellente. Très bon accueil de Moha, qui dispose d'un 4x4 et orga- nise des excursions à la journée.

🛏 ▮●▮ *Les Dunes d'Or* (plan, 4) *:* ▮ 061- 35-06-65. ● *aubergedunesdor.com* ● *Par pers, ½ pens 150-300 Dh (18,20- 27,30 €) selon confort ; 40 Dh (3,60 €) pour dormir sur la belle terrasse avec des lauriers.* Une grande auberge située au pied des dunes entièrement rénovée après les inondations de 2006. Préférez les chambres donnant sur le patio avec piscine. Nourriture simple mais cor- recte. Musique le soir sous les étoiles. Nombreuses excursions proposées.

🛏 ▮●▮ *Kasbah Erg Chebbi* (plan, 5) *: à 5 km de la route.* ▮ 068-75-38-54. ● *erg chebbi.net* ● *Double en ½ pens 400 Dh (36,40 €) ; nuit en tente berbère 150 Dh (13,60 €)/pers.* Une ancienne auberge reconvertie au fil du temps en hôtel à l'architecture de *kasbah.* Pas de cachet exceptionnel mais une situation idéale au pied des dunes et un accueil sympa. Cuisine correcte. Excursions à la carte.

🛏 ▮●▮ *Auberge Atlas du Sable* (plan, 6) *:* ☎ 035-57-70-37. ● *alielcojo.com* ● *Compter 150 Dh (13,60 €)/pers en ½ pens.* On peut aussi dormir sous la tente (literie fournie) ou sur la terrasse pour 25 Dh (2,30 €). Une belle construction en pisé qui abrite une vingtaine de chambres avec salle de bains privée, donnant sur la piscine. Également quelques suites dotées d'une cheminée et de l'AC. Accueil berbère authentique et chaleureux. Groupes de musiciens le soir.

📧 |●| *Café-auberge L'Oasis* (plan, 7) : dans le village Hassi Labied. ☎ 035-57-73-21. 📱 061-73-90-41. ● auberge-oasis.net ● Doubles 100-150 Dh (9,10-13,60 €) avec ou sans douche ; petit déj en sus. Possibilité de dormir sur la terrasse pour 20 Dh (1,80 €), douche incluse. Menu 50 Dh (4,50 €). Une quinzaine de chambres dont cinq avec salle de bains, aménagées avec simplicité. Resto propre et bien décoré. L'auberge fait face à une petite palmeraie devant les dunes. Les frères Oubana, qui organisent des excursions à dos de chameau, sont très sympas.

📧 |●| *Guesthouse Maison Merzouga* (plan, 8) : dans le village Hassi Labied, prendre la piste à gauche 3 km avt Merzouga. ☎ 035-57-72-99. 📱 061-25-46-58. ● merzouga-guesthouse.com ● Par pers en ½ pens 200-300 Dh (18,20-27,30 €) selon chambre. Dans une demeure traditionnelle avec murs en pisé, la famille Seggaoui propose une petite dizaine de chambres avec sanitaires individuels. Certaines sont climatisées. Tout est propre. Accueil chaleureux de Lahcen, intarissable dès qu'un on évoque sa région et la vie locale. Excursions en dromadaire, ski dans les dunes, voire initiation à la cuisine. Cuisine d'ailleurs fabuleuse, préparée par Aïcha, à la hauteur du lieu.

⚠ 📧 |●| *Auberge-restaurant Sahara* (plan, 9) : ☎ 035-57-70-39. 📱 066-76-63-55. ● auberge-sahara-merzouga. com ● Par pers en ½ pens 120-200 Dh (10,90-18,20 €) selon confort. Possibilité de camper pour 40 Dh (3,60 €)/pers. L'auberge dispose d'une vingtaine de chambres impeccables, relativement sobres. Les dunes commencent juste derrière l'auberge. Resto aux murs ornés de tableaux et servant une cuisine goûteuse à prix doux. Très belle vue de la terrasse et excellent accueil des frères Bourchok. Piscine.

⚠ 📧 *Kasbah Aïour* (plan, 10) : ☎ et fax :

035-57-73-03. ● aiour@euskalnet.net ● Il n'y a pas d'enseigne, c'est la kasbah aux 4 tours à gauche, en retrait de la kasbah Mohayut. Double 250 Dh (22,70 €)/pers en ½ pens. Encore une bâtisse au pied des dunes. Grand et confortable salon orné d'une fontaine et petit jardin extérieur. Les chambres mériteraient un petit coup de jeune. On peut aussi dormir sur la terrasse ou sous des tentes nomades.

⚠ 📧 |●| *Kasbah Mohayut* (plan, 11) : 📱 066-03-91-85. ● mohayut.com ● Par pers en ½ pens, compter 250 Dh (22,70 €) la double et 350 Dh (31,80 €) la suite. Camping possible pour 30 Dh (2,70 €) sous tente. Outre les qualités architecturales du lieu, la kasbah dispose d'un jardin intérieur fleuri et arboré. L'ensemble est impeccablement tenu. La décoration des chambres est soignée et particulièrement originale. Les dîners à la bougie dans le jardin ou dans la magnifique salle intérieure sont un régal. Copieux petit déj. Très bon accueil de Moha, le propriétaire. Piscine. Dispose de son propre petit bivouac dans l'erg. Une de nos meilleures adresses dans cette gamme de prix.

📧 |●| *Hôtel Dar el Janoub* (plan, 12) : ☎ 035-57-78-52. ● dareljanoub.com ● Par pers en ½ pens, compter 500 Dh (45,40 €) la double, 700 Dh (63,60 €) la suite avec jacuzzi. Magnifique hôtel à l'architecture contemporaine d'inspiration hispano-mauresque situé face aux grandes dunes. L'ensemble est réussi ; les chambres, à la déco harmonieuse, donnent sur une série de coursives (préférez celles avec vue sur les dunes). La piscine, qui rappelle une fontaine romaine, est très agréable. Le resto en plein air vous réservera un petit déj inoubliable face au grand erg. Beaucoup de charme à condition de casser un peu sa tirelire.

📧 |●| *Ksar Bicha* (plan, 14) : ☎ et fax : 035-57-71-13. ● ksarbicha.com ● Par pers en ½ pens, compter 250 Dh (22,70 €) ; 130 Dh (11,80 €) sous la tente berbère ou sur la terrasse. Une auberge familiale avec une quinzaine de chambres organisées autour d'un patio au décor traditionnel, toutes avec salles de bains privées. Piscine. Repas berbère authentique dans un beau salon berbère ou en terrasse. C'est maman qui

À L'EST DE OUARZAZATE

aide en cuisine. Les sympathiques frères Ali et Youssef proposent leur propre bivouac dans le désert à l'écart des sentiers battus.

🛏 |●| *Chez Tonton (plan, 14) : à Merzouga, sur la gauche un peu avt l'entrée du village.* ☎ 066-66-04-61. ● *cheztonton-merzouga.com* ● *Par pers en ½ pens, 200 Dh (18,20 €).* Petite maison d'hôtes tenue par un couple charmant. Enfant de Merzouga, Hmad a privilégié la convivialité et l'authenticité dans son auberge d'une demi-douzaine de chambres ordonnées autour d'un petit patio.

⚒ 🛏 |●| *Auberge Le Petit Prince (plan, 15) : à Merzouga.* ☎ 062-19-12-18. ● *le petitprince-merzouga.com* ● *Par pers en ½ pens, chambres 150 Dh (13,60 €), avec sdb. Compter 25 Dh (2,30 €), douche incluse, pour dormir sous une tente berbère ou à la belle étoile en terrasse.* Dans cette auberge d'architecture traditionnelle, les frères Anaam proposent une douzaine de chambres bien entretenues. Vue sur les dunes depuis la terrasse. Les repas sont délicieux et préparés sur commande. Organisation d'excursions et location de VTT. Dommage toutefois que l'auberge soit en zone inondable.

🛏 |●| *Auberge La Tradition (plan, 16) : à 2 km de Merzouga, sur la route de Taouz.* ☎ 070-03-92-44 ou 068-64-14-78. *Par pers, 120 Dh (10,90 €) en ½ pens ; ou nuit 20 Dh (1,80 €)/pers en terrasse, douche incluse.* Petite auberge

très propre « les pieds dans le sable ». Les chambres sont simples et donnent sur un petit hall dont les murs sont en parement de brique. Il y règne une ambiance nonchalante. Bara, le patron, vous recevra comme des amis. Une adresse d'un bon rapport qualité-prix. Recommandée par nos lecteurs.

🛏 |●| *Auberge Les Portes du Désert (hors plan, 17) : 400 m après l'auberge La Tradition.* ☎ *et fax : 035-57-79-30.* ● *lesportesdudesert.com* ● *Par pers en ½ pens, chambres 220-270 Dh (20-24,50 €), avec ou sans AC ; 3 suites 350 Dh (31,80 €).* Une petite vingtaine de chambres distribuées autour d'une grande terrasse avec piscine. Dans les parties communes, un effort de déco a été fait. Les salons et salles de restauration sont spacieux mais manquent un peu de chaleur. Une adresse un peu à l'écart des autres. Bon accueil d'Idir, le patron.

🛏 |●| *Nomad Palace (hors plan, 18) : à env 3,5 km de l'auberge* Les Portes du Désert. ☎ *061-56-36-11.* ● *adventureswi thali.com/nomad-palace.htm* ● *Compter 200 Dh (18,20 €) la double en ½ pens.* Auberge isolée au sud de l'erg (juste avant le petit village de Khemlia). Une quinzaine de chambres et un grand salon où l'on peut aussi dormir pour trois fois rien. Préférez les chambres qui donnent sur le jardin, avec leur *kingsize bed.* Belle salle de restaurant haute en couleur.

Achats

Comme dans tous les lieux hyper-touristiques, on trouve à Merzouga tout et n'importe quoi. Il y a fort heureusement aussi de jolies choses. Nous ne communiquons pas d'adresse précise, car il suffit de mentionner une boutique, pour que l'année suivante, toutes portent le même nom. C'est la dure loi du marché ! Encore une fois, fiez-vous à votre bon sens, déclinez toutes les sollicitations des rabatteurs (si vous le pouvez) et adressez-vous directement au boutiquier, car c'est lui le vendeur.

Dans la plupart des boutiques, on vous proposera des bijoux touareg. Quand bien même les Marocains de la région de Tiznit se remettent à produire des bijoux, ces derniers sont le plus souvent de facture nigérienne. Les plus belles pièces sont en thaler (monnaie frappée à l'effigie de l'impératrice Marie-Louise d'Autriche, importée en masse en Afrique saharienne au XIXe s et qui titre environ 80 % d'argent). Mais la plupart du temps, la proportion de nickel est considérable (attention aux allergies !). Très rares sont les bijoux en argent véritable titré à 92,5 %.

À voir. À faire

🐪🐪🐪 ***L'erg Chebbi :*** c'est l'attraction du coin. Vous ne pouvez pas le manquer. Il s'agit d'un gros tas de sable d'environ 27 km de long sur 6 à 7 km de large. Il résulte de la désagrégation des sols due aux pluies torrentielles qui se sont abattues sur la région à l'époque quaternaire. Le vent s'est ensuite chargé de mettre en tas tout le sable charrié par les puissants systèmes hydrauliques qui descendaient de l'Atlas (oued Ziz et

> ## UN BON BAIN DE... SABLE
>
> *Non, nous ne plaisantons pas ! Pendant la saison d'été, sèche et très chaude (en juillet principalement), les Marocains viennent à Merzouga prendre des bains de sable pour lutter contre les rhumatismes. Le résultat des bains est, paraît-il, très efficace si l'on reste enterré au moins une bonne heure. Mais attention, la cure n'est pas remboursée par la Sécu !*

Rheris actuels). Profitez de la fraîcheur matinale pour grimper au moins en haut de la grande dune. Vue sur la hamada du Guir, la région qui sépare le Maroc de l'Algérie et sur ***Taouz,*** au sud.

🐪🐪 ***Le tour de l'erg Chebbi :*** si vous n'avez pas peur de briser le mythe merveilleux de Merzouga, celui annoncé par les tour-opérateurs : « Merzouga, ici commence l'infini des sables du Sahara... », vous pouvez toujours entreprendre le tour de l'erg Chebbi.

🐪 ***Merzouga :*** certains jours, au pied des dunes, on assiste à l'arrivée d'un rallye dès 4h30 du matin. Très vite, on se croirait sur un parking de supermarché où les clients seraient venus faire leurs emplettes en 4x4, quads et motos. Difficile de s'isoler : Anglais à gauche, Japonais à droite, Allemands, Espagnols et Français devant. Les dunes se transforment en véritables tours de Babel et, lorsque le soleil apparaît, il est salué par les déclics de centaines d'appareils photo, en batterie. Profiter du site dans ces moments-là relève de la performance !
Voici pourquoi le village de Merzouga, avec sa palmeraie typique des oasis sahariennes, mérite aussi d'être visité. L'arrivée permanente de l'eau de source permet une agriculture des quatre saisons, grâce à un ingénieux système d'irrigation appelé *khetarra,* construit il y a plus d'un siècle par les habitants de Merzouga (voir plus haut le paragraphe qui lui est consacré à la fin de Tinejdad). Toutefois, les graves inondations de mai 2006 ont mis à mal l'agriculture de la région et détruit une partie des habitations situées au bord de l'oued.

➤ *DANS LES ENVIRONS DE MERZOUGA*

🐪 ***Le lac Dayèt Srji :*** *à env 3 km de Merzouga. Accessible en voiture de tourisme, mais il est préférable de partir accompagné d'un guide.* En période de migration (entre novembre et avril), des centaines de flamants roses, cigognes, tadornes, etc., viennent y trouver refuge. C'est là aussi que se ressourcent les dromadaires las des méharées dans le désert. On ne s'attend pas à voir autant de vie dans un environnement aussi désertique.

🐪 ***Les fossiles :*** un affleurement rocheux, visible un peu partout dans la région, se caractérise par une roche noire patinée sous l'action combinée du vent et du sable. Dans cette masse minérale se sont retrouvés piégés de nombreux mollusques marins. Pour aller voir ces curiosités naturelles, suivre le fléchage entre Merzouga et Erfoud. La zone d'extraction des dalles (qui seront ensuite envoyées à Erfoud pour y être débitées en plateaux) est accessible en véhicule de tourisme.

🐪 ***Les gravures rupestres de Taouz :*** *disséminées dans un rayon de 10 km. Demander aux habitants et se faire guider.* À l'époque du « grand humide saharien », il y a de cela environ 9 500 ans, de puissants fleuves coulaient dans la région, et de grands lacs s'étaient formés. À la périphérie de ces pièces d'eau poussait une savane plantée d'une végétation méditerranéenne, dans laquelle évoluait la grande faune dite « éthiopienne » : éléphants, rhinocéros, girafes, etc. Ce sont ces animaux que les chasseurs-récolteurs de l'époque ont immortalisés dans la pierre. À mesure de l'assèchement du Sahara (qui a véritablement commencé il y a environ 4 700 ans), les fleuves se sont taris et des lacs se sont formés qui, à leur tour, se sont asséchés. Le dayet Srji est un vestige de ces anciens lacs. Les populations qui vivaient à l'époque se sont regroupées dans les oasis où l'eau subsistait. Les gravures de Taouz sont cependant moins spectaculaires que celles d'Aït-Ouazik dans la région de Tazzarine. Pour en savoir plus, lire *La Quête du désert* d'Éric Milet (Arthaud). Le livre commence à Merzouga, justement.

🛏 |●| *Auberge Ouzina-Rimal :* à 35 km de Taouz par la piste. ☎ 066-04-01-63. ● *ouzinarimal.com* ● ½ pens 150-200 Dh (13,60-18,20 €)/pers en chambre double selon saison.* Pour les amateurs de désert qui disposent d'un 4x4 et qui veulent retrouver une ambiance saharienne. Niché au pied des dunes de sable rose, cet ensemble construit en pisé propose une cuisine simple et un hébergement correct d'une demi-douzaine de chambres. Mohammed Taouchikht, qui gère l'auberge, propose également des excursions à dos de chameau dans les environs (beaucoup moins fréquentés que Merzouga).

🛏 |●| *Auberge Itrane Sahara :* à 17 km de Taouz, via la piste des gravures rupestres (à côté du château d'eau), ou téléphoner pour que l'on vienne vous chercher. ☎ 066-21-86-67 ou 061-33-21-87. ● *itranesahara.com* ● *Double 220 Dh (20 €)/pers en ½ pens ou 200 (18,20 €)/pers sous une tente berbère, douche incluse.* Une demi-douzaine de chambres aménagées avec les matériaux de la région (clim' naturelle). L'ensemble est propre et bien décoré. Cuisine familiale. Excellent accueil de Mohammed Karraoui, qui organise des excursions en 4x4 ou à dos de chameau dans les parages.

Attention, à partir de mars 2009, *Maroc Telecom* **doit mettre en place une nouvelle numérotation téléphonique.** Les numéros passeront ainsi à 10 chiffres (au lieu de 9 actuellement).

Voici les principaux changements prévus :

➤ **Pour tous les numéros fixes,** il faudra insérer « 5 » après le « 0 ». Exemple : 024-11-11-11 deviendra 05-24-11-11-11.

➤ **Pour les portables,** un « 6 » devra être placé après le « 0 ». Exemple : 068-11-11-11 deviendra 06-68-11-11-11.

➤ **Pour les numéros spéciaux,** se reporter en début de guide à la rubrique « Téléphone et télécoms » dans « Maroc utile ».

routard
ASSISTANCE
L'ASSURANCE VOYAGE
MONDE ENTIER

VOTRE ASSISTANCE « MONDE ENTIER » LA PLUS ETENDUE

RAPATRIEMENT MEDICAL   **ILLIMITÉ**
(au besoin par avion sanitaire)
VOS DEPENSES : MEDECINE, CHIRURGIE,   (env. 1.960.000 FF) **300.000 €**
   HOPITAL, GARANTIES A 100% SANS FRANCHISE
   HOSPITALISE : RIEN A PAYER ! ... (ou entièrement remboursé)
BILLET GRATUIT DE RETOUR DANS VOTRE PAYS :   **BILLET GRATUIT**
   En cas de décès (ou état de santé alarmant)   **(de retour)**
   d'un proche parent, père, mère, conjoint, enfant(s)
*BILLET DE VISITE POUR UNE PERSONNE DE VOTRE CHOIX **BILLET GRATUIT**
   si vous êtes hospitalisé plus de 5 jours   **(aller - retour)**
   Rapatriement du corps – Frais réels   **Sans limitation**

RESPONSABILITE CIVILE «VIE PRIVEE» A L'ETRANGER

Dommages CORPORELS (garantie à 100%) ....(env. 4.900.000 FF) **750.000 €**
Y compris Assistance Juridique (accidents)
Dommages MATERIELS (garantie à 100%) ....(env. 2.900.000 FF) **450.000 €**
(dommages causés aux tiers)   **(AUCUNE FRANCHISE)**
Y compris Assistance Juridique (accidents)
EXCLUSION RESPONSABILITE CIVILE AUTO : ne sont pas assurés les dommages
causés ou subis par votre véhicule à moteur : ils doivent être couverts par un contrat
spécial : ASSURANCE AUTO OU MOTO.
CAUTION PENALE .... (env. 49.000 FF)   **7.500 €**
AVANCE DE FONDS en cas de perte ou de vol d'argent ..(env. 6.500 FF)   **1.000 €**

VOTRE ASSURANCE PERSONNELLE «ACCIDENTS» A L'ETRANGER

Infirmité totale et définitive   (env. 490.000 FF)   **75.000 €**
Infirmité partielle – (SANS FRANCHISE)   **de 150 €** à **74.000 €**
                                    (env. 900 FF à 485.000 FF)
Préjudice moral : dommage esthétique   (env. 98.000 FF)   **15.000 €**
Capital DECES   (env. 98.000 FF)   **15.000 €**

VOS BAGAGES ET BIENS PERSONNELS A L'ETRANGER

Vêtements, objets personnels pendant toute la durée de votre voyage à l'étranger :
vols, perte, accidents, incendie,   (env. 13.000 FF)   **2.000 €**
Dont APPAREILS PHOTO et objets de valeurs (env. 1.900 FF)   **300 €**

routard
ASSISTANCE
L'ASSURANCE VOYAGE
MONDE ENTIER

BULLETIN D'INSCRIPTION

NOM : M. Mme Melle

PRENOM :

DATE DE NAISSANCE :

ADRESSE PERSONNELLE :

CODE POSTAL :　　　　　TEL.

VILLE :

E-MAIL : ....

DESTINATION PRINCIPALE..

Calculer exactement votre tarif en SEMAINES selon la durée de votre voyage :
7 JOURS DU CALENDRIER = 1 SEMAINE

Pour un Long Voyage (2 mois…), demandez le ***PLAN MARCO POLO***
Nouveauté contrat Spécial Famille - Nous contacter

COTISATION FORFAITAIRE 2008-2009

VOYAGE DU　　　　　　AU　　　　　　=　　　

SEMAINES

Prix spécial (3 à 50 ans) :　　　**22 € x**　　=　　　　**€**

De 51 à 60 ans (et – de 3 ans) :　**33 € x**　　=　　　　**€**

De 61 à 65 ans :　　　　　**44 € x**　　=　　　　**€**

Tarif "**SPECIAL FAMILLES**" 4 personnes et plus : **Nous consulter au 01 44 63 51 00**
Souscription en ligne : www.avi-international.com

Chèque à l'ordre de ROUTARD ASSISTANCE – *A.V.I. International*
28, rue de Mogador – 75009 PARIS – FRANCE - Tél. 01 44 63 51 00
Métro : Trinité – Chaussée d'Antin / RER : Auber – Fax : 01 42 80 41 57

ou Carte bancaire : Visa ☐　　Mastercard ☐　　Amex ☐

N° de carte :

Date d'expiration :　　　　　　Signature

Cryptogramme :　　　　Notez les 3 derniers chiffres du numéro à
7 chiffres au verso de votre carte

Je déclare être en bonne santé, et savoir que les maladies
ou accidents antérieurs à mon inscription ne sont pas assurés.
Signature :

Faites des copies de cette page pour assurer vos compagnons de voyage.

Information : www.routard.com / Tél : 01 44 63 51 00
Souscription en ligne : www.avi-international.com

INDEX GÉNÉRAL

A

ABAHINOU 581
ADAY 617
ADRAR-N-AKLIM (mont) 623
AFENOURIR (lac d') 375
AGADIR 546
AGADIR-ISARHINNEN 626
AGADIR-LEHNA 625
AGAR N'OUZROU (greniers
  fortifiés) 400
AGDZ 647
AGHBALA (souk d') 395
AGHBALOU 482
AGLOU-PLAGE 570
AGUERD-OUDAD 617
AÏN-LEUH 380
AÏN OULED JERRAR 570
AÏT-BAAMRANE (boucle d') 578
AÏT-BAHA 621
AÏT-BENHADDOU 503
AÏT-BOUELLI (vallée des) 400
AÏT-BOUGMEZ (vallée des) 398
AÏT-MANSOUR (gorges d') 618
AÏT-OUABELLI 628
AÏT-OUDINAR 681
AÏT-OUZINE (mellah d') 673
AÏT-SAÏD 675
AÏT-YASSINE (mellah d') 673
AKKA 627
AKKA-IGHÈN 626

AKKA-IGUIREN 626
AL-HOCEIMA 205
ALI CHÉRIF (mausolée de
  moulay) 703
ALNIF 665
AMEZROU 658
AMIZMIZ 492
AMMELN (vallée des) 619
AMTOUDI (oasis d'Id-Aïssa) ... 629
ANAMEUR 619
ANEMITER (kasbah d') 502
ANIL 619
ANTI-ATLAS (l') 593
AOULI (mines d') 384
ARBAA-RASMOUKA 572
ARBAOUA 237
AREMD 489
ASGUINE 482
ASILAH 225
ASNI 486
ASSA 628
ATLAS CORPORATION
  STUDIOS 646
AZEMMOUR 292
AZIGZA (aguelmame) 380
AZILAL 396
AZROU 376
AZZADENE (vallée de l') 490

B

BEDDOUZA 301
BENI-MELLAL 391
BENI-SNASSEN (monts des) 223
BIN-EL-OUIDANE (barrage et
  lac de) 397
BLANCHE (plage) 581
BOUGHRART (village des

potiers de) 404
BOUJDOUR 591
BOUJEMÂA-LAKHDAR
  (musée) 536
BOULÂOUANE (kasbah de) ... 299
BOUMALNE-DU-DADÈS 675
BOUZNIKA (plage de) 271

C

CABO NEGRO 195
CALA IRIS 210
CAP-DE-L'EAU (RAS-EL-MA) 224
CASABLANCA 271
CEUTA (SEBTA) 179
CHAMEAU (grotte du) 224
CHAOUEN

(CHEFCHAOUEN) 197
CHEBBI (dunes de l'erg) 704
CHEBIKA (oued) 588
CHEFCHAOUEN
(CHAOUEN) 197
CHIGAGA (dunes de) 663

D

DADÈS (vallée des gorges
du) 677
DAKHLA 591
DAR-BELGHAZI (musée) 241
DAR BOUAZZA 291
DAYÈT SRJI (lac) 709
DEMNATE 403
DIABLE (trou du) 588

DIEU (pont de) 204
DINOSAURES (empreintes
de) 400, 404
DRÂA (barrage du) 650
DRÂA (embouchure de
l'oued) 587
DRÂA (vallée du) 647

E

EL AATI (sources
artésiennes) 700
EL-ABID (gorges de l'oued) 403
EL-ATTAACH (gorges de
l'oued) 395
EL-HAD-OULED-OTHMANE
(*ksar* d') 651
EL-HART 686
EL-JADIDA 293

EL-KALAA (greniers d') 204
EL-KELAA DES M'GOUNA 670
EL-KSIBA 395
EL-MDINT 503
EL-OUATIA (TAN-TAN
PLAGE) 585
ER-RACHIDIA 694
ERFOUD 697
ESSAOUIRA 508

F

FASK (cascades de) 583
FÈS 307
FINT (oasis de) 646
FOUM-ASSAKA 577
FOUM AGOUTIR (lagune de

Naila) 588
FOUM-EL-HASSAN 628
FOUM-EL-OUED (plage de) ... 591
FOUM-ZGUID 610, 666
FRIOUATO (gouffre de) 337

G

GOULIMINE (GUELMIM) 578
GOULMIMA 693
GOURAUD (cèdre) 375

GRAND SUD (le) 508
GUELMIM (GOULIMINE) 578

H

HAD-DRAÂ (grand marché de) 542
HAMMOU-SAÏD (*ksar* de) 651
HAOUZIA (plage) 299
HAUT ATLAS CENTRAL (le) 367

HAUT ATLAS OCCIDENTAL (montagnes du) 475
HEBRI (djebel) 375
HERCULE (grottes d') 177

I

ICHT 628
ID-AÏSSA (oasis d') 629
IFRANE (Moyen Atlas) 371
IFRANE-DE-L'ANTI-ATLAS 631
IFRI-N'IMADINE 607
IFRI N'MAJGHOUL (grotte de la Hyène) 396
IGDÂOUN (*ksar* d') 651
IGHERM 622
IGHERM-N'OUGDAL 502
IGHIL N'OU-GHOU 607
IJOUKAK 495

IKKIS (gorges d') 400
ILLIGH 621
IMI N'IFRI (pont naturel d') 404
IMILCHIL 386
IMITEK 623
IMLIL 487
IMOUZZER-DES-IDA-OUTANANE 546
IMOUZZER-DU-KANDAR 370
IMSOUANE 543
ITO (belvédère d') 380

J

JACK BEACH 292
JAFFAR (cirque de) 384
JAMAA QARAOUIYYÎNE (grottes de) 403

JEBAIR 626
JEMAA-D'RHMAT 481
JORF-EL-LASFAR 299

K

KASBA-TADLA 395
KASSITA 210
KHÉMIS-DES-ANJRA (souk) ... 196

KHÉNIFRA 389
KHNIFIS (lagune de Naila) 588
KSAR-ES-SEGHIR 178

L

LAÂYOUN 626
LAÂYOUNE 589
LALLA-FATNA (plage de) 301
LALLA-HAYA (source) 269
LALLA-TAKERKOUST (lac et

barrage de) 491
LA MRISA 292
LARACHE 232
LEHOUDI (erg) 662
LIXUS 236

M

MAADID (*ksar* de) 701
MAÂMORA (forêt de la) 240

MAHCEUR (djebel) 224
MALABATA (cap) 178

MARRAKECH 405
MARTIL 194
MASSA (réserve de l'oued) 563
MDIQ 195
MEHDIA 239
MEKNÈS 340
MELILIA (MELILLA) 211
MÉNARA (la) 472
MERZOUGA 704
MESKI (source Bleue de) 697
MESSALIT (grottes de) 625
M'GOUN (gorges du) 675
MHAMID 661
MIDELT 381

MIEL (route du) 544
MIRLEFT 572
MISCHLIFFEN 375
MOUJMAR-EL-FRARA
(complexe de poterie) 473
MOULAY-BOUSSELHAM 237
MOULAY-BRAHIM 487
MOULAY-IDRISS 360
MOULAY-YACOUB 335
MOYEN ATLAS (le) 367
MRISA (LA) 292
MSEMRIR 682
M'SOURA (cromlech de) 231

N

NADOR 210
NAILA (lagune de) 588

NATIONS (plage des) 241
NEKOB 663

O-P

OISEAUX (vallée des) 677
OUALIDIA 299
OUARZAZATE 633
OUED-LAOU 193
OUIRGANE 493
OUJDA 216
OUKAÏMEDEN (l') 483
OULAD-ABDELHALIM
(ksar) 703
OULED-DRISS 660
OULED OTHMANE (*kasbah*
des) 658
OULED SAADAN (*ksar* des) ... 703
OULED ZOHRA (*ksar* des) 701
OULMÈS 483

OUM-ER-RBIA (sources de
l'oued) 380
OUMESNAT 620
OURIKA (jardins
bioaromatiques de l') 482
OURIKA (vallée de l') 479
OUTERBATE (souk d') 385
OUZOUD (cascades d') 400
OUZOUD (sources
de l'oued) 403
PARADIS (vallée du) 544
PÂTURAGES (col des) 499
PIGEONS (grotte des) 224
PROVINCES
SAHARIENNES (les) 587

R

RABAT 245
RABAT (plages au sud de) 270
RAS-EL-MA (CAP-DE-L'EAU) ... 224
RHIR (cap) 544
RICH 384
RIF (le) 184

RISSANI 701
ROCHERS PEINTS DU
DÉSERT 617
ROSE-MARIE-PLAGE 271
ROSES (vallée des) 674

S

SAFI 302
SAGHRO (djebel) 677

SAHARIENNES (provinces) 587
SAÏDIA 222

SALÉ 242
SEBTA (CEUTA) 179
SEBT DES OULED NEMÂA
  (souk) 394
SEFROU 337
SETTI-FATMA 483
SIDI-AKHFENIR 588
SIDI ALI (aguelmame de) 376
SIDI-BOUBKAR (gorge de) 680
SIDI-BOUKNADEL 240
SIDI-BOUZID 299
SIDI-CHAMAROUCH 489

SIDI-HARAZEM 335
SIDI-IFNI 574
SIDI-KAOUKI (plage de) 541
SIDI-OUARSIK 577
SIDI-YAHIA-BEN-YOUNES
  (sources de) 222
SIJILMASSA (ruines de) 703
SIROUA (djebel) 608
SKOURA 666
SMIMOU 543
SOUK-EL-KHEMIS 673
SPARTEL (cap) 177

T

TABANT 398
TACHDIRT (haute vallée de) ... 490
TADDERT 499
TADIGHOUST 693
TADOULA 503
TAFELNEY 543
TAFELNEY (cap) 543
TAFILALET (le) 697
TAFILALET (palmeraie de) 703
TAFRAOUTE 610
TAGDICHT 619
TAGDILT 677
TAGHAZOUT 544
TAGHJICHT (oasis de) 631
TAGHZIRTE (gorges de) 394
TAGOUNITE 660
TALASSEMTANE (parc
  naturel de) 204
TALATAST (village des
  potiers de) 498
TALIOUINE 604
TAMALOUT BOU-TAHRAR 674
TAMARART 629
TAMARIS I ET II (plages) 292
TAMDA-N-OUNGHMAR
  (lac de) 502
TAMDAGHT 506
TAMDAGT 623
TAMEGROUT 659
TAMESLA (kasbah de) 646
TAMESLOHT 491
TAMLALT (falaise de) 680
TAMNOUGALT (ksar de) 651
TAMRI 544
TAMTATTOUCHTE 690
TAN-TAN 583

TAN-TAN PLAGE
  (EL-OUATIA) 585
TANAGMELT 403
TANGER 149
TANSIKHT 651
TAOUZ (gravures rupestres
  de) 709
TARFAYA 589
TAROUDANNT 593
TASGA 502
TATA 623
TAZA 335
TAZAGHART (plateau de la) ... 490
TAZEKKA (gazelle de) 616
TAZENAKHT 608
TAZZARINE 664
TAZZEKA (parc national de) ... 337
TAZZERT 626
TELOUET 499
TEMARA 270
TÉTOUAN 186
TIFOULTOUTE
  (kasbah de) 503, 646
TIFNIT 563
TIGHDOUINE 496
TIGHMERT (oasis de) 582
TIGHZA 502
TIMIDERTE (kasbah de) 651
TIMKITE 623
TIMOULAY 631
TIN-MEL 495
TINEGHIR 682
TINEJDAD 691
TINFAT 608
TINFOU 660
TINZOULINE 651

INDEX GÉNÉRAL

TIOUTE (palmeraie de) 603
TISSERGATE (*ksar* de) 658
TISSINT 627
TISSLIT (gorges de) 607
TIT IN ZIZA (cascades de) 396
TIWINA-N-AOUJGAL 395
TIZI-N'AÏT-IMGUER (col du) ... 498
TIZI-N'IKHSANE 608
TIZI-N-TAZAZERT 677
TIZI-N-TEST (route du) 493
TIZI-N-TICHKA (route du) 498

TIZNIT 564
TNINE-L'OURIKA 481, 482
TODGHA (gorges du) 686
TORRÈS-AL-KALA 610
TOUBKAL (djebel) 489
TOURBIST (*mellah* de) 673
TOUZOUNINE 628
TROIS-FOURCHES (cap
des) 216
TYLIT (*mellah* de) 673

V-Y-Z

VAL-D'ARGAN
(domaine du) 536
VOLUBILIS 362
YOUSSEF-BEN-TACHFINE
(barrage) 572
ZAËR (pays) 268
ZAG 628
ZAGORA 652
ZAGORA (djebel) 658

ZAÏANE (pays) 268
ZAOUÏA-D'IFRANE 380
ZAOUÏA-ECH-CHEIKH 396
ZAOUÏA-TASKOUNT 608
ZAT (vallée du) 496
ZEGZEL (vallée du) 224
ZEMMOUR (pays) 268
ZIZ (gorges du) 385, 697
ZIZ (oued) 385

OÙ TROUVER LES CARTES ET LES PLANS ?

- Agadir 549
- Al-Hoceima 207
- Anti-Atlas (l') 594-595
- Casablanca – plan
  général 274-275
- Casablanca – zoom 276-277
- Ceuta 181
- Chebbi (dunes de l'erg) 705
- Chefchaouen 199
- Côte atlantique
  nord (la) 226-227
- Dadès (vallée du) 649
- Drâa (vallée du) 649
- El-Jadida 295
- El-Kelaa des M'Gouna 671
- Essaouira,
  cahier couleur 10-11
- Fès – plan d'ensemble,
  cahier couleur 12
- Fès et Meknès (la région
  de) 309
- Fès – la ville nouvelle

- (plan I), *cahier couleur* 13
- Fès – la médina, Fès-el-
  Bali (plan II), *cahier
  couleur* 14-15
- Fès – Fès-el-Jédid (plan
  III), *cahier couleur* 16
- Grand Sud (le) 510-511
- Haut Atlas central (le
  Moyen Atlas et le) 368-369
- Haut Atlas occidental (les
  montagnes du) 476-477
- Maroc (le) 10-11
- Maroc (le nord du) 150-151
- Marrakech – plan
  d'ensemble, *cahier
  couleur* 2-3
- Marrakech – Guéliz, *cahier
  couleur* 8
- Marrakech – Jemaa-el-
  Fna, *cahier couleur* 6-7
- Marrakech – la médina,
  cahier couleur 4-5

- Marrakech – les souks 459
- Marrakech – les palais 463
- Meknès (la région de Fès et) 309
- Meknès – plan général 344-345
- Meknès – la ville nouvelle (zoom I) 347
- Meknès – la médina (zoom II) 349
- Melilia 213
- Merzouga et les dunes de l'erg Chebbi 705
- Moyen Atlas et le Haut Atlas central (le) 368-369
- Ouarzazate 638-639
- Ouarzazate et les oasis du Sud 634-635
- Oujda 217
- Rabat – plan d'ensemble 248-249
- Rabat – centre (plan I) 252-253
- Rabat – la médina (plan II) 255
- Rabat – Agdal (plan III) 257
- Rabat – la kasbah des Oudaïa (zoom) 265
- Safi 303
- Siroua (le djebel) 609
- Sud (le Grand) 510-511
- Sud (les oasis du) 634-635
- Tafraoute (les environs de) 617
- Tanger – plan d'ensemble 154-155
- Tanger – centre (plan I) 156-157
- Tanger – la médina (plan II) 159
- Taroudannt 597
- Tétouan 188-189
- Tineghir 683
- Tiznit 566-567
- Vallées du Drâa et du Dadès (randonnées autour des) 649
- Volubilis 363
- Zagora 655

Attention, à partir de mars 2009, *Maroc Telecom* doit mettre en place une nouvelle numérotation téléphonique. Les numéros passeront ainsi à 10 chiffres (au lieu de 9 actuellement).

Voici les principaux changements prévus :

➤ **Pour tous les numéros fixes,** il faudra insérer « 5 » après le « 0 ». Exemple : 024-11-11-11 deviendra 05-24-11-11-11.

➤ **Pour les portables,** un « 6 » devra être placé après le « 0 ». Exemple : 068-11-11-11 deviendra 06-68-11-11-11.

➤ **Pour les numéros spéciaux,** se reporter en début de guide à la rubrique « Téléphone et télécoms » dans « Maroc utile ».

Les **Routards** *parlent aux* **Routards**

Faites-nous part de vos expériences, de vos découvertes, de vos tuyaux.
Indiquez-nous les renseignements périmés. Aidez-nous à remettre l'ouvrage à jour.
Faites profiter les autres de vos adresses nouvelles, combines géniales... On adresse un exemplaire gratuit de la prochaine édition à ceux qui nous envoient les lettres les meilleures, pour la qualité et la pertinence des informations. Quelques conseils cependant :
– Envoyez-nous votre courrier le plus tôt possible afin que l'on puisse insérer vos tuyaux sur la prochaine édition.
– N'oubliez pas de préciser l'ouvrage que vous désirez recevoir.
– Vérifiez que vos remarques concernent l'édition en cours et notez les pages du guide concernées par vos observations.
– Quand vous indiquez des hôtels ou des restaurants, pensez à signaler leur adresse précise et, pour les grandes villes, les moyens de transport pour y aller. Si vous le pouvez, joignez la carte de visite de l'hôtel ou du resto décrit.
– N'écrivez si possible que d'un côté de la lettre (et non recto verso).
– Bien sûr, on s'arrache moins les yeux sur les lettres dactylographiées ou correctement écrites !
En tout état de cause, merci pour vos nombreuses lettres.

Les Routards parlent aux Routards : 122, rue du Moulin-des-Prés, 75013 Paris

e-mail : guide@routard.com
Internet : routard.com

Le Trophée du voyage humanitaire ROUTARD.COM s'associe à VOYAGES-SNCF.COM

Parce que le *Guide du routard* défend certaines valeurs : Droits de l'homme, solidarité, respect des autres, des cultures et de l'environnement, il s'associe, pour la prochaine édition du Trophée du voyage humanitaire routard.com, aux Trophées du tourisme responsable, initiés par Voyages-sncf.com.
Le Trophée du voyage humanitaire routard.com doit manifester une réelle ambition d'aide aux populations défavorisées, en France ou à l'étranger. Ce projet peut concerner les domaines culturel, artisanal, agricole, écologique et pédagogique, en favorisant la solidarité entre les hommes.
Renseignements et inscriptions sur ● routard.com ● et ● voyages-sncf.com ●

Routard Assurance 2009

Routard Assurance et Routard Assurance Famille, c'est l'Assurance Voyage Intégrale sans franchise que nous avons négociée avec les meilleures compagnies, Assistance complète avec rapatriement médical illimité. Dépenses de santé et frais d'hôpital pris en charge directement sans franchise jusqu'à 300 000 € + caution + défense pénale + responsabilité civile + tous risques bagages et photos. Assurance personnelle accidents : 75 000 €. Très complet ! Le tarif à la semaine vous donne une grande souplesse. Tableau des garanties et bulletin d'inscription à la fin de chaque *Guide du routard* étranger. Pour les départs en famille (4 à 7 personnes), demandez-nous le bulletin d'inscription famille. Pour les longs séjours, un nouveau contrat *Plan Marco Polo « spécial famille »* à partir de 4 personnes. Enfin pour ceux qui partent en voyage « éclair » de 3 à 8 jours visiter une ville d'Europe, vous trouverez dans les Guides Villes un bulletin d'inscription avec des garanties allégées et un tarif « light ». Pour les villes hors Europe, nous vous recommandons Routard Assurance ou Routard Assurance Famille, mieux adaptés. Si votre départ est très proche, vous pouvez vous assurer par fax : 01-42-80-41-57, en indiquant le numéro de votre carte de paiement. Pour en savoir plus : ☎ 01-44-63-51-00 ; ou, encore mieux, sur notre site : ● routard.com ●

Photocomposé par MCP - Groupe Jouve
Imprimé en Italie par L.E.G.O. S.p.A - Lavis (Tn)
Dépôt légal : janvier 2009
Collection n° 13 - Édition n° 01
24/4446/1
I.S.B.N. 978-2-01-244446-1